BRETAGNE

Directeur	David Brabis
Directrice éditoriale	Nadia Bosquès
Responsable éditorial	Amaury de Valroger
Édition	Alexandra Forterre
Rédaction	Thierry Théault, Aulde Moreau
Informations pratiques	Catherine Rossignol, Jean-François Branchet, Isabelle Foucault, Nicolas Borg
Cartographie	Michèle Cana, Véronique Aissani, Thierry Lemasson, Fabienne Renard, Dominique Defranchi, Alain Baldet, DzMap Algérie
Cartographie de couverture	Dominique Defranchi
Iconographie	Cécile Koroleff, Stéphane Sauvignier
Préparation de copie	Anne Duquénoy, Pascal Grougon, Danièle Jazeron, Jacqueline Pavageau, Baptiste Fillon
Relecture	Marylène Cudeville
Mise en pages	Didier Hée, Jean-Paul Josset, Frédéric Sardin
Maquette intérieure	Agence Rampazzo
Création couverture	Laurent Muller
Fabrication	Pierre Ballochard, Renaud Leblanc, Sandrine Combeau
Marketing	Ana Gonzalez, Flora Libercier
Ventes	Gilles Maucout (France), Charles Van de Perre (Belgique), Philippe Orain (Espagne, Italie), Jack Haugh (Canada), Stéphane Coiffet (Grand Export)
Relations publiques	Gonzague de Jarnac
Remerciements	Patrick Berger
Régie pub et partenariats	michelin-cartesetguides-btob@fr.michelin.com

Le contenu des pages de publicité insérées dans ce guide n'engage que la responsabilité des annonceurs.

Pour nous contacter	Michelin Cartes et Guides
	Le Guide Vert
	46, avenue de Breteuil 75324 Paris Cedex 07
	☎ 01 45 66 12 34 – Fax : 01 45 66 13 75
	LeGuideVert@fr.michelin.com
	www.ViaMichelin.fr

Parution 2007

Note au lecteur

L'équipe éditoriale a apporté le plus grand soin à la rédaction de ce guide et à sa vérification. Toutefois, les informations pratiques (prix, adresses, conditions de visite, numéros de téléphone, sites et adresses Internet…) doivent être considérées comme des indications du fait de l'évolution constante des données. Il n'est pas totalement exclu que certaines d'entre elles ne soient plus, à la date de parution du guide, tout à fait exactes ou exhaustives. Elles ne sauraient de ce fait engager notre responsabilité.

Le Guide Vert,
la culture en mouvement

Vous avez envie de bouger pendant vos vacances, le week-end ou simplement quelques heures pour changer d'air ? Le Guide Vert vous apporte des idées, des conseils et une connaissance récente, indispensable, de votre destination.

Tout d'abord, **sachez que tout change**. Toutes les informations pratiques du voyage évoluent rapidement : nouveaux hôtels et restaurants, nouveaux tarifs, nouveaux horaires d'ouverture… Le patrimoine aussi est en perpétuelle évolution, qu'il soit artistique, industriel ou artisanal… Des initiatives surgissent partout pour rénover, améliorer, surprendre, instruire, divertir. Même les lieux les plus connus innovent : nouveaux aménagements, nouvelles acquisitions ou animations, nouvelles découvertes enrichissent les circuits de visite.

Le Guide Vert **recense** et **présente ces changements** ; il réévalue en permanence le niveau d'intérêt de chaque curiosité afin de bien mesurer ce qui aujourd'hui vaut le voyage (distingué par ses fameuses 3 étoiles), mérite un détour (2 étoiles), est intéressant (1 étoile). Actualisation, sélection et appréciation sur le terrain sont les maîtres mots de la collection, afin que Le Guide Vert soit à chaque édition le reflet de la réalité touristique du moment.

Créé dès l'origine pour **faciliter et enrichir vos déplacements**, Le Guide Vert s'adresse encore aujourd'hui à tous ceux qui aiment connaître et comprendre ce qui fait l'identité d'une région. Simple, clair et facile à utiliser, il est aussi idéal pour voyager en famille. Le symbole 👫 signale tout ce qui est intéressant pour les enfants : zoos, parcs d'attractions, musées insolites, mais également animations pédagogiques pour découvrir les grands sites.

Ce guide vit pour vous et par vous. N'hésitez pas à nous faire part de vos remarques, suggestions ou découvertes ; elles viendront enrichir la prochaine édition de ce guide.

L'ÉQUIPE DU GUIDE VERT MICHELIN
LeGuideVert@fr.michelin.com

ORGANISER SON VOYAGE

OÙ ET QUAND PARTIR

S'Y RENDRE ET CHOISIR SES ADRESSES

À FAIRE ET À VOIR

COMPRENDRE LA RÉGION

NATURE

HISTOIRE

ART ET CULTURE

LA BRETAGNE AUJOURD'HUI

VILLES ET SITES

À l'intérieur du premier rabat de couverture, la carte générale intitulée
« **Les plus beaux sites** » donne :
- une **vision synthétique** de tous les lieux traités ;
- les **sites étoilés** visibles en un coup d'œil ;
- les **circuits de découverte**, dessinés en vert, aux environs des destinations
principales.

Dans la partie « **Découvrir les sites** » :
- les **destinations principales** sont classées par ordre alphabétique ;
- les **destinations moins importantes** leur sont rattachées sous les rubriques
« Aux alentours » ou « Circuits de découverte » ;
- les **informations pratiques** sont présentées dans un encadré vert dans
chaque chapitre.

L'**index** permet de retrouver rapidement la description de chaque lieu.

SOMMAIRE

DÉCOUVRIR LES SITES

Côte de Granit rose : crique aux environs de Ploumanach

René Mattes / MICHELIN

OÙ ET QUAND PARTIR

Bordée de côtes, la Bretagne attire avant tout par son **littoral**. Cela se traduit par une forte capacité d'hébergement, qui se répartit selon l'importance des nombreuses stations balnéaires de l'Armor. Celles-ci proposent également un vaste panel d'activités : sports nautiques, golf, randonnée, thalassothérapie ou simple farniente sur la plage. Impossible donc de ne pas trouver son bonheur sur la côte ! Toutefois, il ne faut pas négliger la **Bretagne intérieure** pour autant. L'Argoat offre en effet de belles opportunités de séjour grâce à un exceptionnel patrimoine naturel et culturel. L'hébergement se fait alors plutôt en chambre d'hôte ou en gîte rural. Partout, l'accueil est chaleureux et la table bien garnie. Il faut dire que la région a développé une gastronomie riche et assez variée pour plaire à tous, depuis les amateurs de fruits de mer jusqu'aux végétariens.

Armor ou Argoat, week-end ou long séjour, vacances itinérantes ou sédentaires, sportives ou culturelles : quelle que soit l'option de séjour retenue et sa durée, vous trouverez toujours votre bonheur en Bretagne, en toute saison !

Nos conseils de lieux de séjour

Pour plus d'informations sur les types d'hébergement, les services de réservation, les adresses que nous avons retenues dans ce guide, reportez-vous au chapitre *S'y rendre et choisir ses adresses*.

LA CÔTE DE LA BRETAGNE NORD

Sauvage et battu par les vents, le littoral nord de la Bretagne jouit d'une certaine confidentialité qui lui assure calme et authenticité. Une destination rêvée pour la famille ! Il n'y a guère que la Côte d'Émeraude, plus douce à tout point de vue, ou bien celle de Granit rose, qui soient prises d'assaut en été.

Brest, Ouessant et les Abers

Incroyablement découpé, le littoral de Brest jusqu'à Brignogan-Plages n'est qu'une succession de falaises déchiquetées, fouettées sans cesse par des vents violents qui s'engouffrent dans les abers (voir *Découvrir les sites*).

Sa rudesse l'ayant préservé d'une trop grande exploitation touristique, il possède un nombre limité d'infrastructures d'accueil. Vous trouverez cependant toujours à vous loger, l'arrière-pays proposant également gîtes ruraux et chambres d'hôte. L'éloignement de cette côte fait qu'on imagine mal n'y venir que pour un week-end. Prévoyez donc plus de temps pour profiter pleinement du farniente sur les plages de **Brignogan**, des cours de voile prodigués par le centre de **Brest**, et surtout des paysages exceptionnels révélés par les sentiers côtiers qui arpentent **Ouessant**, la presqu'île de **Crozon**, le littoral d'**Iroise** et la **Côte des Légendes**.

La bruyère recouvre la presqu'île de Crozon.

De la baie de Morlaix à la Côte de Granit rose

Pour le fracas minéral de ses falaises, la portion de côtes située entre Roscoff et Perros-Guirec n'a rien à envier à celle des Abers. Les vents sont peut-être moins violents. Côté infrastructures, les stations balnéaires y sont plus nombreuses, mais il vous faudra parfois quand même pénétrer dans les terres pour trouver une solution d'hébergement. Rien de trop éloigné cependant pour vous empêcher d'étendre votre serviette sur les plages de **Carantec**, **Trébeurden**, **Trégastel**, **Ploumanach** ou **Perros-Guirec**. Les amateurs de voile et de sports nautiques trouveront également leur bonheur sur cette côte, propice aux excursions maritimes. Les Sept-Îles, l'île de Batz ou celle de **Bréhat** constituent en effet de très agréables buts de « promenade ». Les terriens inconditionnels se tourneront quant à eux vers des villes comme **Lannion** ou **Tréguier** pour découvrir une autre facette de la Bretagne côtière. À moins qu'ils n'arpentent les **sentiers des douaniers** à la recherche des plus beaux granits roses de Ploumanach ou de Trégastel.

Saint-Malo et la Côte d'Émeraude

Les eaux vertes et les nombreuses stations balnéaires de cette côte lui assurent un succès, renforcé depuis que St-Malo se trouve à 3h de TGV de Paris. Bien pourvue en ressources hôtelières comme en offres de loisirs (centres nautiques, plages, patrimoine), dynamique sur le plan événementiel avec des festivals comme celui des Étonnants Voyageurs à St-Malo, elle draine beaucoup de monde. Cela implique de réserver un hébergement longtemps à l'avance, surtout en période estivale. Une fois cette formalité assurée, vous aurez tout le loisir de lézarder sur le sable de **St-Cast-le-Guildo**, du **Val-André**, de **St-Briac** ou de **St-Malo**, en vous ménageant tout de même un passage au **cap Fréhel** pour le panorama, et à **Dinard** pour les villas de bord de mer, sans oublier les remparts de la cité malouine. N'omettez pas non plus une petite virée le long de la **Rance** jusqu'à l'enceinte de **Dinan**.

LA LUMIÈRE DE LA CÔTE SUD

Un climat plus clément, une côte aux courbes moins tranchées, des plages à perte de vue et surtout une lumière à la fois douce et chaleureuse, voilà quelques atouts du littoral de la Bretagne Sud, fort bien pourvue en infrastructures touristiques.

Quimper et la Cornouaille

Calée à l'extrémité du Finistère sud, la Cornouaille est avec le Finistère nord la région la plus reculée et inaccessible de Bretagne, au moins pour les courts séjours. La nature y domine grâce à des paysages majestueux comme le **cap Sizun** et ses falaises, ou encore la célèbre **pointe du Raz**. Pour autant, ses côtes recèlent quelques belles stations balnéaires plutôt familiales comme **Audierne** ou **Bénodet**. Ces dernières concentrent, avec **Locronan** et surtout **Quimper**, l'essentiel des possibilités d'hébergement. À ces noms s'adjoint celui de **Fouesnant**, station bien connue pour ses centres

de voile. L'école de **surf** de Bretagne s'est quant à elle installée non loin de la pointe de la Torche, à l'extrémité sud du Finistère. Côté terre, les paysages ne manquent pas de charme et les amateurs de clochers et de vieilles demeures trouveront leur compte dans toutes les ruelles des petits bourgs comme dans les rues de Locronan, **Pont-l'Abbé** et Quimper.

👁 Marins, planchistes et baigneurs, faites **attention**, car la majeure partie des plages et des côtes de Cornouaille est balayée par des courants dangereux.

Le golfe du Morbihan et la presqu'île de Quiberon

Le **golfe du Morbihan**, célèbre pour sa lumière, est devenu une destination de court séjour depuis que le TGV est arrivé à **Vannes** et à **Auray**. Son immense plan d'eau parsemé d'îles et d'îlots attire tous ceux qui apprécient la **plaisance** et les **sports nautiques**. Les amateurs de mégalithes ne seront pas en reste, les environs du golfe regorgeant de sites d'exception à l'image des alignements de **Locmariaquer** ou de **Carnac**. En route vers Quiberon, à partir de **La Trinité-sur-Mer**, l'ambiance se fait nettement plus balnéaire avec une succession d'immenses plages, de clubs nautiques et de thalassothérapies. Autant de caractéristiques qui correspondent aussi à **Quiberon**, isolé au bout de sa presqu'île longée par les plages et les criques de sa magnifique **côte sauvage** (attention aux interminables embouteillages estivaux). On peut y embarquer pour **Belle-Île**. Pour tout ce secteur, l'hébergement ne pose aucun problème, à condition de réserver en avance pour les beaux jours.

Nantes et la presqu'île guérandaise

Le TGV ayant eu la bonne idée de poursuivre son chemin de Nantes au Croisic, toute la côte a profité de cet essor, renforçant des capacités d'accueil déjà bien développées (réservation tout de même conseillée en été). Chacun est donc libre de choisir sa gare en fonction de ses attentes. Si certains descendent tout de suite à **Nantes** pour visiter ses musées et son château, d'autres préfèrent s'arrêter à **St-Nazaire** pour découvrir son patrimoine naval, bien remis en valeur. L'étape la plus incontournable de la côte demeure la station historique de **La Baule**.

Autrefois réservée à une élite, on y vient désormais en famille profiter d'une des plus grandes plages d'Europe et de toutes les activités nautiques idoines. Plus à l'ouest se trouve **Le Pouliguen**, un petit port de pêche qui n'a pratiquement pas changé en un siècle et dont le charme séduit chaque année davantage d'habitués. Il en va de même pour **Batz-sur-Mer** et **Le Croisic**, terminus de la ligne. Au nord de la côte, et aux portes de **Guérande**, la cité du sel et des marais salants, le Parc naturel régional de la **Grande Brière** offre un territoire immense et une alternative nature pour les amateurs de randonnée pédestre ou équestre.

LES ÎLES

Le littoral breton compte, à quelques miles de ses côtes, des îles au nom réputé : **Bréhat** au nord, **Ouessant** et **Sein** au ponant, **Belle-Île**, **Houat** et **Hœdic** au sud. Autant de destinations idéales pour jouer les Crusoé hors saison, mais attention, les hébergements n'y sont pas légion. Pensez d'autre part au temps de traversée nécessaire pour y accéder, parfois long et toujours soumis aux marées.

L'ARGOAT

La Bretagne intérieure a longtemps vécue enclavée, ce qui a sans doute permis la préservation de son patrimoine architectural et surtout naturel. Aujourd'hui, circuits patrimoniaux et **tourisme vert** constituent donc ses principaux atouts touristiques. Ainsi, chaque année, les calvaires en granit des **enclos paroissiaux**, les rives du **lac de Guerlédan**, la lande des **monts d'Arrée**, les chaos de pierres d'**Huelgoat** et les légendes de la forêt de **Brocéliande** attirent plus de monde. Longtemps limitée en terme de capacités d'accueil, l'Argoat fait aujourd'hui face à ce succès grâce au développement des gîtes et des chambres d'hôte.

LES MARCHES DE LA BRETAGNE

Les villes frontalières de l'ancien duché jouissent d'une très bonne capacité d'accueil touristique au service d'une incroyable concentration patrimoniale. Elles constituent donc des destinations idéales pour des courts séjours, et pourquoi pas en famille ?

Rennes, la fière capitale, aujourd'hui à 2h de Paris, nourrit un voyageur curieux pendant au moins deux jours, sans mentionner sa vie nocturne qui fait jaser jusqu'à Landerneau ! **Vitré** ne fait pas pour autant pâle figure tant elle a conservé presque intacte sa physionomie médiévale, tout comme **Fougères**. Mais le plus imposant, le plus majestueux des monuments frontaliers, celui dont Bretons et Normands se sont longtemps disputé la propriété : c'est le **Mont-Saint-Michel**. Sa visite fascine tous les visiteurs, quel que soit leur âge, et l'immensité qui l'entoure est un terrain de jeu unique pour les amateurs de randonnée pédestre ou équestre, sans oublier les fous de char à voile.

Nos propositions d'itinéraires

Si vous êtes curieux et souhaitez visiter dans le détail un secteur limité mais marqué par une identité particulière, nous vous proposons ci-dessous quatre itinéraires qui regroupent les principales curiosités de la région. Ces propositions peuvent vous servir de base pour composer votre propre itinéraire. N'oubliez pas de consulter également la carte des plus beaux sites (dans le rabat de la couverture) qui vous invitera sans doute à faire tel ou tel crochet en fonction de vos propres goûts. Ces circuits peuvent évidemment être combinés entre eux. Le meilleur itinéraire sera le vôtre !

LE TOUR DE LA CORNOUAILLE HISTORIQUE

▶ **Circuit de 7 jours au départ de Quimper (450 km)**

1er jour – Concentrez-vous sur Quimper et sa vieille ville (voyez pour cela les suggestions détaillées dans *Nos idées de week-end*).

2e jour – Le circuit commence au sud de Quimper, par Pont-l'Abbé puis Loctudy, d'où vous irez voir le **manoir de Kérazan**. Poursuivez en direction de la pointe de Penmarch, avec un arrêt au Guilvinec pour visiter Haliotika. Après le **phare d'Eckmühl** et le Musée préhistorique finistérien de **St-Guénolé**, dirigez-vous vers Plonéour-Lanvern en passant par la chapelle **N.-D.-de-Tronoën**. L'itinéraire continue jusqu'à **Audierne** par Penhors, le port de Pors-Poulhan et le joli village de **Pont-Croix**.

3e jour – Après l'Aquashow d'Audierne et la chapelle St-Tugen, le point culminant de la matinée est sans conteste l'époustouflante **pointe du Raz**. L'après-midi, continuez vers la **pointe du Van** puis vers les falaises du cap Sizun. Là, vous pouvez rallier le GR qui suit la côte. **Douarnenez** vous accueillera le soir.

Le port de Douarnenez.

4e jour – Une visite au **port-musée**, puis l'itinéraire reprend à **Locronan** et ses vieilles demeures de granit. Prévoyez de pique-niquer sur la plage de Ste-Anne-la-Palud avant de filer à **Pleyben**, *via* Châteaulin, pour admirer son remarquable enclos paroissial. La fin de journée vous surprendra dans l'agréable parc de **Trévarez**, non loin de Châteauneuf-du-Faou. Visez Carhaix-Plouguer pour la nuit.

5e jour – Direction plein sud pour voir le beau jubé de la **chapelle St-Fiacre**, au sud du Faouët. Poursuivez vers **Quimperlé**. Une fois visitées ses vieilles rues et l'église Ste-Croix, allez donc déguster des fruits de mer sur le port du Pouldu. Ralliez ensuite **Pont-Aven** à l'ouest : la visite du musée est incontournable. Consacrez le reste de l'après-midi à suivre la côte vers **Concarneau**, en passant par les villages de Kercanic, de Kerascoët, les pointes de Trévignon et du **Cabellou**.

6e jour – La **ville close** et le port de Concarneau offrent de quoi vous retenir une matinée entière, mais ne traînez pas trop si vous avez programmé une excursion dans le très bel archipel des **Glénan** (les marées n'attendent pas). La soirée vous verra savourer un verre à **Bénodet**.

7e jour – Une remontée de l'Odet en bateau s'impose avant de passer rive droite pour jouir de la vue sur Bénodet depuis **Ste-Marine**. La route est ensuite directe jusqu'à Quimper.

ABERS, BRUYÈRES ET ENCLOS

▶ Circuit de 7 jours au départ de Brest (460 km)

1er jour – Arpentez le quartier de la Recouvrance, visitez le château de Brest, prévoyez peut-être une visite de l'**arsenal** *(réservation préalable indispensable)* mais surtout, ne manquez pas **Océanopolis** et ses différents pavillons, pour tout savoir de la faune aquatique.

2e jour – Dès le matin, la route vous attend, direction : la **pointe St-Mathieu**. Vous pourrez toujours prendre un complément de petit-déjeuner et quelques victuailles pour votre futur pique-nique au **Conquet**, avant d'entamer le tour des abers via Lanildut, Porspoder, Portsall, l'**Aber Benoît** et l'**Aber-Wrac'h**. Si vous êtes féru de marche, longez les falaises quelques heures sur le chemin des phares, au départ de Portsall par exemple. Après l'Aber-Wrac'h, filez au phare de l'île Vierge et piquez à l'est pour dormir au **Folgoët**.

3e jour – Commencez par la visite de la belle **basilique**, puis cap au nord vers Goulven et son clocher avant d'atteindre les plages de **Brignogan**. Si le temps n'est pas propice à la baignade, dirigez-vous vers l'est et Plouescat, pour rejoindre ensuite le château de **Kérouzéré**. Le circuit du jour s'achève à **Roscoff**.

4e jour – Le matin, filez visiter l'église **N.-D.-de-Croaz-Batz** et l'extraordinaire **jardin exotique**, avant d'embarquer sur un bateau en partance pour l'**île de Batz** et son phare de 44 m. À votre retour, roulez vers St-Pol-de-Léon pour admirer la belle chapelle du Kreisker, puis continuez en direction de **Carantec**. Si la marée le permet, vous pourrez atteindre la petite **île Callot**. Réservez un hôtel dans le vieux **Morlaix**.

5e jour – La visite du **musée de Morlaix** et une flânerie dans les venelles de la vieille ville occuperont agréablement votre matinée. Prévoyez ensuite de suivre la rive droite de la baie jusqu'à la **pointe de Primel**. En chemin, vous vous arrêterez au jardin de Suscinio, à Ploujean, et au **cairn de Barnenez**. Une fois la **côte des Bruyères** atteinte, suivez-la jusqu'à **Locquirec** en passant par l'enclos paroissial de **St-Jean-du-Doigt**. Essayez d'être à la **pointe de Locquirec** pour le coucher du soleil.

6e jour – Quittez le littoral vers le sud-ouest et Lanmeur, puis prenez plein sud vers Plouigneau afin d'atteindre encore plus bas **Plougonven**. Vous serez récompensé par la vision d'un remarquable **calvaire** du 16e s. En repassant par Morlaix, vous rejoindrez aisément la N 12 *(dir. Brest)* qui vous mènera à deux pas de **St-Thégonnec**. Là, vous découvrirez l'un des plus beaux **enclos paroissiaux** de Bretagne. Enchaînez plus à l'ouest avec ceux de **Guimiliau** et de **Lampaul-Guimiliau**, puis descendez plus au sud voir celui de **Sizun**. Filez ensuite en direction de Huelgoat, plein est. Vous ferez une halte à **Commana** pour admirer le bel autel Ste-Anne de l'église. Quelques kilomètres plus loin, le **roc Trévezel** domine la Bretagne et les monts d'Arrée de ses 384 m.

7e jour – Après une matinée passée à vous promener dans les surprenants **chaos rocheux** de la forêt d'**Huelgoat**, reprenez la route vers l'ouest et **Brasparts**, dont l'église abrite une très belle Vierge de pitié. Poursuivez toujours plein ouest jusqu'au **Faou**, joliment situé sur l'estuaire du même nom, non sans passer par les belles futaies de la **forêt du Cranou**. Vous remonterez vers Brest en vous arrêtant d'abord à l'abbaye de **Daoulas**, puis dans la **presqu'île de Plougastel-Daoulas**, qui offre de superbes vues sur la rade de Brest et la presqu'île de Crozon. Ne manquez pas son **calvaire** et la **pointe de Kerdéniel**.

VERS LA CÔTE D'ÉMERAUDE

▶ **Circuit de 7 jours au départ de Rennes (550 km)**

1er jour – Une journée suffit à peine pour visiter Rennes. Pour avoir une notion des incontournables, regardez *Nos idées de week-end* qui suivent cette partie. Vous ne pourrez manquer, quoi qu'il arrive, d'arpenter les rues de la **vieille ville**.

2e jour – Les cités médiévales des marches de Bretagne sont à l'honneur, à commencer par **Vitré** avec son imposant **château** et son **centre historique** très bien préservé. L'après-midi, Fougères et son magnifique château prennent le relais, sans oublier la ville haute. Peut-être aurez-vous envie de verdure ? Le **parc floral de Haute-Bretagne** ne se trouve qu'à 10 km au nord-ouest. Vous pourrez revenir dormir à Fougères.

3e jour – Cap sur le **Mont-Saint-Michel** pour découvrir sa **merveille** et le charme de son **bourg**. La visite vous prendra une bonne partie de la journée. Lorsque vous vous serez arraché au magnifique spectacle de sa **baie**, roulez vers Cancale en prévoyant une étape à **Dol-de-Bretagne**, pour admirer sa **cathédrale** et en comprendre la construction grâce au **cathédraloscope**. 2 km après la ville, en direction de Vivier-sur-Mer, le **mont Dol** offre un beau **panorama** sur la région. Vous arriverez à temps à **Cancale** pour déguster une bonne douzaine d'huîtres !

4e jour – Le matin, prévoyez une promenade autour de la **pointe du Grouin** avant de filer vers **St-Malo**, via Rothéneuf et ses rochers sculptés. Parvenu à l'ancienne cité corsaire, laissez votre voiture et flânez tout votre soûl dans la **vieille ville** bien à l'abri de ses **remparts**. Renseignez-vous sur les horaires de marée pour aller à pied au **Fort national** et au **Grand Bé**, et n'oubliez pas d'étendre votre serviette sur la **Grande Plage**, côté Sillon. Une bonne galette vous récompensera le soir de cette journée bien remplie.

5e jour – Nichée au fond de l'estuaire de la Rance, la vieille ville fortifiée de **Dinan** constitue un but d'excursion idéal pour la fin de matinée, surtout si vous y déjeunez. L'après-midi peut faire l'objet d'une **croisière** sur la **Rance** depuis son port de plaisance. Le soir vous trouvera à **Dinard**, en train de musarder sur la promenade du Clair-de-Lune, connue pour la beauté de ses villas et de ses panoramas.

6e jour – De Dinard, longez la Côte d'Émeraude par St-Lunaire et la belle **pointe du Décollé**, ralliez la **pointe de la Garde Guérin**, St-Briac-sur-Mer, Le Guildo, puis **St-Cast-le-Guildo**. La station est encadrée par deux **pointes** qui offrent de très beaux panoramas sur le littoral. Faites quelques courses et partez pique-niquer au **fort La Latte**, que vous visiterez avant d'aller au **cap Fréhel** tout proche. Après ses panoramas époustouflants, étendez votre serviette sur les belles plages de **Sables-d'Or-les-Pins**, d'**Erquy** ou du **Val-André**, où vous passerez la nuit.

7e jour – En été, un passage à **Lamballe** s'impose pour jeter un œil au **haras** national. La cité recèle aussi d'autres curiosités comme la collégiale Notre-Dame ou le musée Mathurin-Méheut. Mais

La Bretagne à 2 pas de chez vous.

*Avec TGV, évadez-vous sans encombre ni stress, et découvrez toute la région en réservant à des conditions avantageuses votre voiture de location AVIS en même temps que votre billet de train. * Organisez votre voyage sur tgv.com*

Prenez le temps d'aller vite

avant de vous y précipiter, prenez rendez-vous à l'église de **Morieux** *(11 km du Val-André en dir. de St-Brieuc)* afin d'en admirer les **fresques** des 13e et 14e s. Déjeunez à Lamballe puis roulez vers Rennes, en faisant un détour par **Bécherel**, la cité du livre (sud de Dinan).

LA BRETAGNE SUD

▶ **Circuit de 8 jours au départ de Nantes (564 km)**

1er jour – Une seule journée à Nantes permet tout juste de prendre le pouls de la ville. Il vous faudra cibler ce que vous voulez voir. Reportez-vous pour cela à *Nos idées de week-end* suggérées plus loin.

Terrasse de café sur la place du Commerce à Nantes

2e jour – En route pour La Baule, n'hésitez pas à vous arrêter à **St-Nazaire** pour vous plonger dans l'ambiance des paquebots de croisière de l'**Escal'Atlantic**. Montez également sur les toits de l'ancienne **base sous-marine** pour contempler l'ensemble du bassin de St-Nazaire. Les **plages** de **La Baule** ou du **Pouliguen** vous attendent pour le reste de la journée. Terminez celle-ci par une promenade au coucher du soleil, le long de la **côte sauvage,** jusqu'à Batz-sur-Mer.

3e jour – Placée sous le signe du sel, cette journée commence par un rendez-vous avec un paludier de « Terre et Sel », à Pradel. Il vous fera découvrir les marais salants de la **presqu'île de Guérande**. Arrangez-vous pour déjeuner dans la cité du même nom et flânez dans sa **ville close**. Les sentiers de découverte du **Parc naturel régional de la Grande Brière** occuperont ensuite tout votre après-midi (possibilité de balades équestres ou en chaland).

4e jour – Passez par La Roche-Bernard pour rejoindre **Redon** et ses vieilles demeures des 15e-18e s. L'étape suivante vous emmènera plus à l'ouest, à **Rochefort-en-Terre**, qui conserve elle aussi de ravissantes maisons anciennes, tout comme la coquette **Malestroit**, plus au nord. Prévoyez d'être à **Josselin** dans l'après-midi afin d'en visiter le magnifique **château** et la basilique N.-D.-du-Roncier, entre autres. Vous y ferez étape.

5e jour – Être au **domaine de Kerguéhennec** à l'ouverture permet de jouir tranquillement de son étonnant parc dédié à l'art contemporain. Pour vous y rendre, passez par le village de **Guéhenno** (ouest/sud-ouest de Josselin) : il possède un beau calvaire. Après Kerguéhennec, prenez la route de **Vannes** où vous déjeunerez et dormirez. Sa **vieille ville** recèle de quoi vous retenir pour le reste de la journée et **Conleau** pour la soirée *(voir Nos idées de week-end ci-après).*

6e jour – Une **croisière** en bateau sur le **golfe** s'impose ! Prenez soin de réserver au passage une visite du **cairn de Gavrinis**. Au retour, faites route vers Carnac, et profitez-en pour longer les célèbres **alignements**. Si vous êtes féru de vieilles pierres, ne manquez pas les mégalithes de **Locmariaquer** tout proches. Terminez la journée par une baignade bien méritée sur l'une des nombreuses plages de **Carnac**.

7e jour – Essayez de rallier l'embarcadère de Quiberon le plus tôt possible de façon à profiter d'une journée entière à **Belle-Île**. Après la visite de la **citadelle Vauban** de St-Palais, prenez un pique-nique, louez des vélos et privilégiez la découverte de la magnifique **côte sauvage**, jalonnée par la **pointe des Poulains**, la superbe mais dangereuse plage de **Port-Donnant** et les impressionnantes **aiguilles de Port-Coton**. Dormez sur place ou revenez sur le continent.

8e jour – La réputation des conserveries de **Quiberon** n'est plus à faire. Après en avoir visité au moins une et avoir fait le plein de délicieux produits, profitez tout votre soûl des plages et des criques de la **côte sauvage**. Elle longe la façade ouest de la presqu'île. Reprenez enfin la direction de Nantes, en vous ménageant un crochet à **Ste-Anne-d'Auray** pour voir la basilique du pèlerinage et son trésor.

Nos idées de week-end

Nous vous les avons concoctées bien diverses : suivant vos goûts, votre humeur et la saison. Laissez votre voiture au repos ou parcourez les routes et paysages. À vous de choisir !

RENNES

Il faut entamer un séjour rennais par le **vieux Rennes** afin de découvrir la partie ancienne de la ville, ses belles **façades** à encorbellement et ses **hôtels** aristocratiques, mais surtout son atmosphère de détente. Et comme c'est samedi matin, profitez du cadre magnifique du **grand marché de la place des Lices** où il est agréable de traîner. Vous trouverez ensuite sans peine la terrasse où réaliser une halte aimable. L'après-midi sera consacré à découvrir plus avant ce sympathique quartier du vieux Rennes, avec la **cathédrale** St-Pierre, la place Ste-Anne, les nombreux magasins environnants, le palais du **parlement** de Bretagne tout proche. Au lendemain d'une bonne nuit, allez visiter le **musée des Beaux-Arts** avant de déjeuner du côté de l'église St-Germain ou de la rue St-Georges. Ensuite, rendez-vous place de l'Hôtel-de-Ville où vous visiterez l'**hôtel de ville** construit en 1743 par Jacques Ange Gabriel, l'architecte du Petit Trianon à Versailles. Après ces visites, il sera temps de profiter du merveilleux **parc du Thabor**, à moins que vous ne préfériez un dernier musée, celui de Bretagne aux **Champs Libres**.

La place du Champ Jaquet à Rennes.

René Mattes / MICHELIN

NANTES

Pour bien débuter la découverte de la cité des ducs, commencez par la **cathédrale** et ses gisants, puis gagnez le **château** et ses douves herbeuses. Vous voici dès le départ au cœur de l'histoire nantaise. Poursuivez en flânant dans les rues qui entourent **Ste-Croix**, un quartier sympathique où vous ne tarderez pas à repérer un endroit où déjeuner en plein air. Pour la promenade digestive, direction l'ancienne **île Feydeau** et ses hôtels d'armateurs. Et puisque c'est samedi, un brin de lèche-vitrine sera un doux prétexte à visiter les alentours de la **place Royale**, dont le beau passage Pommeraye aux nombreuses boutiques. Si le soleil frappe un peu, vous terminerez votre balade du côté des terrasses de la **place du Commerce**, à moins que vous ne préfériez visiter le **musée Dobrée** ou les ombrages du distingué **cours Cambronne**. Après une bonne nuit, saisissez la fraîcheur matinale pour découvrir les splendeurs du **musée des Beaux-Arts**. Pour le déjeuner, gagnez la gare fluviale pour une **croisière** sur l'Erdre. Consacrez ensuite le reste de votre après-midi à la visite d'un **musée** (Jules-Verne, Maillé-Brézé, Muséum d'histoire naturelle) ou au farniente dans le **jardin des Plantes**, assurément un des plus riches du pays.

VANNES

Vannes est une cité charmante dont la **vieille ville** vous séduira d'emblée. À partir de la place Gambetta, qui fait face au port de plaisance, vous pouvez apprécier les **remparts** en longeant la Marle aux étonnants **lavoirs** en ardoise et la verte promenade de la Garenne. Vous entrerez vraiment dans la ville dont l'Aramis de Dumas fut l'évêque, en passant par la porte Prison. Se dévoile alors une ancienne cité très élégamment restaurée où il est plaisant de marcher au gré des beautés architecturales qu'elle conserve. Après un petit en-cas, vous visiterez la **Cohue** et sa galerie des **Beaux-Arts** ainsi que la **cathédrale St-Pierre** et son trésor, avant d'apprécier les vestiges préhistoriques du **Musée archéologique**. Il sera alors temps pour les gourmands de penser au plateau de fruits de mer qu'ils dégusteront en soirée. Le dimanche, vous abandonnerez Vannes pour découvrir le **golfe du Morbihan**, en bateau au départ de Vannes. La vedette sur laquelle vous embarquerez vous emmènera vers l'île d'Arz et l'île aux Moines, mais aussi vers une douceur et une lumière uniques.

LES GRANDES MARÉES À SAINT-MALO

Difficile de profiter de la cité malouine sans se laisser séduire par les irrésistibles sirènes de la mer. Le spectacle des **grandes marées** se fracassant sur les remparts et la plage du Sillon demeure époustouflant. Attention cependant aux imprudences, car les lames peuvent être meurtrières ! Cela dit, St-malo recèle en toute saison des charmes qui récompensent largement le visiteur. Le premier jour, arpentez ses remparts à différentes heures : la lumière sur la ville, ses îlots et l'estuaire de la Rance, change à chaque fois. Flânez dans les ruelles de la cité jusqu'à vous y égarer : vous trouverez toujours une porte ouverte dans les remparts pour profiter d'une perspective inattendue. La visite du **château** et de son musée d'Histoire précède généralement un bon après-midi de farniente sur la plage, suivi le plus souvent par un dîner dans l'une des nombreuses crêperies de l'*intra-muros*. Le lendemain matin, aventurez-vous à l'extérieur des remparts. Vous pouvez aller du côté du **Fort national** et, si la marée le permet, vers l'île du **Grand Bé**. Puis, selon le temps qu'il fait, rendez-vous à **St-Servan-sur-Mer** pour vous promener le long de la corniche d'**Aleth** jusqu'à la **tour Solidor**, ou bien visitez le **Grand Aquarium** dont l'univers vous plongera dans le monde sous-marin. Mais, surtout, consacrez votre après-midi à une **croisière** en bateau, que ce soit dans la **vallée de la Rance** ou le long de la côte, vers **Dinard** ou le **cap Fréhel**.

QUIMPER

Samedi matin, sans hésitation, rendez-vous dans la belle et commerçante **rue Kéréon**. Mais que ses jolies vitrines et ses belles maisons à encorbellement ne vous empêchent pas de louvoyer dans les rues adjacentes, et spécialement dans les **rue des Boucheries et rue du Sallé** ! Pour déjeuner, vous trouverez tout ce qu'il faut sans trop vous écarter de ce quartier. L'après-midi sera culturel, tout d'abord avec le **musée des Beaux-Arts**, très agréablement présenté, où vous verrez une attachante collection de tableaux bretons, ensuite avec la majestueuse **cathédrale St-Corentin**, entièrement restaurée, aux remarquables vitraux du 15e s. Le soir venu, de bonnes crêpes ou galettes vous rassureront sur votre gourmandise. Le lendemain matin, découvrez les ateliers de fabrication et de décoration de la **faïencerie Henriot** : la visite est commentée et intéressera même les connaisseurs. Après un passage à la proche église **N.-D.-de-Locmaria**, lequel d'entre vous résistera à une croisière (-déjeuner) sur l'**Odet** aux rives enchanteresses ? Avant votre départ, vous pourrez encore visiter le **Musée départemental breton** et ses traditions populaires, ainsi que le **jardin de l'évêché** qui offre une belle vue sur les flèches de la cathédrale.

Les atouts de la région au fil des saisons

LES SAISONS

Parce qu'elle avance en plein océan Atlantique, la Bretagne se trouve au carrefour d'influences météorologiques souvent contradictoires. Les perturbations du front polaire de l'est y rencontrent les vents dominants de l'ouest. La région est donc une zone de dépressions : le **climat** y est **doux** et un peu **humide**. il n'en faut pas plus pour entacher sa réputation de quelques gouttes de pluie. Cependant, grâce au phénomène des **marées**, le mauvais temps ne s'installe jamais et le soleil tarde rarement à percer.

Cette particularité bretonne fait que l'on rencontre une flore souvent méditerranéenne jusque sur le littoral des Côtes-d'Armor ou du Finistère, bien que ces mêmes côtes abritent des espèces boréales… Autre avantage : vous n'aurez jamais froid.

Quel temps pour demain ?

Services téléphoniques de Météo France – Taper **3250** suivi de :

1 – toutes les prévisions météo départementales jusqu'à 7 jours DOM-TOM compris) ;

2 – La météo de votre commune ;

3 – La météo de la mer, des plages et de toutes vos activités nautiques ;

4 – La météo des routes ;

5 – La météo de vos voyages ;

Accès direct aux prévisions du département – ℘ **0 892 68 02** suivi du numéro du département (0,34 €/mn).

Toutes ces informations sont également disponibles sur **3615 météo** et **www.meteo.fr**

Échelle anénométrique de Beaufort				
FORCE	APPELLATION	VITESSE DU VENT		POINTS DE REPÈRE
		nœud	km/h	à terre	en mer
0	Calme	1	1	La fumée monte tout droit	La mer est d'huile
1	Très légère brise	1 à 3	1 à 5	La fumée est déviée	Petites rides
2	Légère brise	4 à 6	6 à 11	Le feuillage frémit	Vaguelettes courtes
3	Petite brise	7 à 12	12 à 19	Le feuillage est constamment agité	Petites vagues, quelques moutons
4	Jolie brise	11 à 16	20 à 28	Sable et poussière s'envolent	Vagues plus longues, moutons
5	Bonne brise	17 à 21	29 à 38	Les arbustes se balancent	Vagues allongées, nombreux moutons
6	Vent frais	22 à 27	39 à 49	Les fils électriques sifflent	Embruns, lames, écume
7	Grand-frais	28 à 33	50 à 61	Les arbres sont agités, la marche est pénible	L'écume est soufflée en traînées
8	Coup de vent	34 à 40	62 à 74	Marche contre le vent impossible	Vagues de plus de 5 m
9	Fort coup de vent	41 à 47	75 à 88	Dégâts sur les constructions	Grosses lames, visibilité réduite
10	Tempête	48 à 55	89 à 102	Arbres déracinés	Déferlement en rouleaux
11	Violente tempête	56 à 63	103 à 107	Très gros dégâts	Rouleaux énormes, mer recouverte d'embruns
12	Ouragan	64 et plus	118 et plus	Rare dans les terres (1987, 1999)	Visibilité quasi nulle, mer devenue blanche d'écume

En contrepartie, les étés sont rarement caniculaires, en tous les cas sur les côtes, la brise marine rafraîchissant constamment le littoral. Les terres intérieures, en revanche, peuvent subir d'importantes vagues de chaleur.

L'été

Les températures sont clémentes et l'ensoleillement à son maximum : c'est la pleine saison touristique pour le littoral breton. Les plages et les centres nautiques affichent complets, au sud évidemment, et au moins sur toute la Côte d'Émeraude au nord. C'est la bonne saison pour voir sous leur jour le plus doux des secteurs aussi sauvages que la baie des Trépassés ou les abers, dans le Finistère. L'intérieur des terres n'est pas à négliger non plus, car on le découvre sans brouillard.

Le printemps et l'automne

Il n'est pas de meilleures saisons pour découvrir les paysages de l'Argoat. Certes, l'eau est encore assez chaude pour la baignade et les sports nautiques, bien sûr, c'est l'époque des **grandes marées**, toujours spectaculaires, mais l'arrière-pays prend ces mois-là des couleurs remarquables : la lande se couvre de mauve, de rose et de bleu au printemps, et les forêts rougissent en automne. Seul inconvénient ponctuel : le brouillard.

L'hiver

Tempêtes sur les côtes, brouillard sur les terres : le tableau n'incite pas au tourisme. Pourtant, c'est l'époque où la Bretagne vit à son rythme. Une fois encore, le littoral bénéficie des vents marins, qui repoussent les nappes de brumes plus rapidement que dans l'Argoat. L'atmosphère très particulière de ses paysages sous l'effet de l'humidité et de la fureur des éléments reste une expérience à vivre pour tous les amoureux de la nature.

LA NAVIGATION

Que vous aimiez caboter le long des côtes, explorer les rias ou vous aventurer dans les golfes, vous devrez vous méfier en permanence du vent et des courants. Avant tout départ, vérifiez que vous disposez des cartes et du matériel de radio et de sécurité nécessaires, et prenez vos informations auprès des capitaineries et des marins locaux.

S'Y RENDRE ET CHOISIR SES ADRESSES

Où s'informer avant de partir

Ceux qui aiment préparer leur voyage dans le détail peuvent rassembler toute la documentation utile auprès des professionnels du tourisme de la région, qui disposent de cartes touristiques, brochures sur l'hébergement et la restauration, dépliants sur les activités, etc.

♣ Outre les adresses indiquées ci-dessous, sachez que les coordonnées des offices de tourisme ou syndicats d'initiative des villes et sites décrits dans ce guide sont données systématiquement dans l'**encadré pratique** des villes et sites, sous la rubrique « Adresses utiles ».

LES ADRESSES UTILES

Comité régional de tourisme de Bretagne

1 r. Raoul-Ponchon - 35069 Rennes Cedex - ☎ 02 99 36 15 15 - www.tourismebretagne.com.

Comités départementaux de tourisme

Ille-et-Vilaine – 4 r. Jean-Jaurès - BP 60149 - 35101 Rennes Cedex 3 - ☎ 02 99 78 47 40 - www.bretagne35. com.

Loire-Atlantique – 2 allée Baco - BP 20502 - 44005 Nantes Cedex 1 - ☎ 02 51 72 95 30 - www.loire-atlantique-tourisme.com.

Côtes-d'Armor – 7 r. St-Benoît - BP 4620 - 22046 St-Brieuc Cedex 2 - ☎ 02 96 62 72 01 - www.cotesdarmor. com.

Finistère – 11 r. Théodore-Le-Hars - BP 1419 - 29104 Quimper

Cedex - ☎ 02 98 76 20 70 - www.finisteretourisme.com.

Morbihan – PIBS - allée Nicolas-Leblanc - BP 408 - 56010 Vannes Cedex - ☎ 02 97 54 06 56 - www.morbihan.com.

Fédération régionale des pays d'accueil de Bretagne – 2 pl. Bisson - BP 24 - 56301 Pontivy Cedex - ☎ 02 97 51 46 16 - frpat-bretagne@wanadoo.fr.

Autres adresses

Bretagne infos 24h/24 – ☎ 02 99 36 15 15 - tlj sf w.-end 8h30-17h30.

Maison de la Bretagne – 203 bd St-Germain - 75007 Paris - ☎ 01 53 63 11 50 - www.tourismebretagne.com.

Renseignements sur Internet

Outre les sites des comités régionaux et départementaux de tourisme mentionnés ci-dessus, voici quelques adresses utiles à retenir :

www.tourisme.fr

www.iles-du-ponant.com

www.bretagne.com – actualités

www.inet-bretagne.fr

www.sellor.com

www.littoral-ouest.com

www.tourismebretagne.com

www.formulesbretagne.com

www.bretagne-reservation.com

www.bretagne-environnement.org

www.region-bretagne.fr

www.regionbretagne.com

www.tourisme.fr/recherche/ index.htm – très pratique, ce site vous permet de trouver rapidement les coordonnées des offices de tourisme et syndicats d'initiative de France en tapant le nom de la commune, ou en faisant une simple recherche par ordre alphabétique.

Serveur vocal

Pour appeler directement un office de tourisme ou un syndicat d'initiative, sans en avoir les coordonnées :

- composez le **3265** (0,34 €/mn) sur votre téléphone.

- à la demande de l'opératrice, prononcez distinctement le nom de la commune désirée.

- Vous serez mis en communication avec l'organisme souhaité.

TOURISME DES PERSONNES HANDICAPÉES

Un certain nombre de curiosités décrites dans ce guide sont accessibles aux personnes à **mobilité réduite**, et sont alors signalées par le symbole ♣. Le degré d'accessibilité et les conditions d'accueil variant toutefois d'un site à l'autre, il est recommandé d'appeler avant tout déplacement.

Accessibilité des infrastructures touristiques

Lancé en 2001, le **label national Tourisme et Handicap** est délivré en fonction de l'accessibilité des équipements touristiques et de loisirs au regard des quatre grands handicaps : auditif, mental, moteur ou visuel. À ce jour, un millier de sites labellisés (hébergement, restauration, musées, équipements sportifs, salles de spectacles, etc.) ont été répertoriés en France. Vous pourrez en consulter la liste sur le site Internet de Maison de France à l'adresse suivante : **www.franceguide.com.**

Parallèlement, le magazine Faire Face publie chaque année, à l'intention des personnes en situation de handicap moteur, un hors-série intitulé *Guide Vacances*. Cette sélection de lieux et offres de loisirs est disponible sur Internet ou sur demande (*5,30 €, frais de port non compris*) auprès de l'**Association des paralysés de France** : APF - Direction de la Communication - 17 bd Auguste-Blanqui - 75013 Paris - faire-face@apf.asso.fr - www.apf.asso.fr.

👁 Le CRT de Bretagne publie également chaque année un guide spécialisé : *Le Guide d'accueil des personnes à mobilité réduite.*

Enfin, pour de plus amples renseignements au sujet de l'accessibilité des musées aux personnes atteintes de handicaps moteurs ou sensoriels, consultez le site **http://museofile.culture.fr** qui recense nombre de musées français.

Accessibilité des transports

Train – Disponible gratuitement dans les gares et boutiques SNCF ou sur le site www.voyages-sncf.com, le *Mémento du voyageur handicapé* donne des renseignements sur l'assistance à l'embarquement et au débarquement, la réservation de places spéciales, etc.

À retenir également, le numéro vert SNCF Accessibilité Service : 📞 0 800 154 753.

Avion – Air France propose aux personnes handicapées le service d'assistance Saphir, avec un numéro spécial : 📞 0 820 01 24 24. Pour plus de détails, consulter le site www.airfrance.fr.

Publié chaque année par Aéroguide Editions (47 av. Léon-Gambetta - 92120 Montrouge - 📞 01 46 55 93 43 - infos@aeroguide.fr), l'**Aéroguide France :**

aéroport mode d'emploi (59 €, frais de port non compris) donne quant à lui de précieux renseignements sur les services et assistances aux personnes handicapées dans les aéroports et aérodromes français.

TER à quai, gare SNCF de La Baule.

Pour venir en France

Voici quelques informations pour les voyageurs étrangers en provenance de pays francophones comme la Suisse, la Belgique ou le Canada.

👁 Pour en savoir plus, consultez le site de la Maison de la France **www.franceguide.com**.

En cas de problème, voici les coordonnées des ambassades :

Ambassade de Suisse – 142 r. de Grenelle - 75007 Paris - 📞 01 49 55 67 00 - www.eda.admin.ch/paris.

Ambassade du Canada – 35-37 av. Montaigne - 75008 Paris - 📞 01 44 43 29 00 - www.amb-canada.fr.

Ambassade de Belgique – 9 r. de Tilsitt - 75017 Paris - 📞 01 44 09 39 39 (en cas d'urgence seulement) - www.diplomatie.be/paris.

FORMALITÉS

Pièces d'identité

La carte nationale d'identité en cours de validité ou le passeport (même périmé depuis moins de 5 ans) sont valables pour les ressortissants des pays de l'Union européenne, d'Andorre, du Liechtenstein, de Monaco et de Suisse. Pour les Canadiens il n'y a pas besoin de visa mais d'un passeport valide.

Santé

Les ressortissants de l'Union européenne bénéficient de la gratuité des soins avec la **carte européenne d'assurance maladie**. Comptez un délai d'au moins deux semaines avant le départ (fabrication et envoi par la poste) pour obtenir la carte auprès de votre caisse d'assurance maladie. Nominative et individuelle, elle remplace le formulaire E 111 ; chaque membre d'une même famille doit en posséder une, y compris les enfants de moins de 16 ans.

Véhicules

Pour le conducteur : permis de conduire à trois volets ou permis international. Outre les papiers du véhicule, il est nécessaire de posséder la carte verte d'assurance.

QUELQUES RAPPELS

Code de la route

Sachez que la **vitesse** est généralement limitée à 50 km/h dans les villes et agglomérations, à 90 km/h sur le réseau courant, à 110 km/h sur les voies rapides et à 130 km/h sur les autoroutes.
Le port de la **ceinture** de sécurité est obligatoire à l'avant comme à l'arrière. Le taux d'**alcoolémie** maximum toléré est de 0,5 g/l.

Argent

La monnaie est l'**euro**. Les chèques de voyage, les principales **cartes de crédit** internationales sont acceptées dans presque tous les commerces, hôtels, restaurants et par les distributeurs de billets.

Téléphone

En France tous les numéros sont à 10 chiffres.
Pour appeler la France depuis l'étranger, composer le **00 33** et les neufs chiffres de votre correspondant français (sans le zéro qui commence tous les numéros).
Pour téléphoner à l'étranger depuis la France, composer le **00** + l'indicatif du pays + le numéro de votre correspondant.

Numéros d'urgence – Le **112** (numéro européen), le **18** (pompiers) ou le **17** (police, gendarmerie), le **15** (urgences médicales).

Transports

PAR LA ROUTE

Les grands axes

L'autoroute A 11 est le principal axe routier menant en Bretagne depuis Paris. Arrivée au Mans, elle continue sa route vers Angers puis Nantes, tandis que l'A 81, qui devient l'E 50, file à l'ouest vers Rennes et poursuit son chemin jusqu'à Brest via St-Brieuc et Guingamp. Depuis la capitale, on peut également rejoindre Rennes via Caen et l'A 13 puis l'A 84 (autoroute des estuaires), mais la route est sensiblement plus longue.
La Bretagne en elle-même est parcourue par trois axes routiers majeurs. Au nord la N 12 (qui vient de Paris et passe à Rennes), est doublée par la voie express E 50.
Au centre, la N 164 court de Rennes jusqu'à Châteaulin, qui se trouve aux portes de la presqu'île de Crozon. Le sud enfin, est desservi par la N 165, que longe la voie express E 60. Elle relie Nantes à Brest. À l'ouest de Nantes, la N 165 se divise et une portion, la N 171, file vers St-Nazaire, La Baule et Guérande.

👁 **Bon à savoir** – Il n'y a pas d'autoroute payante en Bretagne ; les voies express sont gratuites.

Informations autoroutières

3 r. Edmond-Valentin - 75007 Paris. Informations sur les conditions de circulation sur les autoroutes :
📞 0 892 681 077 - www.autoroutes.fr.

Distances	Bordeaux	Lille	Lyon	Marseille	Paris	Strasbourg
Brest	634	763	1013	1271	592	1072
Lorient	504	725	814	1141	501	982
Morlaix	631	706	956	1232	535	1015
Nantes	334	603	654	971	384	864
Quimper	565	785	875	1201	562	1043
Rennes	454	577	769	1045	348	829
Saint-Brieuc	545	620	870	1146	449	929
Saint-Malo	521	561	839	1115	405	898
Vannes	445	687	755	1081	464	945

Changement de numérotation routière !

Sur de nombreux tronçons, les routes nationales passent sous la direction des départements. Leur numérotation est en cours de modification.

La mise en place sur le terrain a commencé en 2006 mais devrait se poursuivre sur plusieurs années. De plus, certaines routes n'ont pas encore définitivement trouvé leur statut au moment où nous bouclons la rédaction de ce guide. Nous n'avons donc pas pu reporter systématiquement les changements de numéros sur l'ensemble de nos cartes et de nos textes.

👁 **Bon à savoir** – Dans la majorité des cas, on retrouve le n° de la nationale dans les derniers chiffres du n° de la départementale qui la remplace. Exemple : N 16 devient D 1016 ou N 51 devient D 951.

Les cartes Michelin

Les cartes **Local** (1/150 000 ou au 1/175 000, avec index des localités et plans des préfectures) ont été conçues pour ceux qui aiment prendre le temps de découvrir une zone géographique réduite (un ou deux départements) lors de leurs déplacements en voiture. Pour ce guide, procurez-vous les cartes **Local 308** (Finistère, Morbihan), **309** (Côtes-d'Armor, Ille-et-Vilaine) et **316** (Loire-Atlantique, Vendée). Vous pouvez également consulter la carte **Régional 512** (Bretagne), au 1/300 000, avec index des localités et plan de la préfecture (Rennes), qui couvre le réseau routier secondaire et donne de nombreuses indications touristiques. Elle est pratique lorsqu'on aborde un vaste territoire ou pour relier des villes distantes de plus de cent kilomètres.

Enfin, n'oubliez pas, la **carte de France n° 721** vous offre la vue d'ensemble de la Bretagne au 1/1 000 000, avec ses grandes voies d'accès, d'où que vous veniez.

Les informations sur Internet et Minitel

Le site **www.ViaMichelin.fr** offre une multitude de services et d'informations pratiques d'aide à la mobilité (calcul d'itinéraires détaillés avec leur temps de parcours, cartes de pays, plans de villes, sélection des hôtels et restaurants du Guide Michelin France…) sur la France et d'autres pays d'Europe.

Les calculs d'itinéraires sont également accessibles sur **Minitel** (3615 ViaMichelin) et peuvent être envoyés par **fax** (3617 et 3623 Michelin).

EN TRAIN

Le réseau grandes lignes

Le TGV relie **Paris-Montparnasse** aux principales villes de l'Ouest : **Nantes** (2h), **Rennes** (2h), **St-Malo** (3h), **Brest** (4h) via Rennes, Lamballe, St-Brieuc, Guingamp, Plouaret-Trégor, Morlaix et Landerneau, et enfin **Quimper** (4h) via Rennes, Redon, Vannes, Auray, Lorient, Quimperlé, Rosporden. La ligne **Paris-Le Croisic** dessert Nantes, St-Nazaire et La Baule.

Les **trains corail** circulent entre Paris et la majeure partie des villes bretonnes (Brest, Quimper, Lorient Vannes, St-Brieuc, Morlaix, Lannion, Rennes…). Ils circulent nettement moins vite que les TGV, mais leurs tarifs sont à peu près deux fois inférieurs, ce qui n'est pas négligeable quand on est en famille.

Informations et réservations

Ligne directe : 📞 3635 (0,34 €/mn) 3615 SNCF
www.voyages-sncf.com.

Les Trains express régionaux

En correspondance à Nantes, Rennes et Vannes, les **trains express régionaux** (TER) desservent la quasi-totalité des localités bretonnes. Au bout de ces lignes, des bus, voire des bateaux vous emmèneront dans les lieux inaccessibles.

Informations et réservations sur le réseau régional

Ligne directe : 📞 3635 (0,34 €/mn) 3615 TER
www.ter-sncf.com/Bretagne.

Les bons plans

Les tarifs de la SNCF varient selon les périodes : -50 % en période bleue, - 25 % en période blanche, plein tarif en période rouge (calendriers disponibles dans les gares et boutiques SNCF).

Cartes de réduction

Différentes réductions sont offertes grâce aux cartes suivantes (valables un an) en vente dans les gares et boutiques SNCF :

– **carte enfant** pour les moins de 12 ans ;

– **carte 12-25 ans** pour les 12-25 ans, qui peut être achetée la veille de ses 26 ans pour l'année suivante ;

– **carte senior** à partir de 60 ans.

Ces différentes cartes offrent des réductions de 50 % sur tous les trains dans la limite des places disponibles, et sinon 25 %. La SNCF offre la possibilité de les essayer une fois gratuitement en prenant la carte découverte appropriée.

Les familles ayant au minimum 3 enfants mineurs peuvent bénéficier d'un **carte famille nombreuse** (16 € pour l'ensemble des cartes, valables 3 ans) permettant une réduction individuelle de 30 à 70 % selon le nombre d'enfants (la réduction est toujours calculée sur le prix plein tarif de 2e classe, même si la carte permet de voyager également en 1re). Elle ouvre droit à d'autres réductions hors SNCF.

La **carte Grand Voyageur**, valable 3 ans, permet de gagner des points et d'avoir des réductions exclusives. Elle donne aussi accès à certains services comme le transport des bagages.

La carte **Escapade** permet une réduction de 25 % sur tous les trains pour des allers-retours d'au moins 200 km, comprenant une nuit sur place du samedi au dimanche.

Réductions sans cartes

Sans disposer d'aucune carte, vous pouvez bénéficier de certains tarifs réduits :

Sur Internet, profitez des **billets Prem's** : très avantageux, pourvu que vous réserviez suffisamment à l'avance, ils s'achètent uniquement en ligne, mais ne sont ni échangeables ni remboursables.

Les **billets Découverte** offrent quant à eux des réductions de 25 % pour les moins de 25 ans, les plus de 60 ans, et sous certaines conditions, pour les personnes entre 25 et 60 ans. Si vous effectuez un aller-retour d'au moins 200 km et si votre séjour comprend une nuit du samedi au dimanche, vous pouvez profiter du tarif **Découverte Séjour**. Si vous êtes de 2 à 9 personnes à effectuer un aller-retour, avec un lien de parenté ou pas, et si votre voyage comprend au moins une nuit sur place, vous pouvez bénéficier du tarif **Découverte à deux**.

EN AVION

La région, dotée de plusieurs aéroports, est reliée aux principales villes françaises et européennes.

Les compagnies aériennes

Air France – Renseignements et réservations : ✆ 0 820 820 820 - www.airfrance.fr. - La compagnie dessert l'aéroport de Nantes depuis Clermont-Ferrand, Lyon, Toulouse, Marseille, Ajaccio et Figari (l'été seulement), Lille, Bordeaux, Brest, Strasbourg et Paris ; de Rennes depuis Biarritz, Bordeaux, Lyon, Marseille, Montpellier, Mulhouse, Nice, Strasbourg, Toulouse et Paris. La compagnie assure également des liaisons journalières entre Nantes, Lyon, Nice, Marseille, Paris et l'aéroport de Brest. En outre, Paris est relié à Rennes, Lyon et Lorient.

Brit Air - Air France – ✆ 0 820 820 820 - www.airfrance.fr - Cette petite compagnie, commercialisée par Air France, dessert les villes suivantes : Brest – de Lyon, Marseille, Nice, Paris, Toulouse ;
Lannion – de Paris (Orly) ;
Lorient – de Paris (Orly) ;
Nantes – de Brest, Lorient, Lyon, Marseille, Strasbourg, Paris ;
Quimper – de Paris (Orly) ;
Rennes – de Lyon, Montpellier, Paris, Strasbourg, Toulouse.

Les aéroports de la région

Aéroport Nantes Atlantique – CCI - 44345 Bouguenais Cedex - ✆ 02 40 84 80 00 (accueil-informations 24h/24) - www.nantes.aeroport.fr.

Aéroport international de Brest-Guipavas – Situé à 9 km au NE de Brest - 29490 Guipavas - ✆ 02 98 32 01 00 - www.brest. aeroport.fr.

Aéroport de Rennes – BP 29155 - 35091 Rennes Cedex 9 - ✆ 02 99 29 60 00 - www.rennes.aeroport.fr.

Aéroport de Lorient Bretagne Sud – 56270 Ploemeur - ✆ 02 97 87 21 50 - www.lorient.aeroport.fr - liaisons quotidiennes de/vers Paris et Lyon et liaisons hebdomadaires de/vers Galway, Cork et Waterford en Irlande.

APPORTEZ VOTRE PIERRE
À L'ÉDIFICE DE LA SAUVEGARDE

DU PATRIMOINE
NE L'EMPORTEZ PAS DANS VOS BAGAGES

Un cœur transpercé d'une flèche et deux prénoms se jurant l'amour éternel, le tout gravé dans la pierre d'un monument historique ; emballages de pellicules, mégots de cigarettes ou bouteilles vides abandonnés sur un site archéologique. Comment confondre notre patrimoine culturel avec un carnet mondain ou une poubelle ? Pour la plupart d'entre nous, ces agissements sont de toute évidence condamnables, mais d'autres comportements, en apparence inoffensifs, peuvent également avoir un impact négatif.

Au cours de nos visites, gardons à l'esprit que chaque élément du patrimoine culturel d'un pays est singulier, vulnérable et irremplaçable. Or, les phénomènes naturels et humains sont à l'origine de sa détérioration, lente ou immédiate. Si la dégradation est un processus inéluctable, un comportement adéquat peut toutefois le retarder. Chacun de nous peut ainsi contribuer à la sauvegarde de ce patrimoine pour notre génération et les suivantes.

Ne considérez jamais une action de façon isolée, mais envisagez sa répétition mille fois par jour

- Chaque micro-secousse, même la plus inoffensive, chaque toucher devient nuisible quand il est multiplié par 1 000, 10 000, 100 000 personnes.

- Acceptez de bon gré les interdictions (ne pas toucher, ne pas photographier, ne pas courir) ou restrictions (fermeture de certains lieux, circuits obligatoires, présentation d'œuvres d'art par roulement, gestion de l'affluence des visiteurs, éclairage réduit, etc). Ces dispositions sont établies uniquement pour limiter l'impact négatif de la foule sur un bien ancien et donc beaucoup plus fragile qu'il ne paraît.

- Évitez de grimper sur les statues, les monuments, les vieux murs qui ont survécu aux siècles : ils sont anciens et fragiles et pourraient s'altérer sous l'effet du poids et des frottements.

- Aimeriez-vous emporter en souvenir une tesselle de la mosaïque que vous avez tant admirée ? Combien de visiteurs avec ce même désir faudra-t-il pour que toute la mosaïque disparaisse à jamais ?

Faites preuve d'attention et de respect

- Dans un lieu étroit et rempli de visiteurs tel qu'une tombe ou une chapelle décorées de fresques, faites attention à votre sac à dos : vous risquez de heurter la paroi et de l'abîmer.

- Les pierres sur lesquelles vous marchez ont parfois plus de 1 000 ans. Chaussez-vous de façon appropriée et laissez pour d'autres occasions les talons aiguilles ou les semelles cloutées.

N'enfreignez pas les lois internationales

- L'atmosphère de certains lieux invite à la contemplation et/ou à la méditation. Évitez donc toute pollution acoustique (cris, radio, téléphone mobile, klaxon, etc.).

- En vous appropriant une partie, si infime soit-elle, du patrimoine (un fragment de marbre, un petit vase en terre cuite, une monnaie, etc.), vous ouvrez la voie au vol systématique et au trafic illicite d'œuvres d'art.

- N'achetez pas d'objets de provenance inconnue et ne tentez pas de les sortir du pays ; dans la majorité des nations, vous risquez de vous exposer à de graves condamnations.

Message élaboré en partenariat avec l'ICCROM (Centre international d'études pour la conservation et la restauration des biens culturels) et l'UNESCO.

Pour plus d'informations, voir les sites :

http://www.unesco.org

http://www.iccrom.org

http://www.international.icomos.org

André Bocquel / Aéroport Nantes Atlantique

Aéroport de Nantes.

Aéroport de Quimper-Cornouaille –
29700 Pluguffan - ☏ 02 98 94 30 30.
**Aéroport de Lannion – Côte
de Granit** – Av. Pierre-Marzin -
22300 Lannion - ☏ 02 96 05 82 22 -
www.lannion.aeroport.fr.

PAR BATEAU

Pour connaître les conditions de
traversée par bateau vers les îles,
reportez-vous aux « carnets pratiques »
des chapitres concernés.

Budget

Les **comités départementaux de
tourisme** de la région Bretagne
publient toutes sortes de brochures
thématiques *(hébergement,
restauration, activités, etc.)* visant
à vous faire profiter au mieux des
richesses naturelles et culturelles
de leur région.

Pour plus de détails sur ces différents
types de formules, qui répondront
peut-être à vos attentes, et pour
connaître les tarifs réduits parfois
proposés sur certains sites et musées
dès le deuxième site visité, n'hésitez
pas à les contacter directement ou à
visiter leurs sites et ceux du **comité
régional de tourisme** *(voir rubrique
« Les adresses utiles » de ce chapitre)*.

👁 Il existe des forfaits tarif réduit
dans certaines villes, il vous suffit de
vous renseigner auprès de l'office de
tourisme.

FORFAITS TOURISTIQUES
INTÉRESSANTS

Le Comité régional du tourisme a mis
en place un site complet sur les forfaits
touristiques que proposent tous les
acteurs du tourisme en Bretagne.
Hébergement, escapades, promotions
week-end ou séjour thalasso, le site est

des plus complets. Vous pourrez tout à
la fois consulter l'ensemble des offres
et effectuer des réservations en ligne.
www.formulesbretagne.com.

LES BONS PLANS

Sachez que vous pouvez obtenir
des réductions grâce aux solutions
suivantes.

Les chèques vacances

Ce sont des titres de paiement
permettant d'optimiser le budget
vacances/loisirs des salariés grâce
à une participation de l'employeur.
Les salariés du privé peuvent se les
procurer auprès de leur employeur
ou de leur comité d'entreprise ;
les fonctionnaires auprès des
organismes sociaux dont ils
dépendent.

On peut les utiliser pour régler toutes
les dépenses liées à l'hébergement,
à la restauration, aux transports ainsi
qu'aux loisirs. Il existe aujourd'hui plus
de 135 000 points d'accueil.

La carte famille nombreuse

On se la procure auprès de la **SCNF**
(voir p. 22). Elle ouvre droit, outre les
billets de train à prix réduits, à des
réductions très diverses auprès des
musées nationaux, de certains sites
privés, parcs d'attraction, loisirs et
équipements sportifs, cinéma et
même certaines boutiques. Mieux
vaut l'avoir sur soit et demander
systématiquement si il existe un tarif
préférentiel famille nombreuse.

Le temps d'un week-end

31 villes participent à l'opération « Bon
week-end en ville » : 2 nuits d'hôtel
pour le prix d'une dans les principaux
lieux d'hébergement de la ville ainsi
que de nombreux avantages sur les
différentes activités culturelles.
Nantes et **Rennes** l'appliquent toute
l'année - www.bon-week-end-en-
villes.com.

NOS ADRESSES
D'HÉBERGEMENT
ET DE RESTAURATION

Au fil des pages, vous découvrirez
nos **encadrés pratiques**, sur fond
vert. Ils présentent une sélection
d'établissements dans et à proximité
des villes ou des sites touristiques
auxquels ils sont rattachés. Pour
repérer facilement ces adresses sur
nos plans, nous leur avons attribué des
pastilles numérotées.

Nos catégories de prix

Pour vous aider dans votre choix, nous vous communiquons une **fourchette de prix** : pour l'hébergement, les prix communiqués correspondent aux tarifs minimum et maximum d'une chambre double ; il en va de même pour la restauration et les prix des menus proposés sur place. Les mentions « **Astuce prix** » et « **bc** » signalent : pour la première les formules repas à prix attractif, servies généralement au déjeuner par certains établissements de standing, pour la seconde les menus avec boisson comprise (verre de vin ou eau minérale au choix).

Les prix que nous indiquons sont ceux pratiqués en **haute saison** ; hors saison, de nombreux établissements proposent des tarifs plus avantageux, renseignez-vous… Dans chaque encadré, les adresses sont classées en quatre catégories de prix pour répondre à toutes les attentes (voir le tableau ci-dessous).

Premier prix – Choisissez vos adresses parmi celles de la catégorie ⊖ : vous trouverez là des hôtels, des chambres d'hôte simples et conviviales et des tables souvent gourmandes, toujours honnêtes.

Prix moyen – Votre budget est un peu plus large. Piochez vos étapes dans les adresses ⊖⊖. Dans cette catégorie, vous trouverez des maisons, souvent de charme, de meilleur confort et plus agréablement aménagées, animées par des passionnés, ravis de vous faire découvrir leur demeure et leur table. Là encore, chambres et tables d'hôte sont au rendez-vous, avec également des hôtels et des restaurants plus traditionnels, bien sûr.

Haut de gamme – Vous souhaitez vous faire plaisir, le temps d'un repas ou d'une nuit, vous aimez voyager dans des conditions très confortables ?

Les catégories ⊖⊖⊖ et ⊖⊖⊖⊖ sont pour vous… La vie de château dans de luxeuses chambres d'hôte pas si chères que cela ou dans les palaces et les grands hôtels : à vous de choisir ! Vous pouvez aussi profiter des décors de rêve de lieux mythiques à moindres frais, le temps d'un brunch ou d'une tasse de thé… À moins que vous ne préfériez casser votre tirelire pour un repas gastronomique dans un restaurant renommé. Sans oublier que la traditionnelle formule « tenue correcte exigée » est toujours d'actualité dans ces élégantes maisons !

Se loger

Le pourtour de la côte n'est pas avare en hôtels et en campings, des plus simples aux plus sophistiqués. Nombreux sont les ports où l'on trouvera un petit hôtel sympathique à l'accueil familial, alors que les grandes stations balnéaires telles que Dinard, Perros-Guirec ou La Baule s'enorgueillissent d'établissements très luxueux qui participent au prestige de leurs plages. En revanche, la Bretagne intérieure s'est davantage spécialisée dans les gîtes ruraux et les chambres d'hôte, parfois même jusque dans les endroits les plus reculés de l'Argoat que sont le pays de Guerlédan, les Montagnes Noires ou le pays du Mené dont Loudéac et Moncontour sont les centres importants.

NOS CRITÈRES DE CHOIX

Les hôtels

Nous vous proposons, dans chaque encadré pratique un choix très large en terme de confort. La location se fait à la nuit et le petit-déjeuner est facturé en supplément. Certains

NOS CATÉGORIES DE PRIX				
	Se restaurer (prix déjeuner)		Se loger (prix de la chambre double)	
	Province	Paris / Grandes villes et Stations	Province	Paris / Grandes villes et Stations
⊖	jusqu'à 14 €	jusqu'à 16 €	jusqu'à 45 €	jusqu'à 65 €
⊖⊖	plus de 14 € à 25 €	plus de 16 € à 30 €	plus de 45 € à 80 €	plus de 65 € à 100 €
⊖⊖⊖	plus de 25 € à 40 €	plus de 30 € à 50 €	plus de 80 € à 100 €	plus de 100 € à 160 €
⊖⊖⊖⊖	plus de 40 €	plus de 50 €	plus de 100 €	plus de 160 €

René Mattes / MICHELIN

Une fleur typique des façades de maison bretonne : l'hortensia.

établissements assurent un service de restauration également accessible à la clientèle extérieure.

Pour un choix plus étoffé et actualisé, **Le Guide Michelin France** recommande des hôtels sur toute la France. Pour chaque établissement, le niveau de confort et de prix est indiqué, en plus de nombreux renseignements pratiques. Le symbole « **Bib Hôtel** » signale des hôtels pratiques et accueillants offrant une prestation de qualité à prix raisonnable, soit moins de 72 € en province (88 € grandes villes et stations balnéaires).

Les chambres d'hôte

Vous êtes reçu directement par les habitants qui vous ouvrent leur demeure. L'atmosphère est plus conviviale qu'à l'hôtel, et l'envie de communiquer doit être réciproque : misanthropes, s'abstenir ! Les prix, mentionnés à la nuit, incluent le petit-déjeuner. Certains propriétaires proposent aussi une table d'hôte, ouverte uniquement le soir, et toujours réservée aux résidents de la maison. Il est très vivement conseillé de réserver votre étape, en raison du grand succès de ce type d'hébergement.

◉ Bon à savoir – Certains établissements ne peuvent pas recevoir vos compagnons à quatre pattes ou les accueillent moyennant un supplément, pensez à le demander lors de votre réservation.

Le camping

Le **Guide Camping Michelin France** propose tous les ans une sélection de terrains visités régulièrement par nos inspecteurs. Renseignements pratiques, niveau de confort, prix, agrément, location de bungalows, de mobile homes ou de chalets y sont mentionnés.

LES BONS PLANS

Les services de réservation

Fédération nationale des services de réservation Loisirs-Accueil – 280 bd St-Germain - 75007 Paris - ☎ 01 44 11 10 44 - www.resinfrance. com ou www.loisirsaccueilfrance.com. Elle propose un large choix d'hébergements et d'activités de qualité, édite un annuaire regroupant les coordonnées des 62 services Loisirs-Accueil et, pour tous les départements, une brochure détaillée.

Fédération nationale Clévacances – 54 bd de l'Embouchure - BP 52166 - 31022 Toulouse Cedex - ☎ 05 61 13 55 66 - www.clevacances.com. Cette fédération propose près de 23 500 locations de vacances (appartements, chalets, villas, demeures de caractère, pavillons en résidence) et 2 800 chambres dans 22 régions réparties sur 79 départements en France et outre-mer, et publie un catalogue par département (passer commande auprès des représentants départementaux Clévacances).

L'hébergement rural

Maison des Gîtes de France et du Tourisme vert – 59 r. St-Lazare - 75439 Paris Cedex 09 - ☎ 01 49 70 75 75 - www.gites-de-france.com. Cet organisme donne les adresses des relais départementaux et publie des guides sur les différentes possibilités d'hébergement en milieu rural (gîtes ruraux, chambres et tables d'hôte, gîtes d'étape, chambres d'hôte de charme, gîtes de neige, gîtes de pêche, gîtes d'enfants, camping à la ferme, gîtes Panda).

Fédération des Stations vertes de Vacances et Villages de Neige – BP 71698 - 21016 Dijon Cedex - ☎ 03 80 54 10 50 - www. stationsvertes.com. Situées à la campagne et à la montagne, les 588 Stations vertes sont des destinations familiales reconnues tant pour leur qualité de vie (produits du terroir, loisirs variés, cadre agréable) que pour la qualité de leurs structures d'accueil et d'hébergement. *Consultez le site Internet pour découvrir la liste des stations vertes de Bretagne.*

Bienvenue à la ferme – Le guide *Bienvenue à la ferme*, édité par l'Assemblée permanente des chambres d'agriculture (service Agriculture et

Tourisme - 9 av. George-V - 75008 Paris - 𝒫 01 53 57 11 44), est aussi en vente en librairie ou sur www.bienvenue-a-la-ferme.com. Il propose par région et par département des fermes-auberges, campings à la ferme, fermes de séjour, mais aussi des loisirs variés : chasse, équitation, approches pédagogiques pour enfants, découverte de la gastronomie des terroirs en ferme-auberge, dégustation et vente de produits de la ferme.

👁 Pour la Bretagne, vous pourrez obtenir le guide auprès de la section régionale - 𝒫 02 23 48 27 73 - www.bretagnealaferme.com.

L'hébergement pour randonneurs

La Bretagne, particulièrement l'Argoat, foisonne en gîtes, en campings et en petits hôtels où les randonneurs sont les bienvenus. Pour réserver l'adresse tout proche de votre itinéraire, consultez les organismes suivants :

L'Abri – Cette association bretonne des relais et itinéraires recense et labellise quatre types d'hébergement spécifiques aux randonneurs : Rando Plume, Rando Gîtes, Rando Toile et Rand'hôtel. Vous pouvez télécharger la carte des hébergements ainsi qu'obtenir des informations sur les itinéraires de randonnée de toute la Bretagne sur le site de l'association : http://rando.abri.free.fr.

Abri/Rando Accueil – 4 r. Ronsard - 35000 Rennes - 𝒫 02 99 26 13 50.

Guide et site Internet – Les randonneurs peuvent consulter le guide *Gîtes d'étapes, refuges*, par A. et S. Mouraret (Rando Éditions La Cadole - 74 r. A.-Perdreaux - 78140 Vélizy - 𝒫 01 34 65 11 89), et **www.gites-refuges.com**. Cet ouvrage et ce site sont principalement destinés aux amateurs de randonnées, d'alpinisme, d'escalade, de ski, de cyclotourisme et de canoë-kayak.

Les auberges de jeunesse

Ligue française pour les auberges de jeunesse – 67 r. Vergniaud - bâtiment K - 75013 Paris - 𝒫 01 44 16 78 78 - www.auberges-de-jeunesse.com. La **carte LFAJ** est délivrée en échange d'une cotisation annuelle de 10,70 € pour les moins de 26 ans et de 15,25 € au-delà de cet âge.

Fédération unie des auberges de jeunesse – Centre national - 27 r. Pajol 75018 Paris - 𝒫 01 44 89 87 27 -

www.fuaj.org/fra/ La **carte FUAJ** est délivrée contre une cotisation annuelle de 10,70 € pour les moins de 26 ans, 15,30 € au-delà de cet âge, et 22,90 € pour les familles.

👁 La Fuaj propose le *Pass Bretagne*, une carte gratuite (pour les adhérents). Elle est remise lors de la première nuit en Bretagne. Chaque nuitée est ensuite tamponnée, la sixième est gratuite.

En Bretagne, vous trouverez des auberges de jeunesse affiliées dans les villes et sites suivants : Batz, Belle-Île, Brest, Camaret, Cancale, Chouvan en Brocéliande, Concarneau, Dinan, Groix, Lannion, Ber Leguer, Lorient, Nantes, Ouessant, Pontivy, Quiberon, Quimper, Redon, Rennes, St-Brévin, St-Brieuc, St-Malo, Trébeurden.

POUR DÉPANNER

Les chaînes hôtelières

L'hôtellerie dite « économique » peut éventuellement vous rendre service. Sachez que vous y trouverez un équipement complet (sanitaire privé et télévision), mais un confort très simple. Souvent à proximité de grands axes routiers, ces établissements n'assurent pas de restauration. Toutefois, leurs tarifs restent difficiles à concurrencer (moins de 50 € la chambre double). En dépannage, voici donc les centrales de réservation de quelques chaînes :

Akena – 𝒫 01 69 84 85 17.
B&B – 𝒫 0 892 782 929.
Etap Hôtel – 𝒫 0 892 688 900.
Villages Hôtel – 𝒫 03 80 60 92 70.

Enfin, les hôtels suivants, un peu plus chers (à partir de 68 € la chambre), offrent un meilleur confort et quelques services complémentaires :

Campanile – 𝒫 01 64 62 46 46.
Kyriad – 𝒫 0825 003 003.
Ibis – 𝒫 0825 882 222.

Se restaurer

Les grandes tables et les auberges de caractère bretonnes servent une cuisine que l'on qualifiera volontiers de maritime. Le **homard** est roi, en cocotte ou rôti au jus, et on trouvera d'alléchantes déclinaisons de **coquilles St-Jacques** et de **langoustines**, ainsi qu'un très riche éventail de **poissons** bien tentants (filet de saint-pierre à la coriandre, turbot fourré au crabe, galette de rouget au romarin, bar farci d'huîtres tièdes…). Les restaurants plus accessibles servent quelques plats traditionnels qui ont également fait la renommée de la cuisine bretonne : les **huîtres**, bien entendu, mais également la **cotriade** (plat populaire à base de poissons locaux, crustacés et légumes) et l'incontournable **plateau de fruits de mer** (tourteau ou araignée, palourdes, bulots, langoustines, crevettes, huîtres… accompagnés de mayonnaise, de pain blanc et de pain noir, de beurre salé). Sachez aussi apprécier la carte des restaurateurs locaux qui proposent des spécialités régionales telles que le **kig ha farz** du Léon (pot-au-feu à base de blé noir), la **frigousse** du pays de Rennes (pot-au-feu à base d'artichauts, de tomates ou de marrons), la **morue** dans les Côtes-d'Armor, ou encore un **poisson d'eau douce au beurre blanc** dans le pays nantais, où cette recette désormais nationale vit le jour. Enfin, la légion des crêperies participe à la table bretonne. La **galette** de sarrasin, qui constitua des siècles durant la base de l'alimentation paysanne, fait aujourd'hui le régal des touristes, surtout accompagnée d'une bonne bolée de cidre !

NOS CRITÈRES DE CHOIX

Pour répondre à toutes les envies, nous avons sélectionné des **restaurants** régionaux bien sûr, mais aussi classiques, exotiques ou à thème… Et des lieux plus simples, où vous pourrez grignoter une salade composée, une tarte salée, une pâtisserie ou déguster des produits régionaux sur le pouce.
Pour un choix plus étoffé et actualisé, **Le Guide Michelin France** recommande des restaurants sur toute la France. Pour chaque établissement, le niveau de confort et de prix est indiqué, en plus de nombreux renseignements pratiques. Le symbole « **Bib Gourmand** » signale les tables qui proposent une cuisine soignée à moins de 28 € en province (36 € grandes villes et stations balnéaires).
Quelques **fermes-auberges** vous permettront aussi de découvrir les saveurs de la France profonde. Vous y goûterez des produits authentiques provenant de l'exploitation agricole, généralement servis en menu unique. Service et ambiance bon enfant. Réservation obligatoire !

SITES REMARQUABLES DU GOÛT

Quelques sites de la région (lieux permanents de production, foires et marchés ou manifestations), dont la richesse gastronomique s'appuie sur des produits de qualité liés à un environnement culturel et touristique intéressant, ont été dotés du **label** « Sites remarquables du goût ». En Bretagne, Cancale (l'huître), Le Guilvinec (la langoustine et les autres produits de la mer), Riec-sur-Belon (l'huître), Guérande (le sel) en bénéficient. Pour plus d'informations, consultez le site www.sitesremarquablesdugout.com.

TABLES ET SAVEURS

Le **label** « Tables et Saveurs de Bretagne » rassemble une quarantaine de restaurants bretons qui participent chaque année au concours « Arts et Saveurs ». Liste disponible dans la rubrique « Gastronomie » du site www.tourismebretagne.com.

LE PLATEAU DE FRUITS DE MER

L'incontournable plateau de fruits de mer fait désormais l'objet d'une **charte** garantissant sa qualité, sa fraîcheur et son rapport qualité-prix. 116 restaurants répartis sur les cinq départements bretons ont signé cette charte et arborent un **macaron** « fruits de mer frais bretons ». Liste de ces restaurants dans la rubrique « Gastronomie » du site www.tourismebretagne.com.

LES GRANDS CHEFS DE LA RÉGION

Au risque de se répéter : la Bretagne est une région gourmande, richement pourvue en terroirs et en saveurs. La preuve ? Elle se trouve dans l'assiette de quatre chefs cuisiniers distingués, que nous vous recommandons.

Cancale

Olivier Roellinger, ancien ingénieur chimiste et véritable autodidacte de la cuisine, a réalisé son rêve en créant son restaurant dans l'ancienne malouinière de son enfance. Fasciné par l'histoire des navires de la route des épices au 18e s., il s'en est inspiré dès ses débuts en les utilisant dans ses recettes. Pionnier dans ce style de cuisine, certaines de ses créations sont incontournables tel le « saint-pierre retour des Indes », où l'on utilise pas moins de 14 épices. Son inspiration ? Olivier Roellinger la prend aussi lors de ses voyages aux quatre coins du monde, ou lorsqu'il barre son vieux gréement au large de Cancale. Homme attachant, aimant partager sa passion, il adore faire son marché, côtoyer les petits producteurs, dénicher les meilleurs produits afin de réaliser des plats personnalisés et métissés. Aux « Maisons de Bricourt », déguster sa cuisine marine, potagère et épicée, est un vrai bonheur qu'il faut prévoir de longs mois à l'avance, tant la réputation du restaurant est grande.

Maisons de Bricourt - R. Duguesclin -
☎ 02 99 89 88 47.

Zoom sur un plateau de fruits de mer.

La Roche-Bernard

Jacques Thorel, force tranquille et âme d'artiste, est un authentique Breton et cela se retrouve à chaque plat de sa carte personnalisée, réalisant un équilibre harmonieux entre les produits de la pêche et ceux de la ferme. Ardent défenseur du beau et du bon, il maintient des liens étroits avec les petits producteurs, pêcheurs, éleveurs, maraîchers ou encore fromagers. Installé depuis 1980 à La Roche-Bernard, dans son « Auberge Bretonne » composée de trois charmantes maisons donnant sur une petite placette, il régale ses clients qui dégustent « toute la Bretagne » dans leur assiette, confortablement installés dans l'originale salle à manger-galerie implantée autour d'un pittoresque potager.

Auberge Bretonne - 2 pl. Duguesclin -
☎ 02 99 90 60 28.

Carantec

Patrick Jeffroy, natif de Morlaix, est un grand amateur de voyages qui n'en a pas moins jeté l'ancre à quelques encablures de sa ville natale. Après avoir officié comme chef à l'Hôtel de l'Europe à Morlaix, puis s'être installé dans son propre restaurant à Plounérin, c'est effectivement en 2000 qu'il a ouvert les portes de son « Hôtel de Carantec » après la rénovation totale d'une maison construite en 1936. Il réalise ainsi son rêve, face à la magnifique baie de Morlaix.

La salle à manger panoramique ouvrant à l'infini sur les horizons marins est le lieu idéal pour apprécier le registre culinaire étayé par des idées glanées sur tous les continents. Cependant, Patrick Jeffroy, qui a bénéficié d'une reconnaissance très rapide de son talent (une étoile en 2001, deux en 2002), aime travailler des produits du pays, simples comme ceux de la mer ou le sarrasin. C'est l'une des caractéristiques de sa cuisine personnalisée « terre-mer », qui ravit les palais les plus délicats.

Hôtel de Carantec - Patrick Jeffroy -
☎ 02 98 67 00 47.

Plancoët

Jean-Pierre Crouzil est installé depuis plus de 35 ans dans cette petite ville des Côtes-d'Armor célèbre pour son eau minérale. Belle réussite pour cet autodidacte qui a porté et continue de porter haut la cuisine bretonne, avec ses recettes aux subtils parfums « terre-mer ». Homme humble et authentique, il aime faire partager sa passion et communiquer son expérience. Pour preuve, son livre dédié à la coquille St-Jacques. Aujourd'hui, son fils Maxime, après avoir fait ses classes chez les grands, a effectué son retour au fourneau paternel, permettant ainsi de continuer l'aventure familiale. Une aventure à laquelle il faut associer Colette Crouzil. Son accueil et son sens de la décoration donnent tout son charme au restaurant, écrin raffiné, agrémenté de ses propres peintures et d'une impressionnante collection de volailles en porcelaine et faïence.

Crouzil et Hôtel l'Écrin - 20, les Quais -
☎ 02 96 84 10 24.

LES ALCOOLS

Vous passez dans la région ? C'est l'occasion ou jamais de découvrir les différents alcools dans le cadre de verdure qui les a engendrés. Pour plus de détails, consultez « La gastronomie » dans la partie « Comprendre la région », ainsi que la rubrique « Que rapporter » du chapitre « À faire et à voir ».

À FAIRE ET À VOIR

Les activités et loisirs de A à Z

Les **comités départementaux** et **comités régionaux** de tourisme *(voir p. 18)* disposent de nombreuses documentations et répondront à vos demandes d'informations quant aux activités proposées dans leur secteur.

🦪 Pour trouver d'autres adresses de prestataires, reportez-vous aux rubriques « Visite » et « Sports & Loisirs » dans les encadrés pratiques de la partie « Découvrir les sites ».

ARCHÉOLOGIE

Si vous avez l'âme d'un archéologue, vous pouvez vous inscrire à des chantiers de fouilles qui sont organisés chaque été en Bretagne par les services régionaux de l'archéologie. Pour la saison 2006, la DRAC proposait pas moins de 150 places de stages bénévoles sur une quinzaine de sites. Aucun diplôme ou aptitude spécifique n'est réclamé, il suffit d'avoir plus de 18 ans, de jouir d'une bonne condition physique et d'avoir une vaccination antitétanique à jour. Certains chantiers requierent le port de chaussures de sécurité et presque tous sont programmés pour 15 jours minimum. Liste complète des chantiers ouverts aux bénévoles auprès des DRAC.

DRAC Bretagne – Hôtel de Blossec - 6 r. du Chapître - 35044 Rennes - 📞 02 99 29 67 67 - www.culture. fr/bretagne.

DRAC Pays de Loire – 1 r. Stanisla-Baudry - 44035 Nantes Cedex 1 - 📞 02 40 14 23 00 - www.pays-de-la-loire.culture.gouv.fr.

Cerapar - Centre de recherche archéologiques du pays de Rennes – Maison de l'archéologie - La Métairie - 35740 Pacé - http://cerapar.free.fr.

Société d'histoire et d'archéologie de Bretagne – 20 av. Jules-Ferry - 35700 Rennes - 📞 02 99 27 21 51 - http://membres.lycos.fr/shabasso.

BAIGNADE

En mer

Les plages de sable fin ne manquent pas en Bretagne, la question serait plutôt de savoir si vous les préférez confidentielles ou étendues à perte de vue. Les premières sont l'apanage des côtes sauvages et découpées (le Finistère et les îles n'en manquent pas), les secondes font le bonheur de la Bretagne Sud (La Baule, Carnac, Larmor-Plage) et de certaines stations réputées de la Côte d'Émeraude, St-Malo en tête.

Si vous désirez connaître le résultat des contrôles de qualité des eaux de baignade effectués chaque mois de juin pour toutes les plages du littoral, vous pouvez consulter le **www. infosplage.com** ou 3615 infoplage.

👁 **Bon à savoir** – Les plages sont classées en quatre catégories, de A (bonne qualité) à D…

En lac et en rivière

Les rives du lac de Guerlédan autorisent la baignade en certains points. Rivières et plans d'eau sont aussi accessibles à la baignade, mais renseignez-vous au préalable. La qualité de leurs eaux est contrôlée par la Direction des Affaires sanitaires et sociales de Bretagne. Vous en trouverez le détail sur son site internet : http://bretagne.sante.gouv.fr

CALÈCHE OU ROULOTTE

On peut aussi découvrir **Belle-Île** au rythme d'une calèche - 📞 02 97 31 76 67 - www.lescaleches.com.

Lanrivain – 📞 02 96 45 76 31 - 4 circuits nature ou vieilles pierres : 1h30, 15 € (enf. 6,50 €) ; 2h30, 20 € (enf. 9,50 €) - de mi-juin à mi-sept. : 1 merc. à la ferme au rythme du cheval breton (se renseigner pour les tarifs).

CANOË-KAYAK

Le **canoë** se manie avec une pagaie simple ; le **kayak** avec une pagaie double. Le **kayak de mer** connaît un véritable succès, à la vente ou en location, dans les grands centres balnéaires ; il est un moyen privilégié de découvrir les magnifiques côtes bretonnes. Une sélection de clubs est proposée dans les « carnets pratiques » du guide.

Les « **points Canoë nature** » et « **points Kayak de mer** » – Ces labels de la Fédération française de canoë-kayak (FFCK) mettent en valeur les structures qui proposent une offre touristique de qualité. L'enseignement lui-même est reconnu par la mention « école française de canoë-kayak ». Se renseigner à la fédération pour avoir la liste de ces structures labellisées.

Fédération française de canoë-kayak (FFCK) – 87 quai de la Marne - 94344 Joinville-le-Pont - ✆ 01 45 11 08 50 - www.ffcanoe.asso.fr - la Fédération édite un livre *France canoë-kayak et sports d'eaux vives* et avec le concours de l'IGN une carte *Les rivières de France,* avec tous les cours d'eau praticables.

Kayak de mer

Cette discipline utilise un équipement à peu près semblable au kayak mais avec des embarcations plus longues et plus stables. Son intérêt ? Elle permet de visiter de petites criques inaccessibles par voie terrestre. Les premières sorties se font avec des accompagnateurs expérimentés.

Kayak de mer.

COURS DE CUISINE

Le Cercle culinaire de Rennes – 8 r. du 7e Rég.-d'Artillerie - 35012 Rennes Cedex - ✆ 02 99 31 45 45 - www.cercleculinaire.com. Ce cercle propose des stages et des ateliers de une à quatre heures, accessibles à tous et toute l'année *(sept.- juin)*. Vous y aborderez l'art des crêpes et des galettes, la cuisine aux algues, le menu gourmand d'un chef régional, ou les tables et les saveurs de Bretagne. Tous ces délices n'auront plus de secrets pour vous. Il existe même un atelier axé sur le marché de la place des Lices ! Vous commencez par y dénicher les produits frais avant de constituer un menu et de le réaliser en cuisine. Groupe de 8 pers. maximum, 30 à 75 € repas inclus.

Liste et calendrier des ateliers, ainsi que la liste des centres agréés en Bretagne et dans toute la France, disponible sur le site internet.

École Treblec – 66 r. de Guer - 35330 Maure-de-Bretagne - ✆ 02 99 34 86 76 - www.ecole-maitre-crepier. Les inconditionnels des **crêpes et des galettes** ne pourront échapper à la célèbre école qui forme les maîtres crêpiers. Au moins un samedi par mois pendant l'année, et plus en mai, juin et juillet, l'école ouvre ses portes à tous les gourmands pour un stage d'une journée (9h-17h30). Vous commencerez par élaborer les différentes pâtes – froment et blé noir – avant de vous lancer dans le tournage et la cuisson, sans avoir négligé d'apprendre quelques réductions sucrées et la confection d'aumônières. Entre 12h30 et 13h30 : dégustation. 75 €/pers., repas inclus.

CRIÉES

C'est toujours un spectacle haut en couleur que d'assister au tri et à la vente des produits de la pêche, au retour des chalutiers. Ces ventes ont lieu, en général, tous les jours de la semaine, une demi-heure après le retour des bateaux, et durent à peu près deux heures. Concarneau, Douarnenez, Le Guilvinec, Erquy, Loctudy et Lorient, Roscoff, St-Quay-Portrieux sont les plus importantes.

Criée de Plouhinec – ✆ 02 98 70 74 55 - visite guidée de la criée de Plouhinec juil.-août : lun. et jeu. 14h30 - 3 € (-13 ans gratuit).

♿ Consultez également les encadrés pratiques de la partie « Découvrir les sites ».

CROISIÈRES FLUVIALES

Rivières et canaux de Bretagne constituent un réseau de plus de 600 km de voies navigables.

Une liaison Manche-Océan emprunte le **canal d'Ille-et-Rance**, puis la Vilaine, en passant par Dinan, Rennes et Redon.

Le canal de Nantes à Brest – Réalisé de 1811 à 1842, cet ouvrage exceptionnel (360 km) a oublié sa vocation militaire, perdu son intérêt économique mais est devenu un atout touristique majeur de la Bretagne intérieure. Les lourdes péniches de fret sont aujourd'hui remplacées par de confortables « pénichettes » et les chemins de halage sont progressivement restaurés, pour le plus grand bonheur des randonneurs.

Partant de Lorient, la croisière sur le Blavet, le tronçon oriental du canal de Nantes à Brest et l'Erdre font découvrir Josselin et Redon avant de gagner Nantes.

Du fond de la rade de Brest, la remontée de l'Aulne et de la partie occidentale du canal de Nantes à Brest conduit à Châteaulin et Carhaix-Plouguer.

Les principales compagnies de tourisme fluvial sont installées à Blain, Sucé-sur-Erdre, Messac, Redon, Josselin, Rohan, Châteauneuf-du-Faou, La Chapelle-aux-Filtzméens, Dinan.

👁 Pour louer une péniche et partir sur les canaux et rivières de Bretagne, rendez-vous sur le site www. formulesbretagne.com, qui propose des locations à la journée, à la semaine ou au mois, ainsi que sur le site www.bretagne-plaisance.fr.

Les brochures suivantes donnent de nombreuses informations sur ce type de tourisme :

Escales d'une rive à l'autre (loisirs et tourisme au bord de l'eau) et *Bretagne fluviale* éditées par le Comité régional de Bretagne (avec celui des Pays de Loire) – 1 r. Raoul-Ponchon - ☎ 02 99 36 15 15 - www.tourismebretagne.com.

Plaquette de promotion, Carnets de Route (guide pratique et touristique) sont disponibles au Comité des canaux bretons et des voies navigables de l'Ouest – 6 r. de Lourmel - 56300 Pontivy - ☎ 02 97 25 38 24 - www. canaux-bretons.net - Sur ce site, vous aurez accès à tous les numéros (depuis 2004) de *La Voie du Canal*, le bulletin d'informations du comité.

Formules Fluviales – diffusée par « Formules Bretagne » - 203 bd St-Germain - 75007 Paris - ☎ 01 53 63 11 53.

Les éditions Grafocarte – 125 r. Jean-Jacques-Rousseau - BP 40 - 92132 Issy-les-Moulineaux Cedex - ☎ 01 41 09 19 00. Elles éditent des cartes-guides nautiques (particulièrement la N 12 de St-Malo au barrage d'Arzal et de Lorient à Nantes).

CYCLOTOURISME

La Brière, le pays gallo, l'Argoat sont autant de régions rivalisant d'intérêt touristique, qui offrent des parcours pour « toutes les jambes ».

Les conseils généraux développent les pistes cyclables un peu partout. Par exemple 45 km de pistes le long du canal d'Ille-et-Rance, de Tréverien à Chevaigné.

Sur place, les offices de tourisme et syndicats d'initiative fournissent généralement la liste des loueurs de cycles. Enfin, certaines gares SNCF proposent des bicyclettes, qu'il est possible de restituer dans une gare différente.

Les passionnés ne manqueront pas d'aller visiter le Véloparc de Plouay.

👁 **Bon à savoir** – Les clubs cyclotouristes organisent des **sorties week-end** ou **des circuits « découverte »** avec des guides. Adresses auprès des comités départementaux de cyclotourisme.

Fédération française de cyclotourisme – 12 r. Louis-Bertrand - 94207 Ivry-sur-Seine Cedex - ☎ 01 56 20 88 87 - www.ffct.org.

Fédération française de cyclisme – 5 r. de Rome - 93561 Rosny-sous-Bois Cedex - ☎ 01 49 35 69 24 - www.ffc. fr. La Fédération propose 46 000 km de sentiers balisés pour la pratique du VTT, répertoriés dans un guide annuel.

GOLF

Les équipements bretons en matière de golf sont nombreux, variés et souvent installés sur des sites ravissants. Sur la trentaine de golfs que compte la Bretagne, une petite vingtaine est installée sur le littoral, offrant des panoramas d'exception (le golf des Sables d'Or à Fréhel, conçu dans un paysage bocager par exemple, ou celui de Cornouaille, à La Forêt-Fouesnant, installé dans une forêt d'arbres centenaires avec vue sur l'archipel des Glénan). La beauté des sites se double d'une pratique du golf compliquée par la présence quasi permanente du vent côtier.

👁 Le comité régional du tourisme de Bretagne édite une plaquette répertoriant une trentaine de clubs répartis sur l'ensemble de la région.

Fédération française de golf – 68 r. Anatole-France - 92309 Levallois-Perret Cedex - ☎ 01 41 49 77 00 ou 0 892 691 818 - www.ffgolf.org.

Ligue de golf de Bretagne – Immeuble « Le Calypso » - 130 r. Eugène-Pottier - 35000 Rennes - ☎ 02 99 31 68 80 - www. liguebretagnegolf.com.

Toyota Prius.
La première berline dont la motorisation électrique
se recharge toute seule.

Toyota France - 92420 Vaucresson - Saatchi & Saatchi

Toyota Prius. Technologie HSD hybride essence/électricité.

Grâce à sa technologie hybride, la TOYOTA PRIUS est une voiture dont la motorisation électrique est entièrement autonome. Alliance d'un moteur essence et d'un moteur électrique, la TOYOTA PRIUS permet de combiner les performances d'une berline familiale et les consommations d'une petite citadine (**4,3 L/100 km** en cycle mixte). De plus, en produisant **une tonne de CO_2 en moins par an** [1], la TOYOTA PRIUS vous permet de faire un véritable geste pour l'environnement qui vous fera bénéficier **de 2 000 € de crédit d'impôt** [2].

TODAY **TOMORROW TOYOTA**
Aujourd'hui, demain.

LUTTE

Le gouren – Connaissez-vous le gouren, lutte traditionnelle bretonne reconnue par la Fédération française ? D'origine celte, cette technique s'est développée dans la région en conservant des valeurs (loyauté, fair-play) exprimées dans un serment. Pratiqué en clubs, il donne lieu à de passionnantes compétitions (en salle l'hiver mais aussi en plein air, l'été, dans des fêtes traditionnelles). Renseignements :

Ti ar Gouren, la Maison de la lutte et des sports bretons – Le Poullic - 29690 Berrien - ✆ 02 98 99 03 80.

Comité national de gouren de la Fédération française de lutte – ZA St-Ernel - 29800 Landerneau - ✆ 02 98 95 40 48 - www.gouren.fr.

MARCHÉS

Très important dans la vie des communes, le marché est un moment sacré fait de rencontres et d'échanges. Tout en couleurs, parfums et senteurs, il constitue une excellente façon de connaître une région et de découvrir les produits locaux.

Toutes les villes et presque tous les bourgs possèdent leur marché. La liste ci-dessous n'est qu'indicative et précise les jours de grand marché de quelques places importantes.

Quelques-uns de ces marchés sortent du lot. Le marché de Dinan (rue de la Poissonnerie) a pour cadre les venelles pittoresques de la ville ; celui de La Baule (tous les jours en été) est particulièrement bien fourni ; le marché des Lices à Rennes est un des plus grands de France ; le marché de Dinard du samedi matin rassemble les meilleurs produits de la côte ; le marché de Quimper et ses halles St-François toutes modernes proposent des produits biologiques, etc.

PÊCHE

Pêche en eau douce

Pêcher au toc, à l'anglaise, au lancer ultraléger ou lourd, au vif ou à la mouche, taquiner la truite, attendre la remontée des saumons, traquer le brochet ne posent aucun problème.

Quels que soient l'endroit et le type de pêche, il conviendra d'observer la réglementation nationale et locale ; de s'affilier pour l'année en cours, dans le département de son choix, à une association de pêche et de pisciculture agréée par la préfecture ; d'acquitter les taxes afférentes au mode de pêche pratiqué ; d'obtenir, pour pêcher dans des eaux de domaine privé, l'autorisation du propriétaire riverain.

Union nationale pour la pêche et la protection du milieu aquatique – 17 r. Bergère - 75009 Paris - ✆ 01 48 24 96 00 - www.unpf.fr.

On peut se procurer des cartes et informations locales auprès des fédérations départementales pour la pêche et la protection du milieu aquatique.

Pêche en famille – École française de pêche – M. Stéphane Sence - BP 16 - 33450 St-Sulpice-et-Cameyrac - ✆ 05 56 30 24 50 - www.ecoledepeche.com. Séjours jeunes et adultes, toute l'année (de 1 à 15 jours).

À pied

La pêche à pied n'est soumise à aucune formalité administrative, bien que les services de l'État songent à de nouvelles réglementations à propos des zones autorisées. Deux exigences : d'une part, vérifiez qu'aucune interdiction sanitaire n'a été décrétée là où vous comptez pêcher, d'autre part respectez les tailles minimales ; une recommandation : remettre en place les rochers que vous déplacerez.

Lundi	Auray, Châtelaudren, Combourg, Concarneau, Guerlesquin, Moncontour, Pontivy, Pontrieux, Redon, Saint-Quay-Portrieux, Trégastel, Vitré.
Mardi	Dinard, Fougères, Landerneau, Le Croisic, Paimpol, Pléneuf, Quintin, Rostrenen, Saint-Malo, Saint-Pol-de-Léon, Trébeurden.
Mercredi	Châteaubriant, Guérande, Nantes, Quimper, Roscoff, Saint-Brieuc, Tréguier, Vannes.
Jeudi	Châteaugiron, Dinan, Guingamp, Hennebont, Lamballe, Lannion, La Roche-Bernard, Le Croisic, Malestroit, Pont-Croix.
Vendredi	Concarneau, Guingamp, Jugon-les-Lacs, Landerneau, Mûr-de-Bretagne, Perros-Guirec, Quimperlé, Saint-Cast-le-Guildo, Saint-Malo.
Samedi	Bécherel, Dinard, Dol-de-Bretagne, Fougères, Guérande, Guingamp, Josselin, Landerneau, Le Croisic, Morlaix, Nantes, Port-Louis, Quimper, Redon, Rennes, Saint-Brieuc, Vannes, Vitré…

Les tailles minimales : poissons plats, 25 cm ; tourteaux, 8 cm ; homards, 23 cm ; palourdes, 3,5 cm ; praires, 3 cm ; moules, 4 cm.

👁 **Bon à savoir** – Si la pêche pratiquée à pied ne demande aucune démarche particulière, sauf pour l'usage des filets qui nécessite une autorisation délivrée par les Affaires maritimes, il existe toutefois des restrictions locales qui diffèrent selon le littoral et selon les zones ; aussi est-il recommandé de se renseigner auprès des autorités compétentes.

En mer

De la baie du Mont-St-Michel à l'estuaire de la Loire, l'étendue des côtes procure un champ d'activités sans limites à l'amateur de pêche en eau salée. Depuis quelques années, un nombre croissant de petits patrons de pêche accueillent à leur bord des touristes attirés par la sportivité de la pêche en mer. Cette ouverture au tourisme leur permet de diversifier leurs activités. Les principaux poissons recherchés sont avant tout le bar et le barracuda. Rappelons que la plupart de ces pêches ont lieu sur des bateaux de petite taille et dans des mers tourmentées par la houle et des courants violents, où le danger est souvent au rendez-vous.

👁 **Bon à savoir** – Les plaisanciers peuvent pratiquer la pêche en mer à partir de leur navire ou la chasse sous-marine, à titre d'agrément exclusivement. La liste des engins de pêche autorisés figure sur leur titre de navigation. La chasse sous-marine est quant à elle soumise à une réglementation stricte et il convient de s'informer préalablement auprès du service des Affaires maritimes.

Fédération française des pêcheurs en mer – Résidence Alliance, centre Jorlis - 64600 Anglet - 📞 05 59 31 00 73 - www.ffpm.org.

PLAISANCE

Formée comme une presqu'île à la convergence de l'océan Atlantique et de la Manche, la Bretagne est naturellement un paradis pour les plaisanciers. Son littoral fourmille littéralement de ports et de mouillages, offrant autant de points de départ pour partir à la découverte des îles et îlots, des côtes, ainsi que pour pratiquer des sports nautiques. En tout

il y a près de 50 ports de plaisance en Bretagne, nous vous donnons ci-après les coordonnées des principaux, vous pouvez en obtenir la liste complète, ainsi que des informations complémentaires sur le nautisme en allant sur le site : www.nautismebretagne.fr.

Aber-Wrac'h – 📞 02 98 04 91 62.

Audierne – 📞 02 98 75 04 93.

Bénodet – 📞 02 98 57 05 78.

Brest – 📞 02 98 02 20 02.

Concarneau – 📞 02 98 97 57 96.

Douarnenez – 📞 02 98 74 02 56.

Groix – 📞 02 97 86 54 62.

La Trinité – 📞 02 97 55 71 49.

Belle-Île – Le Palais 📞 02 97 31 42 90.

Lorient – 📞 02 97 21 10 14.

Paimpol – 📞 02 96 20 47 65.

Perros-Guirec – 📞 02 96 49 80 50.

Île aux Moines – Port Blanc 📞 02 97 26 30 57.

Port-Louis – 📞 02 97 82 59 55.

Redon – 📞 02 99 71 35 28.

St-Malo – 📞 02 99 81 71 34.

Vannes – 📞 02 97 54 16 08.

Port de Conleau dans le golfe du Morbihan.

👁 Pensez à réserver vos anneaux bien en avance car les ports affichent souvent complets.

PLONGÉE SOUS-MARINE

Ce sport est très pratiqué en Bretagne. Les amateurs de chasse sous-marine ou de paysages sous-marins trouvent, surtout le long des côtes sud (Port-Manech, Port-Goulphar à Belle-Île…), des criques limpides, poissonneuses et riches en algues.

👁 **Bon à savoir** – Après les baptêmes dispensés par les moniteurs et l'engouement pour la découverte des superbes paysages sous-marins, on n'en est pas pour autant un plongeur confirmé. Il faut savoir que l'apprentissage est long et qu'il doit être dispensé par des moniteurs titulaires des diplômes de moniteurs fédéraux 1er et 2e degrés ou titulaires des brevets d'État d'éducateur sportif 1er ou 2e degré option plongée subaquatique.

Comité interrégional Bretagne-Pays de Loire de la Fédération française d'études et de sports sous-marins – 39 r. de la Villeneuve - 56100 Lorient - ✆ 02 97 37 51 51 - www.ffessm-cibpl.asso.fr. Il vous fournira tous les renseignements nécessaires.

Certaines interdictions sont à respecter en ce qui concerne la pêche sous-marine. Il faut notamment retirer (gratuitement) une autorisation auprès des Affaires maritimes.

PETITS TRAINS

À l'heure du TGV, la belle locomotive à vapeur 231 K8 vous emmène découvrir la vallée du Trieux et son estuaire avec un parcours de quelque quarante minutes sur la ligne Paimpol-Pontrieux. Cette locomotive construite en 1912 a quitté le service en 1971, avant de tourner dans *Borsalino and co* (1974) ; alors, au 3e coup de sifflet, en avant pour une expérience passionnante. **Vapeur du Trieux** – Gare de Paimpol - av. du Gén.-de-Gaulle - 22500 Paimpol - ✆ 0 892 391 427 (0,34 €/mn) - www.vapeurdutrieux.com.

RANDONNÉES ÉQUESTRES

À travers les landes bretonnes, sur les pentes des monts d'Arrée, en forêt de Brocéliande ou le long des rivages, toutes les formules d'équitation sont possibles en Bretagne. **Délégation nationale au tourisme équestre** – 9 bd Macdonald - 75019 Paris - ✆ 01 53 26 15 50 - cnte@ffe.com. Le comité édite une brochure annuelle, *Cheval nature*, répertoriant les possibilités en équitation de loisir et les hébergements accueillant cavaliers et chevaux.

Formules Bretagne – 203 bd St-Germain - 75007 Paris - ✆ 01 53 63 11 53.

Equibreizh – Les passionnés de cheval ont certainement entendu parler de ce superbe itinéraire (environ 2 500 km) qui fait le tour de la Bretagne en reliant les principaux sites. Avec votre monture, ou encadré par un centre de tourisme équestre, vous pouvez choisir votre parcours et vos étapes. Boucles des filles. Pour commander le topoguide, contacter l'Association régionale de tourisme équestre en Bretagne - ✆ 02 97 84 44 00 - www.equibreizh.com.

Pour les passionnés de cheval, un petit détour s'impose au haras d'Hennebont.

Galop sur la plage.

Comités départementaux de tourisme équestre

CDTE des Côtes-d'Armor – Association des cavaliers d'extérieur des Côtes-d'Armor (ACECA) - Kertau - 22190 Plérin - ✆ 02 96 74 68 05 ou 02 96 73 12 38 - www.ville-plerin.fr/aceca.

CDTE du Finistère – 27 r. Laennec - 29710 Plonéis - ✆ 02 98 91 02 02 - www.equi29.com.

CDTE de l'Ille-et-Vilaine – La Ferme de Chenedet - 35133 Landéan - ✆ 02 99 97 35 46 ou 06 83 01 17 77.

CDTE de la Loire-Atlantique – Gérard Daniel - 7 imp. Polymnie - 44470 Carquefou - ✆ 08 71 47 65 50.

ADTE du Morbihan – 4 r. Georges-Cadoudal - 56390 Grand-Champ - ✆ 02 97 66 40 46.

RANDONNÉES PÉDESTRES

Les GR 34 (sentier des douaniers), 37, 38, 341, 380 sillonnent l'Argoat en tous sens ; ils feront la joie des bons marcheurs comme des moins chevronnés. Les chemins de halage du canal de Nantes à Brest et la Voie verte sont également très appréciés. En général, les offices de tourisme fournissent une liste d'associations locales de randonnée pédestre.

Fédération française de la randonnée pédestre – 14 r. Riquet - 75019 Paris - ✆ 01 44 89 93 93 - www.ffrp.asso.fr. La Fédération donne le tracé détaillé des GR, GRP et PR ainsi que d'utiles conseils.

Comité régional Bretagne de la randonnée pédestre – Etic Center - 9 r. des Charmilles - 35510 Cesson-Sévigné - ✆ 02 99 54 67 61.

www.randobreizh.com – Ce site récent est idéal pour préparer ses randonnées en Bretagne. Outre la description des sites et des itinéraires (GR, GRP, véloroutes et voies vertes), vous y trouverez un guide complet des hébergements à proximité des sentiers, ainsi qu'une rubrique sur les grands événements et les fêtes de la région. Vous pourrez également y choisir un guide de randonnée et trouver une documentation précieuse.

Baccorb (bureau des accompagnateurs de randonnées en Bretagne) – Créée en juin 2005, cette association a pour but de fédérer les guides, d'aider à leur formation et de développer des circuits de découverte et de randonnée sur la Bretagne - 2 r. A. Poulain-Duparc - 35000 Rennes - ✆ 02 99 78 83 72.

France Randonnée – 9 r. des Portes-Mordelaises - 35000 Rennes - Propose des séjours et organise des randonnées à pied, à vélo, à cheval avec ou sans accompagnateur. Vous trouverez dans la boutique des cartes et des guides de grandes randonnées (GR) et de petites randonnées en boucles (PR) - ✆ 02 99 67 42 21 - www.france-randonnee.fr.

Conservatoire du littoral, ONF, Parcs naturels régionaux… Ces organismes proposent des randonnées ou de la documentation bien utile pour découvrir la région. Les syndicats d'initiative et les offices de tourisme offrent également des dépliants de balades et de randonnées.

ROUTES HISTORIQUES

Pour découvrir le patrimoine architectural local, la **Fédération nationale des routes historiques** (www.routes-historiques.com) a élaboré 21 itinéraires à thème. Tracés et dépliants sont disponibles auprès des offices de tourisme ou de M. Tranié - 1 r. du château - 60112 Troissereux - ✆ 03 44 79 00 00.

En Bretagne vous ne pourrez parcourir qu'une seule Route historique mais de taille, celle de Chateaubriand, qui relie 17 sites dont 13 châteaux dans les départements d'Ille-et-Villaine et des Côtes-d'Armor :

Route historique Chateaubriand – Château de Bourbansais - 35720 Pleugueneuc - ✆ 02 99 69 40 07 - http://www.chateaux-france.com/route-chateaubriand/

ROUTES THÉMATIQUES

Route des peintres de Cornouaille, route des enclos paroissiaux ou des phares et balises, route du lin ou circuit des villes d'art : la Bretagne voit naître chaque année de nouvelles routes thématiques à vocation touristique. Fortement évocatrices du patrimoine breton, tant architectural, que naturel ou humain, ces itinéraires sont mis en place par des associations, des offices de tourisme et autres organismes, et bénéficient souvent d'une brochure explicative.

Chaque office de tourisme dispose des informations.

THALASSOTHÉRAPIE ET BALNÉOTHÉRAPIE

La mer et son environnement (algues, climat marin) remettent en forme très naturellement les personnes stressées ou fatiguées. La thalassothérapie (du grec *thalassa*, la mer) est un ensemble de diverses techniques qui renforcent l'action naturelle du bord de mer : algothérapie (applications ou bains d'algues), hydrothérapie (jet, douche ou bain d'eau de mer), kinésithérapie (gymnastique, massage), sauna, aérosols d'eau de mer, etc. La durée moyenne (et reconnue comme étant efficace) d'une cure en centre de thalassothérapie est de l'ordre de 7 à 10 jours.

Adresses nationales

Fédération mer et santé – 8 r. de l'Isly - 75008 Paris - ✆ 01 44 70 07 57 - www.thalassofederation.com.

Vous pouvez également consulter le site www.thalasso-first.com où vous rendre au salon annuel des Thermalies qui se déroule fin février à Paris.

Adresse régionale

Les renseignements et réservations peuvent se faire auprès du Comité régional du tourisme de Bretagne :

Formules Thalasso – 203 bd St-Germain - 75007 Paris Cedex - ✆ 01 53 63 11 53 - www.formulesbretagne.com. Brochure présentant l'ensemble des centres de thalassothérapie de Bretagne disponible sur demande. Par ailleurs, le CRT a mis en place un site qui associe les 13 centres de thalasso de Bretagne. Il permet de composer des séjours sur mesure. www.thalasso-bretagne.fr.

Les centres

Vous trouverez leurs coordonnées accompagnées d'un bref descriptif dans les encadrés pratiques de la partie « Découvrir les sites. »

👣 Voyez La Baule, Belle-Île, Bénodet, Carnac, Dinard, Douarnenez, le golfe du Morbihan, Perros-Guirec, Quiberon, Roscoff, St-Malo.

VISITES GUIDÉES

La plupart des villes proposent des visites guidées. Elles sont organisées toute l'année dans les grandes villes ou seulement en saison dans les plus petites. Dans tous les cas, informez-vous du programme à l'office de tourisme et pensez à vous inscrire. En général, les visites ne sont pas assurées en deçà de quatre personnes et pendant la période estivale les listes sont rapidement complètes.

👣 Reportez-vous aussi à l'encadré pratique des villes, dans la partie « Découvrir les sites », où nous mentionnons les visites guidées qui ont retenu notre attention sous la rubrique « Visite ».

Petites cités de caractère

L'Association des Petites cités de caractère de Bretagne, créée en 1975, rassemble une vingtaine de villages ou de petites communes de 5 000 hab. Chacune se doit de posséder au moins un monument inscrit, ce qui est le cas de la majeure partie des communes françaises, mais se doit en outre de présenter un ensemble urbain homogène et préservé. La charte de ces cités prévoit en sus la disparition des antennes de télévision et le contrôle de la pertinence et de l'esthétique des enseignes commerciales. Si l'on ajoute à cela la volonté de développer les circuits piétons et l'information touristique, les petites cités de caractère sont particulièrement attrayantes pour les touristes.

Celles de ce guide sont : Bazouges-la-Pérouse, Bécherel, Châteaugiron, Châtelaudren, Combourg, Guerlesquin, Josselin, Jugon-les-Lacs, Le Faou, Léhon, Lizio, Locronan, Malestroit, Moncontour, Pont-Croix, Pontrieux, Quintin, La Roche-Bernard, La Roche-Derrien, Rochefort-en-Terre, Roscoff, Tréguier.

Vous pouvez commander une brochure spécifique aux cités d'art sur le site : www.tourismebretagne.com.

Villes et Pays d'art et d'histoire

Sous ce label décerné par le ministère de la Culture et de la Communication sont regroupés quelque 130 villes et pays qui œuvrent activement à la mise en valeur et à l'animation de leur architecture et de leur patrimoine. Dans ce réseau sont proposées des visites générales ou insolites (1h30 ou plus), conduites par des guides-conférenciers et des animateurs du patrimoine agréés par le ministère.

Ministère de la Culture et de la Communication

Villes et Pays d'art et d'histoire.

Les villes d'art et d'histoire de ce guide sont : Concarneau, Dinan, Dinard, Fougères, Lorient, Nantes, Quimper, Rennes, Vannes, Vitré.
La Bretagne comptait en 2006 un seul pays d'art et d'histoire : le pays de Morlaix.

Renseignements auprès des offices de tourisme des villes ou sur le site **www.vpah.culture.fr**.

👣 Voir également le chapitre suivant, « La destination en famille ».

VOIE VERTE

Adeptes du roller, de la bicyclette ou de la marche en famille, un terrain de jeu idéal vous attend sur la Voie verte qui relie Mauron à Questembert dans le Morbihan. Comme souvent, une ancienne voie ferrée a été réhabilitée pour accueillir les sportifs, les familles et les personnes à mobilité réduite. Cet itinéraire de 53 km situé à l'ouest de la forêt de Paimpont passe à proximité de Loyat, Montertelot, Ploërmel, Le Roc-St-André, St-Marcel, Malestroit, Molac… De nombreux accès sont possibles tout au long du parcours. Se renseigner aux offices du tourisme de Tréhorenteuc (☏ 02 97 93 05 12), de Ploërmel (☏ 02 97 74 02 70), de Malestroit (☏ 02 97 75 14 57) ou de Questembert (☏ 02 97 26 56 00).

VOILE ET VIEUX GRÉEMENTS

Le découpage des côtes bretonnes offre des baies bien abritées très favorables à la pratique de ces sports. Dans les grandes stations, des régates sont organisées tout au long de la saison. La **voile** est le sport régional par essence. Toutes les stations balnéaires possèdent au moins un club où l'on pourra s'initier à la voile ou louer un bateau pour une balade en mer. La pratique de la **planche à voile**, de plus en plus populaire, est réglementée sur les plages. Les clubs, où vous pourrez louer des planches, vous renseigneront.

Fédération française de voile – 17 r. Henri-Bocquillon - 75015 Paris - ☏ 01 40 60 37 00 - www.ffvoile.org.

France Station Voile - Nautisme et Tourisme – 17 r. Henri-Bocquillon - 75015 Paris - ☏ 01 44 05 96 55 - www.france-nautisme.com. Ce réseau regroupe sous le nom de « stations nautiques » des villages côtiers, des stations touristiques ou des ports de plaisance qui s'engagent à offrir les meilleures conditions pour pratiquer l'ensemble des activités nautiques.

Les stations bretonnes sont : Saint-Malo, Saint-Cast-le-Guildo, Pléneuf-Val-André, Perros-Guirec, la rade de Brest, Crozon-Morgat, le pays de Lorient.

Naviguer sur les « vieux gréements »

De nombreuses unités ont été restaurées ou tout simplement construites à l'ancienne. Ainsi est-il possible d'embarquer pour une demi-journée, une journée, un week-end ou le temps d'une longue croisière sur l'un de ces merveilleux voiliers récemment restaurés. Tout au long du corps de ce guide, les « carnets pratiques » vous renseignent sur les vieux gréements sur lesquels embarquer.

VUE DU CIEL

Aéro-Sub Multi-Services – ZA Quelarn - 29740 Plobannalec - ☏ 02 98 87 89 48. L'altitude offre un regard à la fois insolite et merveilleux sur la région où l'on passe ses vacances.

Le Trégor vu du ciel avec l'**aéro-club de la Côte de Granit rose** – R. du Cdt-Coadou - Lannion - ☏ 02 96 48 47 42 - http://accg.chez.alice.fr.

Promenade, survol de la côte et baptême de l'air en ULM : **M. Chevalier** – Plounévez-Porzay (baie de Douarnenez) - ☏ 02 98 81 28 47.

Vous trouverez également quelques adresses dans les « encadrés pratiques » des villes et sites décrits.

Pour obtenir la liste à jour des centres de vol libre et des lieux de pratique :

Fédération française de vol libre (deltaplane et parapente) – 4 r. de Suisse - 06000 Nice - ☏ 04 97 03 82 82 - www.ffvl.fr.

Fédération française de planeur ultraléger motorisé – 96 bis r. Marc-Sangnier - BP 341 - 94709 Maisons-Alfort Cedex - ☏ 01 49 81 74 43 - www.ffplum.com.

♿ Ne manquez pas de consulter la météo avant de partir en vol *(coordonnées disponibles dans l'encadré pratique de la partie « Au fil des saisons » dans Les atouts de la région).*

La destination en famille

Les infrastructures touristiques bretonnes sont de plus en plus adaptées aux enfants. Tout le long du littoral, les plages sont équipées de clubs de voile ou d'activités de plage (voyez ci-dessous les Stations Kid) accessibles dès 3 ans. Dans les terres, l'accent est davantage porté sur les activités nature grâce à des sorties guidées liées notamment à la reconnaissance d'espèces.

Il existe un « **Pass sensation** » spécialement étudié pour les familles. Il s'agit d'un carnet de tickets non nominatifs qui donnent droit à des réductions dans tous les sites bretons (liste sur le site www.formulesbretagne.com).

De son côté, la Loire-Atlantique a mis en place une opération intitulée « **Jeunes Aventuriers** », associant 18 sites touristiques. Ces derniers se

👫 SITES OU ACTIVITÉS À FAIRE EN FAMILLE			
Chapitre du guide	**Nature**	**Musées**	**Loisirs**
Bénodet		Musée du bord de mer	
Île de Bréhat			Le tour de Bréhat en bateau ; les balades contées de Kérano
Brest			Océanopolis
Combourg			Le Cobac Parc ; le port miniature de Villecartier
Cornouaille		Haliotika	L'Aquashow
Le Croisic		Le Grand Blockhaus	L'Océarium
Dinan			Le zoo du château de la Bourbansais
Dol-de-Bretagne		Le musée de la Paysannerie	Le Petit Mont-Saint-Michel
Douarnenez		Le Musée à flot	Les bateaux miniatures de Port-Rhu
Le Faouët			Le parc Aquanature du Stérou
La Grande Brière	Les réserves ornithologiques ; le dolmen de Kerbourg		La Chaumière des Marionnettes ; une promenade en chaland
Côte de Granit rose	La station ornithologique de l'Île Grande	La Cité des télécoms	Planétarium
Guérande		Musée de la poupée	Visites-jeux du château de Careil
Lac de Guerlédan		Le village des Forges-des-Salles	Pédalo
Huelgoat	La Maison de la faune sauvage		
Josselin		Musée des Poupées	Insectarium
Lamballe		La Ferme d'antan , le château de la Hunaudaye	Base nautique
Lorient		La Thalassa	Le zoo de Pont-Scorff ; canoë-kayak
Ménez-Hom		Musée de l'école rurale de Bretagne	
Moncontour		Village des automates	
Nantes	Le Jardin des Hespérides	Muséum d'histoire naturelle ; musée Jules-Verne	Planétarium ; les Machines de l'Île ; la volière à Goulaine
Rennes	Le parc ornithologique de Bretagne	Le musée des Transmissions ; les Champs Libres	L'écomusée du Pays de Rennes ; les Jardins de Brocéliande
La Roche-Bernard			Parc animalier et botanique de Branféré
Rochefort-en-Terre			Parc de préhistoire de Bretagne
Rostrenen		Musée rural de l'Éducation	
Saint-Malo		L'Hôtel d'Asfeld	Le Grand Aquarium ; les Rochers sculptés
Saint-Nazaire		Escal'Atlantic	
Saint-Pol-de-Léon		La Ferme-musée du Léon	Chasse au trésor au château de Kerjean
Vannes			Le Jardin aux Papillons ; l'aquarium du Golfe

sont engagés à réserver un accueil spécifique aux enfants de 6 à 12 ans en leur fournissant un questionnaire-jeu qui les accompagnera tout le long de la visite. La liste des sites est disponible sur www.jeunesaventuriers.fr.

Enfin, pour vous faire pardonner quelques visites de musées « pour les grands » ou pour changer un peu de la plage, nous avons sélectionné pour vous un certain nombre de sites *(voir le tableau récapitulatif ci-contre)* qui intéresseront particulièrement votre progéniture. Vous les repérerez dans la partie « Découvrir les sites » grâce au pictogramme 👥.

👁 **Bon à savoir** – La Bretagne dispose d'un site spécialisé pour les jeunes touristes où vous trouverez toutes les informations nécessaires à l'organisation d'activités et de sorties. www.breizhtrotters.com.

LES LABELS

Villes et Pays d'art et d'histoire

Le réseau des Villes et Pays d'art et d'histoire *(voir la rubrique « Visite guidée »)* propose des visites-découvertes et ateliers du patrimoine aux enfants, les mercredis, samedis ou durant les vacances scolaires. Munis de livrets-jeux et d'outils pédagogiques adaptés à leur âge, ces derniers s'initient à l'histoire et à l'architecture et participent activement à la découverte de la ville. En atelier, ils s'expriment à partir de multiples supports (maquettes, gravures, vidéos) et au contact d'intervenants de tous horizons : architectes, tailleurs de pierre, conteurs, comédiens.

👁 **Bon à savoir** – En juillet-août, dans le cadre de l'opération « L'Été des 6-12 ans », ces activités sont également proposées pendant la visite des adultes.

Stations Kid

Une station gratifiée du label « Kid » remplit nécessairement une série de conditions qui la rend parfaitement adaptée à l'**accueil des familles** (hébergement, équipements, animations spécifiques pour chaque âge) ; les enfants y « sont rois ».

À la **mer**, les plages possèdent des espaces de jeux, des clubs ou des parcours aventure, elles organisent des spectacles, des fêtes, des stages sportifs, des ateliers musicaux. En Bretagne la seule Station Kid est **Perros-Guirec**.

Association nationale des Stations Kid – BP 139 - 59027 Lille Cedex - 📞 03 20 14 97 87 - www.stationskid.com.

Stations vertes

La fédération des Stations vertes de vacances *(voir p. 26)* décerne chaque année un prix de l'accueil des enfants. Plougonvelin l'a reçu en 2002.

Que rapporter

Les adresses de boutiques ou d'artisans se trouvent à la rubrique « Que rapporter » dans les **encadrés pratiques** de la partie « Découvrir les sites ».

POUR LA BONNE BOUCHE

La Bretagne est un paradis pour les gourmands. On y trouve une variété extraordinaire de produits issus de la terre comme de la mer. La diversité rime ici avec une qualité que confirme la vivacité des différents labels.

Les labels

Les différents labels de qualité connaissent un essor sans précédent dans tous les départements bretons. Poissons, cidres, oignon rosé ou viandes… peu de produits échappent à cette valorisation.

L'**AOC**, appellation d'origine contrôlée, reconnaît la spécificité d'un produit issu d'une aire géographique définie, et dont la réputation est établie. C'est le cas du **cidre de Cornouaille**, du **pommeau de Bretagne**, des **eaux de vie de cidre** de Bretagne et du **coco de Paimpol**. À la suite de ces produits, nombre d'autres sont en bonne voie pour l'obtention d'une nouvelle AOC, comme les agneaux de prés-salés du Mont-St-Michel ou les oignons rosés de Roscoff. En 2005, cette appellation rassemblait près de 700 producteurs.

Le **label Rouge** (qui concerne plus de 1 700 producteurs) ne s'attache pas exclusivement à la région de production, il distingue plutôt les qualités supérieures d'un produit par rapport à un produit similaire. Parmi les labels rouges de Bretagne, citons le **cidre royal Guillevic** (dans le Morbihan), le **sel de Guérande** (1991, le premier pour un produit marin), les **porcs fermiers de tradition**, les **volailles fermières d'Argoat et de Janzé**, les **agneaux de Brocéliande**… Pour certains produits, comme les **coquilles St-Jacques** ou les **sardines**, le label Rouge se double parfois d'une **IGP** (indication géographique protégée).

Le dernier label d'importance présent en Bretagne est certainement l'un des plus prometteurs, c'est le **label AB**, pour agriculture biologique. Ce label, qui couvre la production de plus de 32 000 ha, garantit l'absence de produits chimiques de synthèse dans la croissance des produits, ainsi que des méthodes de travail fondées sur le recyclage des matières organiques naturelles. Cette filière de 1 700 producteurs concerne les **légumes** et les **fruits**, ainsi que le **lait**, les **œufs**, le **saumon naturel ou fumé**, et les filets de **truite**.

Les spécialités gastronomiques

Conserves de poissons et autres produits de la mer – Les **conserveries** bretonnes sont d'une rare vitalité, car elles perpétuent des savoir-faire souvent centenaires. La conserverie **Courtin**, à Concarneau, s'est spécialisée notamment dans la coquilles St-Jacques grâce à une recette inchangée depuis 1893. **Le Connétable** est la plus ancienne de Bretagne, et du monde, car elle a ouvert ses portes aux sardines de Douarnenez peu après la découverte de l'apertisation, en 1853. Enfin l'une des plus célèbres, **La Belle-Iloise**, est née dans la presqu'île de Quiberon en 1932.

Par ce biais de conservation, vous pourrez ramener de savoureuses préparations. La **sardine**, tout comme le **maquereau**, peut être conditionnée à l'huile d'arachide ou d'olive, nature ou aux piments, par 3, 6 ou 12 filets. Elle peut aussi se présenter sous forme de rillettes, ou de pâté (au whisky, c'est un « must »). La **soupe de poisson** vendue en bocal, de même que son indissociable rouille, reste également un classique. Enfin, à l'heure du départ, n'hésitez pas à alléger votre peine en choisissant sur votre dernier marché une **bourriche d'huîtres** (elles supportent très bien le voyage si vous les logez au fond du coffre, à l'abri du soleil).

Condiments – Le **sel de Guérande** (gros sel et fleur de sel) n'est plus à présenter. Plutôt que de l'acheter dans un quelconque supermarché, procurez-vous-en auprès d'un paludier, c'est plus sympa et c'est moins cher.

Charcuterie – S'il est une spécialité charcutière à ne pas omettre, c'est bien l'**andouille de Guéméné-sur-Scorff**. Préparée à base de chaudins de porc, c'est-à-dire de gros intestins, enroulés dans un boyau de bœuf, fumés puis séchés plusieurs mois avant d'être cuits dans un bouillon, elle dégage une saveur puissante qui agrémente nombre de galettes garnies. Toutes les bonnes charcuteries et boucheries pourront vous en vendre. À Guéméné même, les andouilles Rivalan-Quidu sont une institution.

Fromages – La Bretagne, grande région d'élevages laitiers, fait pourtant figure de parent pauvre en matière de fromages. Il y a toutefois le **curé nantais**, la **trappe au lait cru** de l'abbaye de Timadeuc, le **saint-paulin** et le **crémet nantais**.

Les gourmandises

Il ne faut pas attendre la fin d'un séjour en Bretagne pour comprendre que les Bretons sont assez gourmands. La renommée des **galettes** de sarrasin, **fars** aux pruneaux parfumés à la cannelle et **kouign amanns** généreusement caramélisés a depuis longtemps franchi les limites de la région.

On croise un peu partout des **biscuiteries** artisanales qui vous allèchent de loin, bien que La Mecque du genre soit indéniablement Pont-Aven avec ses inimitables **traou-mads**. Spécialités typiquement régionales s'il en est, des crêpes de froment et des galettes de sarrasin sont vendues un peu partout ; de plus en plus de petites fabriques artisanales ont ouvert et en vendent sous un sachet plastique qui leur assure quelques jours de fraîcheur. Typiques des stations balnéaires comme La Baule et Quiberon, les **niniches** feront la joie des enfants… et des dentistes à votre retour.

L'intérieur d'une confiseries à Nantes.

Hervé Le Gac / MICHELIN

EGYPT NILE CRUISES
LE SPÉCIALISTE DE L'EGYPTE

Groupe **Ägypten Reisen**

A la découverte de l'Egypte

La croisière est un voyage dans le temps où l'on savoure chaque instant au rythme da'utrefois. Sans la contrainte de faire et refaire ses bagages, vous vous laissez transporter confortablement installés dans nos bateaux.

Au rythme de la navigation, rêvez devant l'immensité qui vous enveloppe ou admirez les paysages qui défilent devant vous.

La croisière sur le Nil, c'est la découverte le temps d'une escale, vous abordez la terre des Pharaons avec ses 7000 ans d'histoire.

EXEMPLES DE PRIX:

* CROISIÈRE SUR LE NIL	590€	* SÉJOUR ALEXENDRIE	540€
* SAFARI SINAÏ	715€	* SÉJOUR HURGHADA	540€
* SAFARI OASIS	715€	* SÉJOUR SHARM ELSHEIKH	570€
* CIRCUIT/CROISIÈRE	715€	* SÉJOUR AU CAIRE	540€

EGYPT NILE CRUISES - E.N.C VOYAGES

Le spécialiste de l'Egypte - Plus de 200 produits pour l'Egypte
vols - croisières - circuits - safaris - plongées - randonnées - autotours,
week-ends, voyages à la carte (groupes/individuels/incentive/séminaires)
le réceptif au service des professionnels de voyages.
Voyages à la carte (groupes/individuels/incentive/séminaires).

3, rue versigny 75018 Paris   Tél 01 44 92 97 77 - Groupes 01 42 59 50 90
Fax 01 44 92 97 82 www.egypt-nile.com resa@egypt-nile.com

Reste la myriade de produits locaux, qui varient d'un marché à l'autre, mais dont on peut extraire la **confiture de lait** et les **caramels au beurre salé**, produits fermiers traditionnels, les **crêpes dentelle** de Quimper, les **gavottes** de Dinan, le **pain plié** du Trégor, les **madeleines** des Côtes-d'Armor, les **berlingots** nantais, les **craquelins**, les **brise-lames** et les **œufs de mouette** de St-Malo, etc.

Les alcools

Compagnons des plats de crustacés, le **muscadet** et son petit frère le **gros-plant** sont produits dans le pays nantais ; accompagnateur des crêpes et galettes, le **cidre fermier** a ses Rolls à Fouesnant et Pleudihen-sur-Rance ; plus anecdotique, mais bel et bien breton, le **chouchen**, ou hydromel, est surtout une spécialité de Rosporden ; le **pommeau**, le **lambig** ou fine de Bretagne (eau-de-vie de cidre) et les bières sont nombreux, aussi sera-t-il peut-être plus judicieux de jouer la carte de l'authenticité avec la **cervoise**, fameuse boisson des Gaulois, ou de la surprise avec le **whisky** breton distillé du côté de Lannion. Autre petite originalité en sus : la bière à base d'eau de mer, la **Mor Braz**, produite en Bretagne Sud, du côté de Theix.

POUR LA MAISON

Voici quelques idées qui n'ont d'autre ambition que de vous aider à faire votre choix en toute connaissance de cause… d'autant que les artisans pullulent en Bretagne. Notez que l'on peut parfois pousser la porte des ateliers pour assister à la fabrication des produits (il conviendra, par prudence, de téléphoner au préalable afin de réserver).

Faïence

Les faïenceries de Quimper, dont celle d'H.B. Henriot, perpétuent une longue tradition de qualité : leurs ateliers et les magasins de la ville vendent aussi bien de la vaisselle que des sculptures décoratives témoignant de la maîtrise des artisans. Plus populaire, amusant, et en fait tout aussi traditionnel, le bol à oreilles orné d'un prénom est un produit incontournable qui enchante les plus petits. La Bretagne en est littéralement inondée.
🕯 Reportez-vous à Quimper pour en savoir davantage sur les grandes faïenceries bretonnes.

La faïence H.B.-Henriot.

La mer à la maison

Des vacances au bord de la mer ne laissent pas que les marques du maillot, elles impriment aussi les esprits. On s'y sent tellement bien qu'on a bien souvent envie de rapporter un petit quelque chose qui nous rappellera les bons moments passés sur la côte. Toute une série d'objets symbolisant la mer sont disponibles. Les plus simples sont la carte postale et le poster, mais leur pouvoir évocateur étant un peu limité, on choisira peut-être un cadre en coquillages, un tableau de nœuds marins ou une marine dégotée sur un marché, une maquette de bateau ou encore un instrument de navigation en laiton.

POUR SOI

Vêtements de marins

Le **pull marin** bleu marine ou blanc ligné de bleu est un classique qui se permet de mépriser les modes puisqu'il en est une à lui tout seul. Les **coopératives maritimes** des ports bretons sont de petites cavernes d'Ali Baba où chacun trouvera son bonheur d'apprenti loup de mer, que ce soit avec les sacro-saints **bonnets** et **casquettes** bleus ou encore avec la **vareuse**, naguère ringarde et aujourd'hui déclinée jusque dans le prêt-à-porter dans des coloris très actuels. Il reste évidemment le très traditionnel **ciré** jaune, mais des versions plus modernes et plus sportives ont vu le jour avec le développement de la voile.

Broderie

Après une période de désaffection due à l'abandon progressif du costume traditionnel, la **broderie bretonne** fait son grand retour sous l'impulsion de quelques brodeurs passionnés dont

Pascal Jaouen et David Le Gac, basés à Quimper. Fils de soie ou synthétique sur velours ou tissus métalliques, ils réalisent toutes les combinaisons possibles et essaiment leur école (*www.ecoledebroderie.com*) dans toute la Bretagne. Vous trouverez matériel et réalisations dans leur boutique quimpéroise.
Giz Gwech'all (Comme Autrefois) - 21, rue du Sallé - 29000 Quimper - ℘ 02 98 95 28 77 - www.comme-autrefois.com.

Sabots

Les paysans en ont porté jusque après guerre. Les années 1970 les avaient remis à l'honneur ; ils restent un produit artisanal vendu principalement dans les villages campagnards.
Saboterie Audren – Rte du Questel - 22470 Plouezec - ℘ 02 96 20 61 04 - www.sabots-bois-bretons.fr.
La Maison du Sabot – 10 r. Vauban - 29900 Concarneau - ℘ 02 98 50 70 54.

Événements

Autour des grands classiques que sont les Vieilles Charrues, les Étonnants Voyageurs ou l'Interceltique, les **festivals** ont tendance à se multiplier dès qu'apparaissent les beaux jours, proposant des programmations le plus souvent de qualité. Dans l'impossibilité de prétendre à l'exhaustivité, voici donc une sélection parmi les principaux festivals dont la pérennité semble assurée. Par ailleurs, la plupart des **pardons** traditionnels ont été répertoriés ici. En fin de calendrier figurent les rendez-vous sportifs incontournables de la région, souvent liés à la voile ou à l'équitation.

♿ Retrouvez ces manifestations plus détaillées, ainsi que d'autres de moindre importance, dans la rubrique « Événements » des « encadrés pratiques » de la partie « Découvrir les sites ».

👁 **Bon à savoir** – De nombreuses associations adhèrent à la Fédération française des fêtes et spectacles historiques. Un guide est disponible sur le site **www.loriflamme.com**.

FESTIVALS
Janvier

Nantes – La Folle Journée : musique classique (dernier week-end) - ℘ 02 51 88 20 00.

Avril

Concarneau – Festival « Livre et Mer », Salon du livre maritime (21-23) - ℘ 02 98 97 52 72 - www.salondulivremaritime.com.

Mai/juin

St-Malo – Festival « Étonnants Voyageurs » : littérature internationale (w.-end de la Pentecôte) - ℘ 02 99 31 05 74 - www.etonnants-voyageurs.net.

St-Brieuc – Festival « Art Rock » : musique, théâtre, danse, arts plastiques (1er w.-end de juin) - ℘ 02 96 33 32 50 - www.artrock.org.

Nantes – Printemps des arts : musique baroque et classique (de mi-mai à fin juin) - ℘ 02 40 20 03 00 - www.printemps-des-arts.com.

Juillet

Rennes – Festival « Les Tombées de la Nuit » (1re sem.) - ℘ 02 99 32 56 56.

Carhaix-Plouguer – Festival des Vieilles Charrues (3e w.-end) - ℘ 08 20 89 00 66 - www.vieillescharrues.asso.fr.

Morlaix – Festival des arts dans la rue (de mi-juillet à mi-août) - ℘ 02 98 46 19 46 - www.artdanslarue.com.

Guer-Coëtquidan – Triomphe des Écoles de St-Cyr-Coëtquidan (3e ou 4e sam.) - ℘ 02 97 70 72 57.

Quimper – Festival de Cornouaille (fin du mois) - ℘ 02 98 55 53 53.

Vannes – Festival de jazz (fin juil.) - ℘ 02 97 01 62 40 - www.mairie-vannes.fr/jazzavannes.

Août

Lorient – Festival interceltique (10 jours, déb. du mois) - ℘ 02 97 21 24 29 - www.festival-interceltique.com.

Paimpol – Festival du chant de marin (années impaires ; 1re quinz.) - ℘ 02 96 55 12 77 - www.paimpol-2007.com.

Guingamp – Festival de la danse bretonne (sem. du 15) - ℘ 02 96 43 73 89 - www.dansebretonne.com.

St-Nazaire – « Escales » : deux jours et deux nuits de musique (déb. du mois) - ℘ 02 51 10 00 00 - www.les-escales.com.

Plomodiern – Festival folklorique du Ménez-Hom (1re quinz.) - ℘ 02 98 81 27 37 / 26 38 - www.monclocher.com/plomodiern.

Guérande – Les « Celtiques de Guérande » (1e quinz.) - ☎ 02 40 24 96 71 - www.ot-guerande.fr.

Abbaye de Bon-Repos – Spectacle son et lumière de Bon-Repos - ☎ 02 96 24 82 20.

Presqu'île de Crozon – Festival du Bout du Monde (10,11 et 12) - ☎ 02 98 27 00 32 - www.festivalduboutdumonde.com.

Nantes – « Les Rendez-vous de l'Erdre » (dernier w.-end) - ☎ 02 51 82 37 70 - www.rendezvouserdre.com.

Vannes – Musicales du Golfe (1re quinz.) - ☎ 06 86 08 13 79.

Octobre

Dinard – Festival du film britannique (1er au 2e w.-end) - ☎ 02 99 88 19 04 - www.festivaldufilm-dinard.com.

Carhaix-Plouguer – Festival du livre en Bretagne (dernier w.-end) - ☎ 02 98 93 37 43.

St-Malo – « Quai des Bulles » : festival de la bande dessinée et de l'image, projetée (26, 27 et 28) - ☎ 02 99 40 39 63 - www.quaidesbulles.com.

Novembre

Nantes – Festival des Trois Continents : films (dernier w.-end) - ☎ 02 40 69 74 14 - www.3continents.com.

Décembre

Rennes – « Transmusicales » (1re sem.) - ☎ 02 99 31 12 10.

FÊTES, FOIRES ET MARCHÉS

Avril

Bécherel –La Fête du livre (w.-end de Pâques) - ☎ 02 99 66 77 50.

Nantes – Carnaval (mi-carême) - ☎ 02 40 48 13 94.

Mai

Golfe du Morbihan – La Semaine du golfe, fête maritime attirant des centaines de bateaux (w.-end de l'Ascension, années impaires) - www.semainedugolfe.asso.fr.

Guérande – La Fête médiévale, le mariage du duc Jean IV et de Jeanne de Navarre (3e w.-end) - ☎ 02 40 24 96 71.

Juillet

Pont-L'Abbé – Fête des brodeuses (12 au 15) - ☎ 02 98 82 37 99 - www.fetedesbrodeuses.com.

Vannes – Fêtes historiques (13-14 et soirées environnantes) - ☎ 02 97 01 62 40 - www.mairie-vannes.fr.

Dinan – Fête des remparts (les années paires) - ☎ 02 96 87 94 94 - http://perso.wanadoo.fr/.fete-remparts.dinan/

Hennebont – Fêtes médiévales (dernier w.-end) - ☎ 02 97 36 24 52.

Rassemblement de coiffes bigoudènes.

Août

Erquy – Fête de la mer (déb. août) - ☎ 02 96 72 30 12 - www.erquy-tourisme.com.

Château de Kergroadès – W.-end médiéval (1er sam.) - ☎ 02 98 32 43 93.

Pont-Aven – Fête des ajoncs d'or (1er dim.) - ☎ 02 98 06 04 70.

Île de Fédrun – Fête de la Brière, course de chalands (dim. av. le 15 et le 15) - ☎ 02 40 91 67 09.

St-Lyphard-en-Brière – Fête de la tourbe (le 15) - ☎ 02 40 91 39 49 - www.saint-lyphard.com.

Bécherel – « Nuit du livre » (2e sam.) - ☎ 02 99 66 77 50.

Vannes – Fêtes d'Arvor (13-14-15) - ☎ 02 97 01 62 40.

Lesconil – « Fête des langoustines » (le 12) - ☎ 02 98 82 37 99.

Concarneau – Fête des filets bleus - ☎ 02 98 97 01 44.

Lizio – Fête des artisans (2e dim.) - ☎ 02 97 74 80 81.

Moncontour – Fête médiévale (mi-août, années impaires) - ☎ 02 96 73 49 57 - www.moncontour-medievale.com.

Perros-Guirec – Festival de la cité des hortensias (2e w.-end) - ☎ 02 96 23 21 15 - www.perros-guirec.com

Septembre

St-Herbot – Fête du beurre (4e dim.) - ☎ 02 98 86 90 07.

Octobre-novembre

Arzon, Port-Crouesty – « Mille Sabords » (w.-end de la Toussaint), plus grand salon nautique du bateau d'occasion - ☏ 02 97 53 74 43 - www.lemillesabords.com.

PARDONS
Mai

Lampaul-Guimiliau – Pardon de la chapelle Ste-Anne (Lampaul) (1er dim.) - ☏ 02 98 68 76 67.

St-Herbot – Pardon de St-Herbot (jeudi de l'Ascension) - ☏ 02 98 86 90 07.

Quintin – Pardon de N.-D.-de-Délivrance (2e w.-end) - ☏ 02 96 74 92 17.

Tréguier – Pardon de St-Yves (3e dim.) - ☏ 02 96 92 30 51.

Bubry – Pardon de St-Yves (4e dim.) - ☏ 02 97 51 70 38.

Juin

Notre-Dame-du-Crann – Pardon de la chapelle N.-D.-du-Crann (le dimanche qui suit le w.-end de la Pentecôte) - ☏ 02 98 93 82 22.

St-Tugen – Pardon de St-Tugen (mi-juin) - ☏ 02 98 74 81 19.

Moncontour – Pardon de la St-Mathurin (w.-end de Pentecôte) - ☏ 02 96 73 49 57 - www.pays-moncontour.com.

St-Jean-du-Doigt – Pardon de la St-Jean (dim. suivant la Saint-Jean) - ☏ 02 98 67 34 07.

Le Faouët – Pardon d'été de la Ste-Barbe (dernier dim.) - ☏ 02 97 23 23 23 - www.paysroimorvan.com.

Juillet

Guingamp – Pardon de N.-D.-de-Bon-Secours (1er sam. ; procession de nuit) - ☏ 02 96 43 73 59 - http://perso.wanadoo.fr/paroisse-guingamp/

Locronan – Petite troménie (2e dim.) - ☏ 02 98 91 70 14 - La grande troménie qui a lieu tous les six ans se tiendra en 2007.

Carantec – Pardon de St-Carantec (3e dim.) - ☏ 02 98 67 02 72.

Ste-Anne-d'Auray – Grand pardon de Ste-Anne (le 26) - ☏ 02 97 57 68 80.

Fouesnant – Grand pardon de Ste-Anne (dim. suivant la Ste-Anne) - ☏ 02 98 56 00 91.

Le Vieux-Marché – Pèlerinage islamo-chrétien à la chapelle des Sept-Saints (3e dim.) - ☏ 02 96 38 91 73.

Bubry – Pardon de la Ste-Hélène (4e dim. mat.) - ☏ 02 97 51 70 38.

Août

Persquen – Pardon de N.-D.-de-Pénéty (1er dim.).

Bécherel – La troménie de Haute-Bretagne (le 15) - ☏ 02 99 66 75 23 - www.becherel.com.

Porcaro – Pardon de la madone des motards (14 et 15) - ☏ 02 97 22 10 70 - www.madonedesmotards.fr.st.

Perros-Guirec – Pardon de N.-D.-de-la-Clarté (13, 14 et 15).

Pont-Croix – Pardon de N.-D.-de-Roscudon (le 15)

Plouguerneau – Pardon de la St-Pierre-et-St-Paul (15 août) - ☏ 02 98 04 71 02.

Plounéour-Ménez – Pardon de N.-D.-du-Relecq (le 15) - ☏ 02 98 78 43 86.

Rumengol – Pardon de N.-D.-de-Rumengol (le 15) - ☏ 02 98 81 93 45.

Rochefort-en-Terre – Pardon de N.-D. de la Tronchaye (1er dim. après le 15) - ☏ 02 97 43 31 50.

Carantec – Pardon de N.-D.-de-Callot (1er dim. après le 15) - ☏ 02 98 67 07 88.

Ste-Anne-la-Palud – Grand pardon (dernier w.-end).

Le Faouët – Pardon de la St-Fiacre (3e w.-end) - ☏ 02 97 23 23 23 - www.paysroimorvan.com.

Septembre

Camaret – Pardon de N.-D.-de-Rocamadour et bénédiction de la mer (1er dim.) - ☏ 02 98 27 90 48.

Le Folgoët – Grand pardon de Notre-Dame (1er w.-end).

Lamballe – Pardon de N.-D.-de-Grande-Puissance (1er dim.) - ☏ 02 96 31 92 06.

La grande troménie de Locronan

Pouldreuzic – Pardon de N.-D.-de-Penhors (1er dim.).

Carnac – Pardon de la St-Cornély (2e dim.) - ☎ 02 97 52 08 08.

Josselin – Pardon de N.-D.-du-Roncier (7 et 8) - ☎ 02 97 22 20 18 - www.notre-dame-du-roncier.com.

Pontivy - Pardon de N.-D-de-la-Joie (2e w.-end).

Hennebont – Pardon de N.-D.-du-Vœu (dernier dim.) - ☎ 02 97 36 24 52.

Gourin – Pardon de Saint-Hervé (dernier dim.) - ☎ 02 97 23 41 83.

Le Mont-St-Michel – Fête de l'archange St-Michel : messe dans l'église abbatiale, présidée par les évêques de Coutances et de Bayeux (4e dim. du mois) - ☎ 02 33 60 14 05.

RENCONTRES SPORTIVES

Avril

La Trinité-sur-Mer – Spi Ouest-France : voile (w.-end de Pâques) - ☎ 02 97 55 73 48 - www.snt-voile.org.

Mai

La Baule – Concours international de saut d'obstacles (1re sem.) - ☎ 02 40 60 02 80 - www.labaule-cheval.com.

Juillet

Hennebont – Concours national de saut d'obstacles (dernière sem.) - ☎ 02 97 36 16 34 - www.la-shn.fr.

Août

Dinard – Concours international de saut d'obstacles (déb. du mois) - ☎ 02 99 46 19 35.

Novembre

Saint-Malo – « Route du rhum » (tous les 4 ans, prochaine édition en 2010). Course en solitaire de Saint-Malo à Pointe-à-Pitre - ☎ 02 48 42 54 90 - www.routedurhum.org.

Conseils de lecture

PRESSE

Ouest-France, quotidien.

Le Télégramme, quotidien.

ArMen, bimensuel.

Bretagne magazine, bimensuel.

Le Chasse-Marée, 9 numéros par an, pour passionnés de voile et de bateaux.

OUVRAGES GÉNÉRAUX ET ALBUMS

Bretagne, Y. Le Gallo, Le Télégramme, 2003.

Bretagne, S. Recouvrance, J.-P. Gisserot, 1999.

La Bretagne, images et histoire, dirigée par A. Croix, Apogée, 1999.

Les Éditions Bordessoules publient une collection traitant de l'histoire des départements bretons : *Les Côtes-d'Armor de la préhistoire à nos jours*, *Le Finistère… La Loire-Atlantique… Le Morbihan… L'Ille-et-Vilaine…*

Loire-Atlantique, Tourisme & Culture, L. Vilaine, Siloë, 2002.

Guide de la géologie en France, sous la direction de C. Sabouraud, Belin-Société géologique de France, 2004.

Histoire / Ethnographie

Anatole Le Braz et la Légende de la mort, D. Besançon, Terre de Brume, 1996.

Anne de Bretagne, H. Le Boterf, France-Empire, 1996.

Bretagne sacrée et légendaire, M. Déceneux, Ouest-France, 1996.

Contes et légendes de Bretagne, par Y. Pinguilly, Nathan, 1998.

Histoire de Bretagne, H. Poisson et J.-P. Le Mat, Coop Breizh, 2000.

Le Guide de la Bretagne, Bretagne mystérieuse, G. Le Scouëzec, Coop Breizh, 1997.

Le Cheval d'orgueil, P. J. Hélias, Terre Humaine, Plon.

Un hiver en Bretagne, M. Le Bris, Nil Éditions, 1996.

L'Institut culturel de Bretagne (Skol-Uhel ar Vro) édite plusieurs séries de publications dans différentes collections : *Cahiers de l'Institut culturel de Bretagne, Histoire de Bretagne, Patrimoine archéologique de Bretagne…*, 1995.

Mémoires d'un paysan bas-breton, J.-M. Déguignet, An Here, 1999.

La Mer pour mémoire, M. L'Hour, É. Veyrat, Somogy éditions d'art, 2005.

Dictionnaire de la tradition bretonne, G. Le Scouëzec, Éditions du Félin, 1999.

Art / Architecture

Arts populaires de Bretagne, P. Le Stumm, Ouest-France, 1999.

Bretagne romane, L.-M. Tillet, La nuit des temps, Zodiaque, diff. Desclée de Brouwer.

La Bretagne au fil de ses couleurs, H. Jaouen et B. Louviot, Ouest-France.

Gauguin et la Bretagne, D. Delouche, Apogée.

Monet à Belle-Île, D. Delouche, Le Chasse-Marée.

Pont-Aven, l'école buissonnière, A. Terrasse, Gallimard-Jeunesse.

La Route des peintres en Cornouaille, R. Le Bihan, Palantines, 2005.

Sérusier et la Bretagne, C. Boyle-Turner, Ar Men/Chasse-Marée.

100 peintres en Bretagne, H. Belbéoch et R. Le Bihan, Palantines.

Les Éditions du Patrimoine et la Caisse nationale des monuments historiques et des sites coproduisent des collections thématiques très documentées : « Cahiers de l'inventaire » : *Le Manoir en Bretagne* ; *Les Orfèvres de Basse-Bretagne…* ; « Itinéraires du patrimoine » : *Églises d'Ille-et-Vilaine, Bretagne d'or et d'argent…* ; « Images du patrimoine » : *Le Canton de Josselin, Les Malouinières, Les Orgues en Bretagne…* ; « Parcours du patrimoine » : petits circuits de tourisme culturel.

Marine

Bretagne, pays de mer, B. Le Nail et P. Plisson, Le Patrimoine maritime breton, Hachette, 1998.

Dictionnaire pittoresque de marine, J. Lecomte, Le Chasse-Marée/Ar Men.

Guide des gréements – Petite encyclopédie des voiliers traditionnels, Le Chasse-Marée/Ar Men.

Les Gens de mer, insolite et quotidien, N. Cazeils, Ouest-France, 1999.

Un photographe en mer d'Iroise, C. Courteau, Ouest France, 2005.

Quand les Bretons peuplaient les mers, I. Frain, Fayard.

À Éric, J. Tabarly et D. Gilles, Éditions du Chêne, 1999.

Romans

Ces messieurs de Saint-Malo : vol. I : Ces messieurs de Saint-Malo ; vol. II : Le Temps des Carbec ; vol. III : Rendez-vous à la Malouinière, B. Simiot, Albin Michel.

Gens de Bretagne, par six auteurs différents : P. Féval : *La Fée des grèves* ; P. Loti : *Pêcheur d'Islande* ; A. Le Braz : *Le Sang de la sirène* et *Les Noces noires de Guernaham* ; R. Vercel : *Remorques* ; Pollès : *Sophie de Tréguier* ; P. J. Hélias : *L'Herbe d'or*, Omnibus/Presses de la Cité.

Le Chemin noir, C. Le Quintrec, Albin Michel.

Marion du Faouët, brigande et rebelle, C. Borgella, Laffont.

Un recteur de l'île de Sein, H. Queffélec, Librio.

À noter également tous les policiers régionaux (collections Enquêtes et Suspense et POL'Art) aux éditions Alain Bargoin.

Une enseigne prometteuse…

Gilles Targat / MICHELIN

Divers

Cuisine des châteaux de Bretagne, G. du Pontavice, Ouest-France, 1997.

La Cuisine de Bretagne et d'Armorique, C. Thibault, Gisserot, Paris, 1996.

Les Chemins du Tro Breiz, A. Guigny, Itinéraires et découvertes, Ouest-France, 1996.

Sentiers des douaniers de Bretagne, D. Dantec, Itinéraires et découvertes, Ouest-France, 2000.

Pêcheurs d'images, P. Plisson, Éditions du Chêne, 1999.

Enfants

Le Mont-Saint-Michel, Petite fugue dans la baie, le village et l'abbaye, O. Mignon et C. Larose, Siloë.

Détail du calvaire de Pleyben.

NATURE

Avec quatre cinquièmes de ses contours baignés par la Manche et l'océan Atlantique, la Bretagne est maritime par nature. Sa formation géologique unique en Europe a pourtant façonné une extraordinaire diversité de paysages. Dunes, vasières, tourbières, landes, forêts, rivières et torrents… La Bretagne se renouvelle après chaque virage. Grâce à l'effort de protection des milieux et à l'action combinée des autorités (européennes, nationales et régionales) et des populations, la Bretagne n'est pas seulement devenue un immense conservatoire naturel, elle est devenue une destination nature par excellence.

René Mattes / MICHELIN

La Côte de Granit rose à Ploumanach.

Un des plus anciens massifs d'Europe

L'âge du Massif armoricain est estimé à 2 milliards d'années. C'est l'ancêtre des massifs français et aussi l'une des plus anciennes formations géologiques d'Europe de l'Ouest.

LA GENÈSE

Le soubassement de la Bretagne actuelle, qui semble étrangement calqué sur ses frontières, s'est formé à des profondeurs comprises entre 20 et 30 km. À de telles distances, le jeu des plaques tectoniques soumet les roches à des pressions et des températures si importantes qu'il en modifie la composition : elles deviennent alors métamorphiques. L'essentiel des sous-sols de la région se compose de ce type de roche.

La chaîne de montagne originelle a subi l'érosion océanique, puis une nouvelle chaîne, dite cadomienne, s'est formée vers 650 millions d'années (c'est à cette période que naissent la plupart des granits, lors du refroidissement du magma). Érodée à son tour, elle est plissée au carbonifère (vers 300 millions

d'années) par la pression des continents voisins. En effet, à cette époque, les terres émergées qui formaient auparavant un immense et unique continent baptisé **Pangée**, étaient en phase de séparation. Pour prendre leur place actuelle, elle se sont poussées les unes les autres, entraînant des changements importants dans la géographie du globe : séismes, éruptions volcaniques, brusques changements climatiques, plissements… L'un d'entre eux a conduit à la création de la **chaîne hercynienne**, qui est le socle de toute l'Europe, Bretagne comprise.

L'ÉROSION

Après ces bouleversements de l'ère primaire, le Massif armoricain émerge d'un territoire « français » noyé. Il est alors fréquenté par les dinosaures, sous un climat tropical. Par la suite, au tertiaire et au quaternaire, tous les reliefs sont chamboulés par une mer qui se livre à d'incessants va-et-vient sur l'ensemble de l'Europe. Ces masses d'eau en érodent la moindre éminence et, en se retirant, déposent d'immenses quantités de sédiments.

De la géologie aux paysages

Le territoire breton, en tant que massif, est une entité géologique cohérente, qui subit depuis plusieurs centaines de millions d'années une érosion lente mais certaine. Tous les paysages actuels en découlent.

UN RELIEF CONTRASTÉ

La Bretagne est une immense presqu'île de 27 200 km^2 dont le relief est modeste, voire à peu près plat. C'est à l'ouest que vous verrez les paysages les plus tourmentés, notamment grâce aux Montagnes Noires et aux monts d'Arrée, qui culminent à 387 m au Roc'h Trédudon. Dans tout le Finistère et dans les Côtes-d'Armor, ces reliefs sont souvent profondément entaillés par un nombre incalculable de cours d'eau, le plus imposant étant sans doute l'Aulne, qui semble pousser vers le large la presqu'île de Crozon.

Au centre et à l'orient bretons, seules quelques buttes rehaussent les paysages. En se rapprochant du Bassin parisien, les reliefs se font de plus en plus doux et se terminent en vastes plaines et en forêts. Pour schématiser, on pourrait dire que la Bretagne est une immense table dont les reliefs s'estompent à mesure qu'elle s'incline vers l'est.

LE SPECTACLE DU LITTORAL

Mer et climat ont modelé ces roches et produit de véritables tableaux naturels. Pour en juger, rendez-vous sur le littoral, car toutes les côtes de la région présentent un intérêt géologique et paysager unique. Les falaises du Cap Sizun sont à ce titre emblématiques. Toute la partie nord, de la pointe du Raz à Douarnenez, est une succession ininterrompue de falaises et d'escarpements dont les granits sombres changent de couleur avec la météo. Au sud du même cap, le socle de granit s'est adouci grâce à l'érosion, et la côte recèle dunes et plages.

Pour voir des granits roses en Finistère, montez jusqu'à Morlaix et de là, à la pointe de Primel-Trégastel. Un sentier de douanier permet d'approcher au plus près ces falaises de 50 m de haut, dont la moindre entaille niche des cristaux de sel qui fendront bientôt la roche. Ne manquez pas non plus le sentier des douaniers proche de Ploumanach. Surplombant les falaises de Trestraou, il découvre de spectaculaires exemples d'érosion avant d'aboutir à Porz Rolland par un chemin ombragé de pins maritimes.

Beaucoup plus à l'est, le cap Fréhel, avec ses falaises de grès, offre un spectacle aussi impressionnant. Ici, la base des falaises est une succession de couches horizontales qui évoquent des gradins. Les rouges et les ocres du grès se marient à merveille avec les bleus changeants qui irisent la Manche à cet endroit.

LE MYSTÈRE DE L'ARRIÈRE-PAYS

La géologie bretonne est aussi riche de paysages moins spectaculaires que les falaises, mais tout aussi merveilleux. Pour exemple, la forêt de Paimpont, la mythique forêt de Brocéliande, qui montre à son échelle des richesses minéralogiques locales. Son sol, composé de schistes rouges et verts, vieux de seulement quelques centaines de millions d'années, laisse affleurer par endroits des filons de minerai de fer qui furent exploités jusqu'à la fin du 19e s. En surface, vous découvrirez ainsi des ruisseaux aux eaux rouillées par le minerai,

---

Kersantite ou Logonna

Granits, schistes, grès… Toutes les roches qui soutiennent la Bretagne sont appréciées des bâtisseurs, qui ont su les marier pour bâtir des édifices aussi variés que solides. Parmi ces minéraux, il s'en trouve deux particulièrement prisés, la **kersantite** et la **pierre de Logonna** (ou de Daoulas). Les deux doivent leur nom aux villages (Kersanton et Logonna-Daoulas) du Finistère dans lesquels leur gisement affleure. La première, et la plus rare, est une roche magmatique (comme les granits et les basaltes). Elle s'est formée à de très grandes profondeurs et est remontée lentement à la surface dans des filons de schistes. Sa couleur varie du gris clair au plus foncé et sa texture très fine en fait un matériau de choix pour les sculpteurs. La pierre de Logonna, également née dans un magma, est un microgranit de couleur jaune, utilisé depuis des siècles pour le soubassement des monuments religieux et des grands bâtiments publics et privés. Ces deux pierres, aujourd'hui très rares, ont été assemblées notamment pour la construction du calvaire de Plougastel-Daoulas *(voir p. 359)*, édifié à partir du début du 17e s. pour conjurer la peste. Toutes les sculptures, en kersantite, se reposent sur un socle en pierre de Logonna.

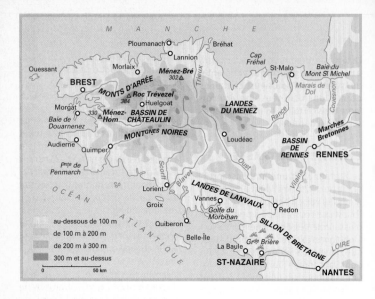

mais aussi des étangs, des tourbières et des landes, dans une forêt dominée par les chênes et les hêtres.

En parcourant la Bretagne et en vous intéressant à ses richesses géologiques, vous découvrirez bien plus que des panoramas, vous apprendrez une méthode pour lire et comprendre la formation des paysages.

👁 Avant d'aller admirer les roches bretonnes *in situ*, faites un détour par les Champs Libres, à Rennes *(voir Découvrir les sites)*. L'espace dédié aux sciences retrace dans la salle de la terre, l'histoire géologique du Massif armoricain.

L'Armor et les îles

Les quatre cinquièmes du pourtour breton sont baignés par les flots. Les Gaulois appelaient cette zone « Armor », ou plus rarement « Arvor », ce qui signifie « pays au voisinage de la mer », par opposition à l'Argoat, « pays de l'intérieur ». Cette appellation est avant tout une affaire de géographie et est tombée en désuétude. Les anciens Bretons avaient surtout l'habitude de se dire de haute ou de basse Bretagne, selon la langue d'expression qu'ils pratiquaient.

LA CÔTE BRETONNE

Extraordinairement découpée, elle totalise 2 700 km ; elle n'en mesurerait que 600 si elle s'était contentée d'être rectiligne. Cette longue dentelle rocheuse compte une multitude de paysages magnifiques composés de criques et de grèves, de hautes falaises comme à Quiberon, de caps déchiquetés comme à la pointe du Raz, d'îles et d'écueils comme à Ouessant, de larges baies comme à Morlaix, d'amas granitiques comme à Ploumanach, de promontoires escarpés comme à Fréhel, de golfes comme celui du Morbihan et de rias comme dans les Abers *(voir la partie Découvrir les sites)*. Tous ces panoramas sont rythmés par le va-et-vient régulier des marées et le ballet incessant des bateaux. Cette merveilleuse diversité fait toute l'originalité de la côte bretonne.

Et comme si cette grande variété ne suffisait pas à nous régaler les yeux, l'Armor a comme fractionné la totalité de son littoral pour mieux nous envoûter. En effet, au gré de ses promenades, on remarquera que la végétation est brûlée par le vent salin là où la côte est exposée, qu'elle est exubérante là où elle est abritée et qu'y poussent sans effort mimosas, palmiers, eucalyptus, lauriers-roses et autres plantes emblématiques des climats méridionaux.

LES ÎLES

Les côtes bretonnes sont les plus riches de France en îles, îlots et archipels. On en compte plus de 120, dont une petite vingtaine habitées. La plus vaste, 86 km², est **Belle-Île**, suivie de loin par **Ouessant** (18 km²) et **Groix** (15 km²). Toutes les autres n'excèdent pas 3 km², la plupart étant d'une superficie inférieure au km². Toutes les îles bretonnes appartiennent au Massif armoricain, qui, loin de se limiter aux terres visibles, se prolonge sous la mer. Au large du Léon et du Trégor, le massif court sur plusieurs kilomètres, et repousse ses limites jusqu'à 50 km dans les zones du golfe normando-breton et le long du Morbihan. Le littoral de Bretagne Sud justement, est longé par une dorsale rocheuse qui supporte Belle-Île, Groix, **Hœdic** et les **Glénan**. Au nord et à l'ouest, les fonds marins sont composés de dépôts grossiers de graviers qui soutiennent des myriades d'affleurements rocheux (les **Sept-Îles**, **Bréhat**, **Callot**, **Cézembre**…).

Quelle que soit leur taille, les milieux insulaires, même à un jet de pierre du continent, sont d'une importance écologique primordiale. Isolés et faiblement bâtis, ils constituent des sites de préservation faunistique et floristique exceptionnels.

Les oiseaux sont les premiers à apprécier les îles, qui sont des sites de nidification et d'élevage privilégiés grâce à l'absence de prédateur naturel. Certaines îles ont bien été colonisées par des rats échappés de navires ou négligemment importés par l'homme, mais le Conservatoire du littoral et d'autres associations s'attachent à restaurer ces écosystèmes en faisant disparaître les prédateurs gourmands en œufs frais. C'est notamment le cas dans l'archipel des Sept-Îles au large de Perros-Guirec, et particulièrement de l'île **Rouzic** qui accueille plus de 15 000 couples de fous de Bassan.

VAGUES ET MARÉES

L'Armor est continuellement frappé par les vagues, qu'éloignent ou rapprochent les marées.

Les **vagues**, ou, comme disent les marins, les lames, sont un mouvement ondulatoire produit par le vent. Même lorsque la brise ne souffle plus, l'ébranlement se propage à de grandes distances : c'est la **houle**. Par une illusion d'optique, l'eau semble se déplacer, mais il suffit de regarder flotter un bouchon pour constater qu'il reste immobile. Près du rivage, le mouvement ondulatoire des vagues est freiné par le fond : un déséquilibre se produit et la crête de la lame s'écroule en longs rouleaux d'écume avec un bruit sourd et rythmé, c'est le **ressac**. Quand la vague atteint un obstacle abrupt, rocher ou falaise, elle est soulevée, lance des embruns, puis retombe de tout son poids. Les jours de tempête, le spectacle peut être prodigieux.

Curieux phénomène que celui des **marées**. Il est causé par l'attraction de la Lune et, dans une moindre mesure, par celle du Soleil. Lorsque la Lune est au-dessus de la mer, elle attire l'eau vers elle, le niveau de la mer s'élève : c'est la marée haute. Six heures plus tard, la Lune n'est plus au-dessus de l'eau, l'attraction n'opère plus : c'est la marée basse. Lorsque le Soleil et la Lune sont à peu près alignés par rapport à la Terre, l'attraction est plus forte : c'est la marée de vive eau ou grande marée : ce phénomène se reproduit tous les quinze jours, lors de la pleine lune ou de la nouvelle lune. En Bretagne, les plus importantes se produisent en mars et septembre, au moment des équinoxes.

L'amplitude des marées varie selon les zones littorales qu'elles concernent. Dans la baie du Mont-St-Michel, elle atteint un record avec 14 m de **marnage**. En allant vers l'ouest, ce dernier diminue peu à peu jusqu'à se limiter à 6 m à Brest. En Bretagne Sud comme dans tout le golfe de Gascogne, l'amplitude moyenne des marées est de 5 m.

Gilles Targat / MICHELIN

Les aiguilles de Port Coton à Belle-Île-en-Mer.

Quelle que soit son importance, la marée transporte de gigantesques quantités d'eau, qui soumettent la faune et la flore à de fortes turbulences et à des périodes successives d'immersion et d'émersion. Leur régime provoque également la formation de courants plus ou moins puissants selon la morphologie des côtes. Dans les baies (comme St-Brieuc, Douarnenez, Mont-St-Michel, Morlaix…) ils sont relativement faibles et excèdent rarement 1 nœud, alors qu'ils atteignent facilement 3 nœuds sur le littoral nord. Dans les passages très étroits, comme les raz de Sein et d'Ouessant, ils se révèlent violents et peuvent monter jusqu'à 9 nœuds, soit 4,50 m/s !

LA FLORE

L'autre grande richesse des littoraux est la flore, dont les conditions de vie fluctuent énormément au rythme des marées et du climat.

Certaines plantes sont baignées plusieurs heures par jour par l'eau salée comme la soude maritime ou l'aster, d'autres sont fouettées jour et nuit par les embruns, d'autres encore baignent dans des vasières (spergulaires), s'épanouissent dans les dunes (oyats et liseron des dunes) ou dans les baies (salicornes). Toutes font preuve d'une extraordinaire capacité d'adaptation en créant des stratégies de croissance et de reproduction en synergie avec leur milieu d'implantation, si dur soit-il. Si les îles et les îlots représentent l'essentiel des espaces protégés de Bretagne, c'est justement pour pérenniser la richesse et la diversité de ces plantes, sans oublier les animaux qui les fréquentent.

La faune marine

La situation géographique de la Bretagne, lieu de transition entre la Manche et l'océan Atlantique, favorise le passage de nombreuses espèces migratrices, et offre un cadre de vie d'exception à une infinie variété de mammifères, de poissons et de coquillages.

OISEAUX

Le **goéland argenté** est l'oiseau le plus commun du littoral breton, il repousse même son habitat jusqu'au cœur des villes (à Rennes sa présence est attestée depuis 1987). Il se reconnaît au gris clair qui recouvre ses ailes (1,40 m d'envergure) et à ses pattes roses. La **mouette tridactyle**, qu'on confond souvent avec le goéland argenté, est nettement plus

petite (1 m) et l'extrémité de ses ailes est noire, ainsi que ses pattes. Avec 1,70 m d'un bout de l'aile à l'autre, le **fou de Bassan** est le plus imposant des oiseaux de mer. Sa tête jaunâtre achève son long cou et domine de grandes ailes dont la pointe est teinte en noir. Légèrement plus petit (1,50 m) le **grand cormoran** se distingue de son cousin huppé par sa taille et son corps plus imposants. Tout deux de noir vêtus, il arborent un bec en forme de spatule de couleur jaune. La plupart des **sternes** ont le dessus de la tête couronné de noir et n'excèdent pas 90 cm d'envergure (pour la sterne caugek). Grâce à des ailes et à une queue pointues, on les identifie à coup sûr. Le **fulmar boréal** est assez proche des goélands par la taille, mais se distingue par la rigidité de son vol plané et par les deux narines tubulaires qui dépassent de sa mandibule. Le fulmar boréal partage cette singularité avec les **puffins**, les **océanites tempête** et les **albatros**, autres espèces de la même famille. L'océanite tempête justement est le plus petit volatile à fréquenter les côtes bretonnes. Ses 25 g pour 40 cm d'envergure, ses plumes brun-noir et ses mœurs nocturnes en font aussi le plus difficile à observer.

M. Janvier / MICHELIN

Le macareux moine.

Le **macareux moine**, rare et donc aussi difficile à observer, est nettement plus reconnaissable grâce à son bec tricolore et son œil cerclé de rouge. C'est un oiseau pélagique, c'est-à-dire qu'il passe le plus clair de son temps en mer, mais on peut l'observer facilement sur l'île Rouzic, dans l'archipel des Sept-Îles (Côtes-d'Armor).

COQUILLAGES, MOLLUSQUES ET CRUSTACÉS

À marée basse, la mer dépose sur la grève planctons, micro-algues et autres nutriments, qui favorisent la colonisation de l'estran par les coquillages et autres mollusques. Ces derniers font à leur tour le délice des oiseaux, des poissons… et des pêcheurs à pied.

Les bivalves

Le plus célèbre, et le plus consommé des coquillages, est certainement la **coque**. Vivant en groupes, elle s'enfouit de 10 cm dans le sable humide. Tout aussi réputée, la **coquille Saint-Jacques** se pêche quant à elle en mer, surtout du côté de St-Quay-Portrieux qui en est devenu la capitale.

Plus difficile à trouver car solitaire, la **palourde** se repère grâce aux deux petits trous qu'elle laisse en surface (à ne pas confondre avec la **clovisse** nettement moins savoureuse). Elle adore les caillouttis et noircit au contact de la vase. De son côté, la **praire** préfère les sables grossiers et il faut aller la chercher loin dans l'estran. On ne la ramasse pas en dessous de 4 cm.

Huîtres et **moules** sont parmi les plus faciles à repérer : elles restent accrochées à leur rocher, émergeant à marée basse. Les premières font la réputation de Cancale ou de Bélon, et les secondes de la baie du Mont-St-Michel (*voir Découvrir les sites*). Le dernier des bivalves pêché sur la grève est le **couteau**, qui se trouve aisément grâce au trou en forme de huit qui aère sa galerie verticale.

Les monovalves

Les monovalves les plus courtisés sont les **patelles** et les **berniques** reconnaissables à leur coque tronconique. Elles ne quittent pour ainsi dire jamais leur rocher. Les **bigorneaux**, qu'on peut ranger dans cette catégorie, cachent leur coquille en colimaçon dans les algues dont ils se nourrissent. Mentionnons ici un crustacé qui échappe à toute catégorie : le **pousse-pied**. Constitué d'un pédoncule mou (le pied) et d'un corps recouvert de plaques blanches, il foisonne particulièrement sur les rochers de Belle-Île où sa pêche est très réputée.

Les nageurs et les marcheurs

Les **crevettes** sont également très présentes sur les grèves. Il s'agit pour l'essentiel de crevettes grises, aussi appelées crevettes des sables. Plus rares, les bouquets se dénichent dans des mares profondes. De

leur côté, les **crabes** sillonnent l'estran dès la marée descendante. Les verts sont de loin les plus fréquents et parfument à merveille les soupes de poisson. Nettement plus coriace, l'**étrille** est également plus recherchée pour sa saveur qu'on compare souvent au **homard**. Vous aurez peut-être aussi la chance d'attraper un jeune **tourteau**, reconnaissable à ses pinces disproportionnées. En revanche, ne comptez pas trop attraper un grand crustacé comme la **langouste**. Autrefois négligée, elle est aujourd'hui victime de son succès et a quasiment disparu des côtes bretonnes. Le homard, quant à lui, ne fréquente que les fonds rocheux proches du littoral et aurait aussi tendance à se raréfier.

Étrille sur la défensive.

LES POISSONS DE NOS CÔTES ET AUTRES NAGEURS

Pour les découvrir, vous pouvez visiter un aquarium ou assister à un retour de pêche.

Sardines et **maquereaux** composent le gros de la faune aquatique côtière. Les premières possèdent un corps fin, élancé et une peau argentée recouverte de fines écailles. Les maquereaux sont beaucoup plus gros, jusqu'à 30 cm, et le dessus de leur peau présente une irisation bleu-vert. Ces deux espèces se déplacent en banc. Vous avez peu de chance de vous retrouver face à face avec une **lotte**, aussi appelée baudroie. Ce poisson particulièrement hideux – son horrible tête représente la moitié du corps – vit dans les fonds vaseux et peut atteindre 50 kg. Le **lieu jaune**, à ne pas confondre avec le lieu noir qui fréquente les eaux écossaises, est un poisson très prisé des amateurs qui mesure jusqu'à 1,30 m. Le **bar**, poisson très combatif apprécié des pêcheurs pour sa sportivité est également recherché par les gourmands. Pouvant peser 8 kg, il se rencontre dans les eaux agitées et se

Stéphane Sauvignier / MICHELIN

Chaos de rochers dans la forêt d'Huelgoat.

reconnaît à ses deux nageoires dorsales de même taille et à sa grande tache noire proche de l'ouïe.

Ces vingt dernières années, pas moins de vingt-cinq espèces de mammifères marins ont été observées le long des côtes bretonnes. **Phoques** gris et veaux marins les fréquentent assidûment, tout comme les **dauphins** (bleu et blanc, et le grand dauphin) qui résident à l'année en Bretagne. Vous les verrez en cabotant notamment autour de l'île de Sein ou encore en mer d'Iroise. Le **rorqual** à museau pointu se laisse aussi régulièrement apercevoir, alors que le rorqual commun est… rare.

Du côté des cétacés de grande taille, on remarque la visite de quelques spécimens de **baleines** à bosse et de cachalots, mais leur observation est plus compliquée car elles croisent au large.

L'Argoat

Longtemps enclavé par un relief tourmenté et des conditions de vie plus rudes que sur la côte, l'Argoat, ou « pays au voisinage de la forêt » a toujours été moins peuplé que l'Armor. Cette différence lui assure aujourd'hui un côté « sauvage » et préservé qui ne manque pas de charme. Le voyageur qui tourne le dos à la mer découvrira donc un pays de vallons et de prairies, avec un avant-goût de montagne. De quoi en surprendre plus d'un !

LA FORÊT

Autrefois, la Bretagne possédait d'immenses forêts de chênes rouvres et de hêtres (*faou* en breton), aux sous-bois de houx et de fougères. Les études menées sur des fossiles trouvés dans des tourbières ont prouvé que la quasi-totalité de la région en était recouverte il y a 5 000 ans.

Les générations qui se sont succédé depuis les Romains ont porté la hache dans ces massifs. Il n'en reste plus que des tronçons épars, dont les forêts de **Paimpont** ou de **Quénécan**. Sur les 330 000 ha boisés que compte la Bretagne aujourd'hui (dont 90 % privés), seuls une dizaine de massifs dépassent 2 000 ha. Ce sont des bois accidentés, coupés de gorges, de ravins, de chaos de rochers, dont **Huelgoat** est l'exemple accompli.

Le domaine forestier breton évoque donc un ensemble de confettis reliés çà et là par des haies bocagères qui favorisent la circulation d'une faune spécifique. Rapaces, pics, chevreuils, cerfs et sangliers se partagent ainsi les espaces boisés. On trouve même quelques espèces rarissimes et menacées comme l'escargot de Quimper, qui fréquente exclusivement les sous-bois de la Cornouaille, ou la carabe à reflets d'or, un insecte que vous ne verrez pas ailleurs que dans les forêts humides de la région telles Huelgoat, le Cranou ou Clohars-Carnoët.

LA LANDE

Des landes au départ incultes ont remplacé les forêts. Certaines s'étendent encore en vastes solitudes dont la mélancolie s'éclaire au moment où les ajoncs offrent leur manteau d'or ou quand les bruyères forment un tapis violet. Hors des sommets, elles ont presque partout cédé devant l'effort paysan et sont devenues des terrains de culture, comme les landes de Lanvaux qui recouvrent le pays vannetais, par exemple.

Aujourd'hui, la plupart des landes bretonnes existantes font l'objet d'une protection spécifique, en zones spéciales de conservation ou zones Natura 2000 (*voir la partie Environnement ci-après*).

En fonction de leur proximité avec le littoral, de leur altitude ou de la qualité de leur milieu (sec, humide, etc.), les landes sont fréquentées par une faune très variée. Les oiseaux en composent l'essentiel, et beaucoup bénéficient d'une protection nationale. C'est le cas du courlis cendré, du busard St-Martin ou de la linote mélodieuse. Dans les pelouses ou les mares des landes, l'avifaune vient se régaler de lézard vivipare, de triton marbré ou de rainette.

LES TOURBIÈRES

Malgré une humidité et une acidité extrêmes (ou justement grâce à elles), les tourbières concentrent une faune et une flore exceptionnelles. C'est probablement leur richesse en matières organiques qui permet l'épanouissement d'un si grand nombre d'espèces.

Les papillons y pullulent, comme la noctuelle des myrtilles et le damier de la Succise. On y trouve aussi une belle variété de criquets, de libellules et de grillons qui font le délice des batraciens et des reptiles, dont la couleuvre à collier et la vipère péliade. Tout ce beau monde attire naturellement une pléiade d'oiseaux migrateurs ou sédentaires (courlis cendré et bécassine des marais), souvent rejoints par des putois, des loutres, des chevreuils et d'autres mammifères terrestres.

Disséminés un peu partout en Bretagne intérieure, ces milieux si spécifiques sont désormais protégés et étudiés à l'image de la **tourbière de Kerfontaine** dans le Morbihan. Celle-ci, sous surveillance depuis plus de vingt ans, est la dernière de cette taille (47 ha) dans le département.

LES DUNES

Si les dunes sont désormais systématiquement protégées, ce n'est pas pour retenir le sable des plages, mais parce qu'elles accueillent 20 % de la flore menacée de Bretagne.

Celle-ci se répartit en fonction de l'étagement de la dune, lui-même déterminé par le degré d'humidité du sable. Au plus près de la base, humide et salée, on trouve donc des plantes halonitrophiles (qui aiment l'eau). En revanche, plus on monte vers le sommet, très sec, plus les plantes grandissent. Les oyats, liserons et autres fétuques laissent alors la place à des arbrisseaux.

Cette végétation si particulière et ce sol sableux accueillent principalement des insectes (grande nébrie des sables et puce de mer), des vers, des mollusques et des petits crustacés (crabes et crevettes grises). Les oiseaux ne marchent dans les dunes qu'à l'heure de se nourrir, quant aux poissons, ils ne sont représentés que par la redoutable **vive**, qui se laisse enterrer sous le sable mouillé.

Les dunes sont présentes tout le long du littoral sableux, les plus notables étant celles de la baie d'Audierne, de Gâvres-Quiberon, du Conquet, de la Côte de Granit rose, de Crozon, de Guisseny et de Keremma.

L'environnement

Pauvre en énergies fossiles et longtemps enclavée, la Bretagne est restée à l'écart de l'industrialisation massive des 19e et 20e s. Elle doit cependant faire face à des défis environnementaux liés notamment à ses besoins énergétiques, à son agriculture et à son succès touristique.

L'ÉNERGIE

La Bretagne est une des régions françaises parmi les plus dépendantes. Par exemple, la production d'électricité, assurée pour plus de la moitié par la seule **usine marémotrice de la Rance**, couvre à peine 5 % des besoins annuels. L'enjeu est donc de taille. Depuis la ratification par la France du protocole de Kyoto (2002), la région privilégie dans ses recherches les énergies renouvelables, bois-énergie et éolienne en tête.

Le premier semblerait faire l'unanimité. Le **bois** présente en effet différents avantages. C'est une source d'énergie renouvelable (qui se substitue aux énergies fossiles) ; les plantations contribuent à la qualité des paysages et enfin son utilisation contribue au recyclage dans l'atmosphère du gaz carbonique (CO_2)

Éoliennes à Plouarzel.

absorbé par les forêts. Des installations de chaufferies au bois sont prévues pour alimenter des équipements collectifs (hôpitaux, piscines, lycées…) et les secteurs industriel et agricole (usines, serres, élevages…).

De son côté, l'**énergie éolienne** a fait l'objet en 2002 d'une charte qui devrait en réguler l'installation, notamment dans le Finistère. C'est d'ailleurs dans ce département que sont construits les principaux parcs éoliens bretons, notamment à Goulien (8 éoliennes) et à Plouarzel (5 éoliennes). Leur implantation paraît néanmoins plus polémique du fait de leur impact sur le paysage et du bruit provoqué par les pales.

La dernière alternative énergétique est le plan soleil, élaboré en 2002, afin de favoriser le développement du **solaire thermique**. Il serait destiné à alimenter des chauffe-eau collectifs ou individuels. Également d'origine solaire, le photovoltaïque (procédé qui consiste à transformer la lumière solaire en tension électrique) arrive peu à peu en Bretagne, et éclaire déjà les phares et balises.

L'EAU : RICHESSE EN PÉRIL

Le Massif armoricain présente des reliefs peu fracturés et relativement imperméables, ce qui ne favorise pas vraiment la formation de grands bassins d'eau potable comme les nappes phréatiques. L'essentiel de l'eau potable consommée en Bretagne (70 %) provient donc de la captation d'eaux de surface (cours d'eau et retenues naturelles ou artificielles).

Contrairement à une idée très répandue, l'irrigation de l'agriculture n'entre que pour une part mineure dans la consommation d'eau brute, puisqu'elle n'en prélève que 5 % (pour près de 85 % pour les usages domestiques). Question pollution, en revanche, ce secteur d'activité partage avec l'industrie la responsabilité de la dégradation générale des eaux de surface, altérées notamment par la présence d'engrais (phosphore, nitrates) et autres produits phytosanitaires (pesticides). Depuis les années 1970, ces rejets massifs ont provoqué une nouvelle forme de pollution, qui se manifeste par la présence d'**algues vertes** dans les estuaires et certaines baies comme celles de Lannion, St-Brieuc et Douarnenez.

Conscientes de la rareté des ressources et de leur fragilité, les autorités ont mis en place une série de mesures, comme le ramassage de ces algues, et surtout le **traitement des eaux usées** qui a permis la réduction sensible des nitrates. La mesure la plus radicale est l'obligation faite aux communes non reliées à un système d'assainissement collectif de contraindre maisons et immeubles à se doter de systèmes individuels. De leur côté, les industriels doivent désormais limiter les rejets d'eaux non asssainies.

Depuis quelques années l'eau potable et les eaux de baignade (classement annuel) font ainsi l'objet d'une **surveillance constante** ; tout un chacun peut accéder aux relevés et analyses auprès des mairies concernées ou auprès des services santé. L'objectif est de vérifier le travail d'amélioration des eaux de rivière et des plages du littoral, et ainsi s'assurer de la restauration des milieux aquatiques bretons.

Landes de bruyère à la pointe du Raz.

Amaury de Valroger / MICHELIN

Bon à savoir

www.Bretagne-environnement.org est un site spécialisé sur l'environnement, émanant du plan État-Région 2000-2006. Ce dernier donne toute latitude aux régions pour sensibiliser les institutionnels et les citoyens à une meilleure connaissance de l'environnement. Ce portail rassemble tous ceux qui interviennent sur la question : biologistes, industriels, élus, citoyens et associations. Vous y trouverez des mines d'informations sur la faune et la flore, la géologie et les différents types de paysages bretons, ainsi que de nombreux articles sur l'eau, l'énergie et toutes les problématiques liées à la nature et à sa protection.

LA PROTECTION DU LITTORAL

Long de 2 730 km, le littoral breton représente le tiers du linéaire côtier métropolitain. Au large du Finistère, particulièrement dans le rail d'Ouessant, la Bretagne voit de plus passer 25 % du trafic maritime hexagonal. C'est dire si les sources de pollution ou les risques industriels venus de la mer sont élevés. La surveillance et la protection d'une telle frange côtière pose bien sûr de vrais problèmes.

En mer les choses se sont plutôt améliorées grâce à la mise en place de mesures juridiques et de nouveaux moyens de répression. Il faut mentionner à cet égard la création des CROSS, centres régionaux opérationnels de surveillance et de sauvetage. Au nombre de cinq dans l'Hexagone, ils scrutent les eaux territoriales françaises pour prévenir ou limiter les pollutions. Dès qu'une nappe d'hydrocarbure est repérée, ils ont toute autorité pour arraisonner les navires. Aujourd'hui, les amendes pour dégazage peuvent atteindre plusieurs centaines de milliers d'euros.

Sur terre la problématique est différente. Le tourisme étant essentiellement balnéaire, la nécessité de protéger de larges portions de côte est devenue une priorité pour les autorités, comme pour les associations. Le but est de conserver les nombreux écosystèmes fragiles du littoral, et de réfréner l'ardeur immobilière des stations en pleine expansion.

Les sites majeurs font ainsi l'objet d'une protection spécifique, certains depuis plusieurs décennies, comme la pointe du Raz. Devenue grand site national, celle-ci est désormais interdite à la circulation (et au caravaning) : une nécessité, vu le million de personnes qui la visitent chaque année.

De son côté, Le plan **Natura 2000** rassemble à l'échelle européenne des sites naturels choisis pour la fragilité ou la rareté de leurs espèces végétales et animales. Il privilégie une gestion équilibrée et durable des milieus, grâce notamment à une recherche qui prend en compte les facteurs économiques et sociaux. En 2006, le programme concernait plus de 1 600 sites sur le territoire national, dont une cinquantaine en Bretagne (essentiellement littoraux comme l'Aber-Wrac'h, la baie de Morlaix ou le Cap Sizun). Ces derniers sont classés en zones spéciales de conservation (zsc) pour l'habitat et en zones de protections spéciales (zps) pour répondre à la directive « oiseaux ». La plupart des îlots et des îles sont ainsi protégés comme le sont notamment la rade de Lorient, l'estuaire du Trieux ou la baie du Mont-St-Michel.

Le **Parc naturel régional d'Armorique**, créé en 1969, a beau être centré sur les monts d'Arrée, il protège une merveilleuse façade maritime. En plus des falaises et des côtes de la presqu'île de Crozon, il gère la Réserve internationale de la biosphère d'Iroise (îles d'Ouessant et de Molène), ainsi que l'île de Sein.

Au-delà des sites d'exception, le littoral breton recèle des richesses naturelles moins impressionnantes mais d'un intérêt écologique certain. C'est là qu'intervient le **Conservatoire de l'espace littoral et des rivages lacustres**. En Bretagne, cet organisme possède ou gère 93 sites, ce qui en fait la région française la plus protégée (le Conservatoire édite une carte des sites enrichie de la faune et de la flore littorales).

Le panorama de la protection du littoral breton ne serait pas complet sans l'évocation de **Bretagne vivante**. Cette association loi 1901 a été créée en 1958 par une poignée de naturalistes passionnés. Cinquante ans après, elle gère de nombreux espaces protégés, tant le long des côtes que dans les terres, et est un interlocuteur privilégié entre les structures publiques et les citoyens épris de nature.

👁 L'association publie un semestriel, *Bretagne vivante* ; une revue naturaliste trimestrielle, *Penn ar Bed*, et *L'Hermine vagabonde*, un autre trimestriel pour les 8-12 ans.

HISTOIRE

Dans l'imaginaire populaire français, la Bretagne druidique occupe une place de choix. Sans doute parce que les sources manquent et permettent ainsi la libre interprétation, comme en témoigne le sympathique personnage d'Astérix qui résiste encore et toujours à l'envahisseur… Ce n'est vraiment qu'à partir du Moyen Âge que les chroniqueurs relatent en détail l'histoire bretonne, enrichie des heures de gloire de Du Guesclin et d'Anne de Bretagne. Armateurs, corsaires et pêcheurs leur ont succédé, liant indéfectiblement la Bretagne à la mer.

Des origines à nos jours

L'ANTIQUE ARMOR

L'homme manifeste sa présence en Bretagne environ 600 000 ans avant notre ère. Quelque 150 000 ans plus tard, voici qu'un *Homo erectus* y taille des galets, puis, vers 35000 av. J.-C. passe un chasseur-cueilleur nomade, qui se sédentarise au mésolithique, soit vers 7000 av. J.-C. (*voir p. 66*).

Avant J.-C.

6e s. – Les Celtes arrivent dans la péninsule, pour eux *Armor* (pays au voisinage de la mer). ils succèdent à un peuple mal connu, dresseur de mégalithes.

56 – César détruit la flotte des Vénètes, le peuple le plus puissant d'Armorique, et conquiert tout le pays.

Après J.-C.

Pendant quatre siècles, la civilisation romaine accomplit son œuvre. Puis les invasions barbares ruinent l'Armor.

460 – Arrivée des Celtes de Grande-Bretagne (dénommée alors Bretagne, *Britannia*). Ces colons évangélisent l'Armorique, qu'ils nomment Petite Bretagne. L'État reste anarchique.

799 – Charlemagne soumet toute la Bretagne.

LE DUCHÉ DE BRETAGNE

En 826, Louis le Pieux fait duc de Bretagne un seigneur vannetais, Nominoé, qui se libère de la suzeraineté franque. Il rassemble toute la Bretagne sous son autorité et ouvre une dynastie royale indépendante. En 952 meurt le dernier roi de Bretagne, Alain. Suit une période de désordre et de misère qui se prolongera jusqu'à la fin du 14e s.

1341 – La guerre de Succession s'ouvre à la mort du duc Jean III. Sa nièce, Jeanne de Penthièvre, femme de Charles de Blois, que soutiennent les Français, et son frère Jean de Montfort, allié des Anglais, se disputent le duché.

1364 – Charles de Blois, malgré l'aide de Du Guesclin, est battu et tué à Auray. Cette guerre ruine la Bretagne.

LE VALEUREUX DU GUESCLIN

Bertrand Du Guesclin, né vers 1320 près de Dinan, est l'incarnation du héros français. Entré au service du roi en 1356, il est armé chevalier au château de Montmuran, le lendemain de la prise de Rennes. Ses victoires lui valent titres et honneurs : gouverneur de Pontorson, comte de Longueville, duc de Molina, duc de Transtamarre, roi de Grenade et, enfin, connétable de France. À sa mort, les possessions de la Couronne s'étaient considérablement agrandies aux dépens des Anglais (*voir carte ci-contre*).

RÉUNION DE LA BRETAGNE À LA FRANCE

De 1364 à 1468, les ducs de la maison de Montfort relèvent le pays. C'est la période la plus éclatante de son histoire. Les ducs, véritables souverains, ne rendent qu'un hommage théorique au roi de France. En 1488, le duc François II, entré dans la coalition féodale dirigée contre la régente de France, Anne de Beaujeu, est battu à St-Aubin-du-Cormier et meurt. Sa fille, Anne de Bretagne, lui succède.

1491 – Anne de Bretagne épouse Charles VIII, mais reste duchesse et souveraine de Bretagne.

1498 – Charles VIII meurt accidentellement, Anne retourne dans son duché.

1499 – Anne redevient reine de France en se mariant avec Louis XII. Le duché reste distinct de la Couronne.

1514 – Anne de Bretagne meurt. Sa fille, Claude de France, hérite du duché. Elle épouse François d'Angoulême, futur François Ier.

1532 – François Ier fait ratifier l'union définitive de la Bretagne et de la France par le parlement de Vannes.

L'épopée de Du Guesclin pendant la guerre de Cent Ans

① 1356   Prise de Rennes.

② 1359   Délivrance de Dinan.

③ 1363   Prise de plusieurs villes bretonnes.

④ 1364   Prise de Mantes et de Meulan.

⑤ –   Victoire de Cocherel (16 mai).

⑥ –   Défaite d'Auray. Du Guesclin est fait prisonnier (29 septembre).

⑦ 1366   Les « Grandes Compagnies » pénètrent en Espagne. Une succession de victoires sur Pierre le Cruel et les Anglais les mène jusqu'à Séville.

      1367   Défaite de Najera (3 avril) : Du Guesclin est fait prisonnier par les Anglais à Bordeaux.

      1369   Du Guesclin est libéré contre une rançon (17 janvier).

⑧ 1370   Prise de Moissac. Libération du Périgord.

⑨ –   Libération du Mans. Victoire de Pontvallain. Le Maine et l'Anjou sont libérés.

⑩ –   Prise de Bressuire.

⑪ –   Défaite du Pont-de-Juigné. Du Guesclin est fait prisonnier.

⑫ 1371   Prise de Briouze.

⑬ 1372   Victoire de Mortain. Le Bocage normand est libéré.

⑭ 1372-1373   Prise de nombreuses villes en Poitou-Saintonge-Angoumois.

⑮ 1373   La Bretagne est conquise, sauf Brest et Derval.

⑯ 1374   Prise de St-Sauveur-le-Vicomte.

⑰ 1378   La Normandie est soumise, sauf Cherbourg.

⑱ 1380   Prise de Chaliers (27 juin).

⑲ –   Prise de Châteauneuf-de-Randon (13-14 juillet). Mort de Du Guesclin.

LOYALISME ET RÉVOLTES

En 1588, la Bretagne se soulève contre son gouverneur, le duc de Mercœur, qui veut profiter des troubles de la Ligue pour s'approprier la province. Trop mystique pour verser dans le protestantisme, celle-ci ne connaît pour ainsi dire pas les guerres de Religion, d'autant plus qu'en 1598, Henri IV vient à Nantes signer un édit qui met fin aux luttes religieuses.

M. Dupuis / Ville de St-Malo

« Jacques Cartier, rendu songeur »
par Auguste Lemoine en 1895.

1534 – Le Malouin Jacques Cartier découvre l'estuaire du St-Laurent.

1664 – Création à Lorient, par Colbert, de la première Compagnie des Indes orientales.

1675 – Révolte dite du « papier timbré », qui dégénère en jacquerie.

1720 – La tentative du marquis de Pontcallec d'établir une République bretonne échoue.

1764 – Le parlement de Rennes et son procureur général La Chalotais s'opposent au gouverneur d'Aiguillon. Le prestige de l'autorité royale est entamé. La Révolution s'annonce.

1765 – De nombreux réfugiés acadiens s'installent à Belle-Île.

1773 – Naissance de Surcouf à St-Malo.

LA BRETAGNE ET LA RÉVOLUTION

1789 – Les Bretons accueillent la Révolution avec enthousiasme.

Dès la session des États de Bretagne de janvier 1789, la bourgeoisie régionale se heurte à la noblesse. Le conflit qui s'ensuit fait notamment trois morts à Rennes. La Révolution passe mais les paysans bretons, qui représentent près de 90 % de la population, se méfient de plus en plus d'une bourgeoisie dont ils perçoivent mal les desseins. L'exécution de Louis XVI, la persécution des prêtres et la campagne de conscription nationale (300 000 hommes doivent être enrôlés dans l'armée) finissent de les convaincre de rejoindre l'insurrection royaliste.

1793 – Noyades en série à Nantes par le sinistre Carrier. La guillotine étant jugée trop lente, il ordonne qu'on fasse couler des bateaux entiers chargés d'hommes et de femmes. Il est guillotiné à son tour en 1794 pour excès de violences…

LA CHOUANNERIE

1793-1804 – La Chouannerie est le nom donné à l'insurrection royaliste dont les artisans avaient adopté le hululement du chat-huant comme signe de ralliement.

Parallèlement au soulèvement de la Vendée, les chouans mènent leur propre mouvement dès l'automne 1793. Ils ne sont alors qu'une **poignée d'hommes** sans expérience, sans équipements et sans réel espoir de succès face à l'armée républicaine qu'ils se contentent de harceler.

Le **renfort** d'effectifs de l'armée vendéenne, défaite à Savenay, et le ralliement de nobles exilés leur permettent de s'organiser et d'obtenir des promesses de soutien des Anglais. Dans le même temps, les républicains négocient la paix en leur promettant liberté de culte et amnistie. Le traité signé au château de **la Jaunaye** le 17 février 1795 est rapidement dénoncé par Charette. Les chouans doivent soutenir un important débarquement d'émigrés à **Quiberon** en juin de cette même année. Les troupes royalistes remportent quelques succès, mais les rivalités entre les chefs provoquent de grosses erreurs stratégiques. Repoussées dans la presqu'île, elles sont défaites et massacrées par les troupes du général Hoche (*voir Quiberon*).

La reprise des persécutions religieuses en 1797 marque le début du troisième et dernier mouvement chouan qui s'achève en 1804 par l'exécution de **Cadoudal**. Ce dernier, fils d'un cultivateur des environs d'Auray, était l'un des principaux chefs de la chouannerie bretonne avec le **marquis de La Rouërie**, né à Fougères et instigateur du mouvement.

1832 – Échec d'une tentative de révolte, organisée par la duchesse de Berry, à Nantes. C'est le dernier soubresaut.

LE 20ᵉ S. ET L'ESSOR D'UNE GRANDE RÉGION

1909 – La grève des soudeurs des conserveries concarnoises dégénère en émeute.

1914-1918 – La Bretagne paie un lourd tribut en vies humaines à la Grande Guerre (plus de 250 000 victimes).

Après les mesures de débretonnisation de la IIIᵉ République, la région va voir briller le flambeau du nationalisme breton. En attendant, l'aviateur morbihanais Le Brix prend de l'altitude et effectue, avec Costes, le premier tour du monde aérien en 1927-1928.

1918 – Fondation du parti nationaliste breton *Breiz Atao* (Bretagne toujours) qui donnera lui-même naissance au PAB (parti autonomiste breton) en 1927, et au PNB (partie nationaliste breton) en 1932.

1940 – Les habitants de l'île de Sein sont les premiers à rallier le général de Gaulle.

1941 – Le gouvernement de Vichy décide de redessiner le paysage régional français. La ville de Nantes et la Loire-Atlantique (Loire-Inférieure) sont séparées de la Bretagne. Ce découpage sera repris sous la IVᵉ République, lorsque la Loire-Atlantique sera rattachée administrativement aux Pays de Loire par décision ministérielle (1956).

1942 – Audacieux coup de main anglo-canadien contre la base de St-Nazaire. Il porte le nom d'opération « Chariot » *(voir à St-Nazaire)*.

1944-1945 – La fin de l'occupation nazie en Bretagne voit se multiplier les destructions, notamment à Brest, Lorient, St-Malo et St-Nazaire.

1951 – La formation du Comité d'études et de liaison des intérêts bretons (Celib) prélude au renouveau économique de la Bretagne.

1962 – Première liaison de télévision par satellite réalisée à Pleumeur-Bodou.

1965 – La langue bretonne est admise parmi les épreuves du bac.

1966 – Mise en service de l'usine marémotrice de la Rance et de la centrale nucléaire des Monts-d'Arrée.

1967 – Le naufrage, en mars, au large des côtes anglaises, du pétrolier *Torrey Canyon* engendre la première « marée noire » venue polluer les plages bretonnes.

1969 – Création du Parc naturel régional d'Armorique.

1970 – Création du Parc naturel régional de Brière.

1975 – Premiers forages pétroliers entrepris en mer d'Iroise (sur le plateau continental enveloppant le Finistère).

1977 – Naissance de l'école *Diwan*, bilingue breton-français.

1978 – Institution de la Charte culturelle et du Conseil culturel de Bretagne. Échouage du pétrolier *Amoco Cadiz* devant Portsall. Près de 80 communes refusent les indemnités et se portent partie civile contre le pétrolier.

1985 – Mise en place d'une signalisation routière bilingue, en français et en breton.

1990 – Les Côtes-du-Nord deviennent les Côtes-d'Armor.

1992 – Indemnisation des communes sinistrées par l'*Amoco Cadiz*.

1994 – Grand incendie du parlement de Bretagne à Rennes.

2004 – « Brest 2004 » sacre la fête de la voile dans une Bretagne plus que jamais maritime.

G. Blot / © RMN

Halte de chouans au pied d'une croix.

Une Bretagne de mégalithes

Ces monuments de pierre brute ont été à la source d'une inépuisable série de légendes et d'interprétations. La potion magique de nos irréductibles Gaulois n'est malheureusement pas responsable de toutes ces pierres levées qui ne cessent de nous intriguer par leur aspect colossal.

UNE CONSTELLATION DE PIERRES LEVÉES

Que sait-on au juste de cette mystérieuse civilisation des mégalithes qui a atteint son apogée dans le pays vannetais bien avant qu'Obélix ne devienne le plus illustre tailleur de menhirs ?

On dénombre en Bretagne quelque 6 000 menhirs et plus de 1 000 dolmens, sans compter les cairns, comme celui de Barnenez dans la baie de Morlaix, et les dépôts funéraires (la Table des Marchands à Locmariaquer - *voir Découvrir les sites*).

Les cairns sont apparus au néolithique ancien (vers 5000 av. J.-C.). Géographiquement cantonnés au littoral, ces assemblages de dolmens prennent des formes variées, tantôt agencés en coude, en transept, en V ou en simple couloir comme à Gavrinis. Au cours du néolithique moyen (vers 4000 av. J.-C.), les chambres funéraires se sont allongées et ont progressivement changé de type architectural tout en se dotant d'un art pariétal très riche. À la fin du néolithique, celles-ci évoluèrent en allées couvertes (comme celles de la Roche-aux-Fées ou de Gavrinis), parallèlement à l'apparition de sépultures à entrée latérale. À la différence des cairns, menhirs et dolmens, les allées couvertes se répartissent sur l'ensemble de la Bretagne.

Les constructeurs

L'homme est présent en Bretagne depuis quelque 600 000 ans. À l'*Homo erectus* qui domestique le feu vers 450000 av. J.-C. succède, vers 35000 av. J.-C., l'homme « moderne », chasseur-cueilleur nomade qui se sédentarise progressivement. Vers 7000 av. J.-C., les agriculteurs du Proche-Orient colonisent l'Europe. Vers 5000 av. J.-C., l'océan Atlantique stoppe net leur progression. Arrivés à la fin de la terre (Finistère), ils vont remplacer les communautés locales et prendre possession du sol. Et voici que pour enterrer leurs morts, ils élèvent des mégalithes, des « grandes pierres ».

Face à ces témoignages du passé, l'homme et la femme d'aujourd'hui ne peuvent manquer d'être impressionnés par leur masse, leur aspect cyclopéen. En effet, un mégalithe peut peser plus de 300 t. Le déplacer nécessitait donc le concours de plusieurs centaines de personnes. Soit on faisait rouler la pierre sur des rondins (jusqu'à 10 km), soit on la plaçait sur un radeau pour descendre la rivière ou traverser la baie. Pour la dresser, on la faisait glisser dans une fosse sur une rampe inclinée, puis on la stabilisait avec de la terre et des cailloux. Et le tour était joué !

RELIGION ET SOCIÉTÉ

Il va de soi que seul un pouvoir politiquement fort avait la faculté d'« inviter » ses sujets à construire des tombes gigantesques pour une petite élite. Un pouvoir fort et des divinités puissantes.

Alignement de menhirs à Carnac.

Hervé Le Gac / MICHELIN

Petit lexique des mégalithes

Menhir : pierre dressée souvent alignée de façon rectiligne ou en cercle (cromlech).

Tumulus : tombe fermée recouverte de terre.

Cairn : tombe à couloir recouverte d'une structure de pierre ou de bois. Contrairement aux tumulus, le cairn est accessible en permanence (cérémonies cultuelles ou nouvelle sépulture).

Dolmen : vestige de chambres funéraires.

Allée couverte : double rangée de pierres dressées recouvertes de dalles. Contrairement au tumulus, elle peut stocker les ossements de plusieurs centaines d'individus.

Au néolithique, il s'agit de la femme et du taureau. Elle est présente sous forme d'écussons ou de stèles anthropomorphes, lui n'est bien souvent représenté que par un simple U figurant ses cornes.

Les mégalithes avaient une fonction funéraire et de prestige. Placés sur des hauteurs, taillés dans des roches nobles, ils étaient visibles de loin. Ces symboles des divinités tutélaires veillaient sur les villages et structuraient le territoire. Les alignements paraissent orientés en fonction des équinoxes ou des solstices, mais il serait imprudent de se laisser aller à des théories astronomiques et astrologiques hasardeuses. On peut supposer que, dans une société d'agriculteurs, les travaux étaient rythmés par des cérémonies, comme ce fut le cas chez nous jusque dans les années 1950.

Survivances et folklore

Nombre de légendes se sont attachées à expliquer les mégalithes, de même qu'une myriade d'interprétations romantiques. Les unes et les autres ont engendré fées et farfadets sur un lit de superstitions. La réalité est plus simple. Au 2e millénaire, à l'âge du bronze, le mégalithisme est progressivement abandonné. À l'âge du fer, certains mégalithes sont démolis et réincorporés dans d'autres ensembles. Eh non ! les Gaulois n'élevaient pas de menhirs, dommage pour Obélix… Les Romains, eux, s'en servaient comme bornes routières. Les Bretons ont cependant toujours éprouvé du respect pour ces grandes pierres, d'où un culte païen qui a survécu à tous les efforts d'une Église oscillant sans cesse entre destruction et tentative de récupération ; de nombreux menhirs sont christianisés, comme ceux de Brignogan-Plages par exemple. Des légendes pittoresques sont nées au cours des siècles. Ne dit-on pas que le soir de Noël, les menhirs de Carnac vont boire sur la grève de Saint-Colomban…

FOUILLES ET CONSERVATION

Depuis quelques années, les sites mégalithiques de Bretagne sont victimes de leur succès. Le meilleur exemple en est **Carnac**. Suite à la surfréquentation, des allées ont commencé à se creuser entre les blocs, déchaussant ces derniers. Pour la sécurité du public et la préservation des alignements, le site a donc été clôturé. La question se pose aujourd'hui de son devenir et de son mode d'exploitation, sachant que la décision servira sans doute de modèle à d'autres sites confrontés aux mêmes problématiques. Comme pour tous les grands sites, la question se pose de l'équilibre à maintenir entre l'ouverture au public et et la préservation du patrimoine.

Course et commerce

L'univers corsaire fascine volontiers car il mêle tout à la fois l'esprit d'aventure du combat naval et la légitimité découlant de privilèges royaux. Indissociable du commerce maritime, la course connaît ses heures de gloire entre la fin du 17e s. et le début du 19e s et s'éteint à chaque traité de paix.

L'ÂGE D'OR DES CORSAIRES

La course est une pratique connue depuis le Moyen Âge. Elle atteint son apogée lors de ce qui fut appelé la seconde « guerre de Cent Ans ». Débutant avec le début de la guerre de la ligue d'Augsbourg, en 1689, l'épopée corsaire s'achève en effet à la fin du Ier Empire.

Contrairement à la piraterie, avec laquelle on la confond parfois, la course est extrêmement codifiée. Elle consiste à confier, en temps de guerre et la plupart du temps à des armements privés, la mission d'entraver le commerce ennemi grâce à la capture de ses bateaux. Le capitaine corsaire, muni d'une lettre de marque,

Robert Surcouf : un marin d'exception

Né en 1773 à Bénic, près de Saint-Malo, Robert Surcouf embarque comme mousse dès l'âge de 13 ans. À vingt ans il est déjà capitaine-marchand. Épris d'aventure, il se lance dans la course dès 1796 et gagne rapidement ses premiers combats contre les navires anglais. Hardi marin et capitaine loyal, Surcouf fait très vite fortune et revient s'établir à Saint-Malo pour y poursuivre une carrière d'armateur jusqu'à sa mort en 1827.

sillonnait les routes commerciales en harcelant les navires ennemis.

Si l'histoire a retenu volontiers les noms de corsaires célèbres comme **René Duguay-Trouin** (1673-1736) ou Robert **Surcouf** (1773-1827), l'activité était très répandue dans les ports français, les deux principaux étant Dunkerque et St-Malo. Considéré comme le port corsaire entre tous sous le règne de Louis XIV, St-Malo a armé pas moins de 900 bâtiments qui ont capturé plus de 1 000 navires, sans compter ceux qui ont sombré.

Face à de tels chiffres il est utile de préciser que la pratique n'attirait pas seulement les marins épris d'aventure et de fortune, c'était une activité connexe des armateurs de commerce. En effet, soucieux de protéger leurs marchandises, ces derniers armaient leur bateau de plusieurs canons et sollicitaient une « commission de guerre et de marchandises » qui les autorisait à attaquer les navires ennemis et à s'emparer de leur cargaison. Le butin était ensuite partagé entre l'armateur, l'amirauté et les marins.

Durant son âge d'or, la course a eu énormément d'avantages pour la nation française. Le premier est sans aucun doute la contribution financière énorme des butins accumulés pour une économie qui peinait à financer les guerres successives. Le deuxième était les effets du harcèlement constant du négoce ennemi, qui isolait un peu plus les îles britanniques. Le dernier n'est pas des moindres, la course représentait une économie de substitution pour marins et armateurs qui se consacraient en temps de paix à la pêche ou au commerce.

La situation géographique de la Bretagne, son ouverture sur la Manche et sa position de sentinelle surveillant les principales routes maritimes anglaises passant au large de la Cornouaille, lui ont naturellement conféré une importance stratégique primordiale, à laquelle s'est ajoutée la qualité des marins et celle des chantiers navals locaux.

COMPAGNIE DES INDES

Au milieu du 17e s., la France raffolait de produits exotiques – épices, fruits et légumes, porcelaine, soies et cotons, thé et café... – introduits par la découverte des Amériques et par l'ouverture des grandes routes maritimes vers l'Asie. L'essentiel de ces produits, notamment les épices, était acheté à prix d'or aux Anglais et aux Hollandais qui maîtrisaient les mers et se procuraient ces denrées à bon compte dans leurs colonies d'Inde et de l'archipel de la Sonde (Indonésie). L'un des meilleurs moyens de faire fortune était de faire commerce d'épices.

La **Compagnie des Indes orientales** est créée à la demande de Colbert en 1664. Le siège de la compagnie est

Scène d'abordage : un navire corsaire attaque un vaisseau marchand.

Musée des Beaux-Arts de Brest

établi à **Port-Louis**, les bateaux font escale sur l'île de Gorée (la Compagnie des Indes reçoit dès 1635 le monopole de l'approvisionnement des îles françaises en esclaves) avant de contourner l'Afrique, traverser l'océan Indien, relâcher en Arabie pour charger du moka, et rejoindre Pondichéry, le principal comptoir de la Compagnie. Ce commerce fait vite la fortune des armateurs et favorise le développement de la ville de **Lorient**, qui doit son nom au principal navire des débuts, le *Soleil d'Orient* (dit l'Orient).

Les guerres de Succession d'Espagne (1702-1714) et de la ligue d'Augsbourg (1688-1697) mettent à mal la rentabilité du commerce maritime, la Compagnie des Indes fait une première fois faillite. En 1719, sous la houlette de John Law, elle s'ouvre de nouveaux marchés grâce au monopole des échanges commerciaux entre la France, les colonies des Antilles, la Louisiane et les comptoirs d'Afrique et d'Asie. C'est le temps du commerce triangulaire et de l'extraordinaire prospérité de la ville de Lorient, devenue le centre du commerce maritime français. La perte des colonies françaises des Antilles en 1763, due à l'occupation britannique, signe le déclin de la Compagnie des Indes, dont la dernière faillite est constatée en 1769.

Ⓒ Le musée de Port-Louis *(voir Port-Louis)* retrace l'histoire de cette prestigieuse compagnie.

NAUFRAGEURS OU SAUVETEURS ?

La mythologie populaire prête aux anciens Bretons la fâcheuse habitude de provoquer des naufrages, en installant par exemple d'improbables feux pour attirer les navires sur les falaises et autres écueils rocheux. Aucun élément n'a jamais étayé ces hypothèses. Ce qui est en revanche certain, c'est que le littoral breton est hérissé de brisants et balayé par des courants aussi violents que capricieux. Difficile dans ces conditions d'accoster sereinement, qui plus est de nuit, dans la brume ou par grand vent. Si l'on ajoute à cela l'emploi pendant des siècles d'instruments de navigation rudimentaires, on comprend plus aisément les risques encourus à caboter le long des côtes bretonnes. L'apparition des phares et autres balises a heureusement simplifié le pilotage sans pour autant en supprimer les dangers.

Ces conditions de navigation parfois difficiles expliquent la tradition avérée du **sauvetage** en Bretagne. Dès qu'un

Naufrage en bordure de côte.

Musée des Beaux-Arts de Brest

naufrage était reporté, la population se rapprochait des côtes pour porter secours aux éventuels survivants. Le sauvetage du *Drummond Castle* est à ce titre emblématique.

Le 15 juin 1896, ce paquebot anglais fait naufrage au large d'Ouessant, sans témoin. L'alerte est donnée le lendemain par des pêcheurs et par le vapeur qui assure la liaison postale entre Le Conquet et l'île. Les premiers ont repêché des survivants, le second a aperçu des morceaux de bois à la dérive. Les insulaires organisent alors des recherches en mer. Ils n'en ramènent que des cadavres. Seuls quatre passagers ont survécu, sur les 243 personnes embarquées. À terre, Ouessantins et Molénais donnent leurs draps pour faire des linceuls. Des chapelles ardentes sont dressées. En remerciement de leur dévouement, la Couronne britannique offrira à Molène un calice en vermeil orné de gemmes, ainsi qu'une citerne, et à Ouessant la flèche du clocher de l'église St-Pol-Aurélien.

Cet exemple illustre bien la traditionnelle solidarité des gens de mer, qui a d'ailleurs présidé à la création de la **Société nationale de sauvetage en mer** (SNSM) en 1967. Elle naît du rapprochement de deux associations créées au 19e s., dont celle des Hospitaliers sauveteurs bretons (1873). En 2006, la SNSM dispose de 3 500 sauveteurs permanents, tous bénévoles et disponibles, quelle que soit la météo. Ils répondent dans les 15 minutes aux appels reçus par les CROSS (centre régional opérationnel de surveillance et de sauvetage), qui, en plus des missions de recherche et de sauvetage, s'occupent de la surveillance du trafic, des pêches, et des alertes à la pollution *(voir p. 61)*. Parmi les cinq centres que compte la France, deux sont implantés en Bretagne, l'un à Corsen, dans les Abers, et l'autre à Étel, en Bretagne Sud.

ART ET CULTURE

La Bretagne possède une culture propre et double. Façonnée pendant des siècles à l'écart des grands mouvements artistiques du fait de son enclavement péninsulaire, elle n'en a pas moins intégré des influences venues d'ailleurs grâce à son exceptionnelle façade maritime ouverte sur le monde. L'isolement a favorisé l'expansion de la religiosité, et son cortège de richesses architecturales et coutumières, les soucis défensifs ont produit des villes et des ports fortifiés, mais le commerce maritime a importé de nouveaux dessins pour les broderies... Entre l'enclos paroissial, la forteresse et la mer, les Bretons se sont constitué une culture populaire originale, festive et mystique, qui explose notamment aujourd'hui grâce aux grands festivals de musique.

La maison du bourreau à Lamballe.

Art et architecture

L'architecture bretonne peut paraître austère et massive au premier coup d'œil. Sa dureté doit beaucoup à la principale matière première des édifices régionaux : le granit. Le socle du Massif armoricain a été pioché avec pugnacité pendant des siècles par les Bretons, qui ont su à merveille marier la rudesse du matériau avec celle de leur paysage.

ARCHITECTURE CIVILE

Flâner dans les vieux quartiers fait partie des charmes de la Bretagne. Il n'est guère de villes ou de bourgs qui n'aient conservé intactes des rues entières, ou tout du moins des maisons anciennes, généralement magnifiquement restaurées.

Vieilles maisons

L'architecture traditionnelle des villes et des campagnes bretonnes est bien plus diverse qu'on ne l'imagine au premier abord. Au détour des villages, on croise de petites maisons de pêcheurs frap-

pées d'une ancre de marine, des fours à pain voûtés de briques, des moulins à marée à proximité des abers, des fermes massives aux toits de chaume ou d'ardoise, en pierres apparentes à l'intérieur des terres, parfois enduites dans les régions côtières pour les protéger de l'air salin. Disséminées au bord des routes, ces curiosités ne peuvent être envisagées d'un seul coup d'œil. Si l'on veut découvrir l'archétype du village breton, il faut se rendre à Locronan, dont l'ensemble de belles maisons cossues forme un patrimoine d'une valeur exceptionnelle.

Dans les villes, le granit est bien sûr à l'honneur, mais on rencontre aussi du schiste, du grès ou du pisé (une maçonnerie de terre argileuse), ou encore une combinaison de matériaux qui rythment très élégamment le paysage urbain de villes comme Vitré ou Morlaix. Sans être rares, ces habitations ne sont pas légion. De nombreuses maisons médiévales à pans de bois ont en effet disparu dans les grands incendies du 17e s., comme celui de Rennes en 1720 *(voir Découvrir les sites)*. Aussi les Bretons soignent-ils avec amour celles qui ont survécu, d'autant plus qu'à partir de la fin du 16e s., chaque terroir se singularisait par un type d'architecture propre. Au 18e s., à la suite d'édits interdisant le bois dans la construction, des hôtels particuliers en pierre ont remplacé ces belles demeures à détails gothiques, par trop inflammables. Les villes étant souvent closes par des murailles, il fallait aussi construire en hauteur pour trouver de la place. Apparurent alors des bâtiments classiques aux lignes plus sévères, mais qui ont toutefois su conférer un cachet élégant aux grandes villes de l'Ouest.

Les malouinières

À la fin du 17e s. et au 18e s., les armateurs de St-Malo s'étant considérablement enrichis *(voir la partie Histoire, sur le commerce et la course)*, des gentilhommières fleurirent dans cette campagne que l'on nomme le « Clos-Poulet », au sud-est de la ville. Bien qu'elles ne soient pas toutes de mêmes dimensions, elles présentent une architecture homogène : cheminées élancées, toits à pente raide percés de lucarnes, façades crépies de blanc, parements de granit. Une particularité locale à remarquer si l'on visite la cité des corsaires.

FORTERESSES ET CHÂTEAUX

Le granit breton est un matériau sévère qui ne vieillit pas. N'étaient les lignes générales et le mode de construction qui permettent de les différencier, il ne serait guère possible de donner un âge aux monuments. Si l'on excepte les forteresses *(voir encadré ci-dessous)*, on trouve peu de châteaux importants en Bretagne, contrairement aux édifices religieux. Cette répartition traduit parfaitement le caractère de la population dont tous les efforts artistiques furent dédiés à la religion. On peut néanmoins encore admirer aujourd'hui de beaux exemples de fortifications et de châteaux.

St-Malo et **Guérande** ont conservé la totalité de la ceinture de pierre qui les enserrait. Des beaux exemples de remparts se rencontrent aussi dans des localités telles que Vannes, Concarneau et Port-Louis. Parmi les plus importantes forteresses, celles de **Fougères** et de **Vitré** sont particulièrement bien préservées. **Dinan** et **Combourg** ont leurs châteaux forts encore debout, Suscinio et Tonquédec offrent des ruines imposantes. La sentinelle avancée du fort **La Latte** occupe un site magnifique. Et si les édifices mi-forteresses mi-palais, tels **Kerjean**, **Josselin** ou le château des ducs de Bretagne à Nantes n'abondent pas, c'est que la noblesse bretonne était pauvre. On le voit, la diversité est au rendez-vous, qui ne tient pas même compte des incalculables manoirs-fermes des gentilshommes campagnards qui, sans renoncer à leur rang, n'hésitaient pas à cultiver leurs terres comme des paysans.

ARCHITECTURE TECHNIQUE

Moulins à marée

Les moulins à marée existent au moins depuis le 12e s. Très présents en Bretagne, notamment le long des rias et des fleuves soumis à de très forts marnages comme la Rance, ils sont particulièrement abondants dans le Morbihan. Comme leur nom l'indique, ces moulins ne pouvaient fonctionner sans les marées. Accolés à une digue, ils accumulaient de l'eau dans une réserve pendant les phases montantes de la marée. Au reflux, le retrait d'une simple vanne permettait d'actionner la roue et de moudre le grain. En période de mortes-eaux, les marées ne suffisaient pas à donner du travail à temps plein au minotier, qui construisait alors sur une butte proche un moulin traditionnel.

De la défense à l'agrément

L'aspect des forteresses bretonnes a évolué au rythme de l'histoire régionale. Des édifices d'allure médiévale comme Châteaugiron, Tonquédec ou Suscinio, construits dès le 13e s. à l'intérieur des terres, témoignent d'une époque de rivalités seigneuriales. Leurs contemporains élevés à Fougères, Vitré ou Châteaubriant, surnommés « les marches de Bretagne », rappellent quant à eux le cordon défensif créé à l'intention du royaume de France. À partir de 1532, la Bretagne adoptant les intérêts français, le danger vient de la flotte anglaise et le littoral est fortifié. Vauban intervient au 17e s. à Morlaix (château du Taureau) et à Belle-Île. Le Fort national protège St-Malo avec toute une série de fortins, et la citadelle de Port-Louis surveille la rade de Lorient. Les forteresses accueillent des garnisons. À partir du 16e s., celles de l'arrière-pays, comme Josselin, libérées de leur vocation défensive, se consacrent dès lors à leur embellissement et deviennent des lieux d'agrément, reflétant toujours la prospérité et le rang de leur propriétaire. C'est à cette époque qu'apparaissent des châteaux comme Kerjean ou Quintin, qui se parent d'emblée d'éléments décoratifs Renaissance ou classiques.

D'allure austère et massive, les moulins à marée, aussi appelés moulins à eau bleue, constituent un superbe exemple d'architecture fonctionnelle bretonne. Comme pour leurs collègues à vent, c'est l'arrivée du chemin de fer, de l'automobile et de la mécanisation qui a eu raison de leur activité. Les derniers ont tourné jusque dans les années 1960.

☙ Certains moulins à marée sont encore en état de fonctionnement, comme le moulin du Prat dans la vallée de la Rance (*voir p. 397*).

Phares

Les constructeurs de phares ont dû faire face à des contraintes spécifiques pour élever les 50 édifices que compte la Bretagne (soit le tiers des phares français). Les premiers critères de construction sont d'abord techniques. La portée géographique est induite par la rotondité de la terre. Plus un phare est haut, plus la rencontre du faisceau lumineux avec l'horizon est éloignée : le marin aperçoit le feu de plus loin. La portée lumineuse dépend avant tout de la puissance de la lampe, mais aussi de la composition de l'atmosphère qui se dégrade de nuit ou par temps pluvieux ou brumeux. Si la hauteur d'un phare est donc déterminée en fonction de la portée voulue (3 m de haut=3,6 milles, 30 m=11,5 milles, 100 m=21 milles), sa forme l'est par l'endroit où il se trouve.

Sur terre, les phares sont presque toujours de forme carrée. En mer, ils sont systématiquement de forme cylindrique, de manière à subir le moins possible la pression que leur infligent les vagues et le vent. Pour admirer certains des plus beaux phares français, nous vous recommandons la Route des phares et le Chemin des phares, qui empruntent les routes et les sentiers côtiers de Brest à Brignogan (*se renseigner aux offices de tourisme de Brignogan-Plages et de Brest*). Les plus beaux phares de Bretagne y sont concentrés, dont le phare des Pierres Noires (6 milles au large de la pointe St-Mathieu), peint en rouge et blanc, et le monumental phare de l'île Vierge (proche de Plouguerneau), le plus grand édifice de ce type en Europe grâce à ses 77 m.

☙ Pour un panorama complet de l'histoire des phares, rendez-vous à Ouessant au Musée des phares et balises (*voir Découvrir les sites*).

L'art religieux et les enclos

Non loin des plages et des sites géographiques les plus prisés, les villes et les campagnes protègent pieusement les témoignages artistiques de l'histoire bretonne. Profondément religieux, l'art a ici laissé des traces matérielles à la fois monumentales et originales, presque toujours taillées dans ce granit qui fait à la fois l'orgueil et la particularité de la Bretagne. Prendre le temps de s'intéresser à ces vestiges, c'est se donner toutes les chances de mieux comprendre cette « péninsule du bout du monde ».

UNE ARCHITECTURE MYSTIQUE

Neuf cathédrales, une vingtaine de sanctuaires importants, des milliers d'églises et de chapelles rurales forment un imposant ensemble de monuments religieux. La richesse et le réalisme de leurs détails traduisent encore toute la force de la foi qui animait le peuple breton.

Les cathédrales

Elles sont inspirées des grands édifices de Normandie ou d'Île-de-France, mais ne peuvent rivaliser, ni par les dimensions, ni par l'ornementation, avec leurs modèles. Les ressources des bâtisseurs étaient limitées, et le granit local est une pierre dense et difficile à travailler. En outre, les difficultés de trésorerie ont prolongé les travaux de trois à cinq siècles, ce qui nous permet de repérer toutes les étapes du gothique, depuis l'arc dépouillé des débuts jusqu'à la folle exubérance du flamboyant. Enfin, la Renaissance est venue placer sa dernière touche au cœur de ces édifices dont les plus intéressants sont ceux de St-Pol-de-Léon, Tréguier, Quimper, Nantes et Dol.

Stéphane Sauvignier / MICHELIN

Portail sud de l'église de Commana.

Églises et chapelles rurales

À l'époque romane (11e et 12e s.), la Bretagne n'était pas florissante, les sanctuaires furent donc rares, et même transformés aux siècles suivants. Sous les ducs, et après la réunion à la France, le territoire se couvrit d'églises et de chapelles gothiques et Renaissance.

Jusqu'au 16e s., le plan général est un rectangle, parfois un plan en T. La nef est souvent sans bas-côtés et sans fenêtres, et aboutit à un chœur flanqué de chapelles et séparé de la nef par un arc de pierre. Le chevet est plat et percé d'ouvertures. La voûte de pierre est très rare, on lui préfère une charpente lambrissée, souvent peinte et dont les entraits, les sablières et les têtes de blochets sont fréquemment sculptés. Or, voici qu'à partir du 16e s. est adopté le plan en forme de croix latine, avec un transept dont la présence efface l'arc central. Le chevet devient à trois pans, des fenêtres percent les bas-côtés.

Ce qui surprend au 21e s., c'est de découvrir dans des solitudes désolées des chapelles qui feraient l'orgueil de localités importantes. Des édifices comme ceux de N.-D.-du-Folgoët ou de Kernascléden illustrent bien la foi des petits pays bretons de l'époque. Cependant, il est malheureusement assez courant de visiter des chapelles modestes, qui laissent d'ailleurs parfois une pénible impression d'abandon.

Les clochers

On serait tenté de dire que la Bretagne a l'esprit de clocher… mais ce mauvais jeu de mots masquerait toute la réalité de ces bâtiments qui symbolisaient à la fois la vie religieuse et la vie municipale. Les populations y plaçaient toute leur fierté, et c'était pour elles un châtiment terrible de voir un souverain mécontent les faire abattre. Le type le plus fréquent est le clocher-pignon, plus léger et moins coûteux que le clocher classique. On y accède par des marches extérieures ou par des escaliers logés dans les tourelles qui le flanquent.

Les porches

Dans les églises bretonnes, un porche important s'ouvre sur le côté sud. Il a fréquemment servi de lieu de réunion pour les notables de la paroisse qui prenaient place sur les bancs de pierre garnissant les murs. Souvent, une double rangée d'apôtres le décore. On les reconnaît à leurs attributs : saint Pierre tient la clef du paradis ; saint Paul, un livre ou une épée ; saint Jean, un calice ; saint

Personnage sur pan de bois de la chapelle de Trémalo, à Pont-Aven.

Thomas, une équerre ; saint Jacques le Majeur, un bâton de pèlerin ; saint Matthieu, une hachette ; saint Simon, une scie ; saint André, une croix ; saint Barthélemy, un couteau.

LE MOBILIER RELIGIEUX

Du 15e au 18e s., une armée de sculpteurs bretons a fourni aux églises chaires, stalles, buffets d'orgue, baptistères, clôtures de chœur, jubés, poutres de gloire, retables, niches à volets, confessionnaux, saints-sépulcres et statues… On ne s'étonnera pas de constater au cours des visites que ces œuvres présentent un caractère plus abouti que les figures des calvaires. Il est en effet beaucoup plus aisé de travailler le chêne, le châtaignier ou l'albâtre que le granit.

Jubés et poutres de gloire

Nombreux dans les églises bretonnes, les jubés sont souvent d'une richesse inouïe qui surprendra plus d'un amateur. Quelques-uns sont sculptés dans le granit, mais la plupart, et c'est une des originalités de la Bretagne, sont en bois. Variée, la décoration diffère sur leurs deux faces, car le jubé sépare le chœur de la partie de l'église réservée aux fidèles et complète les clôtures latérales du chœur. Par ailleurs, il sert à la prédication et à la lecture des prières, qui sont faites du

Une curiosité

Les nombreuses statues qui ornent les églises bretonnes sont de véritables portraits et des documents de premier ordre pour l'histoire du costume. Parmi elles, le groupe trinitaire de sainte Anne, la Vierge et l'Enfant se retrouve assez fréquemment en Bretagne. Cette figuration, assez fréquente en Europe centrale, est relativement rare en France.

haut de sa galerie supérieure. En général, il est surmonté d'un crucifix, entouré des statues de la Vierge et de saint Jean, qui font face à la foule. La poutre de gloire, ou tref, est à l'origine du jubé. Afin de l'empêcher de fléchir, on fut amené à la soutenir par des supports qui firent place à une clôture plus ou moins ouvragée. Décorée habituellement de scènes de la Passion (elle porte toujours le groupe du Christ entouré de la Vierge et de saint Jean), on la trouve surtout dans les petites églises et les chapelles.

Les retables

Nombreuses, surchargées, les œuvres Renaissance se retrouvent dans les fonts baptismaux et les chaires à prêcher, transformés en vrais petits monuments. Mais le cas le plus intéressant est celui des retables. À l'origine, l'autel primitif n'est qu'une table. Petit à petit, il va perdre en simplicité et atteindre des dimensions étonnantes. Du 12e au 14e s., les autels s'ornent d'un gradin peu élevé, le retable est de même longueur que l'autel, puis, la sculpture s'en empare et on voit apparaître des scènes extraites de la Passion. À partir du 15e s., l'autel est envahi de colonnes torses, de frontons et de niches ornées de statues et de panneaux sculptés, qui trouvent leur plein épanouissement au 17e s. Le retable, dont le sujet principal s'est perdu parmi les angelots et les guirlandes, en arrive à occuper la totalité de la chapelle réservée à l'autel. Le paroxysme ornemental est même atteint lorsque, ne faisant qu'un avec les retables des autels voisins, il orne toute la muraille du chevet comme c'est le cas à **Ste-Marie-du-Ménez-Hom**.

La dévotion au Rosaire, que l'on doit au dominicain breton Alain de La Roche (15e s.), donna lieu, à partir de 1640, à l'érection de maints retables dans lesquels la Vierge est représentée remettant le chapelet à saint Dominique et à sainte Catherine de Sienne.

Arbre de Jessé et Mise au tombeau

Un grand nombre de niches à volets renferment un Arbre de Jessé. Jessé, qui appartenait à la tribu de Juda, eut un fils, David, de qui descend la Vierge Marie. Il est généralement représenté couché. Dans son cœur, ses entrailles ou ses reins, plongent les racines de l'arbre dont les rameaux portent, dans l'ordre chronologique, les rois et les prophètes, ancêtres du Christ. La Vierge, au centre, figure la tige qui porte la fleur : Jésus. Voyez l'arbre de La Trinité-Porhoët, non loin de Ploërmel.

La Mise au tombeau, ou saint-sépulcre, groupe généralement sept personnages autour du Christ mort. Si elle est souvent traitée sur les calvaires, elle est rarement présente dans les églises, sauf à Lampaul-Guimiliau et à St-Thégonnec où elles sont remarquables.

Toutefois, les chefs-d'œuvre de la sculpture funéraire sont visibles à Nantes, avec le tombeau de François II, et à Josselin, avec le mausolée d'Olivier de Clisson.

Vitraux

Si les peintures et les fresques sont rares (Kernascléden reste une exception), les verrières sont en revanche assez nombreuses. Souvent inspirées par l'art italien ou flamand, elles se caractérisent toujours par une facture bretonne.

La cathédrale de **Dol** en possède une très belle du 13e s. Les plus beaux exemples datent des 14e, 15e et 16e s. et sortent des ateliers de Rennes, Tréguier, Quimper ; on peut en voir à N.-D.-du-Crann et à St-Fiacre du Faouët.

Au 20e s., la restauration ou la création de nombreuses églises et chapelles a permis de parer ces édifices de nouveaux vitraux éclatants, souvent non figuratifs.

Une myriade de fontaines

Les fontaines liées au culte de l'eau sont innombrables en basse Bretagne. La plupart d'entre elles sont des **fontaines guérisseuses**. Presque tous les lieux de pardons possèdent une fontaine où vont boire les fidèles. Elle est placée sous la protection d'un saint ou de la Vierge dont les statues s'abritent dans de petits sanctuaires, tantôt frustes, tantôt ornés. Dans les lieux de pèlerinage importants, comme **Ste-Anne-d'Auray**, la fontaine a été aménagée de façon moderne, avec vasques, bassins et escaliers.

Musée départemental breton, Quimper

Sainte-Trinité du 15e s. (bois polychrome), détail de retable au musée de Quimper.

L'enclos paroissial de Guimiliau et son calvaire.

LES ENCLOS PAROISSIAUX

Une particularité bretonne : L'enclos paroissial est l'ensemble monumental le plus typique qu'on rencontre dans les bourgs bretons. Il s'ouvre habituellement par une porte triomphale donnant accès à l'église, au calvaire et à l'ossuaire, et permettait à la vie paroissiale de rester étroitement attachée à la communauté des morts puisque l'enclos avait le cimetière pour centre. L'émulation qui existait entre villages voisins explique la richesse des enclos qui ont surgi en basse Bretagne sous la Renaissance et au 17e s.

Reportez-vous au circuit des Enclos paroissiaux pour situer et visiter les plus imposants *(voir Découvrir les sites)*.

Portes triomphales et ossuaires

La porte monumentale ou porte des morts, généralement très décorée, est traitée en arc de triomphe pour symboliser l'entrée du juste dans l'immortalité. Les portes latérales voient leur passage barré par une pierre haute, l'échalier ; cette clôture est symbolique car elle n'empêche pas le franchissement.

Une histoire édifiante

Une histoire figure sur plusieurs calvaires (Plougastel-Daoulas, Guimiliau), celle de Catell-Gollet (Catherine perdue). Catherine, jeune servante, a dissimulé en confession ses écarts de conduite. Glissant plus avant sur la mauvaise pente, elle dérobe une hostie consacrée pour la donner au diable, qui a pris les apparences de son amoureux. Bien sûr, la coupable est condamnée aux flammes éternelles…

Dans les minuscules cimetières bretons d'autrefois, les corps devaient être exhumés pour laisser la place aux nouveaux défunts. On entassait les ossements dans des réduits qu'on élevait contre l'église ou le mur du cimetière. Ces ossuaires sont ensuite devenus des bâtiments isolés, et leur exécution devint plus soignée. Ils ont pris la forme de reliquaires et ont servi de chapelles funéraires.

Les calvaires

Foncièrement bretons, ces petits monuments de granit groupent autour du Christ en croix des épisodes de la Passion. Bon nombre d'entre eux furent érigés pour conjurer la peste de 1598 ou en action de grâces après sa disparition. Ils servaient à l'instruction religieuse : tout en prêchant, le prêtre désignait les scènes qu'il racontait. Le plus ancien des calvaires existants est celui de Tronoën (fin 15e s.), les plus célèbres sont ceux de Guimiliau (200 personnages), Plougastel-Daoulas (180 personnages) et Pleyben.

Si la sculpture est généralement fruste et naïve, c'est qu'il s'agit essentiellement d'un art de tailleurs de pierre villageois, mais quel sens admirable de l'observation avaient ces artistes anonymes ! L'expression de la vie y est souvent saisissante. Ils choisissaient les scènes au gré de leur inspiration, sans les grouper de façon chronologique. Certaines se reconnaissent au premier coup d'œil, d'autres, plus ou moins abîmées, sont traitées plus sommairement.

Les calvaires ont eu pour prédécesseurs immédiats les croix de chemin. Il y en eut des dizaines de mille, beaucoup ont été détruites.

ABC d'architecture

Les dessins présentés dans les planches qui suivent offrent un aperçu visuel de l'histoire de l'architecture dans la région et de ses particularités. Les définitions des termes d'art permettent de se familiariser avec un vocabulaire spécifique et de profiter au mieux des visites des monuments religieux, militaires ou civils.

ST-BRIEUC – Plan de la cathédrale St-Étienne (13ᵉ et 14ᵉ s.)

Croisillon ou **bras du transept**

Déambulatoire : prolongement des bas-côtés autour du chœur permettant de défiler devant les reliques.

Chœur, presque toujours « orienté », c'est-à-dire tourné vers l'Est.

Travée : division transversale de la nef comprise entre deux piliers.

Chevet : extrémité extérieure du chœur. Pour désigner l'intérieur, on emploie le terme d'**abside**.

Collatéral ou **bas-côté**

Nef

Croisée du transept

Portail latéral

Chapelle **absidiale** ou **axiale**

Chapelle **rayonnante** ou **absidiole**

Rond-point du chœur

ST-POL-DE-LÉON – Élévation des deux premières travées Nord de la nef de l'ancienne cathédrale (13ᵉ et 14ᵉ s.)

Fenêtre haute

Meneau

Grande arcade : sépare la nef des bas-côtés.

Lancette : arc brisé surhaussé, ressemblant à une pointe de lance.

Triforium : galerie de circulation pratiquée dans l'épaisseur du mur, qui deviendra une arcature purement décorative à la fin du gothique.

Colonnettes en faisceau

DINAN – Porche à trois arcs de la basilique St-Sauveur (12ᵉ s.)

Tympan historié : décoré de scènes à personnages

Arc en berceau ou **en plein cintre**

Chapiteau

Fût de colonne

Base

R. Corbel/MICHELIN

Colonne torse

Linteau

Mandorle : auréole en forme d'amande

Voussure : arcs concentriques couvrant l'embrasure d'une baie ; l'ensemble des voussures forme l'**archivolte**.

Dais : baldaquin richement décoré placé au-dessus d'une statue, d'un autel...

Montant ou **piédroit :** montant vertical sur lequel retombent les voussures

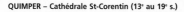

QUIMPER – Cathédrale St-Corentin (13ᵉ au 19ᵉ s.)

Fleuron

Flèche

Gargouille : dégorgeoir saillant servant à l'écoulement des eaux de pluie.

Clocheton

Fenêtre haute de forme anglaise

Pinacle : amortissement élancé de plan carré ou polygonal, plus ou moins orné.

Baies géminées : groupées par deux.

Arc-boutant

Remplage : réseau de pierre divisant l'ouverture d'une baie.

Contrefort : renfort extérieur d'un mur, faisant saillie et engagé dans la maçonnerie.

Gâble : pignon décoratif surmontant certains portails.

Grand portail

COMMANA – Retable Ste-Anne (1682-1691) dans l'église St-Derrien

Placé derrière l'autel et le surmontant verticalement, le retable de Commana est un véritable joyau de l'art baroque en Bretagne.

Niche

Attique : couronnement horizontal placé au-dessus d'un entablement.

Entablement : couronnement en saillie, constitué par l'architrave, la frise et la corniche.

Colonne torse

Tabernacle

Console d'applique

Antependium : devant, parement d'autel.

Prédelle : partie inférieure de retable.

Table d'autel

R. Corbel/MICHELIN

PLOUGASTEL-DAOULAS – Calvaire (17ᵉ s.)

Véritables pages d'évangile figées dans la pierre, les scènes de la vie de Jésus, sculptées sur le calvaire, permettaient au prédicateur d'illustrer son propos.

Crucifix

Croix en Tau
(en forme du **T** grec)

Larrons : le bon
à la droite du Christ,
le mauvais de l'autre
côté.

Pietà : groupe
de statues représentant
la Vierge tenant
sur ses genoux le
corps du Christ.

Culot

Écot : excroissance
sur le fût évoquant
l'attache d'un rameau.

Fût : hampe de la croix

Table d'offrande :
autel de pierre
dédié à un ou
plusieurs saints.

ST-THÉGONNEC – Porte triomphale de l'enclos paroissial (17ᵉ s.)

La « porte des morts », porte cochère très ouvragée marquant la frontière entre la vie profane et le monde spirituel, était réservée aux processions religieuses ou aux convois funèbres.

Fronton curviligne

Attique :
couronnement
horizontal placé
au-dessus d'un
entablement.

Lanternon

Fronton triangulaire
à base interrompue

Niche à coquille

Corniche : saillie
horizontale composée
de moulures en
surplomb les unes
sur les autres.

Entablement

Frise

Agrafe : élément
décoratif placé
sur la clef d'une baie.

Arc en berceau
ou en plein cintre

Pilastre : pilier
engagé dans un mur.

R. Corbel/MICHELIN

FORT LA LATTE – Château fort (14ᵉ s.)

Dominant la mer de plus de 60 m, ce fort du 14ᵉ s. remanié au 17ᵉ s. et restauré au 20ᵉ s. a conservé un aspect médiéval.

Bretèche : logette rectangulaire en encorbellement, au sol percé pour le tir plongeant.

Créneau : échancrure formant l'intervalle qui sépare deux merlons.

Donjon

Échauguette : petite construction en surplomb servant pour le guet.

Chemin de ronde

Mâchicoulis : créneaux en encorbellement permettant de jeter des projectiles sur l'assaillant.

Courtine : pan de muraille compris entre deux tours.

Fruit

Archère : meurtrière pour le tir à l'arc.

Barbacane : ouvrage de défense avancé protégeant un point important.

Logis et corps de garde

Canonnière

BELLE-ÎLE-EN-MER – Citadelle Vauban (17ᵉ s.)

Construite au 16ᵉ s., la citadelle de Belle-Île fut entièrement remaniée par Vauban au 17ᵉ s. Particulièrement bien conservée, elle est un témoin remarquable de l'architecture militaire classique.

Cavalier : terre-plein surélevé destiné aux pièces d'artillerie.

Place d'armes

Casernement

Poudrière

Escarpe : talus intérieur du fossé.

Bastion : ouvrage de plan pentagonal faisant saillie sur une enceinte fortifiée.

Demi-lune : ouvrage à deux faces formant un angle aigu, placé au-devant de la courtine d'un front bastionné.

Contre-garde : ouvrage extérieur bas.

JOSSELIN – Façade intérieure du château (1490-1510)

Élevée tout au début du 16ᵉ s., cette magnifique façade sur cour montre l'exubérance, la fantaisie et la richesse des lucarnes sculptées à la mode de la Renaissance.

Pinacle : amortissement élancé de plan carré ou polygonal, plus ou moins orné.

Fronton-pignon

Fleuron

Toiture polygonale

Lucarne à deux étages en avancée

Étrésillon

R. Corbel/MICHELIN

Fenêtre à meneaux : le **meneau** est l'élément vertical d'un **remplage**.

Meneau à traverse simple (et double traverse à l'étage).

Arc en accolade

Grand appareil

RENNES – Hôtel de ville (1730-1742)

Construit par l'architecte Jacques Gabriel ; le creusement central au niveau du beffroi produit un effet de mise en scène théâtral, typiquement baroque.

Bulbe

Pot à feu : élément décoratif en forme de vase coiffé d'une flamme, caractéristique de l'architecture classique.

Œil-de-bœuf

Beffroi

Fronton triangulaire à base interrompue

Sculpture en **bas-relief** : en faible saillie.

Pavillon en avant-corps : en avancée.

JOSSELIN – Maison « Lovys Piechel » (1624)

Toit à croupes : à quatre versants.

Sablière : longue poutre horizontale placée sur l'épaisseur d'un mur et dans le même plan que celui-ci, servant d'assise à d'autres pièces.

Lucarne

Rez-de-chaussée : en schiste vert.

Potelet : petit poteau

Décharge en croix-de-saint-André

Encorbellement : construction en porte-à-faux.

Colombage

R. Corbel/MICHELIN

Art et savoir-faire

Dès le 19e s., les artistes ont trouvé en Bretagne une source d'inspiration inépuisable. Peintres et graveurs ont sillonné le littoral, de la baie du Mont-St-Michel au golfe du Morbihan, à la recherche des secrets de la lumière et des couleurs, tandis que faïenciers et céramistes se sont plutôt tournés vers les sujets ethniques et culturels.

L'ÉCOLE DE PEINTURE DE PONT-AVEN

« Un petit trou pas cher », c'est ainsi qu'un ami peintre décrit le bourg de Pont-Aven à Paul Gauguin. En 1886, ce dernier a alors 38 ans et décide de quitter sa petite vie bourgeoise pour la vie de bohème que lui promet la peinture. Construite au bord de l'Aven, la petite ville est connue pour ses moulins et l'activité portuaire induite par les minoteries. Les alentours, riches en églises, en champs couverts de meules jaunes ou de mégalithes épars, attirent déjà un cortège de peintres académiques, attirés par l'exotisme régional.

Musée de Pont-Aven

« Rochers au bord de l'Aven », Henri Moret (vers 1891), musée de Pont-Aven.

Gauguin, bientôt suivi par un large groupe d'amis, fait exploser leur vision stricte de l'art pictural. Leur courant, bientôt baptisé d'école de Pont-Aven, porte d'abord le nom de « synthétisme ». Les couleurs sont vives, couchées en aplat, les contours et les formes sont simplifiés et les visages souvent dépourvus de traits : le style de Pont-Aven s'affirme comme une nouvelle vision artistique de la nature. Émile Bernard et Paul Gauguin, les fondateurs, sont bientôt rejoints par le jeune Sérusier, Maurice Denis, Armand Seguin et par des peintres étrangers informés par la critique parisienne saluant la naissance du mouvement.

Le groupe, dont la tranquillité est perturbée par l'affluence de curieux, s'installe au Pouldu, tandis que Gauguin part dans le Pacifique chercher d'autres sources d'inspiration et d'autres voies picturales. Il fait son dernier séjour breton en 1894, laissant Pont-Aven à une réputation qui perdure encore de nos jours.

L'ART CONTEMPORAIN EN BRETAGNE

Le Fonds régional d'art contemporain (Frac), situé à Châteaugiron, est un organisme public issu de la volonté de décentralisation culturelle. Le **Frac Bretagne** a rassemblé près de 2 000 œuvres depuis 1981, qui sont exposées régulièrement dans les quatre départements bretons. Outre un centre de documentation et un service éducatif destiné à familiariser l'art auprès des plus jeunes, il publie aussi régulièrement des monographies d'artistes régionaux et des catalogues collectifs.

Notez que toute les grandes ville de Bretagne possèdent des centres d'art contemporain. Le musée des Beaux-Arts de Rennes ouvre ainsi régulièrement ses porte à des plasticiens locaux, alors que la Passerelle, à Brest, est un centre d'art plus ouvert sur la danse, la musique et la poésie. Afin de ne pas se laisser enfermer dans le cadre de son école historique, la ville de Pont-Aven s'est dotée depuis 2004 d'un **Centre international d'art contemporain**. Son but est de promouvoir l'innovation grâce à des pensions et à des masters classes : dans le domaine des arts plastiques, bien sûr, mais aussi en musique, en danse et en poésie. Les œuvres sont exposées ou jouées toute l'année.

Si vous êtes amateur de sculptures, ne manquez pas la visite des jardins du **Domaine de Kerguéhennec** (voir Découvrir les sites), où sont exposées toute l'année des sculptures. Voyez également l'atelier du sculpteur Pierre Manoli, installé sur la rive gauche de la Rance, à La Richardais (voir Découvrir les sites).

Enfin, certains lieux de culte désacralisés accueillent aujourd'hui des expositions temporaires d'œuvres contemporaines. C'est le cas notamment de la chapelle St-Noyal à Pontivy, dans le cadre de la manifestation annuelle intitulée « **l'Art dans les chapelles** » *(voir Découvrir les sites)*.

La mer aussi contribue au renouveau artistique régional grâce à une nouvelle utilisation des bois d'épaves. S'ils sont recherchés depuis des siècles par les Bretons du littoral pour la manufacture de mobilier, les bois flottés rejetés sur la laisse de mer sont désormais récoltés et retravaillés par des artistes du cru.

LES ARTS DÉCORATIFS

Le mobilier

Pendant des siècles, les artisans bretons ont exécuté lits clos, buffets, vaisseliers, armoires et gaines d'horloge selon des modèles identiques ne différant d'une pièce à l'autre que par de petits détails d'ornementation. Cet aspect répétitif les a portés à la maîtrise de leur art.

Le **lit clos**, caractéristique essentielle du mobilier breton, permettait de se protéger du froid et aussi de s'isoler dans la grande pièce commune. Le lit est généralement fermé par deux portes coulissantes ; par une seule grande porte dans le Léon, par d'épais rideaux dans la région d'Audierne ou le Morbihan. Il se complète toujours d'un banc-coffre où l'on rangeait le linge. Une riche ornementation les décore : fuseaux, guirlandes, motifs religieux dont le monogramme du Christ ou le cœur chouan, figures géométriques, juxtaposées ou entrelacées, appelées décorations « au compas ». Ces motifs se retrouvent aussi sur les **armoires**, souvent coiffées d'une corniche plate débordante ou parfois à double cintre comme dans le bassin de Rennes.

Le **coffre** a également joué un rôle important : il abritait le linge ou le grain destiné à l'usage ménager.

La faïence

Relevant davantage de l'art décoratif que du mobilier, la faïence en était pourtant un accessoire indissociable. La faïence de Quimper, indéniablement la plus renommée, s'est enrichie au fil des siècles de nombreux apports qui ont à diverses reprises relancé cette production, marquant son évolution et témoignant de sa créativité. Un tel brassage de savoir-faire et de méthodes de travail transmis de siècle en siècle aux « peintres » quimpérois a fait de Quimper, devenu un véritable centre de compagnonnage, le foyer d'une production dont l'originalité réside dans la diversité des styles.

C'est aux environs de 1840 qu'apparaissent les faïences à sujets bretons (avec notamment le fameux « petit Breton », personnage caricatural qui va détrôner les décors traditionnels), et que commence leur industrialisation. Créées par A. Beau, la série des « scènes bretonnes » inspirées de contes et de gravures et plus tard celle des « légendes bretonnes » connaîtront un vif succès.

Atelier de la faïencerie H.B. Henriot.

L'orfèvrerie

C'est aux 14e et 15e s. que l'orfèvrerie bretonne a connu ses périodes les plus fastes. Les commandes étaient alors essentiellement religieuses, avec des pièces magnifiques, notamment les reliquaires. Nombre d'entre elles ont été fondues pour financer des guerres. Malgré ces pertes, la Bretagne recèle encore de très belles pièces dues à des artistes locaux, notamment du côté de Morlaix et de Vannes, où elles ont été jalousement mises à l'abri des convoitises. On en verra toutefois à Carantec, à St-Jean-du-Doigt, à St-Gildas-de-Rhuys, à Paimpont, à Locarn, etc.

La broderie

La broderie apparaît en Bretagne après la Révolution française. Avant, les matériaux (fil de soie, perles, velours…) étaient si chers que seuls les plus riches pouvaient se les offrir. Au 19e s., les costumes régionaux connaissent un développement extraordinaire : on en comptait pas moins de 1 200 différents en Bretagne ! Les ornements brodés, tant sur les costumes que sur les coiffes, étaient propres à chaque pays et permettaient de les identifier grâce aux points et aux motifs (floraux pour le pays de l'Aven, broderies orange et jaune pour le pays bigouden…). Presque disparue avec les confréries de brodeurs dans l'Entre-deux-guerres, l'activité perdure aujourd'hui de manière artisanale et connaît même un regain d'intérêt lié à l'essor de la culture celtique.

Stéphane Sauvignier / MICHELIN

Langue et musique

La langue et la musique bretonnes connaissent un incroyable renouveau depuis une dizaine d'années. Les grands festivals y sont pour beaucoup, mais il convient d'y ajouter la fierté retrouvée d'appartenir à une culture régionale dont l'affirmation passe par la réappropriation de la langue et par les rassemblements festifs.

LA LANGUE BRETONNE

Du point de vue linguistique, les Bretons sont plus proches des Irlandais et des Gallois que des Français. Du 4e au 7e s., l'Armorique, c'est-à-dire la Bretagne actuelle, a donné asile aux Brittons chassés de Bretagne – la Grande-Bretagne actuelle – par l'invasion anglo-saxonne. Dès lors, le breton rivalisa avec le français, dérivé du bas latin. Il fallut le rattachement à la France au 15e s. et la Révolution pour renverser la situation en faveur du français.

On compte en fait deux Bretagne : la haute Bretagne ou pays gallo et la basse Bretagne ou Bretagne bretonnante. On parle français dans la première, français et breton dans la seconde. Outre la langue, cette limite, qui s'étend globalement de Saint-Brieuc à Vannes, reflète les traditions : c'est en effet en basse-Bretagne (à l'ouest) qu'on a le plus de chances de retrouver les coutumes, contrairement à la haute-Bretagne (à l'est) où il n'en est presque plus de trace.

Appartenant au groupe des langues celtiques, le breton actuel (brezhoneg) se décompose en quatre dialectes principaux : le cornouaillais (Sud-Finistère), le léonard (Nord-Finistère), le trégorrois et le vannetais. Si les trois premiers sont très proches et constituent la langue dénommée « KLT » (Kerne-Léon-Trégor),

le vannetais s'en distingue, substituant notamment un « h » au « z » ; ainsi, Breiz (Bretagne) devient Breih. Pour remédier à ces différences, l'usage du « zh » a été institué pour tous les mots concernés, ce qui a par exemple donné Breizh, mot qu'on a souvent l'occasion de voir apposé à l'arrière des véhicules sous forme de macaron.

Le **renouveau** de la langue bretonne ne peut échapper à l'automobiliste qui sillonne la Bretagne. Les panneaux d'entrée et de sortie d'aglomération sont doublés en breton, et la traduction s'étend désormais à la signalétique urbaine pour satisfaire les 250 000 personnes qui s'expriment en breton. Depuis 1999, il existe même une association, l'Office de la langue bretonne, soutenue par le Ministère de la culture et de la communication, qui s'attache au développement de l'usage du breton dans la vie quotidienne et dans la vie publique.

Le lancement de TV Breizh, en septembre 2000, devait célébrer la naissance de la première chaîne de télévision généraliste régionale bilingue. Mais aujourd'hui, la grille des programmes intègre surtout des feuilletons, américains pour la plupart.

MUSIQUE CELTE ET CHANSON BRETONNE

Le renouveau de la musique celtique s'est amorcé après la Seconde Guerre mondiale. En Bretagne, il a éclos avec la création de la *Bodaged ar Sonérion*, assemblée des sonneurs qui « inventa » le bagad, forme bretonne des *pipebands* écossais. Le plus connu aujourd'hui est celui de **Lann Bihoüé**, immortalisé par la chanson d'Alain Souchon : « Tu la voyais pas comme ça ta vie… C'est pas toi qui y es, dans le bagad de Lann Bihoüé ». Créé en 1956 et basé près de Lorient, il dépend toujours de la Marine nationale.

LA LANGUE BRETONNE
--- Avancée extrême (9e s.)
— Recul (époque contemporaine)

Petit lexique musical

Bagad (pluriel bagadou) : ensemble composé de binious, de bombardes, de caisses claires, de tambours et d'une grosse caisse.

Biniou kos ou cos : petite cornemuse traditionnelle sonnant à l'octave de la bombarde.

Biniou braz ou bras : grande cornemuse d'origine écossaise (great highland bag pipe).

Bombarde : instrument à vent, ancêtre du hautbois, accompagnant toujours le biniou. Très populaire en Bretagne, il est pratiqué par des milliers de talabarders.

Cornemuse : instrument de musique à anche, composé d'un sac de cuir comportant plusieurs tuyaux sonores.

Fest-noz (pluriel festou-noz) : fête de nuit.

Harpe : la harpe celtique ou harpe irlandaise telle qu'on la voit de nos jours est directement issue de la harpe médiévale.

Kevrenn : ensemble des bagadou d'une ville.

Sonneur : joueur de biniou.

Dans les années 1970, **Alan Stivell**, formé à l'école des *festou-noz* et des *bagadou*, ressuscita la harpe celtique et s'inscrivit comme le chef de file de la nouvelle musique bretonne. Plus récemment, Dan Ar Braz (nom breton de Daniel Le Braz) a contribué à affirmer la vitalité de la musique celte actuelle.

Héritière de très anciennes traditions mélodiques, la musique bretonne épouse aujourd'hui d'autres influences et s'exprime toute l'année en Bretagne par la présence de groupes nombreux (Alan Stivell, Tri Yann Am Naoned, Gilles Servat, Clam's, Denez Prigent, etc.), qui se produisent lors de **festivals** réputés : les Transmusicales et les Tombées de la Nuit à Rennes, le Festival de Cornouaille à Quimper, le Festival interceltique à Lorient, le festival des Vieilles Charrues à Carhaix-Plouguer…

Chanson bretonne – En Bretagne, la langue doit aussi sa survie aux chansons populaires. Entonnées lors des pardons, des fêtes votives ou privées, elles sont longtemps restées cantonnées à l'ouest de la région, avant de se propager à nouveau après la Seconde Guerre mondiale, grâce notamment aux **sœurs Goadec**. Ce trio a remis au goût du jour l'art du *gwerziou* (la complainte) et le *kan ha diskan* ou chant et déchant (le premier chanteur entonne une phrase, répétée successivement et à l'identique par les autres). Aujourd'hui, leur art connaît un regain d'intérêt international grâce aux grands festivals précités.

Le tableau serait incomplet sans les chants marins entonnés lors de longues sorties en mer, dans les cafés ou dans des manifestations populaires comme la Fête du chant marin à Paimpol. Ce lieu doit beaucoup au succès de la Paimpolaise de Th. Botrel dont le refrain se termine par : « ...J'aime surtout la Paimpolaise qui m'attend en pays breton. »

Légendes et littérature

D'est en ouest et du nord au sud, la Bretagne regorge de récits merveilleux. Croyances, rituels et contes ont ainsi créé au fil des siècles un univers folklorique pour les uns, mystérieux pour les autres. Sous leur enveloppe de fables, les légendes ont surtout su conserver la fraîcheur de mythes très anciens qui n'ont pas été sans imprégner la vie littéraire bretonne, du Moyen Âge à nos jours.

UNE TERRE DE LÉGENDES

L'âme bretonne a toujours incliné au rêve, au fantastique, au surnaturel. C'est ce qui explique l'étonnante abondance et persistance des légendes au pays d'Armor.

La Table ronde

Après la mort du Christ, Joseph d'Arimathie, un de ses disciples, quitte la Palestine en emportant quelques gouttes du sang divin dans la coupe où le Rédempteur a bu lors de la Cène. Il débarque en Bretagne, séjourne en forêt de Brocéliande, l'actuelle forêt de Paimpont, puis disparaît sans laisser de trace.

Au 6e s., le roi Arthur et cinquante chevaliers entreprennent de retrouver la précieuse coupe. Elle constitue à leurs yeux le **Saint-Graal**, que seul pourra conquérir un guerrier au cœur pur. Cet homme idéal est Perceval, le Parsifal de Wagner. La recherche du Graal a donné naissance à d'inépuisables récits d'aventures médiévaux qui forment le cycle de la Table ronde. Pourquoi ronde ? Parce qu'Arthur et ses chevaliers s'assemblaient autour d'une table qui avait cette forme pour supprimer toute préséance.

Merlin et Viviane

Un des compagnons du roi Arthur, Merlin l'Enchanteur, vient en forêt de Brocéliande. Dans sa retraite, il rencontre Viviane, et l'amour d'exalter l'enchanteur et la fée. Pour garder plus sûrement Merlin, Viviane lui soutire un à un ses secrets et l'enferme dans un cercle magique. Il pourrait certes se libérer, mais il accepte avec joie, et pour l'éternité, cette captivité amoureuse.

Tristan et Iseult

Tristan, prince de Léonois envoyé par son oncle Mark, roi de Cornouaille, ramène d'Irlande Iseult, que Mark va épouser. Sur le navire, Tristan et Iseult boivent par erreur le philtre destiné à lier d'un amour inaltérable Iseult à son époux. La passion éclate dans les deux cœurs.

Les récits font varier les dénouements : tantôt Tristan est tué par Mark, ulcéré de sa trahison ; tantôt il se marie et meurt dans son château de Bretagne. À chaque fois, Iseult le suit invariablement dans la tombe. L'opéra de Wagner et le livre de Joseph Bédier ont célébré ce drame de l'amour.

La ville d'Ys

Au temps du bon roi **Gradlon**, vers le 6e s., Ys est la capitale de la Cornouaille : la baie des Trépassés et la baie de Douarnenez en revendiquent les vestiges. La ville est protégée de la mer par une digue et le roi garde toujours sur lui la clef d'or qui ouvre les écluses.

Sa fille, la belle Dahut, appelée encore Ahès, mène une vie de débauche et rencontre le diable sous la forme d'un séduisant jeune homme. Comme preuve d'amour, il lui demande d'ouvrir les portes aux flots. Dahut dérobe la clef pendant le sommeil du roi et bientôt la mer se rue dans la ville. Gradlon fuit à cheval, sa fille en croupe. Mais les vagues le poursuivent et vont l'engloutir. À ce moment, une voix céleste lui ordonne, s'il veut être sauvé, de jeter à l'eau le démon qu'il porte derrière lui. Le cœur serré, le roi obéit, et la mer se retire aussitôt. Mais Ys est détruite.

Gradlon, qui choisit Quimper comme nouvelle capitale, finira ses jours en odeur de sainteté, guidé par saint Corentin. Quant à Dahut, changée en sirène, elle est devenue Marie-Morgane et entraîne, depuis lors, au fond de la mer les marins que sa beauté attire. Il en sera ainsi jusqu'au vendredi de la Croix où la messe du rachat sera célébrée dans la cité engloutie. Alors Ys ne sera plus maudite et Morgane reprendra sa première forme.

LA VIE LITTÉRAIRE

Moyen Âge et Renaissance

Aucune œuvre rédigée en vieux breton n'ayant été conservée, il nous reste le témoignage de sujets traités en latin ayant le plus souvent pour objet l'histoire de l'Église ou de la Bretagne, la morale et la vie des saints. On sait d'un côté que cette littérature bretonne disparue a inspiré le cycle arthurien, il nous reste de l'autre des écrits de moines.

La grande figure est donc **Pierre Abélard** (1079-1142), brillant philosophe, natif du Pallet, près de Nantes, qui fut abbé de St-Gildas-de-Rhuys. Il y reçut la correspondance passionnée de la jeune Héloïse, épousée secrètement, et relata l'histoire de ses malheurs. On peut citer aussi **Guillaume Le Breton**, poète et historiographe de Philippe Auguste, auteur de douze volumes de *Philippide* où il exalte les événements du règne avec patriotisme. Ce n'est qu'aux 15e et 16e s. qu'on cerne une véritable école d'historiens et de poètes, née après la création de l'université de Nantes au 15e s.

17e et 18e siècles

Bretonne par alliance, **Mme de Sévigné** a, de son château des Rochers-Sévigné, daté maintes lettres décrivant Rennes, Vitré, Vannes et Port-Louis où elle a fait « le plus joli voyage du monde ». **Alain René Lesage**, spirituel auteur de *Gil Blas*, connut le succès avec ses œuvres réalistes où il transposa des souvenirs de son Vannetais natal. Élie Fréron s'est illustré à travers ses démêlés avec Voltaire, et fut le brillant directeur du périodique parisien, *L'Année littéraire*.

Des bénédictins rédigèrent l'histoire de la Bretagne. Enfin, des livres bretons partiellement rédigés en français avaient la religion pour sujet, tandis qu'une littérature populaire transmettait les traditions bretonnes.

Romantisme et époque contemporaine

« Il inventa la mélancolie et la passion moderne. » Cette opinion de Théophile Gautier souligne à quel point **François René de Chateaubriand** a eu un rayonnement immense. Sa sensibilité, son éloquence passionnée, servies par un talent et un style brillants, expliquent l'influence qu'il exerça sur ses contemporains. Ses *Mémoires d'outre-tombe* évoquent son enfance à St-Malo et sa jeunesse au château de Combourg. Royaliste et théocrate, **Lamennais** devint un démocrate convaincu. L'évolution de sa philosophie se reflète dans ses œuvres, de l'*Essai sur*

Les chevaliers de la Table ronde, 13ᵉ s., enluminure (Bibliothèque nationale).

l'indifférence au *Livre du peuple* paru en 1837. Philologue, historien et philosophe, **Ernest Renan** fut un esprit critique professant une foi absolue dans la science. Il écrivit de nombreux ouvrages parmi lesquels ses *Souvenirs d'enfance et de jeunesse* rappellent sa Bretagne natale. La jeunesse et la famille ont également été les thèmes de prédilection de **Zénaïde Fleuriot** dont les romans ont largement été publiésdans la seconde moitié du 19ᵉ s.

Probablement moins puissants, mais fidèles interprètes du terroir, quelques auteurs ont bien traduit la pensée bretonne : Auguste Brizeux (1803-1858), auteur des poésies *Telen Arvor* ; le conteur Émile Souvestre qui écrivit *Les Derniers Bretons* ; Hersart de La Villemarqué et ses recueils poétiques de chants populaires, *Barzaz Breiz* et *Myrdhinn ou l'Enchanteur Merlin* ; le chantre du cidre Frédéric Le Guyader ; le folkloriste et poète Anatole Le Braz (1859-1926) avec *Les Légendes de la mort* ; le romancier Charles Le Goffic (1863-1932), également poète avec *L'Amour breton* ; le chansonnier Théodore Botrel (1868-1925) qui célébra *Les Chansons de chez nous* et *Les Chants du bivouac*.

Parmi le grand nombre d'auteurs qu'on pourrait citer ici, dégageons les poètes symbolistes Villiers de L'Isle-Adam et Tristan Corbière, les romanciers Paul Féval, auteur du *Bossu*, et Jules Verne (1828-1905), précurseur des découvertes modernes et traduit dans le monde entier, ainsi que J.-P. Calloc'h, poète lyrique qui s'exprimait dans le dialecte de Vannes. Pierre Loti doit également être mentionné pour *Mon frère Yves* et *Pêcheurs d'Islande* qui a Paimpol pour cadre. Enfin, il faut encore évoquer le poète surréaliste Saint-Pol-Roux, dit « le

Magnifique », Marseillais mais Breton de cœur, le romancier et nouvelliste Jakes Riou (1899-1937), auteur de *Nominoé* qui écrivait en breton, le journaliste, essayiste et écrivain Louis Guilloux (1899-1980), originaire de Saint-Brieuc (ville qui apparaît souvent en filigrane dans *Le Sang noir*, *Le Pain des rêves* et *Le Jeu de la patience*), et le poète René-Guy Cadou (1920-1951) qui chanta sa Brière natale.

La littérature bretonne aujourd'hui

Littérature, essais, contes et récits divers : les auteurs bretons publient chaque année plusieurs centaines d'ouvrages, dont beaucoup sont désormais aussi édités en langue bretonne (le catalogue

Des plumes emblématiques

Henri Queffélec (1910-1992) est un des auteurs contemporains ayant le plus célébré la Bretagne. Son roman le plus populaire reste *Un recteur de l'île de Sein*, adapté au cinéma en *Dieu a besoin des hommes*. Son fils Yann a brillamment pris la relève.

Pierre Jakez Hélias (1914-1995) a consacré toute son œuvre à la Bretagne, publiant plus de soixante ouvrages, dont *Cheval d'orgueil*, publié en breton sous le titre *Marh*.

Glenmor (1931-1996), de son vrai nom Émile Le Scanff ou Milig ar Scanv, fut un inlassable défenseur de la culture bretonne. Ce chanteur a laissé de nombreux disques ainsi que plusieurs recueils de poèmes.

de Coop Breizh est riche de centaines de titres). Le dynamisme littéraire de la région se mesure aussi à la popularité du festival **Les Étonnants Voyageurs**, qui se tient à St-Malo depuis 1990.

Traditions et folklore

À l'instar des grandes régions françaises, la Bretagne cultive son identité en entretenant jalousement une série de traditions séculaires. Vestimentaires, religieuses, linguistiques ou plus largement artistiques, elles traduisent une mentalité et une façon de vivre tout à fait particulières qui restent bien ancrées.

LA BRETAGNE ET SES SYMBOLES

Si la Bretagne a plus changé au cours de la première moitié du 20ᵉ s. qu'au cours des deux siècles précédents, elle a su retrouver depuis les années 1980-1990 toute l'originalité de ses mœurs, cela malgré le dépeuplement des villages et l'évolution inéluctable du commerce, de l'industrie et du tourisme.

La blanche hermine

La devise *Potius mori quam foedari*, « Plutôt la mort que la souillure », est donnée comme celle des Bretons. La légende raconte qu'une petite duchesse aurait recueilli une blanche **hermine** blessée qui avait préféré braver les flèches des chasseurs et les sabots des chevaux plutôt que de trouver le salut en traversant un chemin boueux !

Ainsi, qui ne connaît le **drapeau breton**, le fameux Gwenn ha du (blanc et noir) dessiné en 1925 par Morvan Marchal ? Saviez-vous que ses cinq bandes noires symbolisent les cinq anciens évêchés de haute Bretagne (Rennes, Nantes, Dol, St-Malo, St-Brieuc), ses quatre bandes blanches ceux de basse Bretagne (Léon, Cornouaille, Vannes, Tréguier) ? Quant aux hermines, elles rappellent l'ancien duché de Bretagne. Au 13ᵉ s., la fourrure de ce petit animal fut adoptée par les ducs de Bretagne comme symbole du pouvoir. Autre attribut, le **triskell**, ou triskèle, se présente sous une forme tournante à trois branches représentant la terre, le feu et l'eau. Son origine serait celte.

COSTUMES ET COIFFES

La Bretagne possède des costumes d'une variété et d'une richesse surprenantes *(voir La broderie)*. Transmis de génération en génération, ils étaient autrefois de toutes les fêtes familiales et publiques. Aujourd'hui, les costumes traditionnels ne sortent des armoires qu'à l'occasion des pardons ou des manifestations folkloriques. Le touriste a alors la possibilité d'apprécier la finesse de la décoration qui, à l'origine, témoignait de l'aisance de la famille. De satin ou de velours, brochés et brodés, garnis de dentelles, les tabliers rivalisent avec les robes de cérémonie. Généralement noires et souvent ornées de bandes de velours, celles-ci présentent parfois des broderies de soies multicolores et flamboyantes, comme à Quimper ou sur le costume bigouden de Pont-l'Abbé.

La grande originalité du costume féminin est la **coiffe**, portée autrefois surtout dans le Finistère et le Morbihan. L'une des plus attrayantes est certainement celle de Pont-Aven. Avec sa dentelle harmonieusement disposée autour d'un ruban de couleur, elle se complète d'une grande collerette empesée. La coiffe bigoudène (région de Pont-l'Abbé) est l'une des plus curieuses, et probablement la plus connue. Naguère de petites dimensions, cette ravissante et haute parure de dentelle a atteint, après 1930, des proportions déconcertantes. Il faut aussi évoquer, avant de verser dans un inventaire rébarbatif, la petite coiffe de Quimper, celle de Plougastel qui rappelle les hennins médiévaux, celle de Douarnenez qui est serrée sur le chignon, celle d'Auray qui ombre le front, celle de Huelgoat et sa résille en dentelle. Encore une fois, la Bretagne se décline en variétés et diversités, dont on prendra conscience en visitant les musées de Quimper, Guérande, Rennes, Nantes, Dinan et Pont-l'Abbé.

LES PARDONS

Manifestations de ferveur religieuse, les pardons bretons ont lieu dans des églises ou chapelles consacrées par une tradition parfois millénaire. Les fidèles viennent y chercher le pardon de leurs fautes, exécuter un vœu ou demander des grâces. Si les grands pardons sont les plus spectaculaires, les petits sont souvent les plus fervents. Ils offrent tous deux l'occasion d'assister à une cérémonie haute en couleur au cours de laquelle on porte en procession des bannières,

Le Tro-Breiz

Jusqu'au 16ᵉ s., une tradition exigeait que tout Breton fît, au moins une fois dans sa vie, le pèlerinage des sept cathédrales. C'est ainsi que le Tro-Breiz draina les foules les plus nombreuses. L'itinéraire avoisinait 700 km et permettait aux pèlerins d'aller se recueillir devant les reliques des saints fondateurs de Bretagne : saint Brieuc à… St-Brieuc, saint Malo à St-Malo, saint Samson à Dol-de-Bretagne, saint Patern à Vannes, saint Corentin à Quimper, saint Pol-Aurélien à St-Pol-de-Léon et saint Tugdual à Tréguier. Qui manquait à ce devoir devait effectuer le voyage après sa mort, en avançant tous les sept ans de la longueur de son cercueil ! De nos jours, des groupes de plus en plus nombreux suivent les traces des pèlerins d'autrefois.

des reliques, des croix et des statues. En général, les pardons sont clos par une fête villageoise plus profane, animée par des danses traditionnelles.

La grande troménie

Un sanctuaire druidique serait à l'origine de ce pèlerinage renommé qui se déroule tous les six ans à Locronan. Ce parcours de 12 km à 12 stations, créé au 12ᵉ s., ouvre, paraît-il, les portes du paradis à ceux qui le suivent rigoureusement, c'est-à-dire qui effectuent réellement les stations où l'on écoute la Bonne Parole. Il ne s'agit pas d'une fête folklorique mais d'un pèlerinage à marche lente, qui se déroule dans un esprit de dévotion.

Monsieur saint Yves

Saint Yves est l'un des saints les plus populaires de Bretagne. C'est le redresseur de torts et la consolation des pauvres. Fils d'un gentilhomme, Yves Hélori est né à Minihy-Tréguier en 1253. Magistrat et avocat, il a acquis une popularité inouïe par son esprit de justice et de conciliation. Un jour, un bourgeois assigne devant lui un mendiant qui, chaque jour, vient devant le soupirail de sa cuisine humer le fumet des plats. Yves saisit une pièce de monnaie, la fait sonner et renvoie le plaignant en disant : « Le son paie l'odeur ». Cet « avocat des pauvres » s'éteignit en 1303 et fut canonisé en 1347. En tant que patron des avocats et des gens de loi, son culte s'est étendu à toute l'Europe et jusqu'en Amérique. Ceci explique que des délégations d'avocats étrangers se joignent à la foule des pèlerins qui, à Tréguier, assistent au « pardon des pauvres ».

Saints guérisseurs et saints protecteurs

Les relations des Bretons avec leurs saints ont toujours été empreintes de familiarité. Certains sont appelés pour combattre des **maladies** : sainte Apolline contre les maux de dents ; saint Colomban pour rendre l'esprit aux demeurés ; saint Hervé contre les maladies des yeux ; saint Hubert contre la rage ou la peur ; saint Mamert contre les maux de ventre ; saint Méen contre les troubles mentaux ; saint Mériadec contre la surdité ; sainte Eugénie contre la migraine… Ces saints guérisseurs exauçaient leurs invocateurs. Bien leur en prenait, car, faute de bienveillance, la statue était injuriée, quelquefois même fouettée ou traînée dans la boue !

Il y a aussi les saints **protecteurs** : saint Fiacre veille sur les jardiniers, saint Jacques sur les marins, sainte Barbe (invoquée par temps d'orage) sur les artificiers… Mais c'est à la Vierge Marie et à sa mère sainte Anne que va la ferveur la plus vive.

Sainte Anne

Son culte, répandu après les croisades, favorisé par la duchesse Anne, a fait de sainte Anne la patronne des Bretons. Le plus fameux pardon, celui de Ste-Anne-d'Auray, lui est consacré et aussi celui, très important de Ste-Anne-la-Palud, d'où ce dicton : « Mort ou vivant, à Ste-Anne une fois doit aller tout Breton. » Ses statues la représentent le plus souvent avec un manteau de couleur verte, symbolisant l'espoir du monde, seule ou apprenant à lire à Marie.

LA BRETAGNE AUJOURD'HUI

En moins de cinquante ans, la Bretagne a relégué dans les archives son image de terre enclavée pour se forger celle d'une région dynamique et prospère. L'immobilier flambe, l'économie fanfaronne, la saison touristique s'étire… même les étrangers, qui sont de plus en plus nombreux à choisir d'y vivre, le reconnaissent : il fait bon vivre en Armorique. Relation de cause à effet ? Le renouveau de la culture bretonne vient cimenter davantage une société régionale de plus en plus attractive, tant sur le plan économique que culturel, ce que confirme le succès grandissant des grands festivals devenus des événements européens.

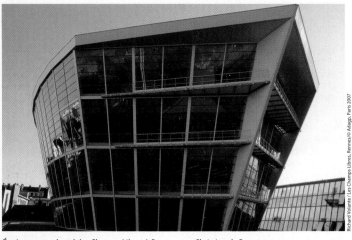

Richard Volante / Les Champs Libres, Rennes/© Adagp, Paris 2007

Équipement culturel des Champs Libres à Rennes, par Christian de Portzamparc.

Société

La société bretonne a entamé le siècle avec un dynamisme certain, stimulé par une économie saine, un engouement touristique qui ne se dément pas et une hausse de la démographie qui ne limite pas aux retour des retraités : elle séduit désormais des Européens en quête de littoral et de « celtitude ».

DÉMOGRAPHIE

Arvor d'abord – La densité moyenne en Bretagne est la même que celle de la France, soit 107 hab/km². La particularité bretonne est que les habitants sont concentrés sur le littoral et dans les villes (71,5 % de la population). La tendance se confirme ces dernières années, creusant un peu plus les différences avec l'intérieur des terres. Le littoral méridional est de loin le préféré, puisqu'il est habité en continu de St-Guénolé à Vannes. Au nord, les Bretons se rassemblent dans les grandes villes comme Brest, Lannion, St-Brieuc ou encore St-Malo. Si l'on excepte Nantes, les grands pôles urbains de la région sont Rennes, devant Brest, suivis d'une brochette de ville intermédiaires comme Lorient, Vannes, Quimper, Lannion…).

Le grand « retournement » – S'agissant de la démographie bretonne, certains observateurs s'amusent à parler de grand « retournement » par évocation du « grand dérangement » d'Amérique du Nord. Cette évocation est suscitée par le solde migratoire positif de la région, c'est à dire qu'il y a plus d'arrivées que de départs. La tendance tient à différents facteurs, au nombre desquels il faut citer le retour au pays de retraités originaires de la région et surtout l'attractivé économique de la Bretagne, qui incite de plus en plus d'actifs à venir s'y installer.
À la suite du recensement de 1999, la pyramide des âges montre un tassement certain des tranches d'âge comprises entre 0 et 29 ans. Pour toutes les tranches d'âge supérieures, de faibles augmentations sont notées. Pour les 45-49 ans, l'augmentation est nettement plus sensible, puisqu'ils sont passés de 15 à 18 % de la population entre le recensement de 1995 et celui de 1999. Même les centenaires sont plus nombreux, puisqu'ils sont désormais 0,3 %. Il fait décidément bon vivre en Bretagne.

Les nouveaux Bretons – Attirés par le climat, les infrastructures publiques et par la beauté du littoral, les étrangers sont de plus en plus nombreux à

choisir la Bretagne pour lieu de villégiature ou de retraite. Confirmant une
tendance amorcée il y a une dizaine
d'années, les Britanniques sont de loin
les plus nombreux à devenir Bretons.
On estime qu'en 2005, ils ont acheté
300 000 à 350 000 résidences secondaires en France, en majorité dans les
départements de l'Ouest. En Bretagne,
ce nouveau marché fait grincer quelques
dents car il survalorise les biens immobi-
liers. L'accueil est parfois perçu comme
hostile par certains Britanniques, mais
cela n'affecte pas vraiment la fréquentation tant les infrastructures, notamment de loisirs, sont attrayantes. Venant
derrière les Britanniques, les Hollandais
et les Belges sont également de plus en
plus nombreux à faire l'acquisition d'une
résidence secondaire en Bretagne.

RAYONNEMENT

Portés par un atavisme maritime ou par
la nécessité de trouver un travail pour
vivre, plusieurs millions de Bretons ont
quitté la Bretagne au cours des derniers
siècles. Dès l'Ancien Régime, le poisson
de Terre-Neuve fixait par exemple une
communauté à St-Pierre-et-Miquelon.
De nos jours, les Bretons émigrés sont
estimés à 9 millions. La première région
d'élection des Bretons est la région
parisienne, qui accueillerait toujours
1 million de natifs ou de personnes
originaires de Bretagne (pour mémoire
on en comptait plus de 2 millions à la fin
du 19e s.). Tout le littoral français, riche
en chantiers navals et en ports, est également une zone de prédilection pour
les Armoricains, on trouve des Bretons
de Dunkerque à Bordeaux. Hormis les
marins expatriés par voie maritime,
portés par un esprit d'aventure certain,
quelques vagues d'émigration collec-
tive (1921-1959) ont conduit nombre
d'entre eux en Amérique (Argentine,
États-Unis et Canada). Les Bretons sont
partis de par le monde et partout ont
fait souche. Ce qui caractérise le plus la
diaspora, c'est son indéfectible esprit
communautaire. Où qu'ils se trouvent,
les Bretons se rassemblent en association, communiquent éditent, partagent
et parlent du pays.

CULTURE

En 1900 on dénombrait 1 200 000 locu-
teurs en langue bretonne, pour 300 000
en 2005. Cette remarquable différence
n'est pas synonyme de régression
culturelle, bien au contraire, elle mas-
que paradoxalement le renouveau de la
culture bretonne. Jamais les éditeurs de
la région n'ont publié autant de livres en
breton. 1 200 titres en 2004 ! Il faut tout
de même bien qu'il y ait une clientèle.
Créées en 1977, les écoles diwan proposent une scolarité tout en breton de la
maternelle au baccalauréat. La volonté
de décentralisation et les subventions
européennes ont aidé beaucoup de
structures associatives à perpétuer la
culture bretonne, mais rien n'aurait pu
se faire sans la volonté locale d'irréductibles bretonnants.
Malgré ces bonnes volontés, la presse
en breton n'a pas cessé son déclin
depuis 1913, quand il y avait encore
13 journaux en breton et 3 bilingues.
Aujourd'hui il n'en reste qu'une dizaine,
et encore, aucun n'est quotidien ou n'a
vocation à informer. La plupart sont
l'émanation d'associations ou de courants culturels.
Les grandes manifestations culturelles et les festivals sont assurément les
vecteurs les plus charismatiques de la
culture bretonne *(voir Musique celte et
chanson bretonne)*. Là encore, ces grands
rassemblements ne sont pas les seuls
moments pendant lesquels la culture
régionale s'exprime. Celle-ci se vit au
quotidien au travers des pardons, des
fêtes folkloriques ou familiales…
La culture bretonne n'est donc pas mori-
bonde, elle s'inscrit dans un vaste mouvement européen de reconnaissance et
d'affirmation des cultures régionales.

Économie

**Malgré le déclin certain de la pêche et
les concentrations observées en agriculture, l'économie bretonne se porte plutôt bien. Le tourisme est pour
beaucoup dans ce dynamisme, car il
conduit à l'installation de nouveaux
migrants et provoque donc un essor
de l'immobilier. Côté industrie, les
pôles d'innovation attirent un nombre croissant d'entreprises de haute
technologie, pérénisant sur place les
formations supérieures des universi-
tés et des grandes écoles.**

AGRICULTURE

Bien que terre réputée ingrate et pauvre,
la Bretagne n'en a pas moins été le grenier à blé du royaume aux 16e et 17e s.,
et est aujourd'hui la première région
agricole de France. Traditionnellement
légumière, l'Argoat est avant tout le
pays de l'aviculture et des vaches laitiè-
res, ceci grâce à l'essor impressionnant

qu'y a connu l'industrie agroalimentaire au cours des dernières décennies. Par ailleurs, l'élevage des porcs s'est industrialisé et représente aujourd'hui la moitié de la production française. La Bretagne, comme de nombreuses régions d'Europe, a donc connu une transformation sans précédent de son agriculture. Fondé sur l'intensification de la production et la recherche permanente de la meilleure rentabilité, le développement agricole breton a servi de modèle à de nombreuses régions européennes.

Aujourd'hui, en Bretagne comme ailleurs, la politique agricole commune et les soucis environnementaux impliquent des changements profonds dans les habitudes agricoles. On observe notamment une régression de l'emprise agricole sur l'occupation des sols depuis une trentaine d'années. De 1992 à 2002, ce sont plus de 80 000 ha qui ont ainsi été reconvertis en espaces naturels (parcs, réserves, reboisements…) et artificiels (pôles suburbains). L'activité globale n'en a pas pour autant été affectée puisque le chiffre d'affaire de l'agriculture régionale est passé, de 1970 à 2000, de 8,7 % à 12 % du CA national.

Ce recul des surfaces exploitées est rendu possible par l'accroissement de la qualité des produits cultivés. La *ceinture dorée* du pays du Léon, autour de St-Pol-de-Léon, reste un espace privilégié pour la culture des primeurs (artichauts, choux-fleurs, salades, endives…). De son côté, l'agriculture biologique attire un nombre croissant d'exploitants même si la Bretagne reste en dessous de la moyenne nationale (9 %) avec seulement 2 % des surfaces agricoles cultivées.

PÊCHE

Qu'ils pratiquent la pêche côtière, la pêche hauturière, la grande pêche ou la pêche aux crustacés, les marins bretons ont su s'adapter aux techniques les plus modernes, et ce malgré une réduction des quotas d'exploitation due principalement à la mondialisation de cette industrie. Avec Lorient et Concarneau, la Bretagne arrive largement en tête des régions françaises pour la valeur et l'importance des prises (près de 45 % des poissons « français » sont pêchés en Bretagne). Pourtant, si l'activité est d'importance économique et sociologique cruciale, le nombre de navires a chuté de moitié entre 1983 et 2003, passant de 3 500 à 1 600 immatriculations. La pêche en mer ne cesse de régresser, faisant craindre aux 9 000 marins concernés (et tous les emplois induits) la perte de leur emploi.

Savoir-vivre

La pêche à pied requiert quelques précautions pour ménager l'équilibre naturel. L'épuisette, la griffe de jardin, ou la fourchette, sont des outils peu saccageurs. Les coquillages et les crustacés se ramassent à la saison autorisée, à la dimension voulue, et en quantité modeste – c'est-à-dire proportionnelle à l'assiettée que l'on est capable d'ingurgiter. Les femelles porteuses d'œufs sont relâchées, les cailloux replacés *in situ*. Le fruit de la pêche se couvre d'algues coupées, et non arrachées, afin de permettre leur repousse. Ces gestes évitent un microcataclysme écologique qui régnerait trois ans durant. La réglementation encadrant la pêche à pied se trouve dans les mairies et aux Affaires maritimes *(voir la partie Organiser son voyage, p.34)*.

Paradoxalement, la pêche artisanale se porte plutôt bien grâce au dynamisme de petits patrons qui réagissent très vite aux nouvelles interdictions et à des quotas qui changent sans cesse.

La pêche côtière

Sole, turbot, raie, bar, dorade, crustacés, mollusques… faites votre choix ! Pour la coquille St-Jacques vous ne pourrez éviter l'escale à St-Quay-Portrieux, où débarquent les pêcheurs de la baie de St-Brieuc, l'un des gisements de coquilles les plus riches des côtes françaises. La production est toutefois loin de toujours répondre aux besoins locaux : une ville comme St-Brieuc est approvisionnée en partie par Lorient. Sur le littoral atlantique, la pêche à la sardine, semi-industrielle, constitue une activité saisonnière de juin à septembre, mais la pêche y est avant tout l'affaire d'artisans qui se focalisent sur des espèces nobles : langoustines, soles, lottes, bars…

La pêche hauturière

S'opposant au cabotage, la pêche de haute mer est pratiquée des côtes islandaises aux côtes africaines et représente la principale activité des grands ports. Le thon est pêché à la traîne ou à l'appât vivant dans le golfe de Gascogne, à la senne tournante le long des côtes africaines. La pêche au thon blanc (germon) a lieu de juin à octobre, elle débute entre le Portugal et les Açores et s'achève au large des côtes irlandaises. Le thon tropical (albacore ou listao) est pêché par une trentaine de grands thoniers-congélateurs armés à Concarneau et basés en Afrique occidentale car les pêches se concentrent au large de la Côte d'Ivoire.

La grande pêche

Elle désigne la pêche à la morue, pratiquée sur les bancs de Terre-Neuve, du Labrador et du Groenland. Elle fit autrefois la célébrité de Paimpol et de St-Malo, mais aujourd'hui l'essentiel des prises se fait à partir de St-Pierre-et-Miquelon. Les chalutiers actuels sont de véritables usines, équipées d'installations de filetage mécanique et de congélation.

La pêche aux crustacés

Surtout pratiquée sur les côtes rocheuses à l'aide de casiers ou de nasses, elle s'est aussi développée un temps dans les eaux exotiques. Les langoustiers-congélateurs de Camaret et Audierne, équipés de viviers et d'installations de congélation, partaient en effet pour plusieurs mois, sur les côtes de Mauritanie notamment. Mais cette pêche lointaine s'est éteinte à la fin des années 1980.

LES AUTRES RESSOURCES DE L'OCÉAN

Les conserveries

C'est Fouquet, ministre de Louis XIV, qui encouragea la mise en baril des poissons, méthode qui supplanta peu à peu la salaison et le séchage. Au début confite dans l'huile, la sardine a bénéficié du procédé mis au point en 1810 par Nicolas Appert pour être mise en conserve. Cette industrie, qui a beaucoup souffert de la concurrence des pays du tiers-monde, est principalement localisée en presqu'île de Quiberon et dans les ports de Douarnenez et Concarneau.

Océanologie et aquaculture

L'affaiblissement de la pêche force les chercheurs de l'Ifremer (Institut français de recherche pour l'exploitation de la mer) à trouver sans cesse des solutions nouvelles. Bientôt, la pêche sera probablement relayée par l'aquaculture. Ces nouvelles pratiques connaissent un grand succès en Bretagne, au premier rang de la pisciculture française devant l'Aquitaine avec 14 000 t. de poisson par an. Les fermes du Finistère et des Côtes-d'Armor élèvent avec succès le saumon, le bar, le turbot et la truite fario.

La conchyliculture

Les gastronomes savent que l'élevage des huîtres (ostréiculture) et des moules (mytiliculture) constitue une activité importante en Bretagne. Grande productrice d'huîtres plates (belons), la région a également développé ses parcs d'huîtres creuses (fines de Bretagne), notamment dans la baie du Mont-St-Michel avec les parcs de Cancale. Elle produit annuellement 30 000 t d'huîtres creuses et 2 000 t de plates, soit le quart de la production nationale. Quant aux moules de bouchot, elles sont cultivées de la baie du Mont-St-Michel à la baie de St-Brieuc, et dans l'estuaire de la Vilaine.

Les algues et leur transformation

Depuis longtemps récoltées comme engrais, puis matières premières de l'industrie chimique, les différentes variétés d'algues se retrouvent à présent aussi bien sur les tables de restaurant que dans les centres de thalassothérapie Aujourd'hui, la réglementation autorise la culture et la récolte du goémon au moyen de bateaux spécialement équipés. Le pays des Abers est le centre principal de cette activité mais les sites de Roscoff, réchauffés par le passage du Gulf Stream, favorisent la prolifération d'une variété et

Retour de pêche à Loctudy.

Stéphane Sauvignier / MICHELIN

Le pont routier reliant St-Nazaire à St-Brévin.

Stéphane Sauvignier / MICHELIN

d'une quantité remarquables d'algues. Le long des côtes malouines, on cultive également certaines variétés en mer.

Les chantiers navals

Ce secteur sinistré pendant des années connaît avec les Chantiers de l'Atlantique à St-Nazaire un site d'envergure mondiale. Capables de mettre en chantier des navires de 500 000 t, ils se sont surtout tournés vers la production de porte-conteneurs, de plates-formes de forage et de navires de croisière ; l'année 2003 restera dans les annales avec la construction du plus grand paquebot du monde, le *Queen Mary 2*. C'est grâce à ce secteur de prestige que les chantiers ont pu faire la preuve de leur dynamisme et de leur savoir-faire.

RECHERCHE ET FORMATION

Près de la moitié du budget du Conseil régional de la Bretagne est consacré à la formation initiale et à la formation continue. Cela se traduit par l'accompagnement permanent des jeunes, de l'école élémentaire à l'enseignement supérieur, sans négliger les filières d'apprentissage ou d'enseignement à distance. Les deux grandes villes universitaires sont Rennes et Nantes (même si cette dernière ne fait pas partie de la région Bretagne). La recherche, tant privée que publique, est un secteur très dynamique en Bretagne. Elle s'articule autour de quatre pôles majeurs : Rennes, Brest-Quimper-Roscoff, St-Brieuc-Lannion et Lorient-Vannes. Parmi les grands domaines de recherche, les sciences et technologies de la mer tiennent une place prépondérante, grâce au pôle européen de la recherche marine de Brest, qui a vu s'implanter l'Ifremer et le CNRS. Les technologies de l'information et de la communication bénéficient aussi d'une implantation privilégiée (35 % de la recherche française dans ce secteur) qui s'appuie sur le partenariat entre les formations universitaires, les grandes écoles (Enst, Supelec, Enssat et Insa rien qu'à Rennes) et les industriels dominant le secteur. Ces entreprises sont organisée en pôles autour de grandes villes commes Rennes (Mitsubishi, Canon, Motorola…), Lannion (Orange, Alcatel, Siemens…) ou encore Brest avec Thalès. En tout, la recherche en Bretagne emploie plus de 4 000 chercheurs dans le domaine public et autant dans le privé.

TRANSPORTS

Une légende attribue à Anne de Bretagne la gratuité des routes qui sillonnent la Bretagne aujourd'hui. Il n'en est rien, en tout cas le traité de rattachement signé avec la France en 1532 ne fait aucune mention d'un quelconque affranchissement de péage. La décision remonterait à la IVe République, et trouverait sa justification dans la volonté de désenclaver et favoriser les échanges intra-régionaux. Toujours est-il que la Bretagne est traversée par deux axes rapides sans péages. Les deux aboutissent à Brest. La N 165 longe le littoral sud au départ de Nantes et rejoint Brest en passant par Vannes, Lorient et Quimper. Au nord, la N 12 aboutit à Brest après un long périple depuis le parvis de Notre-Dame de Paris, en desservant au passage Rennes, St-Brieuc, Guingamp et Morlaix.

Ces deux axes, sans péages, sont limités à 110 km/h, ce qui n'a pas freiné leur fréquentation puisque le trafic a augmenté de 20 % entre 1997 et 2004.

Le train, notamment l'arrivée du TGV à Rennes et à Nantes, a fortement contribué au désenclavement des départements bretons en mettant les deux « capitales » régionales à 2h de Paris, et des villes comme Quimper et St-Malo en liaison directe avec la capitale (bien qu'à vitesse classique). En 2004, les trains à grande vitesse ont transporté plus de 8 millions de passagers, dont 1 million pour la seule desserte locale, le reste venant de Paris et d'autres destinations. On compte en tout plus de 1 000 km de voies ferrées électrifiées dans la région, principalement sur les axes Rennes-Brest, Rennes-Quimper et Rennes-St-Malo.

Le transport maritime enfin, est lui aussi en progression, grâce à l'augmentation de 3 % du trafic transmanche, qui atteint désormais 1 200 000 passagers. Cet essor est probablement stimulé par la forte fréquentation anglo-saxonne.

TOURISME

Au plus fort de la saison estivale, le secteur touristique fait vivre près de 5 % des Bretons actifs ayant un emploi, c'est dire son importance économique.

En terme de fréquentation, la clientèle française est de loin la plus massive, avec 76 millions de nuitées pour la seule année 2004 (dont près de 17 % de Bretons !), devant la clientèle étrangère qui représente 4 millions de nuitées pour la même année (Britannique 36 %, Allemands 16 %, Belges 8 % et Néerlandais 19 %).

Les atouts de la Bretagne sont multiples, mais la mer vient au premier rang grâce à un littoral qui approche les 3 000 km. Ce n'est pas un hasard si la Bretagne est la première destination maritime française. Aux plaisirs de la plage et aux sports nautiques associés (planche à voile, surf, plongée…) s'ajoute la plaisance *(voir plus loin)* et la thalassothérapie.

Mais si la Bretagne est bleue comme la mer, elle se veut également verte. Les parcs, réserves et espaces protégés y pullulent et vous pourrez marcher, rouler ou trotter sur 3 700 km de sentiers de randonnée. Et si le temps ne se prête pas aux tourismes vert et bleu, la Bretagne des villes et des villages recèle un patrimoine culturel et vivant d'une rare diversité.

Nautisme

Le succès du Salon nautique international de Paris témoigne de l'engouement de ces dernières années pour le nautisme. La Bretagne est historiquement et culturellement la région la plus concernée par cette activité synonyme d'aventure, de sport, de grand air et surtout de liberté.

LA VOILE

Véritable pépinière de marins, la Bretagne est la région la plus maritime de France. Un proverbe dit que « les Bretons naissent avec de l'eau de mer autour des yeux et l'océan coule dans leurs veines dès les premiers jours ». Aussi la voile est-elle ici plus qu'un sport, c'est une seconde nature, un élément à la fois indissociable du paysage et un art de vivre qui confine pour beaucoup à la passion.

Les grands marins

Certes, tous les grands marins ne sont pas bretons… quoiqu'ils le soient tous un peu, tellement la Bretagne incarne la mer. Et dans cet univers sans frontière, il n'y a pas un « voileux » qui ne connaisse Bernard Moitessier, Yves Le Toumelin et Éric Tabarly, l'idole des houles, malheureusement disparu au large du pays de Galles en juin 1998. L'osmose entre ce dernier et ses bateaux ainsi que sa droiture ont ennobli l'image de la voile dans l'esprit des profanes qui, avant lui, regardaient l'océan comme une vaste steppe liquide sans vie. Il laisse un souvenir impérissable et un sillage où navigue cette pépinière de marins formée à ses côtés : Olivier de Kersauzon, Marc Pajot, Philippe Poupon, Jean Le Cam, Alain Thébault, Yves Parlier.

La famille des grands marins s'est nettement agrandie depuis quelques années,

René Mattes / MICHELIN

Plage et baigneurs dans le golfe du Morbihan.

surtout depuis que la voile est réellement entrée dans le monde de la compétition. Grâce au financement de marques qui ont compris l'énorme force d'attraction que ce sport exerce sur les foules, des bateaux de plus en plus performants sortent des chantiers de Lorient, de Vannes ou de Nantes, aussitôt engagés dans des courses au long cours souvent passionnantes, toujours éprouvantes. Ces « formules 1 » de la mer utilisent désormais des matériaux performants à haute résistance tels le spectra, le Kevlar ou le titane. Elles sont barrées par de véritables vedettes qui ont pour nom Florence Arthaud, Isabelle Autissier, Frank Camas, Alain Gautier, Paul Vatine, Laurent Bourgnon ou Loïck Peyron.

Les grandes courses

Courses en solitaire ou par équipes et records de traversée animent le monde de la voile presque tout au long de l'année. À tout seigneur tout honneur. La Bretagne est le cadre de départs ou d'arrivées de compétitions devenues prestigieuses. La plus célèbre est probablement la Route du rhum, qui relie la pointe du Grouin à Pointe-à-Pitre à bord de monocoques et multicoques. Elle a lieu tous les quatre ans (première édition en 1978, prochaine édition en 2010) ; ses vainqueurs ont pour nom Marc Pajot, Philippe Poupon et Laurent Bourgnon, Michel Desjoyeaux. D'autres courses ont soulevé l'enthousiasme des foules, par exemple : La Baule-Dakar, difficile à cause de la traversée du golfe de Gascogne en automne ou Québec-St-Malo, à cause de ses baleines et ses icebergs, ou encore Lorient-les Bermudes-Lorient davan-

tage connue sous le nom de Transat en double. La Course du Figaro démarre en juillet d'un port breton, vendéen ou normand, tandis que la Course de l'Europe fait étape dans les grands ports du nord au sud de l'Europe. Il y a aussi la Route des hortensias, une course conviviale qui relie la Bretagne aux Açores, ou le Trophée « Cutty Sark », qui relie Aalborg à St-Malo.

La régate ou le sport pour tous

Jadis réservée à l'élite, la voile, à laquelle il faut depuis les années 1980 ajouter la planche à voile, est devenue un sport populaire. Avec la construction en série, l'industrie nautique a délaissé l'artisanat pour produire aujourd'hui des embarcations réalisées en matériaux de synthèse, qui ont mis cette discipline à la portée de toutes les bourses. On en veut pour preuve les 700 écoles de voile de la Fédération française de voile, et les plus de 1 000 clubs qui se répartissent sur l'ensemble de l'Hexagone.

On est aujourd'hui bien loin des premières courses qui opposaient des canots de pêche vers 1850. Monocoques et multicoques de tous types sont amarrés aux pontons des ports de plaisance et chacun rêve de participer un jour à une course, fût-elle la plus modeste d'entre toutes, ou au « Spi Ouest-France », organisé tous les ans à La Trinité-sur-Mer, qui permet aux anonymes de côtoyer certains grands noms de la voile.

L'encombrement des ports

Depuis les années 1960, la démocratisation de la plaisance a entraîné une hausse continue du nombre d'immatriculations de bateau. Rien qu'en Bretagne, ces dernières ont progressé de 13 % entre 1999 et 2003, continuant d'augmenter de 2,5 % chaque année. Elles représentent aujourd'hui le quart des immatriculations françaises, soit environ 182 000 unités.

Certes, on estime que seulement 50 à 70 % des bateaux naviguent régulièrement, et que les propriétaires ne préviennent pas toujours les autorités de la perte ou de la destruction de leur embarcation, mais même pondéré, on atteint tout de même un chiffre qui avoisine les 100 000 navires.

Cette croissance pose le problème crucial des anneaux. C'est ainsi que l'on nomme les emplacements dédiés aux bateaux dans les ports. Dans toute la Bretagne, on en recense 33 000, autant dire que le taux de remplissage est de 100 % ! Les

Voiliers en pleine régate.

Manuel Thiery / MICHELIN

bateaux occupent donc de plus en plus de mouillages sauvages ou improvisés, ce qui ne va pas sans une certaine dégradation des paysages.

Pour pallier aux atteintes à l'environnement et à la saturation des ports bretons, les autorités réfléchissent à des solutions qui permettraient de contenter les 10 000 plaisanciers en liste d'attente, tout en offrant des places d'escale pour les étrangers de passage. Il existe déjà un port à sec à St-Philibert dans le Morbihan. Les autres options envisageables sont de transformer des ports bouées en ports permanents, et de convertir certains bassins de commerce ou militaires en ports de plaisance (Brest, Roscoff, Le Légué, du côté de St-Brieuc).

LES VIEUX GRÉEMENTS

Tradition sur mer

Durant des siècles, les marins ont navigué sans moteur. La propulsion à vapeur est apparue au 19e s., puis la propulsion mécanique s'est généralisée au lendemain de la Seconde Guerre mondiale. Enfin, les procédés modernes de construction se sont emparés, au cours des années 1960, de la navigation de plaisance. Dès lors, il n'était plus question de naviguer sur des bateaux en bois devenus obsolètes.

Or, depuis la fin des années 1970, des passionnés de la mer ont entrepris de remettre en valeur ces bateaux jugés dépassés et périmés par la modernité. Sensibles à leur silhouette magnifique, des individualités ou des associations décidèrent de les restaurer entièrement ou d'en construire des répliques. Ainsi naquit un véritable engouement pour les « vieux gréements » qui, si l'on en croit les marins, procurent un plaisir inégalable à ceux et celles qui les barrent – en fait, un gréement est l'ensemble des cordages et poulies nécessaires à la manœuvre des navires à voiles.

Une passion que traduisent à merveille ces grands rassemblements de voiliers traditionnels qu'organisent régulièrement les grands ports. la France possède quelques bateaux de cet ordre. Le plus prestigieux, le plus grand, est le *Bélem*, dont le port d'attache est Nantes. Ce trois-mâts barque (58 m de long, 1 200 m² de voilure) a été lancé dans ce port en 1896 pour transporter du cacao, du rhum et du sucre, et navigua comme « antillais » jusqu'en 1914. Entièrement restauré de 1979 à 1985, il accueille des stagiaires.

Cordages sur le pont d'un vieux gréement.

Pour tous les goûts

Très voilées pour bien profiter des vents portants, les **goélettes**, bâtiments à deux mâts, sont mondialement connues (Brest en possède un magnifique exemplaire reconstruit, *La Recouvrance,* du nom de son quartier le plus célèbre). En revanche, les « bateaux de travail » de nos côtes le sont beaucoup moins. Leur poids, leur forme, leur voilure étaient adaptés aux conditions locales de pêche.

En Bretagne, les **bisquines**, bateaux de pêche à la ligne et au chalut originaires de Normandie et en service à Cancale jusqu'au début du 20e s., sont probablement les plus renommées, grâce à la superbe *Cancalaise* à coque noire, qui a été entièrement reconstruite. Ces bateaux étaient les plus toilés du pays et participaient à des régates qui attiraient déjà les touristes sur la Côte d'Émeraude durant la seconde moitié du 19e s. Également réputés, les **chasse-marée** sont des bateaux côtiers à trois mâts que l'on rencontrait aux abords des abers ; aujourd'hui, *La Belle Angèle* prouve à quel point ils tenaient bien la mer. Nettement plus petits et moins connus, les **sinagots** étaient destinés au dragage des huîtres dans le golfe du Morbihan et en baie de Quiberon. Un des derniers exemplaires mouille dans le port de Séné, qui a donné son nom à ce type d'embarcation. Les langoustiers portent un nom plus explicite ; *La Belle Étoile*, à la coque blanche et aux voiles rouges, est aujourd'hui à nouveau amarrée au port de Camaret, qui fut un grand port langoustier. Les **lougres** effectuaient du cabotage, comme le *Corentin* au large de l'Odet ou le *Grand-Léjon* au large de St-Brieuc. Les **flambarts** naviguaient autrefois exclusivement sur les côtes septentrionales de Bretagne et servaient notamment au ramassage du goémon ; on peut en revoir depuis qu'ont été lancés l'*An Durzunel* de Loguivy et l'*Ar Jentilez* de

Perros-Guirec. Les **chaloupes sardinières** naviguaient, elles, sur les côtes méridionales de Bretagne ; le *Telenn Mor* de Douarnenez en préserve le souvenir. Les **cotres** sont de petits bateaux à un seul mât, comme les **sloops** à mât unique vertical ; *Le Renard*, construit à l'occasion des festivités de « Brest 1992 », est la réplique du dernier bateau de Robert Surcouf, le corsaire malouin. Mais il y a encore les sloops coquilliers brestois, les forbans du Morbihan, les dragous des Côtes-d'Armor, etc. On le voit, la flottille des vieux gréements est variée et répond à des navigations différentes.

Gastronomie

Que l'on vienne en Bretagne pour se détendre sur une plage, apprécier les enclos paroissiaux ou encore marcher le long d'un sentier de douaniers, on vient aussi et peut-être surtout pour s'asseoir devant un superbe plateau de fruits de mer, une belle assiette de poisson fraîchement pêché ou une bonne crêpe au beurre. Car la cuisine bretonne a deux caractéristiques, la simplicité et la qualité de ses produits.

LA MER ET SES DÉLICES

Autant se mettre l'eau à la bouche tout de suite ! Palourdes farcies ou nature, langoustines et coquilles St-Jacques, croustilles et chaussons de crabes, huîtres creuses ou plates, homards grillés ou à la crème, crevettes et oursins… il existe mille et une façons de servir ces coquillages et crustacés, mais la meilleure reste encore l'incontournable **plateau de fruits de mer**. Il contient généralement deux variétés d'huîtres, des crevettes bouquet, des bigorneaux, des bulots et des palourdes ainsi que des coques, des crevettes grises et un tourteau, sans oublier les langoustines en saison. On les déguste accompagnés de citron, d'une vinaigrette à l'échalote et de pain de seigle, que l'on tartine de beurre salé ou de mayonnaise. Un « must » !

À cette spécialité vient s'ajouter la foule des poissons dressés sur les étals des marchés matinaux, du maquereau au bar de ligne, du rouget à la dorade… Un choix quasiment illimité qui inspire de savoureuses recettes comme la **cotriade**, sorte de bouillabaisse bretonne. Les algues ne sont pas oubliées et sont de plus en plus utilisées dans la cuisine, comme légume ou comme condiment, à l'instar de la ouessane (*undaria*) cultivée en pleine mer autour de Ouessant.

LE FLEURON : LES HUÎTRES

Parmi les très nombreux coquillages de la côte (*voir p. 57*), les huîtres font figure de stars et sont souvent invitées lors de nos fêtes. Classées en 12 crus, elles sont le plus souvent consommées crues, bien qu'un nombre croissant de restaurants les proposent chaudes. Un impératif absolu : leur fraîcheur, ce qui n'impose pas de les servir glacées. Habituellement, on les présente accompagnées de citron, de vinaigre à l'échalote, de pain de seigle et de beurre salé qui se marient particulièrement bien avec la saveur iodée de l'huître.

DE LA CHARCUTERIE AU MARCHÉ

Comment parler de la gastronomie régionale sans évoquer les succulentes spécialités et recettes à base de porc : l'andouille de Guémené, la saucisse

Le plateau de fruits de mer : un must en Bretagne !

Stéphane Sauvignier / MICHELIN

bretonne, souvent associée à une galette, et bien sûr, le fameux plat traditionnel breton, le kig ha farz (viande et farce), cuisiné comme un pot-au-feu. Mais l'agriculture bretonne offre bien d'autres trésors ; citons par exemple la poule coucou de Rennes, le poulet de Janzé, le canard nantais, même s'il est plutôt vendéen, le chou-fleur et l'artichaut du Léon, l'oignon rosé de Roscoff, la fraise de Plougastel, le marron de Redon…

Gilles Targat / MICHELIN

Les incontournables galettes bretonnes.

GOURMANDISES

À tout seigneur tout honneur ! La crêpe de froment ou de sarrasin fait les délices de tous les gourmands. Au beurre, au sucre, à la confiture, au fromage, aux œufs, au jambon, etc., elle s'accompagne de cidre ou de lait ribot (petit lait). À savoir : la galette de sarrasin se mange salée, la crêpe de froment sucrée.

À l'ombre de ce monument, les amateurs de sucreries se régaleront de crêpes dentelle de Quimper, de galettes de Pont-Aven, de biscuits et de berlingots nantais, de far et de *kouign amann*, de Concarneau, d'œufs de mouettes de St-Malo ainsi que de pralines ou de parlementin de Rennes.

La recette de la galette de sarrasin

Ingrédients : 500 g de farine de sarrasin, 100 g de beurre salé, 2 œufs, 1/2 l de cidre. Faire un puits dans la farine, y casser les œufs, délayer avec le cidre et un peu d'eau, incorporer le beurre fondu jusqu'à l'obtention d'une pâte fluide. Laisser reposer quelques heures à température ambiante puis faire cuire à feu vif pendant 2mn. Retourner vivement, beurrer et garnir à volonté.

À CONSOMMER AVEC MODÉRATION

La boisson régionale est le cidre. Les plus réputés sont ceux produits à Fouesnant, Beg-Meil et Pleudihen-sur-Rance. Le cidre de Cornouaille, qui bénéficie d'une protection AOC depuis 1996, est connu depuis plus de 1 000 ans, puisqu'on retrouve sa trace sur la presqu'île de Crozon en 870 ! Le pommeau de Bretagne, mélange de moût de pomme et d'eau-de-vie (lambig), est également produit en Cornouaille et titre 10°.

De la cervoise celtique à la bière il n'y a qu'un pas, et des brasseries bretonnes (Brasserie de Bretagne, Britt, Coreff, Lancelot, Mutine, Ste-Colombe, Tri Martolod) produisent des bières traditionnelles, mais aussi au blé noir, à l'eau de mer…

Le seul vin breton est le muscadet, qui bénéficie de l'appellation d'origine contrôlée (AOC) depuis 1936. Les Nantais l'entourent d'un culte jaloux. Son cépage, le melon de Bourgogne, cultivé depuis le début du 17e s., donne un vin blanc sec et fruité particulièrement recommandé pour la dégustation des poissons et fruits de mer.

Les apéritifs, eaux-de-vie et liqueurs ne manquent pas. Le chouchen, également appelé hydromel (eau-de-vie de miel), fait la fierté de Rosporden. Mais il y a aussi le Bouchinot de St-Méen-le-Grand, le lambig ou fine de Bretagne, le pommeau, la liqueur de fraise, et même… le whisky breton !

LES MARCHÉS, UNE TRADITION MILLÉNAIRE VIVACE

La Bretagne demeure riche en foires et en marchés, perpétuant en cela une tradition qui remonte vraisemblablement au Moyen Âge. L'implantation massive des supermarchés dans les années 1970 n'a pas atteint leur popularité. Seules les grandes foires commerciales ont disparu, comme à peu près partout en France. Depuis une dizaine d'années, grâce au regain des produits naturels et à l'émergence des produits biologiques, les marchés connaissent même un essor sans pareil. Chaque commune d'importance possède aujourd'hui un marché municipal, qui se tient parfois plusieurs fois par semaine. Si vous séjournez en Bretagne, ne manquez donc pas d'y faire vos courses, c'est la garantie de faire des rencontres et d'acheter des produits régionaux. Le plus grand du genre (15 ha) se tient à Rennes, chaque samedi matin, sur la place des Lices.

Le port du Guilvinec.

Stéphane Sauvignier / MICHELIN

Les **Abers**★★

CARTE GÉNÉRALE A/B-1/2 – CARTE MICHELIN LOCAL 308 C/E-2/4 – FINISTÈRE (29)

La côte nord-ouest du Finistère, basse et rocheuse, offre le spectacle magnifique d'un littoral particulièrement sauvage, encore intact, souvent rude, entaillé par les abers. Les amateurs de longues plages mondaines n'ont rien à faire par ici. En revanche, les amoureux de panoramas romantiques, de sentiers côtiers solitaires ou d'odeur de goémon brûlé y seront comme chez eux.

- ▶ **Se repérer** – Ce bout du monde est accessible par les D 13, D 26 et D 5 depuis Brest. La « Côte des Légendes » s'étend environ de Brignogan-Plages, au nord, à Lampaul-Ploudalmézeau, à l'ouest. Au-delà, on pénètre dans le pays d'Iroise qui fait face à Ouessant.

- 🕐 **Organiser son temps** – Privilégiez un départ le matin, afin de profiter des marchés locaux et de la vie sociale. En revanche, arrangez-vous pour longer les falaises au coucher de soleil.

- 👁 **À ne pas manquer** – La balade sur les dunes de Ste-Marguerite au crépuscule, et la vue époustouflante sur les falaises depuis le phare de l'île Vierge.

- 👫 **Avec les enfants** – Les jardins du château de Kergroadès à dos d'âne.

- 👣 **Pour poursuivre la visite** – Voir aussi Brest, l'île d'Ouessant, Brigognan-Plages et Plougastel-Daoulas.

Mouillages dans les eaux de l'Aber Benoît.

Comprendre

Les abers, des vallées fluviales – Les abers, où pénètre le flot marin, se distinguent des estuaires par le fait qu'ils ont été creusés en amont, par une petite rivière, et non par un fleuve côtier. En aval, leur sillon est moins profond et leurs pentes moins raides. On n'y trouve pas de ports importants en tête d'estuaire, comme Morlaix ou Dinan, car leur cours d'eau n'est pas assez puissant pour frayer un chenal dans l'embouchure. En revanche, ils subissent comme les estuaires le mouvement des marées. Celles-ci dégagent de grandes étendues de vases en se retirant. Préférez donc les périodes de marée haute pour vous y aventurer : les paysages y seront plus impressionnants.

Circuit de découverte

DE LA « CÔTE DES LÉGENDES » AU PAYS D'IROISE

195 km – comptez une journée.

Au départ de Brest, ce circuit sort des sentiers battus et renoue avec une nature encore intacte, qui s'appréciera encore plus à marée haute.

Quittez Brest au nord par la D 788 vers Roscoff.

Gouesnou

De style gothique et Renaissance, l'**église** (17e s.) présente un chevet polygonal surmonté de trois frontons élancés. À l'ouest, en contrebas de l'église, une fontaine Renaissance, dotée d'un autel, est ornée de la statue de saint Gouesnou. *Visite guidée (1h) juil.-août : mar., merc. et jeu. 14h-18h - gratuit.*

Prenez la direction de Lannilis (D 13) et, dans Bourg-Blanc, tournez à droite (D 38).

Chapelle Saint-Jaoua

Au centre d'un vaste enclos ombragé, cette chapelle (début 16e s.) abrite le tombeau avec gisant de saint Jaoua. Les lambris polychromes viennent d'être restaurés. ℰ 02 98 40 91 16 - clef sur demande à la mairie de Plouvien.

Plouvien

Dans l'**église paroissiale**, tombeau (1555) en granit de Kersanton : le gisant est soutenu par seize religieux figés dans des attitudes de prière, de lecture ou de méditation. ℰ 02 98 40 91 16 - visite libre lun.-vend. 9h-12h - demander la clef à la mairie.

Quittez Plouvien à l'est par la route de Lesneven.

Saint-Jean-Balanant

La **chapelle** du 15e s. était une fondation des chevaliers de St-Jean-de-Jérusalem dépendant de la commanderie de la Feuillée, dans les monts d'Arrée. Au tympan, le bas-relief représente le baptême du Christ. ℰ 02 98 40 91 16 - sur demande à la mairie.

À droite de la chapelle, une fontaine et ses bancs.

Continuez en direction de Lesneven et au quatrième carrefour, tournez à droite vers Locmaria.

Chapelle de Locmaria

Précédée d'une **croix★** à deux traverses ornée de personnages, cette chapelle des 16e et 17e s. possède un clocher-porche carré.

Par Le Drennec, gagnez Le Folgoët.

Le Folgoët★★ *(voir ce nom)*

Prenez vers Lannilis et à Croas-Kerzu, tournez à droite vers Plouguerneau (D 32).

Le Grouanec

L'**église** est éclairée par des vitraux de Max Ingrand. À 100 m, à gauche, on peut voir la fontaine « de la guérison » avec N.-D.-de-la-Clarté.

Plouguerneau

L'**église** renferme, à gauche en entrant, près du baptistère, une intéressante collection de statuettes en bois du 17e s. appelées « les petits saints ». Autrefois promenées en procession, ces statuettes résultent d'un vœu fait par les habitants qui avaient échappé à la peste.

Par la D 32, prenez la direction de St-Michel.

À la sortie du village sur la droite, un petit **écomusée des Goémoniers** explique les techniques du métier à travers les âges. ℰ 02 98 37 13 35 - ♿ - 9 avr.-9 mai et 1er juil.-28 sept. : tlj sf mar. 14h30-18h ; juin : sam. 14h30-18h (dim. et j. fériés 18h30) - possibilité de visite guidée (1h) - fermé oct.-mai - 2,50 € (enf. 2 €).

Prenez au nord la D 32.

Ruines d'Iliz-Koz

ℰ 02 98 04 71 84 - de mi-juin à mi-sept. : tlj sf lun. (sf si fériés) 14h30-17h30 ; de mi-sept. à mi-juin : dim. et j. fériés 14h30-17h -2,50 € (-10 ans gratuit).

Des fouilles ont mis au jour les ruines de l'église, du cimetière et du presbytère de l'ancienne paroisse de Tremenac'h. Ensablé au début du 18e s., cet ensemble est un témoin exceptionnel de l'art funéraire en Bretagne à la fin du Moyen Âge. Un itinéraire jalonné permet de découvrir les éléments les plus significatifs du site. Les motifs ornementaux des tombes rappellent la qualité du disparu (chevalier, clerc ou roturier).

Tout près, belle **plage** de sable fin dans les rochers.

Riche goémon

Toute cette côte basse et rocheuse, semée d'îlots, recèle en abondance du goémon de diverses variétés. Les laminaires sont destinées à la production d'alginates et de mannitol, les fucus et les algues d'épaves servent à la fabrication de poudres pour la nourriture du bétail, le reste est vendu comme engrais.

LES ABERS

0 — 5 km

N

Roches de Portsall

Corn Carhai

Dunes Corn-ar-Ga

Portsall

Trémazan

Pointe de Landunvez

Route touristique

Kersaint

Château

Lamp Ploudalmé

D 168

Argenton

Porspoder

D 27

D 68

D 28

Ploudalmé

D 168

Melon

Lanildut

Brélès

Rocher du Crapaud

Aber Ildut

D 28

Kergroadès

D 68

Lampaul-Plouarzel

Phare de Trézien

Parc éolien

D 5

Plouarzel

D 5

St-Renan

Pointe de Corsen

★**Kerloas**

Ploumoguer

D 67

PARC

NATUREL

Pointe de Kermorvan

D 28

RÉGIONAL

★**le Conquet**

D 789

D'ARMORIQUE

Plougonvelin

Anse de Bertheaume

D 85

★★**Pointe de St-Mathieu**

Fort de Bertheaume

Pointe du Petit Minou

Phare de l'île Vierge

☎ 02 98 37 13 35 - www.club-internet.fr/perso/bezhin - visite guidée (30mn) sur demande au ☎ 02 98 04 70 93 - juil.-août : 10h30-17h, suivant les marées - 2,50 € (enf. 2 €).

C'est le plus haut de France (82,50 m). Du sommet *(397 marches)*, on découvre un vaste **panorama**★ sur la côte finistérienne.

Revenez à Plouguerneau et prenez la direction de Lannilis (D 13).

À 2 km, l'ancien tracé de la route forme un belvédère (petit calvaire) et offre une belle **vue**★ sur l'Aber-Wrac'h.

Dans Lannilis, tournez à droite.

L'Aber-Wrac'h

Avec son important centre de voile, c'est un port de plaisance très fréquenté. Une école d'apprentissage maritime, dont le bâtiment surplombe le bourg, anime ce lieu de séjour balnéaire. La route en corniche longe la baie des Anges (ruines du couvent de N.-D.-des-Anges).

Prenez à droite vers les dunes de Ste-Marguerite, puis encore à droite vers le fort Cézon.

De la plate-forme aménagée en bout de route, **vue** sur l'estuaire et, perchées sur une île, les ruines du fort Cézon qui en commandait l'entrée, ainsi que le phare de l'île Vierge.

Faites demi-tour et, à la sortie de Poulloc, tournez à droite vers les dunes.

Dunes de Sainte-Marguerite

Des sentiers pédestres permettent de découvrir de belles vues. Sur les dunes sèche le goémon qui, après deux ou trois jours d'exposition au soleil, est expédié vers les usines de traitement.

Gagnez la chapelle de Brouënnou où vous tournerez à gauche vers le passage St-Pabu. Par Landéda, rejoignez Lannilis et empruntez la D 28 vers Ploudalmézeau.

Aber Benoît

Après avoir franchi cet aber, la route le longe pendant quelques kilomètres et permet d'en apprécier la belle situation.

À 5 km de Tréglonou, tournez à droite vers St-Pabu que vous traverserez et suivez le fléchage du camping pour gagner les dunes de Corn-ar-Gazel.

Dunes de Corn-ar-Gazel

Elles offrent une belle **vue** sur la presqu'île de Ste-Marguerite, l'aber Benoît et son chapelet d'îlots.

🐾 Des chemins escaladent les dunes de Corn-ar-Gazel et conduisent aux immenses plages de sable blanc, comme celle des Trois-Moutons et sa base de chars à voile.

Faites demi-tour et suivez à droite la route qui serpente dans les dunes et offre de belles échappées sur la côte.

Lampaul-Ploudalmézeau

L'**église** de ce modeste village est un témoin de la Renaissance en Bretagne : voyez le porche nord, un magnifique **clocher-porche★** coiffé d'un dôme surmonté de trois lanternons.

Portsall

Ce petit port est établi dans une anse très fermée. Au large, sur une chaîne d'écueils – les roches de Portsall –, le pétrolier *Amoco Cadiz* vint s'échouer en 1978. Sur le môle, l'une de ses deux énormes ancres (20 t.) perpétue le souvenir du naufrage, dont la conclusion juridique n'est intervenue qu'en 1992.

Kersaint

À la sortie du village, sur la gauche en direction d'Argenton, se dressent les ruines du **château de Trémazan** (13ᵉ s.). Attention ! Ces ruines sont très dangereuses. Un belvédère permet cependant d'admirer la majesté du lieu.

Trémazan

Du parc de stationnement, au-delà du village, une immense **vue★** se dégage sur l'île Verte, les roches de Portsall, le phare de Corn Carhai.

Route touristique★

Tracée en corniche, elle permet de découvrir une côte frangée de rochers d'où se détache la **pointe de Landunvez**, en dents de scie. La route traverse de petites stations balnéaires : Argenton, **Porspoder** où aurait débarqué au 6ᵉ s. saint Budoc, évêque de Dol-de-Bretagne, puis Melon.

À l'entrée de Lanildut, tournez à droite.

Lanildut

Commandant l'étroit goulet de l'**aber Ildut**, le **rocher du Crapaud** offre de belles vues sur le port et l'aber, accessibles aux bateaux quelle que soit la marée. La rive nord est boisée, au sud s'étendent dunes et plages.

🐾 Du parking du rocher, on rallie le sentier littoral qui remonte vers Melon. Lanildut est le premier port goémonier d'Europe. Dans le quartier de Rumor-van, belles **maisons** (17ᵉ et 18ᵉ s.) de capitaines.

La route longe l'aber jusqu'à Brélès où la D 27, puis la D 268 à gauche, mènent à Kergroadès.

Entre deux mers

C'est au niveau de l'aber Ildut qu'est fixée la séparation théorique entre la Manche et l'Atlantique. Toutefois, en raison de la différence des fonds, les marins situent cette limite plus au sud, à la pointe de Corsen *(ci-dessous)*.

Château de Kergroadès

🕿 02 98 32 43 93 - visite guidée (1h) 9 juil.-26 août : 10h-12h, 14h-18h, dim. et j. fériés 14h-18h ; visite spéciale enfant vend. 15h30 ; reste de l'année : visite sur RV - 4 € (-10 ans gratuit).

Cette demeure de granit, construite au début du 17ᵉ s. par François III de Kergroadès, écuyer d'Henri IV, a l'allure d'une forteresse moyenâgeuse mâtinée d'influence Renaissance. Sa cour d'honneur, fermée par une galerie crénelée, est entourée par un sévère corps de logis flanqué de deux tours rondes.

👥 Dans le **parc**, où croissent rhododendrons, hortensias et camélias, des promenades à dos d'âne sont organisées certains jours pour les enfants. Pendant l'été, des visites nocturnes illuminées (chandelles) vous sont également proposées dans le parc et dans le château.

Revenez à Brélès et, par la D 28, rejoignez Plouarzel. Traversez le bourg en direction de St-Renan, et environ 1 km après la sortie, tournez à droite vers le menhir de Kerloas.

Menhir de Kerloas★

Du haut de ses 9,50 m et de ses quelque 5 000 ans d'âge, le plus haut menhir de France encore debout fait forte impression. Surnommé « Le Bossu » *(An Tor)* à cause de ses deux bosses, il a naturellement inspiré bien des légendes. Une curieuse tradition du 19ᵉ s. attirait les jeunes époux qui venaient nus se frotter sur ses bosses : le mari pour avoir des héritiers mâles, la femme pour avoir autorité dans la maison.

Revenez à Plouarzel et prenez la VC 4 vers Trézien.

Jean Malburet / MICHELIN

L'aber Ildut à marée basse.

Impossible de manquer, au passage, le **parc éolien** aménagé en 2000 ; il est composé de cinq grandes éoliennes de 60 m de haut avec d'impressionnants rotors de 47 m de diamètre. Panneau explicatif sur place.

Continuez vers Trézien qu'il faut traverser.

Phare de Trézien
Haut de 37 m, il a une portée moyenne de 35 km.

Continuez en direction de la grève de Porsmoguer. Dans un groupe de maisons, tournez à droite.

La route longe la station du **Cross Corsen**, centre de surveillance de la navigation maritime, installé sur la pointe de Corsen, avant d'atteindre une maison en ruine sur la falaise. Le *Cross Corsen,* bateau du même nom, a pour mission le sauvetage en mer, la surveillance de la navigation, la diffusion d'informations concernant la sécurité des navires et la surveillance des pollutions en mer.

Pointe de Corsen
Cette falaise, haute de 50 m, est le point situé le plus à l'ouest de la France continentale. **Vue** intéressante sur la côte et les îles.

Par la grève de Porsmoguer, gagnez Ploumoguer où vous prendrez vers Le Conquet. À 5 km, tournez à droite vers la pointe de Kermorvan.

Pointe de Kermorvan
En son centre, elle se réduit à un isthme d'où l'on découvre une jolie **vue★** : à droite, la belle plage des Blancs Sablons ; à gauche, le site du Conquet. La passerelle du Groaë permet aux piétons de gagner la pointe ; à son extrémité, à gauche de l'entrée du phare, le chaos rocheux forme un remarquable belvédère.

Le Conquet★
Dans un joli site, ce petit port de pêche est un point d'embarquement pour les îles d'Ouessant *(voir ce nom)* et de Molène.

 La corniche du Port, les chemins piétonniers qui bordent le littoral et la pointe de Kermorvan sont des promenades agréables qui offrent de belles vues sur le port, le chenal du Four et, au large, l'archipel d'Ouessant et les nombreux phares qui le signalent.

Ralliez Brest par la pointe de St-Mathieu et son phare, le fort de Bertheaume et Ste-Anne-du-Portzic (détails de l'itinéraire dans le circuit « À la découverte des pointes » rattaché à Brest).

Aux alentours

Saint-Renan
Fondée vers l'an 500 par saint Ronan, ermite irlandais, cette petite ville n'a pas toujours été la sage cité aux façades en pans de bois d'aujourd'hui. Des panneaux en lave émaillée disséminés dans la ville racontent son riche passé de cour de justice ducale puis royale, mais aussi de pays de foires et de marchés, une tradition qui se perpétue encore puisque le marché de St-Renan passe pour être l'un des plus grands de Bretagne *(voir Les Abers pratique).*

👁 Vous découvrirez le centre-ville et ses panonceaux en suivant les indications du livret, disponible à l'office de tourisme, ou en emboîtant le pas à l'un des guides de l'été.

À une période plus récente, la cité a aussi porté le nom de « capitale européenne de l'étain » après la découverte, en 1957, d'un important gisement de minerai d'étain dans les marais alentours. Après quinze années d'exploitation, le gisement s'est épuisé. Il en reste aujourd'hui cinq lacs et des zones de loisirs.

Musée d'histoire locale – *16 r. St-Mathieu - 📞 02 98 32 44 94 - sam. matin tte l'année, tlj vac. scol. de printemps et juil.-août.*
Il offre un aperçu du patrimoine avec des costumes, coiffes et mobilier du Léon et retrace également l'histoire de la mine d'étain.

Les Abers pratique

Adresses utiles

Office du tourisme de Saint-Renan – *Pl. du Vieux-Marché - 29290 Saint-Renan - 📞 02 98 84 23 78 - juil.-août : 9h-12h, 14h-18h30 ; sept.-juin : mar.-vend. 9h30-12h30, 14h-17h30, sam. 9h-12h.*

Office du tourisme du Conquet – *Parc Beauséjour - 29217 Le Conquet - 📞 02 98 89 11 31 - juil.-août : 9h30-12h30, 14h-19h, dim. et j. fériés 9h30-12h30 ; juin, sept. et vac. scol. : mar.-sam. 9h-12h, 14h-17h ; oct.-mai : mar.-sam. 9h-12h.*

Se loger

🛏 **Chambre d'hôte Saint-Alphonse** – *Rte de Plouguernau, St-Alphonse - 29870 Lannilis - 📞 02 98 04 14 13 - guitecreach@yahoo.fr - 🍽 - 3 ch. et 2 gîtes 30/42 € ⌂.* Les chambres sont aménagées dans une dépendance attenante à la maison des propriétaires. Variées en confort et en taille, elles sont pratiques et dotées de meubles de famille ou chinés ici et là. Les hôtes vous reçoivent chez eux à l'heure du petit-déjeuner. Jardin arboré et fleuri.

🛏 **Chambre d'hôte Le Clos d'Ildut** – *13 rte de Mézancou - 29840 Lanildut - 📞 02 98 04 43 02 - www.leclosdildut.free - 3 ch. 50 € ⌂.* Au cœur d'un grand jardin tranquille, une demeure ancienne au sol d'ardoises et à la décoration délicate. Chambres de styles différents, dont une dans une dépendance.

🛏 **Chambre d'hôte Au Moulin de Bel Air** – *Rte de l'Aber-Ildut - 29810 Brélès - à l'O rte de l'Aber-Ildut par D 27 - 📞 02 98 04 36 01 ou 06 68 85 26 65 - www.aumoulindebelair.com - 🍽 - 3 ch. 55 € ⌂ - repas 25 €.* Redonner son éclat originel à cette demeure alors qu'elle n'était que ruines constitue un tour de force… Que l'on apprécie d'autant plus quand on goûte au confort des chambres superbement aménagées, ou que l'on savoure les bons petits plats préparés par un véritable chef. Stages de cuisine organisés au gré des saisons.

🛏 **Chambre d'hôte Gwalarn** – *4 Hent-Kergaradoc - 29840 Lanildut - 📞 02 98 04 38 41 - 🍽 - 4 ch. 55 € ⌂.* Très belle longère 1800 aux chambres coquettes d'inspiration marine. Vue superbe sur les environs depuis le jardin paysager.

Se restaurer

🍴 **Crêperie à la ferme Manoir de Trouzilit** – *Rte de Ploudalmézeau - 29870 Tréglonou - D 28 de Lannilis à Ploudalmézeau - 📞 02 98 04 01 20 - www.manoir-trouzilit.com – fermé du lun. au jeu. hors sais. ; ouv. tlj juil.-août - 4,30/11,70 € - 5 ch. 30/45 € ⌂.* L'adresse mérite le détour par son emplacement : la crêperie est aménagée dans un grand manoir veillant sur un domaine de 30 ha (centre équestre, nombreuses activités de loisirs, gîtes dont un pour personne à mobilité réduite). Salle à manger réchauffées par deux imposantes cheminées ; beau choix de galettes (150 variétés).

🍴🍴 **Ferme de Keringar** – *Lochrist - 29217 Le Conquet - 2 km au S du Conquet - 📞 02 98 89 09 59 - www.keringar.com - réserv. conseillée - 18 € - 8 ch. demi-pension 65/100 € - ⌂ 5,50 €.* Ce domaine de 4 ha est le lieu idéal pour un séjour en famille. Ses chambres sont spacieuses et décorées avec goût, la cuisine exalte les produits du terroir et de la pêche locale, et la ferme pédagogique fait le bonheur des enfants. Tout cela, à 500 m de la plage !

🍴🍴 **Relais du Vieux Port** – *1 quai du Drellac'h - 29217 Le Conquet - 📞 02 98 89 15 91 - fermé 4 janv.-4 fév. - 25 € - 7 ch. 42/60 € - ⌂ 7 €.* Côté restaurant : crêpes, poissons, coquillages et fruits de mer (sur réservation) servis dans un décor d'inspiration marine mariant la pierre et le bois. Côté hôtel : réveil assuré par les mouettes, dans cinq chambres portant le nom d'îles bretonnes et jouissant de la vue sur le port.

Que rapporter

Marché hebdomadaire de St-Renan - *Pl. du Vieux-Marché - tte l'année, sam. 8h-14h30 -* Chaque samedi, des centaines de producteurs et d'intermédaires prennent possession du quartier médiéval pour vendre spécialités locales (kig ha farz et son sac de toile, saucisse de Molène…) et produits courants. Étape incontournable : « **La Veuve Pochard** », une taverne installée dans une bâtisse de 1450.

Loisirs-Détente

Centre de voile de l'Aber-Wrac'h – *4 port de l'Aber-Wrac'h - 29870 Landéda - ☎ 02 98 04 90 64 - www.cvl-aberwrach.fr - tlj sf dim. mat. 9h-12h30, 14h-17h30 (jusqu'à 20h15 en été) - fermé janv. - de 15 à 33 € pour 3h d'activités.* Découvrez la région des abers par la mer grâce à ce centre de voile : balade sportive ou promenade familiale en navigant, avec ou sans moniteur, à bord de catamarans, dériveurs, petits bateaux de croisière ou kayaks de mer.

Bateau à vision sous-marine – *L'Aquafaune - gare maritime - 29217 Le Conquet - ☎ 02 98 89 14 13 - www.vedette-aquafaune.com - avr.-oct. et vac. scol. - 25 € (enf. 15 €).*

Monts d'**Arrée**★★

CARTE GÉNÉRALE B/C2 – CARTE MICHELIN LOCAL 308 G/I 3/4 – FINISTÈRE (29)

Frontière naturelle entre la Cornouaille et le Léon, autrement dit entre les Finistères Sud et Nord, les monts d'Arrée sont les plus élevées des « montagnes bretonnes » avec une altitude de 400 m. Arides, couverts de landes, souvent humides, ils alternent crêtes de quartzite et vallées sauvages. Leurs paysages font aujourd'hui partie du Parc naturel régional d'Armorique, l'un des premiers sites naturels protégés en France.

▶ **Se repérer** – Dans le prolongement de la presqu'île de Crozon, les monts d'Arrée s'étirent au nord-est jusqu'au roc Trévezel et Huelgoat. La D 14 puis la D 21 les traversent de part en part.

◷ **Organiser son temps** – Réserver les activités nature quelques jours à l'avance en saison touristique.

👁 **À ne pas manquer** – Le panorama du roc Trévezel vient en « pole position », suivi des enclos paroissiaux de Pleyben et de Brasparts.

👪 **Avec les enfants** – Visitez l'observatoire aquatique de Châteaulin ou offrez-leur une sortie nature sur la trace des castors dans la Réserve naturelle de la tourbière du Venec.

◖ **Pour poursuivre la visite** – Voir aussi Ménez-Hom, Landévennec, la presqu'île de Crozon, les Enclos paroissiaux, Sizun, Huelgoat, Carhaix-Plouguer, les Montagnes Noires, Locronan et la Cornouaille.

Découvrir

PARC NATUREL RÉGIONAL D'ARMORIQUE

Inauguré en 1969, il englobe 39 communes sur une superficie de 172 000 ha (112 000 ha terrestres, 60 000 ha maritimes). On distingue quatre zones : les monts d'Arrée, la presqu'île de Crozon, l'Aulne maritime et les îles de la mer d'Iroise. Autant d'espaces maritimes littoraux ou de pleine mer, de landes, de tourbières et de presqu'île qui abritent des espèces animales et végétales propres à chaque milieu. Le Parc naturel régional d'Armorique concentre ainsi une incroyable diversité de paysages et d'écosystèmes.

Ses objectifs principaux sont : la sauvegarde des paysages, de la flore et de la faune ; la création d'activités propres à développer l'économie locale et la préservation des spécificités de la civilisation rurale. Ces dernières années, une nouvelle mission s'est ajoutée à la charte du Parc : la préservation des ressources naturelles en eau potable *(voir La Bretagne aujourd'hui).* Les monts d'Arrée sont en effet considérés comme le château d'eau de la Bretagne.

De très nombreux lieux d'expositions sont ouverts au public à travers un réseau de 20 équipements : Maison des artisans à Brasparts, écomusée des monts d'Arrée à St-Rivoal et Commana, musée des Phares et Balises à Ouessant, musée de l'École rurale à Trégarvan, Maison des minéraux à Crozon, Maison de la rivière à Sizun, musée du Loup au Cloître-St-Thégonnec… *Renseignez-vous au siège du Parc (voir Monts d'Arrée pratique).*

La lande des monts d'Arrée.

René Mattes / MICHELIN

Circuit de découverte

À TRAVERS LA MONTAGNE PELÉE

122 km – comptez une journée. Quittez Huelgoat au sud en direction de Pleyben.

Saint-Herbot★

L'**église**★, de style gothique flamboyant, apparaît dans un cirque boisé. Au porche du flanc droit est accolé un petit ossuaire Renaissance. À l'intérieur, le **chœur** est entouré d'une belle **clôture**★★ en chêne sculpté, surmontée d'une Crucifixion.

Les deux tables de pierre qui s'appuient contre la clôture étaient destinées à recevoir les touffes de crin prises à la queue des bovins et offertes par les paysans pendant le pardon : ce geste leur permettait d'obtenir la protection de saint Herbot, patron des bêtes à cornes. Voyez aussi les quinze stalles, richement décorées *(relevez les sièges)*. *Juil.-août 14h-18h - hors saison, clef sur demande à la mairie - ℘ 02 98 85 90 07.*

Une belle croix-calvaire de 1575, en granit de Kersanton, s'élève au milieu de la place attenante.

Par la D 14, on rejoint le site de Roc'h Begheor.

Roc'h Begheor

Un sentier parmi les ajoncs *(15mn à pied)* mène au sommet, qui culmine à 277 m : beau point de **vue**★ sur les monts d'Arrée et les Montagnes Noires.

Lannédern

Petit **enclos** paroissial dont la croix à personnages présente, sur la traverse inférieure, saint Edern chevauchant un cerf. Dans l'**église**, on peut voir le tombeau du saint (14e s.) et six bas-reliefs polychromes (17e s.) retraçant sa vie. *Accès pdt les offices.*

Continuez vers Pleyben et, à 1,5 km, tournez à droite.

Brasparts

Planté au sommet d'une colline, ce bourg possède un intéressant **enclos** paroissial du 16e s. À l'intérieur de l'**église**, splendide **Vierge de pitié**★ du 16e s.

Depuis Brasparts, suivez les sentiers de randonnée balisés du Méné (11 km) et de Gorre (16 km).

Pleyben★★ *(voir ce nom)*

Châteaulin

Située sur une boucle de l'Aulne, dans la vallée verdoyante et encaissée où coule la rivière canalisée, cette ville est le rendez-vous des pêcheurs en eau douce. En effet, la marée n'atteint pas Châteaulin : elle vient mourir en aval, à Port-Launay où mouillent de nombreux bateaux de plaisance.

La meilleure saison pour venir lancer sa ligne à Châteaulin, grand centre de pêche au saumon, correspond aux mois de mars et avril, lorsque ces poissons, emblème de la ville, remontent la rivière pour frayer. Ils tentent alors l'escalade des petites chutes d'eau formées par le déversoir des écluses : en se plaçant en aval de celles-ci, vous pourrez toujours faire de belles prises !

Observatoire aquatique – ℘ 02 98 86 30 68 - www.smatah.fr - tte l'année lun.-vend. 10h-17h, et sam. 11h30-17h en juil.-août - fermé w.-end (sf sam. en été) et j. fériés - gratuit. Hors saison estivale, possibilité de visite en réservant auprès de M. Croguennec.

Ce centre de découverte permet de se familiariser avec les principales espèces qui fréquentent les fleuves côtiers du Finistère, comme le saumon atlantique. En été, des randonnées sont organisées dans les monts d'Arrée.

Chapelle Notre-Dame – Accès par la rue Graveran et une rue à gauche, face au cimetière - ℘ 02 98 86 10 05 - visite guidée sur demande à la mairie en été.

L'ancienne chapelle du château apparaît dans un enclos, près de maisons du 17e s. L'arc triomphal franchi, on découvre une croix-calvaire (15e s.) présentant une curieuse scène du Jugement dernier. Remaniée aux 17e et 18e s. et restaurée, la chapelle conserve des vestiges du 13e s. (colonnes, chapiteaux), ainsi que des retables du 17e s.

Empruntez la rive droite de l'Aulne.

Port-Launay est le port de Châteaulin, sur l'Aulne. Son quai permet d'agréables promenades.

Laissez sur la droite la route de Brest et continuez le long de l'Aulne, passez sous le viaduc ferroviaire, à un rond-point prenez à droite et 100 m plus loin à gauche.

Chapelle Saint-Sébastien

De l'**enclos** du 16e s. subsistent la porte triomphale, supportant saint Sébastien, et un beau calvaire à personnages où l'on reconnaît le saint transpercé de flèches. À l'intérieur, magnifiques **retables★** (17e s.) dans le chœur et le transept ; à gauche, des panneaux retracent l'histoire de Lorette : petite ville italienne de la région des Marches où, de Nazareth, la maison de Marie aurait été transportée par des anges au 13e s. ℘ 02 98 73 17 03 - avr.-oct. : 9h-19h - hors période sur demande à la mairie.

Suivez la petite route qui enjambe la voie ferrée et la voie express Quimper-Brest.

Pont-de-Buis-lès-Quimerch

À la sortie de la localité, en contrebas de la route à gauche, se trouve une importante poudrerie qui a trois siècles d'existence.

Par la D 770, rejoignez Quimerch.

Quimerch

Depuis la table d'orientation, la **vue★** s'étend du Ménez-Hom jusqu'à la forêt du Cranou, la rade de Brest et la presqu'île de Plougastel.

Gagnez ensuite Rumengol.

Rumengol

Selon la légende, le roi Gradlon (5e s.) construisit ici une chapelle au lendemain de la disparition de la ville d'Ys. L'**église** date du 16e s., comme en témoignent son porche sud et sa magnifique façade en granit de Kersanton, mais elle a subi de notables transformations aux 17e et 18e s. Les deux **retables★** et leurs autels datent de 1686. Au milieu du bourg, au-delà du chevet de l'église, on aperçoit la fontaine miraculeuse de 1792, objet de dévotion lors des pardons. Ces derniers, consacrés à N.-D.-de-Tout-Remède, sont célèbres à travers toute la Bretagne. Le plus couru est celui du dimanche de la Trinité. Un autre a lieu le 15 août.

Forêt du Cranou★

La D 42, route sinueuse, traverse cette forêt domaniale, qui s'étend sur plus de 600 ha. Elle présente de belles futaies de chênes et de hêtres, ainsi que des sous-bois d'ifs et de houx. Aires de pique-nique aménagées.

À la sortie de la forêt du Cranou, tournez à droite vers St-Rivoal ; à l'entrée de Kerancuru, prenez à gauche pour gagner Pen-ar-Hoat-ar-Gorré. Dans ce hameau aux vieilles maisons de schiste, tournez à gauche vers Hanvec et, immédiatement de nouveau, à gauche sur une petite route goudronnée en montée.

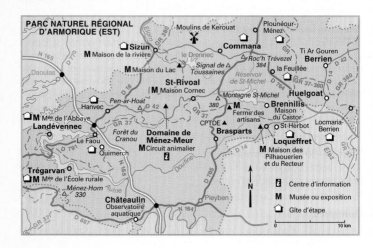

Pen-ar-Hoat★

45mn à pied AR. Empruntez le chemin qui longe la ferme et appuyez à gauche en vous orientant sur la ligne des hauteurs ; après être passée entre de petits murs, la montée finit dans les ajoncs. À 210 m d'altitude, le **panorama** se développe sur les montagnes couvertes de landes : au nord, des collines bordant l'Elorn, à l'est les hauteurs proches de l'Arrée, au sud la forêt du Cranou et au loin les Montagnes Noires et le Ménez-Hom, à l'ouest la rade de Brest.

Revenez à Kerancuru où vous tournerez à gauche sur la D 42, puis à 3,5 km encore à gauche sur la D 342 en direction de Sizun (voir ce nom).

Domaine de Ménez-Meur

☎ 02 98 68 81 71 - www.parc-naturel-armorique.fr - *juil.-août : 10h-19h ; mai-juin et sept. : 10h-18h ; mars-avr. et oct.-nov. : merc., dim., j. fériés et vac. scol. (ttes zones) 13h30-17h30 ; 30 déc.-28 fév. : 13h-17h (vac. scol. zone A) - 3,30 €.*

Ce domaine s'étend sur 420 ha dans un site vallonné. Un sentier de découverte *(1h30 environ)* serpente parmi les vastes enclos où vivent des espèces sauvages (loups, sangliers, daims, cerfs, aurochs…) et des animaux domestiques appartenant à des races menacées de disparition (vaches « pie noire » ou « nantaise », petits moutons d'Ouessant, porcs blancs de l'ouest…). La **Maison du cheval breton** présente des expositions sur la place de cet animal dans la vie rurale bretonne.

Par la D 342, puis la D 130 jusqu'à St-Cadou, gagnez St-Rivoal.

Saint-Rivoal

À la sortie du village, sur la route du Faou, à gauche en contrebas, on découvre la **maison Cornec**, une fermette de 1702. Elle constitue l'un des éléments, disséminés dans le Parc d'Armorique, d'un musée en plein air consacré aux différents styles de la construction bretonne.

Cette petite maison de schiste, avec son bel escalier extérieur couvert, se compose d'une vaste pièce qui abritait d'un côté la famille, autour de la grande cheminée, et de l'autre les animaux domestiques. *℘ 02 98 81 40 99 - juil.-août : 11h-19h ; juin : 14h-18h ; 1re quinz. de sept. : tlj sf sam. 14h-18h - 1,50 € (enf. 1 €).*

Prenez la D 30 vers Brasparts.

La route se déroule dans un paysage de collines, de vallées verdoyantes et boisées dont la fraîcheur contraste avec l'aridité des sommets rocheux et couverts de landes.

À 5,5 km, tournez à gauche sur la D 785 vers Morlaix.

Maison des artisans

℘ 02 98 81 46 69 - juil.-août : 11h-19h ; avr.-juin, sept. et vac. scol. : 14h-19h, w.-end 10h30-19h ; janv.-mars et oct.-déc. : w.-end 10h30-19h - gratuit.
Propriété du Parc régional, elle est installée dans la ferme St-Michel et présente les créations de plus de deux cents artisans bretons : tournage sur bois, gravure, poterie, bijoux, verre, sculpture…

Poursuivez sur la D 785 en direction de Morlaix. Prenez un chemin qui s'ouvre à gauche de la route.

Montagne Saint-Michel★

Au sommet (alt. 380 m) se dresse une petite chapelle dont le faîte atteint 391 m d'altitude : **panorama** sur les monts d'Arrée et les Montagnes Noires. Au pied de la montagne, vers l'est, s'étend un vaste marais tourbeux appelé le **Yeun Elez**. La brume hivernale le rend si lugubre que la légende bretonne y situa le **Youdig**, ce gouffre formant l'entrée de l'enfer !

Au-delà, le lac créé par le barrage de St-Michel fait partie de la centrale thermique (gaz) des monts d'Arrée, à Brennilis. À droite du lac, sur la pointe rocheuse, un alignement mégalithique est appelé la « noce de pierre ».

La D 785 offre de belles vues sur le relief et la cuvette de Brennilis, tout en longeant le Signal de Toussaines *(Tuchenn Gador)*.

Roc Trévezel★★

Cet escarpement rocheux (384 m) fait saillie sur la crête et occupe une situation pittoresque, dans un décor de véritables montagnes.

🔎 *Prenez le sentier (30mn à pied AR) qui s'amorce à côté du panneau indicateur. Dirigez-vous vers la gauche ; traversez ensuite une petite lande en appuyant à droite et gagnez la pointe rocheuse la plus éloignée.* Ici, le **panorama★★** est immense. Vers le nord, le plateau du Léon apparaît ; par temps clair, on distingue la flèche du Kreisker de St-Pol-de-Léon et à l'est la baie de Lannion. À l'ouest, on voit le fond de la rade de Brest ; vers le sud, la montagne St-Michel et, au-delà, la ligne de forêts des Montagnes Noires.

Non loin de là, à Commana, les moulins de Kerouat ont été restaurés. Ils abritent l'**écomusée des Monts-d'Arrée**, consacré à la vie rurale d'autrefois. *Voir le chapitre « Enclos paroissiaux ».*

À hauteur du pylône de Roc-Tredudon, tournez à droite vers Huelgoat et, à 6 km, encore à droite vers Brennilis.

Brennilis

Ce bourg possède une **église** du 15e s. coiffée d'un fin clocher ajouré. *Fermé pour travaux.*

Réserve naturelle du Venec – *℘ 02 98 79 71 98 - sortie nature (3h) à la découverte de la tourbière du Venec et de la rivière aux Castors - juil.-août : mar.-jeu. et sam. 15h - les visites se font au dép. de la Maison de la réserve et des castors, sur la place centrale de Brennilis - 4 € (-12 ans gratuit). Se munir de bottes et de vêtements appropriés à des sorties tous terrains et tous temps.* Créée en 1993, sur 77 ha, cette réserve protège une zone essentiellement humide dont le centre se compose d'une tourbière à sphaignes (mousse des marais qui produit la tourbe). Dédiée à la conservation et à l'étude scientifique, il n'est pas accessible au public. Néanmoins, vous pourrez la découvrir à la **Maison des castors et de la Réserve naturelle du Venec**, ouverte en 2006 : son but consiste à présenter et mettre en valeur ce milieu très spécifique. Exposition sur la population de castors, la faune et la flore.

👁 Un livret d'interprétation est fourni pour permettre au visiteur de mieux connaître ce milieu spécifique, mais le meilleur moyen de le découvrir est encore de suivre une sortie nature. *Juil.-août : mar.-merc. et sam. 15h - 4 € (-12 ans gratuit).*

Revenez à l'entrée de Brennilis et prenez à droite. À 100 m, à droite, un sentier fléché mène à une **allée couverte**, en partie enfouie sous un tumulus.

Continuez sur cette petite route qui ramène à Huelgoat.

Monts d'Arrée pratique

Adresse utile

Parc naturel régional d'Armorique – Pour tout renseignement, contactez le siège du Parc au Faou - *15 pl. aux Foires - BP 27 - 29590 Le Faou* - ☎ *02 98 81 90 08 - www.parc-naturel-armorique.fr.*

Visites

Balades contées – *Association ADDES - Botcador - 29690 Botmeur.* ☎ *02 98 99 66 58 - www.arree-randos.com.* Cette association propose des randos nature et des balades contées familiales tout au long de l'année sur les crêtes des monts d'Arrée au départ de Commana. Les

thèmes sont amusants : sortie chercheur d'or, rando marionnettes, rando des lutins, balade sous la lune… À noter que ces promenades sont accessibles aux personnes à mobilité réduite grâce à des joëlettes (fauteuils à une roue tous terrains).

Événement

Châteaulin organise chaque année **« les Boucles de l'Aulne »**, une course qui attire les vedettes internationales du sport cycliste. Les dates de la course sont fluctuantes - *Renseignements à la mairie de Châteaulin -* ☎ *02 98 86 59 76.*

Auray★

10 911 ALRIENS OU ALRÉENS
CARTE GÉNÉRALE C3 – CARTE MICHELIN 308 N9 – MORBIHAN (56)

Il faut grimper sur les hauteurs du Loch, qui désigne une rivière dans le Morbihan, pour saisir l'importance stratégique d'Auray et pour en appréhender toute la beauté. Calée au fond du superbe golfe du Morbihan, la ville affiche fièrement son riche patrimoine et séduit de nombreux visiteurs grâce à l'atmosphère du vieux quartier St-Goustan et de son charmant petit port, très animé en soirée.

▶ **Se repérer** – Bâtie entre Vannes (19 km à l'est par la N 165) et Lorient (41 km à l'ouest), la ville d'Auray appartient déjà au golfe du Morbihan. Elle se trouve également sur la route de Quiberon (28 km au sud par la D 768).

🕐 **Organiser son temps** – Consacrez votre journée à la visite des alentours, aux balades sur la rivière d'Auray ou sur le Crac'h ainsi qu'à la plage en saison, et réservez les soirées pour flâner dans les vieux quartiers qui bordent le port.

👁 **À ne pas manquer** – La promenade du Loch et le quartier St-Goustan, en grande partie piétonnier, ainsi que le trésor de la basilique de Ste-Anne-d'Auray.

🗝 **Pour poursuivre la visite** – Voir aussi Vannes, le golfe du Morbihan, Carnac et la presqu'île de Quiberon, ainsi que la rivière d'Étel.

Comprendre

La bataille d'Auray – En 1364, la ville devint célèbre dans l'histoire bretonne pour la bataille qui se livra sous ses murs et qui mit fin à la guerre de Succession. Les troupes de Charles de Blois, secondé par Du Guesclin, fidèle au roi de France, occupent alors une mauvaise position dans une plaine marécageuse, au nord d'Auray. Cousin et rival de Charles, Jean de Montfort est allié aux Anglais, commandés par Chandos ; ils bénéficient d'une situation dominante. Contre l'avis de Du Guesclin, Charles attaque et tombe sur le champ de bataille. Toutes les armes du connétable sont rompues. Il se défend en assommant ses adversaires à coups de gantelets de fer, mais finit par se rendre à l'injonction du chef anglais : « Cette journée n'est pas vôtre, Messire Bertrand. Une autre fois, vous serez plus heureux. »

Georges Cadoudal – Fils d'un cultivateur des environs d'Auray, Cadoudal a 22 ans quand éclate la **Chouannerie**, en 1793. Il s'y jette à corps perdu. Les Vendéens vaincus, il continue la lutte dans le Morbihan. Emprisonné à Brest, il s'évade, reprend sa guérilla et participe à l'affaire de Quiberon, dont il sort indemne. En 1796, il fait sa soumission à Hoche et repart en campagne trois ans plus tard. Bonaparte offre inutilement au rebelle la grâce et le grade de général. La lutte se termine en 1804 : à Paris, Cadoudal tente d'enlever le Premier consul ; il est arrêté, condamné à mort et guillotiné.

Se promener

Église Saint-Gildas★

Pl. Gabriel Deshayes - ℘ *02 97 24 04 64 - 9h-19h - gratuit.*

Cet édifice du 17ᵉ s. possède un porche Renaissance et un très beau **retable★** en pierre et marbre (1664) attribué à Olivier Martinet. On remarque les boiseries du 18ᵉ s. dans les chapelles latérales, ainsi qu'un élégant buffet d'orgue (1761) réalisé par Waltrin, originaire d'Auray.

Chapelle du Saint-Esprit

℘ *02 97 24 09 75 - ouv. lors des expositions temporaires de Pâques à fin sept. : tlj sf dim. 10h30-12h30, 15h30-18h30 - gratuit.* Construite par l'ordre du Saint-Esprit aux 13ᵉ et 14ᵉ s., cette chapelle de plan rectangulaire faisait partie de l'importante maison hospitalière d'Auray. Elle bénéficie d'une campagne de restauration.

Promenade du Loch★

En descendant vers le port par la rampe, on profite d'une très jolie **vue** sur le port, le quartier St-Goustan et la rivière d'Auray que franchit un vieux pont de pierre.

Minutieusement reconstituée à partir d'une coque ancienne, la **goélette St-Sauveur** présente la vie portuaire de St-Goustan au 19ᵉ s. à travers des dioramas sonorisés, de nombreuses maquettes. Une exposition d'outils de charpentiers de marine permet d'évoquer les techniques de construction. ℘ *02 97 56 63 38 - juil.-août : 10h30-12h30, 14h30-19h30 et 21h-23h ; reste de l'année : w.-end, j. fériés et vac. scol. 10h30-12h30, 14h30-19h30 - gratuit.*

Près du pont à arches en éperon sur le Loch, remarquez le pavillon d'En-bas, belle demeure du 16ᵉ s.

Quartier Saint-Goustan★

De belles maisons du 15ᵉ s. subsistent sur la place St-Sauveur et dans les ruelles montantes, parfois entrecoupées de larges marches. Les pavés bombés datent de l'époque où St-Goustan était le troisième port breton.

Au n° 8 du quai Benjamin-Franklin, une plaque commémorative rappelle que l'illustre Américain logea ici en 1776. Son navire, le *Reprisal*, n'ayant pu remonter jusqu'à Nantes du fait de vents contraires, il débarqua en effet à Auray avant de se rendre à la cour de Versailles pour y négocier, en pleine guerre de l'Indépendance américaine, un traité avec la France.

Mausolée de Cadoudal

Accès en voiture depuis la place du Loch, par la rue du Verger en suivant la direction du Reclus. Il s'élève face à la maison familiale du général. C'est un petit édifice rond coiffé d'un dôme.

Circuit de découverte

LE PAYS ALRÉEN

23 km – environ 3h.

Quittez Auray par l'avenue du Gén.-de-Gaulle.

Le port de St-Goustan.

Gilles Targat / MICHELIN

Chartreuse d'Auray

☎ 02 97 24 27 02 - 17 avr.-8 Mai et juil.-août : 14h-17h - fermé mar. et reste de l'année hors vac. scol. - gratuit.

Sur le champ de bataille où il triompha de Charles de Blois, Jean de Montfort, devenu le duc Jean IV, fit élever une chapelle et une collégiale transformées en chartreuse de 1482 à 1790. La chapelle funéraire (début 19e s.) renferme les restes d'émigrés et de chouans fusillés après le débarquement de Quiberon, en 1795 : au centre, le mausolée en marbre blanc porte 953 noms.

Champ des Martyrs

Une chapelle en forme de temple grec, édifiée en 1828 selon les vœux de la duchesse d'Angoulême, s'élève à l'emplacement où furent exécutés les émigrés et les chouans.

Suivez la D 120 vers Ste-Anne-d'Auray.

La route longe le marais de Kerzo, à droite, où se déroula la bataille d'Auray, le 29 septembre 1364.

À 500 m, prenez à gauche la direction de St-Degan.

Saint-Degan

Dans le hameau dominant la vallée encaissée du Loch, l'**écomusée** met en valeur un ensemble de bâtiments de fermes des 17e et 18e s. comportant maisons d'habitation, cour, cave, four à pain… Les intérieurs ont été reconstitués avec du mobilier et des objets usuels de la région au début du 20e s. Autour, verger conservatoire et plusieurs sentiers de randonnée. *☎ 02 97 57 66 00 - juil.-août : 10h-19h, possibilité de visite guidée (1h15) ; mar.-juin, sept.-oct. et vac. scol. : 14h-17h30 sf sam.- fermé 1er janv., 1er et 11 Nov. - 5 € (enf. 2,50 €).*

Gagnez Brech (exposition de peinture dans la chapelle des Fleurs) et tournez à droite.

Sainte-Anne-d'Auray★

En 1623, sainte Anne apparaît à un laboureur, Yves Nicolazic, et lui demande de relever une chapelle qui lui avait été autrefois consacrée, sur le terrain qu'occupe un de ses champs. Le 7 mars 1625, Yves déterre, à l'endroit indiqué, une ancienne statue de sainte Anne. Depuis lors, pour commémorer cette découverte, le premier pardon de Ste-Anne-d'Auray a lieu à la même date *(voir encadré pratique).*

Basilique – Une première église fut élevée dès 1625. Elle a été remplacée à la fin du 19e s. par cette basilique, de style Renaissance.

Trésor de la basilique et galerie des statues★ – Situé dans le cloître, il comporte des objets ayant trait au culte de sainte Anne. On y voit notamment une relique de la sainte, offerte par Anne d'Autriche en remerciement pour la naissance de Louis XIV, des pièces d'orfèvrerie, le manteau de l'ancienne statue et, dans une vitrine centrale, des ornements donnés par la reine. De nombreux **ex-voto** expriment la reconnaissance à sainte Anne, du bijou précieux aux simples chaussons d'enfant. Une galerie d'art breton renferme des statues anciennes du 15e au 19e s. 📞 02 97 57 68 80 - ♿ - (uniquement la galerie) 10h30-12h, 15h-18h - fermé lun. (sf juil.-août) - 1 €.

Scala Sancta – Lors des pardons, les pèlerins montent à genoux le double escalier de cette ancienne porte d'entrée du parvis.

Fontaine miraculeuse – Formée d'une piscine et d'une colonne ornée de vasques, elle est coiffée de la statue de sainte Anne.

Monument aux morts – Il fut élevé grâce à une souscription faite dans toute la Bretagne à la mémoire des 154 000 soldats et marins bretons morts pendant la Première Guerre mondiale. Il est devenu le Mémorial des victimes de guerre du 20e s. De l'autre côté de la route, un cimetière militaire franco-belge rassemble les restes de 1 338 soldats.

Historial de sainte Anne – 📞 02 97 57 64 05 - www.musee-de-cire.com - ♿ - mars-oct. 9h-19h - possibilité de visite guidée (1h) sur demande - 4 € (6-14 ans 1,50 €).
Des personnages de cire évoquent la vie de Yves Nicolazic et l'histoire du pèlerinage. Une scène, réalisée par le musée Grévin, rappelle la venue du pape Jean-Paul II en 1996.

Musée du Costume breton – *À droite de l'enceinte du monument aux morts.* 📞 02 97 57 68 80 - pour périodes et horaires, se renseigner - 1 € (-12 ans gratuit).
C'est l'occasion d'apprécier une belle collection de poupées, habillées en costumes bretons, et deux bateaux miniatures offerts en ex-voto.

Maison de Nicolazic – 📞 02 97 57 68 80 - 9h-17h - gratuit.
Sainte Anne y apparut au paysan (oratoire et meubles anciens du pays d'Auray du 17e s.).

Monument du comte de Chambord – *En direction de Brech, sur la gauche à environ 500 m du bourg.* Ce monument fut érigé en 1891, à la mémoire du comte de Chambord (1820-1883), petit-fils de Charles X et prétendant légitimiste au trône de France, qui mit en péril la IIIe République naissante. Chaque année, pour la Saint-Michel, partisans et amis venaient en pèlerinage à Ste-Anne. Les représentations de Bayard, Du Guesclin, sainte Geneviève et sainte Jeanne d'Arc encadrent la statue du petit-fils de Charles X.

Rejoignez Pluneret par la D 17 au sud.

Pluneret
Dans le cimetière, en bordure de l'allée centrale, à droite, se trouvent les sépultures de Sophie Rostopchine, comtesse de Ségur, l'auteur bien connu de livres pour la jeunesse, et de son fils, Mgr Louis Gaston de Ségur.

Continuez sur la D 101 en direction du Bono et, à 2 km, tournez à gauche vers Ste-Avoye.

Sainte-Avoye
Au milieu de ce charmant village, se dresse une **chapelle** Renaissance qui comporte une belle **charpente**★ en carène de bateau renversée. Admirez aussi son **jubé**★, en chêne sculpté et peint. Côté nef, il représente les Apôtres. Côté chœur, les Vertus sont entourées de saint Fiacre et saint Laurent à gauche, et à droite, de saint Yves entre le riche et le pauvre. *En travaux de restauration, ne se visite pas pour le moment.*

Reprenez vers Ste-Anne-d'Auray et tournez à gauche pour regagner Auray.

Aux alentours

Jardins du château de Kerambar'h
À Landaul. 16 km au nord-ouest par la N 165, sortie Landévant n° 36-1. 📞 02 97 24 63 86 - ♿ - 1er avr.- 12 nov. : 12h-19h ; - 6 € (-12 ans 4 €).
Ces jardins étaient conçus pour les services du château *(qui ne se visite pas).*
Sur plus de 3 ha, ils proposent une promenade du Moyen Âge à la Renaissance : on découvre successivement des enclos destinés à l'apothicaire (où poussent les « simples », les plantes médicinales), d'autres parterres pour le chapelain ou encore les cuisines.

Auray pratique

Adresses utiles

Office du tourisme d'Auray – *20 r. du Lait - 56400 Auray -* 📞 *02 97 24 09 75 - www.auray-tourisme.com - juil.-août : lun.-sam. 9h-19h, dim. et j. fériés 9h-12h ; sept.-juin : lun.-vend. 9h30-12h, 14h-18h, sam. 9h-12h (14h-18h vac. de Pâques).*

Office du tourisme de Ste-Anne-d'Auray – 📞 *02 97 57 69 16 - juil.-août : lun.-sam. 9h30-12h30, 13h30-17h30 ; sept.-juin : lun.-ven. 10h-12h, 14h-17h.*

Visites

Ville d'art – *Visites-découvertes pédestres (1h30) animées par un guide-conférencier- juil.-août - Se renseigner à l'office de tourisme -* 📞 *02 97 24 09 75.*

Se loger

🍽 **Hôtel Le Cadoudal** – *9 pl. Notre-Dame -* 📞 *02 97 24 14 65 - fermé vac. de fév. -* 🅿 *13 ch. 35/52 € -* 🍴 *6 € - rest. 6,20/8,20 €.* Voici un hôtel sans prétention, mais d'excellente tenue et d'un accueil fort sympathique. Chambres simples équipées d'un double vitrage efficace et agréable salle des petits-déjeuners réchauffée d'une cheminée. Restauration rapide, servie en terrasse aux beaux jours.

🍽 **Chambre d'hôte Talvern** – *56690 Landévant - 16 km au NO d'Auray par voie rapide, sortie 37 -* 📞 *02 97 56 99 80 - www.chambre-morbihan.com -* 🖊 *- (dîner seult) - 3 ch. et 2 suites 55 €* 🍷 *- repas 20 €.* Entièrement rénovée alors qu'elle était quasiment en ruines, cette bâtisse du 19e s. abrite des chambres confortables et élégantes, déclinant le thème des épices. Les gourmets garderont un souvenir ému de la table, tenue par un véritable chef qui partage sa passion avec ses hôtes lors de stages de cuisine proposés sur place.

Se restaurer

🍽 **Crêperie La Belle Bio** – *4 r. Philippe-Vannier -* 📞 *02 97 24 26 75 - fermé lun. soir et dim. en hiver - 10/15 €.* L'enseigne de cette maison du 17e s. annonce la couleur : la majorité des produits utilisés ici sont issus de l'agriculture biologique. Commandez d'abord une simple galette, sans garniture, pour savourer pleinement le goût du sarrasin réhaussé par celui du beurre. Plaisantes salles à manger rustiques. Terrasse couverte. Service décontracté mais souriant.

🍽 **Crêperie La Frégate** – *11 r. du Petit-Port (au port de St-Goustan) -* 📞 *02 97 50 71 95 - fermé janv., vend. midi et mar. sf vac. scol. - 10,50 €.* Après avoir jeté l'ancre au vieux port, il faut gravir une ruelle en pente pour rejoindre cette maison à colombages et vous régaler de crêpes. Des dégustations seront offertes aux chineurs visitant la boutique voisine, qui propose un vaste choix d'articles souvenirs.

🍽 **L'Auberge** – *56 rte de Vannes - 56400 Ste-Anne-d'Auray -* 📞 *02 97 57 61 55 - auberge-jl-larvoir@wanadoo.fr - fermé 14 fév.-2 mars, 8 nov.-1er déc., merc., lun. et mar. sf le soir en juil.-août - 20/70 €.* Derrière sa façade fleurie, cette auberge de village sert une généreuse cuisine actuelle inspirée du terroir dans une belle salle à manger fleurie et garnie de meubles bretons. Elle propose en plus quelques chambres douillettes et bien tenues.

🍽 **Closerie de Kerdrain** – *20 r. Louis-Billet -* 📞 *02 97 56 61 27 - fermé 8-31 mars, 29 nov.-16 déc. et lun. - 25 € déj. - 35/90 €.* Cette maison de maître nichée dans un jardin est fort appréciée de la clientèle locale. Il faut dire que sa terrasse d'été et ses confortables salles à manger sont agréables et font sûrement beaucoup pour son succès. Cuisine au goût du jour.

Que rapporter

Au Régal Breton – *17 r. du Belzic -* 📞 *02 97 24 22 75 - tlj sf merc. 9h-12h30, 14h-19h.* Après avoir fait ses premières armes chez Jean-Paul Hévin, Sylvain Tallon a repris en 2002 cette pâtisserie bien connue des Alréens puisqu'elle existe depuis les années 1970. Avec talent, il continue à réaliser les produits phares qui ont fait la réputation de la maison (far, quatre-quarts, gâteau breton, kouign amann).

Loisirs

Le golfe du Morbihan en bateau – Cette agréable excursion permet de remonter la rivière d'Auray jusqu'au Bono et de faire le tour du golfe qu'il est impossible de découvrir aussi merveilleusement lorsqu'on en fait le tour en voiture. *De mi-juin à mi-sept. : dép. du port d'Auray - s'adresser à Navix -* 📞 *08 25 13 21 00.*

Événements

Ste-Anne-d'Auray symbolise le pèlerinage breton par excellence. Le 7 mars a lieu le premier pardon, suivi, de Pâques au Rosaire (1er dim. d'oct.) des pèlerinages paroissiaux (mer. et dim.) entrecoupés des plus célèbres pardons : celui de sainte Anne, du 26 juillet, celui du 15 août et celui du Rosaire.

La Baule★

15 831 BAULOIS
CARTE GÉNÉRALE D4 – CARTE MICHELIN LOCAL 316 B4 – LOIRE-ATLANTIQUE (44)

Bordée par presque sept kilomètres d'étendue sableuse, La Baule s'enorgueillit du titre de « plus belle plage d'Europe ». Vous y souscrirez sans doute, à condition d'oublier la succession d'immeubles luxueux qui s'étire sur tout le front de mer. La station n'en est pas moins courue pour son extraordinaire profusion d'activités : catamaran, voilier, volley, kite-surf, cerf-volant, golf, casino… il sera difficile de ne pas en trouver une à votre goût !

- **Se repérer** – Entre Pornichet et Le Pouliguen, à 13 km à l'ouest de St-Nazaire, la station est enserrée par l'océan et les marais salants de Guérande.

- **Organiser son temps** – Allez au marché du Pouliguen ou du Croisic le matin, et gardez l'après-midi pour profiter de la plage. Les jours de mauvais temps, vous vous rabattrez sur l'intérieur des terres avec le parc naturel de la Grande Brière ou les marais salants de Guérande.

- **À ne pas manquer** – Les promenades et les baignades sur la Côte sauvage ou bien, pour les cavaliers, un galop inoubliable sur la plage, accessible aux chevaux matin et soir.

- **Pour poursuivre la visite** – Voir aussi Le Croisic, Guérande, la Grande Brière et St-Nazaire.

La plage de La Baule en pleine saison estivale.

Comprendre

L'histoire d'une plage – En 1527, un vent violent répandit sur le village d'**Escoublac** le sable qui s'était accumulé à l'estuaire de la Loire. Après cette tempête de plusieurs jours, l'apport des sables continua. Au 18e s., le village dut être reconstruit plusieurs kilomètres en arrière et l'on planta des pins pour fixer les dunes, appelées à l'époque « bol ». Le mot est à l'origine du nom de la station créée en 1879. Le littoral, devenu accueillant, prit au milieu du 19e s. le nom de « **Côte d'Amour** ». Aujourd'hui, La Baule et les communes voisines forment en été une longue chaîne de plages envahies par les baigneurs, sur près de 9 km.

Séjourner

Du soleil de la plage à l'ombre des pinèdes, La Baule est une station familiale tout en longueur, sans véritable centre-ville. Les déplacements piétons y sont compliqués (peu de trottoirs pour se promener en toute sécurité, sauf dans quelques rues très commerçantes). En revanche, les pistes cyclables y sont nombreuses. Le **vélo** reste donc le meilleur moyen de transport, particulièrement en saison, pour se jouer des incontournables embouteillages du front de mer.

Il permet aussi d'arpenter plus facilement les quartiers et de mieux apprécier la diversité des villas. Pour ceux qu'un autre sport tenterait, la station compte un golf, une bonne centaine de courts de tennis, et plusieurs écoles de voile. La pêche à pied demeure aussi une valeur sûre du bord de mer.

👁 L'été, l'office de tourisme propose des visites guidées aux petits et grands cyclistes, pour admirer les villas Belle Époque du quartier du casino ou du quartier de La Baule-les-Pins, plus à l'est.

Se promener

Front de mer★

Protégée des vents par les pointes de Penchâteau à l'ouest et de Chémoulin à l'est, cette promenade bordée d'immeubles modernes s'étire sur près de 7 km entre Le Pouliguen et Pornichet. Malheureusement, les villas du début du 20e s., qui faisaient l'âme de la station, n'ont pas résisté aux appétits des promoteurs. On en retrouve quelques-unes plus en arrière dans la station.

La Baule-les-Pins★

Ce quartier, né en 1930 au mieu des bois, s'étend à l'est de La Baule. L'allée Cavalière mène à la forêt d'**Escoublac** *(voir ci-après)*. Près de la place des Palmiers, le **parc des Dryades**, tracé à l'anglaise, est riche en arbres d'essences variées et présente de beaux parterres fleuris.

La forêt d'Escoublac

Elle porte le nom de l'ancien bourg enseveli sous les dunes, fixées en 1840 par 400 ha de pins maritimes. Il ne reste aujourd'hui de cette vaste pinède que quelques dizaines d'hectares non construits. Deux sentiers de randonnée les parcourent *(plan disponible à l'office de tourisme)*.

🐾 Chacun des deux sentiers fait environ 2,5 km, le double si vous les combinez. Celui qui est balisé en rouge propose de découvrir le milieu forestier *(départ au cœur de la pinède, sur l'aire de pique-nique du bd de Cacqueray)*. Le second, repérable à ses flèches orange, se contente de promener le randonneur dans la partie orientale de la forêt *(départ sur l'aire de pique-nique du bd de la Forêt)*.

Aux alentours

Pornichet

Village de paludiers, Pornichet devient, dès 1860, une station à la mode. Des éditeurs parisiens la fréquentent, parmi eux Camille Flammarion. Le Vieux-Pornichet, actif toute l'année, se distingue de Pornichet-les-Pins, au nord-ouest, dont les belles villas disséminées dans la verdure s'animent lors de la saison estivale. Tracé dans des marais asséchés, l'hippodrome de la Côte d'Amour accueille quelques courses en été. Le **boulevard des Océanides** borde la plage et mène au port de plaisance en eau profonde qui peut accueillir plus de mille bateaux.

Le Pouliguen

À l'ouest de La Baule dont il est séparé par un étier – canal qui amène de l'eau de mer dans les marais salants –, ce port aux rues étroites est devenu à la mode en 1854, lancé par des littérateurs tels Louis Veuillot et Jules Sandeau. Une plage abritée et un bois de 6 ha font du Pouliguen une station bien agréable.

Chapelle Ste-Anne-et-St-Julien – R. François-Bougoin - 📞 02 40 42 18 94/28 43 - *visite guidée juil.-août : merc. 10h30 - en dehors des mois d'été, on peut trouver la clef chez M*ᵐᵉ *Gingueneau*. Près d'un calvaire rustique, cette chapelle gothique abrite une **statue de sainte Anne** (16e s.). Le vitrail du chœur représente saint Julien. Au revers de la façade, de part et d'autre du porche, on verra deux intéressants **bas-reliefs** : le Couronnement de la Vierge et l'Adoration des Rois mages.

La Côte sauvage★

Longée par une route et des sentiers de promenade, elle présente, depuis la **pointe de Penchâteau**, des à-pics rocheux s'ouvrant sur des baies sablonneuses et de nombreuses **grottes**. Celles-ci sont accessibles à marée basse, en particulier celle des Korrigans, les petits lutins des légendes bretonnes. La Bretagne géographique débute ici…

👁 **Piste cyclable** – La route qui longe le littoral est désormais en sens unique du Pouliguen à Batz-sur-Mer, ce qui libère une voie entière pour les cyclistes.

La Baule pratique

Adresse utile

Office du tourisme de La Baule – 8 pl. de la Victoire - 44504 La Baule - ℘ 02 40 24 34 44 - www.labaule.tm.fr.- lun.-sam. 9h-12h30, 14h-18h, dim. et j. fériés 10h-13h ; juil.-août : tlj 9h30-19h30 ; fermé 1er Mai, 25 déc. et 1er janv.

Se loger

Hôtel Les Dunes – 277 av. de Lattre-de-Tassigny - ℘ 02 51 75 07 10 - www.hotel-des-dunes.com - 🅿 - 32 ch. 44/69 € - ☐ 6,50 €. Chambres fonctionnelles bien tenues, plus calmes sur l'arrière. Accueil familial et prix doux rendent l'adresse attrayante pour un séjour dans cette station balnéaire prisée.

Camping La Roseraie – 20 av. Jean-Sohier - au NE de La Baule-Escoublac - ℘ 02 40 60 46 66 - www.laroseraie.com - avr.-28 sept. - réserv. conseillée - 235 empl. 33 € - restauration. Ne cherchez plus : c'est le meilleur camping de la région. À deux pas de la « plus belle plage d'Europe », vous aurez accès à un large éventail d'activités : superbe espace aquatique, salle de musculation, animations pour les enfants encadrées par des professionnels… Bonnes vacances !

Hôtel La Closerie – 173 av. de Lattre-de-Tassigny - ℘ 02 51 75 17 00 - info@hotel-la-closerie.com - fermé janv.-mars - 14 ch. 50/80 € - ☐ 8 €. Pavillon fleuri situé sur la route du Croisic, dans un secteur plutôt résidentiel à 200 m de la plage. Fréquenté par une clientèle d'habitués qui apprécient son ambiance familiale et son cadre frais, c'est une petite halte sympathique.

Hôtel St-Pierre – 124 av. de Lattre-de-Tassigny - ℘ 02 40 24 05 41 - www.hotel-saint-pierre.com - 19 ch. 50/110 € - ☐ 8,50 €. Jolie maison habillée de colombages peints en bleu. Chambres récemment refaites et bien tenues. Petit-déjeuner servi sous une véranda lumineuse. Accueil aimable.

Hôtel Marini – 22 av. Georges-Clemenceau - ℘ 02 40 60 23 29 - www.hotel-marini.com - 🅿 - 33 ch. 53/73 € - ☐ 8 € - rest. 21 €. Sis dans un immeuble à colombages, près de la gare, cet hôtel a été aménagé avec soin par ses propriétaires qui lui ont peu à peu donné une âme. Ses chambres sont proprettes et sa petite piscine intérieure constitue un plus. Le restaurant est réservé aux résidents.

Hôtel Le St-Christophe – Pl. Notre-Dame - ℘ 02 40 62 40 00 - www.st-christophe.com - 🅿 - 45 ch. 76/137 € - ☐ 10 €. Quatre jolies villas 1900 dans un quartier résidentiel. Couleurs vives, tableaux et baies vitrées composent le décor du restaurant. Tentures, meubles anciens et bibelots rares créent une ambiance feutrée et raffinée dans les chambres. Prix attractifs hors saison.

Hôtel Villa Flornoy – 7 av. Flornoy (près de l'hôtel de ville) - 44380 Pornichet - ℘ 02 40 11 60 00 - www.villa-flornoy.com - fermé de vac. de Toussaint aux vac. de fév. - 30 ch. 68/114 € - ☐ 9 € - rest. 22 €. Dans un quartier résidentiel, villégiature balnéaire des années 1920 aménagée dans un esprit « cottage » : tons pastel, mobilier de style, porcelaine anglaise. Les chambres personnalisées, la salle à manger feutrée et le coquet jardin constituent ses principaux atouts.

Se restaurer

La Croisette – 31 pl. du Mar.-Leclerc - ℘ 02 40 60 73 00 - la-croisette@lacroisette.fr - 13,60/26,60 €. L'illusion cannoise est presque parfaite dans ce restaurant à l'ambiance méditerranéenne, agrémenté de belles boiseries et de meubles « bateau ». Sur la carte, poissons, huîtres, salades, grillades, pâtes et pizzas ; bar et glacier l'après-midi. Belle terrasse.

Centre-ville de La Baule.

Le Garde Côte – 1 prom. du Port - 44510 Le Pouliguen - ℘ 02 40 42 31 20 - www.garde-cote.com - 13/30 €. Emplacement unique à l'extrémité de la jetée du port, jouissant d'une vue imprenable sur la baie de La Baule. Architecture originale imitant les deux ponts arrière d'un paquebot et belle terrasse panoramique. Poissons et fruits de mer figurent en bonne place sur la carte.

La Ferme du Grand Clos – 52 av. du Mar.-de-Lattre-de-Tassigny - ℘ 02 40 60 03 30 - ycrem@wanadoo.fr - fermé de mi-nov. à mi-déc., mar. et merc. hors sais. - 17/35 €. Nichée avec sa terrasse au fond d'un jardin ombragé et fleuri, cette ferme plus que centenaire abrite une salle rustique ouverte sur les fourneaux où cuisent les galettes.

Les Halles – *194 av. du Mar.-de-Lattre-de-Tassigny - ℘ 02 40 60 23 02 - fermé 2 sem. en janv., 2 sem. en oct. et jeu. sf juil.-août - 25 €.* Après avoir flâné sur le marché baulois, attablez-vous dans ce bar marin pour y déguster quelques huîtres ou un plateau de fruits de mer arrosé d'un muscadet bien frais. En été, la terrasse installée au calme derrière la maison a beaucoup de succès.

Le Market – *4 pl. des Halles - 44510 Le Pouliguen - ℘ 02 40 62 21 02 - contact@restaurantlemarket.com - fermé janv., dim. et lun. sf vac. scol. - 22/47 €.* Les deux petites salles colorées de cet ancien bistrot posté face aux halles servent de cadre à une cuisine inventive inspirée des voyages du chef. Carte des vins originale.

En soirée

Casino de La Baule – *24 espl. Lucien-Barrière - ℘ 02 40 11 48 28 - www.lucienbarriere.com - dim.-jeu. 10h-3h, vend., sam. 10h-4h.* Ce casino comprend 200 machines à sous, une salle de jeux traditionnels, deux bars, une brasserie et une discothèque.

Casino de Pornichet – *93 bd des Océanides - 44380 Pornichet - ℘ 02 40 61 05 48 - www.g-partouche.fr - tlj 10h-4h, sam. 5h.* Face à la plage de Pornichet, ce bâtiment de style Art déco abrite une vaste salle rénovée en 2001 pour mieux accueillir ses 190 machines à sous, ses tables de boules et ses grands jeux (roulette, stud poker et black jack).

Que rapporter

Confiserie Manuel – 🕯👤 - *2-4 av. du Gén.-de-Gaulle - ℘ 02 40 60 20 66 - de déb. fév. à juin, de sept. à mi-nov. : tlj sf jeu. (sf vac. scol.) 9h30-12h30, 14h30-19h30 ; juil.-août : tlj 8h30-13h, 14h30-0h30 - fermé du 12 nov. à déb. fév.* Institution locale fondée en 1938, ce confiseur propose la célèbre « niniche » qu'il décline en 21 parfums. Ne manquez pas le spectacle de la préparation de ces sucettes molles, tous les matins de 10 à 12h. Autres gourmandises à savourer : gaufres, chocolats, caramels au sel de Guérande, glaces et bonbons.

Sports & Loisirs

Louer un vélo – *3 pl. de la Victoire (en face de l'office de tourisme) - ℘ 02 40 60 07 06.*

Aquabaule – *5 av. Honoré-de-Balzac - ℘ 02 40 11 09 00 - aquabaule@ wanadoo.fr - tlj horaires variables selon calendrier scol. - fermé 1 sem. en mars, 1 sem. en sept. et 1er Mai - adulte 4,60 € (enf. 3,90 €).* Complexe voué aux loisirs aquatiques : piscines extérieure et intérieure, bassin ludique, espace « récréa-tonic » avec rivière à contre-courant, impressionnant toboggan couvert, hammam, saunas, jacuzzis, cours de natation (collectifs et individuels) et aquagym, bébés nageurs.

Centre Thalgo La Baule – *Av. Marie-Louise - ℘ 02 40 11 99 99 - www.lucienbarriere.com - centre : tlj sf dim. apr.-midi 8h30-20h30 - fermé janv. et 25 déc.* Dans un univers feutré, luxueux et confortable associant le verre, le bois clair et le marbre, vous profiterez de tous les bienfaits des soins de thalassothérapie (soins marins, massages, relaxation, soins de beauté…). Forfaits de 6 jours, 3 jours, à la journée, à la carte.

Relais Thalasso – *28 bd de l'Océan - ℘ 02 40 11 33 11 - www.thalasso-labaule. com - lun. et jeu. 10h30-13h, 16h15-20h ; mar. et vend. 10h30-13h, 16h15-21h ; merc. 10h30-14h, 16h15-21h ; sam. 10h15-13h, 14h30-19h ; dim. 9h-13h, 15h-19h - fermé 1re quinz. de déc.* Ses trois arcades ouvrent sur cinq niveaux de soins qui complètent depuis 1992 l'ancienne piscine Pajot. Rentabilisé au maximum, l'espace comprend un bassin, un hammam, un sauna et des cabines, sans oublier la salle de repos. Un passform ou des formules week-end permettent de découvrir hydromassage, douches, soins beauté et algothérapie.

Centre équestre – *5 av. des Rosières - ℘ 02 40 60 39 29 - www.centre-equestre-la-baule.com - été : 8h-20h ; hiver : 9h30-18h30.* À 200 m de la « plus belle plage d'Europe », grand centre équestre proposant de nombreuses activités à cheval et à poney. Enfants à partir de 4 ans.

Club Holywind – *2 av. Pierre-Loti - ℘ 02 40 60 51 96 - 9h30-19h30 ; de mi-nov. à mi-mars : sur RV.* Ce centre nautique organise des stages de voile et loue scooters des mers, catamarans, planches à voile, chars à voile et kayaks.

Golf International Barrière-La Baule – *Domaine de St-Denac - 44500 St-André-des-Eaux - ℘ 02 40 60 46 18 - www.lucienbarriere.com - nov.-mars : tlj sf mar. 9h-18h ; avr.-oct. : 8h-19h - juil.-août : 72 € ; w.-end et j. fériés : 62 €.* Dans un parc de 220 ha, à deux pas de l'océan, ce golf réputé dispose de trois beaux parcours : le parcours Lucien Barrière (18 trous), le parcours Diane Barrière (18 trous) et le parcours François André (9 trous). De grandes compétitions s'y déroulent régulièrement.

Bécherel

660 BÉCHERELAIS
CARTE GÉNÉRALE E2 – CARTE MICHELIN LOCAL 309 K5 – ILLE-ET-VILAINE (35)

Cette ancienne place forte, qui a conservé bon nombre de vieilles maisons en granit, occupe un promontoire rocheux qui domine la vallée de la Rance. Ses 176 m d'altitude en font la plus haute ville d'Ille-et-Vilaine, d'où une vue étendue vers Dol, Dinan et Combourg. Mais son principal attrait réside dans ses artisans du livre et ses libraires. « Cité de caractère » depuis 1978, Bécherel est en effet devenue en 1989 la première « cité du livre » en France, et la troisième en Europe derrière les villages gallois et belge de Hay-on-Wye et de Redu.

○ **Se repérer** – On y accède par la N 137 puis la D 27 ou la D 20 à partir de Rennes nord (environ 35 km), ou bien par la D 68 depuis Dinan (23 km).

○ **Organiser son temps** – Suivez donc une visite guidée le matin, et flânez parmi les nombreuses librairies de la ville l'après-midi.

○ **À ne pas manquer** – Les grandes manifestations autour du livre qui ont lieu chaque printemps.

○ **Pour poursuivre la visite** – Voir aussi Dinan, la vallée de la Rance, St-Malo, Combourg et Rennes.

Aux alentours

Château de Caradeuc

1 km à l'ouest - ℘ 02 99 66 77 76 - ☂ - juil.-août : 12h-18h ; de Pâques à fin juin et sept.-oct. : w.-end et j. fériés 14h-18h - 5 € (-15 ans gratuit).
L'ancienne demeure du célèbre procureur général Louis René, marquis de Caradeuc de La Chalotais (1701-1785) est entourée d'un beau **parc★** peuplé de monuments et de statues inspirés de l'histoire et de la mythologie.

Château de Hac

8 km au nord par la D 68, puis à gauche par la D 26, et encore à gauche par la D 39 avant de longer Le Quiou - ℘ 02 96 83 43 06 - visite guidée (45mn) août-sept. : tlj sf vend. et sam. 13h-19h - 3,05 € (enf. 1,52 €), parc et jardins 0,76 €.
Résidence seigneuriale du 14e s., ce manoir n'a guère été remanié depuis. Beau mobilier gothique et Renaissance, en particulier, une intéressante collection de coffres, pour la plupart bretons.

Église des Iffs★

7 km au sud-est par la D 27 - ℘ 02 99 45 83 85 - possibilité de visite guidée sur demande auprès de Mme Arbey - la clef est disponible au café (sf lun.).
Elle garde neuf belles **verrières★** inspirées des écoles hollandaise et italienne (16e s.) : scènes de la Passion *(chœur)*, enfance du Christ *(chapelle à gauche)*, histoire de Suzanne *(chapelle à droite)*.

Château de Montmuran★

À 800 m au nord des Iffs - ℘ 02 99 45 88 88 - www.montmuran.com - visite guidée (45mn) juin-sept. : tlj sf sam. 14h-19h - fermé reste de l'année - 4 € (enf.3 €).
La façade du corps de logis, remaniée au 18e s., s'inscrit dans une architecture médiévale : deux grosses tours rondes à mâchicoulis du 12e s., dont les 84 marches mènent à un vaste panorama tourné vers Hédé et Dinan, et un châtelet du 14e s. Un pont-levis enjambe les douves, précédant l'entrée défendue par une herse. Au revers de ce même châtelet, un escalier conduit à la chapelle où Du Guesclin aurait été armé chevalier en 1354, après un combat livré aux Anglais. Il y épousa Jeanne de Laval en secondes noces.

La foire aux livres anime les rues de Bécherel.

Brune / OT Pays de Bécherel

Tinténiac

8 km au nord-est de Bécherel, par la D 20. Sur les bords du canal, dans un bâtiment en bois, le **musée de l'Outil et des Métiers** fait revivre le travail du forgeron, du tonnelier, du charron et du sabotier, parmi bien d'autres. *02 99 23 09 30 - & - de déb. juil. à mi-sept. : tlj sf lun. 10h-12h, 15h-18h, dim. et j. fériés 15h-18h - 2 €.*

Hédé

5 km au sud de Tinténiac. Au lieu-dit la Magdeleine. Passez le pont sur le canal, tournez immédiatement à gauche.

À Hédé, **onze écluses**, trois en amont du pont, huit en aval, ont été installées sur le canal d'Ille-et-Rance, appelé aussi Manche-Océan. Elles permettent de franchir une dénivellation de 27 m. L'ancien chemin de halage est aujourd'hui un lieu de promenade très agréable.

Pour en savoir plus sur l'histoire de ce canal commencé en 1804, une petite visite s'impose à la **Maison du canal** aménagée sur le site, dans une ancienne maison éclusière. *02 99 45 48 90 - & - juil.-août : tlj 10h30-12h30, 13h30-18h ; mai-juin et sept.-oct. : tlj sf mar. 14h-18h ; nov.-avr. : dim. et merc. 14h-17h (dernière entrée 45mn av. fermeture) - fermé 2e quinz. de déc. et 1er Mai - 2,50 € (-12 ans 1,70 €, livret remis avec le ticket).*

Belle-Île★★★

4 489 BELLILOIS
CARTE GÉNÉRALE C4 – CARTE MICHELIN LOCAL 308 L10/11 – MORBIHAN (56)

Son nom est déjà une invitation prometteuse… Sur place, on cherche les superlatifs. Des vallons entaillent de hauts rochers, pour aboutir à des plages ou des ports enchâssés dans des criques. Des champs alternent avec les ajoncs, les maisons blanchies à la chaux sont entourées de grasses prairies. À la Belle Époque, la comédienne Sarah Bernhardt déclarait puiser « sous son ciel vivifiant et reposant de nouvelles forces artistiques ». Aujourd'hui, amoureux des promenades et des randonnées équestres viennent se ressourcer devant ses paysages immuables. Voici Belle-Île, la plus grande des îles bretonnes.

- **Se repérer** – Belle-Île est un plateau schisteux culminant à 63 m, long de 17 km et large de 5 à 10 km. Située à une vingtaine de kilomètres au sud de la presqu'île de Quiberon, elle est reliée au continent par une noria de ferries.

- **Organiser son temps** – Assister au débarquement du poisson frais mérite toujours le détour, mais pour le reste de la journée, baignades à la plage et balades le long des falaises ou sur le plateau suffisent à remplir les heures.

- **À ne pas manquer** – La citadelle Vauban ; la pointe des Poulains les jours de grand vent et le charmant petit port de Sauzon.

- **Pour poursuivre la visite** – Voir aussi les îles d'Houat et de Hœdic, et la presqu'île de Quiberon.

Comprendre

Le marquis de Belle-Isle – En 1658, la famille de Gondi vend l'île à **Nicolas Fouquet**. Le surintendant des Finances de Louis XIV complète les fortifications et fait placer 50 canons. Ses immenses richesses lui permettent même d'avoir une flotte personnelle, dont le navire-amiral est le *Grand Écureuil*. Les armes du surintendant comportent en effet une représentation de cet animal, dont l'appellation ancienne était « fouquet », ainsi qu'une devise : *Quo non ascendet*, c'est-à-dire « Jusqu'où ne montera-t-il pas ? ». Cette politique audacieuse, s'ajoutant à la jalousie de Colbert et aux blessures d'orgueil infligées à Louis XIV lors des fêtes fastueuses données à Vaux-le-Vicomte, conduit Fouquet à sa perte. En 1661, tandis que la Cour est en déplacement à Nantes, d'Artagnan l'arrête à la sortie du château et le conduit à Vincennes.

Un rocher fortifié – Belle-Île a été maintes fois attaquée par les Anglais et les Hollandais : en effet, c'est la seule île entre la Manche et la Méditerranée qui possède de l'eau douce en abondance. Prise deux fois par les Anglais, en 1572 puis en 1761, elle reste occupée jusqu'au traité de Paris (1763) qui la rend à la France. Elle conserve encore un système défensif fort développé : la citadelle de Palais fortifiée par **Vauban**, et plusieurs redoutes jalonnent la côte.

Bretons et Canadiens – En 1766, 78 familles canadiennes s'établissent dans l'île. Ces descendants de colons français résidaient en **Acadie** depuis le début du 17e s. Mais en 1713, après que les Anglais eurent pris possession de cette province, les Acadiens furent contraints à la déportation : c'est le Grand Dérangement de 1755. Installés par Louis XV à Belle-Île, ils y introduisent notamment la pomme de terre.

Visiter

LE PALAIS

Depuis le bateau, on découvre une jolie vue sur les bassins du port de la « petite capitale » que les Bellilois nomment tout simplement « Palais ».

Citadelle Vauban★

📞 *02 97 31 84 17 - www.citadellevauban.com - juil.-août : 9h-19h ; avr.-juin et sept.-oct. : 9h30-18h ; nov.-mars : 9h30-12h, 14h-17h - possibilité de visite guidée (1h) - fermé 1er janv. et 25 déc. - 6,50 € (enf. 3,50 €).*

La passerelle de l'écluse et la porte du Bourg franchies, on chemine dans le **grand fossé** taillé à même le roc jusqu'à la porte du Donjon. *Un circuit fléché permet de découvrir l'ensemble des ouvrages.*

Le littoral dégagé de la pointe des Poulains.

Construite en 1549, la citadelle fut agrandie par les ducs de Gondi de Retz, puis par Fouquet. Sa double enceinte, ses puissants bastions, ses dehors portent la marque de Vauban, qui séjourna ici en 1683, en 1687 puis en 1689. Douze complices de la Voisin, compromise dans la sinistre affaire des Poisons (1679), ainsi que le fils de l'homme politique haïtien, Placide Toussaint-Louverture (1802) y firent aussi un séjour, en tant que prisonniers. À la fin de la guerre de Sept Ans, la forteresse tomba entre les mains des Anglais qui l'occupèrent jusqu'au traité de Paris (1763). Délaissée par l'armée, elle fut vendue en 1960 à des propriétaires privés.

Le **Musée historique**, installé dans les casemates Louis-Philippe voûtées « en feuilles d'érable », expose des documents sur l'histoire de l'île et ses hôtes illustres. À voir aussi : la **poudrière circulaire**, à l'étrange acoustique ; le grand **arsenal** qui accueille des expositions ; les **magasins** ; la **casemate** où se trouve la salle des cartes ; les cachots. Des **bastions** de la Mer et du Dauphin, **points de vue**★ remarquables sur Le Palais, le port et la côte nord, ainsi que sur les îles d'Houat et de Hœdic.

Circuits de découverte

Arpenter le littoral de Belle-Île sera l'occasion de découvrir sa flore et sa faune, dont les **pouces-pieds**. Il vous faudra cependant vous transformer en sportif de haut niveau pour dénicher ces crustacés qui font penser à des pouces humains : ils se fixent en effet à la base des falaises abruptes. Bravant les éléments, les pêcheurs deviennent alpinistes pour les détacher ! Leur pêche n'est autorisée que deux jours par semaine, et interdite en juillet et août. La récolte part principalement à l'exportation, notamment vers l'Espagne.

LA CÔTE SAUVAGE★★★ 1

Circuit de 49 km – environ 3h1/2.

Quittez Le Palais par le quai Gambetta et la promenade Boulogne. Tournez à droite vers la citadelle. En bordure de la côte, prenez à gauche puis à droite.

Pointe de Taillefer
Des abords du sémaphore, belle **vue** sur la rade du Palais et la pointe de Kerdonis à droite ; au large, les îles de Hœdic et d'Houat ; en face, la presqu'île de Quiberon.

Faites demi-tour et gagnez Sauzon. On peut s'avancer jusqu'à **Port-Fouquet**, dont la plage est bien abritée.

Sauzon★
Ce petit port qu'animent les voiliers occupe un joli **site**★ sur le versant gauche de l'estuaire de la rivière de Sauzon. Jolies maisons colorées.

Depuis le port, une agréable promenade *(1h1/2 à pied AR)* permet de faire le tour de la **pointe du Cardinal** et offre des vues sur l'entrée du port, la pointe de Taillefer à droite, et à gauche, la pointe des Poulains.

Pointe des Poulains★★
30mn à pied AR. Du parking, on découvre à gauche le fort Sarah-Bernhardt, près duquel la célèbre tragédienne avait sa propriété. Par la cale, on descend sur le

tombolo de sable qui rattache à l'île la pointe des Poulains : complètement isolée par la mer aux grandes marées, elle est surmontée d'un phare. De la pointe même, vaste **panorama★**.

Stêr-Vraz et Stêr-Ouen★

Ces profonds abers échancrent la côte, au pied de la **réserve ornithologique** de la pointe du Vieux-Château.

Dans la lande de Kerlédan se dressent les **menhirs Jean et Jeanne** : ces deux jeunes fiancés auraient été punis d'avoir voulu se rencontrer avant le jour du mariage.

Port-Donnant★★

Le site est superbe : la plage de sable, où déferlent des rouleaux, est encadrée de hautes falaises. Attention, la force de la mer et les courants y rendent les bains très risqués.

Grand Phare

Inauguré en 1836, ce phare haut de 52 m atteint une portée de près de 48 km. Du balcon, magnifique **panorama★★** sur l'île, les îlots voisins et toute la côte continentale. *10 juil.-15 sept. : 10h30-12h, 14h-17h30.*

Port Goulphar★

Après le manoir de Goulphar, une route en forte descente *(15mn à pied AR)* mène au port de Goulphar, échancrure spectaculaire au pied de belles falaises. Un ensemble d'îlots en marque l'entrée. C'est du rebord de la falaise que l'on a la meilleure **vue★** sur ce chaos rocheux.

Aiguilles de Port Coton★★

Port Coton est ainsi appelé parce que la mer y bouillonne et se gonfle comme un gros paquet d'ouate. À l'extrémité de la route surgissent les Aiguilles qui offrent certainement un des plus beaux spectacles de la côte.

Bangor

Ce village est encadré par les sites les plus sauvages de l'île. Il tire son nom de l'abbaye de Bangor (Irlande du Nord) qui fut l'une des plus célèbres de l'Occident chrétien et d'où sont venus les premiers moines celtiques installés sur l'île au 6e s.

Dans un site rocheux s'étend la plage de **Port-Kérel**, l'une des mieux orientées, fréquentée dès le printemps.

Regagnez Le Palais.

POINTE DE KERDONIS★ 2

Circuit de 33 km – environ 2h.

Quittez Le Palais par l'avenue Carnot et la rue Villaumez à gauche.

La **plage de Ramonette** est celle du Palais, adossée à la pointe du même nom.

À l'entrée de Port-Salio, tournez à gauche puis, 250 m plus loin, de nouveau à gauche.

On atteint **La Belle Fontaine** : créée sur ordre de Vauban, cette retenue d'eau était destinée à alimenter en eau douce les navires de haut rang.

Faites demi-tour et prenez à gauche.

La **plage de Bordardoué**, bien abritée, est l'une des plus agréables de l'île. *Faites demi-tour et prenez deux fois à gauche.*

La route descend vers **Port Yorc'h**, fermé par la pointe du Bugul à droite et la pointe du Gros Rocher à gauche, prolongée par un îlot supportant un ancien fort. De Port Yorc'h à la pointe de Kerdonis, le parcours offre de remarquables **vues★★** sur l'île d'Houat et la rade du Palais.

Les Grands Sables★

La plus vaste plage de Belle-Île (1 800 m de long) conserve d'importants vestiges des fortifications élevées en 1747. Elle fut en effet témoin, aux 17e et 18e s., de nombreuses tentatives de débarquement de la part des Anglais et des Hollandais.

Pointe de Kerdonis

Au sud se trouve le phare du même nom, qui signale aux navires le passage entre Hœdic et Belle-Île. À proximité, c'est à **Port-An-Dro**, plage de sable au débouché d'un vallon, que les Anglais prirent pied en 1761.

Locmaria

Autrefois, on abordait cette paroisse « les pouces en dedans » pour conjurer le mauvais sort, car elle avait la réputation de cacher des sorcières.

Une route en descente, à droite de l'église, mène à **Port-Maria**, profonde échancrure rocheuse qui offre à marée basse une belle plage de sable fin.

Un peu plus au sud, **Port-Blanc** est une petite anse dominée par les falaises de la pointe d'Arzic.

Pointe du Skeul

Route non revêtue après le hameau du Skeul. Site sauvage aux rochers déchiquetés, dressés en hémicycle.

Revenez à la D 25 et regagnez Le Palais en faisant un petit détour par le village acadien du Grand-Cosquet.

Belle-Île pratique

Adresse utile

Office du tourisme de Belle-Île – *Quai Bonnelle - 56360 Le Palais - ℰ 02 97 31 81 93 - www.belle-ile.com - juil.-août : lun.-vend. 8h45-19h30, dim. et j. fériés 8h45-13h ; sept.-juin : lun.-sam. 9h-12h30, 14h-18h.* De Pâques à fin sept., l'office de tourisme dispose d'un point d'information à Sauzon, à côté du bureau du port - *Quai Guerveur - 9h-12h, 17h-20h, dim. 9h-12h.*

Accès à l'île

Dép. quotidien de **Quiberon** vers Le Palais (5 à 14 rotations par j., suivant la période). dép. de mi-juil. à fin août de **Lorient** (1 AR/j. 1h) - *Société Morbihannaise de Navigation - ℰ 0 820 056 000 (0,12 €/mn). www.smn-navigation.fr*

Transports

Le meilleur moyen de découvrir l'île est le vélo, le VTC pour être précis, quand il n'y a pas trop de vent. De nombreux loueurs vous attendent au Palais *(compter 10 à 12 €)*. Il est également possible de louer des scooters, des voitures ou de choisir des excursions organisées. Guide des randonnées à l'office de tourisme.

Se loger

🛏 **Hôtel L'Apothicairerie** – *À la grotte de l'Apothicairerie - 56360 Apothicairerie (Grotte de l') - 3 km à l'O de Sauzon par D 30 - ℰ 02 97 31 62 62 - www. hotelapothicairerie.com - fermé de déb. janv. à fin mars et 15 nov.-20 déc. - 38 ch. 36/109 € - ⬜ 9,60 € - rest. 26/40 €.* Cet hôtel moderne qui ne brille pas par ses qualités esthétiques est admirablement situé sur la falaise de la roche percée. Ses chambres claires meublées en bois cérusé vous permettront de goûter au calme remarquable des lieux.

🛏🛏🛏 **Hostellerie La Touline** – *R. du Port-Vihan - 56360 Sauzon - ℰ 02 97 31 69 69 - www.hostellerielatouline.com - fermé 13 nov.-31 mars - 5 ch. 85/95 € - ⬜ 10,50 €.* Escale agréable dans cette maison de pêcheur qui abrite derrière sa façade bleue des chambres coquettes joliment nommées (Bretagne, Capitaine, Zanzibar…) et décorées de meubles anciens et bibelots. La véranda donne sur l'intime jardin de curé. Solarium et jacuzzi.

🛏🛏🛏🛏 **Hôtel La Désirade** – *Rte de Port-Goulphar - 56360 Bangor - ℰ 02 97 31 70 70 - www.hotel-la-desirade.com - fermé*

7 janv.-31 mars et 1er oct.-26 déc. - **P** -
24 ch. 115/129 € - ⌷ 15 €. Les chambres,
aménagées dans trois des quatre maisons
roses aux volets bleus entourant la
piscine, sont assez grandes, confortables
et joliment décorées. Menu du jour
composé au gré du marché, servi dans
une salle à manger rustique ou sur la
belle terrasse.

Se restaurer

⊖ **Crêperie Chez Renée** – 21 r. Sarah-
Bernhardt - 56360 Bangor - ☏ 02 97 31
52 87 - fermé lun.-jeu. hors sais. sf vac. scol. -
12/15 €. Cette ancienne ferme isolée au
milieu des champs ressemble à une
maison de poupée avec ses deux salles
très colorées et sa jolie petite terrasse
arborée. Pensez à réserver, car les crêpes
ont bonne réputation, et cela depuis les
débuts de Renée… il y a plus de 20 ans !

⊖⊖ **Le Perroquet Vert** – Rte de Bangor -
56360 Le Palais - ☏ 02 97 31 32 50 - fermé
de déc. à mi-janv., lun. sf vac. scol. et dim. -
14,50 € déj. - 16/24 €. Belles tartes salées,
salades, plat du jour et desserts frais : vous
devriez vous régaler dans cette maison
aux couleurs vives disposant d'une petite
salle à manger genre bistrot, d'une
terrasse pour l'été et d'un espace jeux
pour les enfants. Vente à emporter.

⊖⊖ **Roz Avel** – 56360 Sauzon - ☏ 02 97
31 61 48 - fermé 31 déc.-1er mars et merc. -
réserv. obligatoire - 25/40 €. Derrière
l'église, maison de pays ancienne garnie
de meubles bretons, charmante avec sa
terrasse dressée dès les premiers rayons
de soleil et fort appréciée des îliens qui
aiment bien également s'attabler dans sa
petite salle. Savoureuse cuisine de la mer.

Que rapporter

Biscuiterie la Bien Nommée – ZA de
Bordilla - 56360 Le Palais - ☏ 02 97 31
34 99 - www.labiennommee.com. Portant
fièrement le surnom de l'île sur laquelle
elle a été fondée, cette biscuiterie
familiale propose une gamme de produits
élaborés sans colorants ni conservateurs
– petits sablés, galettes, palets bretons,
etc. – misant ainsi sur le savoir-faire
traditionnel. Visite gratuite. Dégustation.

Pâtisserie-confiserie Pétrel – Pl. de
l'Hôtel-de-Ville - 56360 Le Palais - ☏ 02 97
31 85 12 - juil.-août : 8h-20h ; sept.-juin : tlj sf
merc. 8h30-19h - fermé 2 sem. en fév. ou
mars et 3 sem. en oct. Ce pâtissier-confiseur
réalise, entre autres, sablés de la citadelle,
caramels et rochers de Belle-Île-en-Mer.

Le Grenier de Manon – 8 pl. de l'Hôtel-de-
Ville - 56360 Le Palais - ☏ 06 83 15 14 24 ou
02 97 31 75 43 - grenierdemanon@yahoo.fr -
avr.-sept. : 10h-13h, 16h-19h30 ; oct.-mars
sur demande préalable - fermé 1er oct.-
1er avr. Archéologue passionnée par
les métiers d'art, Annick Lorec s'est
transformée en une dentellière aux doigts
de fée pour perpétuer une tradition sur le
point de disparaître. Elle réalise sous vos
yeux des nappes, des dessus-de-lit, du

linge de maison, etc… Pour les passionnés
de crochet, stages de rideaux bellislois et
fiches techniques à disposition.

La Poterie de Kerlédan – Village de
Kerlédan - 56360 Sauzon - ☏ 02 97 31
67 41 - été : 10h-13h, 16h-20h ; hiver :
horaires variables. Ce potier traditionnel
expose et vend ses créations (céladon et
rouge de Chine sur grès et porcelaine)
directement dans son atelier.

Gilles Targat / MICHELIN

Pont du bateau faisant navette entre
Quiberon et Belle-Île-en-Mer.

Sports & Loisirs

Castel Thalasso Belle-Île – Port Goulphar -
56360 Bangor - ☏ 02 97 31 80 15 -
castel-thalasso.com - tlj sf dim. apr.-midi
8h45-12h30, 14h-18h45 - fermé 13 nov.-
15 fév. Ce centre de thalassothérapie « à
taille humaine » profite d'un très bel
environnement naturel au fond de l'anse
de Goulphar. Entièrement rénové en 2004,
il offre une décoration zen, teintes pastel
et bois. Cures de remises de forme, soins
et massages proposés à la demi-journée,
à la journée ou sur plusieurs jours.

Centre Équestre – 56360 Bangor -
☏ 02 97 31 52 28 - www.equitation-belle-
ile.com.

La Ferme du Poney Bleu – Anter - 56360
Sauzon - ☏ 02 97 31 64 32 - 9h-19h. Stages,
promenades et randonnées de deux
ou trois jours (hors saison) : idéal pour
découvrir les beautés de l'île.

Le golfe du Morbihan, Houat et Hœdic –
☏ 02 97 31 59 37. À bord du catamaran
La Sterne, découvrez le golfe du Morbihan
et les îles d'Houat et de Hœdic.

Aéro-club – Aérodrome Bangor - 56360
Bangor - ☏ 02 97 31 83 09. L'aéro-club de
Belle-Île-en-Mer organise des cours de
pilotage, des baptêmes de l'air : l'occasion
de saisir un point de vue unique sur l'île.

Les plages – La côte nord possède les
plus grandes et les plus belles :
Bordardoué, les Grands Sables. Sur la côte
ouest, celle de Port-Donnant est superbe
mais dangereuse. La côte sud est jalonnée
de plages aux eaux plus chaudes : Port
Goulphar, Port-Kérel, Herlin, etc. Sur
la côte est, la seule plage est celle de
Port-An-Dro.

Belle-Isle-en-Terre

1 099 BELLILOIS
CARTE GÉNÉRALE C1 – CARTE MICHELIN LOCAL 309 B3 – CÔTES-D'ARMOR (22)

Comme l'indique le nom de ce vieux bourg, nous sommes ici au plus près de la Bretagne intérieure, belle région de forêts, de collines et de ravins, propice à la promenade, à la pêche et à la pratique du canoë-kayak. À ces attraits s'ajoutent ceux des chapelles et des églises tapies à l'écart des grandes routes.

▶ **Se repérer** – À 18 km à l'ouest de Guingamp, au croisement de la N 12 et de la D 33.

🕐 **Organiser son temps** – Comptez une journée en voiture ou en vélo pour découvrir tout le patrimoine du pays de Belle-Isle-en-Terre. Pique-nique recommandé.

👁 **À ne pas manquer** – Le jubé de l'église de Loc-Envel.

👫 **Avec les enfants** – Se balader sur le sentier de découverte du site de l'ancien barrage de Kernansquillec.

🌿 **Pour poursuivre la visite** – Voir aussi Guingamp, Lannion, Morlaix, Huelgoat.

Comprendre

Une figure inoubliable – La folle vie d'aventure de **Marie-Louise Manach** (1869-1949) mériterait d'être contée. Enfant du pays partie travailler à St-Brieuc puis à Paris, elle épousa un marchand de primeurs et déménagea avec lui à Londres. Veuve, elle rencontra au Savoy l'infant d'Espagne, Antoine d'Orléans, dont elle devint la maîtresse. Ce n'est qu'en 1922 qu'elle épousa sir Robert Mond, roi du nickel. Ele se fit construire en 1939 l'extravagant **château** que l'on voit dans le bourg. Son mausolée se trouve dans le cimetière de **la chapelle de Locmaria** (voir ci-dessous).

Visiter

Locmaria
1 km au nord du bourg, fléchée depuis le centre de Belle-Isle.
Chapelle dotée d'un beau jubé★ du 16e s. en bois polychrome, soutenu par quatre colonnes torsadées et ornées de feuilles de vigne et de raisins. Sous elles pendent sept anges portant des banderoles. Côté autel, la décoration est d'inspiration celtique. Côté nef, le jubé présente les apôtres.

Fontaine de Pendréo
Visible de la route, sur la gauche en redescendant de Locmaria au centre du bourg.
Elle se trouve sur les hauteurs de la colline boisée qui surplombe le Léguer. On y accède par un escalier de 110 marches *(attention, moussues et glissantes)*. Jusque dans les années 1920, les mères y portaient leurs enfants souffrant de la coqueluche, pour passer sur leur front un peu de cette eau censée les guérir.

Aux alentours

La vallée du Léguer
10 km au nord-ouest par la D 33, route de Guingamp. Accès fléché depuis Belle-Isle-en-Terre, Trégrom et Plounévez-Moëdec.
La vallée du Léguer renaît. En 1995, pour des raisons de sécurité, les pouvoirs publics décidaient de démanteler le **barrage hydro-électrique de Kernansquillec** qui, depuis 1920, fermait la vallée sur une largeur de 110 m et une hauteur de 15 m. Aujourd'hui, la nature a déjà repris ses droits et les parcelles anciennement immergées font place à des prairies. L'ancien site industriel de la papeterie accueille désormais des expositions temporaires et des projets culturels.

🚶 Un **sentier d'interprétation** *(4 km, 1h30 AR, pensez aux chaussures de marche)* balisé par 14 petits plots explicatifs longe le Léguer.

👫 Le **livret d'interprétation** disponible à l'office de tourisme de Belle-Isle-en-Terre *(2,30 €)* permet aux enfants de se transformer en enquêteurs et de comprendre l'histoire de la vallée à travers le paysage.

Ménez-Bré★
9 km au nord-est. Empruntez la D 712, route de Guingamp. 2,5 km après Louargat, prenez à gauche le chemin en forte montée (18 %).
Sur ce sommet isolé (alt. 302 m), la chapelle St-Hervé offre un beau **panorama★** sur le plateau du Trégorrois : au nord, le plateau s'abaisse lentement vers la mer ; au sud,

on aperçoit les collines et les vallées de la Cornouaille ; au sud-ouest se détachent les monts d'Arrée.

Loc-Envel

4 km au sud. Prenez la D 33 en direction de Callac et peu après, tournez à droite dans une route sinueuse.

De style gothique flamboyant, l'**église** de Loc-Envel s'élève sur un tertre dominant le village. À droite du clocher-porche, remarquez les trois petites ouvertures en arc de cercle par lesquelles les lépreux pouvaient assister aux offices. En entrant, on est frappé par le magnifique **jubé**★ flamboyant et la riche ornementation de la **voûte**★ lambrissée : sablières et entraits sculptés, blochets d'angle polychromes figurant les évangélistes.

Clef pendante de la voûte lambrisée de l'église de Loc-Envel.

Gurunhuel

9 km au sud-est par la D 22.

Beau **calvaire** du 16e s. constitué de trois colonnes. Au centre figure le Christ en croix entre saint Jean et la Vierge, deux anges recueillent le sang de ses mains clouées. À sa droite, l'âme du bon larron est recueillie par un ange, à sa gauche, un démon se charge du mauvais larron. Au pied de la Croix : Christ aux outrages avec saint Pierre et saint Paul. De l'autre côté du calvaire, une Pietà et l'archange saint Michel terrassant le dragon.

La chapelle Saint-Fiacre – *4 km par la D 31 en direction de Pont-Melvez, 4e route à droite.* Notez à son chevet la représentation de la vouivre, ancienne déesse des eaux et pour certains, la fée Morgane. À l'intérieur de l'édifice, la nef et les transepts datent du 15e s., le chœur du 16e s. et le clocher-mur du 18e s. Vous y verrez aussi une cheminée du 17e s. Elle permettait aux nécessiteux de se réchauffer en hiver, lors des veillées.

La Chapelle-Neuve

12 km au sud-ouest par la D 33.

Trois tours accolées et fortifiées composent le chevet (16e s.) de **l'église N.-D.-de-Pitié**. Chacune est percée d'une meurtrière, sans doute pour défendre l'entrée du souterrain (aujourd'hui comblé) situé dans la crypte. Il conduisait au manoir des seigneurs de Kerméno tout proche. À l'intérieur, beau **retable** en bois du 16e s. et statues en bois polychrome de saint Nicolas (16e s.) et de saint Maudez (17e s.).

Plougonver

7,5 km au sud par la D 33.

L'**église St-Pierre** abrite un intéressant baptistère à deux cuves (fin 15e s.) ornées de visages humains. Admirez le Christ aux outrages en bois polychrome (16e -17e s.), dont la raideur cadavérique est accentuée par des côtes saillantes. Aigle-lutrin du 19e s. serrant dans ses griffes un serpent représentant Satan.

En sortant, voyez l'imposante **mairie** néoclassique. Construit en 1855 pour un notaire, l'édifice a servi de presbytère avant d'échoir à la République. Le pas de porte présente encore, gravé, le monogramme du Christ.

Belle-Isle-en-Terre pratique

Adresse utile

Office du tourisme de Belle-Isle-en-Terre – *15 r. Crech-Ugen - 22810 Belle-Isle-en-Terre - ℘ 02 96 43 01 71 - www.belleisleenterre.com - 16 juin-14 sept. : lun.-vend. 10h-18h, dim. 10h-15h ; 15 sept.-15 juin : lun.-vend. 9h-12h30, 13h30-17h.*

Sports & Loisirs

Centre régional d'initiation à la rivière – *℘ 02 96 43 08 39 -* Le centre propose des balades à thèmes *(3h)* durant les vacances scolaires : le réveil des animaux, le saumon, les plantes médicinales et gastronomiques… Réservation obligatoire.

Bénodet

2 750 BÉNODETOIS
CARTE GÉNÉRALE B3 – CARTE MICHELIN LOCAL 308 G7 – FINISTÈRE (29)

Sur la « côte de Plaisance », idéalement située à l'entrée de l'estuaire de l'Odet, cette station balnéaire réunit tous les plaisirs d'un séjour estival : petit port, plages de sable blond, sports de plein air, voile, un casino, et même un festival du film. Forte de ces atouts, Bénodet a été surnommée « Côte d'Azur bretonne ».

- ▶ **Se repérer** – À 17 km au sud de Quimper, entre Pont-l'Abbé et Concarneau, Bénodet se niche face à l'anse du même nom.

- ◔ **Organiser son temps** – Prenez au moins une heure pour remonter l'Odet.

- ◉ **À ne pas manquer** – L'Odet en bateau et les panoramas de la route entre Beg-Meil et Fouesnant.

- 👥 **Avec les enfants** – Redécouvrez les premiers maillots de bain au Musée du bord de mer.

- ♿ **Pour poursuivre la visite** – Voir aussi Quimper, Pont-l'Abbé, La Forêt-Fouesnant et Concarneau.

Comprendre

Un « grand Monsieur » de la voile – Nantais de naissance, **Éric Tabarly** (1931-1998) avait choisi Bénodet comme port d'attache. Avant de se perdre en mer le 13 juin 1998, il venait s'y reposer dans une longère qui avait vue sur l'Odet. Il laisse le souvenir d'un marin à la fois passionné et tranquille, au palmarès impression-
nant. Entre autres : transat en solitaire Plymouth-Newport (1964, 1976) ; course Sydney-Hobart (1967) ; transpacifique en solitaire Los Angeles-Tokyo (1969) ; record de la traversée de l'Atlantique (1980) ; transat Le Havre-Carthagène (1997) avec Yves Parlier. Capitaine de vaisseau, Éric Tabarly était le « père » de cinq *Pen Duick*, dont le nom signifie « mésange à tête noire » en breton.

La plage de Bénodet.

Séjourner

Entre océan et estuaire, « Bénodet la balnéaire » offre un cadre idéal pour des vacances paisibles et familiales. Il n'existe pas de centre-ville à proprement parler, et l'essentiel de ses ressources tourne autour de la mer et des plages. La plus grande, celle du Trez, accueille les clubs pour petits et l'école de voile UCPA (location et cours de dériveur, catamaran, planche à voile). Il en existe aussi deux autres, plus calmes : celle du Coq (la mer, en se retirant, découvre un rocher qui rappellerait cet animal) et celle de la Pointe St-Gilles, idéale pour le farniente.

Découvrir

L'ODET

Avec le mot breton *ben* signifiant « pointe », ce cours d'eau est à l'origine de l'éthymologie de Bénodet.

Remontée de l'Odet en bateau★★

Durée : 1h1/2 au départ de Bénodet (voir Descente de l'Odet à Quimper).

Point de vue sur l'Odet

Par l'av. de Kercréven. Belle vue sur la rivière et le port de plaisance.

Pont de Cornouaille

1 km au nord-ouest par la D 44. Cet ouvrage long de 610 m offre une belle **vue**★ sur le port, Ste-Marine et l'estuaire, ainsi que sur l'amont de la rivière.

Visiter

Musée du bord de mer

29 av. de la Mer - ℘ *02 98 57 00 14 - 15 juin-15 sept. 10h-13h, 14h-18h30 sf dim. et j. fériés 18h - 4 € (5-12 ans 2 €).*

Au travers d'affiches, de peintures, de photos, de films de régates et de maquettes de bateaux, ce musée replonge le visiteur à l'époque de la « belle plaisance », née en même temps que les bains de mer et le chemin de fer. Les costumes de bain, les jouets de plage et les bagages ayant servi lors de séjours dévoilent d'autres tranches de vie du bord de mer. Des objets de navigation d'Éric Tabarly complètent les collections.

Circuit de découverte

DE BÉNODET À CONCARNEAU PAR LA CÔTE

40 km – environ 3h. Quittez Bénodet à l'est par la D 44 vers Fouesnant et, à 2 km, tournez à droite. Le vaste plan d'eau du **Letty**, abrité par une dune, est un terrain idéal pour les écoles de voile. *Revenez à la route de Fouesnant.*

Le Perguet

Sur la droite de la chapelle Ste-Brigitte, construite au 12e s. et remaniée au 16e s., un escalier de pierre sur le toit permet d'accéder au clocher ajouré.

À 2,5 km, un embranchement, à droite, mène à la pointe de Mousterlin (voir Fouesnant-les-Glénan). Faites demi-tour. À 2 km, prenez à droite et, à 4,5 km encore à droite.

Beg-Meil et Fouesnant *(voir Fouesnant-les-Glénan★)*

La route dévoile de jolies **vues★**, en particulier à marée haute. Elle longe la plage de sable fin de Kerleven, au fond de la baie de la Forêt. Après une forte descente (15 %), elle suit l'anse du Saint-Laurent, franchit celle de Saint-Jean et rejoint Concarneau.

Bénodet pratique

Adresse utile

Office de tourisme de Bénodet – *29 av. de la Mer - 29950 Bénodet -* ℘ *02 98 57 00 14 - www.benodet.fr- 15 juin-15 sept. : 9h-19h, dim. 10h-18h ; oct.-mars : lun.-sam. 9h30-12h, 14h-17h ; avr.-juin : lun.-sam. 9h30-12h, 13h30-18h.*

Se loger

⊜⊜ **Hôtel Le Ste-Marine** – *19 r. du Bac - Ste-Marine - 29120 Combrit - 5 km à l'O de Bénodet par pont de Cornouaille -* ℘ *02 98 56 34 79 - hotelsaintemarine.com - fermé 4 sem. à partir du 15 nov. - 11 ch. 70/85 € - � 8 € - rest. 48/47 €.* Une situation idyllique sur le port éponyme, une décoration dédiée à la mer (murs peints au pochoir par une artiste peintre, mobilier blanc ou acajou, lambris clairs), des chambres offrant une vue imprenable sur Bénodet et l'Odet, et une cuisine iodée : vous avez trouvé la perle rare !

Se restaurer

⊜ **Crêperie La Misaine** – *Quai Jacques-de-Thézac - 29120 Combrit - 5 km à l'O de Bénodet par pont de Cornouaille -* ℘ *02 98 51 90 45 - fermé oct.-mars sf ven.-dim. et vac. scol. - 8/14 €.* Cette petite maison de pierres bâtie à mi-chemin de la chapelle et du port de Ste-Marine offre une des meilleures vues sur l'estuaire de l'Odet et la station balnéaire de Bénodet. Les crêpes et la petite terrasse sont très appréciées.

En soirée

👁 **Bon à savoir** – Station balnéaire bien paisible n'offrant pas d'attractions particulières. À noter, le centre nautique UCPA, le casino dont le restaurant et le bar, et ses différentes vedettes pour découvrir la vallée de l'Odet et l'Archipel des Glénans.

Casino de Bénodet – *Corniche de la Plage -* ℘ *02 98 66 27 27 - casinobenodet@ lucienbarriere.com - tlj 10h-3h, sam. 10h-4h.* Nouveau décor pour ce casino qui compte 100 machines à sous, une salle de jeux traditionnels, un restaurant et un bar « lounge » ouverts tous les jours jusqu'à 3h du matin.

Que rapporter

Biscuiterie François Garrec – *Rte de Fouesnant -* ℘ *02 98 57 17 17 - www.garrec.com - visite : tlj sf w.-end 9h-12h, 13h30-16h. Boutique : tlj sf dim. 9h-18h30 ; été : tlj 9h-19h30 - fermé 1er janv. et 25 déc.* La préparation des crêpes et l'élaboration des gâteaux bretons n'auront plus de secrets pour vous après votre passage dans cette belle biscuiterie moderne, installée sur la route de Fouesnant. Toute la chaîne de fabrication artisanale se déroule sous vos yeux jusqu'au magasin où l'on retrouve les spécialités maison et d'autres produits bretons.

Brasserie Tri Martolod – *ZA de Keranguyon - ℘ 02 98 66 20 22 - vente sur place : tlj sf dim. 9h-12h, 14h-18h et sam. en été - fermé j. fériés. Fût, bouteille ou cruchon :* ces jeunes brasseurs bretons déclinent tous les contenants pour leur bière douce et légère (non filtrée, non pasteurisée et préparée en fermentation basse). Le bâtiment de la zone d'activité abrite une petite boutique où vous pourrez en faire provision. Possibilité de visiter la brasserie.

Sports & Loisirs

Relais Thalasso – *Corniche de la Plage - ℘ 0 820 90 32 29 - www.thalasso-benodet. com - lun.-jeu. 9h-13h, 14h-20h, vend. 9h-13h, 14h-21h, sam. 9h-13h, 14h-18h30, dim. 10h-13h, 15h-18h30 - fermé 1er janv. et 10-25 déc. - 17 € ; 153 € la carte de 10 entrées.* Discrètement établi face à la plage, à côté du casino, ce centre flambant neuf propose des soins à la carte, des pass et une formule week-end qui vous permettront de découvrir le bain bouillonnant ou l'enveloppement d'algues. Piscine et espace hydromarin accessibles au public.

Vedettes Picot – *℘ 06 81 66 78 67 - bac Piéton Bénodet-Ste-Marine « Le Picot » - cale St-Thomas - juil.-août : 10h-12h30, 14h-19h15, w.-end 14h-19h15 - 2 € (enf. ou vélo 1 €).*
Les vedettes de l'Odet – *2 av. de l'Odet - ℘ 02 98 57 00 58 - www.vedettes-odet.com - avr.-sept. : croisières commentées (2h30) à bord des « vedettes de l'Odet » (jusqu'à 10 croisières par j.) - possibilité d'escale à Quimper selon la marée - croisière-déjeuner tlj sf lun.* Il faut se lever tôt pour embarquer à bord de *La Bigoudène.* Mais une partie de pêche au large, en compagnie d'un vrai loup de mer, ferait presque oublier la fatigue. Selon la chance, on rentrera à la maison avec une « godaille » conséquente et tout un tas d'exploits à raconter.
Régates – *℘ 02 98 57 26 09.* Le Yacht Club de l'Odet organise des régates, dont celle des « Pieds gelés » à la fin du mois de déc. celle de l'Obelix Trophy, le w.-end du 1er Mai et celle de La Belle Plaisance, le dernier w.-end de juin.

Blain

Ancien carrefour de voies romaines, Blain joue un rôle commercial important entre Nantes, Redon et l'Anjou. Sa proximité avec le canal de Nantes à Brest offre de belles possibilités de promenade, tout comme les hectares de feuillus de la forêt du Gâvre, sillonnée par les sentiers de randonnée.

- **Se repérer** – Situé entre la forêt du Gâvre et la petite forêt de la Groulais, au nord-ouest de Nantes, Blain est accessible depuis la capitale des ducs de Bretagne par la N 137 et les D 137 et 64 (40 km). Elle se trouve aussi sur la N 171 qui fait le lien entre les voies express N 137-E 3 (vers Rennes) et N 165-E 60 (direction Vannes). Le canal de Nantes à Brest sépare le bourg du château, dont la première construction remonte à 1104.

- **Organiser son temps** – Privilégiez les bords du canal le matin, et une petite marche en forêt l'après-midi.

- **Avec les enfants** – Suivez le sentier de découverte du moine Guenael et promenez-vous au milieu des animaux à la ferme de l'Orme.

- **Pour poursuivre la visite** – Voir aussi Châteaubriant, Redon, Nantes, La Roche-Bernard, St-Nazaire et la Grande Brière.

Comprendre

Histoire ancienne – Centre gallo-romain attesté, comme le prouve son éthymologie (son patronyme vient du gaulois *Blanus*), Blain se développe surtout à l'époque médiévale avec notamment l'édification d'un château fort au 12e s. La place-forte passera des mains des Clisson à celles des Rohan *(voir Visiter ci-après).*

Le berceau d'un chef protestant – En 1579, **Henri de Rohan** voit le jour à Blain, en pleine guerre de Religion. Son nom reste lié aux guerres qui opposèrent huguenots et pouvoir royal entre 1620 et 1629, alors qu'il était à la tête du parti protestant. Amnistié par la paix d'Alès en 1629, il récupère Blain, cédé à Condé, mais doit s'exiler. Rappelé en 1635, il repartira néanmoins en Suisse, servir le roi à l'occasion de la guerre de Trente Ans (1618-1648). Il meurt là-bas en 1639.

Visiter

Musée de la Fève et de la Crèche

2 pl. Jean-Guihard - ℘ 02 40 79 98 51 - tlj sf lun. 14h-18h, sam. 17h30, dim. 14h30-18h - fermé 1er janv., 1er et 8 Mai, 14 Juil., 15 août, 1er et 11 Nov., 25 déc. - 3 € (enf. 1 €).
Installé dans l'ancien présidial des ducs de Rohan, ce musée fait revivre le passé du pays blinois, avec la reconstitution de l'épicerie, le bureau de tabac, la saboterie, etc. Deux salles sont consacrées aux traditions populaires du temps de Noël.

Château de la Groulais

Sortie de Blain direction St-Nazaire. Cette forteresse d'Olivier de Clisson passa aux Rohan de 1407 à 1802, mais fut rasée en partie sur l'ordre de Richelieu en 1628. La **tour du Pont-Levis** (14e s.), au toit en poivrière, domine des douves sèches et abrite le musée. *℘ 02 40 79 07 81 - du 19 Mai à mi-oct. : tlj sf lun. 10h-12h, 14h30-18h30 - 3 € (-12 ans gratuit).* Le **logis du Roi** (15e s.) impressionne par sa longue façade Renaissance ornée de hautes lucarnes à pinacles. Il accueille aujourd'hui des réceptions.

Amaury de Valroger / MICHELIN

Tour du Pont-Levis du château de la Groulais.

Aux alentours

La ferme de l'Orme

À 8 km au sud-ouest de Blain par la N 171 puis la D 81 (bien indiqué) - ℘ 02 40 79 19 83 - avr.-oct. : tlj 10h-18h, jusqu'à 20h juil.-août. - 6 € (enf. 4 €).
Paons aux plumes bleutées, dindon royal picorant dans les allées, poules aux allures de stars, oies, canards ou toucans multicolores… Cette ferme, à l'ambiance un peu « fouilli » mais très familiale, rassemble près de 600 volatiles représentant plus de 180 espèces différentes. Des enclos de wallabies, de chèvres naines et de moutons d'Ouessant complètent la visite. Livret remis gratuitement à l'entrée.

Circuit de découverte

FORÊT DU GÂVRE★

Circuit de 13 km au nord-ouest par la D 15, route de Guémené-Penfao.

La route traverse les futaies où les chênes, hêtres et pins s'étendent sur plus de 4 400 ha. Elle rejoint le carrefour de la Belle Étoile, aux dix allées rayonnantes.

Tournez à droite vers Le Gâvre ; à la Maillardais, prenez à gauche.

Chapelle de la Magdeleine

Cette modeste chapelle du 12e s. faisait partie d'une léproserie. Elle possède une gracieuse **Vierge** polychrome du 15e s., N.-D.-de-Grâce.

Revenez à la Maillardais et continuez vers Le Gâvre.

Le Gâvre

Dans une demeure du 17e s., le **musée Benoist** présente une exposition sur la forêt du Gâvre : les essences qui la composent, autrefois réputées pour la construction navale, des animaux naturalisés… Sous les combles que coiffe une belle charpente en châtaignier, de vieux métiers sont évoqués : tonnelier, scieur de long, rémouleur… Non loin de l'école, une loge de sabotier évoque la vie d'artisans qui travaillaient et habitaient dans leur atelier. *℘ 02 40 51 25 14 - de mi-mars à fin nov. : tlj sf lun. 14h30-18h30, possibilité de visite guidée (1h30 à 2h) - 3 € (enf. 1,5 €).*

Départ du parking du camping du Gâvre. 4 km balisés. Muni du livret de découverte disponible à l'office du tourisme de Blain, suivez le **sentier de découverte du moine Guenael**, personnage imaginaire, qui vous mènera à travers la forêt. Là, faits historiques se mêlent aux légendes.

Regagnez Blain par la route directe.

Blain pratique

Adresse utile

Office du tourisme de Blain – *2 pl. Jean-Guihard - 44130 Blain - ☎ 02 40 87 15 11 - http://otsi.blain.free.fr - tlj sf lun. 10h-12h, 14h-18h, sam.17h30, fermé j. fériés.*

Se loger

☞ **Camping municipal le Château** – *Rte de St-Nazaire - Sortie SO par N 171, rte de St-Nazaire et chemin à gauche, à 250 m du canal de Nantes à Brest (halte fluviale) - ☎ 02 40 79 11 00 - www.ville-blain.fr - ouv. mai-sept. -* ⊞ *- réserv. conseillée - 44 empl. 8,80 €.* Ce charmant camping proche du château et du canal de Nantes à Brest bénéficie d'un entretien exemplaire. Le site animé (certains diront bruyant) offre néanmoins la douceur d'un cadre verdoyant que rehausse la présence d'une grande diversité d'arbres. Coin-bibliothèque avec documentation touristique.

Se restaurer

☞☞ **Auberge de la Forêt** – *La Maillardais - 44130 Le Gâvre - 8 km au N de Blain par D 42 et D 35 - ☎ 02 40 51 20 26 - perso.wanadoo.fr/ christian-gouret/index.htm - fermé dim. soir, lun. et mar. - 12 € déj. - 19,90/36,60 € - 8 ch.*

40/45,60 € - ⊟ *6,95 €.* Le restaurant propose un agréable compromis entre gastronomie et cuisine traditionnelle. Service correct dans une grande salle à manger à la fois sobre et élégante, quoiqu'un peu impersonnelle. Les chambres, simples et bien tenues, font de cette auberge une adresse sympathique à l'orée de la forêt.

Loisirs

Le Parc Aventure Tépacap – *Rte du Lac - SO de Blain par N 171 - 44260 Savenay - ☎ 02 40 58 30 30 - www.tepacap.fr - juil.- août 10h-19h30, mars-nov. w.-end, vac. scol. et autres j. sur RV.* Préparez-vous au grand frisson. Disséminés dans un parc de 2 ha, les 80 ateliers offrent un maximum de sensations fortes (grimper aux branches, glisser d'arbre en arbre jusqu'à une hauteur de 10 m). Espace enfants à partir de 4 ans. Serez-vous « cap » de les faire tous ?

Événement

Fête du canal – Chaque année à la fin du mois de juin, les péniches et leur folklore maritime redonnent au quai Surcouf son caractère portuaire tel que l'ont connu les mariniers d'antan.

Île de **Bréhat**★★

421 BRÉHATINS
CARTE GÉNÉRALE C1 – CARTE MICHELIN LOCAL 309 D1 – CÔTES-D'ARMOR (22)

La Bretagne a son paradis, cette petite île aux rochers roses, tellement agréable à parcourir à pied ou à vélo puisque les automobiles y sont interdites. En été, ces attraits valent à Bréhat un afflux touristique parfois trop important. Mieux vaut choisir le printemps pour visiter celle que l'on nomme aussi « l'île aux fleurs »…

▸ **Se repérer** – Longue de 3,5 km et large de 1,5 km, Bréhat fait face à la pointe de l'Arcouest, au nord de Paimpol. Elle est constituée de deux îles, réunies au 18e s. par un pont dû à Vauban. Très découpée, sa côte est entourée de 86 îlots et récifs. Ses paysages sont sauvages au nord, plus souriants dans la partie sud.

🕐 **Organiser son temps** – Bréhat vit au rythme des bateaux qui la desservent. L'affluence des nouveaux arrivants du matin coïncide avec le marché du Bourg. Une fois vos courses faites, vous alternerez les longues balades avec les bains de mer. Si vous restez le temps d'un week-end, n'hésitez pas à programmer le tour de l'île en bateau.

👁 **À ne pas manquer** – Les côtes déchiquetées ; Le Bourg ; le phare du Paon.

👫 **Avec les enfants** – Le tour de l'île en bateau ou à la suite des comédiens des balades de Kérano.

🕯 **Pour poursuivre la visite** – Voir aussi Paimpol et Perros-Guirec.

Comprendre

Un micro-climat bienfaisant – À Bréhat, le climat est doux : 6 °C de moyenne en hiver. Ces températures permettent à une nature généreuse de se développer, plus particulièrement dans le sud de l'île. On y trouve des figuiers, des eucalyptus, des murets fleuris de mimosas, et des jardins aux énormes massifs d'agapanthes ou d'hortensias. D'où son surnom d'« île aux fleurs ».

À l'opposé, en remontant vers le nord, on découvre quelques vaches paissant dans les prés, des moutons dans la lande, et enfin des paysages sauvages et arides, balayés par des vents forts et salés qui empêchent la végétation de croître.

Devant cette austérité, on sourit à l'évocation du nom celtique de Bréhat, *Breiz Coat*, qui signifie « Bretagne des Bois » ! Il lui aurait été donné par un moine irlandais qui débarqua à l'île Lavrec, toute proche, en 470.

Des moulins en guise de gibet – Un château fort fut édifié face à cette même île Lavrec au Moyen Âge, puis détruit en 1409 par les Anglais. À cette occasion, ceux-ci pendirent des Bréhatins aux ailes du moulin de Crec'h ar Pot, dans l'île nord. Pendant les guerres de Religion, en 1591, le moulin de Crec'h Tarek, dans l'île sud, servit également de gibet. Peu de temps après, en 1598, Henri IV fit raser le château.

Une île paisible ? – Bréhat servit de refuge à de nombreux corsaires jusqu'au 19e s. Au siècle suivant, les amoureux de calme et de nature prirent leur relais, et notamment les comédiens Madeleine Renaud et Jean-Louis Barrault, qui venaient s'y reposer. Pendant la dernière guerre, l'île fut occupée jusqu'au 4 août 1944. En partant, les Allemands dynamitèrent les phares du Paon et du Rosédo.

Se promener

SUR L'ÎLE
C'est dans l'anse de **Port-Clos** qu'accostent les vedettes.

Dès le débarcadère, vous trouverez des loueurs de vélo (un moyen de transport à privilégier plutôt hors saison pour avoir les quelques voies cyclables tout à vous).

Bois de la Citadelle
Planté de résineux, ce fort construit sous Napoléon III, domine la falaise. Il accueille aujourd'hui un atelier de verrerie (visitable).
De l'abri du canot de sauvetage, en contrebas, belle **vue★** sur le chenal du Kerpont, avec son impressionnant chaos à marée basse, et sur l'île Béniguet.

Grève du Guerzido
Un joli coin avec ses plages de galets roses et ses îlots colonisés par les pins et les oiseaux marins. École de voile.

Le Bourg

Le village s'ordonne autour d'une placette ronde, bordée de platanes. Église des 12e et 18e s. au curieux clocher. Elle abrite la maquette de la dernière frégate de Bréhat, celle de l'amiral Cornic, un beau retable et la tombe de la famille d'un fameux corsaire.

Chapelle Saint-Michel

39 marches mènent à cette chapelle bâtie sur un tertre rocheux de 26 m d'où l'on domine toute l'île. Depuis cet amer, vaste **panorama**★ sur l'île sud, le chenal du Kerpont et l'île Béniguet, l'étang de Birlot et son moulin à marée, la baie de la Corderie et l'île nord. À l'ouest, on distingue au large le sillon de Talbert.

Croix de Maudez

Érigée en 1788, face à la mer, en pleine lande, elle évoque le souvenir du moine Maudez qui vint fonder un monastère sur une île voisine, en 570. La **vue**★ est belle sur l'île Béniguet au sud, l'île Maudez au nord et les récifs.

La Corderie

Fermée par le pont ar Prat, appelé aussi pont Vauban, cette immense baie, bordée de belles villas, sépare les deux îles.

En continuant vers le nord et en dépassant Ar Lenn, on atteint la **chaise de Renan**, une roche ainsi appelée car l'auteur de l'*Histoire des origines du christianisme*, Ernest Renan (1823-1892), s'y serait assis.

Les phares de l'île nord

Construit en pleine terre, le phare du **Rosédo** date de 1862. À la pointe extrême de l'île, le phare du **Paon**★ (l'origine du mot est « penn » qui signifie extrémité) a été reconstruit en 1949, en porphyre rouge. De la plate-forme dallée, on domine une côte déchiquetée, la plus sauvage de l'île.

Saint-Riom

Ce village de la côte nord-est de Bréhat était autrefois voué aux lépreux, comme tout le nord de l'île. Il est aujourd'hui en ruine.

EXCURSIONS EN BATEAU

Tour de l'île★★

S'adresser aux vedettes de Bréhat, voir « carnet pratique ». Cette intéressante promenade permet d'apprécier la variété des côtes, la beauté des rochers et des falaises du nord, le charme plus méditerranéen du rivage oriental, la couleur changeante des flots parfois très bleus. Vous serez aussi plus à même d'observer l'avifaune en pleine action, notamment sur le littoral nord où goélands marins, cormorans, sternes caugeks et fous de Bassan gravelots ont élu domicile.

Estuaire du Trieux★

S'adresser aux vedettes de Bréhat, voir Bréhat pratique.

La rivière du Trieux offre des rives tantôt abruptes, rocheuses et boisées, tantôt basses et cultivées. On admire le joli site de Lézardrieux et son pont suspendu. La promenade mène ensuite au pied du château de la Roche-Jagu *(voir Tréguier)* que l'on atteint par un sentier assez escarpé en sous-bois.

Gilles Targat / MICHELIN

Vue sur le site du moulin Birlot.

Île de Bréhat pratique

Adresse utile

Office du tourisme de Bréhat – *Le Bourg - 22870 Île-de-Bréhat -* $\mathcal{C}$ *02 96 20 04 15 - juil.-août : tlj sf dim. 10h-17h, fermé 13h-14h lun. et sam. ; avr.-juin et sept. : tlj sf merc. et dim. 10h-12h30, 14h-16h30 ; oct.-mars : lun. et jeu. 10h-12h30, 14h-16h30 et sam. mat. ; vac. scol. tlj sf merc. et w.-end 10h-12h30, 14h-16h30 ; fermé 25 déc., 1ᵉʳ janv. et 1ᵉʳ Mai.*

Accès

Liaison régulière 10mn, dép. pointe de l'Arcouest. Vedettes de Bréhat - $\mathcal{C}$ 02 96 55 79 50.

Croisières

Tour de l'île et remontée du Trieux – Toute l'année (15 pers. minimum). Excursion pour la journée, mai-sept. : dép. de Binic, St-Quay-Portrieux, Erquy, Pléneuf-Val-André ; remontée de la rivière du Trieux (4h) jusqu'au château de la Roche-Jagu : dép. de la pointe de l'Arcouest - *vedettes de Bréhat -* $\mathcal{C}$ *02 96 55/73 47 - 17 € (enf. 4-11 ans 12 €).*

Transports

Dès le débarcadère ou dans le bourg, possibilité de louer des vélos dont certains sont équipés de sièges pour enfants. Cependant, en saison, la bicyclette est déconseillée tant les chemins sont encombrés. Ajoutons que de nombreux sentiers sont interdits aux cyclistes et qu'il est aisé de parcourir à pied cette île de 3,5 km de long.

Se loger

⊖⊖ **Hôtel La Vieille Auberge** – *Au bourg - 22870 Île-de-Bréhat -* $\mathcal{C}$ *02 96 20 00 24 - vieille-auberge.brehat@wanadoo.fr - fermé nov.-Pâques - 14 ch. 71/101 € -* ⊇ *8,70 € - rest. 17 €.* Une ravissante maison ancienne aux belles pierres apparentes abrite ce plaisant hôtel-restaurant tenu par une famille bréhatine. Avec un peu de chance, en vous attablant dans sa charmante cour fleurie, vous goûterez aux doux rayons du soleil d'ici…

⊖⊖⊜ **Hôtel Bellevue** – *Port-Clos - 22870 Île-de-Bréhat -* $\mathcal{C}$ *02 96 20 00 05 - www.hotel-bellevue-brehat.com - fermé 5 janv.-6 fév. et 18 nov.-13 déc. - 17 ch. 86/115 € -* ⊇ *9,50 € - rest. 24/35 €.* La façade ancienne de l'hôtel dissimule des chambres récentes et pimpantes. Profitez de la vue sur le port en vous installant en terrasse ou dans la véranda de la salle à manger. Une adresse sympathique, prisée des îliens. Location de vélos sur place.

Se restaurer

⊖ **Enez Vriard** – *Au bourg - 22870 Île-de-Bréhat -* $\mathcal{C}$ *02 96 20 08 05 - formule déj. et dîner 10 €.* Seul restaurant de l'île ouvert toute l'année. Plats simples et ambiance couleur. Chambres standard à l'étage ou dans une maison attenante.

⊖ **Les Pêcheurs** – *Au bourg - 22870 Île-de-Bréhat -* $\mathcal{C}$ *02 96 20 00 14.* Menu express à 11,50 € ou choucroute de la mer et couscous du pêcheur à 16,80 €.

Sports & Loisirs

École de voile les Albatros – *Plage de Guerzido - 22870 Île-de-Bréhat -* $\mathcal{C}$ *02 96 20 00 95 - albatros22@wanadoo.fr - mars-nov.* Optimist, dériveur, catamaran, planche à voile (situation exceptionnelle sur l'île des fleurs et des rochers roses).

Balades de Kérano – 👥👤 – *22870 Île-de-Bréhat -* $\mathcal{C}$ *02 96 20 09 77 ou 06 63 65 98 40.* Sur réservation, en vous joignant à un groupe, une petite équipe de comédiens et de conteurs vous propose de découvrir l'île au gré de ses légendes (5 à 10 €). Donnent aussi des spectacles au bourg en été.

Brest★

149 634 BRESTOIS (AGGLOMÉRATION : 210 055 HABITANTS)
CARTE GÉNÉRALE B2 – CARTE MICHELIN LOCAL 308 E4 – FINISTÈRE (29)

La majestueuse rade de Brest en dit long sur le mariage de la cité avec la mer : son port, consacré à la marine militaire pendant des siècles, accueille aussi ferries et paquebots de croisière. Il abrite Océanopolis, un complexe qui présente les milieux naturels de toutes les mers du globe. Et il rassemble, tous les quatre ans, les plus anciens navires du monde pour une parade qui passionne les amateurs de voile. De quoi oublier la géométrie des rues de la ville, totalement reconstruite après la dernière guerre…

▸ **Se repérer** – Brest est la plus septentrionale des cités bretonnes. Capitale du Finistère Nord, elle jouit d'une position privilégiée face à sa rade, véritable mer intérieure dont la profondeur n'est jamais inférieure à 10 mètres. Seuls quelques kilomètres à vol d'oiseau la séparent de la presqu'île de Crozon.

🅿 **Se garer** – Si vous voulez découvrir sereinement la ville de Brest, oubliez la voiture. Garez-vous vers le port de commerce *(15mn à pied du centre-ville)*, le stationnement y est gratuit. Vous trouverez également quelques places non tarifées au parking de la Tour Tanguy, en bas de la rue du Siam. Mais si vous craignez pour votre véhicule, mieux vaut opter pour les parkings payants longue durée du centre-ville.

🕐 **Organiser son temps** – Pensez à réserver à l'avance pour la visite de la base navale et de l'arsenal.

👁 **À ne pas manquer** – Le quartier de Recouvrance pour son parfum d'antan ; le musée des Beaux-Arts pour le fonds de l'école de Pont-Aven et les modèles réduits du musée de la Marine.

👪 **Avec les enfants** – Ne manquez surtout pas la visite d'Océanopolis pour tout apprendre avec eux de la vie océane.

🕯 **Pour poursuivre la visite** – Voir aussi l'île d'Ouessant, les Abers, Le Folgoët, Landerneau, les Enclos paroissiaux, Plougastel-Daoulas et la presqu'île de Crozon.

Comprendre

Les appétits anglais – En 1341, pendant la guerre de Succession, **Montfort** confie Brest à ses alliés anglais. Devenu duc de Bretagne, il tente en vain de chasser les intrus… En 1397, le roi Charles IV obtient une faveur du souverain d'Angleterre, dont il vient d'épouser la fille : Brest est restitué au duc.

Une fête funeste – Le 10 août 1512, la flotte anglaise attaque Brest. En ce jour de la Saint-Laurent, 300 invités dansent sur la *Belle Cordelière*, cadeau d'Anne de Bretagne à son duché. Pris dans le combat contre le *Régent*, principal navire de la marine ennemie, le vaisseau prend feu. Et son commandant, **Hervé de Primauguet**, crie à l'équipage et aux invités, pour les exhorter à bien mourir : *« Nous allons fêter saint Laurent qui périt par le feu ! »* Les deux nefs sautent ensemble…

Le Grand Siècle – Secrétaire d'État à la Marine à partir de 1669, **Colbert** fait de Brest la capitale navale du royaume. Pour s'assurer de bons équipages, il crée l'Inscription maritime, qui subsiste encore, et installe un collège de gardes-marine, des écoles de canonnage, d'hydrographie et de génie. Brest hérite d'une flotte magnifique : les vaisseaux atteignent 5 000 t et portent jusqu'à 120 gros canons. Duquesne améliore l'arsenal, entoure la ville de remparts et organise la défense du goulet. En 1694, Vauban complète ces travaux.

Le saviez-vous ?

👁 Étymologiquement, Brest signifie « colline » ; il est vrai que la ville est posée sur un plateau en pente douce. Depuis 1974, la communauté urbaine réunit Brest à huit communes voisines.

👁 Ville universitaire, Brest est aussi la capitale de l'océanographie. Ses instituts attirent 60 % des chercheurs de cette discipline : si Océanopolis est né à Brest, ce n'est pas par hasard !

👁 L'exclamation « Tonnerre de Brest ! » évoque le bruit des canons qui tonnaient autrefois lors de l'évasion d'un bagnard. Aujourd'hui, ceux-ci n'annoncent que le départ d'une régate.

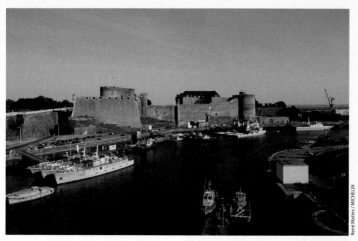

Le château de Brest veille toujours sur le port.

Rivalités franco-britanniques – En 1778, pendant la guerre d'Indépendance américaine, la frégate *La Belle Poule*, partie de Brest, met en fuite l'*Aréthuse* anglaise au large
d'Ouessant. La Cour de Versailles lui fait un succès, et toutes les dames se coiffent « à
la belle poule » : elles arborent un petit navire sur l'édifice de leur chevelure.

En 1799, un capitaine britannique parie qu'aucune frégate française ne pourra résister
à son *Québec*. **Du Couëdic**, qui commande *La Surveillante*, relève le gant et rencontre
l'Anglais à hauteur d'Ouessant. Le *Québec* brûle et saute avec son parieur. Quant à Du
Couëdic, avec deux balles dans la tête, une dans le ventre et le bras fracassé, il refuse
de quitter la dunette : « *Laissez donc, il y a deux heures que je suis mort !* ». Remorqué
à Brest, son navire reçoit un accueil triomphal.

Sous les bombardements – En juin 1940, à l'annonce de l'arrivée des Allemands, la
Marine française évacue le port, détruisant ponts et installations. Les forces d'occupation
construisent à Laninon un abri bétonné pour les sous-marins, véritable menace pour les
Alliés naviguant entre l'Amérique et la Grande-Bretagne. Cette situation vaut à la ville
quatre années de bombardements. En septembre 1944, quand les Américains pénètrent
dans Brest après quarante-trois jours de siège, la ville n'est plus que ruines.

Coques et voiles – En 1999, le *Charles-de-Gaulle*, premier porte-avions nucléaire
français, sort des chantiers navals pour prendre la relève du fameux *Clemenceau*. Mais
Brest doit surtout sa réputation au **rassemblement de vieux navires**, qui attire, tous
les quatre ans, une foule considérable. En 2004, ce rendez-vous des vieux gréements
avait remporté un vif succès : quelque 2 000 bateaux avaient paradé dans la rade,
offrant aux visiteurs le spectacle inoubliable d'une forêt de mâts et de cordages,
entourée d'une myriade de voiles multicolores et de coques, de toutes tailles et de
formes variées. La prochaine édition a lieu en 2008.

Découvrir

Océanopolis★★★

*Accès depuis le centre-ville : suivre la direction du port de plaisance du Moulin Blanc ;
en bus : ligne 7. Visite libre, compter au moins une demi-journée - ℘ 02 98 34 40 40 -
www.oceanopolis.com - �609 - avr.-août : 9h-18h ; sept.-mars : tlj sf lun. (sf pdt vac. scol.)
10h-17h, dim. et j. fériés 10h-18h - possibilité de visite guidée (2h) dim. 11h et 13h - fermé
1ᵉʳ-13 janv., 25 déc. - 15 € (enf. 10,50 €).*

Vaste bâtiment aux allures de crabe géant, Océanopolis, installé à proximité du
port de plaisance, est une superbe vitrine de la vie dans les océans. Il s'est considérablement développé en l'an 2000 : au pavillon tempéré, entièrement rénové, sont
venus s'adjoindre un pavillon tropical et un pavillon polaire. Dans ce lieu « vivant »,
qui abrite 10 000 animaux de 1 000 espèces différentes, des aquariums géants
reconstituent, de façon spectaculaire, la diversité propre à chaque milieu naturel.
À la beauté de ces décors sous-marins, soumis aux houles et aux marées recrées,
s'ajoute la richesse de l'information dispensée. Bornes interactives, maquettes, films
et animations mettent à la portée de chacun l'histoire des océans, et leur gestion
par l'homme.

Manchots à Océanopolis.

T. Joyeux / Oceanopolis

Pavillon tempéré – Un « engin de plongée » simule la descente vers une base sous-marine, au large des **côtes de Bretagne**. Chaque aquarium présente un milieu caractéristique : fonds de pêche du plateau continental, vasière des langoustines, paroi rocheuse, forêt de laminaires livrées à l'ondulation des algues, tombant rocheux où passent le saint-pierre et la roussette… À ne pas manquer : la chorégraphie des poissons de banc, la beauté de l'aquarium à méduses, et le **bassin des phoques veaux marins** (300 m³). L'étoile de mer et l'oursin sont les pensionnaires d'un **mini-laboratoire★** : on peut les manipuler, sous l'œil attentif d'un animateur. Une salle multimédia permet de comprendre la genèse des vagues et des courants. Un **film en 3D** présente l'écosystème breton sous un jour insolite.

Pavillon tropical – Dans un décor de palmiers évoquant la Polynésie française, on accède au **bassin des requins** (1 000 m³) où évoluent plusieurs espèces : pointe noire, taureau, requin nourrice, zèbre. L'exposition consacrée à ce prédateur fait la chasse aux idées reçues. Le requin est une proie… pour l'homme, car ses ailerons sont très prisés sur le marché asiatique. La traque de l'animal menace même l'existence de certaines espèces ! Une exposition a trait aux atolls. Dans les aquariums, chatoient les poissons de la Grande Barrière de corail, de l'océan Indien et des Caraïbes. Le parcours s'achève dans une **mangrove★** et dans une forêt tropicale.

Bon à savoir pour les gourmands : le self Atlantic Express offre une vue imprenable sur la rade ; le restaurant Vent d'Ouest donne sur le bassin des phoques.

Pavillon polaire – Un spectacle multimédia introduit à l'histoire de l'Arctique et de l'Antarctique. Le **bassin des manchots★** accueille 40 animaux facétieux – royaux, papous et gorfous sauteurs – sur la neige et des falaises. Le **bassin des phoques** (1 000 m³) recrée une banquise où s'ébrouent trois espèces : barbus, annelés, phoques du Groenland. Autre attraction inédite : un aquarium à krill présente ces minuscules crevettes, premier lien de la chaîne alimentaire des océans. La **station de recherche Concordia**, en forme d'igloo géant, explique la formation des glaces et leur intérêt pour comprendre l'histoire du climat. À voir encore : les maquettes (éléphants de mer, orques…) et surtout, le film tourné en Antarctique sur la vie sous-marine dans les glaces.

Se promener

LE CENTRE-VILLE *(1h)*

Éloquent témoignage de l'urbanisme d'après-guerre, avec son plan géométrique en damier, il s'ordonne autour de la **rue de Siam** où rien ne subsiste de la ruelle évoquée par Jacques Prévert dans l'un de ses plus célèbres poèmes, *Barbara*. Le nom de cette petite artère fait allusion aux trois ambassadeurs du roi de Siam qui débarquèrent à Brest le 18 juin 1686 pour se rendre à la cour de Louis XIV avec leur suite. Leur passage éblouit tellement les habitants qu'ils rebaptisèrent la voie en leur honneur. On peut faire un détour jusqu'à l'**église St-Louis**, inspirée en 1957 par les conceptions architecturales de Le Corbusier : clocher de ciment, édifice de pierres brutes.

LA CITÉ MARITIME *(environ 2h)*

Pont de Recouvrance (A2)

Inauguré en 1954, c'est le plus important pont-levant d'Europe (87 m de portée). Il enjambe la rivière Penfeld, au-dessus de la partie la plus ancienne de l'arsenal. Il atteint sa position haute en 2 mn 30 s. En amont du pont, sur la rive est, se trouve un canon de 380 mm, provenant du cuirassé *Richelieu*.

Cours Dajot (AB2)

Sur les remparts, cette promenade, édifiée en 1769 par des forçats, porte le nom de l'ingénieur qui établit les plans. La **tour Rose**, édifiée par l'American Battle Monuments, commémore l'accueil des Brestois aux Américains lors de la Grande Guerre. Détruite en 1941, rebâtie à l'identique en 1958, elle bénéficie toujours de l'extra-territorialité.

Vue sur la rade★★ – Ouverte sur l'océan par un goulet de 1,5 km, la rade est vaste (150 km^2) et profonde (12 à 20 m sur de grandes étendues). Ceci explique l'importance militaire qu'elle conserve depuis deux mille ans. Depuis la table d'orientation située à l'est du cours, la vue se déploie de l'embouchure de l'Elorn à la pointe de Portzic. Au premier plan s'étend le port de commerce. En face, sur la rive sud de la rade, l'École navale est installée à Lanvéoc. À côté, vers l'ouest, l'île Longue abrite la base des sous-marins nucléaires. Au-delà, on distingue la presqu'île de Crozon, qui s'achève par la pointe des Espagnols. En face, sur la rive de Brest, se trouvent le fort du Portzic et la rade-abri, située en avant du château : délimitée par ses digues, elle sert de mouillage à la flotte de guerre.

Port de commerce (A2)

À voir du cours Dajot. En 1861, l'embouchure de la Penfeld ne suffisait plus aux marines militaire et marchande. On créa ce port, dont le trafic commercial avoisine aujourd'hui les 2 000 000 t par an. C'est aussi un centre de réparation navale, qui abrite la plus grande forme de radoub du monde (420 m de long, 80 m de large). Elle peut notamment accueillir des plates-formes pétrolières de forage (plus de 500 000 t).

SE LOGER		SE RESTAURER	
Camping Le Goulet	①	Amour de Pomme de terre	①
Chambre d'hôte La Châtaigneraie	④	Cigogne Express	④
Hostellerie de la Pointe-St-Mathieu	⑦	Crêperie Moderne	⑦
Hôtel Center	⑩	Fleur de Sel	⑩
Hôtel Kyriad	⑬	Ma Petite Folie	⑬

LE QUARTIER DE RECOUVRANCE *(environ 1h30)*

On y accède en empruntant le pont de Recouvrance, qui part du bas de la rue de Siam et permet de traverser la Penfeld, au nord du château.

Une promenade dans ce quartier épargné par les bombardements de 1944 donne une idée de l'ambiance du Brest d'avant-guerre. Il regorge en effet de témoignages du passé, comme l'**église St-Sauveur**, la **rue St-Malol** ou la **Maison de la Fontaine** du 18e s., aujourd'hui lieu d'expositions temporaires *(18, r. de l'Église - ts les apr.-midi sf dim. et j. fériés)*.

👁 Visite guidée proposée par l'office de tourisme en été *(4 €)*. Il est aussi possible de se balader en suivant le parcours balisé par les « Voiles touristiques ».

Visiter

Musée des Beaux-Arts★ (B2)

📞 02 98 00 87 96 - tlj sf lun. 10h-12h, 14h-18h, dim. 12h-14h - fermé 1er janv., 1er Mai, dim. de Pâques et Pentecôte, 1er et 11 Nov. - 4 € (-18 ans gratuit), gratuit 1er dim. du mois.
Ses collections recèlent un grand nombre de toiles illustrant le courant symboliste, surtout l'école de Pont-Aven : *Bord de mer en Bretagne*, d'Émile Bernard, *Les Blés verts au Pouldu* de Paul Sérusier, *Jour de septembre* de Maurice Denis. Les tableaux des 17e et 18e s. appartiennent aux écoles italienne, française et hollandaise, dont *Le Port de Brest* (1774) par Van Blarenberghe. À voir encore : les *Deux Perroquets* de Manet, diverses marines et des œuvres orientalistes.

Château (A2)

Unique témoin de l'histoire du vieux Brest, il apparaît au 11e s. sur un site déjà fortifié par les Romains. À cette époque, Vauban modernise le système de défense, avec la transformation des terrasses à canons. Le château, qui a été restauré après la dernière guerre, abrite notamment la préfecture maritime.

Musée national de la Marine★ – 📞 02 98 22 12 39 - www.musee-marine.fr - de déb. avr. à fin sept. : 10h-18h30 ; de déb. oct. à fin mars : tlj 13h30-18h30 - fermé 25 déc., 1er Mai et tt le mois de janv. - 5 € (-18 ans gratuit) ou 3,50 €.
👥 Annexe du musée de la Marine à Paris, il présente l'histoire de l'arsenal et l'apogée de la marine à voile au 18e s. : précieux **modèles réduits** de navires, instruments de navigation, tableaux, maquettes… Il évoque aussi le bagne de Brest, construit au 18e s. et qui fut évacué en 1858. Au pied de la terrasse sont exposés un sous-marin de poche S622 et une embarcation de *boat people*, recueillie en mer de Chine par le navire-école *Jeanne d'Arc*, en 1988. La visite est jalonnée de majestueuses **figures de proue**. Elles furent sculptées par des artisans anonymes, ou par des artistes réputés comme Antoine Coysevox, portraitiste de Louis XIV.

Salle des sculptures navales du 19e s. (Indien et Amphitrite), musée national de la Marine de Brest.

Tour Tanguy (A2)

Située face au château, sur l'autre rive de la Penfeld, l'ancienne bastille de Quilbignon (14e s.) domine l'arsenal.
Le **musée du Vieux Brest** est consacré à la cité d'autrefois, dont rien ou presque n'a subsisté depuis la dernière guerre : collection d'armoiries, plans de la ville, dioramas, maquettes. *Squ. Pierre-Péron - 📞 02 98 00 88 60 - juin-sept. : 10h-12h, 14h-19h ; oct.-mai : merc. et jeu. 14h-17h, w.-end et j. fériés 14h-18h ; vac. scol. zone A : 14h-18h - fermé 1er janv., 1er Mai et 25 déc. - gratuit.*

Jardin des Explorateurs (A2)

Sur les bords de la Penfeld, du même côté que la tour Tanguy. Accès par la rue de l'Église.
Traditionnel dans un port qui devait acclimater des plantes exotiques, ce petit jardin tout en longueur rappelle les principales expéditions (Bougainville, Commerson, La Billardière, Raoul) et présente des variétés plus connues sous d'autres latitudes : palmiers, fougères arborescentes, lin de Nouvelle-Zélande, anémone du Japon… La passerelle offre une belle vue sur le château et l'arsenal.
Face à l'entrée du jardin se trouve la « Maison de la Fontaine » *(voir Se promener)*.

Base navale et arsenal★ (A1)

En 1631, Richelieu décide la création du port de Brest. Un demi-siècle plus tard, Colbert développe ses installations sur les rives de la Penfeld, dont l'estuaire encaissé et sinueux protège parfaitement des tempêtes les petits navires de l'époque. Puis, de 1740 à 1790, Choquet de Lindu entreprend la construction d'un véritable arsenal. Et à la fin du 19e s., une digue est érigée, délimitant une vaste rade-abri.

Sur cette longue **jetée**, deux épis permettent l'accostage des grandes unités. Les **bassins** 8 et 9 sont de dimension suffisante (environ 320 m sur 50 m) pour accueillir les plus grands vaisseaux de la flotte française. Le **quai de l'armement** est utilisé pour la maintenance des navires. Le **quai des flottilles** concentre la majeure partie des unités de combat de la flotte de l'Atlantique.

Gilles Targat / MICHELIN

Deux navires de guerre du port militaire.

La visite de l'arsenal – ☏ 02 98 22 06 12 - juil.-août : 14h30-16h, w.-end et j. fériés 14h30-15h15 ; de mi-juin à fin juin : visite guidée 14h30, 15h ; visite libre de déb. sept. à mi-sept. : 14h30, 15h - gratuit - les appareils photo et les animaux sont interdits - visites susceptibles d'être suspendues en raison de l'application du plan Vigipirate. Pièce d'identité exigée pour les ressortissants des États membres de l'Union européenne et de l'Otan (pour les ressortissants d'autres pays, sur demande préalable 3 sem. av. la visite).

On y découvre la base sous-marine construite en 500 jours par les Allemands pendant la dernière guerre (65 859 m²). Malgré 10 impacts de bombes de 6 t au cours du bombardement du 5 août 1944, l'ensemble est resté intact. Dans ses alvéoles, on répare aujourd'hui les navires de faible tonnage. En fonction des disponibilités à quai, vous pourrez éventuellement voir un bâtiment de guerre de la Marine nationale.

Mémorial des Finistériens

Allée Bir-Hakeim. Quittez le centre-ville à l'ouest par le pont de Recouvrance en direction du Conquet ; le fort Montbarey se trouve sur la droite, dès que l'on rejoint la D 789 - ☏ *02 98 05 39 46 -* ⚐ *- tlj sf w.-end 9h-12h, 14h-18h, possibilité de visite guidée (1h30) - fermé j. fériés - 5 € (enf. 3 €).*

Le fort Montbarey, construit en 1784 sous Louis XVI, porte le nom d'un de ses ministres. Aujourd'hui, il commémore le souvenir du Finistère sous l'Occupation : matériel militaire, exposition sur les évasions vers la Grande-Bretagne, wagon de la déportation, photos de Brest en ruine en 1944… Dans la crypte se déroule la liste des Finistériens « morts pendant et à cause de la guerre » du 3 septembre 1939 au 19 décembre 1946 (date du retour des volontaires de la lutte contre le Japon).

Conservatoire botanique national du vallon du Stang-Alar★★

À l'est de la ville par la r. Jean-Jaurès, puis par la rte de Quimper - ☏ *02 98 02 46 00 - jardin avr.-sept. : 9h-20h ; oct.-mars : 9h-18h -* ⚐ *- pavillon d'accueil (expo) merc. et dim. 14h-16h30 - visite guidée des serres (1h15, prendre les billets au pavillon d'accueil 14h-16h) de mi-sept. à fin juin (sf vac. de Noël) : dim. et j. fériés 16h30, visite libre de déb. juil. à mi-sept. : tlj sf vend. et sam. 14h-17h30 - 3,50 € (-12 ans 1,75 €), gratuit jardin et pavillon d'accueil.*

Ce prestigieux conservatoire botanique se voue aux plantes menacées d'extinction : il assure leur conservation et tente de les réintroduire dans leur milieu naturel. C'est ainsi qu'il a sauvegardé le *Ruizia cordata*, arbuste des zones tropicales sèches dont il ne subsistait que peu de spécimens à La Réunion.

Vous pourrez également admirer la spectaculaire floraison du géranium de Madère, originaire des îles subtropicales. Son **parc paysager** (22 ha) recèle en outre des plantes ornementales courantes : magnifiques magnolias, nombreux camélias. Les **serres** (1 000 m²) se répartissent quant à elles en divers milieux exotiques : l'étage montagnard tropical, les îles subtropicales, les zones tropicales sèches, et les forêts tropicales humides.

Circuits de découverte

PRESQU'ÎLE DE PLOUGASTEL

*Circuit de 56 km - environ une demi-journée.
Quittez Brest à l'est par la N 165 en direction
de Quimper.*

On laisse sur la gauche la route menant au
Relecq-Kerhuon, station située sur la rive
droite de l'Elorn.

Les ponts sur l'Elorn

Le **pont Albert-Louppe** (*interdit aux voitures*), inauguré en 1930 par le président
Doumergue, franchit l'estuaire de l'Elorn,
qu'il domine de 42 m. Long de 880 m, il
compte trois arches de 186 m. Quatre sta-

Zone Asie du Conservatoire botanique.

tues du sculpteur Quillivic veillent à ses extrémités. Depuis l'inauguration du pont
de l'Iroise, l'ouvrage est réservé aux cyclistes et piétons, qui peuvent ainsi profiter
de la très belle **vue★** sur la vallée de l'Elorn et la rade de Brest.

Le **pont de l'Iroise★**, ouvrage des architectes Le Friant et Terzian, s'enorgueillit d'un
record du monde : la portée par nappe axiale, avec une travée centrale de 400 m.
Contrairement au pont de Normandie, les haubans des deux immenses pylônes sont
fixés sur le terre-plein central et non pas sur la chaussée. Inauguré en 1994, ce pont
assure la continuité routière entre Brest et Quimper. Il est le premier maillon, côté
français, du grand axe de trafic international E 60 qui reliera Brest à la mer Noire (*via*
la Suisse, l'Autriche et la Hongrie).

*1 km après le pont, tournez à droite vers Plougastel-Daoulas. Suite de l'excursion décrite
à Plougastel-Daoulas.*

À LA DÉCOUVERTE DES POINTES

*Itinéraire de 56 km – environ 2h. Quittez Brest à l'ouest par le pont de Recouvrance pour
gagner la route de la Corniche. Continuez tout droit aux Quatre-Pompes. À l'entrée de
Cosquer, tournez à gauche.*

Sainte-Anne-du-Portzic

Au fond de l'anse de Ste-Anne, en bordure de plage, une courte promenade sur le
sentier côtier offre de belles vues. Une montée conduit à la pointe du Diable, face
au Goulet.

Lové dans ce site extraordinaire, qui domine l'entrée de la rade, le **technopôle Brest-
Iroise** rassemble des établissements d'enseignement supérieur, des entreprises et des
centres de recherche comme l'Institut français pour l'exploitation de la mer (Ifremer).
Autres points forts : les biotechnologies, l'agroalimentaire, les télécommunications
et l'informatique.

Gagnez la D 789.

La route longe la plage de Trez-Hir (vue sur l'anse de Bertheaume), puis traverse
Plougonvelin.

Fort de Bertheaume

℘ 02 98 48 26 41 - juil.-août : 11h-19h ; mai-juin et sept. : tlj sf lun. 14h-18h ; 15 avr.- 1ᵉʳ mai :
14h-18h ; fermé oct.-mars - 2,50 € (-6 ans gratuit).
Fortifié par Vauban, à l'entrée du Goulet de Brest, cet ouvrage défensif est l'occasion
d'une promenade sur le sentier côtier.

Saint-Mathieu★★

St-Mathieu, qui était au 14ᵉ s. une ville importante, n'est plus aujourd'hui qu'un
village, réputé pour son beau site.

Le **phare** a une portée de 55 à 60 km. Une fois gravies les 163 marches, le **panorama★★**
est superbe. De gauche à droite : l'entrée du Goulet de Brest, la presqu'île de Crozon, la
pointe du Raz, l'île de Sein, l'île de Beniguet, Molène et Ouessant. Derrière Beniguet,
on distingue parfois le phare de la Jument, situé à 30 km. ℘ 02 98 48 30 18 - www.
plougonvelin.fr - visite guidée (20mn) - juil.-août : 10h-19h (1ʳᵉ sem. de juil. et dernière
d'août : 10h-12h, 14h-19h) ; mai-juin et sept. : w.-end et j. fériés 15h-18h30 (dernière entrée
20mn av. fermeture) - fermé oct.-avr. - 2 € (enf. 1 €, -6 ans gratuit).
Les ruines de l'**abbatiale★** sont les restes d'un monastère bénédictin fondé au 6ᵉ s. et
qui, selon la légende, aurait possédé comme relique la tête de saint Mathieu, rapportée

d'Égypte par des marins du pays. Le chœur (13e s.) est flanqué d'un donjon carré. La nef, aux piliers ronds ou octogonaux, est bordée, au nord, d'un seul bas-côté et, au sud, de deux bas-côtés (16e s.). En avant de la chapelle N.-D.-des-Grâces, restaurée, remarquez un porche, vestige de l'ancienne église paroissiale.

Pointe de Saint-Mathieu – *Pour vous y rendre, contournez l'enceinte du phare.* La **colonne**, érigée à la mémoire des marins français morts pendant la Première Guerre mondiale, est l'œuvre du sculpteur Quillivic.

Au retour, à 300 m de St-Mathieu vers Plougonvelin, on remarque sur la gauche, près d'une maison, deux **stèles** gauloises surmontées d'une croix et appelées le Gibet des Moines.

Voir « les Abers » pour la suite de l'itinéraire, à savoir la pointe des Renards et Le Conquet que l'on gagne par la corniche. Ensuite, regagnez Brest par la D 789.

Brest pratique

Adresse utile

Office du tourisme de Brest – *1 pl. de la Liberté - 29200 Brest -* ☎ *02 98 44 24 96 - www.brest-metropole-tourisme.fr - juil.- août : 9h30-19h, dim. 10h-12h, j. fériés 10h-18h ; reste de l'année : tlj sf dim. et j. fériés 9h30-18h.*

Transports

Bus – Le ticket à l'unité *(1,10 €)*, valable 1h, s'achète auprès du conducteur ; le ticket journée *(3 €)* s'achète auprès du conducteur ou au point d'accueil Bibus - *33 av. Clemenceau -* ☎ *02 98 80 30 30 - www.bibus.fr.*

Liaisons avec les Îles

Avec Ouessant – *contact@pennarbed.fr - liaisons maritimes assurées tlj, tte l'année. Réserv. obligatoire à la Compagnie Penn Ar Bed -* ☎ *02 98 80 80 80 - 33,10 € (4-16 ans 19,70 €).*

Avec Molène – *contact@pennarbed.fr - liaisons maritimes assurées tlj, tte l'année. Réserv. obligatoire à la compagnie Penn Ar Bed -* ☎ *02 98 80 80 80 - de 23,40 à 27,50 € (4-16 ans de 14,20 à 16,60 €).*

Avec Sein – *contact@pennarbed.fr - compagnie maritime Penn Ar Bed -* ☎ *02 98 80 80 80 - liaisons maritimes tlj, tte l'année au dép. d'Audierne ; de juin à mi-sept. : dim. dép. de Brest 8h ; dép. de Sein 17h - de 23,40 à 30,70 € (enf. de 14,20 à 18,50 €).*

Liaisons aériennes – *29490 Guipavas - www.finistair.fr - dép. de Brest 8h30 et 16h45 ; dép. d'Ouessant 9h et 17h45 - 63 €.*

Se loger

● **Chambre d'hôte La Châtaigneraie** – *Keraveloc - 29490 Guipavas - à l'E de la ville, au-dessus du conservatoire botanique -* ☎ *02 98 41 52 68 - http://site.voila.fr/la. chataigneraie -* ✉ *- 4 ch. 42/50 €* ☑*.* Cette grande demeure des années 1970 perchée sur les hauteurs du Stang-Alar jouit, par beau temps, d'une vue étendue sur la rade de Brest. Ses chambres, spacieuses et de bon confort, profitent de la tranquillité du parc. Salon-bibliothèque,

salle de jeux et piscine couverte (chauffée de mai à septembre).

● **Camping Le Goulet** – *Ste-Anne-du-Portzic-Lanhouarnec - 6 km à l'O par D 789 rte du Conquet puis à gauche rte de Ste-Anne-du-Portzic, au lieu-dit Lanhouarnec -* ☎ *02 98 45 86 84 - www.campingdugoulet.com -* ✉ *réserv. conseillée - 150 empl. 17 €.* Entre campagne et océan, ce camping permet de rayonner facilement dans les environs de Brest. Partie réservée aux tentes bien tenue ; locations de cottages et de mobile homes. Espace aquatique avec « balnéo », salle de jeux et snack.

●◻ **Hôtel Kyriad** – *157 r. Jean-Jaurès -* ☎ *02 98 43 58 58 - www.kyriad-brest.com - 50 ch. 59/64 € -* ☑ *7,50 €.* Bien calfeutré à l'intérieur de votre chambre, de préférence au calme côté cour, vous dormirez sur vos deux oreilles. Décor moderne et sobre.

●◻ **Hôtel Center** – *4 bd Léon-Blum -* ☎ *02 98 80 78 07 - www.hotelcenter.com -* ❑ *- 150 ch. 70 € -* ☑ *7,50 € - rest. 12/32 €.* À l'entrée du centre-ville, cet hôtel assez récent propose des chambres bien tenues, souvent spacieuses ; les « familiales » bénéficient d'une mezzanine. Espace de remise en forme, sauna et hammam. Au restaurant l'Atlantide, menus et carte élaborés à partir de produits frais du marché, servis dans une salle climatisée au cadre marin.

●◻◻ **Hostellerie de la Pointe St-Mathieu** – *29217 La Pointe-de-St-Mathieu -* ☎ *02 98 89 00 19 - saintmathieu.hotel@wanadoo.fr - fermé fév. - 28 ch. 90/160 € -* ☑ *10 € - rest. 33/65 €.* Cet hôtel-restaurant voisin des phares et des ruines de l'abbaye occupe une maison ancienne agrandie d'une aile récente où sont installées les confortables chambres. Attablez-vous dans sa jolie salle à manger voûtée avec cheminée ou, si vous optez pour un repas rapide, dans sa brasserie.

Se restaurer

● **Cigogne Express** – *34 r. Jean-Macé -* ☎ *02 98 80 52 17 - cigogneexpress@ hotmail.com - le midi du lun. au sam. et* *vend. soir - fermé 3 sem. en août - 8/15 €.* Ce restaurant, anciennement spécialisé dans la livraison à domicile, a conservé son enseigne d'origine. Aujourd'hui, on s'attable dans une petite salle moderne autour d'assiettes gourmandes – très copieuses – dont la composition change au gré de l'imagination de la cuisinière.

😊 **Crêperie Moderne** – *34 r. Algésiras - ☎ 02 98 44 44 36 - fermé dim. sf en été - 8/15 €.* Si la longévité est un gage de qualité, cette maison-là décroche la palme ! Fondée en 1922, elle continue de faire courir les Brestois qui la fréquentent avec assiduité, ne se lassant pas d'admirer la dextérité des crêpières sur leurs douze *bilings.*

😊 **Amour de Pomme de Terre** – *23 r. des Halles-St-Louis - ☎ 02 98 43 48 51 - contact@amourdepommedeterre.com - fermé 1er janv. et 25 déc. - 8,90/24 €.* Amandine et samba ? Ici, ce sont deux variétés de pomme de terre, qui se déclinent sur toutes les formes dans cette petite salle souvent bondée où la convivialité est de rigueur. Également sur la carte, pierrades, grillades, recettes savoyardes, périgourdines et bretonnes.

😊😊 **Ma Petite Folie** – *Plage du Moulin-Blanc, à côté du port de plaisance - ☎ 02 98 42 44 42 - fermé 1er-10 janv. et dim. -21/27 €.* Manger à bord d'un langoustier sans avoir le mal de mer ? Inconcevable, sauf sur ce navire mis en cale sèche sur le sable. On y déguste des produits de la mer, bien sûr, à l'intérieur de la coque, ou sur le pont supérieur par beau temps… Quelle escale épique !

Hôtel de ville place de la Liberté.

😊😊😊 **Fleur de Sel** – *15 bis r. de Lyon - ☎ 02 98 44 38 65 - www.lafleurdesel.com - fermé 1er-7 janv., 1er-21 août, sam. midi et dim. - 26/38 €.* Ce restaurant du centre-ville connaît un franc succès. Le cadre, d'inspiration Art déco, est élégant et lumineux, la cuisine traditionnelle actualisée séduit les gourmets, et l'équipe assure un service souriant et attentif. Bon rapport qualité-prix.

Que rapporter

Marchés – Tlj sf le dim., le mat., aux halles St-Martin ; mar. et vend., le mat. aux halles du Pilier Rouge ; dim. mat., aux halles St-Louis.

« Kerjean » – *79 r. de Siam - ☎ 02 98 44 36 71 - http://www.produits-exotiques.com - tlj sf dim. 9h-12h, 14h-18h30 - fermé 1 sem. en janv. et j. fériés.* Gourmands amateurs d'arômes subtils et exotiques, courez-y. Foie gras, thés, épices, alcools, vins, caviar… Les produits du monde entier rassemblés par Marcel et Gisèle Kerjean font l'unanimité depuis plus de 35 ans.

Sports & Loisirs

Les Crocodiles de l'Elorn – *Les Crocodiles de l'Elorn - port du Moulin-Blanc - ☎ 02 98 41 73 81 - www.crocos.fr - tlj sf dim. et lun. 9h30-12h, 14h-17h30.* Les Crocodiles de l'Elorn ont été élus premier club de windsurf en 2005. Encadrement par des moniteurs diplômés, stages permettant d'acquérir les bases de la planche à voile dès 7 ans, perfectionnement et initiation à la compétition.

Station nautique Rade de Brest – *Centre nautique de Brest - port du Moulin-Blanc - ☎ 02 98 34 64 64 - www.brest-metropole-tourisme.fr - tlj sf dim. apr.-midi 8h45-12h15, 13h45-17h30 - fermé vac. de Noël.* Activités nautiques variées, pour tous âges et niveaux : catamaran, dériveur, planche, kayak, aviron, voile, plongée, etc. Location de supports.

Compagnie des Vedettes armoricaines – *Port de commerce - 1er bassin - ☎ 02 98 44 44 04 - avr.-oct. :* vers les îles de Molène et d'Ouessant - dép. : Le Conquet, Brest, Camaret et Lanildut (promenades en mer, dép. Le Conquet en été) - En été, visite des phares en mer autour d'Ouessant, une fois par semaine - achat et réservation en ligne.

Compagnie maritime Penn Ar Bed – *Port de Commerce 1er éperon, CS 92928 - ☎ 02 98 80 80 80 - www.pennarbed.fr -* liaisons assurées tlj, tte l'année. 3 dép. fixes : 8h30 à Brest, 9h45 au Conquet, 9h30 à Audierne-Esquibien. Îles d'Ouessant, de Molène et de Sein. Traversée de la Rade en été : Brest-Camaret - dép. supp. en sais., se renseigner.

Sopab « La Recouvrance » – *☎ 02 98 33 95 40 - www.larecouvrance.com - tlj sf sam.-dim. 8h30-12h, 14h-18h30 - fermé j. fériés - de 39 à 78 €.* Réplique d'un navire militaire du siècle dernier, cette aviso-goélette de 42 m embarque pour des croisières ou des sorties à la journée - croisière de 2 à 6 j. (dates fixes) avr.-oct. - découverte de différentes zones maritimes : Brest à La Trinité via les îles de Bretagne sud, en mer d'Iroise, de Brest à Concarneau en 3 j. via les Glénan.

Événement

Les « Jeudis du port » – *Juil.-août - jeu. 19h30-minuit -* animations de rues et de concerts gratuits au port de commerce.

Brignogan-Plages★

849 BRIGNOGANAIS
CARTE GÉNÉRALE B1 – CARTE MICHELIN LOCAL 308 F3 – FINISTÈRE (29)

C'est à l'occasion des premiers congés payés, en 1936, que Brignogan s'est vu adjoindre le substantif « Plages ». Une façon de valoriser, à juste titre, sa vocation de station balnéaire. Joliment située au fond de l'anse de Pontusval, elle intercale en effet plages de sable fin et amoncellements de rochers gigantesques aux formes parfois curieuses.

◗ **Se repérer** – Brignogan-Plages est à 11 km du Folgoët par la D 770, soit 30 km au nord de Brest, et 23 km à l'ouest de St-Pol-de-Léon par la D 10. Sans véritable centre, la station dispose de plusieurs plages dispersées.

◷ **Organiser son temps** – Une paire d'heures suffit à faire le tour de Brignogan. Prévoyez des chaussures de marche pour arpenter les falaises.

◉ **À ne pas manquer** – Une balade jusqu'à la pointe de Pontusval, en particulier pour voir le menhir de Men Marz.

♿ **Pour poursuivre la visite** – Voir aussi les Abers, Le Folgoët, les Enclos paroissiaux et St-Pol-de-Léon.

Séjourner

Jadis, la côte était habitée par des paysans-pêcheurs très pauvres. On raconte qu'ils allumaient volontiers des fanaux sur les dunes, afin de tromper les vaisseaux croisant au large, et rafler leur cargaison…

L'avènement des congés payés, en 1936, a mis fin à ces histoires, si elles ont jamais été prouvées. Depuis cette date, Brignogan accueille chaque année des familles entières, venues passer leur été sur ses plages et se ressourcer à son atmosphère si paisible.

La chapelle Pol et sa tour de guet.

Plages
Les baigneurs ont le choix entre les plages du Garo et du Lividic à l'est, du Crapaud, du Petit Nice, des Chardons Bleus et du Phare à l'ouest.

Pointe de Pontusval
D'énormes blocs granitiques se dressent au ras des maisons ou dans les champs.
Avec plus de 8 m de haut, le menhir christianisé (surmonté d'une croix) de **Men Marz** compte parmi les plus hauts menhirs de Bretagne.

Chapelle Pol
Cette chapelle du 19e s. forme un charmant ensemble avec le calvaire et la petite tour de guet, construite sur deux rochers.

Aux alentours

Église de Goulven
7,5 km au sud-est. Prenez la direction de la plage du Lividic ; longez par la côte l'anse de Goulven. Dans Plounéour-Trez, tournez à gauche aussitôt après l'église.
Bâtie aux 15e et 16e s., elle possède un **clocher★** Renaissance qui compte parmi les plus beaux de Bretagne. À l'intérieur, on découvre un monumental bénitier Renaissance, et la tribune d'orgues (16e s.) qui est un ancien jubé transformé. Le maître-autel en granit de Kersanton est précédé d'un petit autel, décoré de six panneaux illustrant les miracles de saint Goulven. En été, deux belles bannières brodées du 17e s. sont exposées dans le chœur.

Keremma
10,5 km au sud-est, route de Plouescat.
Maison des dunes – ✆ 02 98 61 69 69 - www.maisondesdunes.org - juil.-août : lun. 10h30-18h, mar.-vend. et dim. 14h30-18h ; reste de l'année : 1er dim. du mois 14h30-18h - 3,50 € (-15 ans gratuit). Implanté sur l'un des plus grands cordons

dunaires de Bretagne, ce centre d'interprétation apprend à mieux connaître ce milieu fragile pour mieux le protéger : sentier pédagogique *(accès libre)*, muséographie, animations en saison.

👁 La Maison des dunes organise des sorties nature et ornithologiques en été, et toute l'année, des randonnées pédestres accompagnées.

Plouescat

18 km à l'est par la D 10 qui longe la côte.

Cette petite station balnéaire abrite des **halles** de la fin du 15e s. *(pl. gén.-de-Gaulle)*, mais elle est surtout connue pour ses **plages**, tantôt étendues, tantôt circonscrites à des criques. Certaines sont de sable fin, comme Porsmeur ou la baie du Kernic, idéale pour le char à voile et le kite-surf. D'autres présentent un aspect plus rocheux comme à Menfig et Poulfoën, les plus courues.

👁 La plage de Porsmeur propose aux personnes à mobilité réduite des « fauteuils hippocampes » permettant un déplacement sur le sable et dans la mer.

Brignogan-Plages pratique

Adresses utiles

Office du tourisme de Brignogan – 7 av. du Gén.-de-Gaulle - 29890 Brignogan-Plages - ✆ 02 98 83 41 08 - www.ot-brignogan-plage.fr - juil.-août : lun. 10h-13h, 16h-19h, merc.-sam. 9h30-13h30, 16h-19h, dim. et j. fériés 10h-13h ; reste de l'année : tlj sf dim., lun. et sam. apr.-midi 10h30-12h30, 13h30-16h.

Office du tourisme de Plouescat – 8 r. de la Mairie - 29430 Plouescat - ✆ 02 98 69 62 18 - www.tourisme-plouescat.com - juil.-août : 9h-12h30, 13h30-18h, dim. et j. fériés 10h-12h ; reste de l'année : mar.-sam. 9h-12h30, 13h30-17h.

Se loger

🛏🍽 **Hôtel Castel Régis** – *Prom. du Garo* - ✆ 02 98 83 40 22 - www.castelregis.com - fermé 1er oct.-30 avr. - 🅿 - 22 ch. 72/110 € - 🍴 9 €. L'emplacement enchanteur dans un grand jardin bordant l'anse de Pontusval est l'atout majeur de cet hôtel composé de plusieurs pavillons. Chambres au sobre décor marin.

Événement

Courses hippiques en août sur l'hippodrome marin de la baie du Kernic

---

Côte des **Bruyères** ⭐

CARTE GÉNÉRALE C1 – CARTE MICHELIN LOCAL 308 I/K 2/3 – FINISTÈRE (29) CÔTES-D'ARMOR (22)

Cette section du littoral de la Manche tire son nom des jolies plantes à fleurs violettes qui y poussent. À l'écart des grandes voies de communication, ce morceau de littoral tourmenté recèle des criques et de très belles plages, idéales pour la baignade en famille. Des sentiers sillonnent les falaises pour relier les pointes escarpées d'où vous aurez une vue splendide sur les baies environnantes et sur la Manche.

▷ **Se repérer** – La Côte des Bruyères s'étend de la baie de Plestin-les-Grèves, en baie de Lannion, jusqu'à la pointe de Diben, en bordure de la baie de Morlaix. On y accède à partir de Morlaix et de Lannion par la D 786, ou par la N 12 (sortie Plouégat-Moysan).

🕐 **Organiser son temps** – Entre la visite de ses églises et l'exploration de ses criques, la Côte des Bruyères vous retiendra une bonne journée. Pensez à consulter les marées pour profiter au mieux du spectacle dans des sites copmme la Lieue de Grève.

👁 **À ne pas manquer** – L'enclos paroissial de St-Jean-du-Doigt et la côte tourmentée de la corniche de l'Armorique.

🕯 **Pour poursuivre la visite** – Voir aussi la Côte de Granit rose, Trégastel-Plage, Perros-Guirec, Lannion et la baie de Morlaix.

Circuit de découverte

DE SAINT-MICHEL-EN-GRÈVE À LA POINTE DE DIBEN

38 km – environ 4h.

Saint-Michel-en-Grève

Dédié à l'archange Michel, ce petit centre balnéaire possède une église joliment située au bord de la mer.

Lieue de Grève★

Cette magnifique plage, longue de 4 km, occupe le fond de la plus grande baie des Côtes-d'Armor. À marée basse, elle se découvre sur près de 2 km. Des ruisseaux, où l'on pêche la truite, y rejoignent la mer par des vallons verdoyants. Nombreux sentiers piétonniers aux alentours.

La route, très pittoresque, suit la côte boisée et contourne la masse du Grand Rocher.

Montée au Grand Rocher★ – *45mn à pied AR. La route à gauche, juste avant le Grand Rocher, permet d'accéder à un parking.* Du belvédère haut de 80 m, très belle **vue★** sur la Lieue de Grève. À marée haute, et surtout en hiver par vent de nord-ouest, le spectacle des rouleaux d'écume qui se succèdent sur la plage et déferlent contre le brise-lames protégeant la chaussée exprime de façon spectaculaire le fonctionnement du ressac.

Saint-Efflam

À côté de la chapelle St-Efflam, nichée dans la verdure, coule une fontaine surmontée d'un dôme massif. Sur la plage qui porte son nom, l'ermite Efflam, venu d'Irlande, débarqua en 470 avec ses sept compagnons.

Prenez à gauche vers Plestin.

Plestin-les-Grèves

L'**église** marie les styles gothique et Renaissance. Elle abrite le tombeau de l'ermite Efflam, qui s'installa ici, fonda un monastère et y mourut en 512. Son gisant est vêtu en roi (1576). Vitraux modernes d'un atelier de Quintin.

Revenez à la route côtière.

Corniche de l'Armorique★

Entre St-Efflam et Locquirec, la route suit une côte accidentée. Après la pointe de Plestin, belle vue à marée haute sur l'anse de Locquirec et sa pointe. Le port de Toul-an-Hery se niche à l'embouchure du Douron. À l'est, on découvre le début de la Côte de Granit rose jusqu'à Trébeurden.

Locquirec

Lancée par l'écrivain Pierre Zaccone au 19ᵉ s., la station compte plusieurs plages très agréables. Sa jolie **église★** à clocher Renaissance conserve, au niveau du chœur et du transept, des voûtes lambrissées recouvertes de peintures du 18ᵉ s. Au maî-tre-autel, **retable★** du 16ᵉ s. en haut relief figurant des scènes de la Passion de facture naïve. *Juil.-août : 10h-18h.*

René Mattes / MICHELIN

Le port de Locquirec.

Pointe de Locquirec★ – *30mn à pied AR.* Cette promenade, qui s'amorce près du chevet de l'église, fait le tour de la pointe : belles vues sur la baie de Lannion.

Après Moulin de la Rive, prenez à droite la route de la corniche qui surplombe la mer.

Table d'orientation de Marc'h Sammet

Érigée sur une avancée rocheuse, elle offre de remarquables **vues★**, à l'est, sur les plages du Moulin de la Rive et des Sables Blancs, la pointe du Corbeau et ses rochers ; au nord, sur l'île de Losquet qui se signale par le pylône du Cnet. À l'ouest s'étend la plage de Poul Rodou *(accès : 800 m plus bas).*

Gagnez Christ et tournez à droite. Suivez les panneaux directionnels menant à la route touristique. Serpentant sur le plateau, cette route en corniche permet d'apprécier la côte, de la pointe de Trégastel à la pointe de Primel. *À la plage de St-Jean-du-Doigt, prenez à gauche.*

Saint-Jean-du-Doigt★

L'**enclos paroissial** s'ouvre par une porte triomphale du 16ᵉ s. À gauche, la haute **fontaine**★ Renaissance (socle en pierre et vasques en plomb) est dominée par Dieu le Père bénissant le baptême de son Fils par saint Jean Baptiste.

Église★ – Le doigt de saint Jean Baptiste, apporté vers 1420 à la chapelle St-Mériadec qui s'élevait jadis en ce lieu, fit des miracles. Les pèlerins affluèrent… En 1440, on décida l'édification d'une grande église, réalisée en style flamboyant et achevée en 1513. À la base du clocher, adossés aux contreforts, se trouvent deux petits ossuaires ; celui de droite est gothique, l'autre, Renaissance.

Le **trésor**★★ comprend plusieurs reliquaires, des calices, une croix processionnelle en argent doré, un tube en cristal (antérieur au 16ᵉ s.) renfermant la première phalange de l'index de saint Jean Baptiste. 📞 02 98 67 34 07 - 9h-18h.

Plougasnou

Au centre de cette modeste bourgade, l'**église**, en majeure partie du 16ᵉ s., s'ouvre sur la place par un porche Renaissance. À 300 m du bourg, par la rue au chevet de l'église, gagnez l'**oratoire N.-D.-de-Lorette**. Ce monument de granit (1611) présente un toit de pierre ; deux atlantes en gardent l'entrée.

Passez devant le syndicat d'initiative, et au 3ᵉ carrefour, tournez à droite et traversez Ste-Barbe.

Primel-Trégastel★

Sa plage de sable fin profite d'un beau site, près de rochers comparables à ceux de Ploumanach et de Trégastel.

Pointe de Primel★

🚶 *30mn à pied AR.* La pointe est un véritable chaos de **rochers** roses. Du mamelon central, le **panorama** s'étend de la baie de St-Pol-de-Léon à la côte de Trébeurden ; au large, on distingue le phare de l'île de Batz et l'île aux Moines (Sept-Îles). Son extrémité est séparée du reste de la presqu'île par une crevasse, qui ne peut être franchie qu'à marée basse, et dans le creux de laquelle se trouve une grotte.

À 1 km, tournez à droite ; la route passe à proximité de viviers. Dans le Diben, pittoresque village de pêcheurs, tournez à droite, direction les Viviers-le-Port ; 100 m après, prenez en face vers le port la route qui mène à une digue. Peu avant celle-ci, prenez à gauche le sentier qui mène à la pointe de Diben.

Pointe de Diben

Belle vue sur toute la baie et la pointe de Primel.

Aux alentours

Château de Rosanbo★

8,5 km au sud de St-Michel-en-Grève par les D 786 et D 22 - ℘ 02 96 35 18 77 - visite guidée (40mn) juil.-août : 11h-18h ; avr.-juin et sept. : 14h-17h ; oct. : w.-end et j. fériés 14h-17h - fermé 2 nov.-31 mars - 7 € (-12 ans 5 €).

Le château s'élève sur les fondations d'un vieux castel du 14e s. dominant la vallée du Bô, d'où son nom breton qui signifie « rocher sur le Bô ».

L'édifice actuel englobe, à l'ouest, le manoir du 15e s. Agrandi au 17e s. (toits à la Mansart) et au 18e s., il a été restauré au 19e s. Les salles ouvertes au public sont meublées et décorées avec raffinement. Des documents d'archives ont permis la reconstitution des deux pièces les plus authentiques de la demeure : la salle à manger et le salon du 18e s. La **bibliothèque**, qui donne sur une terrasse agrémentée d'un vaste bassin, est riche de plus de 8 000 volumes.

Un magnifique **jardin** à la française, œuvre d'Achille Duchêne, paysagiste de renom du 19e s., borde le flanc nord-est du château. Remarquez les **charmilles**, longues de près de 2 500 m et les « salles de verdure » (petites clairières dans les bosquets) dont chacune avait sa fonction : manège d'équitation, aire d'entraînement, tennis…

Lanmeur

À 15 km à l'ouest de St-Michel-en-Grève par la D 786.

Cette petite localité du plateau trégorrois est au cœur d'une zone de cultures maraîchères.

Son **église**, reconstruite en 1904, a conservé un clocher et une **crypte★** d'origine *(accès à gauche du maître-autel, interrupteur électrique en bas de l'escalier à gauche)*. Cette dernière, préromane, remonterait au 8e s. : c'est l'un des plus anciens monuments religieux de Bretagne. Huit piliers cylindriques massifs, dont deux portent un décor sculpté, soutiennent la voûte. Une fontaine jaillit à droite de l'entrée. À l'occasion de fouilles, deux figurines sculptées, datant probablement du 6e s., y ont été découvertes.

Dans l'enclos du cimetière, l'imposante **chapelle de Kernitron** comprend une nef et un transept du 12e s., ainsi qu'un chœur du 15e s. Dans la chapelle face à l'entrée, statue de N.-D.-de-Kernitron (pardon le 15 août) et, à sa droite, au fond d'une petite chapelle, une étonnante statue de sainte Anne accompagnée de Marie.

Côte des Bruyères pratique

Adresse utile

Office du tourisme de Locquirec - *Pl. du Port - 29241 Locquirec - ℘ 02 98 67 40 83 - www.locquirec.com - juil.-août : 9h-12h30, 14h-19h, dim. 10h30-12h30, 15h-17h ; Pâques-fin juin et sept. : tlj sf dim. 9h-12h30, 14h-17h ; oct.-mars : tlj sf dim. 9h-12h30, 14h-16h30, fermé merc. et sam. apr.-midi.*

Se loger

⌒ **Hôtel Les Panoramas** – *Rte de la Corniche - 22310 Plestin-les-Grèves - 5,5 km au N de Plestin-les-Grèves par D 42 - ℘ 02 96 35 63 76 - hotel.les.panoramas@wanadoo.fr - fermé Toussaint-Pâques et lun. en oct.-nov. - 🅿 - 13 ch. 40/58 € - 🍴 6 €.* Imposant bâtiment dont la façade colorée domine la plage de St-Efflam, à proximité des sentiers de la Côte des Bruyères. Les chambres, rénovées, sont fonctionnelles et sobres. Choisissez-les sans hésitation côté mer afin de jouir du panorama.

⌒⌒🛏🛏 **Grand Hôtel des Bains** – *15 bis r. de l'Église - 29241 Locquirec - ℘ 02 98 67 41 02 - www.grand-hotel-des-bains.com - fermé 5-30 janv. - 🅿 - 36 ch. 141/295 € - ⬚ 12 € - rest. 34 €.* C'est ici que fut tourné le film de Michel Lang *L'Hôtel de la Plage* en 1978… Dans un jardin au bord de la mer, derrière une façade du début du 20e s., son décor rénové et le luxe discret de ses chambres le classent résolument parmi les étapes de charme. À savourer sans modération !

Se restaurer

⌒ **La Presqu'Île** – *7 pl. du Port - 29241 Locquirec - ℘ 02 98 79 34 27 - fermé sam. hors sais. - 🍴 - 10 €.* L'ex-mairie abrite désormais des chambres insonorisées et décorées avec goût dans un style qui panache touches actuelles et esprit breton. Boutique de produits régionaux.

Cancale★

5 203 CANCALAIS
CARTE GÉNÉRALE E1 – CARTE MICHELIN LOCAL 309 K2 – ILLE-ET-VILAINE (35)

Qui ne connaît pas les huîtres plates de ce centre ostréicole réputé ? Comme l'a longtemps vanté le bandeau de son cachet postal, ce port de pêche possède panoramas, plages et parcs à huîtres, autant dire tout ce que recherche l'estivant en quête de vacances réussies.

▶ **Se repérer** – Pour bien apprécier le **site★**, il faut arriver à Cancale par la route touristique à sens unique, qui s'embranche à droite sur la D 76 en venant de Rennes (82 km au sud), à 2,5 km après le carrefour des Portes-Rouges.

🕐 **Organiser son temps** – On peut passer tout son temps à la plage ou sur le sentier qui serpente le long de la falaise jusqu'à Rothéneuf.

👁 **À ne pas manquer** – Le sentier des douaniers et le panorama de la pointe du Grouin.

👪 **Avec les enfants** – Les huîtres de la Ferme marine.

🕯 **Pour poursuivre la visite** – Voir aussi St-Malo, Dinard, Dol-de-Bretagne.

Comprendre

Histoire de bateau – La bisquine trouverait son origine au début du 19e s., auprès des pêcheurs basques du golfe de Gascogne. Arrivée en Bretagne Nord et en Normandie, la « biscayenne » devient bisquine et ses formes sont modifiées pour s'adapter aux conditions de mer si particulières de la baie du Mont-Saint-Michel, à savoir une extraordinaire amplitude de marée, donnant parfois des vents et des courants aussi violents qu'imprévisibles. Au tournant du 20e s., ce bateau, à la fois puissant et rapide, fait la fortune de la région, notamment celle de Cancale et de Granville, à la fois chantiers navals et ports de pêche.

La **bisquine cancalaise** se distingue sans difficulté de la bisquine de Granville, grâce à sa coque noire et non blanche. D'une longueur de 18 m environ et à très grande voilure, elle servait à draguer les huîtres et participait à quelques compétitions. La rivalité entre les ports breton et normand donnait en effet lieu, au 19e s., à des régates passionnées dans la baie du Mont-St-Michel. De nos jours, la remise en état de ces bateaux traditionnels contribue toujours à leur renommée.

Une huître réputée – De nos jours, on ne pratique plus à Cancale que l'« élevage » de jeunes huîtres venues d'Auray, une maladie mystérieuse ayant, vers 1920, décimé les bancs de la baie qui fournissaient à profusion le naissain. Maintenant, on s'efforce de le recréer localement : il se développe dans des parcs de pleine mer, donnant une huître plate appelée belon. Son goût typé est dû à la richesse en plancton de la baie du Mont-St-Michel. La côte est ici quadrillée par les parcs ostréicoles : quelque 360 ha de découpages géométriques, qui participent au paysage.

Quelques pêcheurs sur les rochers de la pointe du Grouin.

Gilles Targat / MICHELIN

Se promener

Église Saint-Méen

☏ 02 99 89 63 72 - visite sur demande à l'office de tourisme, en été : tlj ; reste de l'année : tlj sf dim. (h. d'ouverture de l'office de tourisme) - fermé pdt les fêtes de fin d'année. Dans la tour de l'église St-Méen, 189 marches mènent à la plate-forme supérieure, munie d'une table d'orientation : superbe **vue★** sur la baie du Mont-St-Michel, Granville et, par temps clair, sur les îles Chausey.

Port de la Houle★

Les allées et venues des tombereaux chargés d'huîtres, les marchands, le retour des bateaux de pêche à marée haute contribuent à donner au port une animation particulière. Il est bordé par un quartier pittoresque adossé à la falaise, aux ruelles étroites, où vivaient les marins-pêcheurs. Un chemin, le Vaubaudet ou Val du Baudet, le reliait au bourg de Cancale, le quartier haut où habitaient les « terriens » et les commerçants.

Sentier des douaniers★

Cet ancien chemin de ronde s'embranche dans le bas de la rue du Port, après quelques marches. Dès le **monument aux morts**, on profite d'une vue étendue sur la baie du Mont-Saint-Michel et le mont Dol. Un peu plus loin, la **pointe du Hock** révèle une jolie **vue★** sur le rocher de Cancale ; à droite et en contrebas, au pied de la falaise, s'étendent les parcs à huîtres. De part et d'autre de la pointe du Hock, le sentier surplombe les grèves. En suivant la côte jusqu'à Port-Mer, vue splendide sur la pointe de la Chaîne, face au rocher de Cancale. Le sentier *(7 km depuis Cancale)* rejoint la pointe du Grouin *(voir ci-dessous)*.

Visiter

La Ferme marine. Musée de l'Huître et du Coquillage

☏ 02 99 89 69 99 - visite guidée obligatoire (1h) - de juil. à mi-sept. : 11h, 15h et 17h ; de mi-fév. à mi-juin et de mi-sept. à fin oct. : tlj sf w.-end et j. fériés 15h - 6,10 € (enf. 3,10 €). Au cœur d'une entreprise ostréicole, ce musée explique l'évolution des techniques de culture de l'huître, ainsi que le métier de l'ostréiculteur à travers les âges. Belle collection de coquillages (plus de 1 500, venus du monde entier).

Musée des Arts et Traditions populaires

☏ 02 99 89 71 26 - ♿ - juil.-août : 10h-12h, 14h-18h30, lun. 14h30-18h30 ; juin et sept. : vend., w.-end et lun. 14h30-18h30 - fermé nov.-mai - 3,50 € (10-16 ans 1,75 €).
Installé dans l'ancienne église St-Méen (1714), il est consacré aux arts et traditions du pays cancalais : pêche, ostréiculture, agriculture (pomme de terre), vie des Cancalaises, coiffes et costumes, mobilier. Il évoque aussi la vie de Jeanne Jugan *(voir ci-dessous)* et présente l'École de navigation des Rimains, que la cité abrite depuis plus d'un siècle.

Maison de Jeanne Jugan

☎ *02 99 89 62 73 - se renseigner au presbytère - gratuit.*
La fondatrice de la congrégation des Petites Sœurs des Pauvres (1792-1879) est née dans cette maison (*voir St-Malo : rubrique St-Servan-sur-Mer*).

Aux alentours

Pointe du Grouin★★

4,5 km au nord par la D 201. Quittez Cancale par la rue du Stade.

🐾 *Laissez la voiture sur l'aire de stationnement et suivez, à droite du sémaphore, un sentier qui conduit directement à la pointe.*

La pointe est souvent très ventée. Le **panorama** s'étend du cap Fréhel à Granville, en passant par la baie du Mont-St-Michel. Au large, on distingue les îles Chausey. Un sentier permet d'aller, à marée basse, explorer une grotte creusée dans la falaise (hauteur 10 m, profondeur 30 m).

L'île des Landes, située en face de la pointe du Grouin, constitue une réserve ornithologique et botanique, où nichent tadornes de Belon, cormorans huppés, grands cormorans, goélands…

Cancale pratique

Adresse utile

Office du tourisme de Cancale – *44 r. du Port - 35260 Cancale -* ☎ *02 99 89 63 72. www.ville-cancale.fr - juil.-août : 9h-19h, dim. 9h30-13h ; juin et sept. : 9h-12h30, 14h-18h30, dim. 10h-13h ; reste de l'année : tlj sf dim. 9h-12h30, 14h-18h. Fermé 25 déc. et 1er janv.*

Se loger

🍴 **Hôtel La Voilerie** – *Le Chemin Neuf -* ☎ *02 99 89 88 00 - www.hotel-lavoilerie. com - fermé 12 nov.-16 déc. et lun. hors sais. et vac. scol. -* 🅿 *- 13 ch. 44/53 € - ⊑ 6,50 €.* Légèrement à l'écart du port, aimable petit hôtel disposant de chambres actuelles, un peu exiguës mais de bon confort. Commencez la journée par un petit-déjeuner servi dans une salle au décor marin (mobilier en teck).

🍴 **Hôtel Nuit et Jour** – *3 av. Scissy -* ☎ *02 99 89 75 59 - www.hotel-nuitetjour. com - fermé 15 nov.-23 déc. et 3 janv.-3 fév. -* 🅿 *- 30 ch. 45/55 € - ⊑ 6,50 €.* Motel composé de plusieurs bungalows hexagonaux à toit d'ardoise. Chambres en rez-de-chaussée, sobres, parfois dotées d'une mezzanine. Jeux pour les enfants.

🍴 **Chambre d'hôte Le Victor-Hugo** – *20 r. Victor-Hugo -* ☎ *02 99 89 92 81 - www. le-victor-hugo.com - fermé 12 nov.-mars - ⊠ - 9 ch. 40/50 € - ⊑ 6 €.* Nombre d'habitués fréquentent cette ancienne maison de pêcheurs dont ils apprécient le calme et la situation au cœur du pittoresque quartier qui borde le port de la Houle. Chambres au confort simple, pas très grandes, mais bien entretenues.

🍴🍴 **Hôtel Le Chatellier** – *Rte de St-Malo -* ☎ *02 99 89 81 84 - www. hotellechatellier.com - fermé 15 déc.-15 janv. -* 🅿 *- 13 ch. 55/73 € - ⊑ 8 €.*

Cette maison familiale restaurée séduira ceux qui redoutent l'effervescence du centre-ville. Les chambres, mansardées à l'étage, sont fraîches, simples et insonorisées.

🍴🍴 **Hôtel La Pastourelle** – *Les Nielles, D 155 - 35350 St-Méloir-des-Ondes -* ☎ *02 99 89 10 09 - www.baie-saintmichel. com/hebergements/pastourelle.php - fermé de fin déc. à déb. janv. - ⊠ - 8 ch. 46/70 € - repas 24,50 €.* Cette belle longère tapissée de vigne vierge borde la route côtière de la célèbre baie du Mont-Saint-Michel. Les chambres, spacieuses et insonorisées, offrent un pimpant décor immaculé et de jolies salles de bains. Au rez-de-chaussée, le salon et la salle à manger marient avec bonheur poutres anciennes et vieilles pierres. Ravissant jardinet. Table d'hôte sur réservation.

🍴🍴 **Chambre d'hôte Le Manoir des Douets Fleuris** – *1,8 km au NO de Cancale par D 336, rte de St-Malo et chemin à droite -* ☎ *02 23 15 13 81 - www. manoirdesdouetsfleuris.com - 5 ch. 79/90 € - ⊑ 9,80 €.* Ce manoir construit au 17e s. semble garder dans ses murs de pierre une partie de l'histoire de la région. Élégant salon meublé de confortables fauteuils de cuir et cheminée aux ornementations celtiques. Les vastes chambres, joliment décorées, offrent lumière et belle tenue ; les suites disposent d'un salon indépendant. Grand jardin fleuri, donnant sur un étang. Petits-déjeuners bretons.

🍴🍴🍴 **Hôtel Pointe du Grouin** – *À la pointe du Grouin -* ☎ *02 99 89 60 55 - www.hotelpointedugrouin.com - fermé 16 nov.-31 mars -* 🅿 *- 16 ch. 86/190 € - ⊑ 8 €.* Le site de ce petit hôtel douillet est véritablement exceptionnel : ses fenêtres ouvrent sur un fantastique paysage côtier s'étendant par beau temps jusqu'au Mont-St-Michel. Très fréquentée pendant la journée, la pointe retrouve son calme le soir, et les nuits y sont très tranquilles. Restaurant avec vue.

Se restaurer

Le Marché aux Huîtres – *Au bout du quai Thomas sur le port de Cancale.* « Du producteur au consommateur » : face aux parcs, assis sur le muret au bout du quai, en plein air, vous dégusterez les huîtres toutes fraîches des ostréiculteurs. Ils en assurent l'ouverture et la vente à emporter toute l'année.

Au Pied d'Cheval – *10 quai Gambetta - ℘ 02 99 89 76 95 - fermé du 15 nov. au dim. av. les Rameaux sf les w.-end et ouv. tlj du dim. des Rameaux au 14 nov. - 5/15 €.* Tenue par un conchyliculteur local, cette adresse est entièrement dédiée à la dégustation des huîtres et des fruits de mer élevés dans la baie du Mont-St-Michel. Petites salles à manger rustiques et volontairement simples ; celle de l'étage offre une jolie vue sur la mer.

Crêperie du Port – *1 pl. du Calvaire (sur le port) - ℘ 02 99 89 60 66 - creperie-du-port@wanadoo.fr - fermé 15 nov.-15 déc. et mar. sf vac. scol. - 6,56/12,65 €.* Ambiance marine dans cette crêperie agrémentée de tableaux, d'affiches, de maquettes et d'un plafond décoré d'une fresque. Tout le monde apprécie sa terrasse installée en toutes saisons face au port.

L'Abri Côtier – *28 quai Gambetta - ℘ 02 99 89 99 28 - 15,50/32 €.* Cette typique maison bretonne bénéficie d'une situation intéressante sur le port. Sobre intérieur décoré dans un esprit marin et véranda offrant un panorama de carte postale. La cuisine puise avec bonheur dans les richesses de la mer.

Crêperie La Cancalaise – *3 r. Vallée-Porçon (près de l'église) - ℘ 02 99 89 71 22 - fermé 2 sem. en mars, 2 sem. fin nov., dim. soir, mar. soir et merc. - 16 €.* Cette vénérable demeure bretonne jouit d'une excellente réputation. L'accueil y est sympathique, le cadre rustique plaisant, et crêpes et galettes, copieusement garnies de produits « cent pour cent » terroir, sont tout simplement savoureuses.

Coquillage – *Rest. de l'hôtel de Bricourt-Richeux - 6,5 km au S de Cancale dir. Mont-St-Michel par D 76, D 155 et rte secondaire - ℘ 02 99 89 25 25 - bricourt@ relaischateaux.com - fermé dim. soir d'oct. à avr., vend. midi, du 15 déc. à avr., mar. midi, jeu. midi et lun. -* 🚭*. Cette superbe villa des années 1920 nichée dans un grand jardin dominant la baie du Mont-St-Michel abrite un restaurant de caractère : vieux parquets, belles boiseries, tableaux marins*

et splendide panorama sur la baie. Divine terrasse d'été sous les pins. Goûteuse cuisine de la mer.

Surcouf – *7 quai Gambetta - ℘ 02 99 89 61 75 - fermé 3 janv.-4 fév., 22 nov.-17 déc., merc. sf du 10 juil. au 22 août et jeu. - 32/60 €.* Ici, les gourmands se régaleront sans se ruiner ! Servis sur la terrasse en caillebotis ou dans la pimpante salle à manger, les menus composés autour de produits de la région et de la pêche du jour sont d'un excellent rapport qualité-prix…

Les huîtres de Cancale.

Que rapporter

Les Petits Fruits de la Baie – *5 r. des Clossets - 35350 St-Méloir-des-Ondes - ℘ 02 99 89 10 06 - www.pfb@cegetel.net - mai-oct. : tlj sf dim. 8h-12h, 15h30-18h30 - fermé de mi-oct. à mi-déc. et j. fériés.* Ce domaine agricole est devenu une exploitation spécialisée dans les fruits rouges : fraises, framboises, cassis, groseilles, et les kiwis. Boutique de vente des produits de la ferme : fruits – récoltés sur place, leur qualité et leur fraîcheur sont garanties – miel et confitures maison. Possibilité de cueillette.

Sports & Loisirs

École de voile – *Port-Mer - ℘ 02 99 89 90 22 - http://perso.wanadoo.fr/ ecoledevoileportmer/ - tlj mars-nov.* Optimist, catamaran KL 13.5, hobie cat 16 max ou planche à voile Formula : une équipe jeune et dynamique vous initiera à tous ces supports depuis la plage de Port-Mer. Location possible de ces matériels et de bateaux à moteur ; point passion plage. Balades en mer d'une demi-journée sur un bateau traditionnel.

Carhaix-Plouguer

7 648 CARHAISIENS
CARTE GÉNÉRALE C2 – CARTE MICHELIN LOCAL 308 J5 – FINISTÈRE (29)

Carhaix a planté sa flèche en pleine Armorique, entre les monts d'Arrée et les Montagnes Noires, dans une région d'élevage. Ville carrefour, la capitale du Poher a résisté au dépeuplement en créant un festival des Vieilles Charrues très couru. Cet événement musical donne l'occasion de parcourir les alentours et de découvrir un peu mieux les recoins cachés de l'Argoat.

▶ **Se repérer** – Entre les monts d'Arrée et les Montagnes Noires, en pleine Bretagne intérieure, la ville occupe une position de carrefour à l'intersection de la N 164 et des D 769, 764 et 787.

🕐 **Organiser son temps** – Après une petite visite en ville, comptez une demi-journée pour découvrir le plateau du Huelgoat. Vous pouvez aussi piocher des idées dans le journal (*Ar gazetenn*), publié le 10 de chaque mois par la municipalité : il recense toutes les animations et les sorties.

👁 **À ne pas manquer** – Les gorges du Corong, et surtout le festival des Vieilles Charrues en juillet.

🕯 **Pour poursuivre la visite** – Voir aussi les monts d'Arrée, les Montagnes Noires et Rostrenen.

Modeste et breton

Tous les ans, le samedi précédant le 27 juin, Carhaix célèbre la fête Théophile-Malo Corret, plus connu sous le nom de **La Tour d'Auvergne**. Né en 1743, La Tour d'Auvergne se distingue par son goût des armes et de la langue bretonne. Pendant la Révolution, les plus hauts grades sont proposés à ce capitaine en second de 46 ans, mais il les refuse pour rester au milieu de ses soldats. À 54 ans, en pleine retraite, il part comme simple soldat. Nouvelles actions d'éclat. Bonaparte lui offre un siège au Corps législatif, mais il ne peut vaincre la modestie du Breton, qui n'accepte qu'un sabre d'honneur et le titre de « Premier grenadier de la République ». ! Il est tué en 1800 pendant la campagne du Rhin, à Oberhausen.

Se promener

Église Saint-Trémeur
Reconstruite au 19e s., elle conserve une imposante tour-porche du 16e s. Le tympan du portail est orné de la statue de saint Trémeur, dont la légende remonte au 6e s.

Maison du Sénéchal
Au n° 6 de la rue Brizeux - 🕿 *02 98 93 04 42 - www.poher.com - juil.-août : 9h-12h30, 13h30-19h, dim. et j. fériés 10h-13h ; juin et sept. : tlj sf dim. 9h-12h, 14h-18h ; oct.-mai : tlj sf lun., jeu., dim. et j. fériés 10h-12h, 14h-17h30 - gratuit.*
Une belle façade du 16e s. : le rez-de-chaussée en granit sculpté, les étages en encorbellement, le tout habillé d'ardoise et décoré de statuettes. Le syndicat d'initiative y est installé ; petit **musée** d'ethnographie locale au 1er étage.

Circuit de découverte

PLATEAU DU HUELGOAT
Circuit de 80 km – environ 4h.

Quittez Carhaix par les rues Oberhausen et des Abattoirs en direction de Plounévézel (D 54). À Croissant-Marie-Jaffré, tournez à droite puis, 3 km après avoir laissé Lesquern sur la gauche, prenez à nouveau à droite, dans un virage, un chemin non revêtu.

Chapelle Saint-Gildas
🚶 Un parcours en sous-bois y conduit. Clocher carré à flèche de pierre et grotesques au chevet (16e s.). À la droite de la chapelle se trouve le signal St-Gildas qui culmine à 238 m : vue sur les monts d'Arrée.

Revenez à la route initiale et tournez à droite. Prenez à gauche vers Plourac'h.

Église de Plourac'h

Ce sanctuaire Renaissance en forme de T a été élevé en grande partie aux 15ᵉ et 16ᵉ s. Le **porche** gothique abrite les statues des apôtres, surmontées de dais très ouvragés. Trois gâbles armoriés surmontent une belle porte Renaissance et les deux fenêtres qui l'encadrent. À l'intérieur, parmi les nombreuses statues, remarquez celles de saint Guénolé, saint Nicodème en docteur de la loi, et une Descente de croix dont la Vierge est vêtue de la cape de deuil du pays.

Callac

Cette ville possède une station de haras devant laquelle est érigée la statue de bronze de l'étalon Naous. Né en 1935, ce formidable reproducteur fut l'étalon le plus réputé de Bretagne. Durant treize ans de bons et loyaux services, ce cheval de trait breton a donné naissance à quelque huit cents descendants directs.

Callac est aussi la « capitale » de l'épagneul breton, chien d'arrêt très efficace.

Empruntez la route de Guingamp et, à 2 km, tourner à droite.

Bulat-Pestivien

Ce village conserve quelques manoirs (17ᵉ et 18ᵉ s.) dont on remarquera la qualité du matériau de construction et une belle **église★** aux porches remarquables. Sa tour Renaissance, la première de cette période en Bretagne, a été surmontée d'une flèche au 19ᵉ s. La sacristie monumentale est ornée d'une frise macabre ; un curieux lutrin représente un paysan en costume vannetais. La belle table de 1583, à desseins géométriques, longue de 5 m, recevait les offrandes lors du **pardon**. Celui-ci a toujours lieu le dimanche qui suit le 8 septembre.

Descendez vers Burthulet par la route de Rostrenen.

Détail du calvaire de Bulat-Pestivien.

Gilles Targat / MICHELIN

Chapelle de Burthulet

Ce modeste édifice du 16ᵉ s. à clocher-mur apparaît dans un site mélancolique : nul doute que « le diable y soit mort de froid » ainsi que l'assure la légende.

Gagnez Ty-Bourg où vous tournerez à droite.

Saint-Servais

Le romancier Anatole Le Braz y naquit (1859-1926). Imposante église du 16ᵉ s.

Suivez la direction de Locarn.

Sentier de découverte des landes de Locarn et des gorges du Corong★

Départ du parking du Quélénec. Boucle de 8 km. 12 stations balisées. Procurez-vous le livret de découverte à la Maison du patrimoine. Cette balade mène à travers landes, forêt et chaos rocheux. La rivière s'enfonce en effet dans la forêt de Duault, disparaît dans un amas rocheux pour en rejaillir en cascade. C'est l'occasion d'observer et de comprendre le patrimoine naturel. Pensez aux chaussures de marche et aux jumelles !

Locarn

Son **église** possède une remarquable verrière du 16ᵉ s., cinq panneaux d'un retable flamand de la même époque représentant des épisodes de la vie du Christ, et une **roue à carillon**. Ce très curieux objet rituel, souvent appelé « roue de fortune », était un symbole religieux pour les Celtes, probablement lié au culte solaire. Plus tard, il fut annexé au culte chrétien pour ponctuer les cérémonies de joie (baptêmes, mariages, pardons). Si Locarn en conserve une, vous pourrez aussi en voir dans les églises de St-Nicolas-du-Pélem, Lanniscat, Confort-en-Meilars et Kérien.

Trésor★ – Il comprend un buste et un bras reliquaires de saint Hernin, exécutés au 15ᵉ s., une croix de procession de la fin du 16ᵉ s. et un calice du 17ᵉ s., le tout en vermeil. Il est conservé à la **Maison du patrimoine** *(voir ci-après)*, qui détient aussi les clefs de l'édifice.

Maison du patrimoine – *Pl. du Centre -* ✆ *02 96 36 66 11 - de mi-juin à mi-sept. : 14h-19h ; reste de l'année : tlj sf dim. et lun. 14h-17h30 -* ♿ *- 4,5 € (enf. 3 €).*

Une exposition permanente permet de découvrir le paysage de landes, de tourbières mais aussi d'ardoisières de Locarn. À près de 200 m de fond, des centaines d'ardoisiers ont creusé et travaillé le schiste pendant des décennies, pour en extraire l'une des plus belles ardoises d'Europe. Moulin Lande, la dernière ardoisière de Bretagne, a fermé ses portes en 2000.

Aux alentours

Abbaye Notre-Dame de Langonnet

À 31 km au sud-est de Carhaix-Plouguer, l'abbaye se situe sur la D 790 entre Le Faouët et Plouray - ✆ *02 97 23 93 08 - Visite guidée sur demande - 1ᵉʳ Mai-30 sept. : tlj sf mar. 14h-18h (plus 15 juil.-20 août : 10h-12h sf le dim.) ; 1ᵉʳ oct.-30 avr. : w.-end 14h-18h - gratuit.*

De l'abbaye fondée en 1136, il ne subsiste que la salle capitulaire du 13ᵉ s. L'ensemble architectural, tel qu'on le voit aujourd'hui, date du milieu du 18ᵉ s. Cloître du début du 20ᵉ s. Occupés par un haras en 1806, les bâtiments furent bien entretenus et purent en 1858 être réoccupés par les Spiritains. C'est désormais une maison de repos pour les missionnaires et un lieu de retraites spirituelles. Musée d'art africain.

Carhaix-Plouguer pratique

Adresse utile

Office du tourisme de Carhaix – *R. Brizeux - 29270 Carhaix-Plouguer -* ✆ *02 98 93 04 42 - www.poher.com - juil.-août : 9h-12h30, 13h30-19h, dim. et j. fériés 10h-13h ; juin et sept. : tlj sf dim. 9h-12h, 14h-18h ; oct.-mai : tlj sf lun., jeu., dim. et j. fériés 10h-12h, 14h-17h30 - gratuit.*

Se loger

😋 **Chambre d'hôte Le Manoir de Kergaurant** – *Rte de Goariva, Kergaurant -* ✆ *02 98 93 78 86 - broidakergaurant@club-internet.fr -* 🚫 *- 4 ch. 37/52,50 € ⊡. Un magnifique parc arboré entoure cette belle demeure typiquement bretonne. Chambres spacieuses dotées de meubles anciens ; deux seulement possèdent une salle de bains (n'hésitez pas à demander lors de la réservation). Accueil à la fois simple et aimable.*

Se restaurer

😋 **La Ronde des Mets** – *5 pl. de la Mairie -* ✆ *02 98 93 01 50 - fermé 2 sem. déb. mars, 1 sem. de fin juil. à déb. août et 2 sem. entre sept. et oct. - 11,50/37 €. La devanture en bois couleur bordeaux donne à ce restaurant un petit air rétro. Vous y dégusterez une cuisine traditionnelle, confortablement attablé au milieu de tableaux peints par des artistes locaux.*

Que rapporter

Saveur et Gourmandise – *19 r. du Gén.-Lambert -* ✆ *02 98 99 46 58 - saveuretgourmandise@wanadoo.fr - tlj sf dim. et lun. 10h-12h, 14h-19h. Cette épicerie du centre-ville regorge de produits régionaux ou issus des quatre coins de France : sardines, galettes, caramels au beurre salé, foies gras, eaux-de-vie, thés parfumés, etc. Également de la vaisselle, un choix de théières plus originales les unes que les autres… et un coin cadeau pour la maison (linge de table, bougies parfumées, paniers).*

Loisirs

Promenade en âne « Les Ânes sont dans le pré » – *Le Pellem -* ✆ *02 98 99 44 21. Si cette structure propose aux inconditionnels de la marche des randonnées accompagnées d'ânes bâtés, on aura, de plus, la chance d'apprendre beaucoup sur le comportement, l'éducation et l'alimentation de ces animaux. Organise aussi une visite guidée de l'exploitation, ponctuée par un délicieux goûter.*

Événement

Festival des Vieilles Charrues – *3ᵉ w.-end de juil. - Chaque été, ce festival attire les stars de la scène internationale et de jeunes découvertes. Tout cela sur trois jours, devant un large public -* ✆ *0 820 890 066 - www.vieillescharrues.asso.fr.*

Carnac★

4 444 CARNACOIS
CARTE GÉNÉRALE C3 – CARTE MICHELIN LOCAL 308 M9 – MORBIHAN (56)

Les alignements de mégalithes ont fait de Carnac le symbole de la préhistoire, à l'égal de Stonehenge en Grande-Bretagne. Depuis la fin du 18ᵉ s. quand se sont vulgarisés les termes de « dolmen » et de « menhir », aucun site n'a fait naître autant de théories et de controverses… Son musée de Préhistoire est mondialement connu pour sa collection d'objets de la période mégalithique. Mais au-delà des vieilles pierres, Carnac est aussi une station balnéaire bien équipée et dotée de longues plages, idéale pour les vacances en famille.

- **Se repérer** – Carnac est à deux pas de La Trinité-sur-Mer, juste à côté de la presqu'île de Quiberon. On y accède depuis Auray (13 km) par la D 768 ou la D 28.

- **Organiser son temps** – Préférez le matin tôt ou alors la fin de journée pour profiter à la fois de la fraîcheur et surtout des lumières rasantes qui mettent si bien en valeur les sites.

- **À ne pas manquer** – Les mégalithes du Menec et de Kermario.

- **Avec les enfants** – Emmenez-les voir les alignements de menhirs puis visitez avec eux le musée de Préhistoire pour en comprendre la signification.

- **Pour poursuivre la visite** – Voir aussi la presqu'île de Quiberon, la rivière d'Étel, Auray, La Trinité-sur-Mer, Locmariaquer et Vannes.

Les alignements de Carnac.

Découvrir

LES MÉGALITHES★★

Au nord de Carnac, dont le nom vient du celte *karn*, signifiant « pierre » ou « rocher », une promenade fait découvrir l'essentiel des monuments mégalithiques de la région : alignements, dolmens, tumulus. Ils sont aujourd'hui protégés par des clôtures afin que la végétation stabilise le sol et empêche ainsi le déchaussement des menhirs.

En face des alignements du Menec, la **Maison des mégalithes** organise des visites guidées des alignements. *☎ 02 97 52 29 81 - juil.-août : visites-conférences (1h) connaissance et parcours des mégalithes - 4 € (12-25 ans 3 €), visites-randonnées (3h) - 6 € (12-25 ans 5,50 €) ; ttes vac. scol. : visites-conférences (1h) - 4 € (enf. 3 €).*

Alignements du Menec★★

Datés approximativement du néolithique moyen (3000 av. J.-C.), ces alignements s'étendent sur une longueur de 1 160 m et une largeur de 100 m. Ils comptent 1 099 menhirs disposés sur 11 files ; le plus élevé mesure 4 m de haut. Leur orientation est sud-ouest/nord-est. Un **cromlech** (hémicycle) se trouve à chacune des extrémités : l'un comprend 70 menhirs, l'autre 25 seulement (très abîmé).

Alignements de Kermario★★

Ici, 1 029 menhirs sont disposés en 10 lignes parallèles sur 1 120 m de long et 100 m de large. Ils sont sensiblement contemporains de ceux du Menec, et de même superficie. De la passerelle latérale, on observe la progression de la taille des menhirs d'est en ouest. Un dolmen à couloir est situé au sud-ouest. Plus loin, les alignements passent sur les restes d'un **tumulus** de 35 m de long, sur le plateau du Manio. Non loin de là, un menhir de 3 m de haut porte à sa base cinq serpents gravés ; cinq haches polies avaient été enterrées à son pied…

Alignements de Kerlescan★

Poursuivez vers l'est sur la D 196.

Dans ce champ de 355 m sur 139 m, 555 menhirs sont rangés sur 13 lignes convergentes. Un **cromlech** de 39 menhirs les précède.

Tumulus Saint-Michel

Le tumulus St-Michel, long de 125 m, large de 60 et haut de 12 m, remonte au néolithique ancien (4500 av. J.-C.). Il renferme deux chambres funéraires et une vingtaine de coffres de pierre. Les objets trouvés dans les sépultures sont exposés au musée de Préhistoire de Carnac et au musée d'Archéologie de Vannes.

Sur le sommet se trouvent la **chapelle St-Michel★**, décorée de belles fresques (1961) d'Alice Pasquo, ainsi qu'un petit calvaire (16e s.) et une table d'orientation. La **vue★** s'étend sur la région des mégalithes, la côte et les îles.

Dolmens de Mané-Kerioned

Ensemble de trois dolmens dont le premier présente huit supports gravés de divers symboles stylisés : haches, spirales, écussons…

Tumulus de Kercado

Ce cairn, très ancien (4670 av. J.-C.) est vraisemblablement contemporain de celui de Barnenez. Il mesure 30 m de diamètre et 3,50 m de hauteur, et recouvre un beau dolmen. À son sommet se dresse un menhir. Remarquez les sculptures sur la table et quatre supports. Pendant la Révolution, il aurait servi de cachette à des chouans. *9h-19h - tarif libre.*

Visiter

Musée de Préhistoire J.-Miln-Z.-Le-Rouzic★★

10 pl. de la Chapelle - 02 97 52 22 04 - www.museedecarnac.com - - mai-juin et sept. : 10h-12h30, 14h-18h sf mar. ; juil.-août : 10h-18h (dernière entrée 1h av. fermeture) ; oct.-avr. 10h-12h30, 14h-17h sf mar. - fermé janv., 1er Mai et 25 déc. - 5 € (enf. 2,50 €).

Créé en 1881 par l'Écossais James Miln et enrichi par le Carnacois Zacharie Le Rouzic, le musée rassemble d'exceptionnelles collections allant du paléolithique inférieur au début du Moyen Âge.

La visite se déroule selon un ordre chronologique : le paléolithique inférieur (600 000 av. J.-C.), les paléolithiques moyen et supérieur (de 300 000 à 12 000 av. J.-C.), le mésolithique (de 12 000 à 5 000 av. J.-C.). Le néolithique (de 5 000 à 2 000 av. J.-C.), période où l'homme devient agriculteur et éleveur, est marqué par la réalisation des mégalithes : à chaque site correspond une présentation du mobilier funéraire (parures, haches polies, pendeloques, poteries, etc.) ; de nombreux objets évoquent également la vie quotidienne.

Le premier étage est consacré à l'âge du bronze (haches à douille, bijoux en or) et à la période romaine (maquette d'une villa, statuettes de Vénus). Des panneaux évoquent le Moyen Âge breton et les méthodes de fouilles des agriculteurs.

 À partir de 6 ans, les enfants sont invités à suivre la *piste des totems verts* avec Néo, un personnage préhistorique. Pensez à demander l'itinéraire et le questionnaire. Le musée organise également des ateliers pendant les vacances scolaires (toutes zones). Chaque mercredi, ces ateliers s'articulent autour de la vie au néolithique ou de l'archéologie - *6-12 ans 1,70 €.*

Église★

Cette église du 17e s. est dédiée à **saint Cornély**, protecteur des bêtes à cornes (il figure sur la façade entre deux bœufs). À l'intérieur, de curieuses peintures du 18e s. recouvrant les voûtes en bois illustrent sa vie, ainsi que celles du Christ, de saint Jean Baptiste et de la Vierge. La table de communion, la chaire, la grille du chœur sont de remarquables œuvres du 18e s., en fer forgé. À gauche, à l'entrée du chœur, buste reliquaire de saint Cornély en bois doré du 18e s. Le trésor de l'église conserve calices, ostensoir, chasubles, croix, etc.

Aux alentours

Carnac-Plage

Plus récente que le bourg, la station de Carnac-Plage s'est développée à l'abri de la presqu'île de Quiberon, sur une grève en pente douce. Elle compte plusieurs **plages** : la Grande Plage, au sud (2 km de long) ; Légenès, Ty Bihan et St-Colomban, très fréquentée par les véliplanchistes, à l'ouest ; Beaumer et Men-Du à l'est.

Autres mégalithes★

Au nord-ouest, par la D 781 vers Lorient.

Dolmens de Rondossec – *À gauche, à la sortie de Plouharnel.* Ce sont trois chambres enfouies dans le sol.

Menhirs du Vieux-Moulin – *Après le passage à niveau.* Ils sont plantés dans un champ à droite de la route.

Alignements de Ste-Barbe – *À proximité de la route à gauche en prenant la direction du camping le Kersily.* Au nombre de quatre, plantés en bordure d'un champ.

Dolmen de Crucuno – *Route à droite.* Il se dresse au cœur du hameau de Crucuno, adossé à une ferme. Seule la chambre subsiste, la lourde table repose sur onze supports.

Dolmen de Mané-Croc'h – *À 500 m au-delà de Crucuno, sur la gauche.* Type même du dolmen à chambres latérales.

Alignements de Kerzerho – *À droite de la route, à l'entrée d'Erdeven.* Environ 1 130 menhirs les composent et sont disposés en 10 lignes.

Grand Arc mégalithique *(8 km)* – Un sentier de randonnée débute au parking de Kerzerho pour s'enfoncer dans la campagne environnante et vous conduire à d'autres mégalithes, comme celui de Mané-Croc'h.

Plouharnel

Bénéficiant d'une position stratégique dans la baie de Quiberon, ce bourg a conservé quelques anciennes maisons et une attachante chapelle du 16e s., dont l'intérieur a été restauré en 2005 : **N.-D. des Fleurs**. On peut y voir un bel Arbre de Jessé en albâtre (15e s.). Un sentier utilisé pendant les pardons descend à la fontaine de la chapelle (16e s.). *Juil.-août : 10h30-12h, 17h30-19h, w.-end 17h30-19h (sf sam. et dim. mat.) ; mai-juin et sept.-oct. : merc. et dim. 15h30-17h.*

Un blockhaus abrite le **musée de la Chouannerie** (grands dioramas, armes, habits, guillotine). Il revient sur ce mouvement dont l'un des héros fut Georges Cadoudal. ℘ 02 97 52 31 31 - *www.musee-vendee-chouannerie.com -* ♿ *- de Pâques à mi-juin : 14h-17h30 ; de mi-juin à fin sept. : 10h-12h, 14h-17h30 - fermé oct.-mars - 5 € (-16 ans gratuit).*

À la sortie de Plouharnel se détachent les imposantes silhouettes de deux abbayes.

Sur la route d'Auray, l'**abbaye Ste-Anne-de-Kergonan**, fondée par Solesmes en 1897, accueille des moines

Notre-Dame des Fleurs à Plouharnel.

bénédictins qui partagent leur temps entre la prière et la décoration de céramique *(boutique).* ℘ 02 97 52 30 75 - *visite accompagnée gratuite - tlj 9h-20h30 en dehors des offices.*

Non loin de là, sur la route de Carnac, l'**abbaye St-Michel-de-Kergonan** (1898) est une fondation de la même congrégation pour les moniales. L'important édifice en granit comprend une église très sobre. Au-delà du magasin (livres, produits réalisés par les sœurs), une galerie abrite une exposition consacrée au monachisme bénédictin. ℘ 02 97 52 32 14 - *visite accompagnée de l'abbaye - exposition : tlj 10h-12h30, 14h30-18h30 sf offices - messe en grégorien tlj à 10h ; vêpres en grégorien à 16h le dim., 17h en sem.*

Carnac pratique

Adresse utile

Office du tourisme de Carnac – *74 av. des Druides - 56340 Carnac - ℘ 02 97 52 13 52 - www.ot-carnac.com - 15 mai-15 sept. : 9h-13h, 14h-19h ; 15 sept.-15 mai : 9h-12h, 14h-17h sf dim. - fermé 25 déc., 1ᵉʳ et 11 nov. et 1ᵉʳ janv.*

Se loger

⌂ **Chambre d'hôte Ty Me Mamm** – *Quelvezin - 5 km au N de Carnac par D 768 et C 202 rte de Quelvezin - ℘ 02 97 52 45 87 - tymemam@wanadoo.fr - 🍽 - 4 ch. 37/50 € ⊐.* Hospitalité et spontanéité sont la devise de cette ferme de 1900 dotée d'un grand jardin bordé d'un étang. Les chambres, qui portent chacune le nom d'une des plages de Carnac, conjuguent avec succès rustique et contemporain. Réfrigérateur et micro-ondes à disposition.

⊖⊖ **Hôtel Armoric** – *53 av. de la Poste - ℘ 02 97 52 13 47 - www.armoric-carnac. net - 🅿 - 25 ch. 50/90 € - ⊐ 7,50 €.* Les chambres de cet hôtel des années 1960 sont sobrement décorées ; celles des derniers étages offrent une vue dégagée. Paisible jardin arboré. Salle à manger simple, égayée par des tons bleu et blanc ; terrasse d'été.

⊖⊖ **Chambre d'hôte L'Alcyone** – *Imp. de Beaumer - ℘ 02 97 52 78 11 - fermé dernière sem. de nov. et 1ʳᵉ sem. de fév. - 🍽 - 5 ch. 59/62 € ⊐.* Cette longère de 1870 joliment restaurée vous invite au farniente : transats dans le grand jardin face à la campagne, mœlleux canapés au salon et calme ambiant. Chambres agréables avec murs blancs, parquet et tissus choisis. Au petit-déjeuner, vous vous régalerez de confitures et de viennoiseries maison.

Se restaurer

⊖⊖ **La Côte** – *Aux alignements de Kermario - 2 km rte d'Auray - ℘ 02 97 52 02 80 - www.restaurant-la-cote.com - fermé 6 janv.-12 fév., 15-19 mars, 4-8 oct., 1ᵉʳ-8 déc., sam. midi, dim. soir de sept. à juin, mar. midi en juil.-août et lun. - 23/83 €.* Étape gourmande à ne pas « brûler » après

la visite des mégalithes de Kermario, dans cette ancienne ferme dont la petite véranda est grande ouverte sur le jardin aux beaux jours. La cuisine du jeune chef est résolument originale.

⊖⊖ **Auberge le Râtelier** – *4 chemin du Douet - ℘ 02 97 52 05 04 - bouvart@ infonie.fr - fermé 6 janv.-6 fév., mar. et merc. hors sais. - 18 € déj. - 26/43 €.* L'authentique façade en granit où grimpe la vigne vierge abrite une chaleureuse salle à manger rustique. Cuisine régionale faisant la part belle au poisson. Chambres à la fois simples et « cosy ».

En soirée

SADT Casino de Carnac – *41 av. des Salines - ℘ 02 97 52 64 64 - casinocarnac@ vcieubarriere.com - tlj 20h-3h.* Face aux salines du Breno, l'établissement abrite machines à sous et jeux de table. Le restaurant vous invite à plonger dans l'univers du sel : décor et spécialités locales à base de sel et de produits de la mer. Le bonheur des joueurs et des gourmands !

Sports & Loisirs

Carnac Thalassothérapie – *Av. de l'Atlantique - ℘ 02 97 52 53 54 - www. thalasso-carnac.com - 8h30-18h - fermé 2ᵉ et 3ᵉ sem. en janv. et 25 déc.* Ambiance feutrée, bâtiments rénovés chaque année : ce centre assure un environnement de qualité pour une détente parfaite, que vous pourrez goûter le temps d'un week-end. À raison de quatre soins par jour, vous découvrirez ainsi l'hydrothérapie et l'algothérapie tout en profitant de la plage, à deux pas de là. Piscine ouverte au public.

Parachutisme ascensionnel – *Parasailing (hôtel Les Rochers) - ℘ 02 97 52 10 09.* Tenté par le parachute ascensionnel dans la baie de Quiberon ? Rendez-vous au Water Sports Café (dans l'hôtel Les Rochers). De là, transfert en zodiac sur le ponton de départ (90 m²), à 600 m de la plage (atterrissage également sur ponton). Vol solo ou en tandem.

Châteaubriant

12 065 CASTELBRIANTAIS
CARTE GÉNÉRALE E3 – CARTE MICHELIN LOCAL 316 H1 – LOIRE-ATLANTIQUE (44)

Au centre d'une région boisée et parsemée d'étangs, cette ancienne ville fortifiée se situe aux marches de la Bretagne et de l'Anjou. Capitale du pays de la Mée, elle constitue avant tout une étape sur la route des stations balnéaires bretonnes, mais en vous attardant un tant soit peu, vous découvrirez une ville au riche passé historique et culturel, berceau de la famille de Chateaubriand.

- ▶ **Se repérer** – Situé au nord du département, Châteaubriant se rallie par la D 178 et la D 31 au départ de Nantes (70 km).

- ◷ **Organiser son temps** – Comptez une bonne heure de visite pour le château.

- 👁 **À ne pas manquer** – Le château et le marché aux bestiaux du mercredi matin.

- 👌 **Pour poursuivre la visite** – Voir aussi Blain, Redon, la Guerche-de-Bretagne et Nantes.

Visiter

Château★

☏ 02 40 28 20 20 - www.culture.cg44.fr - visite guidée de mi-juin à mi-sept. : 10h-12h15, 14h-18h30 ; reste de l'année : 14h-17h - visite libre des extérieurs - fermé mar., 25 déc.- 1ᵉʳ janv., 1ᵉʳ Mai, 1ᵉʳ nov. - 3 € (-10 ans gratuit, 10-18 ans 1,80 €).

Le château comprend une partie féodale et une partie Renaissance, due à Jean de Laval, comte de Châteaubriant, dont l'épouse Françoise de Foix fut un temps la favorite de François Iᵉʳ.

Du château féodal, il subsiste un important **donjon**, rattaché au châtelet d'entrée et à la chapelle par des murailles auxquelles s'adossent les deux ailes du Grand Logis. En face s'élève le **palais seigneurial** dont les trois ailes sont reliées par d'élégants pavillons Renaissance. Au cours de la visite, on emprunte l'escalier central **(1)** menant à un balcon d'où l'on jouit d'une belle vue sur la cour d'honneur, le donjon, les toits de la ville. On accède ensuite à la chambre « dorée » de Françoise de Foix **(2)** avec sa monumentale cheminée en bois sculpté (début 17ᵉ s.), puis à l'oratoire **(3)**. En regagnant l'accueil, remarquez la pierre tombale de Françoise de Foix (exposée devant la billeterie), gravée d'une épitaphe de Clément Marot. Le tribunal d'instance **(J)** occupe une partie du palais seigneurial et la bibliothèque

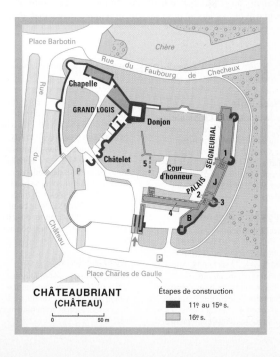

Place Barbotin

Chère

Rue du Faubourg de Checheux

Chapelle

GRAND LOGIS

Donjon

Châtelet

Cour d'honneur

SEIGNEURIAL

PALAIS

Château

Place Charles de Gaulle

CHÂTEAUBRIANT
(CHÂTEAU)

0 — 50 m

Étapes de construction

■ 11ᵉ au 15ᵉ s.
□ 16ᵉ s.

Bon appétit !

Centre d'un pays d'élevage de viande bovine, Châteaubriant est le deuxième marché aux gros bovins de France ; c'est dire l'attachement des éleveurs à la qualité de leur production. La technique de cuisson du châteaubriant aurait été mise au point par **Montmirail**, cuisinier de François-René de Chateaubriand, à moins que ce ne soit par **Magny**, cuisinier d'un restaurant parisien qui recevait au 19e s. les célébrités littéraires. Quoi qu'il en soit le châteaubriant est une pièce de bœuf de 300 à 400 g prise dans le filet ; la viande doit être saisie à l'extérieur, et saignante, juste chaude, à l'intérieur ! Elle est traditionnellement servie avec des pommes dauphine et une sauce béarnaise.

municipale, l'aile méridionale **(B)**. De la colonnade qui encadrait la cour d'honneur, il reste la galerie couverte **(4)** aboutissant à un pavillon d'escalier et un tronçon **(5)** fermant la cour d'honneur.

On peut faire le tour du château en flânant sur l'esplanade et dans les jardins qui descendent jusqu'à la Chère, où il fait bon pique-niquer.

Église de Saint-Jean-de-Béré

Le chœur et la croisée du transept remontent à la fin du 11e s., la nef est du 12e s. À droite du « Chapitreau » (16e s.) se trouve le petit « autel du Bon Dieu de Pitié » où était célébrée la messe au temps de la peste noire (1347-1351). À l'intérieur, sur le maître-autel, très riche retable (1665).

La Sablière

Aux portes de la ville, sur la route de Pouancé, à la carrière des Fusillés, le **monument du Souvenir** rappelle que 27 otages ont été tués par les Allemands, le 22 octobre 1941. Ils furent passés par les armes en représailles de l'attentat qui tua, le 20 octobre 1941, le feld-commandant de la place de Nantes. D'autres otages tombèrent à Nantes, ainsi qu'au mont Valérien, à l'ouest de Paris. Au pied du monument, 185 alvéoles renferment de la terre venue de tous les hauts lieux de la Résistance.

Aux alentours

Abbaye de Melleray

21 km au sud par la D 178 puis à gauche dans la D 18 à partir de La Meilleraye-de-Bretagne (vers Riaillé) - ✆ 02 40 55 26 00 - ouv. au moment des offices - visite accompagnée pour les groupes (min. 20 pers.) sur réserv. sf dim.

Fondée en 1142 près d'un étang magnifique, cette abbaye cistercienne comporte des bâtiments du 18e s. L'**église N.-D.-de-Melleray** (1183) a retrouvé sa rigueur cistercienne et des vitraux en grisaille. Dans le chœur à chevet plat, **Vierge** en bois polychrome du 17e s.

Châteaubriant pratique

Adresse utile

Office du tourisme de Châteaubriant – *22 r. de Couëré - BP 193 Châteaubriant - ✆ 02 40 28 20 90 - www.tourisme-chateaubriant.fr - mi-juil.-mi-sept. : tlj sf dim. et lun. mat. 9h30-12h30, 14h-18h (17h le sam.) ; de mi-sept. à mi-juil. : lun.-ven. 9h30-12h30, 14h-18h, sam. 9h30-12h30.*

Se loger et se restaurer

Hôtel Marmotte – *Rte de St-Nazaire, ZAC Sud-Ouest - ✆ 02 40 81 82 83 - par N 171, rte de St-Nazaire - 34 ch. 37 € - ☐ 5,40 € - rest. 12,50/15,50 €.* Membre d'une chaîne comptant près de 30 établissements, cet hôtel propose des chambres de style très standard. À la fois fonctionnelles et calmes, elles disposent toutes d'un équipement actuel, garantissant hygiène et confort. Restauration simple et correcte… Une étape pratique à prix très sage.

Hôtel La Ferrière – *Rte de Nantes - ✆ 02 40 28 00 28 - www.hotelleferriere.fr* **P** *- 19 ch. 64/84 € - ☐ 7 €.* Belle demeure bourgeoise et ses dépendances nichées dans un parc abritant des chambres confortables, garnies d'un mobilier de style et dotées de salles de bains modernes. Salle à manger de caractère (stucs et moulures) et véranda ouverte sur la nature.

Sports & Loisirs

Lac de Vioreau – *44440 Joué-sur-Erdre - ✆ 02 40 72 32 33.* Pédalo, barque, canoë, dériveur, VTT, rando, pêche, bar, restauration et animation musicale l'été.

Combourg ★

4 850 COMBOURGEOIS
CARTE GÉNÉRALE E2 – CARTE MICHELIN LOCAL 309 L4 – ILLE-ET-VILAINE (35)

Combourg reste intimement liée au plus grand des écrivains romantiques français. À la fin du 18e s., le château d'allure féodale qui domine le vieux bourg abrita en effet les premiers élans poétiques de François René de Chateaubriand. À deux pas de la forteresse, un vaste étang contribue à la vue charmante que l'on découvre en arrivant par la route de Rennes.

▶ **Se repérer** – En venant de Rennes en direction de St-Malo par la N 137 (42 km), prenez à droite la D 795, après Hédé : elle mène directement à Combourg.

🕐 **Organiser son temps** – La visite de la ville et du château se fait en une matinée, vous avez donc l'après-midi pour rayonner aux alentours.

👁 **À ne pas manquer** – Le château de Combourg, et celui de la Ballue pour son jardin.

👫 **Avec les enfants** – Les têtes blondes apprécieront sûrement les jeux du Cobac Parc et les bateaux du port miniature de Villecartier.

🖐 **Pour poursuivre la visite** – Voir aussi Bécherel, Dinan, la vallée de la Rance, Dinard, St-Malo, Cancale, Dol-de-Bretagne, et le Mont-St-Michel.

Comprendre

Chateaubriand à Combourg – Construit au 11e s., agrandi aux 14e et 15e s., restauré au 19e s., le château appartint à la famille Du Guesclin, puis au comte de Chateaubriand, père de François René. Dans ses *Mémoires d'outre-tombe*, le grand écrivain a évoqué les souvenirs des deux années de jeunesse passées à Combourg. D'humeur taciturne, le comte de Chateaubriand vivait très retiré, se promenant des heures durant sans que personne n'ose ouvrir la bouche. Malade, la comtesse ne s'occupait de ses enfants que de très loin. François René et sa sœur Lucile étaient livrés à eux-mêmes, dans l'ennui comme dans le rêve. Autour d'un château désert au point d'en être lugubre, bois et lande portaient à la tristesse. La tour du Chat, où François René avait sa chambre, était hantée : un ancien seigneur des lieux y revenait la nuit sous la forme d'un chat noir que l'enfant guettait anxieusement. Le vol des chouettes et le vent ébranlant portes et couloirs faisaient frissonner l'enfant. Là s'est nourrie l'âme de celui qui allait ouvrir la voie au romantisme français.

Visiter

Château★

📞 02 99 73 22 95 - www.combourg.net - visite guidée (45mn) juil.-août : 11h-17h30, parc 10h-18h ; avr.-juin et sept. : 14h-17h30, parc 10h-12h30, 14h-18h (dernière entrée 17h30) ; oct. : 14h-17h, parc 10h-12h, 14h-17h - fermé sam. (sf juil.-août), nov.-mars - 6 € château et parc (enf. 2,50 €).

« Des cachots et des donjons, un labyrinthe de galeries, des souterrains murés [...] partout, silence et obscurité et visage de pierre : voilà le château de Combourg. » (Chateaubriand). Puissante forteresse aux épaisses murailles flanquée de quatre tours massives coiffées en poivrière, le château a été restauré grâce aux conseils de Viollet-le-Duc. L'intérieur, largement réaménagé en 1876, recèle notamment des souvenirs de l'illustre écrivain. Dans la tour du Chat, se trouve l'austère chambre de son enfance. Très belle vue sur la localité, le lac et le **parc** depuis le chemin de ronde crénelé.

Aux alentours

Lanhélin

8 km au nord-ouest par la D 73. À Lanhélin, suivez la signalisation Parc de loisirs.

Cobac Parc – 📞 02 99 73 80 16 - www.cobac-parc.com - 17 juin-3 sept. : 10h-18h30 ; 15 avr.-16 juin et 4-17 sept. : merc., w.-end et j. fériés 10h30-18h - 14 € (- 3 ans gratuit, réduit 12,50 €).

René Mattes / MICHELIN

Le château de Combourg.

👥 Ce parc (15 ha de verdure) réunit toutes les attractions auxquelles ne résistent pas les enfants : jeux couverts, espace aquatique chauffé avec des toboggans géants et une pataugeoire, carrousel 1900, petit train, manèges, parc d'oiseaux, île aux champignons géants, poneys et ânes… Un musée expose plus de 200 animaux naturalisés de la région. Aire de pique-nique, relais bébé et restaurant.

Antrain

21 km à l'est par les D 796 et D 313. Perchée sur un promontoire, Antrain est une ville-marché dont les petites rues en pente conservent des demeures des 16e et 17e s. L'**église St-André** (en grande partie 12e s.) est repérable à son imposant clocher du 17e s. coiffé d'un dôme avec lanternon. Sur le portail en plein cintre, les chapiteaux et tailloirs sont décorés d'oves et de dents-de-scie.

Château de Bonnefontaine

1,5 km au sud d'Antrain. Quittez Antrain par les rues du Gén.-Lavigne et de Bonnefontaine - ☎ *02 99 98 31 13 - avr.-oct. : 10h-18h. - seul le parc se visite : 3 € (gratuit -12 ans).* Élevé en 1547 sous forme de manoir fortifié et remanié au 19e s., Bonnefontaine s'inscrit dans un vaste parc à l'anglaise. L'élégance des tourelles qui ornent son grand corps de logis, ses hautes fenêtres et ses lucarnes sculptées corrigent la sévérité de ses tours trapues à mâchicoulis coiffées de toits en poivrière.

Bazouges-la-Pérouse

8 km à l'ouest-sud-ouest d'Antrain par la D 313 qui coupe la D 155.
Peintres, sculpteurs, photographes céramistes… nombreux sont les artistes qui fréquentent cet agréable village. Expositions dans différentes galeries, surtout en saison.

Château de la Ballue – ☎ *02 99 97 47 86 - www.laballuejardin.com -* ♿ *- 15 mars-15 nov. : 10h30-18h, possibilité de visite guidée (1h) - 15 nov.-15 mars : visite possible sur rdv. - 8 € (enf. +12 ans 6,50 €).*
Aux yeux de certains écrivains romantiques, ce beau bâtiment de schiste et granit symbolisait la chouannerie, d'où les visites de Musset, Balzac et Hugo. Il est célèbre pour son **jardin★** d'inspiration maniériste : « **bosquet-attrape** » élaboré sur le principe du jeu d'eau, « **bosquet de musique** » formé de cyprès très serrés, temple de Diane, labyrinthe… Chambres d'hôte.

Combourg pratique

Adresse utile

Office du tourisme de Combourg – *Pl. Albert-Parent - 35270 Combourg -* ☎ *02 99 73 13 93 - www.combourg.org - juil.-août : 9h-18h30, dim. 10h-12h30 ; reste de l'année : mar.-sam. 9h30-12h30, 14h-18h, dim. et lun. 10h-12h30 - fermé j. fériés.*

Se loger

🍴 **Hôtel du Lac** – *Pl. Chateaubriand -* ☎ *02 99 73 05 65 - www.hotel-restaurant-du-lac.com - fermé fév. -* 🅿 *- 28 ch. 46/74 € -* 🛏 *9 € - restaurant 25/55 €.* À l'entrée du vieux bourg dominé par son château médiéval, pour ainsi dire « les pieds dans le lac », maison régionale disposant de chambres pratiques et fraîches. Deux salles à manger dont une véranda ouverte sur le plan d'eau. Belle terrasse dans le jardin..

Se restaurer

🍴 **L'Écrivain** – *Pl. St-Gilduin -* ☎ *02 99 73 01 61 - fermé vac. de fév., de Toussaint, merc. soir, dim. soir et jeu. sf du 14 Juil. au 15 août - 15 € déj. - 22/36 €.* Une salle à manger habillée de boiseries, une autre ouverte sur le jardin ; il règne ici une ambiance bucolique que n'aurait pas renié le plus célèbre de nos romantiques.

Loisirs

Port Miniature de Villecartier – 👥 *- Dans la forêt de Villecartier, accès fléché à partir de la D 155 - 35560 Bazouges-la-Pérouse -* ☎ *02 99 48 55 49 ou 02 99 98 37 24 - antrain. communaute@wanadoo.fr - juil.-août : 11h-19h ; avr.-juin et sept. : w.-end et j. fériés 14h-19h - 4 € (-10 ans 3 €).* Devenez capitaine d'un jour et embarquez sur un ferry, un vapeur du Mississipi ou sur un chalutier de la petite flotte de bateaux miniatures.

Concarneau ★

19 453 CONCARNOIS
CARTE GÉNÉRALE C3 – CARTE MICHELIN LOCAL 308 H7

Grand port de pêche, Concarneau attire autant pour le spectacle de ~~time~~ que par la qualité de ses plages. Mais ce qui séduit le plus les visiteurs, c'est encore la vision de sa « ville close », enserrée dans des remparts de granit édifiés au Moyen Âge. Un petit bijou de fortification qui se parcourt à pied pour mieux se découvrir.

▶ **Se repérer** – Au sud-est de Quimper par la D 783, Concarneau occupe un site abrité, face à Beg-Meil.

🅿 **Se garer** – Il est extrêmement difficile de circuler et de se garer dans le centre de Concarneau. Oubliez votre voiture dans un parking public. Les plus proches du centre sont situés quai Carnot, quai d'Aiguillon et quai Pénéroff. Celui de la gare est gratuit mais non surveillé.

🕓 **Organiser son temps** – Comptez une demi-journée pour visiter la ville close et ajoutez-en une autre pour la visite des ports.

👁 **À ne pas manquer** – La ville close et les beaux panoramas qu'offre la pointe du Cabellou.

👫 **Avec les enfants** – Le débarquement du poisson reste un spectacle fascinant, pour les petits comme pour les grands *(voir Concarneau pratique)*.

🔗 **Pour poursuivre la visite** – Voir aussi Pont-Aven, Fouesnant, Bénodet, Pont-l'Abbé et Quimper.

Découvrir

LA VILLE CLOSE★★

Visite : 2h.

Ses ruelles occupent un îlot de forme irrégulière, long de 350 m et large de 100 m, relié à la terre par deux petits ponts que sépare un ouvrage fortifié. D'épais remparts, élevés au 14ᵉ s., reconstruits au 16ᵉ s. et complétés par Vauban au 17ᵉ s., en font le tour.

Musée de la Pêche

☎ 02 98 97 10 20 - ♿ - *juil.-août : 9h30-20h ; avr.-juin : 10h-18h, sept.-mars : 10h-12h, 14h-18h, vac. scol. : 10h-18h - fermé 3 dernières sem. janv. - 6 € (enf. 4 €).*
Situé dans l'ancien arsenal, il présente de façon, certes un peu désuète mais très claire, l'évolution de la pêche depuis les méthodes ancestrales jusqu'aux techniques les plus contemporaines. Sa **collection**★ de maquettes et de reconstitutions est impressionnante ! Complétée par quelques petits bateaux anciens, elle évoque les pêches traditionnelles ou modernes (baleine, morue, thon, sardine, hareng). On découvre aussi le *Commandant Garreau,* canot de sauvetage de 1894.

Entrée de la ville close de Concarneau.

Par la tour du Major, on accède au musée à flot. À bord de l'*Hémérica*, un chalutier désarmé en 1981, on peut se faire une idée du métier difficile des marins.

Accès aux fortifications

Suivez les plaques indicatrices. Pour la 1re partie de la visite, montez les marches à gauche immédiatement après le pont et prenez le chemin de ronde - ℘ *02 98 50 39 17 ou 02 98 60 76 06 - juin-sept. : tlj 9h-19h30, vac. scol. tlj 10h-17h - 0,80 € (enf. 0,40 €) 15 juin-15 sept., gratuit le reste de l'année.*

Par les meurtrières, vue sur l'arrière-port, sa flotte de pêche et la tour neuve.

Pour la 2e partie de la visite, revenir au point de départ (redescendre les marches).

Après avoir contourné l'esplanade du Petit-Château donnant sur le port de plaisance, on domine la passe qui relie les deux ports.

Rentrez plus avant dans la ville par la porte du Passage. Poursuivez tout droit et à gauche par la rue St-Guénolé.

De la place St-Guénolé, une courte ruelle à droite conduit à la **porte aux Vins**, ouverte dans les remparts ; en la franchissant, on aura une vue sur les chalutiers amarrés dans le port et sur la criée.

La rue Vauban ramène à la sortie de la ville close.

LES PORTS

Dans le **port de pêche**, le troisième de France pour le poisson frais, et le premier d'Europe pour le thon, la plupart des bateaux sont amarrés le long du quai Carnot, où l'on verra chalutiers et cargos. Avec un peu de chance, on peut assister au déchargement des crustacés et des poissons vers 22h sous les néons. La vente a lieu vers 7h du matin, mais la criée est désormais automatisée : elle ne résonne plus des litanies du crieur…

L'embarcadère pour les excursions se trouve à hauteur du **port de plaisance**. À gauche du quai de la Croix s'élève le laboratoire maritime du Muséum national d'histoire naturelle et du Collège de France, dont on peut visiter le **marinarium**. Une occasion de présenter sa mission, l'incroyable biodiversité du monde marin, surtout sur le littoral, et la difficulté de gérer cet incroyable trésor. Observation du plancton, quelques aquariums et films. ℘ *02 98 50 81 64 - www.mnhn.fr/mnhn/conc -* �& *- juil.-août : 10h-19h ; avr.-juin et sept. : 10h-12h, 14h-18h ; fév.-mars et oct.-déc. : 14h-18h, animations (1h) vac. scol. - fermé janv., 25 déc. - 5 € (6-14 ans 3 €).*

Dépassez l'ancien marché aux poissons où se tenait la criée, puis la chapelle N.-D.-de-Bon-Secours (15e s.) et un petit phare. Longez ensuite le **port de la Croix** (boulevard Bougainville) que protège une jetée. Jolie vue en arrière sur la pointe du Cabellou et, en avant, sur la pointe de Beg-Meil. Au large, les îles de Glénan.

Aux alentours

Beuzec-Conq

1,5 km au nord. Par la rue Jules-Simon, traversez la D 783. Dans la rue de Stang, passez la grille d'entrée sur la gauche. Le **manoir de Keriolet** (15e s.) fut transformé au 19e s. en un extraordinaire château d'inspiration médiévale par la richissime princesse russe Zenaïde Narischkine. Le prince Ioussoupov, l'un des assassins de Raspoutine, habita également le château. ✆ 02 98 97 36 50 - ♿ - *visite guidée (1h) juin-sept. : 10h30-13h, 14h-18h, sam. 10h30-13h - 5 € (7-15 ans 3 €).*

Rosporden

13 km au nord-est par la D 70. Cette petite ville, au bord d'un étang formé par l'Aven, possède plusieurs conserveries. Mais elle est surtout réputée pour son hydromel, appelé *chouchen* en breton. Cette boisson alcoolisée, obtenue par fermentation du miel dans de l'eau, était déjà appréciée dans l'Antiquité.

Son **église** des 14e et 15e s., remaniée au 17e s., possède un beau **clocher★** carré. Quatre clochetons et quatre fenêtres à remplage enserrent la flèche octogonale. ✆ 02 98 59 21 65 - *juil.-août : 10h-12h, 15h-18h - en cas de fermeture, possibilité de récupérer la clef au presbytère, 7 r. de Reims.*

Circuit de découverte

LA CÔTE VERS PONT-AVEN

45 km – environ 2h.

Quittez Concarneau par le quai Carnot vers Lorient ; à 3 km prenez à droite.

La route passe par le pont du Moros qui offre une très jolie **vue d'ensemble★** de Concarneau, de son port de pêche et de la baie ; sous le pont se trouve la petite île aux canards.

Pointe du Cabellou★

Contournez la pointe par la droite. Belle **vue★** sur Concarneau et la ville close. Parmi les villas et les pins, la route longe la côte rocheuse et offre des vues sur la baie de la Forêt et les îles de Glénan.

Revenez à la route nationale et prenez vers Quimperlé. À Pont-Minaouët, tournez à droite, et à Kermao encore à droite.

On traverse **Pouldohan** (belle plage et importante école de voile) et Pendruc.

Pointe de la Jument

⌐ *15mn à pied AR.* On appréciera le site rocheux et la vue sur le Cabellou, la baie de la Forêt et Beg-Meil ; en face, la côte de Loctudy.

Gagnez la pointe de Trévignon par Lambell où vous prenez à droite, vers Lanénos et Ruat.

Pointe de Trévignon

Elle porte à son extrémité un ancien fort. Un minuscule port de pêche et le bateau de sauvetage s'abritent sur la face ouest. Belle **vue★** à droite sur la baie de la Forêt et Beg-Meil, l'anse de Bénodet, à gauche sur les îles de Glénan et, plus près de la côte, l'île Verte et l'île Raguenès.

Suivez la route en bordure de la plage de Kersidan. Prenez ensuite à gauche vers Kercanic.

Kercanic

Ce hameau présente des fermettes typiques, couvertes de chaume.

Faites demi-tour pour tourner à gauche. On traverse le charmant village de **Kerascoët**, aussi connu pour ses maisonnettes, afin de gagner Port-Manech. À Trémorvezen, tournez à droite après la chapelle.

La suite de l'excursion est décrite en sens inverse au départ de Pont-Aven.

Détail d'une chaumière à Kercanic.

Alain Cassaigne / MICHELIN

Concarneau pratique

Adresse utile

Office du tourisme de Concarneau – *Quai d'Aiguillon - 29900 Concarneau - ☎ 02 98 97 01 44. www.tourismeconcarneau.fr - juil.-août : tlj 9h-19h ; mai-juin et 1re quinzaine de sept. : lun.-sam. 9h-12h30, 13h45-18h30, dim. 10h-13h ; du 15 sept. à fin avr. : lun.-sam. 9h-12h, 14h-18h, dim. et j. fériés 10h-13h ; fermé 25 déc. et 1er janv.*

Visites

Concarneau, « Ville d'art et d'histoire », propose différentes visites-découvertes (1h30) générales ou thématiques : sur les traces de Simenon, les peintres et Concarneau, l'architecture militaire - *Visite-découverte 4,60 € (réduit 2,30 €)*, *atelier du patrimoine 3,50 €. Programme et rens. à l'office de tourisme.*

La criée et le port

À l'assaut des remparts – 👤👤 – *5 impasse de Verdun - ☎ 02 98 50 55 18 - www.alassautdesremparts.fr - Visite guidée 2h - saison estivale, sur réserv. le reste de l'année - horaires et tarifs en fonction de la visite choisie - 5/6 € (6-12 ans : 3/4 €) -* Avec Simon Allain, ancien marin, montez à bord d'authentiques chalutiers de haute mer de retour de pêche, et assistez à la débarque des poissons puis à la vente sous criée. Possibilité de visiter la conserverie Courtin et la biscuiterie Traou Mad.

Videomer - *5 quai de la Criée - ☎ 06 80 26 34 25 - www.videomer.fr - Visite guidée 1h30 - Pâques à nov. tlj 17h30 - 6 € (6-12 ans 3 €).*

Se loger

😊 **Chambre d'hôte Le Manoir de Coat Canton** – *Grand Bois - 29140 Rosporden - 13 km au NE de Concarneau par D 783 rte de Pont-l'Abbé et D 70 à droite rte de Rosporden - ☎ 02 98 66 31 24 - ⊟ - 4 ch. 40/45 € ⊡.* Le manoir, dont la construction s'est échelonnée du 13e au 17e s., héberge seulement la réception. Les chambres ont été aménagées dans une ancienne longère restaurée ; chacune affiche un style propre : médiéval, breton ou anglais.

😊😊 **Hôtel Ker Moor** – *Plage des Sables-Blancs - ☎ 02 98 97 02 96 - kermoor@lespiedsdansleau.com - P - 12 ch. 80/145 € - ⊡ 15 €.* « Les pieds dans l'eau », villa 1900 cachant derrière sa discrète façade un décor résolument maritime avec lambris peints en blanc, gravures et photos à thème nautique et maquettes de bateaux. Toutes ses chambres ouvrent sur la mer ; trois avec une terrasse.

Se restaurer

😊😊 **La Porte au Vin** – *9 pl. St-Guénolé (ville close) - ☎ 02 98 97 38 11 - d'avr. à fin vac. de Toussaint et vac. de Noël - formule*

déj. 11 € - 17/25 €. Dans la ville close, maison ancienne jouxtant la porte qui permettait autrefois la livraison du vin. Ses menus à prix doux sont servis dans un décor authentique de pierres, poutres, grandes cheminées, photos d'antan et tableaux régionaux.

😊😊 **Chez Armande** – *15 bis av. du Dr-Nicolas - ☎ 02 98 97 00 76 - fermé 10-25 fév., 26 août-3 sept., 16 déc.-7 janv., mar. sf juil.-août et merc. - 19,50/35 €.* Une halte bien sympathique face à la ville close, où vous pourrez vous régaler d'une cuisine bien tournée dans le chaleureux décor d'une salle à manger de style breton, avec petit bar à l'entrée, chaises paillées et joli plafond.

Que rapporter

👁 **Bon à savoir** – Situées dans la ville close, entre la rue Vauban et la rue de l'église en passant par la place et la rue St-Guénolé, les boutiques d'artisanat, de vêtements et de produits régionaux offrent un large choix de souvenirs. Bars, brasseries et restaurants traditionnels viendront ponctuer votre visite du quartier.

La Maison du Kouign Amann – *18 pl. St-Guénolé - ville close - ☎ 02 98 60 58 35 - www.kouignamann.com - juil.-août : 9h-23h30 ; avr.-sept. : 9h-19h.* Au cœur de la ville close, la famille Chazé prépare sous vos yeux le véritable kouign amann au beurre frais de baratte (laboratoire au fond du magasin), et autres spécialités bretonnes (far aux pruneaux, gâteaux aux pommes). Des glaces maison complètent le savoir-faire familial.

Conserverie Courtin – *3 quai du Moros - ☎ 02 98 97 01 80 - www.courtin.fr - tlj sf dim. 9h-12h30, 14h-19h ; sam. 9h30-12h30, 15h-19h.* Véritable institution sur le port, cette conserverie centenaire est l'une des dernières à subsister encore. Réputée pour ses confits de St-Jacques, elle prépare aussi de façon artisanale soupes, sauces, rillettes, mousses, bisque et cotriade estampillée « La Concarnoise ». Visite commentée et dégustation gratuite.

Conserverie Gonidec - Les Mouettes d'Arvor – *Z.A. de Keramporiel - ☎ 02 98 97 07 09 - www.gonidec.com - juil.-août : 10h-19h30 ; avr.-juin et sept. : tlj sf dim. 10h-12h30, 14h-18h30 ; le reste de l'année : tlj sf w.-end 9h-12h, 13h30-18h - fermé 2 sem. fin avr.-déb. mai, 1 sem. en août, vac. de Noël et j. fériés.* En saison, sa petite boutique ouverte dans la ville close propose toute la gamme des « Mouettes d'Arvor » : sardines, thon blanc germon, maquereaux, anchois, soupes et crèmes à toaster. Le reste de l'année, les habitués se fournissent directement au magasin de l'usine installée à l'entrée de Concarneau *(visites en été ou sur rendez-vous - Simon Allain, ☎ 02 98 50 56 55).*

Plages – Le boulevard Katherine-Wylie, tracé en corniche, longe la plage du Miné et offre de belles vues sur la baie, puis le boulevard Alfred-Guillou donne sur la plage de Cornouaille. Plus loin se trouve la plage des Sables Blancs. (Point passion plage -. ☎ 02 98 50 59 54).

Promenades en mer – 4 compagnies de promenades en mer proposent, d'avril à septembre : Gouelia, des journées de navigation à bord d'un voilier traditionnel - ☎ 02 98 65 10 00 ; Santa Maria, pêche au gros et promenades en mer - ☎ 00 87 ; Vedettes Glenn, promenades en mer - ☎ 02 98 97 10 31 ; Vedettes de l'Odet, croisière aux Glénan et sur l'Odet ☎ 0 825 800 801.

Événement

La fête des Filets bleus – *Av.-dernier dim. d'août - http://filetsbleus.free.fr* - Instaurée en 1905 pour venir en aide aux pêcheurs de sardines et à leurs familles, cette fête a pris un caractère folklorique avec de joyeux groupes costumés, des danses et des défilés.

La Cornouaille★★

CARTE GÉNÉRALE B3 – CARTE MICHELIN LOCAL 308 F/H 5/7 – FINISTÈRE (29)

Royaume puis duché de Bretagne, la Cornouaille médiévale s'étendait très loin, au nord et à l'est de Quimper. La région que l'on découvre ici est celle du littoral, avec ses ports, ses larges baies et sa côte rocheuse. Quelques incursions dans l'arrière-pays révèlent également une campagne aux horizons tranquilles, parsemée de hameaux aux maisons blanches. Coups de cœur assurés !

- **Se repérer** – La Cornouaille actuelle correspond approximativement au Finistère Sud. Elle s'étend de la pointe du Raz à l'Ellé (vers Quimperlé à l'est, à deux pas du Morbihan), et de la pointe de Penmarch aux Montagnes Noires. Quimper en est la ville principale. La Cornouaille historique s'étendait quant à elle jusqu'à Landerneau et aux abords de Morlaix au nord. L'itinéraire proposé se cantonne à l'ouest de Quimper.

- **Organiser son temps** – Entre les plages, les petites églises, les randonnées et les sublimes panoramas, vous n'aurez pas trop d'une journée pour ce circuit en Cornouaille. Prévoyez un pique-nique sur les falaises et de bonnes chaussures pour les sentiers qui s'en approchent.

- **À ne pas manquer** – Toutes les pointes, depuis celle du Millier au nord, jusqu'à Penmarch au sud, en passant par celle du Van et, bien sûr, du Raz. Arrêtez-vous également au calvaire de N. D.-de-Tronoën.

- **Avec les enfants** – Emmenez-les à la découverte de la faune marine à l'Aquashow d'Audierne, et comprenez avec eux la gestion des ressources aquatiques en visitant Haliotika au Guilvinec.

- **Pour poursuivre la visite** – Voir aussi Quimper, Pont-l'Abbé, la pointe du Raz, Douarnenez et, Locronan.

L'impressionnante pointe du Van.

René Mattes / MICHELIN

une journée.

par les rues de Locronan et de la Providence, puis la
reste vallée du Steïr, aux pentes boisées, et on traverse une
onnée.

Plogonnec

L'**église** du 16ᵉ s., remaniée au 18ᵉ s. possède un beau clocher Renaissance et des
vitraux du 16ᵉ s. figurant saint Edern et saint Théleau chevauchant chacun un cerf
(bas-côté gauche), la Transfiguration, la Passion et le Jugement dernier *(chœur)*.

Locronan★★ *(voir ce nom)*

La route de Douarnenez, laissant à gauche la forêt de Nevet, se dirige vers la mer. À
Kerlaz, un clocher ajouré coiffe l'église des 16ᵉ et 17ᵉ s.

Douarnenez★ *(voir ce nom)*

*Quittez Douarnenez par Tréboul et gagnez Poullan-sur-Mer où vous tournerez à gauche,
puis deux fois à droite.*

Chapelle N.-D.-de-Kérinec

Dans un site boisé, cette chapelle (13ᵉ et 15ᵉ s.) présente un élégant chevet plat. Son
fin clocher à flèche est la réplique fidèle de celui du 17ᵉ s., abattu par la foudre en 1958.
Sous les frondaisons, remarquez la chaire ronde dont le pupitre de pierre est soutenu
par un personnage ; une croix-calvaire se dresse au centre de la chaire.

Église N.-D.-de-Confort

Le chœur de cet édifice (16ᵉ s.) avec clocher à galeries (1736) possède de beaux **vitraux**
(16ᵉ s.), dont un Arbre de Jessé, réalisés par un artiste quimpérois. Au-dessus de la
dernière arcade de la nef, à gauche, est suspendue une roue à carillon garnie de douze
clochettes. On la faisait jadis tourner en implorant la Vierge, pour donner le don de
la parole aux enfants lents à parler. *Visite libre 9h-19h.*

*À la sortie de Confort vers Pont-Croix, tournez à droite, puis à gauche (D 307) en direction
de Beuzec-Cap-Sizun et, une nouvelle fois, à droite.*

Pointe du Millier★

Ce site aride porte un petit phare. De la pointe *(15mn à pied AR)*, une **vue**★
magnifique s'offre sur la baie de Douarnenez et le cap de la Chèvre.

À la sortie de Beuzec-Cap-Sizun, prenez à droite.

Pointe de Beuzec★

Du rond-point aménagé en parking, **vue**★ sur l'entrée de la baie de Douarnenez,
la presqu'île de Crozon et, par temps clair, la pointe de St-Mathieu, au nord-
ouest.

Réserve du Cap Sizun★

📞 02 98 70 13 53 - juil.-août : 10h-18h, 14h-18h le sam. ; avr.-juin : 10h-12h, 14h-18h,
14h-18h le sam. - fermé 1ᵉʳ sept.-30 mars - possibilité de visite guidée (2h 6,50 € avec
prêt de jumelles) - 2 € (-12 ans gratuit).
Ce site magnifique et sauvage, qui domine la mer de 70 m, abrite des milliers d'oiseaux
de mer se rassemblant en colonies : guillemots de Troïl, cormorans huppés, goélands
argentés, bruns et marins, les plus rares, mouettes tridactyles, pétrels fulmars, grands
corbeaux et craves à bec rouge. Il est conseillé de visiter le site pendant la période de
reproduction, au printemps. La nidification débute en mars et s'achève à la mi-juillet
pour la plupart des oiseaux. Les adultes et les jeunes de l'année quittent peu à peu
la réserve, jusqu'à la fin du mois d'août.
👁 Pour un supplément de 3 € la demi-journée, nous vous conseillons de louer le
sac à falaise. Il contient une paire de jumelles, une loupe, un livret de découverte
et des fiches de reconnaissance pour la faune et la flore. De quoi passer de bons
moments en famille.

Goulien

La Maison du vent – Le Bourg - 📞 02 98 70 04 09 - ♿ - vac. scol. : l'été 10h-12h30,
14h30-18h30 ; autres vac. scol. : 14h30-18h30 - 3 € (enf. +7 ans 2 €). Depuis leur installation en 2000, les huit éoliennes de Goulien intriguent les visiteurs. Pour aller plus
loin, la Maison du vent installée dans l'ancienne école du bourg propose un centre

d'interprétation ludique et scientifique intitulé « A l'école du vent ». Y sont abordés de façon pédagogique et artistique différents thèmes : la nature des vents et leurs effets, l'électricité, l'énergie éolienne, l'impact du vent sur la faune, la flore et les paysages… Guide de visite remis à l'entrée.

Pointe de Brézellec★

Laisser la voiture près de l'enclos des phares et balises. De la plate-forme rocheuse, **vue★** magnifique sur la côte découpée dont les falaises escarpées se développent sur une longueur exceptionnelle en Bretagne : au loin, la pointe de St-Mathieu ; en face, la presqu'île de Crozon, à gauche, la pointe du Van et le phare de Tévennec.

Faites demi-tour et prenez à droite vers la pointe du Van.

Pointe du Van★★

À gauche du chemin s'élève la **chapelle St-They** (15e s.). Suivez, en restant toujours à gauche, la piste mal tracée qui contourne le cap *(1h à pied AR)*. Belle **vue★★** sur la pointe de Castelmeur derrière laquelle se profile la pointe de Brézellec ; en face, le cap de la Chèvre, la pointe de Penhir et les « Tas de Pois », la pointe de St-Mathieu ; au large de la pointe du Raz, l'île de Sein et le phare de la Vieille. Les touristes que la descente tenterait devront se montrer prudents. Le paysage devient plus sévère : murs de pierres sèches, lande rase, aucun arbre n'égaye l'extrémité du cap.

Faites demi-tour et prenez immédiatement à droite la petite route qui épouse les contours de la côte et mène à la baie des Trépassés.

Sérénité et tranquillité à la baie des Trépassés.

Baie des Trépassés – Plutôt qu'une allusion aux corps des naufragés amenés par les courants, le nom de la baie proviendrait d'une déformation de *boe an aon* (baie du ruisseau) en *boe an anaon* (baie des âmes en peine). Cette hypothèse s'appuie sur le fait que le ruisseau, qui débouche maintenant dans les marais voisins, s'écoulait jadis dans la baie.

On pense que celle-ci était le lieu d'embarquement des dépouilles des druides vers l'île de Sein, où ils étaient inhumés. Certains situent également la légendaire **ville d'Ys**, cité du roi Gradlon, engloutie par la mer, dans la petite vallée de la baie, occupée aujourd'hui par les marais. D'autres la localisent plutôt en baie de Douarnenez.

Pointe du Raz★★★ *(voir ce nom)*

Prenez la direction d'Audierne et, à 10 km, tournez à droite vers St-Tugen.

Saint-Tugen★

La nef et l'imposante tour carrée de la **chapelle** de St-Tugen sont de style gothique flamboyant (16e s.), le transept et le chevet de style Renaissance (17e s.). Au flanc droit, le beau porche abrite six statues d'apôtres en granit de Kersanton et trois statues du 16e s. : le Christ, la Vierge et sainte Anne. À l'intérieur, remarquez un curieux catafalque-cercueil flanqué aux extrémités des statues d'Adam et d'Ève.

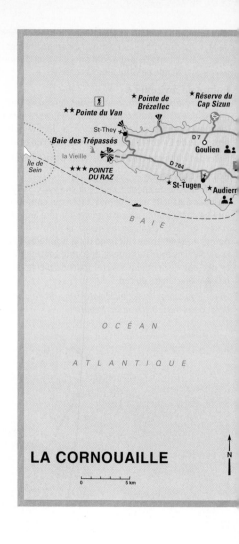

LA CORNOUAILLE

0   5 km

N

Audierne★

Ce port de pêche et de plaisance est situé sur l'estuaire du Goyen, dans un joli **site★**, au pied d'une colline boisée. Tout comme à Douarnenez ou à Guilvinec, vous trouverez dans les casiers des pêcheurs : de la sardine, de la langouste et de l'araignée.

Aquashow★ – *Rte du Goyen, en direction de Douarnenez -* ☏ *02 98 70 03 03 - www. aquarium.fr -* & *- avr.-sept. : 10h-19h ; oct.-mars (vac. scol.) : 14h-17h - fermé janv. - possibilité de visite guidée (2h30 à 3h) - 11,50 € (enf. 8,50 €, gratuit le mat.)*

Dans ce beau bâtiment de 5 000 m², donnant sur la rivière, 20 bassins accueillent la **faune aquatique bretonne** (130 espèces). Le cours du Goyen sert de fil conducteur à la présentation du biotope, du simple ruisseau d'eau douce jusqu'à la mer. Certains animaux sont de taille impressionnante : congres de 2 m, homards de 6 kg, araignée japonaise de 1,50 m…

Dans le **bassin tactile**, on peut effleurer les raies. Une exposition (photos, objets…) rend hommage à l'aventure en mer de Gérard d'Aboville, et à la conserverie du Capitaine Cook. À voir encore : un spectacle en 3D sur le monde des requins, et la reconstitution d'une épave du 17e s. où s'accrochent mollusques et crustacés.

Le complexe comprend aussi une **volière**, où l'on assiste, sur des gradins, aux saisissantes prouesses des oiseaux pour attraper le poisson : plongeons de cormorans, piqué de faucons à 250 km/h.

Pont-Croix★

Cette petite ville ancienne s'étage sur la rive droite du Goyen. De pittoresques ruelles pavées, bordées de vieilles maisons, descendent jusqu'au pont sur la rivière ; empruntez de préférence la Petite et la Grande-Rue-Chère.

Collégiale N.-D.-de-Roscudon★ – *Tlj sf w.-end 10h-17h30. En cas de fermeture, s'adresser à l'office de tourisme de Pont-Croix -* ℘ *02 98 70 40 38.* Sur le flanc droit de N.-D.-de-Roscudon s'ouvre un élégant porche (fin 14ᵉ s.), coiffé de trois hauts gâbles finement ouvragés. La nef d'apparence romane remonte au début du 13ᵉ s. Le chœur a été agrandi en 1290, le transept aménagé en 1450 pour supporter le magnifique **clocher★**. Sa flèche haute de 67 m a servi de modèle pour celles de la cathédrale de Quimper. L'intérieur présente un beau mobilier, dont une **Cène** du 17ᵉ s. en bois sculpté en haut relief. Belle **verrière** (vers 1540) dans la chapelle du Rosaire, à droite du chœur.

Gagnez Plouhinec, où naquit en 1879 le sculpteur Quillivic, puis à Ty-Pic, prenez la route à droite.

Pors-Poulhan

Ce minuscule port est abrité par une jetée. Avant Plozévet, une belle **vue★** se dégage sur la baie d'Audierne et le phare d'Eckmühl, à l'extrémité de la pointe de Penmarch.

Plozévet

L'église gothique possède un porche du 15ᵉ s. Tout près, un menhir agrémenté d'une sculpture de Quillivic a été érigé en souvenir des morts de la guerre de 1914-1918.

Poursuivez l'itinéraire sur 1 km vers le nord.

Chapelle de la Trinité

À la nef élevée au 14ᵉ s. fut adjoint au 16ᵉ s. le reste de l'édifice. À l'extérieur, deux murs du croisillon sud présentent une charmante décoration Louis XII. À l'intérieur, chapiteaux à décor floral.

PRESQU'ÎLE DE PENMARCH★ 2

Itinéraire de 100 km – comptez une demi-journée.

Jusqu'à la fin du 16ᵉ s., la presqu'île de Penmarch fut l'une des plus riches régions de Bretagne. La pêche à la « viande de carême » (la morue) faisait la fortune de ses 15 000 habitants, avant que le poisson ne déserte ses côtes, bien avant les montants compensatoires…

L'itinéraire se déroule en pays bigouden, que le costume de ses femmes, et surtout leur coiffe originale, a popularisé. C'est le pays du *Cheval d'orgueil*, le beau roman de Pierre Jakez Hélias : une terre au climat doux mais venteux, où les « pallues » sableuses de la baie d'Audierne semblent nier les rochers découpés qui la séparent de l'agréable coulée de l'Odet.

Plozévet *(voir ci-dessus)*

Quittez Plozévet, au sud, vers Penhors.

Penhors

Pour gagner la chapelle, prenez la direction de la plage. Le 1ᵉʳ dimanche de septembre a lieu le grand **pardon** de N.-D.-de-Penhors, l'un des plus importants de Cornouaille.

Maison de l'Amiral – ℘ 02 98 51 52 52 - www.maison-de-l-amiral.com - ᵴ - *juil.-août :* 10h-20h ; sept.-déc. et 15 fév.-juin : mar.-vend. 10h-12h, 14h-18h, sam.-dim. 14h-18h - 5,20 € (5-15 ans 2,60 €).

On y découvre une belle collection de quelque 4 500 coquillages du monde entier, des poissons (dont un impressionnant requin-citron !), des minéraux de toutes les couleurs, des coraux, des fossiles et une présentation de 200 oiseaux de mer. Films. À l'extérieur, face à l'océan, l'aire de jeux pour les enfants bénéficie d'une vue magnifique : on distingue à droite la pointe du Raz, à gauche celles de la Torche et de Penmarch.

🦪 À marée basse, on peut aller de Penhors jusqu'à la pointe de la Torche *(20 km par la plage)*. Devant la Maison de l'Amiral, départ d'un sentier de randonnée côtier balisé (3 km).

Continuez vers Plovan.

Plovan

La plage est belle, mais attention aux courants ! L'**église** (16ᵉ s.) présente un clocher ajouré flanqué d'une tourelle. Près de l'église, calvaire du 16ᵉ s.

Chapelle de Languidou

Proche de l'étang de Kergalan, cette chapelle (13ᵉ et 15ᵉ s.) que l'on appelle aussi chapelle de St-Guy n'est plus qu'une ruine de granit. On admire encore sa magnifique rosace.

Par Tréogat, rejoignez Plonéour-Lanvern. De là, bifurquer à gauche vers Languivoa.

Chapelle de Languivoa

℘ 02 98 82 66 00 - *juil.-août et Journées du patrimoine : 14h30-18h ; reste de l'année : possibilité de visite guidée sur demande.* Cette chapelle (14ᵉ et 17ᵉ s.) a été entièrement restaurée. Le clocher-porche, découronné sous Louis XIV, domine la nef et l'entrée de style classique, avec ses colonnes doriques encastrées. Pardon le 15 août.

Dans Plonéour-Lanvern, prenez la route de Plomeur et à 2 km, tournez à droite.

Calvaire et chapelle N.-D.-de-Tronoën★★

℘ 02 98 82 66 00 - *juil.-août et Journées du patrimoine : 14h30-18h ; reste de l'année : possibilité de visite guidée sur demande.*

Le calvaire et la chapelle se dressent en bordure de la baie d'Audierne, dans un paysage sauvage de dunes.

Calvaire★★ – (1450-1460). L'Enfance et la Passion du Christ se déroulent sur deux frises, à travers cent personnages doués d'une vie intense, et d'une originalité remarquable. Un examen attentif permet d'apprécier les détails, malgré les épreuves du temps. Les sujets sont traités en ronde bosse ou en haut relief, dans un granit grossier de Scaër, assez friable et propice au développement du lichen. Trois scènes, sur la partie nord, sont en granit de Kersanton : la Visitation, la Nativité et les Rois mages en costumes du 15ᵉ s. Le Christ et les larrons sont également sculptés dans un granit dur.

Chapelle – Bâtie au 15ᵉ s., elle présente un fin clocher ajouré, encadré de tourelles. Les portes s'ouvrent sur la façade sud agréablement décorée, face au calvaire.

Poursuivez la route en tournant deux fois à droite.

Pointe de la Torche

Ce paradis de « la glisse » rassemble les adeptes du surf et du funboard ; l'École de surf de Bretagne y est installée. Attention, les deux plages sont extrêmement dangereuses. Au sommet, tumulus avec important dolmen.

Plage de Pors-Carn

Cette vaste plage de sable fin, où aboutit le câble assurant la liaison téléphonique France-États-Unis, s'étend au fond de l'anse de la Torche.

Saint-Guénolé

Derrière le port, on rêve sans fin devant les fameux **rochers** sur lesquels déferle la mer.

Musée préhistorique finistérien★ – *À l'entrée de St-Guénolé.* ℘ *02 98 58 60 35 - &. - juin-sept. : tlj sf mar. 10h-12h, 14h-18h ; oct.-mai : tlj sf lun. et mar. 10h-12h, 14h-18h - gratuit.*
Une série de mégalithes et de stèles gauloises (dites *lec'hs*) entoure le bâtiment. À signaler : une reconstitution de nécropole de l'âge du fer, des poteries gauloises à décors celtiques, une stèle gauloise gravée de spirales, des haches polies en pierres rares, des pointes de flèches, des armes en bronze, des coffres à rainures. Le musée abrite les antiquités préhistoriques du Finistère, hormis la riche série exposée au musée des Antiquités nationales de St-Germain-en-Laye.

Chapelle N.-D.-de-la-Joie

Cette chapelle (15e s.) se dresse face à la mer, avec son calvaire du 16e s. orné d'une Pietà. Un **pardon** s'y déroule le 15 août.

Phare d'Eckmühl★

℘ *06 07 21 37 34 - avr.-sept. : 10h30-18h30 ; fermé oct.-mars - 2 € (enf. 1 €), 4 € visite avec musée (ancien phare).* Il fut construit en 1897 grâce à un don de la fille du maréchal Davout, prince d'Eckmühl. Les 307 marches du phare mènent au balcon : **panorama★★** sur la baie d'Audierne, qui se termine par la pointe du Raz et le phare de l'île de Sein, et la côte de Concarneau, de Beg-Meil, l'archipel de Glénan.
À gauche du phare, on atteint l'extrême pointe où se trouvent l'ancien phare – qui sert maintenant d'amer –, une chapelle fortifiée et le sémaphore. On peut y voir le *Papa Poydenot*, canot de sauvetage construit en 1900.

Le phare d'Eckmühl veille sur Penmarch.

Kérity

Ce petit port de pêche se tourne de plus en plus vers la plaisance. L'église Ste-Thumette (1675) possède une élégante façade ornée de gâbles et flanquée d'une tourelle.

Penmarch★

La commune de Penmarch englobe plusieurs villages : St-Guénolé, Kérity, Tréoultré, St-Pierre. À Penmarch même, la réhabilitation des dunes a été entreprise sur la belle plage du Steir, qu'avoisine un camping.

Église St-Nonna★ – *149 r. François-Merrien - 29760 Penmarch - ℘ 02 98 58 60 16 - visite accompagnée sur demande auprès de M. Jean Le Berre - juil.-août : lun.-vend. 10h-12h, 14h-18h.* Elle date du 16e s. et est de style gothique flamboyant. Au chevet et sur les contreforts, de chaque côté du portail, sont sculptées en bas ou haut relief des barques et des caravelles : elles rappellent que la construction de l'édifice est due aux dons des armateurs. Regardez dans le collatéral sud, le tableau du *Vœu de Louis XIII*.

Par la route côtière, gagnez Guilvinec.

Guilvinec

Troisième port de pêche en France, mais au premier rang pour la pêche artisanale, Guilvinec offre le spectacle très vivant de ses quais, avec ses quelque 130 bateaux d'où l'on débarque la lotte, la raie, la langoustine, le merlu et la seiche… Il forme avec **Lechiagat**, où les bateaux de plaisance sont nombreux, un ensemble bien abrité par ses jetées.

Haliotika – *Terrasse panoramique de la Criée - ✆ 02 98 58 28 38 - www.leguilvinec. com - ⚐ - juil.-août : 10h30-12h30, 14h30-19h, w.-end et j. fériés 15h-18h30 ; avr.-juin : 14h30-19h, dim. et j. fériés 15h-18h30 - sept. : lun.-vend. 14h30-19h - 6,30 € (enf. 3,70 €).*

Installé sur les quais, ce centre d'interprétation se consacre au monde de la pêche en mer. Maquettes et projections évoquent la vie à bord, le cheminement du poisson du filet à l'assiette, l'environnement économique du métier. Exposition ludique sur la gestion des ressources.

Pour compléter le panorama de la pêche locale, visitez la criée proche (visite guidée posssible).

On y organise aussi la **visite du port** : chantiers de construction navale, réparation des filets, atelier de mareyage… En saison, des **ateliers** de découverte sont proposés aux enfants, ainsi que des ateliers de cuisine où l'on apprend à concocter des recettes à base de végétaux marins !

Entre Guilvinec et Lesconil, la **plage de Treffiagat** est agrémentée d'un parcours santé de 2 km.

Lesconil

Dans ce petit port très animé, qui dépend de Guilvinec, la flottille pratique la pêche au chalut. Elle rentre chaque soir vers 17h30 : un pittoresque retour à ne pas manquer.

Par Palue-du-Cosquer et Lodonnec, gagnez Loctudy.

Loctudy et manoir de Kerazan★ *(voir Pont-l'Abbé)*

Pont-l'Abbé *(voir ce nom)*

Quittez Pont-l'Abbé par la rue du Pont-Neuf et regagnez Quimper.

La Cornouaille pratique

Adresse utile

Office de tourisme d'Audierne - *8 r. Victor Hugo - 29770 Audierne - ✆ 02 98 70 12 20 - www.audierne-tourisme.com - juil.-août : 10h-12h, 14h-19h, dim. 10h-13h ; oct.-mai, juin et sept. : lun.-vend. : 9h-12h, 14h-17h, sam. 9h-13h.*

Se loger

☞ **Hôtel La Baie des Trépassés** – *29770 La Baie-des-Trépassés - 3 km de la pointe du Raz par D 784 - ✆ 02 98 70 61 34 - hoteldelabaie@aol.com - fermé 15 nov.-8 fév. et lun. sf vac. scol. -* ▣ *- 27 ch. 33/64 € -* ⌑ *8 € - rest. 21/57 €.* C'est l'emplacement de l'hôtel qui vaut le détour : bâti sur la plage à 3 km de la pointe du Raz, il offre une vue unique sur la baie des Trépassés, la pointe elle-même et, dans son prolongement, l'île de Sein. Chambres anciennes mais propres, bar-glacier, restaurant.

☞ **Chambre d'hôte An Tiez Bihan** – *À Kerhuret - 29770 Plogoff - 2,5 km sur la D 784 en dir. de la pointe du Raz - ✆ 02 98 70 34 85 -* ⊠ *- 5 ch. 37/40 € -* ⌑ *- restauration (soir seult) 18 €.* Cette ancienne ferme rénovée a conservé son plaisant style régional. Côté hébergement, plusieurs maisonnettes (jolies chambres simplement meublées) et un gîte. Côté table, restaurant installé dans la bâtisse principale où l'on régale de produits de la mer. La maison possède un atelier de fumage du poisson (vente à emporter).

☞ **Chambre d'hôte Kerantum** – *Kerantum - 29790 Mahalon - à 2,5 km au SO de Douarnenez par D 765 dir. d'Audierne - ✆ 02 98 74 51 93 - gitesetchambres.kerantum@wanadoo.fr -* ⊠ *- 3 ch. et 4 gîtes 38/44 € -* ⌑. Cette ancienne ferme isolée en pleine campagne est progressivement transformée en lieu d'hébergement : gîtes dans les dépendances et chambres d'hôte (très simples mais spacieuses) dans la maison principale. Cuisine équipée à disposition et agréable jardin.

☞ **Chambre d'hôte Ferme de Kerguidy-Izella** – *29770 Plogoff - passer le bourg dir. pointe du Raz, puis 1re à gauche après le château d'eau - ✆ 02 98 70 35 60 - www.fermelebars.com -* ⊠ *- 6 ch. 40 € -* ⌑ *- repas 15 €.* Les chambres simples et rustiques (dont une pour handicapés) occupent les anciennes dépendances de cette jolie ferme du 19e s. Produits régionaux servis à la table d'hôte dans une salle dotée de meubles typiquement bretons. Accueil sympathique du propriétaire qui saura vous conter l'histoire de sa maison et de son village…

☞☞ **Hôtel Sterenn** – *Rte du phare-d'Eckmühl - 29760 Penmarc'h - ✆ 02 98 58 60 36 - www.le-sterenn.com - fermé 1er sept.-22 oct. et 4 nov.-14 mai -* ▣ *- 16 ch. 46/93 € -* ⌑ *10 € - rest. 18/58 €.* Grande bâtisse récente coiffée d'un toit d'ardoise, offrant une superbe échappée vers le large et la pointe de Penmarch. Alentour, la nature préservée de la côte sauvage. Chambres sobres et nettes. Au restaurant, assiettes de fruits de mer et recettes du pays bigouden.

👄😋 **Chambre d'hôte Manoir de Suguensou** – *Rte Douarnenez - 29770 Audierne - 2 km au N d'Audierne par D 765, rte de Douarnenez - ♪ 02 98 70 07 23 - suguensou@wanadoo.fr - fermé nov.-déc. - 🖼 - 4 ch. 60 € 🖵.* Même si sa façade tannée par les embruns semble parfois accuser le poids des années, ce manoir du 19e s. a retrouvé une seconde jeunesse depuis la création de ses chambres d'hôte. Chaleureux intérieur, salon aux couleurs vives (belle cheminée en marbre d'origine) et jolies chambres donnant sur le jardin sauvage.

Se restaurer

😋 **L'Épi d'Or** – *6 quai Jean-Jaurès - 29770 Audierne - ♪ 02 98 70 29 41 - fermé 13-30 nov. - 8/15 €.* Cette ancienne réserve à chaussures abrite aujourd'hui une sympathique crêperie. Cadre simple et convivial, avec pan de mur en pierre de pays, fausses poutres et tables en bois. Goûteuses préparations à base de produits frais.

😋 **An Teuzar** – *6 quai Pelletan - 29770 Audierne - ♪ 02 98 70 00 46 - fermé dim. midi - 🖼 - 10/12 €.* L'une des meilleures crêperies d'Audierne ! Dans une salle, rappelant l'intérieur d'un bateau, vous attend un large choix de trésors au froment ou au blé noir : la spécialité maison aux coquilles St-Jacques, fondue de poireaux et carottes à la crème fraîche, et autres recettes originales pour le bonheur des gourmands.

😋😋 **La Pêcherie** – *15 r. Pasteur - 29770 Audierne - ♪ 02 98 75 04 26 - fermé 3 sem. en janv., 1 sem. en déc., dim. soir et lun. sf j. fériés - 15/25 €.* « Ni viandes, ni frites, ni congelés » : telle est la devise de ce gentil petit bistrot un peu en retrait du port. Sa pêche du jour, ses légumes du jardin et son ambiance conviviale le rendent incontournable. Pour un repas ou un simple plat, vous y serez toujours bien accueilli.

Que rapporter

Biscuiterie de la Pointe-du-Raz – *Rte de la Pointe-du-Raz - 29770 Plogoff - ♪ 02 98 70 37 48 - www.biscuiteriedelapointeduraz. com - 9h-19h - fermé 1er janv. et 25 déc.* Une bonne odeur de biscuit flotte dans cette boutique accolée à son laboratoire, d'où arrivent directement galettes feuilletées, palets dorés et madeleines mœlleuses, le tout confectionné à partir de beurre de baratte. À l'occasion, il est possible de visiter l'usine et de déguster ces délicieuses spécialités typiquement bretonnes.

Conserverie Kerbriant – *Pen-Ar-Yeun - 29790 Beuzec-Cap-Sizun - ♪ 02 98 70 52 44 - www.kerbriant.com - 8h30-12h, 14h-18h - fermé 2 sem. entre 20 déc. et 15 janv.* Soupe de poisson traditionnelle, bisque de homard, sauces cuisinées, filets de maquereaux, sardines… : vous pourrez assister à l'élaboration de toutes ces spécialités ou simplement les acheter dans cette petite conserverie artisanale. L'accueil y est convivial et la visite très pédagogique.

Sports & Loisirs

Centre Nautique Cap-Sizun – *Plage de Ste-Évette - 29770 Esquibien - ♪ 02 98 70 21 69 - http://www.voile-capsizun.com - été : 9h-19h - fermé 17 déc.-17 fév. - stages de 58 à 155 € la sem.* Optimist, catamaran, 420 Booxy, Laser, habitable First class 8 et planche à voile : toutes les joies des sports nautiques dans la baie d'Audierne. Voile loisirs, voile sportive et voile école (stages pour petits – dès 4 ans – et grands).

Planche à voile – *Plage de Ste-Évette - 29770 Esquibien - ♪ 02 98 70 21 69 - http://www.voile-capsizun.com - été 9h-19h - fermé 17 déc.-17 fév. - stages 105 € la sem.* Le Centre Nautique Cap Sizun est installé dans la baie d'Audierne, site protégé où les sports nautiques se pratiquent en toute sécurité. Planche à voile loisirs, sportive et école.

Plonger au Cap-Sizun - Club des plongeurs du cap Sizun – *Port de Plaisance Ste-Évette - 29770 Esquibien - ♪ 02 98 70 24 10 - www.audierne-plongee.net - 9h-14h - fermé de déb. nov. à mi-mars - à partir de 15 €.* Il organise des baptêmes et des stages (fournir un certificat médical de non-contre-indication à la plongée). Randonnée palmée et exploration à partir de 8 ans.

Surfer à la Torche - École de surf de Bretagne « Beg an Torchen » – *Beg An Dorchen - La Torche - 29120 Plomeur - ♪ 02 98 58 53 80 - www.ecole-surf-bretagne.com - Pâques-sept.*

Avec les pêcheurs - Haliotika – *Terrasse panoramique de la criée - 29730 Guilvinec - ♪ 02 98 58 28 38 - www.leguilvinec.com - tlj sf sam. 14h30-19h, dim. et j. fériés 15h-18h30 ; sam. en juil.-août - fermé 7 oct.-2 avr. - visite du centre et visite guidée de la criée : 6,30 € (enf. 3,70 €) ; 17,30 €/famille.* Vous pouvez assister à la vente du poisson à partir de 16h30 pour les côtiers. Les visites de criée sont accompagnées d'un guide du centre Haliotika, centre de découverte et d'interprétation de la pêche en mer. Pour partir toute une journée sur un chalutier, il faut être un lève-tôt et avoir le pied marin ; dép. entre 4h et 5h, retour vers 17h (sur demande préalable 2 j. av., 2 pers. maximum par bateau - 30 € par pers.).

Le Croisic★

4 278 CROISICAIS
CARTE GÉNÉRALE D4 – CARTE MICHELIN LOCAL 316 A4 – LOIRE-ATLANTIQUE (44)

Cette station familiale est située sur une presqu'île face au golfe intérieur du Grand Traict, qui alimente les marais salants de Guérande. Ancien port de pêche, précurseur du tourisme balnéaire dans la région grâce à ses jolies plages, elle porte aujourd'hui le titre de « petite cité de caractère », qui récompense son unité architecturale et son art de vivre.

▶ **Se repérer** – Au-delà de La Baule vers l'ouest, presque en face de Guérande, Le Croisic est accessible par une seule route, la N 171, souvent embouteillée en période estivale.

🕐 **Organiser son temps** – Prévoyez une bonne journée pour la visite du Croisic et de ses environs.

👁 **À ne pas manquer** – Les paysages de la Côte sauvage.

👪 **Avec les enfants** – Ne pas manquer le ballet des raies et des requins dans le nouveau bassin de l'Océarium ; le temps d'une visite au musée du Grand blockhaus, les filles jouent aux infirmières tandis que les garçons endossent l'habit d'agent secret.

🚶 **Pour poursuivre la visite** – Voir aussi Guérande, la Grande Brière et La Baule.

Se promener

Comme le peintre et graveur Jean Émile Laboureur (1877-1943), estivant régulier du Croisic en son temps, vous serez séduit par le port et le cœur historique du village.

Le port

Il s'étend du mont Esprit au mont Lénigo, deux buttes artificielles. Comme le mont Lénigo, le mont Esprit, haut de 30 m, a été formé de 1814 à 1816 par le lest des navires venant charger le sel de Guérande. Il doit son nom à une déformation de « lest pris ».

Sur plus de 1 km, les quais sont bordés de maisons du 17e s. La plupart sont ornées de balcons de fer forgé, illustrant la réussite des anciens négociants. La jetée du Tréhic (850 m de long) à l'ouest clôture l'espace portuaire.

Port de plaisance du Croisic.

Amaury de Valroger / MICHELIN

Hôtel d'Aiguillon

La mairie occupe ce bel hôtel du 17e s. où fit halte le d'Artagnan de Dumas !

Église N.-D.-de-Pitié

Cette curieuse église (15e et 16e s.) domine le port de sa **tour lanterne** du 17e s., haute de 56 m. L'intérieur présente une nef courte à chevet plat éclairé d'une baie flamboyante. Au trumeau du portail, statue de N.-D.-des-Vents.

Maisons anciennes

Pour découvrir ces belles demeures à encorbellement et à pans de bois, il faut parcourir les rues proches de N.-D.-de-Pitié. Remarquez rue de l'Église les nos 25, 20 et 28, place du Pilori le no 4, et rue St-Christophe les nos 33 et 35.

Mont Lénigo

Ce dépôt de lest, planté d'arbres en 1761, offre une **vue★** sur la rade et la jetée du Tréhic. En face, s'étire la digue de Pen Bron (1724) et son Centre marin. Une promenade ombragée descend vers l'esplanade : un monument rappelle que 22 vaisseaux français furent sauvés, lors de la bataille de la Hougue en 1692, par le barreur Hervé Rielle qui les dirigea vers St-Malo.

Visiter

Océarium★

📞 02 40 23 02 44 - www.ocearium-croisic.fr - ♿ - juin-août : 10h-19h ; fév.-mai et sept.-déc. : 10h-12h, 14h-18h - fermé janv. - 11 € (enf. 8 €).

👪 Sa structure en forme d'étoile abrite les merveilles des fonds océaniques, plus inattendus et colorés que l'on ne croit. Eaux chaudes tropicales et Pacifique nord sont également évoqués. L'espace « île Vancouver » aborde quelques aspects de la culture amérindienne. Une amusante colonie de manchots est nourrie à 11h, 15h et 17h. À ne pas manquer : la nurserie, le tunnel de 11 m de long qui traverse un aquarium de 300 000 l, et le bassin de contact où l'on peut toucher étoiles de mer et coquillages… ou serrer la pince d'un crabe. Très attendus, les requins d'Australie paradent désormais avec les raies dans un immense bassin de 1 million de litres.

Les « Jeunes Aventuriers » disposent de 2 circuits : chasseur de trésors pour les 6-8 ans et chercheur océanographe pour les 9-12 ans.

Circuit de découverte

LA CÔTE SAUVAGE★

Circuit de 26 km – environ 2h.
Quittez Le Croisic par la D 45, route de corniche.

Après le Centre héliomarin des frères de St-Jean-de-Dieu, l'itinéraire longe des plages, telle St-Goustan et sa saline où l'on élève des anguilles. La Côte sauvage aux rochers aux noms évocateurs (l'Ours, le Grand Autel) s'amorce à la **pointe du Croisic**. La route la longe jusqu'au Pouliguen où la vue se développe sur Pornichet, l'estuaire de la Loire et la côte jusqu'à la pointe St-Gildas.

👁 Le **sentier des douaniers** longe la Côte sauvage à hauteur de Batz. Attention, cette côte est splendide, mais dangereuse. De nombreuses lames de fond y déferlent, et ne pardonnent que très rarement.

Batz-sur-Mer★

Entre marais salants et océan, surgit la haute tour-clocher de Batz. La côte rocheuse est entrecoupée de plages de sable : Valentin, la Govelle (funboard) et St-Michel, une petite grève où, les jours de tempête, l'on observe le spectacle des lames qui se brisent sur la digue.

Église St-Guénolé★ – *29 r. de la Plage - mai-juin et sept. : 9h30-12h30, 14h-18h30 ; avr. : 14h-18h30 ; juil.-août : 9h30-18h30 - 1,50 € (enf. 0,80 €).*
Elle fut reconstruite aux 15e et 16e s. Sa **tour** sévère (1677) est surmontée d'un clocheton cantonné de pinacles. L'**intérieur** surprend par la déviation du chœur, la masse des piliers soutenant des arcs gothiques, la voûte en carène ; remarquables **clefs de voûte** dans le bas-côté gauche. En montant à la **tour** *(60 m, 182 marches)*, on profite d'un très vaste **panorama★★** sur le littoral, de la pointe St-Gildas au sud de la Loire jusqu'à la presqu'île de Rhuys au nord et, au large, sur Belle-Île et Noirmoutier.

Chapelle N.-D.-du-Mûrier★ – Belles ruines gothiques aux arches pures. Selon la légende, Jean de Rieux de Ranrouët l'aurait élevée au 15e s., à la suite d'un vœu fait lors d'une tempête : un mûrier enflammé l'aurait guidé vers la côte.

Musée des Marais salants – 📞 02 40 23 82 79 - ♿ - juil.-sept. : 10h-12h30, 14h30-19h (18h30 sept.) ; janv.-mai : w.-end et vac. scol. 10h-12h, 14h-18h ; juin : 10h-12h, 14h30-18h30 ; oct.-nov. : 10h-12h, 14h-17h (se renseigner) ; déc. w.-end et vac. scol. (tlj) 10h-12h, 14h-18h - fermé 15 nov.-20 déc., 1er janv., 1er Mai, 1er et 11 Nov. - 4 € (6-12 ans 2 €).

👪 Une exposition richement documentée retrace l'histoire des marais salants et la vie des paludiers. Le 19e s. est à l'honneur avec les remarquables meubles rouges guérandais, des objets usuels et des costumes populaires, mais aussi une importante collection de peintures et de faïences (19e-20e s.).

Les enfants (6-8 ans) peuvent demander un questionnaire dès l'entrée, afin de parcourir le musée de manière plus ludique.

Grand blockhaus – *Rte de la Côte Sauvage, entre Batz et Le Pouliguen -* 📞 02 40 23 88 29 - www.grand-blockhaus.com - de déb. avr. à mi-nov. : 10h-19h (dernière entrée 18h15) ;

Reflet d'un mulon de sel et d'une salorge.

Stéphane Sauvignier / MICHELIN

*vac. scol. fév. : 10h-18h (dernière entrée 17h15) -fermé de mi-nov. à janv. et mars - 5,50 €
(5-12 ans 4 €).* Ce bunker de 300 m^2 fut l'un des plus grands du mur de l'Atlantique.
Durant la dernière guerre, il était camouflé en villa pour éviter les attaques aériennes.
Il abrite aujourd'hui le **musée de la Poche de Saint-Nazaire**, dernière région libérée
d'Europe en 1945. L'ambiance d'un blockhaus y est reconstituée : chambrées, PC radio,
armurerie, salle des machines, salle vidéo…

Le musée participe à l'opération «Jeunes Aventuriers» *(voir La destination en
famille, en tête de guide)*, en distribuant deux livrets de jeux, un pour les filles – volon-
taire de la Croix rouge – et un pour les garçons – agent secret.

Pour rejoindre Le Pouliguen, prenez la D 245.

Le Pouliguen★ *(voir La Baule)*

la D 45 entre Le Pouliguen et Batz-sur-Mer est à sens unique et dispose d'une
piste cyclable.

On rejoint Le Croisic par la D 45.

Le Croisic pratique

Adresse utile

Office du tourisme du Croisic – *Pl. du
18 Juin-1940 - 44490 Le Croisic -* ☎ *02 40 23
00 70 - www.ot-lecroisic.com - juil.-août :
9h-13h, 14h-19h, dim. et j. fériés 10h-13h,
15h-17h ; reste de l'année mar.-sam.
9h-12h30, 14h-18h30, j. fériés 10h-13h,
15h-17h. Fermé 25 déc. et 1er janv. Autre
point d'information pl. du 8-Mai : juil.-août :
tlj 10h-13h, 14h30-19h30, j. fériés et dim.
hors sais. 10h-13h, 15h-17h.*

Se loger

Hôtel Les Nids – *15 r. Pasteur,
à Port-Lin -* ☎ *02 40 23 00 63 - www.
hotellesnids.com - fermé 4 nov.-31 mars -*
🅿 *- 27 ch. 60/89 € -* ☐ *9 €.* Vous serez
bien accueilli dans ce petit hôtel familial
modernisé sis dans un jardin fleuri.
Les chambres, de taille moyenne, sont
douillettes et colorées. Petits-déjeuners
servis au bord de la piscine couverte.

Hôtel Les Embruns – *Rte du Croisic-
St-Nudec - 44740 Batz-sur-Mer -* ☎ *02 40 23
83 33 - fermé 1er-15 mars et 11 Nov.-1er fév. -*
🅿 *- 15 ch. et 5 studios 46/58 € -* ☐ *6,50 €.*
Isolé de la route côtière par quelques
maisons d'habitation, cet hôtel familial
n'est qu'à 100 mètres de la plage Valentin.
Coquette salle des petits déjeuners au
décor marin. Les chambres et les studios,
équipés de cuisinettes, viennent de
bénéficier d'une rénovation.

Chambre d'hôte Lakmé – *9 r. Pierre-
1er-de-Serbie - 44510 Le Pouliguen - 8 km à
l'E du Croisic par N 171 -* ☎ *02 47 00 95 04 -
www.chaletlakme.com -* 🍽 *- 2 ch. et 2 suites
80/110 € -* ☐. Dans cette ex-pension de
famille située entre la plage et un petit

bois, la décoration, haute en couleur,
attire le regard sans jamais l'agresser. Les
chambres associent charme, confort
douillet et technologies actuelles (borne
WI-FI et DVDthèque). Terrasse exposée
plein sud, délicieuse à l'heure du petit-
déjeuner.

Se restaurer

Le Relais du Duc d'Aiguillon – *21 pl.
Donatien-Lepré -* ☎ *02 40 62 94 62 - 8/12 €.*
Derrière sa façade en bois du 17e s., cette
maison du port abrite une crêperie
familiale, simple mais attrayante. Galettes
et crêpes à base de farine « bio »,
spécialités aux fruits de mer, etc., sont
préparées sous vos yeux. Service sérieux
et compétent et prix très raisonnables.

Le Lénigo – *11 quai Lénigo -* ☎ *02 40
23 00 31 - le-lenigo@wanadoo.fr - fermé
vac. de fév., nov., lun. et mar. du 30 juil. au
31 août - 19/32 €.* Un restaurant qui fleure
bon les embruns, avec sa carte de
poissons et ses murs lambrissés
agrémentés de cordages et de pièces
d'embarcations. Aux beaux jours, sa
terrasse offre une jolie vue sur le port et la
presqu'île de Penbron.

Plages

La plage de **Port-Lin**, face au large,
est située à 800 m du centre de
l'agglomération ; celle de **St-Goustan**,
sur la rade, à 1 km.

Promenades en mer

Juin-sept. : excursions et promenades en
mer vers les îlots voisins de Houat et
Hœdic - *s'adresser à l'office de tourisme.*

Presqu'île de **Crozon**★★★

CARTE GÉNÉRALE B2 – CARTE MICHELIN LOCAL 308 E5 – FINISTÈRE (29)

La croix de la presqu'île étend ses deux bras face au grand large, séparant la rade de Brest de la baie de Douarnenez. Nulle part ailleurs, si ce n'est à la pointe du Raz, la côte et la mer n'atteignent à plus de sévère beauté. On y contemple avec fascination l'à-pic vertigineux des falaises, la coloration des rochers et la violence des lames qui se brisent sur les récifs.

Panorama sur les Tas de Pois à la pointe de Penhir.

◗ **Se repérer** – À l'ouest du Parc régional d'Armorique, la presqu'île est accessible par les D 791 et D 887. Elle dévoile d'extraordinaires panoramas : au nord, de l'autre côté du Goulet, sur les découpures de la rade de Brest ; au sud, depuis le cap de la Chèvre, sur la baie de Douarnenez. Entre les deux, se profilent les pointes déchiquetées de Penhir et de Dinan.

◷ **Organiser son temps** – Entre balades sur les pointes et moments de détente à la plage, vos journées seront bien occupées. Notez que le vélo constitue un excellent moyen de locomotion, idéal pour éviter les bouchons estivaux.

◉ **À ne pas manquer** – Les pointes et le retable de l'église de Crozon.

👥 **Avec les enfants** – La visite des grandes grottes de Morgat.

⌾ **Pour poursuivre la visite** – Voir aussi la Cornouaille, Douarnenez, le Ménez Hom, les monts d'Arrée ; Plougastel-Daoulas, Brest et les Abers.

Circuits de découverte

LES POINTES★★★ ①

Circuit au départ de Crozon – 45 km – environ 2h1/2.

Crozon

Son existence est attestée dès le Moyen Âge puisqu'en 1162, les documents parlent de Crozon sous la forme de *Crahaudon*, composée de *cravo* (lieu pierreux en celtique) et de *dunon* (colline fortifiée en gaulois). Aujourd'hui, le bourg qui a vu naître Louis Jouvet (1887-1951) est le rendez-vous des habitants et des touristes, surtout en été. L'**église**, moderne, renferme un **retable**★ polychrome (1602). Il représente d'une manière naïve le martyre des 10 000 soldats nouvellement convertis, qui furent crucifiés au mont Ararat, en Arménie, sous le règne de l'empereur Hadrien (117-138).

Quittez Crozon à l'ouest par la D 8 en direction de Camaret.

Camaret-sur-Mer

Face au Goulet de Brest, cette tranquille station balnéaire se situe à deux pas d'immenses falaises escarpées, couvertes de bruyères et d'ajoncs. C'est dans sa baie que l'ingénieur américain **Fulton** tenta en 1801 de torpiller une frégate anglaise depuis son sous-marin expérimental (6h d'autonomie en plongée). Malheureusement, l'expérience échoua, le navire britannique ayant appareillé plus tôt que prévu.

Camaret s'abrite derrière une digue naturelle, le « Sillon », au bout duquel se dresse le **Château Vauban**, construit à la fin du 17e s. par l'illustre ingénieur. Il s'agit en fait d'une puissante **tour** flanquée de murailles.

Dans son cimetière repose le poète **Paul-Pierre Roux** (1861-1940), dit Saint-Pol Roux, marseillais d'origine mais camarétois d'adoption depuis son emménagement en 1907 au manoir des Boultous, entre Lagatjar et l'océan.

Voyez également la **chapelle N.-D.-de-Rocamadour**, sanctuaire du 17e s. qui doit son origine aux pèlerinages de Rocamadour, en Quercy. Les fidèles, venus par mer des pays nordiques, faisaient escale à Camaret.

Enfin, ne manquez pas les **alignements de Lagatjar**, bel ensemble mégalithique (143 menhirs relevés au début du 20e s.) dont le nom signifie « œil de la poule ».

Un isthme bordé par la plage de Pen-Hat mène à la **pointe du Toulinguet**, coiffée d'un sémaphore de la Marine nationale, et d'où la vue porte au sud.

Revenez à l'entrée de Camaret et prenez à droite.

Pointe de Penhir★★★

Un monument à la gloire des Bretons des Forces françaises libres a été érigé sur la falaise, à 150 m de la route. C'est la plus belle des quatre pointes de la presqu'île de Crozon, avec son à-pic de 70 m et son **panorama** : en contrebas, les trois formidables rochers isolés sont appelés les **Tas de Pois** ; à gauche, la pointe de Dinan, à droite, la pointe de St-Mathieu et celle du Toulinguet avec son petit phare ; en arrière, le Ménez-Hom ; par temps clair, on distingue la pointe du Raz et l'île de Sein à gauche, l'île d'Ouessant à droite.

🚶 Un sentier descend à gauche de la plate-forme. À mi-hauteur de la falaise, on domine une petite anse. Prenez le sentier, sur la gauche, qui s'élève vers une anfractuosité couverte d'un rocher, au-delà de laquelle il débouche dans la **Chambre Verte**, au terre-plein gazonné. De là, vue très originale sur les Tas de Pois et la pointe de Penhir.

Reprenez la route de Camaret ; à 1 500 m, une rue à droite vers Crozon permet d'éviter le bourg. Prenez ensuite vers Roscanvel une ancienne route stratégique.

La route franchit l'enceinte qui fermait la presqu'île de Roscanvel, en avant de Quélern ; ces fortifications datent de Vauban et du Second Empire. On remarque bientôt le contraste qui oppose les deux versants de la presqu'île : à l'ouest, face au large, ce ne sont que landes et végétation rase, à l'est des arbres et des prairies.

Pointe des Espagnols★★

Au printemps 1594, une garnison d'Espagnols alliés de la Ligue entreprit la construction d'un fort pour contrôler le trafic maritime dans la rade de Brest. Six mois après leur arrivée, les troupes d'Henri IV les passèrent tous par les armes. De la pointe, **panorama** sur le goulet dominé par le port et la ville de Brest, l'estuaire de l'Elorn, le pont Albert-Louppe, le pont de l'Iroise, la presqu'île de Plougastel, et sur le fond de la rade.

Roscanvel

Dans l'église, beaux vitraux sombres d'Auguste Labouret et Chemin de croix en terre cuite de Claude Gruher. Remarquez les curieuses clôtures de jardin faites de haies de fuchsias.

La route qui borde le fond de la rade offre de jolies vues sur l'île Longue, base de sous-marins nucléaires *(accès interdit)* et sur les deux îles de Trébéron et des Morts.

On sort de l'enceinte de la presqu'île de Roscanvel, en traversant de nouveau les fortifications ruinées.

500 m après St-Fiacre, prenez à gauche.

René Mattes / MICHELIN

Bateau mouillant à proximité des rochers de la presqu'île de Crozon.

PRESQU'ÎLE DE CROZON

Le Fret

Ce petit port est relié à Brest par des services de bateaux.

Suivez ensuite la digue qui borde l'anse du Fret. À une bifurcation, laissez à gauche la route de Lanvéoc menant aux installations de l'École navale et tournez à droite pour regagner Crozon.

On profite d'une dernière vue sur la rade de Brest.

VERS LA POINTE DE DINAN★★ ②

6 km – environ 2h. Quittez Crozon à l'ouest par la D 308.

Des landes arasées par le vent succèdent à des pinèdes.

Pointe de Dinan★★

Laissez la voiture au parking et empruntez le chemin à gauche pendant environ 500 m.
Du bord de la falaise, beau **panorama** : à gauche, le cap de la Chèvre, la côte de la Cornouaille et la pointe du Raz ; à droite, la pointe de Penhir et les Tas de Pois.
En longeant la falaise par la droite, on découvre le « **château** » **de Dinan**, énorme masse rocheuse reliée à la pointe par une arche naturelle.

 En empruntant le sentier qui passe sur l'arche naturelle, on peut parcourir ce rocher ruiniforme *(30mn à pied AR en terrain rocailleux, se munir de chaussures non glissantes).*

VERS LE CAP DE LA CHÈVRE★ ③

11 km – environ 2h. Quittez Crozon au sud-ouest par la D 887 en direction de Morgat.

Morgat

Sa grande plage est encadrée, au sud par une pointe couverte de pins, Beg-ar-Gador, au nord par un éperon rocheux qui la sépare de la plage du Portzic. À Morgat, les amateurs de pêche sportive en mer ont la possibilité de pratiquer différentes pêches auxquelles se prête la faune locale.

Grandes grottes★ – *Visite guidée (40mn) avr.-sept. : dép. tte la journée selon les marées - 9 € (enf. 7 € - 4 ans 2 €) - port de Morgat : Vedettes Rosmeur Croisières - ℰ 02 98 27 10 71 ou Sirènes - ℰ 02 98 26 20 10.*

La grotte Ste-Marine et la Chambre du Diable, percée d'une cheminée, sont situées au-delà de Beg-ar-Gador, les autres étant à l'opposé de la baie. La plus belle est la grotte de l'Autel (80 m de profondeur, 15 m de haut).

Petites grottes – Elles sont accessibles à pied à marée basse, au pied de l'éperon qui sépare les plages de Morgat et du Portzic.

La route traverse un paysage de landes rabougries, soumises aux vents du large. De petits hameaux semblent s'abriter dans les replis de terrain. 500 m après **Brégoulou**, laissez la voiture sur le parc de stationnement : jolie vue sur les Tas de Pois et la pointe du Raz.

Plage de la Palud

Cette plage offre de belles vues sur cette côte rocheuse. Elle est splendide, mais les bains y sont interdits à cause de fortes lames.

Saint-Hernot

Dans l'ancienne école, la **Maison des minéraux** expose plus de 500 pièces qui témoignent des richesses géologiques de la presqu'île. On y découvre l'histoire géologique de cette partie du Massif armoricain. ℰ 02 98 27 19 73 - www.maison-des-mineraux. org - &. - *de déb. juil. à mi-sept. : 10h-19h ; de mi-sept. à juin : tlj sf sam. 10h-12h, 14h-17h ; dim. 14h-17h - 4 € (8-14 ans 2,50 €).*

Cap de la Chèvre★

De l'ancien poste d'observation allemand, on a une jolie vue sur le large et les pointes avancées du Finistère : de droite à gauche, la pointe de Penhir et les Tas de Pois, l'île de Sein, le cap Sizun et ses « finistères », la pointe du Van et la pointe du Raz qui limitent au sud la baie de Douarnenez. Un monument, représentant une aile d'avion plantée dans le sol, est dédié au personnel navigant de l'Aéronautique navale, décédé ou disparu lors d'un service aérien dans l'Atlantique et les régions nordiques.

Presqu'île de Crozon pratique

Adresses utiles

Office du tourisme de Crozon – *Bd de Pralognan - 29160 Crozon - ℰ 02 98 27 07 92 - www.crozon.fr - juin-sept. : 9h15-13h, 14h-19h, dim. 10h-13h ; oct.-mai : tlj sf dim. 9h15-12h, 14h-17h30, j. fériés 10h-12h. Fermé 1er Mai. Autre point d'information pl. d'Ys - 29160 Morgat - 15 juin-15 sept. 10h-13h, 15h-19h30, dim. 15h-19h.*

Office du tourisme de Camaret-sur-Mer – *15 quai Kléber - 29570 Camaret-sur-Mer - ℰ 02 98 27 93 60 - juil.-août : lun.-sam. 9h-19h, dim. 10h-13h ; nov.-mars : lun.-sam. 9h15-12h, 14h-17h ; sept.-oct. et mai-juin : 9h15-12h, 14h-18h - fermé 1er Mai.*

Se loger

Hôtel Le Styvel – *2 quai du Styvel - 29570 Camaret-sur-Mer - ℰ 02 98 27 92 74 - hotelstyvel@wanadoo.fr - 13 ch. 34/50 € - ☑ 7 € - rest. 15/40 €.* Ce petit hôtel familial né dans les années 1960 offre sur deux étages un univers frais et chaleureux. Les chambres, aux teintes pastel et au mobilier ancien, ouvrent presque toutes sur le port et la tour de Vauban. Le restaurant, joliment décoré, propose une carte traditionnelle.

Gîte rando-plume les Capucins – *Hameau de Keravres - Roscanvel - 29570 Camaret-sur-Mer - ℰ 02 98 26 26 092 -* gite-des-capucins@presquile-crozon.com - ⇆ 15/20 € - ☑ 5 € - repas 15 €. Aménagé dans une ancienne ferme, ce gîte d'étape compte 6 chambres (2 à 6 personnes) simples et plaisantes. Sa situation en plein cœur du Parc naturel d'Armorique en fait une adresse idéale pour découvrir la presqu'île de Crozon côté nature (balades sur le sentier côtier, activités variées et nombreuses).

Hostellerie de la Mer – *29160 Le Fret - 5,5 km au N de Crozon par D 155 et D 55 - ℰ 02 98 27 61 90 - www. hostelleriedelamer.com - fermé 3 janv.-4 fév. - 25 ch. 47/67 € - ☑ 9 € - rest. 22/70 €.* Ce petit hôtel à la façade discrète est idéalement situé sur le charmant port du Fret, au cœur du Parc naturel régional d'Armorique. Sans prétention, il vous permettra néanmoins de profiter du cadre magnifique de la presqu'île. Chambres plutôt simples. Cuisine de la mer.

Hôtel de La Presqu'île – *Pl. de l'Église - ℰ 02 98 27 29 29 - mutin. gourmand1@wanadoo.fr - fermé 6-30 nov., dim. et lun. hors sais. - 12 ch. 56/73 € - ☑ 9 €.* L'ex-mairie abrite désormais des chambres insonorisées et décorées avec goût dans un style panaché touches actuelles et esprit breton. Boutique de produits régionaux.

Se restaurer

☺☺ **Ferme-auberge du Seillou** – *Au Seillou - 29590 Rosnœn - 20 km à l'E de Crozon par D 791 - ☎ 02 98 81 92 21 - www. gites-finistere.com - fermé 3 sem. de fin sept. à déb. oct. - réserv. obligatoire - 15/19,50 € - 6 ch. 40/46 € ⌷.* Vieilles pierres et bons produits de la ferme (viandes, cidre artisanal et spécialité de *kig-ha-farz*) entretiennent l'image de marque de cette maison nichée au milieu d'une exploitation agricole. Pimpantes chambres mansardées. Circuit pédestre à proximité.

☺☺ **De France** – *19 quai Gustave-Toudouze - 29570 Camaret-sur-Mer - ☎ 02 98 27 93 06 - hotel.thalassa@ wanadoo.fr - fermé 4 nov.-31 mars - 18/39 €.* Les chambres, assez simples mais bien tenues et insonorisées, bénéficient du bon air marin ; celles sur l'arrière sont plus petites. Le restaurant, réparti sur deux étages, vous invite à déguster ses spécialités de fruits de mer avec le port en toile de fond.

☺☺ **Le Mutin Gourmand** – *Pl. de l'Église - ☎ 02 98 27 06 51 - mutin.gourmand1@ wanadoo.fr - fermé dim. soir, mar. midi et lun. hors sais., lun. midi en sais. - 17 € déj. - 25/47 €.* Décor contemporain, pierres apparentes et nombreuses aquarelles dans cette accueillante maison bretonne. Cuisine régionale soignée ; vins du Languedoc et des côtes du Rhône.

Que rapporter

La Biscuiterie de Camaret – *Rte de Crozon - 29570 Camaret-sur-Mer - ☎ 02 98 53 10 13 - été : 9h-19h, hors sais. 9h-12h30, 14h30-19h.* Votre visite de Camaret passera obligatoirement par cette boutique. Parmi les différents produits du terroir, le *far* aux pruneaux et le fameux *kouign amann*, de fabrication maison, attireront particulièrement votre attention. Dégustation gratuite de cidre, galettes et autres spécialités.

Sur le port

À Morgat, les amateurs de pêche sportive en mer ont la possibilité de pratiquer différentes pêches.

Promenades en bateau – De juin à mi-sept. : dép. à 9h15. S'adresser à l'Office de tourisme de Camaret-sur-Mer.

Sortie en vieux gréement – *29570 Camaret-sur-Mer - ☎ 02 98 27 86 91 -* juin-août : sur la *Belle Étoile* (dundee langoustier camarétois) - sorties j. ou 1/2 j. et campagne de pêche au thon.

Port de Camaret-sur-Mer.

Événement

Le pardon de N.-D.-de-Rocamadour, à Camaret, a lieu le 1er dim. de sept. Il est suivi de la bénédiction de la mer.

Dinan★★

10 907 DINANNAIS
CARTE GÉNÉRALE E2 – CARTE MICHELIN LOCAL 309 J4 – CÔTES-D'ARMOR (22)

Dinan possède un petit bijou : sa vieille ville ceinturée de remparts que son imposant château semble toujours défendre. Égayée d'arbres et de jardins, la cité se dresse sur le bord escarpé d'un plateau qui domine la Rance et son petit port de plaisance. Celui-ci constitue un point de départ tout trouvé pour découvrir les berges de ce fleuve à l'estuaire prestigieux.

▶ **Se repérer** – À quelque 30 km au sud de St-Malo, Dinan marque la naissance de l'estuaire de la Rance. On y accède par la N 176 (sortie Dinan-Quévert) ou par la N 137 et la D 794 en venant de Rennes (50 km).

▣ **Se garer** – La ville est truffée de parkings, gratuits le premier quart d'heure.

◕ **Organiser son temps** – Prévoyez au minimum une journée pour sillonner les ruelles pentues de la vieille ville (n'oubliez pas au passage de bonnes chaussures). Réservez un après-midi pour la croisière sur la Rance, et le jeudi matin pour le marché de la place Du Guesclin.

👁 **À ne pas manquer** – La vieille ville, avec ses remparts et son château.

👫 **Avec les enfants** – Le parc zoologique du château de la Bourbansais.

🕯 **Pour poursuivre la visite** – Voir aussi Bécherel, Combourg, la vallée de la Rance, Dinard, St-Malo et Cancale.

Comprendre

Cantorbéry, l'Anglais félon – En 1357, le duc de Lancastre vient assiéger Dinan, que défendent Bertrand Du Guesclin (1320-1380 né près de la ville) et son frère Olivier. Devant la supériorité des Anglais, Bertrand demande une trêve de quarante jours, au bout de laquelle la ville se rendra si elle n'est pas secourue. Olivier, sorti sans armes dans la campagne, est fait prisonnier, en violation de la trêve, par le chevalier Cantorbéry qui exige une rançon de 1 000 florins. Bertrand lance un défi en champ clos à l'Anglais. Présidée par Lancastre, la rencontre a lieu à Dinan, sur l'actuelle place du Champ. Cantorbéry, vaincu, doit verser à Olivier les 1 000 florins réclamés. Il donne ses armes à Du Guesclin et est banni de l'armée anglaise. Ce succès vaut au héros l'admiration d'une jolie Dinannaise, Tiphaine Raguenel. L'union de cette jeune fille cultivée avec le fruste guerrier, futur connétable, sera très heureuse.

Les tombeaux de Du Guesclin – Après avoir guerroyé durant plus de vingt ans pour le roi de France, Bertrand Du Guesclin meurt en Auvergne, le 13 juillet 1380, durant le siège de Châteauneuf-de-Randon.
Le connétable avait demandé à être inhumé à Dinan. Le cortège funèbre s'achemine donc vers cette ville… Mais au Puy, le corps est embaumé, les entrailles enterrées dans l'église des Jacobins (actuelle église St-Laurent). L'embaumement étant insuffisant, à Montferrand on fait bouillir les chairs pour les détacher du squelette et les ensevelir

La place des Merciers à Dinan.

dans l'église des Cordeliers (détruite en 1793). Au Mans, un officier royal apporte l'ordre de conduire le corps à St-Denis : le squelette lui est alors remis. Seul le cœur arrive à Dinan, où il est déposé dans l'église des Jacobins – aujourd'hui, il se trouve dans l'église St-Sauveur. Alors que les rois de France n'avaient que trois tombeaux (cœur, entrailles, corps), Du Guesclin eut donc quatre monuments funéraires !

Se promener

LA VIEILLE VILLE★★

Une promenade à pied, dans les rues du vieux Dinan, permet d'admirer un grand nombre de maisons à pans de bois, bâties au Moyen Âge et remarquablement restaurées.

Place Du Guesclin (B2)

Cet ancien champ de foire est bordé d'hôtels des 18e et 19e s. La statue équestre du connétable est de Frémiet.

Prenez la rue Ste-Claire jusqu'à la rue de l'Horloge, à gauche.

Hôtel Kératry (B2)

Charmante construction du 16e s., reconnaissable à ses trois piliers de granit. Elle abrite désormais la **Maison de la harpe**, à la fois lieu d'expositions et centre de documentation et d'animations sur la harpe celtique et les harpes traditionnelles du monde. ✆ 02 96 87 36 69 - vac. de Toussaint et d'hiver : mar.-vend. apr.-midi ; juin-sept. et vac. de Pâques : mar.-sam. - 2 € (1 € réduit).

Maison du Gisant (B2)

Une restauration de cette maison à porche du 17e s. permit de découvrir le gisant (14e s.) exposé à l'extérieur.

Tour de l'Horloge (B2)

Le passage de l'Horloge, derrière la tour, permet de la voir avec du recul. Dans ce beffroi, se trouve l'horloge achetée par la communauté de ville en 1498. Du sommet *(158 marches)* se révèle un vaste **panorama★★** sur la ville et ses principaux monuments, ainsi que sur la campagne environnante. Exposition sur Anne de Bretagne. ✆ 02 96 87 02 26 - mai-sept. : 10h-18h30 ; fermé oct.-Pâques - 2,75 €.

Place des Merciers★ (B2)

Elle est bordée de belles maisons à pignons triangulaires et forme, avec la rue de l'Apport et la place des Cordeliers qui la prolongent, un bel ensemble de maisons à pans de bois typiquement dinannaises des 15e, 16e et 17e s. : maisons à étages en encorbellement, maisons à porches reposant sur des piliers de bois, maisons à vitrines avec leurs hautes fenêtres en avancée.
Jetez un coup d'œil dans les rues avoisinantes de la Cordonnerie et du Petit-Pain, avec leurs maisons à encorbellement. Dans la rue de la Mittrie naquit au n° 10 le chansonnier Théodore Botrel (1868-1925).

Passez devant l'ancien couvent des Cordeliers (voir partie « visiter ») et continuez dans la Grande-Rue.

Église Saint-Malo (A1)

Commencée en 1490 et terminée au 19e s., cette église est de style gothique flamboyant. Voyez le chœur, le chevet et le transept (fin du 15e s.). Les **vitraux** (20e s.) évoquent la vie dans différents quartiers de Dinan : le Jerzual, le Vieux-Pont, la place des Cordeliers.

Reprenez en sens inverse la Grande-Rue prolongée par la rue Lainerie.

Rue du Jerzual★ (B1)

Cette ancienne voie d'accès au port était jadis la rue des bourgeois, des artisans et des marchands. Pavée et en pente raide, elle est bordée de boutiques des 15e et 16e s. qui abritent aujourd'hui tisserands, fileurs de verre, sculpteurs, peintres et graveurs.

Maison du Gouverneur (B1)

24 r. du Petit-Fort. Cette belle demeure du 15e s. abrite des expositions temporaires pendant l'été.
Possibilité de gagner le port de plaisance sur la Rance en descendant la rue. Au retour, monter sur les remparts par un petit escalier au niveau de la porte de Jerzual. La tour du Gouverneur offre une belle **vue★★** sur la vallée de la Rance.

Remontez la rue Michel, puis la rue du Rempart pour gagner le Jardin anglais.

Jardin anglais (B1)

Ce jardin public offre, depuis la tour Ste-Catherine en particulier, une belle **vue★★** d'ensemble sur la Rance, le port et le viaduc (250 m de long, 40 m de haut) et sur les remparts.

Basilique Saint-Sauveur★ (B2)

La façade s'ouvre par un porche roman, surmonté d'un pignon gothique flamboyant. La construction de l'édifice s'est étalée du 12ᵉ s. *(mur de droite)* au 16ᵉ s. Le dôme de la tour a été remplacé par une flèche au 18ᵉ s.

À l'intérieur, la dissymétrie de la construction est frappante : la partie droite est romane, tandis que la partie gauche, le chœur et le transept sont flamboyants. Dans l'aile gauche du transept, derrière la pierre tombale du 14ᵉ s. englobée dans un tombeau du 19ᵉ s., est conservé le **cœur de Du Guesclin**. Les vitraux modernes ont été créés par l'atelier Barillet.

En sortant sur la place St-Sauveur, on peut voir à gauche une maison à piliers où naquit, en 1847, Auguste Pavie, diplomate et explorateur en Indochine.

Ancien hôtel Beaumanoir (B2)

Le portail Renaissance, dit du Pélican, commande l'entrée. Dans la cour, observez la décoration des fenêtres et une tourelle du 16ᵉ s. abritant un bel escalier.

AUTOUR DES REMPARTS

Promenade de la Duchesse-Anne

Tracée sur les remparts, elle offre une belle **vue★** sur la Rance, le viaduc et le port.

Promenade des Petits-Fossés

Elle longe extérieurement les remparts (13ᵉ-15ᵉ s.). À droite, elle est dominée par la masse du château et les tours du Connétable et de Beaufort.

Promenade des Grands-Fossés

Ce magnifique mail est bordé par les tours St-Julien, de Vaucouleurs, Beaumanoir et la porte St-Malo.

Bords de la Rance

🥾 *1h à pied. Descendez vers la Rance et traversez le pont gothique.* Prenez à droite l'ancien chemin de halage qui passe sous le viaduc. Il longe la rivière dans un **site** verdoyant et encaissé où il est agréable de flâner.

Visiter

Château★

🕾 *02 96 93 45 20 - juin-sept. : 10h-18h30 ; oct.-mai : 13h30-17h30 - fermé janv. - 4,10 €, gratuit Nuit des musées.* La porte du Guichet, encadrée par deux tours percées d'archères, date du 13ᵉ s. Élevé au 14ᵉ s., le donjon présente de beaux mâchicoulis. Il abrite un **musée** consacré à l'histoire de Dinan, depuis la préhistoire jusqu'au début du 20ᵉ s., et à l'artisanat local. De la terrasse qui domine le chemin de ronde, on jouit d'un beau **panorama★** sur la région. Ancienne tour d'artillerie, la tour de Coëtquen (15ᵉ s.) expose dans une salle au rez-de-chaussée des pierres tumulaires.

Musée du Rail

Dans l'aile gauche de la gare de Dinan - 🕾 *02 96 39 81 33 - www.museedurail-dinan. com - ♿ - de déb. juin à mi-sept. : 14h-18h (dernière entrée 17h) ; vac. de printemps et vac. de la Toussaint : se renseigner - 4 € (enf. 3,25 €).* Deux réseaux de trains y sont reconstitués en miniature, ainsi qu'un poste d'aiguillage Vignier de 1889. Pour les amoureux du rail : affiches, pendules, lanternes, plaques de locomotives et de gares, outils…

Ancien couvent des Cordeliers

🕾 *02 96 85 89 00 - ♿ - en saison : tlj sf w.-end 10h-18h - gratuit.*
Cet ancien couvent de franciscains fondé au 13ᵉ s., qui abrite aujourd'hui un collège, a conservé son cloître gothique (15ᵉ s.) et sa cour d'honneur, avec des tourelles en poivrière.

Maison d'artiste de la Grande Vigne

103 r. du Quai, port de Dinan - 🕾 *02 96 87 90 80 - 20 mai-sept. : 14h-18h30 - 2,75 €.*
Élève et amie de Mathurin Méheut, **Yvonne Jean-Haffen** (1895-1993) vécut dans cette maison dominant le port. Elle recèle des centaines de peintures et dessins représentant la Bretagne d'autrefois. Un livret-parcours est distribué gratuitement à chaque enfant.

Maison de la Rance

Quai Talard, sur le port - 🕾 *02 96 87 00 40 - ♿ - juil.-août : 10h-19h ; avr.-juin, sept.-nov. : tlj sf lun. 14h-18h - fermé déc.-mars - 3,90 € (12-18 ans 3 €).*
La Rance n'est pas que ce plan d'eau si prisé des plaisanciers. Cette rivière a un histoire, riche et mouvementée, et des milieux naturels très variés qui sont présentés, de manière interactive, dans ce lieu d'exposition.

Aux alentours

Quévert

3,5 km au nord-ouest. Accès par la D 68.
Ce village est connu des amateurs pour être le paradis des fleurs, et surtout des roses, grâce au **Courtil des senteurs★**. Ce jardin public compte plus de 700 variétés de roses, de plantes vivaces et de bulbes parfumés. Sa visite procure un rare plaisir des yeux et du nez, en particulier à la fin du printemps ou au début de l'été. *Pl. de la Mairie -* 🕾 *02 96 85 81 80.*

🐾 Le Courtil est également le point de départ de plusieurs **balades à thème** : les rosiers, les roches et les arbres fruitiers.
(Départ à l'entrée du jardin, devant la mairie.
Durée 1h, 2h ou 3h - accessibles à tous).

Léhon

2 km au sud. Ce bourg, niché dans la vallée de la Rance, conserve le **prieuré de St-Magloire**, construit au 12ᵉ s. *Visite 45mn.*

Abbatiale – 🕾 *02 96 87 40 40 (mairie de Léhon)- juil.-août sf sam., dim. mat. et lun. : 10h-12h, 14h-18h, possibilité de visite guidée 4 € (rens. l'office du tourisme de Dinan* 🕾 *02 96 87 69 76)- 3 € (enf. +12 ans 2 €).*
Reconstruite au 13ᵉ s. et restaurée à la fin du 19ᵉ s. La nef, aux voûtes bombées et nervurées à la façon angevine, abrite les

Le port de plaisance de Dinan.

Gilles Targat / MICHELIN

pierres tombales des Beaumanoir et un bénitier (13e s.) sur le rebord duquel les moissonneurs, soucieux d'une bonne récolte, venaient aiguiser les faucilles.

Bâtiments conventuels – Un petit **musée lapidaire** expose des chapiteaux de l'ancien cloître roman. Le **réfectoire**, la plus ancienne salle de l'abbaye (13e s.), a été joliment restauré. On y remarque la chaire du lecteur avec son escalier et sa tribune et la façade gothique ajourée. Le **dortoir** abrite quelques éléments du trésor dont un reliquaire contenant les reliques de saint Magloire. Dans les combles, on découvre une belle charpente en forme de carène renversée, et de curieux box qui ont été réalisés pour le tournage d'un feuilleton télévisé, *Les Compagnons du Nouveau Monde.*

Jardins – Les fouilles ont mis au jour un canal couvert reliant l'abbaye à la Rance qui coule plus bas.

Forêt de Coëtquen

10 km à l'est. Accès par la D 68 au sud, ou la VC 3 à partir de St-Hélen. Cette forêt de 557 ha, composée essentiellement de feuillus, est un lieu de promenade très agréable. Plusieurs sentiers sont balisés et des sorties sont organisées par la Maison de la Rance à Dinan *(voir plus haut).*

Corseul

11 km à l'ouest. Quittez Dinan en direction de St-Brieuc, puis prenez à droite la route de Plancoët (D 794).
Déjà connue des Celtes et des Gaulois, la capitale des Coriosolites fut romanisée, comme l'ensemble de l'Armorique. Elle conserve de nombreux vestiges, notamment dans le jardin des Antiques (colonnes, chapiteaux). Dans le **musée de la Société archéologique de Corseul**, au 2e étage de la mairie, on découvre des fossiles de la mer des Faluns, des pierres taillées et polies, des urnes funéraires, des peintures murales romaines, et des objets gallo-romains. ℘ 02 96 82 73 14 *(répondeur) - tlj sf dim. 10h-12h, 14h-17h30, sam. 10h-12h - fermé j. fériés - 2 € (enf. 1,60 €).*
Plus remarquable encore, le **temple du Haut-Bécherel**, dit temple de Mars *(1,5 km en direction de Dinan et une route à droite en montée).* Cette tour polygonale gallo-romaine, construite en petit appareil, daterait de l'époque de l'empereur Auguste (63 av. J.-C.-14 apr. J.-C.).

Château de la Bourbansais★

14 km au sud-est. Implanté au cœur d'un vaste et agréable domaine, cet imposant édifice (fin du 16e s., agrandi au 18e s.) fut embelli durant trois générations par les Huart, conseillers au parlement de Bretagne. La visite de l'intérieur du château est une option (payante), mais aujourd'hui, la propriété est surtout connue pour son zoo, qui fait le bonheur des enfants.
👁 Prêtez bien attention aux conditions de visite ci-dessous.

Parc zoologique et jardin – ℘ 02 99 69 40 07 - www.labourbansais.com - ♿ - avr.-sept. : 10h-19h ; oct.-mars : 14h-18h - 14,50 € (enf. 10,50 €) - Aire de pique-nique ou restauration (snack) possible sur place - juil.-sept. : labyrinthe de maïs pour jouer à se perdre en famille !
👪 Ce parc animalier abrite des espèces des cinq continents (girafes, autruches, dromadaires, cervidés, kangourous, fauves, oiseaux, singes…). Des panneaux dispensent des informations à la fois pédagogiques et amusantes pour découvrir leurs habitudes et leurs secrets. Animations plusieurs fois par jour : spectacles de vénerie (20mn) et de fauconnerie en vol libre (30mn), goûter des animaux… On se déplace à son rythme dans les allées, en suivant ou pas le parcours conseillé sur le dépliant remis à l'entrée.
En traversant les jardins à la française, on gagne le château, dont le corps de logis est flanqué de tourelles et de pavillons aux toits à double pente caractéristiques du 18e s.

Intérieur du château – ℘ 02 99 69 40 07 - www.labourbansais.com - ♿ - visite guidée (50mn) avr.-sept. : tlj 11h15, 14h, 15h, 16h, 17h ; oct.-mars et vac. scol. : w.-end 15h30, 16h30 - visite du château avec jardins et spectacles 14,50 € (enf. 10,50 €).
Le rez-de-chaussée présente une décoration et un mobilier du 18e s., des tapisseries d'Aubusson du 17e s. et une belle collection de porcelaines de la Compagnie des Indes. Dans le péristyle (19e s.), documents et objets évoquent le passé de cette demeure.

Dinan pratique

Adresse utile

Office du tourisme de Dinan – *9 r. du Château - 22105 Dinan -* ✆ *02 96 87 69 76 - www.dinan-tourisme.com - juil.-août : 9h-19h, dim. et j. fériés 10h-12h30, 14h30-18h ; 1er-15 sept. : 9h-13h, 14h-18h30 ; 16 sept.-juin : tlj sf dim. 9h-12h30, 14h-18h. Ouv. pâques et ponts du mois de mai 10h-12h30, 14h30-18h - fermé 25 déc., 1er janv. et Toussaint.*

Visites

Dinan, qui porte le label Ville d'art et d'histoire, propose différentes visites-découvertes *(1h30)* animées par des guides-conférenciers agréés par le ministère de la Culture et de la Communication - *Juil.-août : 15h ; avr.-juin et sept. : sam. 15h + visite ponctuelle pdt vac. scol. et w.-end - 5 € - renseignements à l'office de tourisme ou sur le site www.vpah. culture.fr.*

👫 Un fascicule *(gratuit)* intitulé *Raconte-moi Dinan* est disponible à l'office de tourisme. Il permet aux enfants de découvrir la cité sous la forme d'un jeu de l'oie très bien fait.

Se loger

🛏 **Hôtel Au Vieux St-Sauveur** – *19 pl. St-Sauveur -* ✆ *02 96 85 30 20 - www. hotelpubsaintsauveur.com - 6 ch. 43 € - ☕ 6 € - rest. 2,50/15 €.* Si la demeure à colombages, en plein quartier historique, date du 15e s. son intérieur bénéficie pourtant d'un sacré coup de jeune. La salle de pub, proposant aussi une petite restauration, accueille les fêtards jusqu'à 2h en été dans une ambiance chaleureuse. Chambres mignonnettes et sans prétention, aux étages.

🛏 **Hôtel restaurant de France** – *7 pl. du 11-Novembre - dir. la Gare -* ✆ *02 96 39 22 56 - hoteldefrance-dinan.com - fermé 21 déc.-6 janv. -* 🅿 *- 14 ch. 45/48 € - ☕ 6 € - rest. 11,50/36 €.* Pratique pour ceux qui voyagent en train, établissement ancien dont les chambres, bien insonorisées, ont toutes été rénovées. Salle à manger redécorée et agrémentée d'une véranda et d'un aquarium. La cuisine ne connaît que les produits frais.

🛏🛏 **Hôtel Ibis** – *1 pl. Duclos -* ✆ *02 96 39 46 15 - h5977@accor.com -* 🍽 *- 62 ch. 52/110 € - ☕ 6,50 €.* Cet hôtel du centre-ville sort d'une cure de rajeunissement. Les chambres, aux dernières normes de la chaîne, sont spacieuses et bénéficient de la climatisation.

🛏🛏 **Hôtel Challonge** – *29 pl. Du Guesclin -* ✆ *02 96 87 16 30 - hotel-dinan.fr - 18 ch. 60/84 € - ☕ 7,50 €.* Cet hôtel proche des remparts borde l'ancien champ de foire où se tient un marché animé. Les chambres, confortables, ont un petit air « british »,

tout comme la brasserie Le Longueville décorée à la façon d'un pub anglais avec ses boiseries foncées et son grand bar.

Se restaurer

🍴 **Crêperie Beaumanoir** – *4 pl. Duclos -* ✆ *02 96 39 33 91 - fermé 1 sem. en hiver, 1 sem. fin juin, 2 sem. en nov., mar. soir et merc. - 6,86/15,24 €.* Voici une petite adresse on ne peut plus facile à trouver, puisque située juste en face de la mairie. Vous y dégusterez salades, crêpes, galettes et spécialités « maison » (roulés bretons et galichons) dans un cadre rénové aux beaux murs de granit.

🍴 **Le St-Louis** – *9 r. de Léhon -* ✆ *02 96 39 89 50 - www.lesaintlouis.com - fermé mar. soir hors sais. et merc. - 8/39,50 €.* Murs en pierres apparentes, sol de terre cuite, cheminée en granit et peintures réalisées par des artistes régionaux président à l'élégant cadre rustique de ce restaurant agencé autour d'un patio verdoyant. Cuisine traditionnelle et copieux buffets de hors-d'œuvre et desserts.

🍴 **Crêperie des Artisans** – *6 r. Petit-Fort -* ✆ *02 96 39 44 10 - bonabry@wanadoo.fr - fermé de fin sept. aux Rameaux et lun. -* 🍽 *- 8,90/15 €.* Gravir cette ruelle pavée reliant le port à la vieille ville vous a ouvert l'appétit ? Arrêtez-vous ici pour déguster crêpes traditionnelles et produits fermiers, et admirer par la même occasion une étonnante collection de percolateurs et de cafetières.

Les gavottes : « la » spécialité dinannaise !

🍴 **La Marmite** – *91 r. de Brest -* ✆ *02 96 39 04 42 - fermé sam. soir et dim. - 10/18 € - 5 ch. 38 € - ☕ 6 €.* Cette petite adresse a prodigué ces dernières années de nombreux efforts de rénovation. Le résultat ? Une salle de restaurant chaleureuse et gaie – murs patinés couleur mimosa, boiseries en frêne, poster fleuri – et des chambres personnalisées.

🍴 **La Courtine** – *6 r. de la Croix -* ✆ *02 96 39 74 41 - fermé 1er-15 mars, 15-30 nov. et été merc. soir, sam. midi et dim. ; en été : fermé* merc. soir, sam. midi et dim. - réserv. conseillée - 11,50/26,50 €. Murs en granit et poutres composent le chaleureux cadre de ce restaurant installé dans une pittoresque maison de 1832. Service d'une grande efficacité, cuisine traditionnelle et spécialités de poisson.

😋😋 **Le Bistrot du Viaduc** – *R. du Lion-d'Or - ℘ 02 96 85 95 00 - www. lebistrotduviaduc.com - fermé 15 juin-1er juil., 20 déc.-15 janv., sam. midi, dim. soir et lun. - 17,50/38,50 €.* Ce bistrot posté à la sortie du viaduc surplombe Dinan, offrant une vue panoramique sur les remparts, la ville et le port. Le passage devant les fourneaux vous mettra dans les meilleures dispositions pour apprécier une généreuse cuisine traditionnelle servie dans un cadre rétro de bon ton.

En soirée

👁 **Bon à savoir** – Dinan possède des atouts simples mais séduisants. Sa petite « rue de la soif » (rue de la Cordonnerie) est flanquée d'une dizaine de bars, aux noms parfois pittoresques comme « À la Truye qui file », « Au Vieux Port », vieille et belle maison, de même que « La Licorne » et le « Saut de la Puce », fréquentés par une clientèle plus jeune. Tous ferment tard. Autres rues ayant aussi de bonnes adresses pour un dernier verre : la rue Haute-Voie, avec le « Bistrot d'en bas » ou le « Poche Café », et la rue du Port. La vie artistique de la ville se révèle non moins intéressante avec le théâtre des Jacobins, et la rue Jerzual, rue pittoresque des sculpteurs, ébéniste, et maroquinier…

Que rapporter

Rue Jerzual – C'est la rue des artistes et des artisans : sculpteur, ébéniste, maroquinier…

Marché aux puces – À partir du 3e merc. de juin et jusqu'au 3e merc. de sept.

Loc Maria - les Gavottes – *Rte de Dinard - ℘ 02 96 87 42 55 - www.locmaria.fr -*

tlj sf sam. apr.-midi et dim. - fermé j. fériés. Cette adresse est le point de vente de l'entreprise les Gavottes, célébrissime maison qui concocte les fameuses crêpes dentelle de Dinan, biscuit croustillant roulé très fin, qui se déguste nature ou enrobé de chocolat, et dont la recette fut inventée par Marie-Catherine Cornic en 1886. Autres spécialités : la galette et le palet de Pleyben, le véritable punch, la clopinette cotissoise et le corbelet dinannais.

Sports & Loisirs

Communauté de communes de Dinan – *34 r. Bertrand-Robidou - ℘ 02 96 87 14 14 - randonnées avr.-août. Se renseigner en téléphonant à Dinan District.* Chaque été, la communauté de communes de Dinan organise des randonnées qui vous permettront de découvrir la nature environnante : la Rance, le bocage, les forêts, les oiseaux de printemps, etc.

Fruits, fleurs, parfums – *Pl. de la Mairie - 22100 Quévert - ℘ 02 96 85 81 80 - tlj.* La place de la Mairie de Quévert est le point de départ de plusieurs randonnées à thèmes : les rosiers, les roches, les arbres fruitiers… Pour les conditions de visite, se renseigner à la Communauté de communes de Dinan.

St-Valay Équitation – *St-Valay - 22100 Taden - ℘ 02 96 39 22 08 - tlj sf lun. 8h30-19h.* Outre les stages et les cours d'équitation, ses moniteurs encadrent des promenades à l'heure, à la journée ou demi-journée, le long de la Rance et vers Lancieux.

Événement

Rencontres internationales de la harpe celtique – Cité-phare de la harpe celtique, Dinan accueille ce festival chaque année en juil. qui propose des concerts aux quatre coins de la ville, des ateliers de découverte de cet instrument destinés aux enfants… - *℘ 02 96 87 36 69 - www.harpe-celtique.com.*

Dinard★★

10 430 DINARDAIS
CARTE GÉNÉRALE E1 – CARTE MICHELIN LOCAL 309 J3 – ILLE-ET-VILAINE (35)

Lovée dans un site magnifique à l'embouchure de la Rance, Dinard fut « lancée » vers 1850 par un riche Américain, et devint la rivale de l'anglaise Brighton. Ancien port de pêche devenu station balnéaire mondaine, c'est la première du genre en France à avoir sauvegardé son patrimoine architectural de la fin du 19e s. en faisant classer 407 villas et immeubles. Elle combine ainsi le charme d'un cœur historique préservé aux plaisirs de bord de mer.

- **Se repérer** – Sur la rive gauche de l'estuaire de la Rance, Dinard fait face à St-Malo (14 km). Rennes n'est qu'à 76 km au sud par la N 137, *via* Dinan.

- **Se garer** – Le parking St-Énogat, en plein centre-ville, dispose de 500 places gratuites (à éviter les jours de marché).

- **Organiser son temps** – Le tour de la ville est bouclé en 2h. Pour compléter la journée, prévoyez un pique-nique et allez vous promener le long de la côte, vers St-Lunaire et la pointe du Décollé.

- **À ne pas manquer** – Les pointes du Moulinet, de la Vicomté et du Décollé, sans oublier les nombreuses galeries d'art de la station.

- **Pour poursuivre la visite** – Voir aussi la Côte d'Émeraude, St-Malo, Dinan, Cancale, St-Cast-le-Guildo, Combourg, Dol-de-Bretagne.

La plage de Dinard face à la mer et aux villas.

Se promener

Dinard offre un contraste extraordinaire avec St-Malo : en face, une vieille cité resserrée dans ses remparts, une plage familiale, un port de commerce ; ici, un village de pêcheurs devenu une station raffinée aux villas luxueuses, aux jardins et aux parcs splendides.

AU NORD

Pointe du Moulinet★★ (B1)
Partez de la Grande Plage.

Des **vues** magnifiques s'offrent sur la côte, du cap Fréhel à gauche, à St-Malo à droite, puis sur l'estuaire de la Rance.

Grande Plage ou plage de l'Écluse★ (B1)
Cette belle plage est bordée par le palais des Arts et du Festival, le casino et de luxueux hôtels. En suivant la promenade qui longe la plage à gauche, on parvient à une terrasse d'où l'on découvre St-Malo. Au-delà, on se dirige vers la **pointe des Étêtés**, et les quartiers de la Malouine et de St-Énogat.

Pointe de la Malouine et quartier de Saint-Énogat★ (B1-A1)

Au départ de la plage de l'Écluse.

Jusqu'à la plage de St-Énogat, le sentier longe la mer au-dessous de **somptueuses villas** qui témoignent du passé prestigieux de la station. Lancé en 1880, le lotissement balnéaire de luxe de la Malouine, greffé sur sa pointe rocheuse, demeure, de par son emplacement et son architecture, une prouesse architecturale.

La promenade passe par le beau **jardin** en terrasse du **Port-Riou** (vue jusqu'au cap Fréhel) qui annonce la **plage de St-Énogat**, située au bas de rochers escarpés.

Le quartier du même nom est considéré comme le « berceau de Dinard », lieu prisé dès le milieu du 19e s. par de nombreux poètes et écrivains (Leconte de Lisle, Lautréamont…). Villas Belle Époque.

À L'EST

Promenade du Clair-de-Lune★ (B1-2)

Réservée aux piétons et plantée de beaux parterres fleuris doublés d'une remarquable végétation méditerranéenne, cette digue-promenade suit le bord de l'eau. Contrairement à ce que suggère son nom, elle est à faire de jour, et même le matin pour profiter du soleil… vous n'en apprécierez que mieux la beauté des villas et les jolies vues sur l'estuaire de la Rance. À l'extrémité, la **plage du Prieuré** doit son nom à un prieuré fondé en 1324 à cet emplacement.

SE LOGER		
	Hôtel Les Mouettes........⑩	Crêperie Wishbone..........③
Chambre d'hôte Le Clos du Pont Martin..①	Hôtel Printania..............⑬	Didier Méril....................⑦
Hôtel Améthyste.............④	SE RESTAURER	L'Appel du Large.............⑩
Hôtel Balmoral...............⑦	Crêperie du Roy.............①	Le Full-Time...................⑬

Le saviez-vous ?

👁 **Le nom** – Dinard proviendrait du gaulois *dunum*, colline, et du breton *arzh*, ours.
👁 **Un bel exemple d'intelligence et de courage** – Le nom de code « Amniarix » cache une remarquable résistante : Jeannie Rousseau, arrivée à Dinard avec son père pour s'éloigner du conflit. Brillante étudiante, polyglotte, elle est employée par le commandement allemand pour sa connaissance de la langue de Goethe. Après une rencontre avec Georges Lamarque, elle intègre le groupe de résistance des « Druides », et devient une source exceptionnelle de renseignements, particulièrement sur les V1 et V2. Elle permet ainsi la destruction de l'usine souterraine de Peenemünde. Faite prisonnière à deux reprises, elle a survécu à trois camps de concentration.

Côté « ville », n'hésitez pas à vous engager dans la rue des Français-Libres, depuis la place du Général-de-Gaulle. Au n° 12, face à l'église, s'ouvre le jardin de la **villa d'Eugénie**. Fort agréable, il permet de faire le tour de la villa construite en 1868 pour l'épouse de Napoléon III. Celle-ci devait inaugurer la saison balnéaire, mais suite à une dispute de ménage, ne vint jamais.

Pointe de la Vicomté★★ (B2)

Ce beau domaine loti devient peu à peu l'un des quartiers les plus agréables de Dinard. Au départ de l'avenue Bruzzo, le chemin de ronde *(à faire à pied)* offre de splendides **échappées** sur la rade et l'estuaire de la Rance, la tour Solidor et le rocher de Bizeux surmonté d'une statue de la Vierge.

Aux alentours

Saint-Lunaire★

À 4 km par la D 786. Cet élégant centre balnéaire possède deux belles plages : à l'est, St-Lunaire, la plus animée, regarde St-Malo ; à l'ouest, Longchamp, la plus vaste, est tournée vers le cap Fréhel.

Pointe du Décollé★★ – Elle est reliée à la terre ferme par un pont naturel qui franchit la profonde crevasse du saut du Chat ; au-delà du pont s'étendent les promenades.

Prenez, à gauche de l'entrée du pavillon du Décollé, le chemin conduisant à la pointe où est érigée une croix en granit. La **vue★★** sur la Côte d'Émeraude, depuis le cap Fréhel jusqu'à la pointe de la Varde, est splendide.

Grotte des Sirènes★ – Le pont franchit la faille par laquelle cette grotte s'ouvre vers la mer, et dont on voit le fond ; à marée haute, les vagues l'assaillent avec puissance.

Vieille église St-Lunaire – *☎ 02 99 46 30 51 - de Pâques à fin oct. : 9h-19h - possibilité hors sais. de retirer la clef au service accueil de la mairie*. Dressé parmi les arbres dans un ancien cimetière, l'édifice a conservé sa nef du 11ᵉ s. où se trouve le tombeau de saint Lunaire dont le gisant (14ᵉ s.) repose sur un sarcophage gallo-romain. Sept autres tombeaux sont visibles dans le transept, parmi lesquels le tombeau richement sculpté d'une dame de Pontual (13ᵉ et 14ᵉ s.), et celui d'un chevalier et d'une dame (15ᵉ s.).

Dinard pratique

Adresse utile

Office du tourisme de Dinard – *2 bd Féart - 35802 Dinard - ☎ 02 99 46 94 12 - www.ot-dinard.com - juil.-août : 9h30-12h30, 13h30-19h ; reste de l'année : 9h30-12h30, 14h-18h ; fermé j. fériés sf si exposition ouv. 10h-12h15, 14h15-18h.*

Visite

Dinard, qui porte le label Ville d'art et d'histoire, propose différentes visites-découvertes (1h30) animées par des guides-conférenciers agréés par le ministère de la Culture et de la Communication - *juin-sept. : dép. 14h30 de l'office de tourisme - 5 €.*

Se loger

⊜ **Hôtel Les Mouettes** – *64 av. George-V - ☎ 02 99 46 10 64 - www.hotel-les-mouettes.com - 9 ch. 37/45 € - � 6 €.* Ce petit hôtel sans prétention est idéal pour qui veut échapper à l'animation du centre-ville tout en restant proche du littoral. Chambres certes un peu petites, mais bien insonorisées, et rénovées dans un esprit marin. Accueil dynamique et souriant.

⊜⊜ **Hôtel Balmoral** – *26 r. du Mar.-Leclerc - ☎ 02 99 46 16 97 - www.hotels-balmoral.com - 31 ch. 51/76 € - ⊒ 9 €.* Cette bâtisse ancienne du centre-ville a été judicieusement rénovée. Le hall reste toutefois d'inspiration rustique et les menues chambres sont simplement meublées.

😊😊 **Hôtel Améthyste** – *Pl. du Calvaire - ℘ 02 99 46 61 81 - www.hotel-amethyste. com - fermé 6 janv.-28 fév. et 21 nov.- 19 déc. - 19 ch. 55/70 € - ⟃ 7,50 €.* Pas de vue sur la mer depuis cet hôtel, mais ses prix raisonnables en font une adresse tout à fait recommandable. Ses chambres au confort simple ne sont pas bien grandes mais bien entretenues. Également disponibles, cinq studios loués à la semaine.

😊😊 **Hôtel Printania** – *5 av. George-V - ℘ 02 99 46 13 07 - www.printaniahotel. com - fermé 20 nov.-20 mars - 56 ch. 65/95 € - ⟃ 8,50 € - rest. 22/35 €.* Ceux qui aiment le folklore vont être servis ! La salle à manger et le salon de cet hôtel avec vue sur la mer sont bretons à souhait : meubles « à gâteau » et tableaux anciens en décorent les moindres recoins… Jusqu'aux serveuses du restaurant arborant un costume régional !

😊😊😊 **Chambre d'hôte Le Clos du Pont Martin** – *Le Pont Martin - 35800 St-Briac- sur-Mer - 2,4 km au SE de St-Briac-sur-Mer par D 603 et D 3 à droite, rte de Ploubalay - ℘ 02 99 88 38 07 - www.briac.com - ⟦ - 3 ch. 59 € ⟃.* Cette demeure contemporaine nichée dans un parc, à 5 minutes des plages de St-Briac-sur-Mer, vous réserve un accueil douillet. Chambres conjuguant avec bonheur mobilier de style et confort moderne. En hiver, vous prendrez votre petit-déjeuner au coin du feu.

Se restaurer

😊 **L'Amirauté** – *1 pointe du Décollé - 35800 St-Lunaire - ℘ 02 99 46 33 38 - juil.- août : 12h-23h; hors sais. : lun.-mar. vend. 12h-15h, 19h-22h, w.-end 12h-22h - fermé de mi-nov. à déb. fév.* Sur la pointe du Décollé, ce bar-crêperie jouit d'une vue panoramique sur la baie de St-Malo, la mer et les rochers qui émergent de l'écume… Grande terrasse au calme.

😊 **Le Full Time** – *2 bd Albert-1er, plage de l'Écluse - ℘ 02 99 46 18 72 - formule déj. 10 €.* Glaces, sandwiches et gaufres à grignoter les pieds dans le sable.

😊 **Crêperie du Roy** – *9 bd Féart - ℘ 02 99 46 10 57 - formule déj. et dîner 10 €.* Une vaste salle rustique, décorée de maquettes de bateaux, pour un grand choix de crêpes et de galettes maison.

😊 **Crêperie Wishbone** – *8 pl. du Calvaire - St-Énogat - ℘ 02 99 46 94 92 - fermé lun. et mar. hors sais. - formule déj. et dîner 10 €.* Crêpes et galettes de tradition servies sous des poutres apparentes ou en terrasse.

😊 **L'Appel du Large** – *4 bd Wilson, face à la mer - accès au rest. par l'entrée du casino - ℘ 02 99 16 30 30 - www.lucienbarriere. com - fermé mar. soir et merc. soir de nov. à mars - 13/17 €.* La vaste salle de restaurant,

attenante à la salle des machines à sous du casino, offre une belle vue panoramique sur la grande plage de Dinard. Décor d'esprit « croisière », banc d'écailler. La carte de brasserie propose de nombreux plats de viandes, poissons et fruits de mer.

😊😊😊 **Didier Méril** – *6 r. Yves-Verney - ℘ 02 99 46 95 74 - didiermeril@wanadoo. fr - fermé 7-31 janv. et merc. d'oct. à janv. - 22 € déj. - 29/39 €.* Un vent, marin bien sûr, est venu réveiller ce restaurant autrefois connu des gens d'ici sous une enseigne plus exotique « La Palmeraie ». À table, les produits de la mer sont toujours à l'honneur. Mariage du modernisme et de l'ancien pour le décor.

Que rapporter

Marché – *Pl. Crolard - mar., jeu. et sam. mat. et halles chaque mat.,* Ce marché de réputation régionale attire une clientèle fidèle, qui vient parfois de très loin, spécialement le samedi.

Sports & Loisirs

👁 **Bon à savoir** – Dinard offre un panel d'activités sportives impressionnant. À noter, son beau club de tennis dans parc, son centre équestre et son centre nautique…

Thalassa Dinard – *1 av. du Château- Hébert - ℘ 02 99 16 78 10 - www. accorthalassa.com - 9h-13h, 14h-18h - fermé 5-26 déc.* Créée en 1990, cette structure moderne et lumineuse jouit d'un très beau point de vue sur la mer jusqu'aux remparts de St-Malo. Outre les cures traditionnelles, vous pourrez y tester les soins découvertes pour un week-end voire une demi-journée.

Centre hippique et poney club de Dinard – *20 r. du Val-Porée - ℘ 02 99 46 23 57 - www.equitation.com - accueil : sais. : 9h-19h ; hors sais. : tlj sf lun. (sf vac. scol.) 9h-19h - fermé 1er-15 sept. et 1er Mai.* Ce centre équestre donne des cours, organise des stages et des randonnées. Compétition internationale de jumping en août.

Écuries de St-Lunaire – *Le Pont - 35800 St-Lunaire - ℘ 02 99 46 06 20 - www.les-ecuries.net - tlj sf dim. 5h-12h, 14h-18h30 ; tlj en juil.-août.* Ce centre un peu en retrait de St-Lunaire dispense cours et stages d'équitation et organise à l'occasion des promenades d'une heure, de la pointe du Nick à St-Lunaire. Maîtrise du trot enlevé exigée…

Wishbone Club Dinard – *Plage de l'Écluse - ℘ 02 99 88 15 20 - wishboneclubdinard@wanadoo.fr - mars-déc. : tlj sf dim.* Ce club nautique offre plusieurs formules : stages avec encadrement (voile et windsurf), cours particuliers à la carte ou simple location de matériel (planche à voile, catamaran, dériveur, kayak).

Yacht Club de St-Lunaire – *Bd de la plage - 35800 St-Lunaire -* 🕾 *02 99 46 30 04 - www.ycsl.net - 1er nov.-31 mars : tlj sf w.-end ; 1er avr.-31 oct. : tlj sf lun. et mar. - fermé déc.-janv. - 10/270 €.* Doté d'un parking à bateaux à l'extrémité de la plage, ce centre nautique propose des stages de planche et de voile, sur tout support : optimist, topper et catamaran (15 pied, Hobie cat 16 et HC 16 avec spi). Jardin des mers pour les enfants de 5 à 8 ans.

Promenades en bateau

St-Malo – Traversée : 10mn (voir ce nom), **Dinan, par la Rance** (voir Vallée de la Rance), **Croisières au cap Fréhel** (voir ce nom).

Croisières sur la Rance et vers l'île de Cézembre – Elles permettent la découverte de petites criques et de malouinières accrochées à flanc de coteau, ou de se rendre à l'île de Cézembre et sa vaste plage de sable fin exposée plein sud. Excursions en mer et sur la Rance. S'adresser à l'office de tourisme.

Escapades en avion

Services réguliers pour les îles Anglo-Normandes de Jersey et Guernesey ainsi que pour Southampton et Londres. S'adresser à l'aéro-club de la Côte d'Émeraude - 🕾 02 99 88 23 42 ou à l'office de tourisme.

Événement

La promenade du Clair-de-Lune – *Juil.-sept.* Elle est le cadre d'animations musicales (son et lumière).

Dol-de-Bretagne★

4 563 DOLOIS
CARTE GÉNÉRALE E2 – CARTE MICHELIN LOCAL 309 L3 – ILLE-ET-VILAINE (35)

Ancienne cité épiscopale de Bretagne, Dol est situé sur le bord d'une falaise que le flot venait encore battre au 10e s. Aujourd'hui, son sommet offre une vue dégagée de la région, de Cancale jusqu'au Mont-St-Michel. À mi-chemin de cette merveille et de St-Malo, la ville propose aussi aux visiteurs de passage un patrimoine architectural de grande qualité.

▶ **Se repérer** – Traversée par la N 176, Dol se trouve à l'intérieur des terres, à mi-chemin du Mont-St-Michel et de St-Malo. Rennes est à 70 km plus au sud.

🕐 **Organiser son temps** – Soyez sur le mont Dol au coucher du soleil pour admirer le panorama sous sa plus belle lumière.

👁 **À ne pas manquer** – La cathédrale St-Samson et la vue du mont Dol.

👪 **Avec les enfants** – Visitez le Cathédraloscope puis allez voir le Petit-Mont-St-Michel avant de découvrir la vie rurale d'autrefois au musée de la Paysannerie.

👣 **Pour poursuivre la visite** – Voir aussi Cancale, St-Malo, Dinard, la vallée de la Rance, Dinan, Combourg et le Mont-St-Michel.

Comprendre

Le Marais de Dol – On appelle ainsi le terrain gagné sur les marais et la mer, dans la baie du Mont-St-Michel. Il s'étend sur 15 000 ha, depuis l'embouchure du Couesnon jusqu'au voisinage de Cancale. Grâce au travail d'assèchement accompli pendant des siècles, il se présente aujourd'hui comme une plaine de polyculture, d'aspect assez monotone. À l'origine, il s'agissait cependant bel et bien d'une zone marécageuse. Voici environ douze mille ans, la mer recouvrait en effet ces terres. En se retirant, elle en a découvert une grande partie, constituant le marais blanc, fait de sable vaseux provenant d'un remplissage de dépôts marins, et le marais noir, terre boueuse résultant de la décomposition des végétaux.

G. Targat / MICHELIN

Grande-Rue-des-Stuarts à Dol-de-Bretagne.

Visiter

Cathédrale Saint-Samson★★

Ce très vaste édifice de style gothique, qui porte le nom du premier évêque de Dol, mort en 565, fut bâti aux 12ᵉ et 13ᵉ s. puis complété jusqu'au 16ᵉ s. Il donne une idée de l'importance qu'avait alors l'évêché de Dol. À l'extérieur, côté sud, voyez le **grand porche★** (14ᵉ s.) et le petit porche (13ᵉ s.). Au nord, la cathédrale offre l'aspect d'une forteresse.

Intérieur – Le vaisseau atteint 100 m de long. Dans le chœur, on admire la **verrière★★** à médaillons du 13ᵉ s. qui a été restaurée, les 80 stalles (14ᵉ s.) et le trône épiscopal (16ᵉ s.) en bois sculpté. Dans le croisillon gauche, on remarque le tombeau de l'évêque Thomas James, gouverneur du château St-Ange à Rome, exécuté par les Florentins Antoine et Jean Juste (16ᵉ s.). Dans le bas-côté nord, *Christ aux outrages*.

Cathédraloscope★

📞 02 99 48 35 30 - ♿ - avr.-nov. : 10h-19h - 7,50 €.

👥 Cette exposition, dans l'ancien palais épiscopal, fait revivre l'histoire des cathédrales à l'aide d'une scénographie très accrocheuse ; on ne peut parler de muséographie puisque aucune collection n'est présentée. Symbolique de l'élévation, techniques et vocabulaire de la construction, maquettes, corps de métiers, vitraux et sculptures sont ici fort bien évoqués comme pour percer l'âme des cathédrales, tout cela dans une atmosphère très dépouillée, d'une modernité très contemplative.

Se promener

Promenade des Douves

Appelé aussi promenade Jules-Revert, ce jardin public, malheureusement peu entretenu, longe la douve des remparts nord. On peut y voir la grosse tour des Carmes, l'une des 12 tours de défense. De là, belle **vue★** sur le mont Dol et le « Marais ».

Maisons anciennes

Au cœur de la cité médiévale, subsistent de belles maisons à colombages, anciens hôtels particuliers et commerces.

Grande-Rue-des-Stuarts – Au n° 17, « les Petits Palets » (11ᵉ et 12ᵉ s.) présentent une belle arcature romane ; au n° 27, maison de la Guillotière (13ᵉ s.) ; au n° 33, demeure de 1617 à belles lucarnes ; au n° 18, le logis de la Croix verte et du donjon est une ancienne auberge des templiers avec cave voûtée (12ᵉ s.) ; au n° 32, charmante cour « es Chartier et Hostel es Pledran » (16ᵉ s.).

Rue Le-Jamptel – Au n° 31, « la Grisardière » (12ᵉ ou 13ᵉ s.) ; au n° 27, maison à piliers (15ᵉ s.).

Rue Ceinte – Au n° 1, dans la portion de rue jadis de la Poissonnerie, vieille maison de marchand (15ᵉ s.) avec étal de granit, de même qu'au n° 4, « la Grabottais » ; au n° 16, manoir du Grand Chantre (1668).

Aux alentours

Mont Dol★

Quittez Dol-de-Bretagne en direction de Cancale, 2 km.

La légende raconte que dans son combat avec Satan, **saint Michel** perça un trou dans le roc du mont Dol et y précipita son ennemi. Mais le diable réapparut sur le Mont-St-Michel. Le bond que fit alors l'archange pour l'atteindre nécessita une détente si vigoureuse que l'empreinte de son pied resta imprimée dans la roche !

Dans la réalité, cette éminence granitique (65 m) domine une vaste plaine, faisant figure de petite montagne. Enroulé à son pied, le bourg abrite une **église** dont la nef conserve un bel ensemble de fresques des 12ᵉ et 14ᵉ s. retraçant la vie du Christ.

Une route mène au sommet du mont, où sont dispersés un moulin (crêperie), un premier belvédère à gauche, qui regarde vers l'arrière-pays, et une tour en haut de laquelle vous aurez le **panorama★** le plus étendu sur : au nord, les îles Chausey, Cancale et la pointe du Grouin ; au nord-est, le Mont-St-Michel, Avranches, Granville ; du calvaire, au sud, à la lisière du Marais, Dol et sa cathédrale et, à l'arrière-plan, les hauteurs d'Hédé ; enfin, à ses pieds, le bocage du Marais de Dol.

Petit-Mont-Saint-Michel

11 km à l'est par la D 80 (direction St-Broladre) et rte à droite vers St-Marcan - 📞 *02 99 80 22 15 - juil.-août : 10h-19h ; avr.-juin et sept. : tlj sf lun. 11h-18h - fermé oct.-mars - 4 € (-5 ans gratuit).* 👥 Dans un enclos à flanc de colline sont présentés des monuments de la région au 1/50 : église de Pontorson, Mont-St-Michel, château de Fougères... Jeux pour enfants.

Le Vivier-sur-Mer et Cherrueix *(voir baie du Mont-St-Michel)*

Le Jardin de Coramille

Le Grand Villouët à Baguer-Pican. 5,5 km à l'est de Dol. Prenez la D 155 dir.Fougères/ La Boussac, puis la 2ᵉ route à droite - 📞 *02 99 80 94 29 - www.jardin-coramille.com -* ♿ *- juil.-août : 10h-12h, 14h-18h ; mai et sept. : sam., dim. et j. fériés 10h-12h, 14h-18h ; juin : jeu.-dim. 10h-12h, 14h-18h - 4 € (-12 ans gratuit).* Les 5 ha de ce jardin à l'anglaise rassemblent un millier de plantes vivaces et de bambous, auxquels s'ajoute une centaine de variétés de roses anciennes et d'arbustes, amoureusement collectés et entretenus par une famille toute dévouée aux plantes.

Circuit de découverte

AU PAYS DE DOL-DE-BRETAGNE

Circuit de 30 km – environ 2h30. Quittez Dol par la D 795. Laissez la route d'Epiniac à gauche ; 600 m après, tournez à gauche, puis prenez un chemin goudronné, à droite.

Menhir de Champ-Dolent

C'est l'un des plus beaux menhirs de Bretagne (9,50 m de haut, 8,70 m de circonférence). Il provient du filon granitique de Bonnemain situé 5 km au sud. L'appellation Champ-Dolent – champ de douleur – évoque un combat légendaire qui se serait livré ici.

Faites demi-tour et reprenez la D 795 vers Combourg.

Baguer-Morvan

👥 Le **musée de la Paysannerie** retrace plus d'un siècle de vie paysanne : reconstitution d'intérieurs, présentation de matériel agricole, véhicules hippomobiles, outils d'autrefois, vieilles reproductions de scènes agricoles. Dégustation de cidre en fin de visite. 📞 *02 99 48 04 04 - juil.-août : 10h-19h ; mai-juin et sept. : lun. et jeu. 10h-19h - 4 € (enf. 2 €).*

Prenez la D 119 jusqu'au Tronchet.

Le Tronchet

Dans le village, voyez le **cloître de l'Abbaye N.-D. du Tronchet**, construit au 17ᵉ sur les ruines d'un couvent bénédictin du 12ᵉ s. Au milieu trône un houx géant vieux de 300 ans.

Le menhir de Champ-Dolent.

M. Gurfinkel / MICHELIN

Suivez les panneaux « Forêt du Mesnil » pour sortir du village par la D 9, puis ceux indiquant « La Maison des fées ». Garez-vous sur le parking, puis faites 300 m à pied.

La Maison des fées – Il s'agit d'une allée mégalithique couverte de huit grandes dalles. Les sculptures de seins et de colliers sur les vestiges de la chambre funéraire symbolisent le culte de la déesse-mère et sont à l'origine de son nom actuel.

Revenez au Tronchet, et suivez la D 9 puis la D 10.

Epiniac

Dans le bas-côté gauche de l'**église**, l'autel présente une Dormition de la Vierge, haut-relief polychrome du 16e s.

Prenez la D 85 vers le sud et tournez à gauche sur la D 285.

Broualan

Au centre du village, près d'un remarquable petit calvaire, se dresse l'église du 15e s., agrandie au 16e s. Son chevet est orné de contreforts à pinacles et de belles fenêtres flamboyantes. À l'intérieur, de nombreux autels de granit, des crédences ouvragées, un tabernacle du maître-autel soutenu par des anges et la Pietà polychrome du 16e s.

Par La Boussac, regagnez Dol.

Dol-de-Bretagne pratique

Adresse utile

Office du tourisme de Dol – *5 pl. de la Cathédrale - 35120 Dol-de-Bretagne - 🕾 02 99 48 15 37 - www.pays-de-dol.com - juil.-août : lun.-vend. 9h30-19h, sam., dim. et j. fériés 9h30-13h, 14h-19h ; juin. et sept. : lun.-sam. 10h-12h30, 14h-18h, dim. 14h30-18h ; oct.-mai : lun.-sam. 10h-12h30, 14h-18h, fermé lun. mat. et sam. apr.-midi ; vac. scol. lun.-sam. 10h-12h30, 14h-18h, fermé lun. mat. ; fermé 1er janv., 1er Mai et 25 déc.*

Se loger

🛏 **Grand Hôtel de la Gare** – *21 av. Aristide-Briand - 🕾 02 99 48 00 44 - fermé vac. de fév. et 2e quinz. d'oct. - 13 ch. 27/44 € - ⬜ 5,10 €.* L'enseigne est explicite quant à la situation géographique de cet hôtel tout juste rénové, qui fait aussi bar-PMU. Les chambres, pas très grandes mais plaisamment colorées, bénéficient d'une bonne insonorisation ; certaines permettent l'accueil de familles. Très belle salle des petits-déjeuners.

🛏 **Chambre d'hôte Ferme de la Haute Lande** – *3 km de Dol-de-Bretagne rte de Rennes, puis dir. Epiniac et rte secondaire à gauche - 🕾 02 99 48 07 02 - www. lahautelande.fr - ⬚ - 4 ch. 36/40 € ⬜.* Jouissant d'une situation parfaitement isolée, cette ferme en pierre qui poursuit par ailleurs son activité laitière est l'adresse idéale pour se mettre au vert. Vous y dormirez dans des chambres sobres et nettes, desservies par un bel escalier en bois datant du 17e s.

🛏 **Chambre d'hôte La Croix Gaillot** – *35120 Cherrueix - 8 km rte de Cherrueix par D 82 puis dir. Baguer-Pican par D 85 - 🕾 02 99 48 90 44 - ⬚ - 5 ch. 35/42 € ⬜.* À 3 km de la plage de Cherrueix – réputée pour la pratique du char à voile –, ancienne ferme céréalière disposant de chambres confortables, au calme, et d'un salon qui s'ouvre sur le jardin. Deux gîtes et six emplacements de camping sont aussi disponibles.

🛏 **Chambre d'hôte Le Baillage** – *Le Baillage - 35540 Le Tronchet - à 10 km au SO par D 676 et D 119 - 🕾 02 99 58 17 98 - www.lebaillage.com - ⬚ - 4 ch. 65/75 € ⬜.* Au milieu d'un jardin et d'un parc arboré où la nature n'a jamais perdu ses droits, cette belle demeure de caractère associe décoration cossue avec poutres et pierres apparentes. Chambres confortables, aux salles de bains élégantes, et suite familiale mansardée, avec coin salon et hall privé. Repos garanti.

Se restaurer

🍴 **Auberge de la Cour Verte** – *Rte de Rennes - 🕾 02 99 48 41 41 - www.auberge-de-la-cour-verte.com - fermé 15 déc.-7 janv., lun. midi, mar. midi, merc. midi en juil.-août, lun. et mar. de sept. à juin - 8/29 €.* Ce restaurant aménagé dans une ferme de 1640 doit sa réputation à ses viandes grillées. Salle à manger d'une authentique rusticité, animée par le spectacle de la cheminée en pierre devant laquelle officie le patron. La carte propose également des spécialités belges et des crêpes.

Que rapporter

La chèvrerie du désert – *🚶🚶 - « Le désert », 35540 Plerguer - 🕾 02 99 58 92 14 - 9 km à l'O de Dol par D 676 - juil.-août : 11h-18h30 - avr.-juin et sept. : 14h30-18h30 sf mar., j.fériés 11h-18h30. 5 € (enf. 4 €).* Boutique et goûter à la ferme. Ferme pédagogique et récréative. Élevage de chèvres, ânes du Poitou, moutons d'Ouessant, cochons du Vietnam, vaches jersiaises… Les enfants peuvent rejoindre les chèvres naines dans leur enclos. Traite des bêtes à 17h30.

Douarnenez★

15 827 DOUARNENISTES
CARTE GÉNÉRALE B3 – CARTE MICHELIN LOCAL 308 F6 – FINISTÈRE (29)

Au fond de la baie qui a pris son nom, Douarnenez est la « ville aux trois ports ». Celui du Rosmeur accueille tous les deux ans une grande fête maritime. Il recèle aussi des façades colorées qui firent le bonheur d'artistes comme Renoir ou Boudin. Le port-musée, avec sa collection de vieux gréements, évoque l'habileté des charpentiers de marine. Quant au port de plaisance, il se niche à Tréboul, près des plages.

- **Se repérer** – Douarnenez est au fond de la baie qui sépare la presqu'île de Crozon du Cap Sizun. On y accède facilement depuis Quimper (23 km au sud), par la D 765, ou par les D 39 puis D 7 si l'on veut profiter d'une belle vue sur la baie.

- **Se garer** – Évitez le centre-ville et visez plutôt le parking du port de plaisance *(pl. des 4-Frères-Kerivel)* ou celui du port-musée *(bd Camille-Réaud)*.

- **Organiser son temps** – Après la visite du Port-musée le matin, allez flâner sur les falaises et profitez de l'après-midi pour le farniente sur les plages.

- **À ne pas manquer** – Les ports et les différents sentiers de randonnée comme ceux des Plomarc'h ou des Roches-Blanches.

- **Avec les enfants** – Inspectez les bateaux du Musée à flot et laissez-les naviguez sur les bateaux miniature de Port-Rhû.

- **Pour poursuivre la visite** – Voir aussi la Cornouaille, la pointe du Raz, Locronan, le Ménez-Hom, la presqu'île de Crozon et Quimper.

Le port et la ville de Douarnenez.

Comprendre

Un chef de légende – *Douar an enez* veut dire « la terre de l'île ». Il s'agit de l'île Tristan, qui, située à l'entrée de l'estuaire de Pouldavid, porte le nom du neveu du légendaire roi Marc'h aux oreilles de cheval. Au 16e s., cette île fut le repaire de Guy Eder de La Fontenelle, l'un des terribles chefs des bandes qui, durant la Ligue, dévastèrent le pays. En 1598, il se soumet à condition de garder le gouvernement de l'île. Mais, en 1602, impliqué dans une conspiration, il est condamné au supplice de la roue à Paris.

La gloire de la sardine – Ancien bourg de pêcheurs, Douarnenez se métamorphose à la fin du 19e s. avec l'apparition de la boîte de conserve. Les usines de poisson se multiplient, attirant une main-d'œuvre nombreuse. En vingt ans la population double, un millier de chaloupes approvisionnent quelque 34 conserveries telle Connétable, doyenne mondiale fondée en 1853 sous le nom de Chancerelle. Le port de pêche était encore, il y a peu, le sixième de France en tonnage débarqué. Cette activité a connu de sérieuses difficultés, mais Douarnenez demeure toujours pour l'instant la capitale européenne de la conserverie de poissons.

Se promener

👁 « **Le chemin de la sardine** » *(2h)* retrace en 17 étapes l'histoire sardinière de Douarnenez (chaque panneau donne des informations autonomes). Des clous en bronze frappés du poisson symbole le jalonnent. Il débute sur le belvédère des Plomarc'h, qui surplombe la baie et le port. La promenade va ensuite du port du Rosmeur et ses venelles au Port Rhû et au front de mer face à l'île Tristan. Elle prend fin à l'ancienne mairie de Douarnenez.

Chapelle Saint-Michel

Construite en 1663, elle abrite 52 panneaux peints de dom Michel Le Nobletz (1577-1652). Ils lui servirent à représenter la religion de façon très visuelle, lors de sa mission d'évangélisation en basse Bretagne. 📞 *02 98 92 13 35 - visite sur demande à l'office de tourisme - juil.-août : 9h-12h, 14h-18h.*

Chapelle Sainte-Hélène

Sur sa façade, trois **bas-reliefs** représentent une barque de pêcheurs, un fou de Bassan et un banc de poissons, rappelant sans doute que des marins participèrent au financement de la construction de la chapelle. Achevée en 1755, elle comporte des éléments d'un premier sanctuaire de style gothique flamboyant : ainsi, deux vitraux situés au bas de la nef (16e s.).

Prendez la rue Hervé-Julien, en face de la chapelle.

Port du Rosmeur★

La **rue Hervé-Julien** débouche sur une place minuscule, entourée de maisons de pêcheurs dont certaines possèdent des niches à statue. La **rue Anatole-France** descend vers le port, jadis empli de chaloupes sardinières. La **rue du Rosmeur** abritait des conserveries comme le Capitaine Cook, avec sa façade rose, qui a été transformée en immeuble d'habitation.

Port de pêche★

Construit en 1951 sur un terre-plein gagné sur la mer, à l'abri d'un môle de 741 m, il abrite une importante **criée** où l'on se trouve plongé dans l'univers des pêcheurs : débarquement du poisson à partir de 23h et vente dès 6h30. La jetée offre une large **vue★** sur la baie, que domine le Ménez-Hom.

Empruntez le boulevard Jean-Richepin pour rejoindre Port-Rhû.

🐾 Depuis le boulevard Jean-Richepin, une **vue★** superbe se déploie sur la baie de Douarnenez. La promenade côtoie la plage de Porscad, puis celle des Dames. Sur le boulevard Camille-Réaud, on contemple l'île Tristan. Là, une passerelle piétonne enjambe l'estuaire de Port-Rhû jusqu'à Tréboul.

À Port-Rhû, le Grand Pont, pont métallique haut de 24 m, conduit les automobilistes à Tréboul.

Tréboul

Ce quartier aux venelles ramassées abrite le **port de plaisance**, qui peut accueillir plus de 700 embarcations. Au-delà, on rejoint le cimetière marin, la **plage St-Jean**, puis la vaste **plage des Sables-Blancs**, qui occupe un très beau site près de la pointe de Leydé, en face de l'îlot du Coulinec.

Visiter

Port-musée★

Pl. de l'Enfer - 🖉 *02 98 92 65 20 - www.port-musee.org - de mi-juin à mi-sept. : 10h-19h ; de Pâques à mi-juin et de déb. sept. à déb. nov. : 10h-12h30, 14h-18h fermé lun. sf vac. scol. - musée à terre + à flot + expositions 6,20 € (enf. 3,80 €) ; musée à flot seul 4 € (enf. 2,50 €) ; musée à terre + expositions 5 € (enf. 3 €).*

Ce lieu original, conservatoire vivant des activités maritimes, est né dans les années 1980, à l'initiative d'une poignée d'hommes passionnés. Des dizaines de bateaux en voie de disparition – pêche, cabotage, plaisance... – furent alors collectés sur les côtes de France et d'Europe : autant de témoignages de la culture traditionnelle des gens de mer, vouée à une profonde mutation. Depuis 2006, le port-musée montre un nouveau visage grâce à la rénovation et à la modernisation de ses infrastructures et de ses collections.

Port-musée de Douarnenez

👥 En été, sur le quai de Port-Rhû, des artisans et des « anciens » sont à l'œuvre, perpétuant les métiers traditionnels : gréeur, sculpteur de marine, tanneur de filets… Programme des activités : se renseigner au port-musée.

Boîte de sardine monumentale, exposée au Musée à terre.

Musée à terre – Refait à neuf, il accueille des expositions temporaires dédiées pour l'instant à la survie en mer et à l'histoire des conserveries, depuis la vie des ouvriers qui y travaillaient jusqu'au conditionnement de la matière première. Une façon de rappeler que cette activité occupait une grande place dans l'économie locale.

Musée à flot★ – 👥 Plusieurs bateaux amarrés dans le bassin se visitent : le langoustier *Notre-Dame de Rocamadour*, la gabare de l'Iroise *Dieu Protège*, la galéasse norvégienne *Anna Rosa*, la barge de la Tamise *Northdown* et le remorqueur à vapeur anglais *St-Denys*. Commentaires audio et films animent la découverte.

Aux alentours

Sentier des Plomarc'h★

🚶 *À l'est : 2h1/2 à pied AR. Accès par la rue des Plomarc'h, à l'est du plan.* Ce sentier, à flanc de pente, offre des **vues★** pittoresques sur Douarnenez. Après les maisonnettes de Plomarc'h Pella, un **site archéologique** comporte les vestiges d'un important bâtiment (34 m de long) où l'on fabriquait des salaisons, à l'époque gallo-romaine (2e s. apr. J.-C.). Le sentier rejoint ensuite la **plage du Ris★**.

Sur l'île Tristan

🚶 Ancrée à 300 m du rivage, cette île (450 m de long, 250 m de large) présente des côtes rocheuses et des falaises, des landes et des vergers où poussent le coing et la prune. On y découvre même un labyrinthe de bambous, planté au début du 20e s. Propriété du Conservatoire du littoral, l'île se visite avec un guide, à marée basse, ou lors des journées « portes ouvertes » organisées deux fois par an. *Renseignements à l'office de tourisme.*

Sentier des Roches-Blanches★

Circuit de 6 km à l'ouest : 2h1/2 à pied AR. Accès depuis Tréboul, à l'ouest du plan. De la plage des Sables-Blancs, prenez à gauche la route des Roches-Blanches. Laissez la voiture sur le parking, juste après le village de vacances.

🐾 Ce sentier côtier *(balisage rouge)* permet de contempler les falaises qui bordent le sud de la baie : très belle vue depuis la **pointe de Leydé★**.

Revenez à Tréboul par la route, ou continuez vers Poullan-sur-Mer et Beuzec.

Église de Ploaré

Prenez la D 5, puis r. Laennec - 🕿 02 98 92 05 17 - église en travaux, visite le dim. sur demande au presbytère - 2 pl. Paul-Stéphan - 29100 Douarnenez.

Haute de 55 m, sa **tour★** possède une flèche à crochets, cantonnée de quatre clochetons : deux gothiques et deux Renaissance. À l'intérieur, remarquez le retable sculpté du maître-autel et le groupe de bois peint du 17e s. représentant la Sainte-Trinité. Dans le **cimetière**, repose René Laennec (1781-1826), auteur de la méthode de l'auscultation en médecine.

Le Juch

À 8 km par la D 765. À 6 km, tournez à gauche vers Le Juch (prononcez le Juc).

Sur la route, très jolie **vue** sur la baie de Douarnenez, la presqu'île de Crozon et le Ménez-Hom.

Dans l'**église** des 16e-17e s., le vitrail (16e s.) du chevet représente des scènes de la Passion. Dans le bas-côté gauche, à droite de la porte de la sacristie, la statue de saint Michel terrasse un démon à forme humaine, appelé « Diable du Juch ». Un **pardon** a lieu le 15 août. *En cas de fermeture s'adresser à Mme Pennanéac'h - 4 pl. de l'Église - 🕿 02 98 74 71 38.*

Église de Guengat

14 km par la D 765 et la route à gauche, à 11 km. De style gothique, elle conserve dans le chœur des **vitraux★** du 16e s. où l'on reconnaît la Passion : à gauche, le Jugement dernier ; à droite, la Vierge entre saint Jean Baptiste et saint Michel. À l'entrée du chœur, statue de sainte Barbe. Remarquez la frise sculptée à la voûte : lièvres, renards, sangliers, petits personnages, décor floral. Joli **calvaire** dans le cimetière.

Douarnenez pratique

Adresse utile

Office du tourisme du pays de Douarnenez – *1 r. Docteur-Mével - 29100 Douarnenez - 🕿 02 98 92 13 35 - www. douarnenez-tourisme.com - juil.-août : lun.-vend. 10h-19h, sam. 10h-12h, 14h-19h, dim. 10h-12h, 16h-18h ; avr.-juin et sept.-oct. : lun.-vend. 10h-12h, 14h-18h, dim. 10h-12h ; nov.-mars : tlj sf dim. 10h-12h, 14h-17h.*

Se loger

⊖ **Auberge de Kerveoc'h** – *42 rte de Kerveoc'h - 🕿 02 98 92 07 58 - www. auberge-kerveoch.com - 🅿 - 13 ch. 45/85 € - ☑ 8 € - rest. 21 €.* Cette vieille ferme dotée d'un beau jardin abritait précédemment un centre équestre. Les chambres, refaites, sont habillées de couvre-lits évoquant le pays bigouden. Le restaurant, installé dans les ex-écuries, a conservé son plaisant cachet rustique.

⊖⊜ **Chambre d'hôte Manoir de Kervent** – *Rte d'Audierne par D 765 puis à droite après les feux suivre fléchage - 🕿 02 98 92 04 90 - mariepaule.lefloch@free.fr - fermé nov.-janv. - ⍊ - 4 ch. 40/48 € ☑.* En pleine campagne, demeure familiale abritant quatre chambres aux aménagements des plus classiques. Un copieux petit-déjeuner riche de saveurs bretonnes vous sera servi par la maîtresse de maison avant une visite (facultative) de la tonnellerie voisine.

⊖⊜ **Hôtel Ty Mad** – *Près de la chapelle St-Jean - 29100 Tréboul - 3 km au NO de Douarnenez - 🕿 02 98 74 00 53 - info@ hoteltymad.fr - fermé oct.-mars - 🅿 - 15 ch. 55/133 € - ☑ 9 € - rest. 24 €.* Toute simple, cette villa où vécut Max Jacob s'entoure d'un joli jardin dont vous profiterez dès le matin en y prenant votre petit-déjeuner au soleil, ou plus tard dans la journée lors d'un des barbecues organisés en été. Chambres modernes, charmant restaurant avec véranda.

Se restaurer

⊖ **Crêperie Tuda – Au Goûter Breton** – *36 r. Jean-Jaurès - 🕿 02 98 92 02 74 - fermé 2 sem. en juin et dim. - 8/16 €.* Tout le monde en parle… La clientèle s'y presse entre cheminée et fresque murale, attirée par le cadre chaleureux, l'ambiance jeune et bruyante et les originales spécialités de crêpes : aux sardines marinées, à la gelée de chouchen, etc.

⊖⊜ **Le Clos de Vallombreuse** – *7 r. d'Estienne-d'Orves - 🕿 02 98 92 63 64 - clos. vallombreuse@wanadoo.fr - 18/55 €.* Cette maison de maître du début du 20e s. dominant la baie fut édifiée par un conserveur. Agréable jardin arboré. Chambres plaisantes joliment meublées. Élégant décor et produits de la mer font l'attrait du restaurant.

Que rapporter

Jour de marché – *Pl. des Halles.* La place des Halles au cœur de la cité abrite les halles. Tous les matins s'y tient un agréable marché en plein air.

Conserverie la Pointe de Penmarc'h – *15 bd de la France-Libre -* ☎ *02 98 11 07 07 - tlj sf w.-end 10h-18h - fermé j. fériés.* Tous les Bretons connaissent ses raviolis de poisson, son foie de lotte et ses filets de thon germon (le plus tendre) coupés et disposés à la main dans les conserves. Vous pourrez vous en procurer directement auprès de cette usine, fraîchement arrivée de Guilvinec où elle était localisée depuis 1920.

Sports & Loisirs

♿ Voyez aussi l'encadré pratique du chapitre sur la Cornouaille.

Les plages – Plusieurs plages accueillent les baigneurs selon leurs envies : à l'est en venant de Locronan, la grande plage du Ris (surveillée) ; au centre-ville, les petites plages des Dames et de Pors Cad ; enfin plus à l'ouest, les plages St-Jean et des Sables-Blancs (surveillée), cette dernière concentrant la majorité des activités sportives l'été *(Rens. au Point Passion Plage)*.

Pour les Petits – 🚸☺ - ☎ *06 81 12 32 53.* En juillet et août, ils peuvent naviguer sur des bateaux miniatures à propulsion électrique : embarcadère du Treiz-Port-Rhû.

La Bécane – *42 av. de la Gare -* ☎ *02 98 74 20 07 - gpottier.multimedia.com - tlj sf merc. hors sais. et dim. 9h-12h, 14h-19h - fermé oct.* Une soixantaine de VTT et de vélos de tourisme en parfait état sont à votre disposition chez ce loueur situé à quelques minutes des plages du Tréboul, dans une impasse donnant sur l'une des principales rues de la commune.

Thalasso Douarnenez – *Tréboul-Plage -* ☎ *08 25 00 42 30 - www.thalasso.com - tlj sf dim. 8h30-12h30, 14h-18h - fermé 2 sem. en déc. et 25 déc. - à partir de 72 €/1/2 j.* Ce centre tout neuf propose des cures de plusieurs jours, des forfaits à la demi-journée ou des soins à la carte. Agréable piscine tournée vers la baie.

Voile et planche à voile – *Plage des Sables-Blancs -* ☎ *02 98 74 33 33.* École de windsurf - Point Passion Plage.

Navigation sur un vieux gréement – *Association Gouelia -* ☎ *02 98 65 10 00 - www.gouelia.com -* Embarquement sur un voilier traditionnel pour un week-end à l'île de Sein, une croisière d'une journée avec escale à Morgat ou Camaret ou une simple balade de 2h en mer.

Côte d'**Émeraude**★★★

CARTE GÉNÉRALE D/E1 – CARTE MICHELIN LOCAL 309 F/M 2/3 – ILLE-ET-VILAINE (35) ET CÔTES-D'ARMOR (22)

Cette partie de la côte qui s'étend de la pointe du Grouin au Val-André a reçu un bien joli nom. Et quelle succession de sites majestueux, de villes historiques, de plages célèbres et de stations balnéaires paisibles ! Il y en a pour tous les goûts et toutes les envies. Pas de doute : la Côte d'Émeraude a vraiment tout pour plaire…

▶ **Se repérer** – La côte est située entre la baie du Mont-St-Michel et celle de St-Brieuc, s'étirant de la pointe du Grouin à celle de Pléneuf, soit environ 70 km. D'est en ouest, on y accède par les D 355, 301, 168, 786 et 34, qui forment une longue route à distance des falaises.

🕒 **Organiser son temps** – Entre la visite des villes et l'exploration des criques, des plages et des falaises, deux jours ne seront pas de trop pour bien faire le tour de toute la côte. Cet itinéraire vous permet de combiner les visites de sites du matin, avec des moments à la plage ou sur les sentiers l'après-midi.

👁 **À ne pas manquer** – La pointe du Grouin pour ses contrastes de couleurs, St-Malo pour ses remparts, St-Jacut-de-la-Mer pour son charme, Fort La-Latte et le cap Fréhel pour leurs panoramas grandioses et Sables-d'Or-les-Pins pour son côté intemporel.

🕊 **Pour poursuivre la visite** – Voir aussi Cancale, St-Malo, Dinan, la vallée de la Rance, Dinard, St-Cast-le-Guildo, le cap Fréhel et Dinan.

Le saviez-vous ?

Ce nom de « Côte d'Émeraude » évoque bien sûr la couleur de la pierre précieuse, évidente quand on regarde la mer au printemps. Elle fut ainsi baptisée vers 1890 par un certain Eugène Herpin (1860-1942), avocat et historien de son état, par opposition à la Côte d'Azur.

Circuits de découverte

DE CANCALE À SAINT-MALO 1

La route qui longe la Côte d'Émeraude est l'une des plus touristiques de France. Elle ne borde pas la mer sur tout son parcours, mais offre des excursions vers les sites côtiers, dont les vues et les panoramas révèlent le caractère de ce rivage très découpé.

23 km – environ 5h. Quittez Cancale par la D 355, puis à 300 m tournez à droite vers la pointe du Grouin.

Pointe du Grouin★★ *(voir Cancale)*

La route, en corniche jusqu'au Verger, suit la côte, en offrant de belles vues.

Chapelle N.-D.-du-Verger

Prenez à droite vers la plage. Cette chapelle est vénérée par les marins de Cancale (pardon le 15 août). Reconstruite au 19e s., elle abrite de nombreuses maquettes de navires : bisquines, sloops, goélettes, trois-mâts.

La Guimorais

La plage des Chevrets s'allonge entre la pointe du Meinga et la presqu'île Bénard. La route contourne le havre de Rothéneuf, fermé par une passe étroite. Cette étendue d'eau se vide presque complètement à marée basse. Remarquez sur la droite le **château du Lupin**, élégante demeure construite au 17e s. par un riche armateur de St-Malo.

Rothéneuf et le Minihic *(voir St-Malo)*

Paramé *(voir St-Malo)*

Saint-Malo★★★ *(voir ce nom)*

DE DINARD AU CAP FRÉHEL 2

Entre St-Malo et le cap Fréhel, les stations se succèdent, ainsi que les nombreuses plages.

73 km – environ 4h. Quittez Dinard à l'ouest.

Saint-Lunaire★ *(voir Dinard)*

Pointe de la Garde Guérin★

15mn à pied AR. En franchissant la pointe à sa racine, prenez à droite, au cours de la descente, un chemin qui conduit à la base de la colline, truffée de casemates *(parc de stationnement).* Atteignez le haut du promontoire : beau **panorama★★** du cap Fréhel à la pointe de la Varde.

La route traverse le Dinard-golf, magnifique terrain de 60 ha.

Saint-Briac-sur-Mer

Cet aimable séjour balnéaire possède un port de pêche et de plaisance, et plusieurs belles plages. Du « Balcon d'Émeraude », route tracée en corniche, et de la croix des

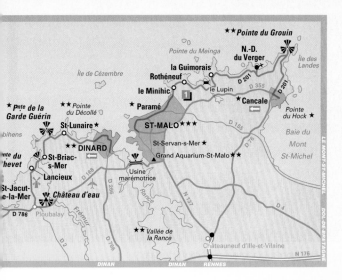

Marins, jolies vues sur la côte *(accès : à partir du Balcon d'Émeraude, par un sentier à gauche avant un pont).*

En sortant de St-Briac-sur-Mer, on traverse le Frémur sur le nouveau pont de 300 m. Belle vue à droite sur la station et sur un îlot au centre duquel se dresse un château.

Lancieux

Ce village possède une plage très étendue de sable fin, d'où l'on a une belle vue sur l'île Ebihens et les pointes avancées de la côte, St-Jacut-de-la-Mer, St-Cast et le cap Fréhel. À la sortie du village, à gauche de la route, remarquez le moulin restauré du 16ᵉ s.

Gagnez Ploubalay, prenez la direction de Dinard et à 800 m tournez à gauche sur la D 2.

Château d'eau de Ploubalay

☎ 02 96 27 36 98 - ♿ - *se renseigner sur les périodes et les horaires - gratuit.*
Sa terrasse circulaire de 54 m de hauteur permet un **tour d'horizon**★★ complet sur Ploubalay et le pays de Dinan, la rivière Frémur, St-Jacut, la pointe de St-Cast, le cap Fréhel, St-Malo et, par temps clair, les îles Chausey.

La route suit une presqu'île et passe à St-Jacut.

Saint-Jacut-de-la-Mer★

Petit port de pêche, St-Jacut possède 11 plages. Les mieux équipées pour un séjour familial sont la Pissote et le Rougeret.

Après avoir longé cette dernière, on atteint la falaise de la **pointe du Chevet**, appelée « Chef de l'île ». Belle **vue**★ en face sur l'île Ebihens et sa tour du 17ᵉ s. ; à gauche, sur la baie de l'Arguenon (bouchots à moules) et St-Cast ; à droite, sur la baie de Lancieux.

Le Guildo

Du pont, on aperçoit, sur la rive droite de l'Arguenon, les ruines du château. Ce fut au 15ᵉ s. la résidence de Gilles de Bretagne. Insouciant, galant et poète, il menait joyeuse vie, d'où l'expression « courir le guilledou ». Gilles, soupçonné de machinations par son frère, fut emprisonné. Comme il ne mourait pas assez vite, on l'étouffa. Avant d'expirer, Gilles soumit son frère au jugement de Dieu, et le duc, bourrelé de remords, passa de vie à trépas.

Les Pierres Sonnantes – À hauteur des ruines du château *(à droite, sur l'autre rive)*, on rencontre un amoncellement de rocs connu sous le nom de « Pierres Sonnantes ». Connues depuis la plus haute Antiquité, ces phonolithes se présentent sous forme de laves compactes. Lorsqu'on les frappe avec des cailloux de même nature, elles rendent un son quasi métallique. Cette sonorité est due au grain parfaitement homogène des roches.

Prenez la direction de St-Cast par la côte.

Bateaux mouillant dans une crique de la Côte d'Émeraude.

Pointe de Bay

Une belle route, à droite, mène à une vaste aire de stationnement. La **vue★** s'étend sur l'estuaire de l'Arguenon planté de rangées de bouchots à moules, la presqu'île de St-Jacut et l'île Ebihens.

La route longe l'élégante plage de sable fin de **Pen-Guen**.

Saint-Cast-le-Guildo★ *(voir ce nom)*

Au départ de St-Cast, la route décrit un long crochet, pour contourner la baie de la Frênaye, dont elle longe le fond.

Après Trécelin, prenez la D 16ᴬ menant à l'entrée du fort (parc de stationnement).

Fort La Latte★★ et Cap Fréhel★★★ *(voir Fréhel)*

DU CAP FRÉHEL AU VAL-ANDRÉ ③

34 km – environ 2h1/2. Longez la côte vers l'ouest.

La route touristique, qui serpente dans la lande, offre des **vues★★** remarquables sur la mer, les falaises et les grèves blondes. Elle traverse un paysage de pinèdes.

Pléhérel-Plage

La plage se trouve sur la droite, après les bois de conifères. Belle vue sur le cap Fréhel.

Sables-d'Or-les-Pins★

La station fut créée en 1922, au bord de la grève de Minieu. Avec ses villas, ses hôtels anglo-normands et son cachet très « in », elle connut un succès immédiat, surtout auprès des vedettes de l'époque. La Manche y apparaît à travers les fûts sombres des pins. Son immense **plage★** de sable fin, assurément l'une des plus belles de Bretagne, regarde un ensemble d'îlots, en particulier celui de St-Michel, coiffé d'une chapelle.

À l'entrée d'Erquy, prenez la direction du cap.

Cap d'Erquy★

30mn à pied AR. Au terminus de la route, la vue s'étend sur la plage de Caroual, la grève des Vallées, la pointe de Pléneuf et l'îlot Verdelet ; au loin, la baie de St-Brieuc, la pointe de l'Arcouest et l'île de Bréhat.

Parmi les nombreuses plages, la plus belle est celle de Caroual, au sud d'Erquy. Elle se distingue non seulement par sa vue sur la baie et le cap d'Erquy, mais aussi par une configuration qui assure aux enfants une sécurité totale.

Erquy

Au 19ᵉ s., certains historiens estimaient qu'Erquy se situait à l'emplacement de l'ancienne *Reginea* gallo-romaine. Bien que cela soit probablement faux, les habitants d'Erquy ont gardé leur nom charmant de « Réginéens ». Dans un joli site de falaises, cet actif port de pêche côtière continue à prendre de l'extension.

Remarquez en bordure de la route d'accès au cap, un petit corps de garde, vestige des défenses de Vauban, ainsi qu'un curieux et rarissime « **four à boulets** » (il en existe un autre au fort La Latte) qui permettait aux batteries de canons de tirer à… boulets rouges sur les navires anglais au 17e s.

Château de Bienassis

℘ 02 96 72 22 03 - visite guidée (50mn) de mi-juin à mi-sept. : 10h30-12h30, 14h-18h30, dim. et j. fériés 14h-18h30 - 4,50 € (enf. 2,80 €).

Le mur crénelé témoigne de l'enceinte du 15e s. Les tours d'angle et les tourelles datent du 17e s. Au rez-de-chaussée, on contemple des porcelaines de Chine, du Japon et de Bayeux et des meubles. La façade sur jardin a conservé deux tours du 15e s.

Par Pléneuf-Val-André, gagnez le **Val-André★** *(voir ce nom).*

Côte d'Émeraude pratique

♿ Voir aussi les encadrés pratiques de St-Malo, Dinard, Val-André et St-Cast.

Randonnées

Le **Syndicat des caps** organise des sorties sur les chemins et les landes du cap d'Erquy. L'association gère aussi le site du cap Fréhel et les sentiers d'une dizaine de communes de la Côte d'Émeraude. Programme disponible auprès des commerces locaux et les offices de tourisme (Pléneuf-Val-André, Cap Fréhel) - *℘ 02 96 41 50 83 -de mi-juin à mi-sept. - à partir de 6 €/1/2 j (6-12 ans : 3,50 €).*

Se loger

⊖ **Hôtel du Manoir de la Salle** – *R. du Lac - 22240 Sables-d'Or-les-Pins - 1 km au SO par D 34 - ℘ 02 96 72 38 29 - www. manoiredelasalle.com - fermé oct.-mars -* 🅿 *- 14 ch. 38/66 € - � 7 €.* Cette demeure du 16e s. et ses trois dépendances sont entièrement rénovées. La salle des petits-déjeuners a préservé son cachet d'origine : pierres de taille, belle cheminée et poutres apparentes. Les chambres, quant à elles, sont modernes et fonctionnelles.

⊖ **Hôtel du Manoir St-Michel** – *À la Carquois - 22240 Sables-d'Or-les-Pins - 1,5 km à l'E par D 34 - ℘ 02 96 41 48 87 - www.hotel-bretagne.de - fermé 28 sept.-2 avr. -* 🅿 *- 17 ch. 44/107 € - ⊽ 10 €.* Ancien manoir aux murs de grès rose agrémenté d'un grand jardin en surplomb de la mer et d'un plan d'eau. Chambres un peu désuètes, mais néanmoins accueillantes. Duplex pour les familles, prix attractifs hors saison.

⊖ **Chambre d'hôte Le Relais de Fréhel** – *22240 Plévenon - 1,5 km de Plévenon par rte du Cap-Fréhel - ℘ 02 96 41 43 02 - www. relaiscapfrehel.fr - fermé de fin oct. à fin fév. - 🛏 - 5 ch. et 2 gîtes 55 € ⊽ - repas 22 €.* Au milieu d'un joli parc boisé, cette ancienne ferme du 19e s. reflète le caractère des maisons bretonnes. Son mobilier, en revanche, bénéficie de l'apport harmonieux d'une touche d'exotisme. La cave et la rhumerie feront le bonheur des connaisseurs. Chambres et gîtes associent confort et bonne tenue.

⊖⊗ **Hôtel Morgane** – *Allée des Acacias - 22240 Sables-d'Or-les-Pins - ℘ 02 96 41 46 90 - fermé 16 sept.-30 avr. -* 🅿 *- 19 ch. 70/90 € - ⊽ 10 €.* Cet hôtel familial possède un agréable jardin ombragé de pins. Chambres déjà anciennes, mais de bon confort. Salon dans la véranda.

Se restaurer

⊖⊗ **La Cassolette** – *6 r. de la Saline - 22430 Erquy - ℘ 02 96 72 13 08 - www.delangle-lacassolette.fr - fermé de mi-nov. aux vac. de fév. - 17/40 €.* Pendant la saison des coquilles St-Jacques, vous dégusterez ici un menu entièrement consacré à cet exquis coquillage. Hors saison, les autres mets sont tout aussi réussis car réalisés avec des produits locaux de première fraîcheur. Agréable cadre, ambiance cosy.

⊖⊗ **Saint-Aubin** – *22430 Erquy - ℘ 02 96 72 13 22 - www.relais-saint-aubin.com - fermé 10 fév.-1er mars, 2-10 oct., merc. du 13 nov. au 1er mars, mar. hors sais. et lun. - 14 € déj. - 21/55 €.* Cette demeure campagnarde en pierres du pays (17e s.) abrite une belle salle à manger rustique. Aux beaux jours, profitez de la terrasse et du ravissant jardin fleuri.

Sports & Loisirs

Golf de St-Briac-sur-Mer – *53 bd Houle - 35800 St-Briac-sur-Mer - ℘ 02 99 88 32 07 - www.dinardgolf.com - été : 7h30-20h, hiver : 9h-18h30.* Ce parcours de 18 trous est un des plus anciens du continent.

Les **Enclos paroissiaux**★★★

CARTE GÉNÉRALE B/C2 – CARTE MICHELIN LOCAL 308 F/I 3/4 – FINISTÈRE (29)

Caractéristiques de basse Bretagne où ils sont d'une richesse incroyable, les enclos paroissiaux sont une réalisation originale de l'art breton. Très spectaculaires, ils séduisent par l'élégance des portes triomphales et des ossuaires, la profusion de détails des calvaires, la splendeur des retables et des décors polychromes des églises. Ils témoignent de la ferveur religieuse et de la prospérité des ports bretons du 15e au 17e s.

◗ **Se repérer** – Ce circuit, qui emprunte seulement la vallée de l'Elorn et les contreforts des monts d'Arrée, permet de découvrir les enclos les plus représentatifs.

◷ **Organiser son temps** – Prévoyez au minimum une journée pour ce circuit, surtout si vous décidez d'aller vous promener dans les landes des monts d'Arrée.

◉ **À ne pas manquer** – Les trois enclos emblématiques du circuit : St-Thégonnec, Guimiliau et Lampaul-Guimiliau, auxquels s'ajoutent ceux de La Roche-Maurice et de La Martyre.

♣♣ **Avec les enfants** – Visitez l'écomusée des monts d'Arrée pour tout savoir du travail des meuniers.

♨ **Pour poursuivre la visite** – Voir aussi Guimiliau, Lampaul-Guimiliau, St-Thégonnec, Sizun, Landerneau, Plougastel-Daoulas, Brest, les Abers, Le Folgoët, St-Pol-de-Léon, Morlaix, Huelgoat et les monts d'Arrée.

Mise au tombeau, détail de l'enclos de St-Thégonnec.

Comprendre

Des compositions architecturales uniques – Les enclos paroissiaux sont les ensembles monumentaux les plus typiques que l'on rencontre dans les bourgs bretons. Autour de l'église, dans l'espace clos du cimetière, on retrouve généralement un ossuaire, un calvaire à personnages, une sacristie extérieure et, souvent, une porte monumentale dite « triomphale » (*voir la partie « Art et Culture » de « Comprendre la région »*).

Circuit de découverte

130 km au départ de Morlaix en prenant la N 12 vers l'ouest. Après environ 9 km, prenez à gauche la D 118.

Saint-Thégonnec★★ *(voir ce nom)*
Contournez le chevet de l'église et prenez à gauche.

Guimiliau★★ *(voir ce nom)*

Lampaul-Guimiliau★★ *(voir ce nom)*

Landivisiau

Église St-Thivisiau – *Tlj sf w.-end et célébrations 9h30-18h*. Cette église moderne, de style gothique, conserve le clocher et le très beau **porche**★, en pierre de Kersanton, d'un édifice du 16e s.

Chapelle Ste-Anne – Ancien ossuaire du 17e s. bâti au centre du cimetière. Sa façade est ornée de six cariatides ; celle qui est située à gauche de la porte d'entrée figure l'*Ankou* (la Mort).

Lambader – *Tlj 9h-20h*. À 8 km au nord de Landivisiau, Lambader possède en sa **chapelle Notre-Dame** (15e s.) un très beau **jubé**★ gothique flamboyant (1481), en bois, portant les statues de la Vierge et des Apôtres.

De retour à Landivisiau, suivez la direction de Landerneau, puis tournez à droite (D 30), pour passer par l'échangeur de la Croix-des-Maltotiers.

Bodilis

L'**église**★ (16e s.) est précédée d'un clocher flamboyant percé à la base de trois ouvertures. Sa toiture en forme de carène renversée, sa corniche richement décorée, ses contreforts ornés de niches lui confèrent une grande élégance. Un beau porche s'ouvre sur le côté droit. L'intérieur frappe par sa riche **décoration**★ sculptée : sablières, entraits et têtes de blochets, retables dorés, statues anciennes. Le baldaquin des fonts baptismaux est en granit de Kersanton ; au revers du porche, Mise au tombeau polychrome en haut relief.

Revenez à la route de Landerneau (D 12) et prenez à droite.

Moulin de Brézal

En contrebas d'un étang, le moulin s'orne d'une porte flamboyante. De l'autre côté de la route se dressent les ruines de la chapelle de Pont-Christ (1533).

À 3,5 km, tournez à gauche vers La Roche-Maurice.

La Roche-Maurice★

Le village, situé à flanc de coteau et dominé par les ruines d'un château, possède un bel **enclos paroissial**★. Trois croix portant le Christ et les larrons en marquent l'entrée.

Église – *Tlj 9h-18h - en cas de fermeture, empruntez la clef auprès de M. Berthon, 1 r. St-Yves*. Le **porche sud**★ (16e s.)est finement sculpté de grappes de raisin et de statuettes de saints. À l'intérieur, le **jubé**★ Renaissance est orné, côté nef, de 12 statues en ronde bosse (9 apôtres, 3 papes) ; côté chœur, de figures de saints en bas relief. Derrière le maître-autel, grand **vitrail**★ (1539) illustrant la Passion et la Résurrection du Christ.

Ossuaire★ – C'est l'un des plus importants de Bretagne (1640). Au-dessus du bénitier extérieur, l'*Ankou* menace de petits personnages qui représentent différentes classes de la société : un paysan, une femme, un homme de loi, un évêque, saint Yves, un pauvre et un riche. Une inscription laconique l'accompagne : « Je vous tue tous. »

Landerneau *(voir ce nom)*

Quittez Landerneau par le sud-est vers Pencran.

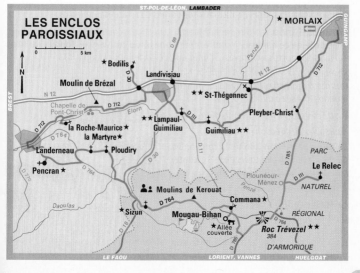

Pencran★

Situé sur la rive gauche de l'Elorn, au versant d'une colline boisée, ce bourg possède un enclos paroissial du 16ᵉ s. Son nom en breton signifie « tête du bois ».

Porte triomphale – Ornée de trois lanternons, elle fut ajoutée au 17ᵉ s.

Calvaire★ – Cette grande croix à deux traverses, qu'encadrent les croix des larrons, s'élève dans le mur de clôture, à droite.

Église – Elle possède un élégant clocher à double balcon, et un **porche★** (1553) dont les voussures sont parées d'anges adorateurs et musiciens. Aux piliers, des statuettes figurent des scènes de l'Ancien Testament ; sous les riches dais sculptés, les statues des Apôtres. Dans le chœur, à gauche du maître-autel, remarquable **Descente de croix** d'influence flamande (1517).

La Martyre★

Cet **enclos paroissial★**, le plus ancien du Léon, s'ouvre par une porte triomphale surmontée d'une balustrade flamboyante et d'un petit calvaire. L'ossuaire (1619), adossé au porche et au clocher, est orné d'une curieuse cariatide et de motifs évoquant la Mort. L'église (14ᵉ-16ᵉ s.) possède, sur le flanc sud, un **porche★** historié (vers 1450) et son chœur est éclairé par un bel ensemble de **vitraux★** (16ᵉ s.) représentant la Passion, la Crucifixion, et la Résurrection. Intéressantes sablières sculptées.

Ploudiry

Ce village, qui fut la plus vaste paroisse du Léon, possède un enclos intéressant. L'ossuaire (1635) présente une façade où la Mort frappe des hommes de toutes catégories sociales. Reconstruite au 19ᵉ s., l'église a conservé, au flanc sud, un **porche★** de 1665.

Par le Traon au sud, rejoignez la route D 764 vers Sizun.

Sizun★ *(voir ce nom)*

Continuez sur la D 764 vers Carhaix-Plouguer.

Moulins de Kerouat

📞 02 98 68 87 76 - www.pnr-armorique.fr – juil.-août : 11h-19h ; juin : 10h-18h, w.-end 14h-18h ; de mi-mars à fin mai et sept.-oct. : tlj sf sam. 10h-18h, dim. et j. fériés : 14h-18h ; vac. scol. (ttes zones) : tlj sf w.-end et j. fériés 10h-17h - 4,50 € (8-18 ans 2,10 €).

👥 Propriété du Parc naturel régional d'Armorique, un village du 19ᵉ s. a été réhabilité sous la forme d'un **écomusée des Monts d'Arrée**. Il retrouve une seconde vie, avec ses deux moulins dont l'un remonte au 17ᵉ s., sa maison d'habitation, ses dépendances et son four à pain. On découvre ainsi le fonctionnement d'un moulin à eau, le travail du meunier, son mode de vie, ses objets familiers…

Continuez vers Carhaix-Plouguer, et 1 km après Ty Douar, tournez à gauche vers Commana.

Commana★

Le village est bâti sur un mamelon isolé, au pied de la montagne d'Arrée. L'**église★** (16ᵉ-17ᵉ s.) recèle trois retables intéressants : celui de l'**autel Ste-Anne★★**, daté de 1682, est le plus remarquable. On peut voir sur un pilier du transept, à droite, un Ecce homo en bois. Les fonts baptismaux sont ornés des statues des Vertus.

Mougau-Bihan

À la sortie de ce hameau, à droite, s'étire une **allée couverte★**, longue de 14 m. Certains supports sont gravés, à l'intérieur, de lances et de poignards.

Revenez à la D 764, prenez à droite. À 1 km, tournez à droite (D 11) ; arrivé à la route de Morlaix, tournez à gauche (D 785).

Roc Trévezel★★ *(voir monts d'Arrée)*

Poursuivez en direction de Morlaix.

La route passe non loin de la tour-relais de roc Trédudon : au cours de la descente, belles **vues** sur le pays de Léon.

À Plounéour-Ménez, tournez à droite.

Le Relec

Dans ce vallon subsistent les ruines d'une abbaye cistercienne : bâtiments conventuels, église des 12ᵉ et 13ᵉ s. avec une façade du 18ᵉ s. Aujourd'hui, ce lieu revit à travers

L'allée couverte de Mougau-Bihan.

des manifestations artistiques, notamment musicales - ☏ 02 98 78 05 97 - *visite guidée dim. à 15h - (2 €).*

Faites demi-tour, puis prenez à droite vers Morlaix.

Pleyber-Christ

Dans ce petit enclos paroissial, l'**église**, gothique et Renaissance, est précédée d'une porte triomphale élevée en 1921 et consacrée aux morts de la guerre de 1914-1918. À l'intérieur, belles sablières et remarquables poutres engoulées, ainsi que des stalles anciennes. *Tlj 9h-18h.*

Continuez vers Ste-Sève ; à 3,5 km, la D 712 à droite ramène à Morlaix.

Les Enclos paroissiaux pratique

♿ Reportez-vous également aux encadrés pratiques des monts d'Arrée, de St-Thégonnec, Guimiliau et Lampaul-Guimiliau.

Se loger

� **Hôtel de L'Avenue** – *16 av. Coat-Meur - 29400 Landivisiau -* ☏ *02 98 68 11 67 - hotel-resto-avenue@wanadoo.fr -* 🗏 *20 ch. 31/45 € -* 🍽 *6 €.* Au centre-ville, cet hôtel dispose de 20 chambres dont 12, en annexe, récemment rénovées (3 chambres familiales). À noter la situation à proximité du champ de foire, où a lieu, chaque année, la traditionnelle foire aux chevaux le lundi de Pentecôte.

Se restaurer

➱ **Crêperie Gwenn Ha Du** – *16 r. des Boucheries - 29800 Landerneau -* ☏ *02 98 85 61 01 -* 🗏 *- formule déj. 10 €.* Vous dégusterez les traditionnelles crêpes bretonnes dans un sympathique cadre rustique, tout simple : murs en pierre et tables de bois, chaises paillées.

➱ **Crêperie Milin An Elorn** – *Kérigeant - 29800 La Roche-Maurice -* ☏ *02 98 20 41 46 -* 🗏 *- formule déj. 10 €.* Arrêtez-vous dans cet ancien moulin au bord de l'eau, pour déguster, dans un cadre rustique fait de pierres apparentes et de bois, les galettes de blé noir arrosées de bon cidre breton.

Rivière d'**Étel**

CARTE GÉNÉRALE C3 – CARTE MICHELIN LOCAL 308 K/L 8/9 – MORBIHAN (56)

La ria d'Étel, dont les eaux claires sont riches en poissons et coquillages, s'écoule sur une quinzaine de kilomètres avant d'atteindre la mer. Mais le pourtour, particulièrement dentelé, en totalise une centaine ! Les échancrures s'y multiplient, et les petites îles abondent, semées de chapelles et de fontaines.

▷ **Se repérer** – La rivière coupe la côte, quasi rectiligne, qui sépare la presqu'île de Quiberon et Lorient. Depuis la voie rapide et Nostang, la D 158 suit de loin la berge droite, tandis que la D 16 donne accès aux myriades de petites routes desservant les bourgs de la rive gauche. La D 781 reliant Carnac à Lorient franchit quant à elle la rivière à Kergo, quasiment sur l'estuaire.

🕐 **Organiser son temps** – Il est possible de faire le tour de la rivière d'Étel en quelques heures, mais les paysages y sont tellement captivants que vous voudrez rester plus longtemps !

👁 **À ne pas manquer** – Le port de St-Cado pour le charme de ses maisons de pêcheurs, et l'église de Merlevenez pour ses portails romans.

🔍 **Pour poursuivre la visite** – Voir aussi Port-Louis, Lorient, Carnac, la presqu'île de Quiberon et Auray.

Comprendre

Une barre funeste pour l'Hérétique – Étel tire son origine d'un mot tombé en désuétude, *etelle*. Il désignait naguère les vagues qui suivent une barre ou un mascaret. La barre d'Étel, tant redoutée, est un banc de sables mouvants sur lequel se heurtent les flots de l'océan et ceux de la rivière d'Étel. Elle rend très malaisée l'entrée des navires dans le goulet, car elle est instable. Même par temps calme, le passage reste redoutable. Dans la région, toute allusion à la rivière d'Étel évoque sa dangereuse barre. Alain Bombard voulut la braver en 1958, pour tester les qualités de son radeau de survie. Malheureusement, l'expérience fut dramatique, coûtant la vie à neuf sauveteurs.

Circuits de découverte

Étel

L'Océan s'ouvre devant la rivière d'Étel connue pour sa **barre**, qui offre un paysage spectaculaire par mauvais temps. La navigation, difficile, est placée sous une surveillance constante.

La vue porte au large sur l'île de Groix et Belle-Île, et sur la presqu'île de Quiberon. Étel, petit **port de pêche**, occupe la rive gauche. Il arme encore une dizaine de thoniers œuvrant au large des Açores et une petite flottille de chalutiers.

Pont-Lorois

Ce court et très joli passage permet d'apercevoir le vaste estuaire qui, d'un côté se dessine en golfe et, de l'autre, s'étrangle en un goulet découpé et sinueux.

Rive sud

Saint-Cado – Avec ses petites maisons de pêcheurs, le **site★** est charmant. La **chapelle St-Cado** est l'un des rares édifices romans du Morbihan : arcs en plein cintre non ornés, chapiteaux très simples, éclairage réduit. Les sourds venaient y demander la guérison de leur infirmité à saint Cado dont on voit le lit et l'oreiller de pierre.

Pointe du Verdon – Comme ses voisines, cette pointe est occupée par les ostréiculteurs. *Dès le franchissement du petit isthme, prendre à droite pour gagner un terre-plein* : jolie vue sur la zone ostréicole. À marée basse, il est possible de faire le tour de la pointe à pied.

Rive nord

Presqu'île de Nestadio – Ce village a conservé ses maisons du 16e s. À l'extrémité de la presqu'île, on distingue la minuscule chapelle St-Guillaume (7,5 m sur 3,7 m).

St-Cado, sur la rive sud de la rivière d'Étel.

Pointe de Mané Hellec – *À hauteur d'un petit transformateur, tourner à gauche dans un chemin revêtu*. Une belle vue se développe sur St-Cado et sa chapelle, Pont-Lorois, la rivière d'Étel et la forêt de Locoal-Mendon.

Revenez par Ste-Hélène.

Sainte-Hélène

Ce village possède une fontaine où les marins d'Étel venaient en pèlerinage avant d'embarquer sur les thoniers. Si la mie de pain jetée dans la fontaine surnageait, le marin reviendrait de sa campagne de pêche.

Merlevenez★

L'**église★** de ce bourg est l'une des rares églises romanes de Bretagne qui ait conservé intacts ses élégants portails aux archivoltes à chevrons et en dents de scie, ses arcades en tiers-point de la nef, ses chapiteaux historiés et sa coupole sur trompes à la croisée du transept. Vitraux de Grüber figurant la vie de la Vierge.

Rivière d'Étel pratique

Adresse utile

Office du tourisme d'Étel – *Pl des Thoniers - 56410 Étel - ☎ 02 97 55 23 80 - juil.-août : 9h30-18h, w.-end 10h-18h ; reste de l'année : mar.-sam. 9h-30-12h30, 14h-18h.*

Se loger et se restaurer

⊜⊜ **Hôtel Le Trianon** – *14 r. du Gén.-Leclerc - 56410 Étel - ☎ 02 97 55 32 41 - hotel.letrianon@wanadoo.fr - fermé janv., 5-20 nov., dim. soir, vend. soir et sam. hors sais. -* 🅿 *- 24 ch. 55/78 € - ☑ 12 € -*

rest. 19/42 €. Près du port de pêche, chambres-bonbonnières agréablement provinciales ; préférez celles de la villa annexe. Pour la détente, salon-cheminée ou jardinet. La salle à manger rustique et soignée sert de cadre à une cuisine traditionnelle.

Le Faouët

2 806 HABITANTS
CARTE GÉNÉRALE C3 – CARTE MICHELIN LOCAL 308 J6 – MORBIHAN (56)

En breton, *faou* signifie « hêtre », mais seule la toponymie évoque aujourd'hui la présence de cette essence. Si la campagne est passablement déboisée, le bourg est tout de même au centre d'une région très pittoresque qui s'étend entre le Ster-Laer et l'Ellé, deux rivières venues des Montagnes Noires. Ses grandes halles du 16ᵉ s. dont le toit d'ardoise est couronné d'un clocheton à dôme, accueillent un marché animé.

▶ **Se repérer** – En pleine Bretagne intérieure, Le Faouët se situe sur la D 769 qui relie Lorient (37 km) à Carhaix-Plouguer (34 km).

🕐 **Organiser son temps** – Une étape de quelques heures suffit pour faire le tour du Faouët. Si vous êtes dans les parages le 1ᵉʳ ou le 3ᵉ mercredi du mois, ne manquez pas le marché qui se tient sous les halles du 16ᵉ s.

👁 **À ne pas manquer** – La chapelle St-Fiacre pour son remarquable jubé et le musée du Faouët pour connaître les artistes qui ont aimé la région.

👫 **Avec les enfants** – Allez vous promener dans les 80 ha du parc Aquanature du Stérou.

👣 **Pour poursuivre la visite** – Voir aussi Carhaix-Plouguer, les Montagnes Noires, Quimperlé, Lorient, Concarneau, Pont-Aven et Pontivy.

Visiter

Musée du Faouët
1 r. de Quimper - ✆ 02 97 23 15 27 - avr. et de mi-juin à déb. oct. : 10h-12h, 14h-18h - 4 € (10-12 ans 2,50 €).
Installée dans un ancien couvent d'Ursulines du 17ᵉ s., la collection du musée (présentée par roulement) rassemble des peintures, dessins, sculptures et gravures d'artistes ayant fréquenté cette petite cité et y ayant travaillé. Expositions temporaires thématiques.

Aux alentours

Chapelle Saint-Fiacre★
2,5 km au sud par D 790 - ✆ 02 97 23 23 23 - juil.-août : 9h30-12h30, 14h-19h ; avr.-juin et sept.-oct. : 10h-12h, 14h-18h ; nov.-mars : lun. 13h30-16h15 (14h-17h pdt vac. scol.), w.-end et j. fériés 14h-17h.
La chapelle est un bel édifice du 15ᵉ s. La façade offre l'un des plus beaux exemples bretons de clocher-pignon.
À l'intérieur, le **jubé★★** (1480) retient l'attention : côté nef, des statues figurent les scènes de la Tentation d'Adam et Ève, de l'Annonciation et du Calvaire ; d'autres, côté chœur, personnifient le vol (un homme cueillant des fruits sur un arbre), l'ivresse (un homme vomissant un renard), la luxure (un homme et une femme), la paresse (un sonneur breton).
À voir également, les beaux **vitraux** du 16ᵉ s. : dans le chœur, la Passion, dans le bras droit du transept, vie de saint Jean Baptiste, dans le bras gauche, Arbre de Jessé et vie de saint Fiacre.

Le jubé de la chapelle St-Fiacre.

H. Le Gac / MICHELIN

Chapelle Sainte-Barbe
3 km au nord du Faouët - ✆ 02 97 23 23 23 - juil.-août : 9h30-12h30, 14h-19h ; avr.-juin et sept.-oct. : 10h-12h, 14h-18h ; nov.-mars : w.-end, j. fériés 14h-17h, lun. 13h30-16h15 (14h-17h pdt vac. scol.). Cette chapelle de style flamboyant, bâtie à flanc de coteau, se loge dans une anfractuosité rocheuse. Étant donné sa position et son orientation, la chapelle ne comprend qu'un transept et une petite abside. Le **site★** domine d'une centaine de mètres le vallon dans lequel court l'Ellé.

Le monumental escalier (1700) menant à la chapelle est relié par une arche à l'oratoire St-Michel, édifié sur un éperon rocheux. Tout près de lui se trouve une cloche que l'on peut faire sonner pour s'attirer les bénédictions du ciel.

Des sentiers descendent à la fontaine sacrée, en contrebas de la chapelle. Par un sentier ouvrant sur la droite, on atteint une plate-forme rocheuse : à mi-parking, belle vue sur la vallée de l'Ellé, encaissée et verdoyante.

Parc Aquanature du Stérou

Le Stérou - 56320 Priziac - ☎ 02 97 34 63 84 - www.parc-aquanature.com - avr.-oct. : 11h-19h ; nov.-mars : sur RV - fermé janv.-fév. - 9 € (enf. 5,50 €).

Plus de 140 cerfs et daims évoluent en toute liberté sur les 80 ha de bois, d'étangs et de clairières, aménagés par un propriétaire passionné. À pied, à cheval ou en 4X4, par la rivière ou les chemins, les perspectives s'enchaînent et la promenade enchante. Restaurant (produits du terroir) ouvert sur réservation et gîte (6 à 8 personnes).

Le Faouët pratique

Adresse utile

Office du tourisme du Faouët – *1 r. Quimper - 56320 Le Faouët - ☎ 02 97 23 23 23 - www.paysroimorvan.com - juil.-août : 10h-12h30, 14h-18h, dim. et j. fériés 10h-13h ; reste de l'année : mar.-sam. 10h-12h30, 14h-17h30 - fermé 1er nov., 25 déc., 1er janv., 1er et 8 Mai.*

Se loger

Chambre d'hôte Le Toul Ar C'Hoat – *29390 Scaer - à l'entrée de la Forêt de Coat-Loch : 4 km au SO de Scaer - ☎ 02 98 59 00 77 - www.etape-bretagne.com -* (dîner seult) *- 5 ch. 56/66 € ⌧ - repas 19 €.* Cette ancienne propriété de tailleur de pierres, située à l'orée du bois, abrite des chambres aux tons pastel, dont le décor évoque les 5 continents. Petits-déjeuners avec gâteaux régionaux et confitures maison. Table d'hôte aux accents du pays et initiation hebdomadaire à la fabrication des crêpes bretonnes.

Sports & Loisirs

Randonnée équestre – *56540 St-Tugdual - ☎ 02 97 39 42 92 - www.attelage.fr/trocœt.* Randonnée à cheval montée attelée.

La basilique du **Folgoët**★★

3 110 FOLGOATIENS
CARTE GÉNÉRALE B1 – CARTE MICHELIN LOCAL 308 E3 – FINISTÈRE (29)

La magnifique basilique Notre-Dame du Folgoët dresse son impressionnant clocher au nord de Brest et de Landerneau, dans un village qui lui doit toute sa renommée. Aujourd'hui encore, son grand pardon demeure le plus célèbre du Léon et l'un des plus importants de Bretagne.

▶ **Se repérer** – À la verticale nord de Landerneau, Le Folgoët se situe sur la D 788 reliant Brest (25 km au sud) à St-Pol-de-Léon (35 km à l'est).

🕐 **Organiser son temps** – Compter deux heures pour la visite de la basilique et celle du musée du Léon.

👁 **À ne pas manquer** – La basilique pour ses formes atypiques et son jubé sculpté dans le granit, et si vous êtes dans la région à la fin de l'été, faites le détour pour voir le grand pardon du 1er dimanche de septembre.

🔆 **Pour poursuivre la visite** – Voir aussi les Abers, Brignogan-Plages, St-Pol-de-Léon, les Enclos paroissiaux, Landerneau et Brest.

Comprendre

L'origine de la basilique – Au milieu du 14e s., un pauvre innocent nommé Salaün vit dans un bois, près d'une source située aux environs de Lesneven. Il ne connaît que quelques mots qu'il murmure sans cesse : « *Itron Gwerc'hez Vari* » (Dame Vierge Marie). Après sa mort, un lys pousse sur sa tombe ; le pistil dessine en lettres d'or : « Ave Maria ». En creusant la terre, on s'aperçoit que la plante sort de la bouche de Salaün. On se trouve alors en pleine guerre de Succession.

Le prétendant Montfort fait le vœu, s'il triomphe, d'élever à la Vierge une sompteuse chapelle. Après sa victoire d'Auray, il fait bâtir l'édifice : l'autel sera placé au-dessus de la source où buvait le fol. Les travaux sont terminés en 1423. La chapelle est saccagée à la Révolution. Pour la sauver de la pioche des démolisseurs, douze paysans se cotisent et l'achètent. Rendue au culte à la Restauration, elle a été peu à peu remise en état.

La tour nord de la basilique.

R. Mattes / MICHELIN

Visiter

Basilique★★

La basilique a une forme en équerre inhabituelle : du chœur se détache la chapelle de la Croix dont le mur oriental prolonge le chevet plat. Cette chapelle a un beau **porche★** orné des statues des Apôtres. La fontaine de Salaün, où viennent boire les pèlerins, se trouve contre le mur du chevet, à l'extérieur de l'édifice *(faites le tour de l'église)*. Elle est alimentée par la source située sous l'autel.

À l'intérieur, on verra un chef-d'œuvre de l'art breton du 15ᵉ s. : le **jubé★★**, admirablement sculpté dans le granit. De belles roses du 19ᵉ s. ornent la chapelle de la Croix et l'abside. La statue de N.-D.-du-Folgoët date du 15ᵉ s.

À gauche en sortant de la basilique, le manoir du Doyenné (15ᵉ s.) forme un bel ensemble avec l'église et l'auberge des pèlerins. Cette dernière abrite un **musée** groupant des statues (15ᵉ-17ᵉ s.), des archives et un mobilier qui servit à la reine Anne lors de ses deux pèlerinages au Folgoët. ℘ *02 98 21 11 18 - www.les-amis-du-folgoet.com - &. - de mi-juin à mi-sept. : 10h-12h30, 14h30-18h30, dim. et j. fériés 14h30-18h30 - 2 €.*

Aux alentours

Lesneven

Au nord-est du Folgoët. Fondée au 5ᵉ s. par le chef breton Even, Lesneven conserve de vieilles maisons en granit des 17ᵉ et 18ᵉ s.

Le **musée du Léon**, installé dans l'ancienne chapelle du couvent des Ursulines (début 18ᵉ s.), donne un bon aperçu de l'histoire de la région. On y remarque l'ordonnance signée par Louis XIV autorisant l'installation des ursulines. ℘ *02 98 21 17 18 - &. - juil.-août : tlj sf mar. 14h-18h - 2,50 € (enf. 1 €) - musée fermé pour restauration, réouverture prévue pour l'été 2008.*

Le Folgoët pratique

Se loger et se restaurer

⌂ **Hôtel Le Week-end** – *Port-du-Châtel - 29260 Lesneven - 4 km au NE du Folgoët par D 110 et rte de Plouescat -* ℘ *02 98 25 40 57 - www.hotelrestaurantweekend.com - fermé dim. soir et lun. midi -* 🅿 *- 13 ch. 22 € - ☕ 6,50 € - rest. 15/30 €.* Un peu perdu dans un lieu-dit bordé par une rivière, cet hôtel-restaurant abrite des chambres simples et très bien tenues ainsi qu'un salon-bibliothèque idéal pour une pause au calme. Une étape sympathique, sans mauvaise surprise, et à prix raisonnables.

Événements

Le pardon de la saint Christophe – Dernier dim. de juil. – Bénédiction des voitures.

Le grand pardon – La population compte quelques milliers de personnes de plus, début septembre à l'occasion du **grand pardon**. La veille du 1ᵉʳ dimanche de septembre à partir de 18h, et le jour même, se déroulent les cérémonies religieuses.

Fouesnant-les-Glénan★

8 076 FOUESNANTAIS
CARTE GÉNÉRALE B3 – CARTE MICHELIN LOCAL 308 H7 – FINISTÈRE (29)

Célèbre pour son cidre mais également pour sa coiffe, la plus grande station du Finistère est au centre d'une des régions les plus verdoyantes de Bretagne. C'est pourtant sa côte, et surtout son centre nautique, qui lui valent sa réputation. Il faut dire que de Cap-Coz à la pointe de Mousterlin, d'immenses plages de sable blanc exposées au sud alternent avec les petites criques, tandis qu'à une heure de bateau, l'archipel de Glénan offre évasion et dépaysement dans un décor paradisiaque.

- ▸ **Se repérer** – Calé au fond de la baie de la Forêt, Fouesnant se trouve entre Bénodet et Concarneau (sur la D 44), à une quinzaine de kilomètres au sud de Quimper par la D 34.

- ⏱ **Organiser son temps** – Pensez à vous renseigner sur les horaires des excursions vers les îles de Glénan. La traversée prend une heure.

- 👁 **À ne pas manquer** – Une plongée dans les eaux limpides de « La Chambre » des Glénan, ou une bonne marche le long des sentiers côtiers.

- 👪 **Avec les enfants** – Inscrivez-les à l'école de voile, internationalement connue, et prévoyez, après leur cours, une croisière à vision sous-marine ou un tour aux Balneides.

- ⚓ **Pour poursuivre la visite** – Voir aussi Concarneau, Bénodet, Quimper et la Cornouaille.

La côte de l'île St-Nicolas, l'une des principales îles de l'archipel de Glénan.

Découvrir

FOUESNANT-LES-GLÉNAN

Fouesnant

Église Saint-Pierre – Construite au 12e s., elle a été remaniée au 18e s. À l'intérieur, les hauts piliers de granit sont ornés de beaux chapiteaux romans. Remarquez, dans le bras gauche du transept, une belle statue polychrome de sainte Anne.
À l'extérieur, voyez l'émouvante expression de la Fouesnantaise du monument aux morts.

Cap-Coz

2 km à l'est, sud-est. Ce petit centre balnéaire est bâti sur une langue sablonneuse, entre les falaises de Beg-Meil et le chenal d'accès à Port-la-Forêt. Le sentier côtier qui conduit à la Roche-Percée est une agréable promenade dominant ou traversant des criques aux eaux limpides.

Beg-Meil

5,5 km au sud. À l'entrée de la baie de la Forêt, face à Concarneau, Beg-Meil (pointe du Moulin) adosse ses plages, côté baie, à de petites anses rocheuses : plage des Oiseaux, plage de la Cale, plage de Kerveltrec. La cale de Beg-Meil accueille des vedettes d'excursion *(voir le carnet pratique)* et quelques petits pêcheurs côtiers, qui vendent directement le produit de leur pêche. À la **pointe de Beg-Meil**, au-delà du sémaphore, un grand menhir d'environ 7 m de hauteur a été couché par les Allemands pendant la dernière guerre.

Pointe de Mousterlin

6,5 km au sud-ouest. Vue étendue sur le littoral, de la pointe de Lesconil à droite, à la pointe de Trévignon, à gauche.

Îles de Glénan★

Accès en bateau : avr.-sept., au départ de Beg-Meil, Bénodet, Concarneau ou Loctudy (1h de traversée). L'île St-Nicolas où vous allez débarquer est un site naturel classé et fragile. Une réserve naturelle a été créée pour l'exceptionnel narcisse mais d'autres plantes sont protégées ; la cueillette des fleurs est donc interdite. Respectez le platelage au sol et la délimitation par des ganivelles (palissades en bois).

Cet archipel compte une douzaine d'îles principales, formant un cercle. En son centre, la mer plus calme et peu profonde est appelée « La Chambre » ; par beau temps, l'eau, extrêmement limpide, y prend les teintes émeraude ou turquoise d'un lagon. Le bateau accoste à l'île **St-Nicolas** qui abrite quelques maisons, le Centre international de plongée, un gîte d'étape, un bar, et un grand vivier à crustacés *(restauration possible, sur réservation)*. Un sentier fait le tour de l'île et offre de belles vues sur la côte. Près de l'éolienne, principale source d'électricité de l'île, des fosses à goémon témoignent de l'activité de production de soude qui

Le narcisse des Glénan

L'archipel, havre privilégié pour les oiseaux marins, accueille une espèce botanique unique au monde, le narcisse des Glénan. Cette plante, découverte en 1803 par un pharmacien de Quimper, a une floraison éphémère (trois semaines) à la mi-avril. Elle forme alors, avec la jacinthe des bois, un magnifique tapis jaune et bleu. Protégée par une réserve naturelle, elle peut se découvrir lors de « sorties nature » en avril *(voir le « carnet pratique »)*.

débuta au 19ᵉ s. Les plages de l'île surprennent par leur blancheur *(penser à la crème solaire, forte réverbération)* qu'elles doivent à la décomposition d'une algue calcaire, le maërl.

Au nord, la petite **île Brunec** et, au sud, l'**île du Loch** avec sa cheminée, vestige d'une ancienne usine de traitement du goémon, sont des propriétés privées. Certaines îles sont occupées par le Centre nautique des Glénan, première école de voile d'Europe, de renommée internationale : **Penfret**, avec son phare de même nom, **Cigogne**, avec les vestiges d'un fort du 18ᵉ s., **Bananec**, relié à St-Nicolas par un tombolo (banc de sable découvert à marée basse), et **Drenec**. L'**île Giautec** et les îlots inhabités sont autant de réserves protégées où se reproduisent goélands, sternes, pies huîtrières, cormorans.

Aux alentours

La Forêt-Fouesnant

3,5 km à l'est. Station estivale dont les rivages boisés permettent de superbes randonnées. Le bourg possède un petit **enclos paroissial** et un calvaire du 16ᵉ s. original, avec ses quatre pilastres d'angle. Dans l'église bâtie en 1538, on remarque un baptistère sculpté (1628) abritant une piscine et une cuve taillées dans le même bloc de pierre. Toute la journée, fond musical de mélodies bretonnes et celtes.

Port-la-Forêt – Ce port de plaisance, construit entre la plage et le bourg, peut accueillir 800 bateaux. Des vedettes mènent aux îles de Glénan ou remontent l'Odet.

Fouesnant-les-Glénan pratique

Adresses utiles

Office du tourisme de Fouesnant – *Espace kernévéleck - 49 r. de Kerourgue - 29170 Fouesnant -* 📞 *02 98 51 18 88. www.ot-fouesnant.fr - juil.-août : lun.-sam. 9h-19h, dim. 10h30-12h30, 17h-19h ; sept.-déc. : tlj sf dim. 9h-12h, 14h-18h ; janv.-juin : 9h-12h, 14h-18h.*

Office du tourisme de Beg-Meil – *La Cale - 29170 Beg-Meil -* 📞 *02 98 94 97 47 - Antenne saisonnière juil.-août : lun.-sam. 9h30-12h30, 15h-19h, dim. 10h30-12h30.*

Se loger

😴🍴 **Hôtel L'Orée du Bois** – *4 r. Kergoadig - 29170 Fouesnant -* 📞 *02 98 56 00 06 - www.hotel-oree-du-bois.fr.st - 15 ch. 47/55 € -* 🍽 *6,50 €.* Vous n'êtes pas en lisière de forêt mais à deux pas de l'église de Fouesnant… Accueil aimable et familial. Les chambres sont quant à elles plutôt simples. Petit déjeuner servi dans une salle au décor marin.

😴🍴 **Hôtel de la Pointe de Mousterlin** – *29170 Fouesnant - 6 km au SO de Fouesnant par D 145 et D 134 -* 📞 *02 98 56 04 12 - hopointe@club-internet.fr - fermé 10 janv.- 13 fév. -* 🅿 *- 48 ch. 60/112 € -* 🍽 *10 € - rest. 22/36 €.* Dans ses trois bâtiments, cet hôtel alterne chambres traditionnelles et modernes, vues sur mer et plage ou sur jardin. À vous de choisir en fonction de vos préférences… et des disponibilités. Une maison sympathique disposant en outre de nombreux équipements de loisirs.

Se restaurer

😋🍴 **Le Café du Port** – *32 Corniche de la Cale, le Vieux Port - 29940 La Forêt-Fouesnant - 3 km au N de Fouesnant par D 44 -* 📞 *02 98 56 96 67 - Pâques-sept. sf merc. et tlj juil.-août - 15/27,50 €.* Ce sympathique restaurant familial a jeté l'ancre il y a 40 ans sur le vieux port. On continue d'y déguster poissons et fruits de mer livrés quotidiennement par les pêcheurs du coin. Décor de style breton à l'intérieur, et agréable terrasse pour les beaux jours.

😋🍴 **Pointe du Cap Coz** – *153 av. de la Pointe, à La Plage du Cap-Coz - 29170 Fouesnant - 2,5 km au SE de Fouesnant par rte secondaire -* 📞 *02 98 56 01 63 - bienvenue@hotel-capcoz.com - fermé 1er janv.-10 fév., dim. soir du 15 sept. au 15 juin et merc. - 22/43 €.* Tout pour plaire, cette maison ! Une langue de sable blanc et la mer pour horizon, une cuisine bien ficelée à base de produits frais, des prix raisonnables, une salle à manger côté port et l'autre face à l'Océan… Quelques chambres simples, au calme.

Sports & Loisirs

Centre nautique de Fouesnant – *1 chemin de Kersentic - 29170 Fouesnant -* 📞 *02 98 56 01 05 - http://asso.ffv.fr/ cn-fouesnant.*

Les Balneides – 👥 *-* 📞 *02 98 56 18 19 - contact@balneides.com.* Décor tropical pour ce centre aquatique disposant du plus long toboggan de Bretagne. Sauna, jacuzzi…

Les sentiers de randonnées – Les amateurs de randonnée pédestre apprécieront les 90 kilomètres de sentiers balisés. Outre un superbe sentier côtier panoramique, de nombreux chemins creux permettent de découvrir les charmes du bocage.

Sorties « nature » – Des « sorties nature » accompagnées sont organisées de déb. fév. à déb. nov. avec, de Pâques à fin août, des visites aux Glénan (découverte du narcisse en avril). S'adresser à l'office du tourisme de Fouesnant - Les Glénan - 📞 *02 98 51 18 88 - www.ot-fouesnant.fr.*

Capitaine Nemo – 👥 *- 8 Vieux Port - 29950 Bénodet -* 📞 *02 98 57 00 58 - www.vedettes-odet.com.* Au départ de Beg-Meil, on peut aller à la découverte des fonds sous-marins de l'archipel des Glénan lors d'une croisière à vision sous-marine (la limpidité de l'eau est extraordinaire) - *renseignements et réservations* 📞 *0 825 800 801.*

Accès aux Îles Glénan

De Bénodet – 📞 *0 825 800 801 - www. vedettes-odet.com.* Les vedettes de l'Odet - juil.-août : 9h30, 10h, 11h30 et 13h30 ; mai-juin et sept. : 10h et 13h30 ; avr. et oct. : merc. et jeu. 13h30 ; reste de l'année : sur demande - 📞 *02 98 57 00 58.*

Les Vedettes de l'Odet – *La Cale - Beg-Meil - 29170 Fouesnant -* 📞 *0825 800 801 - www.vedettes-odet.com.* En saison, 2 compagnies desservent les îles de Glénan : les vedettes Glenn - 📞 *02 98 97 10 31* ; les vedettes de l'Odet - 📞 *02 98 50 72 12.*

De Loctudy – *Pl. des Anciens-Combattants - 29170 Fouesnant -* 📞 *02 98 87 53 78 - www.loctudy.fr.* En sais., 2 dép. par j. pour les îles Glénan : mat. et apr.-midi ; 1 dép. par j. pour la remontée de la rivière Odet - 📞 *02 98 87 53 78 (office de tourisme).*

De Beg-Meil – S'adresser à l'office du tourisme de Fouesnant-les-Glénan - 📞 *02 98 51 18 88 - www.ot-fouesnant.fr.*

Événement

Festival « Place aux mômes » – En été, 8 concerts en plein air sont organisés dans la station - *gratuit - s'adresser à l'office du tourisme de Fouesnant-les-Glénan -* 📞 *02 98 51 18 88 - www.ot-fouesnant.fr.*

Fougères★★

21 779 FOUGERAIS
CARTE GÉNÉRALE F2 – CARTE MICHELIN LOCAL 309 O4 – ILLE-ET-VILAINE (35)

Cette ancienne ville forte domine la vallée sinueuse du Nançon. En contrebas, sur une éminence rocheuse presque entièrement entourée par la rivière, se dresse un magnifique château féodal dont l'enceinte compte parmi les plus considérables d'Europe. À son propos, Lawrence d'Arabie a dit : « Il n'y a pas d'extérieur plus beau, j'en suis certain. »

Se repérer – Ancienne marche, Fougères marque la frontière orientale de la Bretagne, non loin de l'A 84 qui relie Avranches (44 km au nord) à Rennes (55 km au sud-ouest). On rejoint St-Malo (100 km à l'ouest) *via* Dol-de-Bretagne par la D 155.

Se garer – En centre-ville, les zones de stationnement bleues sont gratuites pour 1h30. L'été, vous trouverez des parkings (non gardés) en périphérie. Évitez le centre le samedi matin, jour de marché.

Organiser son temps – Offrez-vous une visite guidée du château et du quartier médiéval pour profiter pleinement du patrimoine de cette ville labellisée « d'art et d'histoire ».

À ne pas manquer – Le site impressionnant du château dont l'enceinte est miraculeusement préservée et les maisons du 16e s. du quartier médiéval du Marchix.

Avec les enfants – Louez des VTT au centre de loisirs de la ferme de Chênedet ou visitez la Maison Pierres et Nature à Mellé.

Pour poursuivre la visite – Voir aussi Vitré, Rennes, Combourg, Dol-de-Bretagne et le Mont-St-Michel.

L'exceptionnel château médiéval de Fougères.

René Mattes / MICHELIN

Comprendre

Une importante place forte – À la frontière de la Bretagne et de la France, Fougères a toujours eu une grande importance militaire. Le plus célèbre de ses barons, Raoul II, vit au milieu du 12e s. sous la suzeraineté du duc de Bretagne Conan IV, soumis à Henri II Plantagenêt, roi d'Angleterre et duc de Normandie. Le fier Raoul, révolté, forme une ligue avec une partie de la noblesse bretonne et entre en lutte contre Plantagenêt. En 1166, Henri II investit Fougères et démolit le château. Raoul le reconstruit aussitôt ; une partie de son œuvre reste encore debout.

Au 13e s., le fief passe par mariage à des seigneurs poitevins, les Lusignan. Ils se disent descendants de la fée Mélusine (mère Lusigne) et donnent son nom à la plus belle des tours qu'ils ajoutent à l'enceinte.

À l'assaut des tours – Fougères offre l'exemple, assez rare, d'une forteresse formidable très souvent prise. Y sont entrés : Saint Louis, Du Guesclin, Surienne, capitaine aragonais au service des Anglais, La Trémoille, le duc de Mercœur, les Vendéens… Après la réunion de la Bretagne à la France, des gouverneurs se succèdent à Fougères : dix des tours portent leurs noms. Au 18e s., le château devient propriété privée. La ville l'achète en 1892.

La capitale de la chaussure – En plus de s'enorgueillir de son château et du fait d'avoir vu naître l'un des précurseurs de la Chouannerie, le marquis de La Rouërie (1756-1793), dont la vie fut un véritable roman d'aventures, Fougères peut se prévaloir d'avoir occupé une place prépondérante dans la production de draps et de chaussures.

Dès le 13e s., la ville gagne en effet beaucoup d'argent à fabriquer du drap. Puis le chanvre succède à la laine : la toile à voile fougeraise claque aux vergues de la flotte française, jusqu'au triomphe de la navigation à vapeur. En 1832 commence la fabrication des chaussons de laine. En 1852, on y ajoute la chaussure, cousue à la main. L'année 1870 voit arriver la machine qui coud mécaniquement et, en 1890, une trentaine d'usines produisent en série des chaussures bon marché. Après la guerre de 1914-1918, la centaine de fabriques de la ville subissent les effets de la concurrence étrangère et de la crise mondiale. De nos jours, quelques entreprises sont encore en activité et fabriquent principalement des articles pour dames.

Découvrir

LE CHÂTEAU★★

🕿 02 99 99 79 59 - de mi-juin à mi-sept. : 9h-19h ; de déb. avr. à mi-juin et de mi-sept. à fin sept. : 9h30-12h, 14h-18h ; fév.-mars et oct.-déc. : 10h-12h, 14h-17h (dernière entrée 1h av. fermeture) - visite guidée (45mn.) 3,65 € - fermé janv. et 25 déc. - 2,95 € (10-16 ans 2,15 €).

Son site en contrebas de la ville haute est inhabituel. Un méandre de la rivière, qui baignait une éminence rocheuse en forme de presqu'île très étroite, fournissait un excellent site défensif. L'architecture militaire a tiré parti de cet emplacement en y élevant des remparts et des tours, et en transformant la presqu'île en île, par une courte dérivation du Nançon. Reliée à la ville haute par des remparts, la garnison pouvait participer à sa défense et même s'y replier en cas de chute de la ville, pour jouer son rôle de garde-frontière du duché de Bretagne. Au fil des batailles, les assaillants ont pu néanmoins se rendre maîtres de ces hautes murailles, soit par surprise, soit par de longs sièges. Le tour extérieur du château permet de comprendre leur point de vue ; la visite intérieure celui du défenseur.

La forteresse, telle qu'elle subsiste, a beaucoup souffert au cours des siècles. L'enceinte est complète avec ses courtines et ses treize tours. Mais on ne voit plus l'imposant donjon qui, du point le plus élevé du rocher, commandait toutes les défenses : il fut rasé en 1166 par le roi d'Angleterre. Le grand logis, qui occupait une partie de la cour intérieure, a été également réduit à ses substructures au début du 19e s.

Tour extérieur★

Partez de la place Raoul-II, longez les fortifications (dans le sens inverse des aiguilles d'une montre), puis suivez, à gauche, la rue Le Bouteiller.

Au centre du rempart nord, la **tourelle de Guibé** (14e s.), formait un poste de guet élevé, en encorbellement sur la courtine. En contournant l'éperon que forment à l'ouest les remparts, on remarque la puissance des défenses réunies en ce point. La poterne du 15e s. s'ouvre aujourd'hui sur le vide, mais se prolongeait autrefois par une double arcade qui franchissait le fossé, pour communiquer avec un ouvrage avancé.

La **tour du Gobelin** (13e et 14e s.), à gauche, et la **tour Mélusine** (14e s.), à droite, sont rondes. Jadis munies de mâchicoulis et probablement remaniées dans leurs parties hautes, elles ont perdu de leur fière allure. La seconde est considérée comme un chef-d'œuvre de l'architecture militaire de l'époque : 13 m de diamètre extérieur, 3,50 m d'épaisseur de mur et 31 m de hauteur au-dessus du rocher.

Deux tours en fer à cheval et trapues, les **tours Surienne et Raoul** (15e s.), marquent la dernière étape de la reconstruction du château. Elles témoignent des méthodes de la guerre de siège qui à la fin du 15e s., prenait la forme d'un duel d'artillerie à courte porté. Leurs murs présentent ainsi une épaisseur de 7 m, pour résister aux tirs, et elles-mêmes ont été conçues pour servir de plate-forme d'artillerie. Elles conservent d'ailleurs des canonnières très puissantes et bien préservées. Le dessin des mâchicoulis montre en outre qu'à cette époque l'art militaire n'excluait pas la décoration.

Face aux deux tours s'élèvent l'église St-Sulpice et le quartier du Marchix.

En suivant toujours l'enceinte, on voit la tour du Cadran (13ᵉ s.). Carrée et de dimension réduite, elle est très endommagée. Plus loin, la **porte Notre-Dame** est la seule qui subsiste des quatre portes des boulevards précédant les quatre portes de l'enceinte fortifiée qui entourait la ville elle-même. La tour de gauche, plus élevée et percée d'étroites archères, remonte au 14ᵉ s. La tour de droite, pourvue de mâchicoulis très décorés, date du 15ᵉ s.

Passez sous la porte et suivez la rue de la Fourchette ; montez à droite dans la rue de la Pinterie.

À 50 m, traversez à droite les jardins aménagés en bordure du chemin de ronde reconstitué : belle vue sur la vallée du Nançon et l'ensemble du château.

Passez sous les ruines d'un joli portail de chapelle pour sortir du jardin et reprendre à gauche la rue de la Pinterie, qui conduit à l'entrée du château.

Intérieur★★

L'entrée, précédée d'un fossé alimenté par une dérivation du Nançon, se fait par la **tour carrée de la Haye-St-Hilaire**.

Le château comprend **trois enceintes** successives. Percée d'archères, l'avancée (13ᵉ s.) constituait le premier obstacle. Cette ligne franchie, les assaillants pénétraient dans une petite cour où ils étaient soumis aux tirs convergents des défenseurs postés sur les quatre côtés. Ainsi exposés, les assaillants devaient donc traverser un second fossé avant d'atteindre l'enceinte principale défendue par quatre tours (12ᵉ et 15ᵉ s.). Ces deux lignes de défense enlevées, c'était la ruée dans la grande cour où s'élevaient le **logis seigneurial** et la **chapelle**. Mais la défense pouvait se ressaisir… Une troisième enceinte, le réduit, était située au point le plus élevé ; elle permettait – avec le donjon, qui existait encore au 12ᵉ s. – une longue résistance. Délogée de ces positions, la garnison pouvait encore trouver le salut en fuyant par la poterne.

La visite révèle la puissance d'une telle forteresse. Par la courtine la plus élevée du château, on atteint la tour Mélusine *(75 marches jusqu'au sommet)*. On gagne ensuite les vestiges du donjon, puis la courtine nord. Au-delà de la tourelle de Guibé, on se rend à la tour de Coigny (13ᵉ et 14ᵉ s.), dont les 2ᵉ et 3ᵉ étages ont été transformés en chapelle au 17ᵉ s. Le sommet a été défiguré par l'adjonction d'une loggia au 19ᵉ s.

Vue d'ensemble de l'église St-Sulpice.

LE QUARTIER MÉDIÉVAL

Église Saint-Sulpice★

Construite en gothique flamboyant du 15ᵉ au 18ᵉ s., elle présente une grande homogénéité. La flèche d'ardoise très élancée (15ᵉ s.) est d'une facture originale. L'intérieur s'enrichit, dans le chœur, de boiseries du 18ᵉ s., mais on remarque surtout les **retables★** de granit du 15ᵉ s. des chapelles. Celle de gauche ou chapelle Notre-Dame-des-Marais (statue qui aurait été découverte à proximité du château en 1300) abrite le retable dédié à Anne de Bretagne, sa donatrice.

Quartier du Marchix★

La place du Marchix occupe le site de l'ancien marché au cœur de la vieille ville ; aux n°s 13 et 15 s'élèvent deux belles maisons du 16e s.

La rue Foskéraly longe le Nançon, offrant une belle vue sur les remparts aménagés en jardin public. On se promènera ensuite dans la rue du Nançon, bordée de maisons du 16e s. ; on remarque d'autres maisons intéressantes à l'angle de la rue de la Providence et de la rue de Lusignan où l'on jettera un coup d'œil. Prenant la rue des Tanneurs, on passe le pont sur le Nançon.

Se promener

LA VILLE HAUTE

Place Aristide-Briand (B1)

L'**hôtel de la Bélinaye** (tribunal d'instance) est la maison natale d'**Armand Taffin de La Rouërie**.

Descendez la rue Nationale.

Rue Nationale★ (B1-A1)

La plus belle rue de la ville dont les façades de granit (18e s.) sont ornées de balcons en fer forgé.

Beffroi – *Sur la droite en descendant la rue.* Cette tour octogonale (14e et 15e s.) se dresse fièrement au-dessus des remparts. Elle est décorée de gargouilles et surmontée d'une flèche recouverte d'ardoise.

L'Artisan du Temps – Musée de l'Horlogerie – *37 r. Nationale - ☏ 02 99 99 40 98 - &- de mi-juin à fin août : 9h-12h, 14h-19h, dim., lun. et j. fériés 14h-18h ; reste de l'année : mar.-sam. 9h-12h, 14h-19h, possibilité de visite guidée (1h30) - fermé dernière sem. d'août et 1re quinz. de janv. - 4,50 € (+ 10 ans 3,70 €).* Petite exposition sur la passionnante quête de la mesure du temps. Plus de 200 pièces de collection sont présentées par un horloger passionné que l'on peut voir à l'ouvrage dans son atelier.

Musée Emmanuel-de-La-Villéon – *51 r.*
Nationale - 📞 *02 99 99 19 98 - mai-sept. :*
10h-12h30, 14h-18h ; fév.-avr. : tlj sf lun. et
mar. 10h-12h, 14h-17h - possibilité de visite
guidée (45mn) sur demande - fermé janv. et
25 déc. - gratuit (4,70 € visite guidée).
Installé dans une maison du 16ᵉ s., il présente, outre une collection des 17ᵉ et 18ᵉ s.,
des œuvres d'Emmanuel de La Villéon
(1858-1944), peintre impressionniste né
à Fougères.

Jardin public★ (A1)

Fort apprécié d'Honoré de Balzac, qui
l'a introduit au cœur de son roman *Les*
Chouans, et de Victor Hugo qui y vint avec

Maisons à pans de bois place du Marchix.

Juliette Drouet, il est établi en partie en terrasses, sur l'emplacement des anciens
remparts de la ville, en partie sur les pentes qui descendent dans la vallée du Nançon.
En suivant le mur bas qui prolonge la balustrade jusque vers l'entrée, on a une vue
étendue sur la campagne bocagère. De la partie de la terrasse clôturée par la balustrade : **vue★** d'ensemble intéressante sur le château et le quartier du Marchix.
Un escalier permet aux marcheurs courageux de rejoindre le château et les bords du
Nançon.

Hôtel de ville (A1)

Édifice Renaissance. Remarquez la porte en partie murée.

Église Saint-Léonard (A1)

Construite aux 15ᵉ et 16ᵉ s. avec une façade richement ornée sur le bas-côté nord,
elle est dominée par une tour du 17ᵉ s. Des vitraux modernes de Lorin l'éclairent,
mais on remarquera quelques fragments anciens : dans la chapelle de la Croix,
à gauche en entrant, deux scènes de la vie de saint Benoît, du 12ᵉ s., et, dans la
chapelle des fonts baptismaux, incorporées dans un vitrail, deux parcelles de
vitraux★ du 16ᵉ s.

Place de Lariboisière (B1)

La statue équestre, œuvre de Louis Derbre, rend hommage au **comte de Lariboisière**
(1759-1812). Né à Fougères, ce brillant officier se distingua dans les armées napoléo-
niennes avant de mourir d'épuisement pendant la terrible retraite de Russie.

Aux alentours

Forêt domaniale de Fougères

3 km au nord-est. Quittez Fougères par la D 177, route de Flers. La promenade permet
de parcourir de belles futaies de hêtres. On pourra voir deux dolmens ruinés et un
alignement mégalithique appelé Cordon des Druides, situé près du carrefour de
Chennedet. En poursuivant en direction de Landéan, à l'orée de la forêt, près du
carrefour de la Recouvrance, se trouvent des celliers du 12ᵉ s. Aujourd'hui fermés, ils
constituaient la cachette des seigneurs de Fougères.

Parc floral de Haute-Bretagne★

Le Châtellier, 10 km au nord-ouest. Quittez Fougères au nord en direction de St-James
(D 798) jusqu'à la D 19 qu'il faut prendre à gauche. Suivez le fléchage - 📞 *02 99 95 48 32 -*
www.parcfloralbretagne.com - ♿ *- juil.-août, dim. et j. fériés d'avr.-nov. : 10h30-18h ;*
mars et oct.-nov. : : 14h-17h30 ; avr.-juin et sept. 10h-12h, 14h-18h (dernière entrée 1h av.
fermeture) - fermé 15 nov.-28 fév. - 8,90 € (4-12 ans 6,30 €, 13-18 ans 7,30 €).
Dépaysement garanti au **château de la Foltière** aménagé en parc floral (20 ha). Le
parcours proposé relie seize jardins aux noms évocateurs (cité antique, labyrinthe de
Cnossos, vallée des Rois, vallon des Poètes, jardin perse, la source bleue, l'antre des
plantes carnivores…) qui offrent, selon les saisons, une palette inépuisable d'ambiances, de couleurs et de parfums. Chambres et boutique au château, jardinerie.

Mellé

21 km au nord. Quittez Fougères par la D 177. À Louvigné-du-Désert, prenez la D 14.
👥 **La « Maison Pierres et Nature »** est un espace d'interprétation du patrimoine
rural local. Vous y apprendrez à lire un paysage, à reconnaître les roches, les types
de sols, les plantes, vous découvrirez les énergies renouvelables… 📞 *02 99 17 14 24 -*
avr.-mai : w.-end et j. fériés 14h-18h ; juin-sept. : tlj sf lun. 14h-18h - 4 € (-18 ans 3 €).

🐾 La visite peut se poursuivre par le « **Circuit Pierres et nature** », un sentier pédestre de 11 km, accessible à tous et qui « explique la campagne ». Les panneaux qui le jalonnent donnent en effet des clés pour comprendre et reconnaître le patrimoine bâti et paysager. *Départ pl.de l'Église. Plan disponible à la Maison Pierres et Nature.*

Fougères pratique

Adresse utile

Office du tourisme de Fougères – *2 r. Nationale - 35300 Fougères - 🖉 02 99 94 12 20 - www.ot-fougeres.fr - juil.-août : lun.-sam. 9h-19h, dim. et j. fériés 10h-12h, 14-16h ; de Pâques à fin juin et sept.-oct. : lun.sam. 9h30-12h30, 14h-18h, dim. et j. fériés 13h30-17h30 ; de déb. nov. à Pâques : lun. 14h-18h, mar.-sam. 10h-12h30, 14h-18h.* L'office de tourisme ouvre une annexe au château en juillet et août (mêmes horaires).

Visites

Ville d'art et d'histoire – Fougères, Ville d'art et d'histoire, propose des visites-découvertes *(1h30)* de son patrimoine millénaire animées par des guides-conférenciers agréés par le ministère de la Culture et de la Communication - *de mi-juin à mi-sept. : 15h30 - 4,80 € - Renseignements château de Fougères - 🖉 02 99 99 79 59 - ou www.ot-fougeres.fr.*

Il est également possible de découvrir la ville en suivant le **circuit littéraire** ou en empruntant le **petit train touristique**.

Se loger

😋 **Chambre d'hôte Ferme de Mésauboin** – *35133 Billé - 10 km rte de Vitré par Billé (D 179) puis rte-de-St-Georges-de-Chesne (D 23) - 🖉 02 99 97 61 57 - www.ferme-de-mesauboin.com - fermé 2 sem. en mars et 2 sem. en oct. - 5 ch. 34/41 € ⌑ - repas 16,50/25 €.* Le calme et la simplicité de cette ferme-manoir du 17e s. devraient combler ceux qui rêvent d'un petit séjour « de tout repos » à la campagne. Ils goûteront les produits du terroir à l'auberge et dormiront dans les douillettes chambres d'hôte, à moins qu'ils ne préfèrent s'installer dans l'un des deux gîtes.

Se restaurer

😋 **Crêperie des Remparts** – *102 r. de la Pinterie - 🖉 02 99 94 53 53 - fermé merc. sf vac. scol. et saison - 7/16 €.* À deux pas du château, l'une des plus vieilles maisons de Fougères abrite cette crêperie aux poutres massives et aux murs décorés d'objets anciens et régionaux. Aux beaux jours, la terrasse est dressée devant le jardin public qui borde les remparts.

😋😋 **La Haute Sève** – *37 bd Jean-Jaurès - 🖉 02 99 94 23 39 - fermé 1er-28 janv., 9-19 fév., 20 juil.-16 août, dim. soir et lun. - 20 € déj. - 29/52 €.* Cette maison à colombages dont la façade s'égaye d'une couleur jaune pâle abrite une salle à manger tout en longueur où l'on expose les tableaux d'un artiste local. Le chef propose une cuisine régionale actualisée et influencée par le marché.

En soirée

👁 **Bon à savoir** – S'il n'y avait qu'un bar à voir en priorité à Fougères, ce serait « Le Coquelicot ». Ce bar-concerts à la réputation régionale est incontournable.

Le Coquelicot – *18 r. de Vitré - 🖉 02 99 99 82 11 - lecoquelicot@caramail.com - tlj sf dim. et lun. 16h-3h - fermé de mi-juil. à mi-août.* Ouvert en 1979, ce petit bar musical accueille toutes les semaines chanteurs, groupes de rock, de jazz ou de blues.

Sports & Loisirs

Ferme de Chênedet – 👥 - *7 km au NO de Fougères - 35133 Landéan - 🖉 02 99 97 35 46 - www.chenedet-loisirs.com - 9h-18h.* Au cœur de la forêt domaniale de Fougères, ce centre de loisirs regroupe à la fois des activités équestres (cours d'équitation, promenade), et nautiques (location de kayaks et de barques en été) sur le plan d'eau situé juste à côté. Location de VTT toute l'année. Hébergement sur place en 4 gîtes collectifs.

Cap **Fréhel** ★★★

CARTE GÉNÉRALE D1 – CARTE MICHELIN LOCAL 309 I2 – CÔTES-D'ARMOR (22)

Le cap Fréhel est l'un des sites les plus grandioses de la Côte d'Émeraude, pour ne pas dire du littoral breton. Ses falaises hautes de 70 m dominent à pic la mer et des récifs que frappe avec violence une houle déferlante. Leurs murailles rouge, gris et noir changent de nuance au gré de la lumière. Et par temps clair, le regard porte même jusqu'aux îles Anglo-Normandes…

▶ **Se repérer** – Entre St-Brieuc (43 km à l'ouest par la D 786) et Dinard (40 km à l'est par les D 786 et D 168), le cap pointe en plein cœur de la Côte d'Émeraude, au nord-ouest de St-Cast-le-Guildo.

🕐 **Organiser son temps** – Préférez la marée montante pour emprunter le chemin qui mène au cap et au fort la Latte : la houle se fracasse alors sur les falaises. C'est le moment le plus impressionnant pour cette promenade.

👁 **À ne pas manquer** – Le site spectaculaire de Fort La Latte et les randonnées côtières qui dévoilent au plus près toutes les beautés naturelles du cap.

👥 **Avec les enfants** – Ils aimeront les tours et le donjon du château médiéval de Fort la Latte, tout comme les sorties nature du cap.

🔍 **Pour poursuivre la visite** – Voir aussi la Côte d'Émeraude, le Val-André, Lamballe, St-Cast-le-Guildo, Dinard, St-Malo et Dinan.

La lande recouvre les imposantes falaises du cap Fréhel.

Comprendre

Une tête de pont rocheuse – Empiétant sur les eaux de la Manche, les falaises du cap Fréhel, hautes par endroits de presque 100 m, subissent de plein fouet le vent du large et le choc violent d'une houle parfois furieuse. Pourtant, une légende raconte que dans les temps anciens, on pouvait gagner les îles Anglo-Normandes à pied. Les scientifiques ont prouvé l'absurdité du récit ; néanmoins, dans la baie de la Frênaye, certains aperçoivent sous les eaux les plus basses une allée dallée !

La gestion d'un site d'exception – Le cap dépend de la commune de Fréhel, créée en 1973 après fusion des villages de Pléhérel et de Plévenon, eux-mêmes fondés au 5e s. par des Bretons d'outre-Manche nommés respectivement Hérel et Venon. Son classement en zone de protection spéciale (1993) l'a inscrit d'office dans le réseau Natura 2000. Acteurs locaux et régionaux surveillent donc de paire ce site, protégé pour ses 400 ha de landes et pour sa réserve ornithologique. Lichens, ajoncs, bruyères et œillets marins couvrent en effet le sud-sud-est du cap, tandis que ses falaises servent de lieux de nidification à de nombreuses espèces, dont les mouettes tridactyles.

Découvrir

Panorama★★★

☏ 02 96 41 43 06 - juin-sept. : 8h-20h - 2 €/voiture, 10 €/car.

Particulièrement beau en fin d'après-midi, il est immense par temps clair : il s'étend de la pointe du Grouin à l'est, jusqu'à l'île de Bréhat à l'ouest ; les îles Anglo-Normandes sont parfois visibles ; à droite du cap se dresse l'illustre silhouette du fort La Latte.

Tour du cap

Circuit de 30mn.

À la pointe extrême surgit le **phare**, construit en 1950. Il comporte 145 marches et abrite une lampe à arc au xénon. La portée du feu varie de 200 m (brouillard très dense) à 120 km (beau temps). À 400 m, une sirène émet, par temps de brume, un groupe de deux sons toutes les minutes. *☏ 02 96 41 40 03 - juil.-août : 14h-18h (accessible aux groupes et aux scolaires tte l'année sur RV, tlj sf w.-end et j. fériés).*

On domine les **rochers de la Fauconnière**, peuplés de goélands, cormorans, pétrels, guillemots ; le contraste entre le rouge violacé de la roche – schiste, grès et porphyre – et le bleu vert de la mer est étonnant. Près du restaurant, le sentier en forte pente sur la droite aboutit, à mi-hauteur, à une plate-forme d'où la vue est saisissante sur les rochers ruiniformes.

Aux alentours

Fort La Latte★★

☏ 02 96 41 57 11 - www.castlelalatte.com – 7 juil.-26 août : 10h-19h ; avr.-sept. : 10h-12h30, 14h-18h ; oct.-mars : w.-end et j. fériés 14h-18h ; vac. scol. lun.-vend. 14h-17h30 - possibilité de visite guidée (50mn) - 4,50 € (enf. 2,50 €).

Ce château, construit au 14e s. par les Goyon-Matignon, a été remanié au 17e s. et restauré au début du 20e s. Il a conservé son aspect féodal et occupe un **site★★** spectaculaire. Un portail marque l'entrée du parc de la Latte. Suivez l'allée qui mène à l'entrée du fort et passez devant un menhir dit « doigt de Gargantua ». Dominant la mer de plus de 60 m, le fort est séparé de la terre ferme par deux crevasses que l'on franchit sur des ponts-levis.

Visite du fort – On découvre alors les deux enceintes, la **cour intérieure** autour de laquelle s'ordonnent le corps de garde, le logis du gouverneur, la citerne et la chapelle. Passé l'épais mur pare-boulets, on atteint la tour de l'Échauguette et le curieux four à rougir les boulets, et, par un poste de guetteur, on accède au donjon. Du chemin de ronde, apparaît un **panorama★★** étonnant sur toute la Côte d'Émeraude : l'anse des Sévignés, le cap Fréhel, la baie de la Frênaye, la pointe de St-Cast, l'île Ebihens, St-Briac et St-Lunaire, la pointe du Décollé, St-Malo, Paramé et Rothéneuf, l'île de Cézembre et la pointe du Meinga. Il est également possible d'accéder au sommet de la tour.

Cap Fréhel pratique

Promenade en mer

Des vedettes partant de St-Malo, St-Cast et Dinard, permettent de contempler le cap Fréhel par la mer. C'est sous cet aspect qu'il est le plus impressionnant.

Promenade commentée (2h30).

« compagnie Corsaire » au dép. de St-Malo (cale de Dinan) et Dinard, aller : découverte de la côte ouest jusqu'au fort La Latte et au cap Fréhel, retour par la mer, escale à St-Cast - ☏ 0 825 138 035 ou 02 96 41 814 52 - www.compagniecorsaire.com.

Se restaurer

La Fauconnière – À la Pointe - 22240 Fréhel - *☏ 02 96 41 54 20 - fermé oct.-mars - 19/30 €.* On accède à pied à ce restaurant construit au bord des falaises, dans un site sauvage exceptionnel offrant une vue magnifique sur la mer et les côtes… Très touristique, il propose un choix de menus traditionnels de bonne tenue, à prix raisonnables.

Sports & Loisirs

Sorties-découvertes – *Syndicat des Caps - r. Notre-Dame - 22240 Plévenon - ☏ 02 96 41 50 83* - Le syndicat propose de très nombreuses balades et randonnées guidées pour : découvrir les falaises et la lande, observer les oiseaux, expérimenter la pêche à pied, arpenter les dunes et les marais des Sables-d'Or, admirer les grottes du cap Fréhel en kayak, partir sur les pas des Templiers, assister au retour de la pêche et à la criée…

La Gacilly★

2 277 HABITANTS
CARTE GÉNÉRALE D3 – CARTE MICHELIN LOCAL 308 S8 – MORBIHAN (56)

Cette agréable petite cité de la vallée de l'Aff ne peut manquer de surprendre par son dynamisme. Non contente d'accueillir un des grands noms de la cosmétique, elle est devenue un lieu de rendez-vous privilégié de nombreux artisans et propose des activités ludiques autour de sa rivière.

▸ **Se repérer** – Située entre Ploërmel (30 km au nord-ouest par la D 8) et Redon (16 km au sud par D 773 et D 873), La Gacilly se trouve à proximité de la vallée de l'Oust et du canal de Nantes à Brest.

🕑 **Organiser son temps** – Prévoyez une bonne journée sur place entre la découverte des artisans du village, le circuit de découverte et la visite des alentours.

👁 **À ne pas manquer** – L'initiation et l'introduction aux plantes que propose le circuit de découverte Yves Rocher.

👫 **Avec les enfants** – Essayez d'identifier toutes les espèces d'animaux qui peuplent la ferme du Monde à Carentoir.

♿ **Pour poursuivre la visite** – Voir aussi Josselin, la forêt de Paimpont, Lohéac, Redon et Rochefort-en-Terre.

Découvrir

L'ARTISANAT

Fileur de verre (sortie du village), dinandier, sculpteur, tourneur sur bois… une trentaine d'artisans travaillent et exposent dans le village. Vous pouvez les retrouver grâce au **circuit des Artisans** dont le plan est disponible à l'office du tourisme. Autre option possible : vous laissez guider par votre inspiration et flâner au gré des rues bordées de maisons anciennes. Vous trouverez toujours un atelier sur lequel vous extasier.

PLANTES ET COSMÉTIQUE

Circuit de découverte Yves Rocher★

📞 02 99 08 35 84 - ♿ - *visite guidée (circuit complet : site industriel + jardin botanique) 13 juin-18 sept. : 10h30-13h, 14h-19h ; visite libre (végétarium + expo photos) 27 mai-12 juin : 10h30-12h30, 13h30-18h30 ; visite libre (végétarium + expo photos) 26 mars-26 mai : tlj sf lun.*

Ruelle de La Gacilly.

A. de Valroger / MICHELIN

14h-18h30 - 6,50 € (-10 ans gratuit). Le bâtiment d'accueil de la Croix des Archers regroupe une boutique, un espace vidéo sur l'entreprise, et une reconstitution du grenier où Yves Rocher a fait ses débuts.

Végétarium – *Près du pont sur l'Aff.* Omniprésentes, indispensables et pourtant si méconnues, les plantes méritent bien cet espace de découverte qui leur est consacré. Une belle vidéo, des reconstitutions (milieux désertique et tropical), des maquettes et présentations interactives illustrent la vie des plantes et leur utilité pour l'homme.

Jardin botanique – *La Croix des Archers, direction Guer.* La bambouseraie conduit au jardin botanique où plus de 1 000 espèces de plantes sont classées en fonction de leurs utilisations : cosmétique, parfums, condiments, industries, tisanes…

Site industriel – *Les Villes Jeffs, rendez-vous à l'accueil de la Croix des Archers. Privilégier les jours de fonctionnement de l'usine.* Le parcours, en partie audioguidé dans une galerie panoramique, présente les deux unités de production (1991 et 1996) du site.

Aux alentours

Carentoir

6 km au nord par la D 773 en direction de Guer.

👫 Dans le parc du manoir Le Bois Brassu, **la ferme du Monde** rassemble 55 espèces d'animaux d'élevage parmi les plus représentatives des différents continents. Une ferme pour enfants et un minigolf complètent ces installations, réalisées et entretenues par les travailleurs handicapés du Centre d'aide par le travail. 🕿 02 99 93 70 70 - www.lafermedumonde.com - ⅙ - *1er juin-15 sept. : 10h-19h ; avr.-mai et 16 sept.-11 Nov. : 10h-18h ; (dernière entrée 1h30 av. fermeture), possibilité de visite guidée (1h30 à 2h en train) - fermé du 11 Nov. au w.-end de Pâques - 8 € (+ 2,50 € pour le train) (enf. 4,50 € + 2 € pour le train).*

Basse vallée de l'Oust

Au sud de La Gacilly. Cette portion de vallée, classée « Grand Site naturel », présente des paysages contrastés de marais, de coteaux escarpés et de cluses. À voir en particulier : l'**Île-aux-Pies**, escarpement rocheux dominant la rivière à Bain-sur-Oust, le site du Pont-d'Oust à Peillac, du Mortier de Glénac, de la cluse de Saint-Congard.

La Gacilly pratique

Adresse utile

Office du tourisme de La Gacilly – *Le Bout du Pont - 56200 La Gacilly -* 🕿 *02 99 08 21 75 - www.paysdegacilly.com - juil.-août : lun.-sam. 10h-19h, dim. 10h30-12h30, 14h30-18h30 ; mai-juin : mar.-sam. 9h30-12h30, 14h-18h30, dim. 14h-18h ; avr. et sept. : mar.-sam. 9h-12h30, 14h-18h, dim. 14h-18h ; janv.-mars et oct.-déc. : lun.-vend. 9h-12h30, 14h-18h.*

Se loger et se restaurer

😊😊 **Hôtel De France** – *R. de Montauban -* 🕿 *02 99 08 11 15 - hoteldefrancelagacilly. com - fermé 24 déc.-3 janv. et dim. soir -* 🅿 *- 25 ch. 50 € -* 🍽 *6,50 € - rest. 15/34 €.* Dans le charme un brin désuet des hôtels d'autrefois, cet établissement propose des chambres très bien tenues. Préférez les 8 plus récentes. Appétissante carte traditionnelle au restaurant.

La **Grande Brière** ★

CARTE GÉNÉRALE D4 – CARTE MICHELIN LOCAL 316 C/D 3/4 – LOIRE-ATLANTIQUE (44)

Des canaux et des plantes aquatiques à perte de vue : voici le second marais de France après la Camargue. Également nommé Grande Brière Mottière, il occupe 7 700 des 40 000 ha du Parc régional de Brière, juste au nord de l'estuaire de la Loire. Ce lieu préservé, à quelques minutes des plages de La Baule, offre l'occasion de belles promenades à pied, à cheval ou en chaland.

- ▶ **Se repérer** – Au nord de St-Nazaire, la Grande Brière est une dentelle de marais niché entre la N 171 (St-Nazaire-La Baule), la D 774 (La Baule-La Roche-Bernard) et la N 165 (Nantes-Vannes).

- 🕓 **Organiser son temps** – Privilégiez le crépuscule pour l'observation des oiseaux, en n'oubliant pas de vous protéger contre les moustiques !

- 👁 **À ne pas manquer** – Les prairies marécageuses de l'île de Fédrun et les chaumières du hameau de Kerhinet.

- 👫 **Avec les enfants** – Observez les oiseaux de la réserve Pierre Constant et du parc de Ker Anas, allez voir le dolmen de Kerbourg, rendez visite aux personnages de la Chaumière des Marionnettes, et surtout, promenez-vous en chaland.

- ⏱ **Pour poursuivre la visite** – Voir aussi La Baule ; Le Croisic, Guérande ; La Roche-Bernard, St-Nazaire et Nantes.

Comprendre

Derrière une digue – La Grande Brière occupe une ancienne cuvette, vallonnée et boisée. Ses populations néolithiques en furent chassées par une invasion momentanée de la mer. Le marais s'est formé derrière un talus, constitué par les alluvions de la Loire. Dans les plantes aquatiques, transformées en **tourbe**, se trouvent des arbres fossiles, les **mortas**, vieux de 5 000 ans, durs et imputrescibles.

Promenade en barque dans les marais de la Grande Brière.

Au quotidien – Par le travail de l'homme, cette lagune se compartimente, s'assèche, se draine. En 1461, le duc de Bretagne François II reconnaît aux Briérons un droit de propriété indivis, confirmé par les édits royaux de François Ier à Louis XVI. Le Briéron exploite la tourbe, le **« noir »** (terreau servant d'engrais), qui a valu à la Grande Brière le surnom de « pays noir ». Il cueille les roseaux et les joncs dont il recouvre les chaumières, la bourdaine qu'il tresse en paniers, cultive son jardin. Il récolte aussi les sangsues, harponne les **pimpeneaux**, anguilles au ventre argenté, pose dans les **piardes** (plans d'eau) des **bosselles**, nasses en osier pour capturer brochets, tanches et gardons. Il chasse à l'affût avec ses chiens dans son **chaland**, caché derrière une **bosse** plantée de saules. Il pousse de sa longue perche son **blin**, grande barque plate chargée de vaches ou de moutons qui vont paître sur la **plattière**. Mais son gain reste incertain, et les femmes n'hésitent pas à travailler « aux fleurs ». Au 19e s. et au début du 20e s., deux ateliers de **St-Joachim**, qui emploient près de 140 ouvrières, confectionnent des fleurs d'oranger en cire.

Du marécage au pâturage – Au 20e s., le Briéron se tourne vers les industries métallurgiques de Trignac, les chantiers navals et aéronautiques de St-Nazaire. Des routes relient les anciennes îles, des écluses sont construites. Mais la Grande Brière garde son attrait, et le Briéron, revenu chez lui, pêche et chasse pour son plaisir. Il conduit volontiers le visiteur sur son chaland, à travers les canaux et les piardes miroitantes où poussent les iris jaunes *(de mi-mai à mi-juin)* et les nénuphars blancs *(de mi-juin à fin juillet)*.

Découvrir

Le **Parc naturel régional** créé en 1970 a pour mission de sauvegarder et de préserver la spécificité de ces paysages si particuliers et de leur **avifaune** (le parc accueille la plus grande concentration de busards et de hérons cendrés de France). Il s'y emploie en surveillant par exemple la progression des **roselières** (surfaces plantées de roseaux) qui empiètent de plus en plus sur les **prairies** et les **plans d'eau**. Il assure également le curage des **canaux**, autrefois entretenus par les habitants qui vivaient des marais.

Parc
naturel
régional
de Brière

Une autre facette de sa mission consiste à **valoriser** économiquement ces espaces. Cela passe entre autres par l'encouragement (à l'étude) de **pratiques agricoles** qui s'appuieraient sur les produits du marais comme les roseaux (utiles à la couverture des toits) et le « noir » (possible engrais écologique). La **mise en valeur touristique** fait partie du programme. Le parc organise ainsi des fêtes traditionnelles, et des randonnées guidées à pied, à bicyclette ou en canoë-kayak.

☙ Reportez-vous en fin de chapitre à « La grande Brière pratique » pour avoir les coordonnées de la maison du tourisme de la Grande Brière.

PARC NATUREL RÉGIONAL DE BRIÈRE

Circuit de découverte

TOUT AUTOUR DU PARC

83 km au départ de St-Nazaire – comptez une demi-journée. Quittez St-Nazaire par la N 171, vers Nantes, et sortez à Montoir-de-Bretagne pour prendre la D 50.

Saint-Malo-de-Guersac

Cette île est la plus vaste de la Brière. Du haut de ses 13 m, la **vue** s'étend de Guérande à l'ouest, au Sillon de Bretagne à l'est.

Rozé

Du petit port de Rozé, berceau de la construction navale, partaient les chalands, chargés de tourbe, vers Nantes, Belle-Île, La Rochelle ou Vannes.

Maison de l'éclusier – ℘ 02 40 66 85 01 - www.parc-naturel-briere.fr - visite guidée (1h) 1ᵉʳ-juil.-17 sept. : 10h30-13h, 14h30-18h30 ; avr.-juin. : 14h-18h - fermé reste de l'année - 5 € (enf. 2,50 €).
Placée sur le canal de Rozé, elle présente la faune et la flore du marais, la formation du marais et son évolution. Tout à côté, on peut voir une reconstitution de la *Théotiste*, chaloupe qui servait au transport de la tourbe.

Réserve Pierre Constant – *Derrière la Maison de l'éclusier, un chemin (environ 800 m) suit un canal et conduit au pavillon d'accueil -* ℘ 02 40 66 85 01 - www.parc-naturel-briere.fr - juin-sept. : 9h-19h ; avr.-mai : 14h-18h - fermé reste de l'année - 5 € (enf. 2,50 €).
Ce parc de 26 ha est sillonné par un sentier émaillé de postes d'observation où seuls la patience et le silence peuvent être récompensés. Des panneaux permettent d'identifier la faune et la flore. Petite exposition sur les activités du marais.

Avant St-Joachim, prenez à gauche.

Île de Fédrun★

Reliée à la route de St-Joachim par deux ponts, c'est la plus attachante de ces îles, entourées de prairies marécageuses. Traversée par une voie médiane, elle est cernée par une rue dessinant ses contours. Au n° 130, la **Maison de la mariée** présente, dans un intérieur briéron, une étonnante collection de parures de mariage ornées de fleurs d'oranger en cire, dont on découvre la fabrication. 🕾 02 40 66 85 01 - 1er juil.-17 sept. : 10h30-13h, 14h30-18h30 ; avr.-juin : 14h-18h - fermé reste de l'année - 5 € (enf. 2,50 €).

Saint-Joachim

Berceau de la fleur d'oranger en cire, le bourg s'allonge sur les îles de **Brécun** (8 m d'altitude) et de **Pendille**, dominé par la haute flèche blanche de son **église** du 19e s. Pl. Julien-Salnier - 🕾 02 40 88 42 34 - tlj 8h-18h.

La route traverse les îles de **Camerun** et de **Camer**, peu habitées.

La Chapelle-des-Marais

Dans l'**église** se trouve une statue de saint Corneille, protecteur des bêtes à cornes (chapelle à droite du chœur, au-dessus de l'autel).

Prenez la route d'Herbignac et, après 2 km, tournez à gauche, dir. Mayun.

La Chaumière des Marionnettes

28 r. de la Herviais, Mayun à La Chapelle-des-Marais – 🕾 02 40 53 22 40 - ouv. tte l'année w.-end et tlj pdt vac. scol. : 14h-19h - visite contée - 3 € - juil.-août, spectacle de contes le merc. à 21h. Boutique et stages de fabrication de marionnettes.

👪 Après avoir sillonné la France pour présenter leurs spectacles de marionnettes pendant près de 30 ans, un couple de passionnés a posé ses valises dans cette ravissante chaumière. Débordant d'imagination, ils emmènent les visiteurs pour un voyage imaginaire au pays des sorcières, lutins et autres korrigans.

Revenez sur la route d'Herbignac et faites encore 2 km.

Château de Ranrouët

Garez-vous sur le terre-plein herbeux. 🕾 02 40 88 96 17 - www.herbignac.com/chateau - juil.-août : 10h-19h ; avr.-juin et sept. : tlj sf lun. 14h30-18h30 - visite guidée (1h) en juil.-août 5,30 € (enf. 2,60 €) - fermé 1er Mai - 2,60 € (enf. 1,60 €).

Cette forteresse des 12e et 13e s. fut démantelée en 1618 par Louis XIII puis brûlée sous la Révolution. Ses ruines imposantes conservent six tours rondes, entourées de larges douves sèches. Remarquez les aménagements du 16e s. destinés à contrer les progrès de l'artillerie (barbacane, enceinte bastionnée) et, sur plusieurs tours, des besants (figures circulaires) appartenant aux armoiries de la famille.

Faites demi-tour et prenez à droite vers Pontchâteau. À Mayun, où les vanniers tressent encore la bourdaine, tournez à droite.

Les Fossés-Blancs

De l'embarcadère sur le canal du nord, on a une belle vue de la Brière. La visite du marais permet de découvrir la flore et la faune, entre canaux et piardes, ces étendues de terre envahies d'eau toute l'année.

Saint-Lyphard

Un belvédère a été aménagé dans le clocher de l'**église** (135 marches). Un vaste **panorama**★★ s'étend sur la Brière, et de l'estuaire de la Loire à l'embouchure de la Vilaine en passant par Guérande et ses marais salants. 🕾 02 40 91 41 34 - www.saint-lyphard.com - juil.-août : 10h-18h30 (18h dim. et j. fériés) ; juin et sept. : 10h30-17h30 ; avr.-mai : tlj sf dim. et j. fériés 10h30-17h30 ; oct.-mars : tlj sf lun., dim. et j. fériés 10h30-17h (visite ttes les 30mn) - fermé 1er janv. 1er et 11 Nov. et 25 déc.- 3 € (enf. 2 €).

Prenez la route de Guérande et, à 7 km de St-Lyphard, tournezr à gauche.

Dolmen de Kerbourg★

👪 Près d'un moulin, cette allée couverte (du néolithique moyen) est un ancien cairn dont ne subsistent que le couloir et la chambre funéraire.

Continuez en direction du Brunet.

Kerhinet★

Garez-vous sur le parking aménagé.

Ce charmant hameau rassemble de nombreuses chaumières dont la plupart ont été restaurées par le Parc.

On y trouve une auberge et divers lieux d'exposition : présentation d'un modeste intérieur briéron (sol en terre battue, meubles, ustensiles de cuisine) et ses dépendances, **musée du Chaume**. 🕾 02 40 66 85 01 - visite guidée (1h) 1er juil.-17 sept. : 10h30-13h, 14h30-18h30 ; avr.-juin : 14h-18h - fermé reste de l'année - 5 € (enf. 2,50 €).

Gagnez le Brunet, où la route se prolonge jusqu'à **Bréca** : belle vue sur la Brière et le canal de Bréca.

Revenez au Brunet et prenez la D 47.

Saint-André-des-Eaux

Parc ornithologique de Ker Anas – 𝄞 02 40 01 27 48 - 🚻 - *juil.-août : 10h-20h, possibilité de visite guidée (2h) mar. et jeu. 10h ; avr.- juin et sept. : 14h30-18h30 ; ttes vac. scol. (sf Noël) et mars-oct. : w.-end 14h-18h, - fermé nov. déc.-janv. - 5,80 € (-5 ans 3,20 €).*

👥 Le parc (3 ha) comporte un parcours de 1 km, qui permet de découvrir une multitude d'oiseaux des différents continents : oies, bernaches, sarcelles, cygnes, canards du monde entier… À l'entrée, on peut se procurer un petit sac de blé pour les nourrir à la main.

Prenez la D 127 vers la Chaussée-Neuve.

Chaumière reconstituée à Kerhinet.

La Chaussée-Neuve

De cet ancien port d'où les blins partaient, chargés de tourbe, **vue★** étendue sur la Brière.

Revenez à St-André-des-Eaux et par la D 47, rentrez à St-Nazaire.

Aux alentours

Pontchâteau

12 km au nord-est de St-Joachim par la D 16.

Perchée sur une colline, dans une région peuplée d'anciens moulins à vent, l'église de Pontchâteau domine la petite ville aux maisons étagées sur les rives du Brivet.

Calvaire de la Madeleine

4 km à l'ouest. Quittez Pontchâteau par la D 33 en direction d'Herbignac . Garez-vous sur le parking à gauche de la route, face à la chapelle du pèlerinage.

Saint **Louis-Marie Grignion de Montfort**, célèbre prédicateur (1673-1716), fit élever ce calvaire en 1709 dans la lande de la Madeleine, sur un Golgotha artificiel ; démoli sur l'ordre de Louis XIV, il fut reconstruit en 1821.

Partez du temple de Jérusalem, construction mi-forteresse, mi-palais oriental ; une belle allée traverse le parc vers le prétoire de Pilate ou Scala Sancta, dont les cinq hauts-reliefs représentent les premières scènes de la Passion. Après la première station, le chemin de croix se poursuit, à gauche, par de grandes statues peintes en blanc, qui sortent de l'imagerie populaire. Du calvaire, vue sur la Brière, St-Nazaire et Donges.

Fuseau de la Madeleine – *À 800 m du calvaire. Prenez la route à gauche de la statue du Sacré-Cœur, traversez le parc, puis tournez à gauche au premier carrefour. Ce menhir de 7 m de haut et de 5 m de circonférence se dresse au milieu d'un pré.*

La Grande Brière pratique

Adresse utile

Maison du tourisme de Brière – *38 r. de la Brière - 44410 La Chapelle-des-Marais - www.parc-naturel-briere.fr - 𝄞 02 40 91 68 68 - tlj sf w.-end et j. fériés 10h-13h, 14h-18h.*

Promenade en chaland★★

Pour vous promener, reportez-vous à la carte du parc où sont précisés les embarcadères. En toute saison, la Grande Brière garde son charme : fleurie au printemps, verte en été avec ses berges noires et ses racines de saules apparentes, rousse en automne avec ses vols de canards, argentée en hiver avec ses terres inondées.

Anthony Mahé – *Port de la Chaussée-Neuve - 44117 St-André-des-Eaux - 𝄞 02 40 91 59 36 - promenade guidée (45mn) 10h-18h - 7 € (-14 ans 4 €). Dans le Parc régional de Brière, Anthony Mahé* organise des promenades en barque sur les grands canaux rectilignes et les roselières dorées par le soleil.

Se loger

⌘ **Hôtel le Bretagne** – *Pont d'Armes - 44410 Asserac - 🖉 02 40 01 71 03 - fermé 2 sem. en fév. et 2 sem. en nov. -* 🅿 *- 12 ch. 40/47 € -* 🖵 *6 €.* Les marais à une encablure et l'Atlantique à 5 km : voici l'environnement planté de cette maison néo-bretonne. Les chambres sont assez simples, mais bénéficient toutes d'une récente rénovation qui les rend attrayantes. Petit-déjeuner servi sous une véranda tournée vers le jardin.

⌘ **Chambre d'hôte Ty Gwenn** – *25 Île d'Errand - 44550 St-Malo-de-Guersac - 3 km de St-Malo, apr. l'église dir. Errand - 🖉 02 40 91 15 04 - fermé oct.-mars -* 🖵 *- 4 ch. 42/54 €* 🖵 *- repas 20 €.* Romantique à souhait, cette jolie chaumière briéronne accueille ses hôtes dans un confort douillet. Poutres, cheminée et tissus choisis composent un décor raffiné. Le

charmant jardin et la piscine ajoutent au plaisir d'un séjour… réservé aux seuls non-fumeurs !

Se restaurer

⌘ **Les Calèches Briéronnes** – *À Bréca - 44410 St-Lyphard - 🖉 02 40 91 33 24 - fermé de la Toussaint à Pâques - 11/16 €.* Vieux chênes et marais entourent cette maison où vous pourrez grignotter une galette, une crêpe, une salade, une grillade ou une glace. Simple salle à manger agrémentée de baies vitrées et de lambris. Agréable terrasse d'été. Accueil souriant.

⌘🍽🍽 **Auberge de Bréca** – *44410 Bréca - 🖉 02 40 91 41 42 - www.auberge-breca.com - fermé 19 déc.-3 janv., mar. soir de nov. à mars, dim. soir et jeu. sf juil.-août - 28/55 €.* Au cœur du parc naturel de la Brière, ce restaurant-glacier, aménagé dans un ancien relais de chasse, est le lieu idéal pour étancher une soif née après une longue balade en barque, par exemple.

Côte de **Granit rose** ★★

CARTE GÉNÉRALE C1 – CARTE MICHELIN LOCAL 309 A/B2 – CÔTES-D'ARMOR (22)

Il y a quelque chose de magique tout au long de cette côte. La couleur bien sûr, mais surtout la forme érodée, surprenante, multiple et parfois amusante, des rochers de granit qui émergent le long des grèves, des criques et des îlots, composant ce rivage inoubliable. De nombreux sentiers permettent de les approcher : affûtez votre œil et laissez-vous enchanter !

▶ **Se repérer** – Même si l'usage lui adjoint parfois toute la côte, de la pointe de l'Arcouest à l'est (nord de Paimpol), à Trébeurden à l'ouest, la Côte de Granit rose correspond *stricto sensu* à la partie du littoral qui va de Ploumanach à l'île Grande, entre Perros-Guirec à l'est, et Trébeurden à l'ouest.

🕐 **Organiser son temps** – Comptez entre 3 et 4h (AR) de marche pour suivre le sentier des douaniers entre Perros et Trégastel.

👁 **À ne pas manquer** – Les blocs de granit rose qui jalonnent le sentier des douaniers, surtout à la hauteur de Ploumanach et sur l'île Renote, à Trégastel.

👥 **Avec les enfants** – Évadez-vous au Planétarium de Bretagne, découvrez la Cité des télécoms et soignez les oiseaux à la station ornithologique d'île Grande.

🕯 **Pour poursuivre la visite** – Voir aussi Trégastel-Plage, Perros-Guirec, la côte des Bruyères, Lannion et Tréguier.

Comprendre

Un granit haut en couleur – Les formes curieuses des énormes rochers de granit rose qui font l'attrait de la corniche bretonne sont dues à l'érosion. Le granit est composé de quartz, de mica et de feldspath. Ce dernier se transforme en kaolin, qui est lessivé par l'eau, et le résidu des grains de quartz donne le sable que les pluies ou les vagues emportent. Peu à peu, la pierre se façonne et présente des aspects surprenants, dont des empilements à l'équilibre hardi, des pierres branlantes. L'érosion a été ici très vigoureuse parce qu'il s'agit de roches à gros grain. Les imaginations locales ont doté de noms les plus typiques ces rochers : chapeau de Napoléon, gnome, sorcière, tête de mort, éléphant, baleine, bélier, cheval, fauteuil, parapluie, sentinelle, tire-bouchon, etc.

Circuit de découverte

DE PERROS-GUIREC À TRÉBEURDEN

27 km – environ 6h. Quittez Perros-Guirec vers l'ouest.

En 1887, **Joseph Le Bihan** quitte Paris, où il était maître d'hôtel, pour s'installer à Trestraou (une plage de Perros-Guirec conserve l'appellation du lieu-dit). Il y reçoit bientôt toutes les personnalités de l'époque : hommes politiques, artistes, écrivains… À l'exemple de la Côte d'Émeraude, la Côte de Granit rose devient à la mode.

Chapelle N.-D.-de-la-Clarté★ et Ploumanach★★ *(voir Perros-Guirec)*

Trégastel-Plage★★ *(voir ce nom)*

La D 788 passe en bord de mer. Le regard se porte sur une côte étrange, parsemée de nombreux îlots et récifs.

Au hameau de Penvern, après le café du Menhir, prenez à gauche vers Pleumeur-Bodou.

Menhir de Saint-Uzec★

Ce beau menhir est surmonté d'une croix ; des instruments de la Passion entourent l'effigie d'une femme en prière.

Par la chaussée en contrebas du menhir, gagnez la route de Pleumeur-Bodou, tournez à gauche et, 400 m plus loin, prenez encore à gauche.

Pleumeur-Bodou

Ce village est connu pour son impressionnant radôme de 64 m de diamètre auprès duquel s'est ouvert le Parc scientifique du Trégor.

Cité des télécoms★ – ✆ 02 96 46 63 80 - www.cite-telecoms.com - ♿ - juil.-août : 11h-19h ; mai-juin : 11h-18h ; avr. et sept. : 11h-18h, w.-end 14h-18h ; vac. scol. d'hiver : tlj sf sam. 14h-18h - fermé janv., 11 Nov. et 25 déc. - 7 € (enf. 5,60 €)
Inauguré en 1962, le Centre des télécommunications de Pleumeur-Bodou est le lieu historique de la première liaison transatlantique, par le satellite **Telstar**, entre la France et les États-Unis, le 11 juillet 1962. Outre le radôme et le musée, le site est occupé par une quinzaine d'antennes géantes qui communiquent avec les cinq continents.

Installé dans un gigantesque bâtiment en forme d'aile delta, le **musée** retrace un siècle et demi d'inventions, de progrès et de technologies. Sept espaces thématiques présentent cette évolution de plus en plus rapide : navire câblier *Agamemnon*, fusée *Ariane*, écran de l'AFP informant des derniers événements dans le monde, images de Météosat.

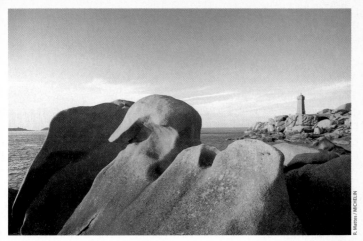

Rochers de Ploumanac'h au coucher du soleil.

Le musée distribue des plaquettes ludiques pour les 5-8 ans et les 9-12 ans. Au-delà, les enfants doivent suivre un jeu de piste et résoudre des énigmes.

Planétarium de Bretagne★ – ☎ 02 96 15 80 30/32 - www.planetarium-bretagne.fr - ♿ - séances d'astronomie (50mn) juil.-août et vac. scol. tlj 14h, 15h et 16h (enfantines à 11h, se renseigner pour les séances étrangères) - fermé hors vac. scol. merc. et sam. d'oct. à mars, et sam. jusqu'en juin - fermé janv., 24-25 et 31 déc. - 7,20 € (enf. 5,80 €).

Sous une coupole de 20 m de diamètre, un simulateur émet l'image d'un ciel étoilé. Le spectateur est ensuite transporté en divers points de l'espace et du temps (différents thèmes sont abordés suivant les séances).

Île Grande

La côte nord y est violemment exposée à la houle du large, tandis que l'intérieur offre un paysage de landes, bordées de nombreuses grèves à l'est et au sud. Son granit bleuté a servi à des chantiers aussi divers que le viaduc de Morlaix, le boulevard Haussmann à Paris, des bâtiments de Londres ou d'Anvers.

L'île possède également des vestiges mégalithiques, en particulier une allée couverte au nord-est du village.

Station ornithologique – ☎ 02 96 91 91 40 - www.lpo.fr - juil.-août : 10h-13h, 14h30-19h, w.-end et j. fériés 14h30-19h ; vac. scol. : 14h-18h ; reste de l'année : w.-end et j. fériés 14h-18h - fermé 1er janv. et 25 déc. - 2,50 € (enf. 1,50 €).

Centre de soins pour oiseaux marins, elle présente une exposition sur les espèces d'oiseaux de l'archipel des Sept-Îles (guillemots, macareux, pingouins torda…). À l'étage, la vie des fous de Bassan est retransmise en direct par un système vidéo à faisceau hertzien. Dès l'entrée, les petits se voient remettre un carnet d'exploration et doivent répondre à une série de questions posées par Breiz'neg, le lutin.

Revenez à la route de corniche qui, à gauche, mène à Trébeurden.

Trébeurden

Cette station balnéaire du Trégor a récemment défrayé la chronique avec son nouveau port de plaisance, d'une taille imposante. Elle recèle plusieurs plages, bien exposées au sud. Les deux principales sont séparées par la presqu'île rocheuse du Castel : la plage de Pors-Terme est à droite de celle de Trozoul, qui constitue le port. La plage de Tresmeur est beaucoup plus vaste et très fréquentée.

Le Castel★ – 30mn à pied. Emprunter l'un des sentiers qui part du parking aménagé sur l'isthme séparant les plages de Trozoul et de Tresmeur. De cet amas rocheux, **vue★** étendue sur la côte et les îles Milliau, Molène, Grande et Losquet.

Île Milliau★

Accès à pied à marée basse à partir du Castel (voir ci-dessus). Se renseigner sur les heures à l'office du tourisme de Trébeurden. Gîtes d'étape dans anciennes fermes du 16e s.

Cette petite île verdoyante de 23 ha surprend par la richesse de sa flore qui ne compte pas moins de 280 espèces botaniques. Elle fut offerte par Maurice Brunau-Varilla, magnat de la presse, à sa belle mais exigeante maîtresse : Lucie U.-Lalès, dite **Mme Jourdan**.

Celle-ci régna sur ce petit royaume de 1911 à 1942. Belle vue panoramique depuis les ruines de la maison « d'Aristide Briand », dressée à l'extrémité nord-ouest (l'homme politique, amant de la propriétaire, y séjourna de 1919 à 1932).

Pointe de Bihit★

La route de Porz-Mabo domine la plage de Tresmeur et procure des vues sur les îles. Prenez le chemin sur la droite.

De la table d'orientation, une **vue★** panoramique dévoile la côte, de l'île de Batz et Roscoff à l'île Grande, en passant par le phare des Triagoz en mer.

La côte de l'île Milliau.

La route, qui a effectué un quart de cercle, descend vers **Porz-Mabo**, à la vaste plage de sable fin.

Côte de Granit rose pratique

Se loger

⌂☎ **Hôtel Toëno** – *Rte de Trégastel -
22560 Trébeurden -* ☏ *02 96 23 68 78 -
tœno@wanadoo.fr -* 🅿 *- 17 ch. 50/95 € -*
🛏 *9 €.* Construction récente dont les chambres, lumineuses et fonctionnelles, sont sobrement décorées et équipées de balcons ou terrasses ; certaines ont vue sur la Manche.

Se restaurer

⌂☎ **Le Quellen** – *18 corniche Goas-Treiz -
22560 Trébeurden -* ☏ *02 96 15 43 18 -
lequellen@wanadoo.fr - fermé 6-26 mars,
13 nov.-3 déc., mar. midi, dim. soir sf juil.-*
août et lun. - 14 € déj., 22/46 €. Sur la traversée de Trébeurden, restaurant servant une cuisine traditionnelle dans un cadre néorustique lumineux. Collection de moulins à café en salle. Chambres fonctionnelles.

Sports & Loisirs

Sorties en mer sur vieux gréements –
Au départ de Perros-Guirec ou de Trégastel, ces sorties en mer, à bord d'un bateau à voile ou d'une réplique de vieux langoustier, vous emmèneront à la découverte de la réserve ornithologique des Sept-Îles. Participation aux manœuvres de l'embarcation. Promenades allant d'une demi-journée à une journée complète.

Île de **Groix**★

2 275 GROISILLONS
CARTE GÉNÉRALE C4 – CARTE MICHELIN LOCAL 308 K9 – MORBIHAN (56)

Au large de Lorient, Groix, bien que de dimensions plus modestes, présente le même aspect géologique que Belle-Île. Des rochers géants masquent ses vallons, sa Côte sauvage tapissée d'ajoncs et de bruyères est découpée de falaises et de criques sablonneuses. On les imagine sans peine battues par les terribles tempêtes qui ont valu à l'île le proverbe local : « Qui voit Groix voit sa croix ». Ces paysages n'en font pas moins un refuge idéal pour les amoureux de la nature, et les amateurs de légendes aussi puisque Groix porte en breton le nom d'« île de la sorcière ».

▶ **Se repérer** – Située à 3 miles du continent, l'île de Groix se trouve à trois quarts d'heure de bateau de Lorient. Elle s'étire sur 8 km de long, 2 à 4 km de large, et se divise en deux parties : **Primiture** à l'est, caractérisée par ses plages et ses bosquets, et **Piwisy** à l'ouest, plus sauvage et escarpée.

▣ **Se garer** – Mieux vaut éviter d'amener sa voiture sur l'île : il faut réserver long-temps à l'avance et cela revient cher. Préférez le vélo, même si les sentiers côtiers leur sont interdits par mesure de sécurité.

◷ **Organiser son temps** – Préférez Groix hors saison : l'affluence estivale nuit en effet à la tranquillité des lieux. Autrement, une journée suffit à en faire le tour.

◉ **À ne pas manquer** – Le fracas rocheux du Trou de l'Enfer et le site de Port-Lay.

♟ **Avec les enfants** – Faites la visite de l'écomusée de l'île de Groix.

♨ **Pour poursuivre la visite** – Voir aussi Quimperlé, Lorient, Port-Louis, et la rivière d'Étel.

Circuit de découverte

🚶 Le circuit ci-dessous permet de voir l'essentiel de l'île, mais si vous désirez l'explorer plus en détail, sachez que Groix possède 27 km de chemins côtiers (balisés au sol), exclusivement réservés aux piétons. Pour les cyclistes et les cavaliers, 50 km de sentiers, accessibles à tous, sillonnent l'intérieur de l'île, dévoilant vestiges préhistoriques, hameaux, fontaines et lavoirs.

Comptez une journée.

Port-Tudy

De 1870 à 1940, Groix fut le premier port français d'armement au thon. Aujourd'hui, l'ancien port thonier n'accueille plus guère de chalutiers (il en reste huit).

◉ Vous trouverez des loueurs de bicyclettes le long du quai.

Écomusée de l'île de Groix – 𝄞 02 97 86 84 60 - www.groix.fr - juil.-août : tlj sf lun. 9h30-12h30, 15h-19h ; avr.-juin et sept.-oct. : tlj sf lun. 10h-12h, 14h-17h ; nov.-mars : merc. et w.-end 10h-12h30, 14h-17h - fermé 25 déc., 1ᵉʳ janv., 1ᵉʳ et 8 Mai et lun. de Pâques -

Escale à Port-Tudy.

4,50 € (enf. + de 10 ans 2,10 €), gratuit le dim. nov.-mars. Installé dans une ancienne conserverie, il présente une intéressante exposition sur la géographie, l'histoire et l'ethnographie de l'île.

👪 Un livret de visite est donné aux enfants de 6 à 12 ans. Guidés par Joseph Tonnerre, ils suivront les traces d'un petit mousse tout en visitant le musée.

Loctudy (le bourg)

Bourg principal de l'île, il groupe ses maisons basses aux toits d'ardoise autour de l'église, dont le clocher est surmonté d'un thon de bronze, servant de girouette.

À **Port-Mélite**, la vue se développe de la barre d'Étel à la pointe du Talut. En poursuivant plus à l'ouest, le long du sentier côtier, vous parviendrez à la **plage des Grands Sables** (voir Groix pratique).

Locmaria

Face au grand large, ce village aux rues tortueuses parsemées de lavoirs et de fontaines possède un petit port de pêche et de plaisance.

Pointe des Chats

C'est la partie la plus basse de l'île, avec ses rochers qui tombent en pente douce vers la mer. Belle vue sur la côte sud. Dans la **réserve minéralogique**, on peut observer des grenats, des aiguilles de glaucophane bleue, de l'épidote vert, mais le prélèvement est rigoureusement interdit.

Trou de l'Enfer★

Profonde échancrure taillée dans la falaise, où la mer s'engouffre avec violence. Dans ce site sauvage, aride, belle **vue** sur la pointe St-Nicolas et la côte rocheuse.

Port-Saint-Nicolas

Superbe site où de belles falaises encadrent une vaste ria aux eaux claires.

Réserve naturelle François-Le-Bail

Cette réserve occupe l'extrême nord-ouest de l'île, c'est-à-dire les abords des pointes de **Pen-Men** et de **Biléric**. La première se trouve à droite du phare de même nom et offre de belles vues sur la côte morbihannaise et finistérienne, de la pointe du Talut à Port-Manech. Des milliers d'oiseaux la peuplent. La seconde se repère grâce au sémaphore de Beg-Melen (accès interdit).

Toute la zone est protégée afin de préserver la tranquillité des mouettes tridactyles et des autres oiseaux marins nicheurs qui élisent domicile dans les falaises (goéland brun, marin et argenté, cormoran huppé, fulmar boréal). Le secteur est aussi intéressant pour ses minéraux et sa flore.

Des panneaux explicatifs sont installés sur place, mais pour les compléter, rien ne vaut une promenade en compagnie d'un guide de la **Maison de la Réserve**, laquelle organise de nombreuses animations ainsi que des expositions sur le patrimoine naturel de l'île - Le Bourg - ✆ 02 97 86 55 97 - juil.-août : 10h-12h30, 17h30-19h, dim. 10h30-12h30 ; reste de l'année : mar., jeu. et sam. 10h-12h - gratuit - animations (2/j en été tlj sf le dim.) - 5 €.

Port-Melin

On accède à pied, et par une descente rapide, à cette petite crique. Statue élevée à la mémoire de Jean-Pierre Calloc'h.

Port-Lay

Dans un très beau **site★**, ce havre sûr accueillait les premiers thoniers de l'île.

ÎLE DE GROIX

Île de Groix pratique

Adresse utile

Office du tourisme de l'île de Groix – *Quai de Port-Tudy - 56590 Groix - ℰ 02 97 86 53 08 - www.lorient-tourisme.fr - juil.- août : 9h-13h30, 15h-19h ; sept.-juin : tlj sf dim. 9h-12, 14h-17h, fermé lun. mat. et sam. apr.-midi.*

Accès à l'île

Accès à l'île – *Tlj 7h-21h - à partir de 14,42 € AR. Dép. quotidien de Lorient (45mn, 4 à 8 rotations/j selon la période). Société Morbihannaise de Navigation (Lorient) - ℰ 0 820 056 000 (0,12 €/mn) - www.smn-navigation.fr.*

Se loger

⊖ Hôtel L'Escale – *5 quai de Port-Tudy, à Port-Tudy - 56590 Groix (Ile de) - ℰ 02 97 86 80 04 - groix.hotel.escale@wanadoo.fr - fermé déc. - 7 ch. 45/60 € - �ç 7 €.* L'adresse est incontournable, et pour cause ! Ce petit hôtel est situé juste en face du débarcadère de Port-Tudy. Ses chambres, baptisées chacune du nom d'une île bretonne, donnent toutes sur le port et l'Océan. Petits-déjeuners servis dans un joli cadre coloré ou en terrasse face au port.

⊖ Chambre d'hôte La Grek – *3 pl. du Leurhé, le Bourg - 56590 Groix (Ile de) - ℰ 02 97 86 89 85 ou 06 09 71 01 91 - www.groix.com - fermé janv. - ⊄ - 4 ch. 33/53 € ⊑.* Cette demeure de style Art déco, jadis propriété d'un armateur de thoniers, doit son enseigne au surnom donné aux Groisillons. Ses chambres, confortables et élégantes, sont dotées d'immenses salles de bains. Agréables salons garnis de meubles anciens et grand jardin clos.

⊖⊖ Hôtel Marine – *7 r. du Gén.-de-Gaulle, le Bourg - 56590 Groix (Ile de) - ℰ 02 97 86 80 05 - www.hoteldelamarine.com - fermé janv., dim. soir et lun. hors sais. sf vac. scol. - 22 ch. 49/90 € - ⊑ 9,50 € - rest. 17/25 €.* Quel délice ! Ce petit hôtel-restaurant a bien des atouts avec son bar où règne une plaisante atmosphère insulaire, sa jolie terrasse ensoleillée, son charmant jardin, ses chambres coquettes ou plus simples mais bien tenues, et sa cuisine soignée.

Se restaurer

⊖ Chez Paule – *6 r. de Port-Mélite - 56590 Groix (Ile de) - ℰ 02 97 86 89 72 - fermé de fin sept. aux vac. de printemps - ⊄ - réserv. conseillée en été - 6,10/11,43 €.* Décor rustique avec cheminée pour cette authentique crêperie bretonne. Pour l'anecdote, les lattes constituant le plateau des tables proviennent du plancher de la chambre de la maison du gouverneur de Concarneau au temps de Du Guesclin.

Sports & Loisirs

◉ Bon à savoir – Trois magasins de location - Coconut's, À Bicyclette et Bikin'Bike - installés sur le port vous permettront de visiter l'île en vélo. Antivols, sièges bébé et autres accessoires fournis. Vous n'aurez jamais été aussi heureux d'oublier votre voiture !

Pendant les mois de juillet et août, l'association l'Amer propose des kayaks à la location. Une idée intéressante pour découvrir l'île depuis les flots. N'oubliez pas, en revanche, de pagayer de temps en temps : c'est bon pour les bras !

Voir renseignements ci-dessous.

Bikin'Bike – *Port-Tudy - 56590 Groix (Ile de) - ℰ 02 97 86 85 12.* Attenant à la gare maritime, Bikin'Bike met à votre disposition, à 50 m de l'arrivée du bateau, le vélo qu'il vous faut : VTT « tout terrain » pour un usage passe-partout ou VTC « tout chemin » pour la promenade. Remorque enfant Tandem.

Coconut's – *Port-Tudy - 56590 Groix (Ile de) - ℰ 02 97 86 81 57.* Sur le port face au débarcadère, 3 magasins vous proposent location de vélos, scooters, voitures. Jeep-Clio.

Association l'Amer – *7 r. Liaker, le Bourg - 56590 Groix (Ile de) - ℰ 02 97 86 88 59 -* En juillet et août, cette association propose des stage de canoë-kayak de 5 séances en matinée : « le jardin des mers » pour les 6 à 8 ans, « glisse et découverte » pour les 9 à 15 ans, « escapade » (sortie 1h30) pour les groupes de 8 à 10 personnes, location « kayak ouvert ».

Choisir sa plage

L'une des plus belles plages de l'île s'étale dans la crique rocheuse de Port-Mélite, à l'est de Port-Tudy. La plus vaste est la celle des Grands Sables, unique plage convexe d'Europe, avec sa forme d'éperon qui s'avance dans la mer.

Presqu'île de **Guérande**★

CARTE GÉNÉRALE D4 – CARTE MICHELIN LOCAL 316 B4 – LOIRE-ATLANTIQUE (44)

À deux pas de l'agitation estivale de La Baule, Guérande offre le charme si particulier d'une petite ville médiévale fortifiée. Son pays a joué autrefois un rôle capital dans l'histoire de la région, mais la presqu'île doit aujourd'hui une bonne part de sa notoriété au sel produit dans ses marais fréquentés par une multitude d'oiseaux migrateurs.

Un paludier au travail dans les marais salants de Guérande.

▶ **Se repérer** – Agréablement placé sur un sillon qui domine son marais, Guérande n'est distant que de 6 km de La Baule. On y accède depuis St-Nazaire (20 km au sud-est) par la N 171 et depuis La Roche-Bernard (25 km au nord) par la D 774.

🅿 **Se garer** – La circulation dans le centre historique de Guérande est strictement réglementée et se limite en saison estivale aux seules livraisons. Vous trouverez tout autour des remparts, des parkings non surveillés.

🕐 **Organiser son temps** – Ne manquez pas le marché qui se tient tous les mercredis et samedis matin autour de la collégiale St-Aubin.

👁 **À ne pas manquer** – Les personnages grotesques des chapitaux de la collégiale St-Aubin et les visites guidées des marais salants.

👪 **Avec les enfants** – Emmenez vos filles au musée de la Poupée de Guérande, et emmenez-les ensuite avec les garçons aux visites-jeux du château de Careil.

🕯 **Pour poursuivre la visite** – Voir aussi St-Nazaire, La Baule, Le Croisic, La Roche-Bernard et la Grande Brière.

Comprendre

L'ancien golfe – Entre l'île rocheuse de Batz et le coteau de Guérande se serait étendu, à l'époque romaine, un vaste golfe marin. Pour certains auteurs, c'est là qu'aurait eu lieu, au 1er s. av. J.-C. la bataille navale où fut détruite la flotte Vénète, et dont César aurait suivi les péripéties. Les apports des courants ont relié l'île de Batz au continent, créant la langue de sable qui porte La Baule et Le Pouliguen. À l'ouest, la flèche sableuse de Pen-Bron n'a pu rejoindre tout à fait l'île. Face au Croisic, un passage permet donc à la mer de pénétrer, à marée haute, dans le **Grand** et **le Petit Traict** : vestiges de l'ancien golfe, ils forment des réservoirs naturels pour l'alimentation des marais salants en eau de mer. Cette vaste étendue est propre à l'élevage des huîtres et des moules, et on peut y pêcher des palourdes et des bigorneaux.

Les marais salants – Ils s'étendent sur 2 000 ha, répartis en deux bassins, et forment un immense quadrillage délimité par des fossés. L'étymologie de Guérande, issue des mots bretons *gwen* et *ran* signifiant « blanc » et « pays, parcelle » renvoie à ce paysage bien particulier. Toutefois, le « blanc » ici évoqué ne ferait pas référence au sel, mais plutôt à l'aspect sacré du site.

La mer irrigue le marais par un canal, ou **étier**, au rythme quotidien des marées. Tous les 15 jours, en période de saunaison, le paludier, grâce à une trappe, admet l'eau dans un réservoir de décantation, la **vasière**. Sous l'effet d'une légère dénivellation, l'eau circule sur une faible épaisseur dans la saline, en traversant une suite de bassins aménagés dans l'argile : **cobiers**, **fares**, **adernes**. Sous l'action du soleil et du vent, l'eau s'échauffe, s'évapore et devient saumure (augmentation de sa teneur en sel). Dans les **œillets**, bassins de 70 m^2 où elle parvient finalement, le sel se cristallise. De juin à septembre, le paludier récolte deux sortes de sel : la **fleur de sel**, sel de surface (3 à 5 kg par jour et par œillet) et le gros sel ou sel gris, déposé au fond, remonté avec un grand râteau plat, le lasse, sur la ladure (40 à 70 kg par jour et par œillet).

La récolte est ensuite roulée jusqu'au **trénet**, petite plate-forme aménagée sur le talus, pour former le **mulon**, tas important sur le bord de la saline, avant d'être stockée dans le magasin à sel en septembre. En dehors de la période de saunaison, les paludiers entretiennent les marais.

Une lutte difficile – Les salines furent très prospères jusqu'à la Révolution : en effet, le sel circulait dans toute la Bretagne sans être soumis à la gabelle ; les marchands pouvaient l'échanger dans les provinces voisines contre des céréales. La contrebande des « **faux sauniers** » s'exerçait souvent, malgré la menace des galères.

Aujourd'hui, on exploite environ 7 000 œillets, qui produisent en moyenne 10 000 t de gros sel par an. Le sel guérandais est d'une très haute qualité nutritive, du fait de sa richesse en oligoéléments.

Découvrir

GUÉRANDE★

Cette petite localité, qui domine la région des marais salants, est entièrement ceinturée de remparts. L'entrée principale est la massive porte St-Michel qui accueille le musée du Pays de Guérande.

Musée du Pays de Guérande - Porte Saint-Michel

℘ 02 28 55 05 05 - www.ville-guerande.fr - avr.-sept. : tlj sf lun. mat. 10h-12h30, 14h30-19h ; oct. : tlj sf lun. mat. 10h-12h, 14h-19h - fermé nov.-mars. - 3,50 € (enf. 2 €).

Cette ancienne et imposante demeure des gouverneurs (15e s.) abrite un musée régional dont les étages sont reliés par un escalier à vis. Remarquez le **mobilier** (ciré pour le briéron, peint au sang-de-bœuf pour le paludier), la faïence du Croisic, une partie du jubé de la collégiale, ainsi qu'une importante collection de costumes de bourgeois, de paludiers et de métayers. Le plan en relief d'un marais salant en fait comprendre l'installation et l'exploitation.

La visite donne accès aux **remparts** que l'on peut suivre sur environ 250 m.

La rue St-Michel, très commerçante, conduit à la collégiale.

Collégiale Saint-Aubin★

Élevée du 12e au 16e s., elle présente une belle façade ouest de granit, agrémentée de fins clochetons, de pinacles à crochets et surtout d'une rare chaire extérieure encastrée dans un contrefort (15e s.). À l'**intérieur**, les imposantes colonnes romanes de la nef sont surmontées d'arcs gothiques et de **chapiteaux** à sujets grotesques ou à décor floral. Plus élancé, le profond chœur gothique du 15e s. est entouré de collatéraux s'ouvrant sur quatre chapelles du 16e s., et est éclairé par une superbe **verrière** du 18e s. représentant l'Assomption et le Couronnement de la Vierge. Ne manquez pas le deuxième vitrail à gauche de cette verrière : très allongé et très ancien (14e s.) ce petit vitrail en fer de lance illustre des scènes de la vie de saint Pierre.

De la place St-Aubin, cœur de la cité, vous pouvez flâner dans les ruelles qui ont gardé d'intéressants vestiges architecturaux, notamment dans les rues du Saillé, de Ste-Catherine et du Tricot, avant de revenir vers N.-D.-la-Blanche et la place du Pilori. Ne manquez pas de lever les yeux pour découvrir les décors sculptés, les lucarnes, les frontons, ou les corniches denticulées caractéristiques de Guérande.

Musée de la Poupée

23 r. de Saillé - ✆ 02 40 15 69 13 - &. - avr.-oct. : 10h-13h, 14h30-19h ; nov.-mar. : tlj sf lun. 14h-18h30 - fermé janv.-5 fév. et 25 déc. - 4 € (enf. 2,50 €).

Installé dans l'ancienne chapelle de l'hôpital St-Jean (14e s.), il regroupe des centaines de poupées anciennes, de porcelaine ou de bois, dans un décor suranné : meubles miniatures, dînettes en faïence, minuscules accessoires…

Promenade autour des remparts

En 1365, un traité signé à Guérande met fin à la guerre de Succession de Bretagne. Le vainqueur de ce long affrontement de 25 ans est **Jean de Montfort** qui devient duc de Bretagne sous le nom de Jean IV. Il avait lancé la construction de cette place forte en 1343, et les travaux vont continuer jusqu'à la fin du 15e s.

En sortant par une des portes de la cité, vous pouvez suivre, à pied ou en voiture, la promenade qui fait le tour des quelque 1 434 m de remparts. Elle a été aménagée au 18e s. par le duc d'Aiguillon, gouverneur de Bretagne, qui fit combler une partie des fossés. L'enceinte ne comporte aucune brèche. Flanquée aujourd'hui de six tours, sur les onze qu'elle compta, elle s'ouvre par quatre portes fortifiées.

Circuit de découverte

ENTRE MER ET BRIÈRE

62 km au départ de Guérande – 1/2 journée. Prenez la direction La Baule par la D 92.

Château de Careil

✆ 02 40 60 22 99 - www.careil.com - visite guidée (45mn) juin-août : 11h, 12h, 14h-18h (ttes les h.) ; juil.-août : visite aux chandelles lun. et merc. 21h30, visite-jeu mar., jeu. et sam. 17h ; fermé déc.-janv., mai et sept. ; reste de l'année, possibilité de visite sur demande - 5 € (réduit 4 €) ; visite aux chandelles 10 € (réduit 6 €) ; visite-jeu 6 € (enf. 5 €).

Cette place forte du 14e s., remaniée aux 15e et 16e s. et toujours habitée, présente deux ailes : une façade Renaissance aux gracieuses lucarnes à coquille ; un bâtiment plus rustique dont les mansardes sont ornées de frontons armoriés. La salle des gardes et le grand salon possèdent de belles poutres. Par un escalier à vis, on accède à la salle qu'occupaient les soldats. Dans la chambre du capitaine, la cheminée porte la croix de Malte.

Lors de visites-jeu, les enfants de 6 à 12 ans se déguisent en corsaire ou en seigneur et tentent de résoudre des énigmes.

Rejoignez La Baule et suivez au plus près la mer pour rejoindre Le Pouliguen.

Le Pouliguen et la Côte sauvage★ *(voir La Baule)*

De la pointe de Penchâteau à Batz-sur-Mer (route en sens unique sur la commune du Pouliguen, avec piste cyclable), la côte offre de belles **vues** sur le rivage déchiqueté. Dès la sortie du Pouliguen, les villas se font plus nombreuses et pour bien profiter de la mer, rien ne vaut une randonnée sur le **sentier douanier** aménagé entre Le Pouliguen et Batz-sur-Mer.

Batz-sur-Mer★ *(voir Le Croisic)*

Le Croisic★ *(voir ce nom)*

Saillé

Construite sur une île au milieu des marais salants, c'est la capitale du sel.

Dans une ancienne chapelle, la **Maison des paludiers** présente, avec des moyens audiovisuels et des maquettes, la vie et le travail de ces hommes. *✆ 02 40 62 21 96 - &. - visite guidée (1h) - fév.-oct. : 10h-12h, 14h-18h ; nov.-janv. : w.-end 10h-12h, 14h-17h ; vac. scol : tlj 10h-12h, 14h-17h. - 4,10 € (4-14 ans 2,80 €).*

Possibilité de visite guidée d'une saline (1h30) - vac. de Pâques : lun., merc. et vend. 16h30 ; mai-sept. : tlj sf pluie 17h (visite suppl., 15h30, de mi-juil. à mi-août) - 5,70 € (4-14 ans 4,10 €).

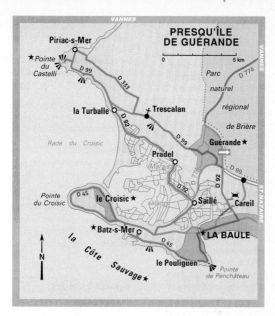

Pradel

Terre de Sel – ℘ 02 40 62 08 80 - *www.seldeguerande.com*. Ce centre d'exposition moderne a été créé au milieu des marais par les producteurs-coopérateurs de sel de Guérande. On y découvre le travail des paludiers et l'écosystème des marais, ainsi qu'un marescope permettant de comprendre le mouvement des marées et leur effet sur l'environnement.

👁 Des sorties en liaison avec la Ligue de protection des oiseaux ont lieu régulièrement en saison.

La Turballe

Très animé, ce port artificiel abrite des bateaux de plaisance et de pêche (anchois). Il est également un point de départ vers Belle-Île, Houat et Hœdic.

Piriac-sur-Mer

Petit port de pêche et centre balnéaire labellisé « petite cité de caractère ». Sur la place de l'église, bel ensemble de maisons du 17e s.

🚶 Un sentier mène à la **pointe du Castelli★** en empruntant la crête de la falaise : à droite, on distingue l'île Dumet et la côte basse de la presqu'île de Rhuys ; à gauche, la rade et la presqu'île du Croisic, avec les clochers du Croisic et de Batz.

Trescalan

L'**église**, épaulée de contreforts, présente de belles colonnes à chapiteaux et abrite dans le bas-côté droit une statue de sainte Brigitte, parée d'un tissu argenté.

Belle vue sur la côte à partir de **Lerat**.

Presqu'île de Guérande pratique

Adresse utile

Office du tourisme de Guérande – 1 pl. du Marché-au-Bois - 44350 Guérande - ℘ 02 40 24 96 71 - www.ot-guerande.fr - juil.-sept. : lun.-sam. 9h30-19h, dim. et j. fériés 10h-13h, 15h-17h ; juin et 1re quinz. de sept. : lun.-sam. 9h-h30-12h30, 13h30-18h, dim. et j. fériés 10h-13h, 15h-17h ; 15 sept.-mai : tlj sf dim. 9h30-12h30, 13h30-18h - fermé 1er Mai.

Visite

Guérande, qui porte le label Ville d'art et d'histoire, propose différentes visites-découvertes *(1h30)* animées par des guides-conférenciers agréés par le ministère de la Culture et de la Communication. Différents thèmes : la ville close, les églises, les remparts, les demeures anciennes… Mais aussi des visites « théâtrales » en journée et le soir, des balades guidées à vélo et la découverte des villages guérandais - *Chaque sem. d'avr. à oct. - 5,50 € (6-12 ans 3 €) - rens. à l'office de tourisme ou sur www.ot-guerande.fr.*

Se loger

Camping L'Étang – 44350 Guérande - 5 km de Guérande par rte de St-Lyphard puis 3 km par D 48 à droite et rte à gauche - ℰ 02 40 61 93 51 - camping-etang@wanadoo.fr - 15 mai-15 sept. - réserv. conseillée - 109 empl. 17,50 € - rest. Comme le laisse supposer le nom du camping, vous êtes tout près d'un étang, mais c'est dans la piscine qu'il vous faudra plonger si la baignade vous tente. En plus des emplacements classiques, mobile homes et bungalows toilés sont à louer.

Hôtel Les Voyageurs – Pl. du 8-Mai-1945 (face à la porte Vannetaise) - 44350 Guérande - ℰ 02 40 24 90 13 - fermé 23 déc.-21 janv. - 12 ch. 53/60 € - ☑ 6,50 € - rest. 19/33 €. La pimpante petite maison où est aménagé cet hôtel se dresse extra-muros, face à la porte Vannetaise. Chambres tendance rétro, bien meublées, et restaurant rustique ne comptant pas moins de quatre salles, dont une ouverte sur la terrasse.

Chambre d'hôte La Guérandière – 5 r. Vannetaise - 44350 Guérande - ℰ 02 40 62 17 15 - www.guerandiere.com - réserv. obligatoire en hiver - 6 ch. 55/85 € - ☑ 10 €. Cette grande demeure bourgeoise du 19ᵉ s. adossée aux remparts a beaucoup de charme. Meubles de famille ou chinés, tissus et bibelots choisis avec art composent le cadre raffiné et « cosy » des chambres desservies par un bel escalier d'époque. Petit-déjeuner à l'anglaise proposé dans le jardin aux beaux jours.

Chambre d'hôte du Manoir des Quatre Saisons – 744 bd de Lauvergnac - 44420 La Turballe, 1,5 km de La Turballe par D 333 - ℰ 02 40 11 76 16 - www.manoir-des-quatre-saisons.com - 5 ch. 58/89 € ☑. Dans son parc paysagé, cette longère bretonne a belle allure avec ses pierres apparentes et ses ardoises à l'ancienne. Que vous logiez au manoir ou au cottage, chaque chambre a sa couleur. Selon la saison, petits-déjeuners au coin du feu ou au bord de la piscine.

Se restaurer

Le Terminus – 18 quai St-Paul - 44420 La Turballe - ℰ 02 40 23 30 29 - terminus44420@aol.com - fermé 8-17 janv., 1ᵉʳ-12 mars, mar. et merc. sf vac. scol. - 18/45 €. La salle à manger, aux murs crème, a été rafraîchie ; choisissez une table proche des baies de la véranda pour contempler les bateaux du port de pêche. Produits de la mer.

Le Vieux Logis – Pl. de la Psalette - 44350 Guérande - ℰ 02 40 62 09 73 - fermé 12 nov.-16 déc., mar. soir et merc. sf juil.-août et j. fériés - 23/29 €. Prévôté de Guérande, étude notariale et enfin restaurant : cette belle maison en pierre située intra-muros a conservé son cadre du 17ᵉ s. Aux beaux jours, plaisante terrasse verdoyante et ombragée. Spécialités de grillades cuites au feu de bois.

Les Remparts – Bd du Nord - 44350 Guérande - ℰ 02 40 24 90 69 - fermé 29 nov.-3 janv., 13-19 fév., 2-27 juin, dim. soir, sam. soir et lun. sf j. fériés - 28/36 €. Face aux remparts de Guérande, maison familiale toute simple dont la façade typique abrite une salle à manger sobrement actuelle. Recettes traditionnelles et poissons assaisonnés au sel de Guérande. Petites chambres simples.

Que rapporter

Salines & Saveurs – 5 pl. de la Psalette, face au portail principal de l'église St-Aubin - ℰ 02 40 01 44 23. Des paludiers de Guérande proposent directement leur production très variée : fleur de sel, gros sel de Guérance, sels aromatisés (mélange sur place), sels de bains…

Marché – 44350 Guérande. Le marché se tient le merc. et le sam. mat., dans les halles et sur la place St-Aubin.

Sports & Loisirs

La Champagne – D 774 - 44 350 st-Molf - ℰ 02 40 61 95 20 ou 06 08 50 69 43 - www.centreequestre-lachampagne.com - 9h-12h30, 14h-22h. Animé par une équipe accueillante et joviale, cet important centre équestre, chargé du tracé du CEIO de La Baule en 2003, organise des sorties sur la plage, des nocturnes en Brière, des balades sur les bords de la Vilaine ou des randonnées à la demande. Une heure, une journée, une semaine ou plus. Tout est possible !

Ferme de Ker Robert – 17 rte de Ker-Robert, la Madeleine - 6 km à l'E de Guérande par D 51 et à droite - 44350 Guérande - ℰ 02 40 61 91 91 - www.fermeequestre-kerrobert.com - été : à partir de 15h - 20 à 35 €. Cette petite structure saisonnière propose des randonnées entre 1h30 et 3h (débutants acceptés) ou encore à la journée. Tour du marais de Brière possible.

Quelques plages – De petites plages familiales s'animent autour de Piriac et à Lerat. La Turballe possède, au sud de la localité, une longue plage de sable fin, plein ouest.

La Guerche-de-Bretagne

4 095 GUERCHAIS
CARTE GÉNÉRALE F3 – CARTE MICHELIN LOCAL 309 O7 – ILLE-ET-VILAINE (35)

Cette ancienne baronnie, dont Du Guesclin fut le seigneur, se situe à la frontière de la Bretagne et du Maine. Aux marches de la région, la localité est avant tout un point d'entrée dans le territoire. La forêt de la Guerche et un ensemble mégalithique remarquable témoignent toutefois avec certitude de l'attachement breton et offrent des possibilités de balade inédites.

- **Se repérer** – Située au nord de la forêt du même nom, La Guerche est traversée par la D 178 qui relie Châteaubriant (30 km au sud) et Vitré (22 km au nord). Rennes est à 41 km au nord-ouest par la D 463.

- **Organiser son temps** – Une demi-journée suffit à faire le tour du village et des forêts alentour.

- **À ne pas manquer** – L'ensemble de mégalithes de la Roche-aux-Fées, pour ses dimensions impressionnantes.

- **Pour poursuivre la visite** – Voir aussi Vitré, Rennes et Châteaubriant.

Le dolmen de la Roche-aux-Fées.

Se promener

Collégiale

De l'époque de sa fondation (1206) ne subsistent que le chœur, son abside et la tour romane. La nef et le collatéral sud ont été reconstruits au 16ᵉ s. Le bas-côté nord et le clocher à galeries hautes datent de la fin du 19ᵉ s. On remarquera les sablières ornant la voûte en bois de la nef et, au fond de l'abside, un vitrail représentant l'Assomption. Notez les **stalles** du début du 16ᵉ s., ornées d'amusantes miséricordes gothiques. Leurs boiseries sont plus récentes, comme en témoigne la décoration de style Henri II.

Maisons anciennes

Une quinzaine de maisons à porches et à pans de bois (16ᵉ-17ᵉ s.) se dressent place du Général-de-Gaulle, et près de l'église, rue du Cheval-Blanc et rue de Nantes.

Circuit de découverte

AU PAYS DES LÉGENDES

Circuit de 43 km – environ 2h1/2. Quittez La Guerche à l'ouest par la D 463, route de Rennes. À Visseiche, prenez à gauche.

On atteint une branche de l'étang de Marcillé, formé au confluent des vallées de la Seiche et de l'Ardenne, ce qui explique sa forme en accolade.

À la sortie de Marcillé-Robert, prenez à gauche vers Retiers ; longez la seconde branche du lac. Tournez à droite 800 m plus loin en direction du Theil, puis encore à droite, à 3 km. À 800 m à droite de la route se trouve la Roche-aux-Fées.

La Roche-aux-Fées★

C'est l'un des beaux monuments mégalithiques de Bretagne, vraisemblablement construit au néolithique moyen (4e millénaire) à partir de schiste rouge. Des recherches ont montré que ses pierres ont été déplacées sur près de 4 km, mais la légende raconte que des fées les auraient en fait transportées dans leur tablier !

Il s'agit d'une tombe à couloir, composée de 42 pierres, dont une demi-douzaine de 40 à 45 t chacune. Elle comprend une entrée monumentale en portique, suivie d'un couloir bas conduisant à une vaste chambre compartimentée (14 m de long, 4 de large et 2 de hauteur).

Faites demi-tour, gagnez Le Theil et prenez à gauche vers Ste-Colombe.

De la route, vue sur le **lac des Mottes**, charmant plan d'eau artificiel entouré d'arbres superbes.

En vue de Ste-Colombe, tournez à gauche.

Retiers

Dans cette coquette localité, l'église abrite cinq tableaux et trois retables des 17e et 18e s. en bois sculpté.

La Guerche-de-Bretagne pratique

Adresse utile

Office du tourisme de La Guerche-de-Bretagne – *Pl. du Gén.-de-Gaulle - 35130 La Guerche-de-Bretagne -* 02 99 96 30 78 *- juil.-août : tlj sf dim. 9h30-12h, 15h-17h30 - fermé lun. apr.-midi ; reste de l'année : mar. mat. 9h30-12h, vend.-sam. 9h-12h, 14h30-17h30 ; fermés ts les j. fériés.*

Se restaurer

La Calèche – *16 av. du Gén.-Leclerc -* 02 99 96 21 63 *- fermé 1er-21 août, 24-31 déc., vend. soir, dim. et lun. - 24/32 €.* Généreuse cuisine du terroir, servie dans une sobre salle à manger, complétée par une véranda et un petit espace bistrot. Chambres fonctionnelles. Accueil familial.

Lac de **Guerlédan**★★

CARTE GÉNÉRALE C2 – CARTE MICHELIN LOCAL 309 D5 – CÔTES-D'ARMOR (22) ET MORBIHAN (56)

Le lac de Guerlédan étend ses rives sinueuses et boisées au cœur de la pittoresque Argoat. Magnifique plan d'eau formé par la retenue du Blavet, il constitue l'un des plus beaux sites de la Bretagne intérieure. Pêche, voile et motonautisme sont au programme, à l'instar de ce qui est proposé sur le littoral, mais l'endroit offre en plus la possibilité de belles excursions en forêt de Quénécan, ou vers les gorges du Daoulas.

- **Se repérer** – Au bord de la forêt de Quénécan, le lac s'ouvre juste à l'ouest de Mûr-de-Bretagne (3 km), au sud de la route de Rostrenen (18 km à l'ouest par la N 164). Pontivy est 10 km plus au sud par la D 767.

- **Organiser son temps** – Pensez à réserver un hébergement quelques semaines à l'avance pour les bords du lac, car les places en gîte sont chères en été.

- **À ne pas manquer** – Le plafond peint de la chapelle Ste-Suzanne à Mûr-de-Bretagne, et le spectacle des eaux vives dans les gorges du Daoulas.

- **Avec les enfants** – Plongez dans le passé sidérurgique de la région en visitant le village incroyablement conservé des Forges-des-Salles, et louez ensuite un pédalo pour faire un tour sur le lac.

- **Pour poursuivre la visite** – Voir aussi Rostrenen, Quintin, Loudéac, Pontivy ; Kernascléden et Le Faouët.

Circuit de découverte

TOUR DU LAC

Gwern signifie « aulne » en breton. La région était donc bien humide avant que le lac artificiel n'envahisse les lieux. Serpent d'eau de 12 km, ce dernier recouvre l'ancienne vallée des ardoisiers depuis les années 1920. Aux 18ᵉ et 19ᵉ s., l'extraction de l'ardoise comptait en effet parmi les principales activités économiques du secteur. Une bonne partie des carrières se trouve aujourd'hui au-dessous du niveau des eaux.

Circuit de 44 km – environ 3h30.

Mûr-de-Bretagne

Au nord du bourg, dans un très joli cadre de verdure qui inspira Corot, s'élève la **chapelle Ste-Suzanne** avec son élégant clocher-porche (1760) et, à l'intérieur, un remarquable **plafond peint★** du 18ᵉ s.

Dans le bourg, qui compte parmi les plus animés de la Bretagne intérieure, une route mène au **rond-point du Lac** d'où la **vue★** sur le lac est superbe.

Prenez la D 35 au sud-ouest. Après avoir franchi les deux ponts enjambant le canal et le Blavet, tournez à droite.

Saint-Aignan

Dans l'**église** (12ᵉ s.), à gauche du chœur, on voit une très belle représentation en bois sculpté de l'Arbre de Jessé, et à droite, de même facture, une Trinité entourée des évangélistes. *9h30-19h - on peut emprunter la clef à la mairie de St-Aignan - ☎ 02 97 27 50 20 - Visite guidée gratuite par haut-parleur face à l'autel de gauche.*

À la sortie du village, sur la gauche, l'**Électrothèque** évoque la construction du barrage de Guerlédan, ainsi que l'historique de l'électricité. Possibilité de faire fonctionner certains appareils. *☎ 02 97 27 51 39 - de mi-juin à mi-sept. : 10h-12h30, 14h30-18h ; reste de l'année sur réserv., possibilité de visite guidée (1h15) - 3,10 € (enf. 1,55 €).*

Suivez la D 31 direction « Barrage de Guerlédan ».

Barrage de Guerlédan

Un rond-point belvédère domine ce barrage haut de 45 m, long de 206 m à la crête et épais de 33 m à la base. Sa retenue de 55 millions de m³ se développe sur 12 km dans les gorges du Blavet. N'hésitez pas à vous y arrêter : la **vue★** est magnifique.

Faites demi-tour, puis tournez à droite. À l'entrée de la forêt de Quénécan, prenez à droite.

Anse de Sordan

Agréable crique dans un joli site paisible où s'abritent de nombreux bateaux de plaisance. Possibilité de prendre un verre face au lac, au restaurant-bar.

Les Forges-des-Salles

☎ 02 96 24 90 12 - ♿ - www.lesforgesdessalles.com - juil.-août : 14h-18h30 ; de Pâques à la Toussaint : w.-end et j. fériés 14h-18h30 (dernière entrée 18h), possibilité de visite guidée (1h) - fermé Toussaint-Pâques - 5 € (enf. +10 ans 3 €). Niché au fond d'un vallon boisé,

Vue sur le lac de Guerlédan.

le hameau des Forges est un ancien site sidérurgique des 18e et 19e s. témoignant d'un passé industriel révolu. Depuis la cessation de l'exploitation du minerai de fer en 1880, cet ensemble de constructions n'a pas été modifié.

👥 Certains logements ont été réaménagés selon leur fonction d'origine : l'école, le bureau de paye, la cantine, la chapelle, une petite forge et la menuiserie.

À l'est du château, berceau des Rohan, s'étend un jardin d'agrément en terrasses, le **Thabor** : très belle vue sur les cours d'eau de la vallée.

La Trinité de Quénécan / Les Forges-de-Salles

Le village des forges et le haut-fourneau.

Forêt de Quénécan

Située sur un plateau très accidenté dominant la vallée, cette forêt s'étend sur 2 500 ha. De belles futaies de hêtres et d'épicéas entourent l'étang du Fourneau et Les Forges-des-Salles.

🚶 Le GR 37 passe à proximité de Forges-des-Salles et traverse en diagonale la forêt, offrant de belles possibilités de balades.

Poursuivez en direction de Ste-Brigitte.

Ce petit détour permet de profiter de belles échappées sur l'étang des Salles.

Par Les Forges-des-Salles, regagnez le grand carrefour et prenez à gauche. Laissez la voiture au parc de stationnement avant le pont, à gauche.

Écluse de Bon-Repos

Située sur le Blavet, elle forme un charmant tableau, avec le vieux pont à corbeaux, l'ancienne maison de l'éclusier et le déversoir.

Franchissez le pont et, sur la droite, empruntez l'ancien chemin de halage.

Abbaye de Bon-Repos

📞 02 96 24 82 20 - de mi-juin à mi-sept. : 11h-19h ; de déb. mars à mi-juin et de mi-sept. à fin oct. : 14h-18h - possibilité de visite guidée, toute l'année, sur réserv. - 3 €.

Pillée et ruinée sous la Révolution, cette abbaye cistercienne fondée au 12e s. tomba en désuétude complète. Elle a été sauvée de justesse par une équipe d'artisans et de bénévoles passionnés qui s'attachent à lui rendre sa beauté et sa grandeur passée. La visite permet de découvrir les bâtiments conventuels et la vaste église.

Gagnez la N 164, tournez à gauche vers Gouarec et, sitôt franchi le pont, prenez à droite vers les gorges du Daoulas.

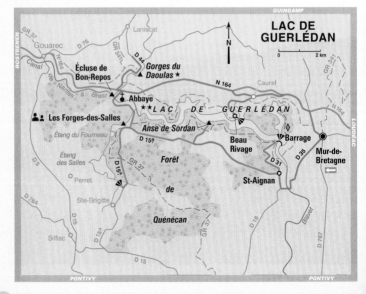

Gorges du Daoulas★

Les eaux rapides du Daoulas coulent dans une vallée étroite et sinueuse, aux versants tapissés d'ajoncs, de genêts et de bruyères. C'est une véritable cluse, sciée par la rivière dans une bande de schiste et de quartzite pour rejoindre le Blavet – devenu le canal de Nantes à Brest. Les bancs de roches sont redressés presque verticalement ; quelques-uns se terminent en de curieuses aiguilles, en lames tranchantes.

À 2 km, faites demi-tour dans un chemin précédant deux maisons au lieu-dit Toulrodez. Sur la N 164 vers Loudéac, parcourez 5 km et prenez à droite.

Après une descente dans un boqueteau de pins, on apprécie la **vue★** qui s'ouvre sur le lac de Guerlédan.

Beau-Rivage

Ce village, qui possède une plage, est un petit havre pour la plaisance et le ski nautique.

Gagnez Caurel, tournez à droite vers Loudéac. À 3,5 km, prenez à droite pour rejoindre Mûr-de-Bretagne.

Lac de Guerlédan pratique

Adresse utile

Office du tourisme de Mûr-de-Bretagne – *R. Ste-Suzanne - 22530 Mûr-de-Bretagne - ☎ 02 96 28 51 41 - www.guerledan.fr - juil.-août : 10h-12h30, 14h-18h30, dim. 10h30-12h30 ; Pâques-juin et sept.-oct. : tlj sf dim. 10h-12h30, 14h-17h30 ; nov.-Pâques : tlj sf dim. 10h-12h30, 14h-17h - fermé sam. mat.*

Visites

Balades patrimoine – *Proposées en saison par l'office du tourisme. ☎ 02 96 28 51 41.* Journées de découverte tous publics du pays de Guerlédan.

Se loger

Camping Nautic International – *22530 Caurel - 2 km au SO, au lieu-dit Beau-Rivage, bord du lac de Guerlédan - ☎ 02 96 28 57 94 - www.campingnautic. fr.st - 15 mai-25 sept. - réserv. conseillée - 120 empl. 23,90 €.* Puisque les proches environs n'offrent pas d'hébergement recommandable en matière d'hôtellerie traditionnelle, on appréciera de pouvoir compter sur ce sympathique camping proposant 120 emplacements bien entretenus et des locations de mobile homes à prix très doux.

Se restaurer

Le Beau Rivage – *Au Lac - lieu-dit Beau-Rivage - 22530 Caurel - 2 km au SO de Caurel - ☎ 02 96 28 52 15 - fermé 2-24 fév., 6-22 oct., lun. et mar. - 17/60 €.* Cette maison récente ouvre les larges baies de sa salle à manger sur le lac ; terrasse panoramique. Outre la très jolie vue, vous pourrez y goûter une cuisine classique. Chambres sobrement décorées.

Sports & Loisirs

Baignade – *22570 Gouarec - ☎ 02 96 24 86 15.* Que ce soit à Beau-Rivage ou à l'anse de Sordan, la baignade n'est pas surveillée. À Gouarec, une piscine avec solarium (l'Aquadélis) est ouverte toute l'année.

Pédalos – *22530 Mûr-de-Bretagne.* Des bases de pédalos se trouvent à Beau-Rivage, à l'anse de Sordan et au rond-point du Lac à Mûr-de-Bretagne.

Ski Club de Guerlédan – *Beau Rivage - 22530 Caurel - ☎ 06 09 38 03 26 - gerard. lemoy@cegetel.net - juil.-août : 9h30-12h30, 14h30-19h, mai-juin et sept. : w.-end seult - fermé oct.-avr.* Ski nautique, wake board. Encadrement diplômé d'État. Possibilité de stages avec hébergement en mobil home.

Base de loisirs de Guerlédan – *22530 Mûr-de-Bretagne - ☎ 02 96 67 12 22 - www.base-plein-air-guerledan.com.* Canoë-kayak, voile, escalade, course d'orientaion, tir à l'arc. Activités encadrées par moniteurs diplômés. Location de vélos.

Randos pédestres - VTT- Vélo – Nombreux circuits très bien balisés. Guides en vente *(2,30 €)* dans les points informations.

Animations

L'Association des compagnons de l'**abbaye de Bon-Repos** œuvre activement au renouveau de ce site historique. Les campagnes de restauration s'accompagnent d'une programmation culturelle de qualité et d'un important spectacle son et lumière (août). *☎ 02 96 24 82 20.*

Guimiliau★★

814 GUIMILIENS
CARTE GÉNÉRALE C2 – CARTE MICHELIN LOCAL 308 H4 – FINISTÈRE (29)

Ce village doit sa célébrité à son remarquable enclos paroissial, qui compte parmi les plus riches du Finistère. Le mobilier magnifiquement décoré de son église ajoute encore à sa notoriété. L'ensemble de ces chefs-d'œuvre témoigne de la foi et de la piété de l'ancienne Bretagne rurale.

▶ **Se repérer** – Juste au sud de la N 12, entre Morlaix (17 km au nord-est) et Landivisiau (9 km au nord-ouest), Guimiliau est proche d'autres localités connues pour leur enclos, comme St-Thégonnec.

🕐 **Organiser son temps** – Difficile de rester moins de 2h si vous tenez à admirer toutes les sculptures de l'enclos paroissial !

👁 **À ne pas manquer** – La visite de l'enclos paroissial sans omettre de s'extasier devant le magnifique baptistère baroque.

🕯 **Pour poursuivre la visite** – Voir aussi les Enclos paroissiaux, St-Thégonnec, Lampaul-Guimiliau, Sizun, Landerneau, la basilique du Folgoët, St-Pol-de-Léon, Roscoff, la baie de Morlaix, Huelgoat et les monts d'Arrée.

Découvrir

Guimiliau a hérité son nom du breton *gwik*, bourg, et de Miliau, le saint patron local. Ce dernier, prince de Cornouaille, fut décapité par son frère au 6e s. il est très souvent représenté avec un sceptre, l'épée dont il fut victime, et parfois même sa tête.

ENCLOS PAROISSIAL★★

Calvaire★★

Il date de 1581-1588 et comprend plus de 200 personnages. Sous une grande croix portant la Vierge, saint Jean, saint Pierre et saint Yves, on remarque 17 scènes de la Passion, très expressives, et un motif illustrant l'histoire de **Catell-Gollet – Catherine la perdue –**, au-dessus de la Cène. Aux extrémités des contreforts se trouvent les évangélistes. Quant aux personnages de la frise, particulièrement nombreux et de facture naïve, ils composent, sans ordre chronologique, les épisodes de la vie de Jésus.

Détail de l'enclos paroissial de Guimiliau.

Église★

Cet édifice du 16e s. a été reconstruit dans les styles gothique flamboyant et Renaissance au début du 17e s.

Porche méridional★★ – Les voussures constituent une intéressante imagerie de la Bible et de l'Évangile. Au-dessus du fronton surmontant le porche, remarquez la statue de saint Miliau, patron du lieu. L'intérieur du porche offre un bel exemple de décoration, fréquente en Bretagne : au-dessous des statues des Apôtres, la frise est décorée de rosaces, de tresses et de scènes de l'Ancien Testament. On peut voir du côté gauche, près de la date 1606, la *Création de la Femme*.

Intérieur – À gauche de l'entrée, se trouve un magnifique **baptistère**★★ baroque, en chêne sculpté (1675). À la **tribune d'orgue**, trois **bas-reliefs**★ du 17e s. : face au baptistère, le *Triomphe d'Alexandre* ; du côté de la nef, *David jouant de la harpe* et *Sainte Cécile à l'orgue*. La **chaire**★ (1677) est ornée, aux angles, des statues de quatre sibylles. Le chœur, dont le vitrail central date de 1599, est fermé d'une balustrade du 17e s. On trouve de droite à gauche : le **retable de saint Joseph**, avec saint Yves, patron des avocats, entre le riche et le pauvre, et saint Hervé, accompagné de son loup ; le **retable de saint Miliau** ; le **retable du Rosaire** aux quinze mystères en médaillon, surmonté d'une Trinité.

Chapelle funéraire

Centre du bourg - tlj 8h30-19h en été, 8h30-18h le reste de l'année.
De style Renaissance, elle date de 1648. Remarquez la chaire extérieure pratiquée dans l'une des fenêtres.

Guingamp

8 008 GUINGAMPAIS
CARTE GÉNÉRALE C1 – CARTE MICHELIN LOCAL 309 D3 – CÔTES-D'ARMOR (22)

Au carrefour de l'Armor et de l'Argoat, Guingamp s'impose comme l'une des rares villes bretonnes à la fois importantes et proches de la côte, à ne pas se nicher au fond d'une ria. Commerçante et industrielle, elle s'est fortement développée au cours de ces dernières décennies sans toutefois négliger la mise en valeur d'un patrimoine architectural étonnant, qui couvre les périodes médiévale, Renaissance et classique.

▷ **Se repérer** – Entre Morlaix et St-Brieuc, Guingamp est un carrefour routier alimentant tout le nord du département. Elle est coupée par la N 12 qui relie St-Brieuc (32 km à l'est) à Morlaix (52 km à l'ouest). La côte la plus proche (environ 30 km) est celle du Goëlo, entre Paimpol et St-Quay-Portrieux.

🅿 **Se garer** – La ville, traversée du sud au nord par le Trieux, s'est principalement développée sur la rive droite. Vous trouverez des parkings publics partout dans le centre et autour de la gare toute proche.

🕐 **Organiser son temps** – La visite de Guingamp est bouclée en une matinée, mais vous resterez plusieurs jours si vous explorez les vallées environnantes.

👁 **À ne pas manquer** – Si vous êtes dans les parages en juillet, le grand pardon mérite le détour. S'attarder sur les côtés de la basilique N.-D.-de-Bon-Secours, l'un est gothique, l'autre Renaissance.

👣 **Pour poursuivre la visite** – Voir aussi Belle-Isle-en-Terre, Lannion, la Côte de Granit rose, Tréguier, Paimpol, St-Quay-Portrieux, St-Brieuc, Quintin, Rostrenen et Carhaix-Plouguer.

Se promener

Guingamp vient du breton *guen gamp*, autrement dit « camp blanc » dans le sens de « camp favorable ». Cette appellation évoque l'emplacement privilégié de la ville, cuvette au doux climat marin, dans laquelle il fait bon flâner.

Basilique N.-D.-de-Bon-Secours★

Édifice gothique du 14e s. (vestiges romans à la croisée). Au 16e s., sa tour sud s'effondre et le côté droit de sa nef est abattu. Pour la reconstruction, la ville interroge plusieurs architectes. Un vieux maître présente un projet gothique ; le jeune Le Moal soumet des plans où prévaut le style Renaissance, encore peu connu en Bretagne à cette époque. Contre toute attente, il remporte la palme. L'église est donc gothique du côté gauche, Renaissance du côté droit.

À l'intérieur, le grand nombre de piliers surprend. Dans la partie haute de la nef, le triforium présente une arcature trilobée avec balustrade à quadrilobes ; dans la partie basse, la décoration Renaissance est du plus bel effet.

Place du Centre

Populaire fontaine Renaissance dite la « **Plomée** », en raison de ses deux vasques en plomb surmontant une vasque en granit, et maisons anciennes à colombages aux n°s 31, 33, 35, 39, 48 et à l'angle des rues St-Yves et du Cosquer.

Hôtel de ville

☎ 02 96 40 64 40 - www.guingamp.fr - tlj sf dim. 8h30-12h, 13h30-17h30, sam. 8h30-12h - fermé j. fériés - gratuit.

Cet ancien hôtel-Dieu (1699) fut autrefois le monastère des Augustines. On voit le cloître, l'escalier monumental et la belle chapelle de style italien (1709) qui, en saison, abrite des expositions. On peut y voir des toiles de **Paul Sérusier** et de l'école de Pont-Aven.

Remparts

Sur la place du Vally sont visibles les vestiges du château fort élevé par Jean de Beuves entre 1438 et 1442. Des parties des fortifications qui enserraient la ville subsistent non loin de la rue du Maréchal-Joffre et de la place St-Sauveur.

SE LOGER	SE RESTAURER
Hôtel de l'Arrivée...................①	La Boissière...................①

Aux alentours

Châtelaudren

À 14 km à l'est par la N 12. Au fond de la vallée du Leff – aux truites renommées –, cette cité recèle de charmantes maisons, autour de l'église St-Malgoire. Le plan d'eau, aménagé sur les anciennes fortifications, se prête au camping et à la pêche.

Chapelle N.-D.-du-Tertre★ – *À pied par la venelle Notre-Dame, ou en voiture à partir de la place des Sapeurs-Pompiers, par les rues Aribart et Notre-Dame.* Perchée sur une butte, la chapelle (début du 14e s. agrandie aux 16e et 17e s.) n'est pas de style homogène. Les **96 panneaux★** du

Panneau peint de la chapelle N.-D.-du-Tertre à Châtelaudren.

<small>J.-C. Isard / Culture & Patrimoine</small>

15e s. décorant la voûte du chœur, ensemble rare en France, évoquent l'Ancien et le Nouveau Testament. Au maître-autel, beau **retable★** en bois doré (1650).

Grâces

3,5 km à l'ouest. Quittez Guingamp par la D 54, à l'ouest du plan. À 2 km, tournez à droite. Au centre du village s'élève l'importante église **Notre-Dame**. À l'origine, ce fut une chapelle de pèlerinage, probablement fondée par la reine Anne. Élevée au 16e s., elle fut légèrement modifiée au 17e s. et restaurée au 19e s. Au sud, les quatre pignons de son unique bas-côté lui donnent un profil en dents de scie. À l'intérieur, dans la nef, remarquez les entraits et les magnifiques **sablières★** (poutres horizontales) sculptées : satires de l'ivrognerie, scènes de chasse, monstres, et émouvante Sainte Face encadrée d'angelots. *Pl. des Cordeliers -* ✆ *02 96 40 21 21 - visite libre, en cas de fermeture s'adresser à la mairie.*

Circuit de découverte

VALLÉE DU TRIEUX

Circuit de 39 km – environ 2h. Quittez Guingamp par la D 8 en direction de Rostrenen.

Bourbriac

L'**église** est dominée par son clocher, haut de 64 m. Du premier édifice subsiste une crypte (10e ou 11e s.). De l'église romane, il reste le carré du transept. En 1535, on bâtit la tour ouest, qui illustre l'évolution des styles : le grand porche voûté d'ogives et tout l'étage inférieur sont de tradition flamboyante, le reste de la tour est Renaissance. Et la flèche a été refaite en 1869 ! À l'intérieur, le sarcophage de saint Briac, invoqué pour la guérison des épileptiques, est d'époque mérovingienne.

Prenez la direction de Plésidy, puis celle de St-Péver.

À 2 km, sur la gauche, en contrebas de la route, remarquez le **manoir de Toul-an-Gollet**, charmante demeure du 15e s. en granit. Une tourelle coiffée en poivrière et des fenêtres à meneaux agrémentent la façade.

Reprenez la route vers St-Péver et, avant le pont sur le Trieux, prenez une petite route à droite.

Chapelle N.-D.-de-Restudo

✆ *02 96 21 42 48 - visite sur demande et clef disponible à la mairie - 1 rte de Lanrodec - 22720 St-Péver - aux h. d'ouv. de la mairie (lun., mar., jeu. et vend.).*

Cet édifice des 14e et 15e s. a conservé dans la nef et le chœur, séparés par un imposant arc ogival, des traces de fresques du 14e s. On reconnaît la Cène et des scènes de chevalerie. Un **pardon** a lieu le 30 juin, en l'honneur de saint Éloi.

Faites demi-tour et reprenez la D 767 vers Guingamp, dans la vallée du Trieux. À 2 km, tournez à droite vers Avaugour.

Chapelle d'Avaugour

✆ *02 96 21 42 48 - visite sur demande et clef disponible à la mairie - 1 rte de Lanrodec - 22720 St-Péver - aux h. d'ouv. de la mairie (lun., mar., jeu. et vend.).*

Elle s'élève dans un joli site et abrite un beau sacraire (meuble) en bois sculpté du 16e s.

Rentrez à Guingamp par la D 767.

Guinguamp pratique

Adresse utile

Office de tourisme – *Pl. du Champ-au-Roy - 22202 Guingamp - ℘ 02 96 43 73 89 - www.ot-guingamp.org - juin-sept. : mar.-sam. 10h15-12h, 14h15-18h ; oct.-mai : mar., jeu., vend. et sam. 10h15-12h, 14h15-17h30. - fermé entre Noël et J. de l'an et dernière sem. de janv.*

Se loger

⊜⊜ **Hôtel de l'Arrivée** – *19 bd Clemenceau - ℘ 02 96 40 04 57 - www.hotel-arrivee.com - 26 ch. 52/62 € - ⌓ 7 €.* L'enseigne évoque la proximité de la gare ferroviaire. À l'arrivée ou au départ de Guingamp, cet hôtel s'avère pratique avec ses chambres sans ampleur mais bien rénovées.

Se restaurer

⊜⊜ **La Boissière** – *90 r. de l'Yser - ℘ 02 96 21 06 35 - fermé 2e quinz. de juil., dim. soir sf juil.-août, sam. midi et lun. - 16 € déj. - 28/70 €.* Maison de maître centenaire nichée dans son parc. Deux plaisantes salles à manger bourgeoises servent de cadre à une cuisine traditionnelle qui évolue au gré des saisons.

Événement

En juillet, un grand **pardon**, dédié à la Vierge noire, patronne de la basilique, rassemble des milliers de pèlerins. La procession se déroule la nuit, aux flambeaux. Après la procession, des feux de joie sont allumés sur la place du Centre, en présence de l'évêque qui préside la cérémonie.

Îles d'**Houat** et de **Hœdic**

390 HOUATAIS ET 140 HOEDICAIS
CARTE GÉNÉRALE C4 – CARTE MICHELIN LOCAL 308 N10 – MORBIHAN (56)

Ces îles de l'archipel du Ponant, de taille modeste, se situent non loin du golfe du Morbihan. Séparées par le passage des Sœurs, elles sont bordées de nombreuses plages. Hœdic est entrecoupée de pointes rocheuses, Houat est frangée de falaises, mais elles partagent la même quiétude, et le charme de leurs petites maisons, blanchies à la chaux et largement fleuries.

- ▷ **Se repérer** – Les deux îles se trouvent entre la presqu'île de Rhuys, qui ferme le golfe du Morbihan, et Belle-Île. On y accède par services réguliers depuis Quiberon ou même de La Turballe en saison estivale.

- ◷ **Organiser son temps** – Faire les deux îles le même jour nécessite un minimum d'attention concernant les horaires de bateaux, or il serait dommage de s'astreindre à ce calcul si vous êtes en train de vous prélasser sur une plage ! Préférez donc des excursions à la journée pour chacune d'entre elles.

- 👁 **À ne pas manquer** – Les couchers de soleil sur l'Atlantique.

- ⚲ **Pour poursuivre la visite** – Voir aussi Belle-Île, la presqu'île de Quiberon, Carnac, La Trinité-sur-Mer, Locmariaquer et le golfe du Morbihan.

Se promener

Petites, ces îles se parcourent à pied. Leurs principaux attraits résident dans leurs plages et d'agréables sentiers qui permettent de découvrir une nature relativement bien préservée. Amateurs de solitude s'abstenir en période estivale.

HOUAT

Houat signifie « le canard » (5 km sur 1,3 km). Sa position, à l'entrée de la baie de Quiberon, en a fait une île très convoitée : elle a été occupée trois fois par les Anglais aux 17e et 18e s.

Le bourg

Du port où s'abrite la flottille de pêche, une courte montée mène au bourg. Des maisons blanchies à la chaux bordent les rues et ruelles sinueuses, conduisant à deux placettes. Tout semble ici conçu pour résister au vent.
Contournez l'église et suivez le sentier qui longe le cimetière. On débouche sur un petit belvédère offrant une très belle **vue★** sur le port et la presqu'île de Rhuys.

L'Éclosarium

☏ 02 97 52 38 38 - de Pâques à fin sept.
Prévu au départ pour réimplanter de
jeunes homards dans la mer, l'Éclosarium
abrite aujourd'hui une exposition sur
l'histoire de l'île et sur le monde microsco-
pique marin : on y découvre l'importance
du phytoplancton, à la base de toute vie
marine et « poumon bleu » de la planète
(il produit 80 % de l'oxygène terrestre).
En fin de visite, on peut acheter les produits cosmétiques à base d'algue et de
plancton de Daniel Jouvance, fondateur
de l'Éclosarium.

Port de l'île d'Houat.

HŒDIC

Hœdic, plus petite, est « le caneton »
(2,5 km sur 1 km). Île granitique, elle
présente de nombreuses plages, deux
lagunes à l'est du bourg, tandis que dans
la lande croissent les œillets sauvages, des
figuiers, des tamaris et quelques cyprès.

🐾 Des sentiers tracés en bordure de mer permettent d'en faire le tour. Belles
vues sur le continent, l'île d'Houat, Belle-Île et les nombreux récifs qui précèdent
le grand large.

Le bourg

Toutes tournées au sud, les maisons s'alignent par trois ou quatre, formant des
amorces de rues. Près de l'ancien sémaphore se dresse l'**église**, dédiée à saint
Goustan, venu de Cornouailles, et qui se retira ici quelques années. À l'intérieur,
voir les ex-voto.

Ancien fort

Construit en 1859 et en partie enfoui dans les dunes, il se voit depuis la route qui
conduit au port de la Croix.

Îles d'Houat et de Hœdic pratique

Accès aux îles

Depuis Quiberon – *6h-22h - à partir de
14,42 € AR*. Dép. quotidien de Quiberon
(30mn, 1 à 6 rotations/j selon la période) -
société Morbihannaise de Navigation -
*☏ 0 820 056 000 (0,12 €/mn) - www.
smn-navigation.fr*.

Se loger et se restaurer

🛏️🍴 **Hôtel de la Sirène** – *Rte du Port -
56170 Île-d'Houat - ☏ 02 97 30 66 73 - la-
sirene-houat@wanadoo.fr - fermé nov.-
mars - 20 ch. 100/120 € - 🍽️ 10 € - rest.*

20/31 €. Au centre du bourg, hôtel à la
façade avenante, réservant un accueil
aimable. Chambres récentes, pratiques et
insonorisées, et salle à manger agrandie
en été d'une terrasse. Menus proposant
recettes traditionnelles et produits de la
mer.

Les plages

De nombreuses plages se nichent dans les
petites criques d'Houat : à l'ouest, Treac'h
er Venigued, la plus belle ; à l'est, Treac'h
er Goured.

Huelgoat★★

1 687 HUELGOATAINS
CARTE GÉNÉRALE C2 – FINISTÈRE (29) CARTE MICHELIN LOCAL 308 I4 – FINISTÈRE (29)

À Huelgoat, forêt, lac, eaux vives et chaos de rochers s'ajustent depuis des millénaires pour former l'un des plus beaux sites de la Bretagne intérieure. La magie de ces combinaisons naturelles a suscité des légendes tenaces, dont témoignent encore le lit du roi Arthur, creusé dans la pierre, et les fées qui fréquentent la rivière du Fao. Peut-être les rencontrerez-vous au détour d'un chemin isolé ?

▸ **Se repérer** – Au cœur d'une région boisée, à l'est des monts d'Arrée, Huelgoat se situe à une trentaine de kilomètres au sud de Morlaix. Au sud du bourg, la D 764 rejoint Carhaix-Plouguer (18 km au sud-est).

◷ **Organiser son temps** – Les différents sentiers forestiers peuvent vous occuper une bonne partie de la journée, surtout si vous pique-niquez.

👁 **À ne pas manquer** – Les promenades qu'offrent la région environnante, notamment celle du Fer-à-Cheval qui serpente le long de la rivière d'Argent et celle des Rochers, qui domine le lit de la même rivière.

👫 **Avec les enfants** – Identifiez les traces d'animaux recensées par la Maison de la faune sauvage.

🕯 **Pour poursuivre la visite** – Voir aussi lez monts d'Arrée, les Enclos paroissiaux, la baie de Morlaix, Carhaix-Plouguer et Pleyben.

Se promener

Le bourg

L'**église** du 16e s., au clocher moderne, se dresse en bordure de la grande place, au cœur de la cité. À l'intérieur, sablières (poutres horizontales) sculptées et, à gauche du chœur, groupe de saint Yves, patron de la paroisse, entre le pauvre et le riche.
Dominant Huelgoat, la chapelle Renaissance **N.-D.-des-Cieux** (clocher du 18e s.) conserve de curieux bas-reliefs peints figurant des scènes de la vie de la Vierge et de la Passion. Un **pardon** a lieu le 1er dimanche d'août.

Arboretum du Poerop et Jardin de l'Argoat – *55 r. des Cieux -* ☏ *02 98 99 95 90 - www.arboretum-huelgoat.com - mai-sept. : tlj 10h-18h, sf dim. 14h-18h ; oct.-avr. : 10h-17h, fermé dim. et j. fériés - 5 €.* L'**arboretum** présente 3 200 espèces d'arbres et d'arbustes regroupés en collections géographiques et thématiques. La plupart des continents y sont représentés, jusqu'à l'Himalaya, au bush australien et à la cordillère des Andes. Jardin du Moyen-Âge et de plantes médicinales, verger de variétés anciennes, bambouseraie, roseraie complètent la visite. Ferme et salon de thé en sus.
Conçu à l'origine pour les résidents de la maison de retraite voisine, **le Jardin de l'Argoat** regroupe de son côté un millier de plantes de toutes les régions du globe : lilas, eucalyptus, hydrangéas, iris, rosiers lianes et rhododendrons.

Chaos de rochers dans la forêt d'Huelgoat.

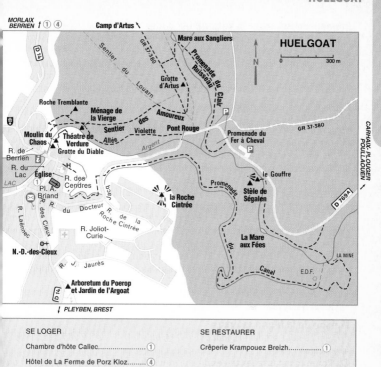

Les Rochers★★

🚶 *1h1/2 à pied. Dans la rue de Berrien, au bout du lac. Suivez le sentier fléché.*

Chaos du Moulin – Le sentier s'enfonce immédiatement parmi un amoncellement de blocs granitiques dominant le lit de la rivière d'Argent, venue du lac de Huelgoat.

Grotte du Diable – *On y accède par une échelle de fer.* Sous les rochers… le bruit la rivière.

Roche Tremblante – *Sur la rive gauche de la rivière.* En s'adossant en un point très précis de cet énorme bloc de 100 t, on le fait osciller sur son arête de base !

En montant par le « sentier des Amoureux », il est possible de gagner la grotte d'Artus et la mare aux Sangliers (voir explications ci-après dans la « Promenade du Clair-Ruisseau »).

Allée Violette – Longeant la rive gauche de la rivière d'Argent qui serpente sous bois, cette allée termine agréablement la promenade dans les rochers.

Au Pont-Rouge, on peut poursuivre en forêt (voir ci-dessous) ou regagner le centre-ville : tournez à droite dans la route venant de Carhaix, puis suivez la rue du Docteur-Jacq.

La forêt★

Le breton *Uhel-Coat* se traduit par « le bois du haut ».

D'une superficie de plus de 1 000 ha, la forêt de Huelgoat est accrochée au pied du versant sud de la chaîne des monts d'Arrée. Ses collines sont séparées par des vallées souvent profondes, qui recèlent des sites étranges et pittoresques, riches en contes et légendes. *(Fléchage et parkings permettent de découvrir les sites).*

Promenade du Fer-à-Cheval et le gouffre – 🚶 *30mn à pied. Après le Pont-Rouge, à droite, suivez la promenade du Fer-à-Cheval. Flânerie dominant la rivière d'Argent. Puis reprenez à droite la route de Carhaix pendant 300 m.* Un escalier de 39 marches mène au Gouffre. La rivière d'Argent se perd dans une excavation profonde pour ne reparaître que 150 m plus loin. On peut gagner un belvédère *(15mn AR – accès difficile et manque de protection)* dominant le chaos du gouffre.

Cette promenade peut se poursuivre le long de la rivière – on passe près de la mare aux Fées – et se combiner avec la promenade du Canal. *Suivez le fléchage « La Mine », tournez à droite, au pont, sur la route non revêtue. À l'ancienne mine, montez par un sentier s'embranchant sur la droite jusqu'au collecteur de l'usine électrique. Une petite passerelle franchit le canal.*

Promenade du Canal – 🚶 *3h à pied AR, au départ de la rue du Docteur-Jacq.* C'est pour l'exploitation des mines de plomb argentifère, déjà connues des Romains, qu'un lac de barrage et deux canaux ont été aménagés au 19ᵉ s. Les eaux étaient utilisées pour le lavage du minerai et comme force motrice d'un concasseur. La promenade emprunte la berge du canal supérieur. À son extrémité, il est possible de gagner le Gouffre (*description de ce parcours donnée en sens inverse ci-dessus*).

Promenade du Clair-Ruisseau – 🚶 *1h1/2 AR. Au parc de stationnement situé après le Pont-Rouge, prenez l'allée du Clair-Ruisseau.* Elle offre des vues sur le lit du ruisseau, encombré de rochers et d'arbres enchevêtrés. À gauche, un escalier (*25 marches*) descend à la **mare aux Sangliers**, petit bassin limpide dans un joli site de rochers où l'on croit reconnaître des têtes de sangliers, d'où le nom. Un ponceau rustique permet de franchir le ruisseau et de gagner l'allée de la Mare, que l'on prend à gauche. Après l'impressionnant escalier (*218 marches*) qui peut conduire plus rapidement au **camp d'Artus**, on découvre, sur la droite, en contre-haut, l'entrée de la **grotte d'Artus**. *Poursuivez par le chemin en montée qui, en 800 m, mène au camp.* Des rochers en marquent l'entrée, qui était commandée par une motte artificielle. C'est un important exemple d'oppidum gaulois limité par deux enceintes. Malgré l'envahissement de la végétation, il est possible de faire le tour du camp par un sentier (*1 km environ*) qui suit la seconde enceinte elliptique, la seule qui soit assez bien conservée.

Aux alentours

Maison de la faune sauvage
À 13 km au nord-est de Huelgoat par la D 14, puis la D 42 - 📞 *02 98 78 25 00 -* ♿ *- se renseigner.*

👥 Pour reconnaître les traces du chevreuil, du sanglier, de la bécasse ou du blaireau, rendez-vous dans cette maison, propriété du Parc naturel régional d'Armorique. Elle occupe l'ancienne gare de Scrignac et présente plus de 70 espèces naturalisées.

Huelgoat pratique

Adresse utile

Office du tourisme de Huelgoat – *Moulin du Chaos - 29690 Huelgoat -* 📞 *02 98 99 72 32 - juil.-août : tlj sf dim. 10h-12h, 14h30-17h30 ; reste de l'année : tlj sf w.-end 10h-12h, 14h-16h - fermé j. fériés.*

Se loger

🛏 **Hôtel de La Ferme de Porz Kloz** – *Trédudon-le-Moine - 29690 Berrien - 11 km au NO de Huelgoat par D 14 rte de Berrien et D 42 à gauche -* 📞 *02 98 99 61 65 - http://monsite.wanadoo.fr/porzkloz - fermé 15 nov.-Pâques sf w.-end -* 🅿 *- réserv. obligatoire - 7 ch. 39/100 € -* ⊡ *7 €.* Le temps semble s'être arrêté dans cet ensemble de fermes du 17ᵉ s., jadis dépendances de l'abbaye de Relecq. Ses chambres, garnies de meubles de famille, sont particulièrement douillettes. La salle abritant la réception expose des photos de sonneurs bretons au 19ᵉ s.

🛏 **Chambre d'hôte Callec** – *Au bourg - 29690 Berrien -* 📞 *02 98 99 01 17 -* 🅿 *- 5 ch. 45/48 € -* ⊡. Nombreux bibelots, bouquets de fleurs séchées, belles armoires anciennes et autres meubles bretons composent le décor insolite et charmant de cette maison régionale. Salle de bains privée pour une seule des cinq chambres. De ravissants jardinets invitent à la détente.

Se restaurer

🍴 **Crêperie Krampouez Breizh** – *Pl. Aristide-Briand -* 📞 *02 98 99 80 10 - fermé 2 sem. en mars et 2 sem. en oct. - 8/16 €.* Poussez la porte de cette crêperie pour découvrir une salle plutôt chaleureuse avec ses meubles anciens, ses poutres et son imposante cheminée. Galettes traditionnelles et originales recettes maison telles l'An Huelgoat (escargots et beurre d'ail) ou la Méli-Mélo (pommes et saucisses).

Sports & Loisirs

Ti Ar Gouren – *Le Poullic - 4 km d'Huelgoat - 29690 Berrien -* 📞 *02 98 99 03 80.* Cette Maison de la lutte et des sports bretons promeut par des stages, des classes de découverte et des camps de vacances, l'intérêt pour le gouren (lutte bretonne) et les jeux traditionnels d'adresse. Renseignements au centre par téléphone.

Josselin★★

2 419 JOSSELINAIS
CARTE GÉNÉRALE D3 – CARTE MICHELIN LOCAL 308 P7 – MORBIHAN (56)

Avec ses maisons médiévales aux toits d'ardoise qui s'étagent à flanc de coteau, et le château des Rohan qui se mire paisiblement dans l'Oust, Josselin offre d'emblée une vision des plus pittoresques. Posté à la frontière du pays gallo et du pays bretonnant, au cœur de l'ancienne vicomté de Porhoët, son site permet de découvrir un Argoat riche en ressources touristiques.

▸ **Se repérer** – Josselin se trouve au nord des landes de Lanvaux qui précèdent le golfe du Morbihan. Elle est à équidistance de Lorient (75 km à l'ouest) et de Rennes (80 km à l'est) par la N 24, qui passe d'abord par Ploërmel (14 km). Pontivy est à 35 km à l'ouest par la D 764.

🕐 **Organiser son temps** – La ville et ses environs vous occuperont une journée.

👁 **À ne pas manquer** – L'ascension du clocher de la basilique N.-D.-du-Roncier pour profiter de la vue plongeante sur le château, et l'histoire de la résistance bretonne au musée de St-Marcel.

👪 **Avec les enfants** – Après un petit tour au musée des Poupées du château, programmez une visite de l'insectarium de Lizio.

🕯 **Pour poursuivre la visite** – Voir aussi le domaine de Kerguéhennec, Pontivy, Loudéac, la forêt de Paimpont, La Gacilly, Rochefort-en-Terre et Vannes.

Comprendre

Le combat des Trente – Il eut lieu le 27 mars 1351, dans la lande de Mi-Voie, entre Josselin et Ploërmel. À 5 km de Josselin, au lieu-dit la Pyramide, une colonne de granit en indique l'emplacement.

Au milieu du 14ᵉ s., le château de Josselin appartient à la maison de France, et Jean de Beaumanoir en est le capitaine. En pleine guerre de Succession, Josselin soutient la cause de **Charles de Blois** ; le parti de Jean de Montfort tient Ploërmel où commande l'Anglais Bemborough, dit **Bembro**. Les deux chefs arrangent un combat qui mettra en présence trente chevaliers de chaque camp : on se battra à pied, en usant de l'épée, de la dague, de la hache et de l'épieu. Après avoir communié, la troupe de Beaumanoir se rend au lieu de la rencontre. Le camp adverse compte vingt Anglais, six Allemands et quatre Bretons. La journée se déroule en corps-à-corps acharnés jusqu'à l'épuisement des combattants. Josselin est vainqueur : le capitaine anglais est tué avec huit de ses hommes, les autres sont faits prisonniers. Au cours de la lutte, le chef breton, blessé, demande à boire : « Bois ton sang, Beaumanoir, la soif te passera ! » répliqua Geoffroy du Bouays, l'un de ses rudes compagnons.

Le connétable de Clisson – Olivier de Clisson a eu une enfance tragique. Il a 7 ans quand son père, accusé de trahir le parti français dans la guerre de Succession, est décapité sur ordre du roi Philippe VI. Sa mère, **Jeanne de Belleville**, se transforme

Le château de Josselin domine l'Oust.

en furie. Elle court à Nantes avec ses enfants et, devant la tête sanglante de leur père clouée au rempart, leur fait jurer de le venger. Elle se met ensuite en campagne avec 400 hommes : la troupe passe au fil de l'épée les garnisons de six châteaux favorables à la cause française. Elle arme un vaisseau et coule tous les navires du parti adverse qu'elle rencontre. À cette école, Olivier devient un redoutable homme de guerre : sa carrière, d'abord chez les Anglais puis dans l'armée de Charles V, est particulièrement brillante. Compagnon d'armes de Du Guesclin, il lui succède comme connétable de France, et achète le château de Josselin en 1370. Tout-puissant sous Charles VI, il est banni quand le roi devient fou et meurt, en 1407, à Josselin. Après lui, le château, passe dans la famille de Rohan – aujourd'hui, de Rohan-Chabot – qui le possède encore.

Le temps des Rohan – En 1488, pour punir Jean II de Rohan d'avoir pris le parti du roi de France, le duc de Bretagne François II s'empare de Josselin et le fait démanteler. Quand sa fille Anne devient reine de France, elle accorde réparation à **Jean II**. Autorisé à reconstruire, il réalise un chef-d'œuvre digne de l'orgueilleuse devise de sa famille : « Roi ne puis, prince ne daigne, Rohan suis. » La forme originale de cette devise aurait été « Duc je ne daigne, Roi je ne puis, Prince de Bretaigne, De Rohan je suis », elle-même inspirée de celle des seigneurs de Coucy, qui était « Roi ne suis, ne prince, ne duc, ne comte aussi. Je suis le sire de Coucy ».

En 1629, le général-duc **Henri de Rohan** est le chef des huguenots, ennemis jurés de Richelieu qui fait démolir le donjon et cinq des neuf tours de Josselin. Croisant le duc dans l'antichambre du roi, il lui annonce non sans ironie : « Je viens, Monsieur le duc, de jeter une bonne boule dans votre jeu de quilles. »

Visiter

Château★★

Pl. de la Congrégation - ☎ *02 97 22 36 45 -* ♿ *- de mi-juil. à fin août : visite guidée (45mn) 10h-18h ; de déb. juin à mi-juil. et sept. : 14h-18h ; avr.-mai et oct. : w.-end, j. fériés et vac. scol. 14h-18h - fermé sf groupes nov.-mars - 7,20 € (enf. 4,90 €).*

Du côté de l'Oust, l'édifice a l'allure d'une forteresse, avec des tours et des mâchicoulis. Les fenêtres et les lucarnes qui dominent les murailles appartiennent au palais élevé par Jean II au 16e s.

Le château est bâti sur une terrasse de plan irrégulier. Des murailles ne subsistent que les bases, sauf sur la face que l'on voit depuis le pont Ste-Croix. La « tour-prison », isolée, marquait l'angle nord-est de l'enceinte.

Donnant sur le parc qui occupe l'ancienne cour, la ravissante **façade★★** du corps de logis forme un contraste extraordinaire avec l'appareil fortifié de la face extérieure. Nulle part, en Bretagne, on n'a poussé plus loin l'art de sculpter ce dur matériau qu'est le granit : accolades, fleurons, pinacles, gâbles, couronnes, feuilles frisées décorent à profusion hautes lucarnes et balustrades.

Seul le rez-de-chaussée, restauré au 19e s., se visite. La salle à manger conserve une statue équestre d'Olivier de Clisson, œuvre de Frémiet. Après l'antichambre, véritable galerie de portraits de la famille de Rohan, le grand salon au riche mobilier possède une belle cheminée finement sculptée où se lit la devise actuelle des Rohan : « A plus », devise qui signifierait « sans plus, sans supérieur… » La bibliothèque renferme plus de 3 000 volumes et quelques portraits.

Musée des Poupées – *3 r. des Trente -* ☎ *02 97 22 36 45 - de mi-juil. à fin août : 10h-18h ; de déb. juin à mi-juil. et sept. : 14h-18h ; avr.-mai et oct. : w.-end, j. fériés et vac. scol. 14h-18h - 6,40 € (7-14 ans 4,60 €).*

👥 Installé dans les anciennes écuries du château, il expose environ 600 poupées de la collection Rohan (du 17ᵉ s. au 20ᵉ s.) avec leurs accessoires, costumes et meubles miniatures. Expositions temporaires en été.

Se promener

Basilique N.-D.-du-Roncier★

☎ *02 97 22 20 18 - 9h-18h30 - possibilité de visite guidée pour groupes en sais. sur demande.*

Le vocable N.-D.-du-Roncier repose sur une tradition : vers l'an 800, un paysan coupe les ronces de son champ et découvre une statue de la Vierge, d'où le nom de la basilique. Fondée au 11ᵉ s. à l'emplacement d'un oratoire en branchages, elle apparaît, dans son ensemble, de style gothique flamboyant.

À l'extérieur, remarquez les gargouilles qui ornent les trois faces de l'édifice ainsi que la Vierge en pierre du portail d'entrée. À l'intérieur, dans la chapelle de droite, voyez le **mausolée★** de marbre d'Olivier de Clisson et de sa femme Marguerite de Rohan (15ᵉ s.).

Le grand pardon de cette église était naguère appelé « pardon des aboyeuses » parce qu'en 1728, trois enfants furent guéris de cette forme d'épilepsie.

Montée au clocher – *Accès place A.-de-Rohan -* ☎ *02 97 22 24 17 - visite sur demande à la mairie (le j. même) tlj mai-sept. 9h-18h30 - gratuit.*

Après avoir gravi les 138 marches, on découvre la vue plongeante sur la façade nord-est et la cour intérieure du château, qui s'étend sur la campagne environnante.

Détail d'une maison ancienne de la rue Olivier-de-Clisson.

G. Targat / MICHELIN

Maisons anciennes

On peut en voir autour de la basilique, rue des Vierges et place Notre-Dame, mais les plus belles se trouvent rue des Trente : au nᵒ 7, la maison « Lovys Piechel » est une demeure fort pittoresque (1624) qui abrite l'office de tourisme. Voir aussi la maison contiguë, de 1663.

Fontaine N.-D.-du-Roncier

C'est toujours un but de pèlerinage. Elle date de 1675.

Quartier Sainte-Croix

Il faut traverser le pont pour découvrir le plus vieux quartier de Josselin et ses rues étroites bordées de pittoresques maisons à pans de bois. Cet ancien faubourg récemment réhabilité a connu la prospérité grâce aux nombreuses activités artisanales liées à l'eau (tanneurs, lavandières…). La **chapelle Ste-Croix** y est bâtie à flanc de colline et conserve une nef du 11ᵉ s. *Visite sur demande à la mairie - ☎ 02 97 22 24 17.*

Aux alentours

Guéhenno★

10 km au sud-ouest par la N 24, puis la D 778.

Au cœur d'un paysage vallonné, Guéhenno est traversé par la Laie et le Sedon. De belles maisons en pierre de taille des 16ᵉ et 17ᵉ s. ont conservé un décor riche et soigné.

Calvaire★ – Dressé dans le cimetière près de l'église, il date de 1550. Toute sa valeur réside dans la parfaite ordonnance de sa composition. Une colonne, sculptée des instruments de la Passion, le précède ; elle est surmontée d'un coq (allusion au reniement de saint Pierre). L'entrée du petit ossuaire est protégée par deux statues de gardes en faction.

Lizio

10 km au sud par la D 4, puis la D 174 à droite.

Écomusée des Vieux Métiers – *Bobhuet - 56460 Lizio - visite libre ou guidée (1h30) :* 📞 *02 97 74 93 01 - www.ecomuseelizio.com -* ♿ *- avr.-sept. : 10h-12h, 14h-19h ; oct., fév.-mars et vac. scol. d'hiver : 14h-18h ; reste de l'année : sur demande préalable, possibilité de visite guidée (1h30) - fermé sam. et dim. mat. - 5,50 € (enf. 4 €).*
Plus de 60 métiers disparus sont évoqués sur 2 000 m² : reconstitution de boutiques, intérieurs de fermes, ateliers d'artisans, profusion d'outils et d'objets anciens… Également des expositions temporaires et des animations.

Insectarium – *R. du Stade -* 📞 *02 97 74 99 12 -* ♿ *- www.insectarium-de-lizio.com - avr.-sept. : 10h-12h30, 13h30-18h30 ; vac. scol. (oct.-mars) w. ends 13h30-18h30 - 5,50 € (enf. +4 ans 4 €).*
👥 Une trentaine de terrariums hébergent des dizaines d'espèces d'insectes : mille-pattes, cétoines imitant les brindilles, phasmes, papillons de nuit, mais aussi criquets, scorpions et mygales… Deux films vidéo, et un microscope pour l'observation d'insectes.

Univers du Poète ferrailleur – *Direction le Roc-St-André -* 📞 *02 97 74 97 94 -* ♿ *- www.poeteferrailleur.com - de déb. juil. à mi-sept. : 10h30-12h30, 14h-18h30 ; avr.-juin et de mi-sept à fin oct. : dim. j. fériés et vac. scol. 14h-18h ; fermé nov.-mars - 5,50 € (enf. 4,50 €).* Surprenant, amusant, dépaysant… entrez dans le monde fantastique de cet inventeur à l'imagination débridée qui donne de la vie, du mouvement, à une soixantaine de bien curieuses sculptures.

Ploërmel

13 km à l'est par la N 24.
Cette petite ville fut une résidence des ducs de Bretagne. *Visites guidées à l'office de tourisme - 5 r. du Val -* 📞 *02 97 74 02 70.*

Église St-Armel★ – *Fondateur de la ville, saint Armel (6ᵉ s.) est représenté avec un dragon au bout d'une laisse. L'église date du 16ᵉ s. Le* **portail★** *nord, de style gothique flamboyant et Renaissance, comprend deux portes finement sculptées : enfance du Christ, scènes burlesques. Dans la chapelle, à gauche du chœur, statues funéraires en marbre des ducs Jean II et Jean III de Bretagne (14ᵉ s.). Dans le croisillon droit, derrière le tombeau de Philippe de Montauban et de sa femme, beau gisant en marbre blanc du 14ᵉ s. Admirez également les magnifiques* **verrières★** *des 16ᵉ et 17ᵉ s. restaurées : dans le bas-côté, l'Arbre de Jessé, et dans le transept gauche, la vie de saint Armel. Des vitraux modernes, de Jacques Bony, ont remplacé ceux détruits en 1944.*

Maisons anciennes – *Au nᵒ 7 de la rue Beaumanoir se trouve la* **maison des Marmousets** *(16ᵉ s.), ornée de sculptures sur bois. La maison des ducs de Bretagne (16ᵉ s.) est située en face. Autres maisons anciennes rue des Francs-Bourgeois.*

Maison mère des frères de Ploërmel – *La communauté des Frères de l'Instruction chrétienne de Ploërmel fut fondée en 1819 par l'abbé Jean-Marie de La Mennais (1780-1860), frère aîné de Félicité, l'écrivain bien connu qui signa Lamennais à partir de 1835. Elle abrite aujourd'hui le* **musée Jean-Marie-de-La-Mennais**, *dédié au fondateur de la communauté, le* **musée des Sciences naturelles**, *et surtout une* **horloge astronomique** *(1855), exécutée par frère Bernardin pour instruire les futurs enseignants des écoles de la côte et toujours en fonctionnement. Sa précision a été chiffrée en 1978 de l'ordre du dix-millième de temps de rotation de chacune des planètes du système solaire. 1 bd Foch -* 📞 *02 97 74 06 67 -* ♿ *- www.ficplm.org - 8h-12h, 13h30-18h.*

Lac au Duc

2 km au nord de Ploërmel par le bd du Maréchal-Foch. Ce lac (250 ha) est équipé d'une plage artificielle et d'une base pour la baignade, la pêche et la pratique du ski nautique.
🌿 Sur les berges du lac au Duc, le circuit des hortensias (sentier de 3 km) chemine dans un arboretum, planté de 2 000 hortensias. Issus de 220 variétés différentes, ils fleurissent de mai à octobre. *Chemin balisé à partir du parking de l'hôtel du Roi Arthur (4h de balade). Accès gratuit.*

La Trinité-Porhoët

15,5 km au nord par la D 793. Cette localité qui doit son nom au croisement de trois voies romaines était le fief des puissants seigneurs du Porhoët, comtes de Bretagne.

Église de la Sainte-Trinité – *L'édifice, plutôt massif, a été construit pour un prieuré (1050) par les moines de St-Jacut. On est surpris, à l'intérieur, par la déclivité du sol qui monte vers le chœur où l'on peut admirer, sur le retable, un spectaculaire* **Arbre de Jessé★** *(17ᵉ s.).*

Malestroit

25 km au sud-est par la D 4 que prolonge la D 764. Proche des landes de Lanvaux, cette coquette cité, baignée par l'Oust canalisée, conserve d'intéressantes demeures gothiques et Renaissance. Malestroit fut au Moyen Âge l'une des neuf baronnies de Bretagne.

Maisons anciennes – Ces demeures, à pans de bois ou en pierre, se groupent principalement près de l'église St-Gilles. Place du Bouffay, une façade présente des sujets sculptés humoristiques, une autre a gardé son pélican de bois et une troisième arbore une truie qui file. Parcourez aussi la rue au Froment, la rue aux Anglais, la rue des Ponts et la rue du Gén.-de-Gaulle.

Église St-Gilles – Au portail sud de cette église des 12e et 16e s., on remarque les attributs des quatre évangélistes : le lion de saint Marc est monté par le jeune homme de saint Matthieu, le bœuf de saint Luc repose sur un socle orné de

Façade de la maison dite de « la truie qui file » à Malestroit.

l'aigle de saint Jean. L'après-midi vers 15h (heure solaire), l'ombre du bœuf et celle de l'aigle dessinent sur la muraille le profil de Voltaire ! *8h-12h, 14h-18h.*

Saint-Marcel

Musée de la Résistance bretonne★ – *3 km à l'ouest de Malestroit par la D 321 - Les Hardis - Behelec - 56140 St-Marcel -* $\mathscr{C}$ *02 97 75 16 90 - &. - de mi-juin à mi-sept. : 10h-19h ; de mi-sept. à mi-juin : tlj sf mar. 10h-12h, 14h-18h, visite guidée du parc (20mn) - fermé 1er janv., 24, 25 et 31 déc. - 6,60 € (enf. 5,10 €).*
Audiovisuels, panneaux explicatifs, armes, photos et uniformes font revivre la Résistance à l'occupation allemande sur le plan régional. La reconstitution d'une rue avec épicerie-bazar, d'une pompe à essence, d'un restaurant, et des évocations des restrictions, du marché noir et de la collaboration complètent ces évocations. Dans le parc, reconstitution d'un chantier de construction du mur de l'Atlantique, d'un garage sous l'Occupation, d'un camp de l'armée américaine.
En sortant du musée à gauche, après 1 km, s'élève un **monument** commémorant la bataille du 18 juin 1944 entre maquisards, SAS (plus de 200 commandos de la France libre furent parachutés après le Débarquement) et soldats allemands.

Josselin pratique

Adresses utiles

Office du tourisme de Josselin – *Pl. de la Congrégation - 56120 Josselin -* $\mathscr{C}$ *02 97 22 36 43 - www.paysdejosselin-tourisme.com - mi-juil.-août : 10h-18h ; mai-juin, 1re quinz. de juil. et sept. : lun.-sam. 9h30-12h30, 14h-18h, dim. 14h-18h ; avr. et oct. : tlj sf dim. 9h30-12h30, 14h-18h ; nov.-mars : lun.- vend. 10h-12h, 14h-17h30, sam. 10h-12h.*

Office du tourisme de Malestroit – *17 pl. du Bouffay - 56140 Malestroit -* $\mathscr{C}$ *02 97 75 14 57 - www.malestroit.com - juil.-août : 9h- 19h, dim. 10h-16h ; reste de l'année : tlj sf dim. 9h30-12h30, 14h30-18h30 - fermé 25 déc., 1er janv., 1er nov. et 1er Mai.*

Office de tourisme du pays de Ploërmel – *5 r. du Val - 56804 Ploërmel -* $\mathscr{C}$ *02 97 74 02 70 - www.ploermel.com - juil.-août : tlj 9h30-19h sf dim. 10h-12h30 ; juin : tlj sf dim. 9h30-12h30, 14h-18h30 ; le* *reste de l'année : tlj sf dim. 10h-12h30, 14h- 18h30 ; fermé 1er et 8 Mai, 25 déc. et 1er janv.*

Visites

À pied – En dehors des traditionnelles visites guidées de la ville *(juil.-août : mar. et jeu. à 15h30 - 2,50 €),* l'office du tourisme de Josselin propose : un **circuit d'interprétation** en 39 étapes dans Josselin (avec livret pédagogique pour les enfants) et **3 « flâneries »** : au bord de l'Oust, au Bois d'Amour et hors des sentiers battus - *Documents disponibles gratuitement à l'office de tourisme.*

À vélo – 7 boucles pour cyclistes ont été conçues au gré des routes de campagne et du canal de Nantes à Brest -*Document gratuit à l'office de tourisme.*

Randonnées – L'OT vend une pochette de 30 circuits de randonnée (à pied, à cheval et à vélo) - 5 € - $\mathscr{C}$ *02 97 22 36 43.*

Se loger

⊙ **Camping le Bas de la Lande** – 2 km à l'O par D 778 et D 724 rte de Guégon à gauche à 50 m de l'Oust - par voie rapide : sortie O : Guégon - ℰ 02 97 22 22 20 - www. josselin.com - 60 empl. 14,10 €. Presque en bordure de l'Oust, ce camping propose des emplacements agencés en terrasses ou des locations de chalets. Les sanitaires allient propreté et fonctionnalité. Salle de jeux (billard, baby-foot et TV) et accès gratuit au minigolf.

⊙⊜ **Hôtel du Château** – 1 r. du Gén.-de-Gaulle - ℰ 02 97 22 20 11 - www. hotel-chateau.com - fermé 6-12 nov., 22-31 déc., 1er-21 fév., dim. soir et lun. de nov. à mars - 🅿 - 36 ch. 59/74 € - ⊑ 7,50 € - rest. 15/49 €. Face au château des Rohan, sur la rive opposée de l'Oust, chambres sobrement décorées dont environ la moitié offrent une jolie vue sur l'à-pic des puissantes murailles. Salle à manger de style « médiéval » précédée d'une terrasse tournée vers la forteresse.

⊙⊜ **Chambre d'hôte La Carrière** – 8 r. de la Carrière - ℰ 02 97 22 22 62 - albignon@club-internet.fr - fermé Toussaint-Pâques - ⊭ - 3 ch. 74/75 € ⊑. Cette grande maison aux allures bourgeoises constitue un excellent pied-à-terre pour découvrir la vallée de l'Oust. Chambres coquettes, donnant sur le parc. Les meubles anciens et les superbes boiseries du 18e s. habillant le hall méritent le coup d'œil.

⊙⊜⊜ **Hôtel du Roi Arthur** – 56800 Ploërmel - 14 km à l'E de Josselin par N 24 et D 8 - ℰ 02 97 73 64 64 - info@hotel

roiarthur.com - fermé 7-22 fév. - 🅿 - 46 ch. 91/132 € - ⊑ 13 € - rest. 28/45 €. Hôtel moderne installé entre lac et golf, dans un cadre planté d'arbres. Ses chambres de bonne taille sont bien équipées. Piscine intérieure et fitness en sus. Duplex pour les familles et les séjours.

Se restaurer

⊙⊜ **La Marine** – 8 r. du Canal - ℰ 02 97 22 21 98 - fermé 2 sem. en fév., mar. soir en hiver et lun. - 10,20/18,20 €. Proche du château, cette adresse vaut par sa situation au bord de l'Oust – belle terrasse d'été. Jolie décoration marine dans les trois petites salles à manger articulées autour d'un âtre central. Bon choix de crêpes dont deux spécialités maison : la St-Jouan et la Favorite.

⊙⊜ **Le Cobh** – 10 r. des Forges - 56800 Ploërmel - 13 km au SE de Josselin par N 24 voie express rte de Rennes - ℰ 02 97 74 00 49 - www.hotel-lecobh.com - fermé dim. soir et merc. - formule déj. 14 € - 18/38 € - 12 ch. 68/105 € - ⊑ 8,50 €. Cet ancien relais de poste portant le nom d'une ville irlandaise se repère à sa façade jaune vif. Ambiance feutrée et chaleureuse ; plaisant intérieur contemporain inspiré par les légendes celtes et la culture bretonne. Cuisine traditionnelle et excellent accueil.

Sports & Loisirs

Lac au Duc – ℰ 02 97 74 14 51. Ce lac de 250 ha offre des possibilités de pêche et de baignades ; sa base nautique permet de pratiquer du ski nautique et de la voile.

Domaine de **Kerguéhennec** ★

CARTE GÉNÉRALE D3 – CARTE MICHELIN LOCAL 308 O7 – MORBIHAN (56)

À l'écart des sentiers battus, ce domaine classé entoure un magnifique château du 18e s. Propriété du département du Morbihan depuis 1972, il abrite un centre d'art contemporain : des sculpteurs du monde entier y ont semé des œuvres en pleine nature, ponctuation insolite d'une balade pleine de charme.

◗ **Se repérer** – Le domaine se situe à une trentaine de kilomètres au nord de Vannes, et à une quinzaine au sud-ouest de Josselin. De Locminé (10 km à l'ouest), prenez la direction de Bignan, puis la D 123 vers le domaine.

🅿 **Se garer** – Laissez votre voiture sur le parking de l'entrée.

🕐 **Organiser son temps** – Situer les sculptures et en faire le tour nécessite 2h au minimum. Le parc fait presque 200 ha, alors autant prévoir de pique-niquer pour bien en profiter. Si vous le pouvez, choisissez le mois de mai pour y venir car les nombreuses variétés de rhododendrons bordant les allées sont alors en fleurs, transformant le parc en un lieu enchanteur.

👁 **À ne pas manquer** – *Mimi*, de Markus Raetz, avec le château en toile de fond, ou encore le *Cercle en Bretagne* de Richard Long, mais l'œuvre la plus incontournable sera de toute façon votre coup de cœur.

🕯 **Pour poursuivre la visite** – Voir aussi Josselin, Pontivy, Vannes et Loudéac.

Découvrir

De l'art contemporain dans un écrin classique

☏ 02 97 60 44 44 - ♿ - www.art-kerguehennec.com - juil.-août : tlj sf lun. 11h-19h ; reste de l'année : tlj sf lun. 11h-18h, possibilité de visite guidée (1h30 à 3h) - fermé déc.-janv. et j. fériés - gratuit.

L'étymologie du nom *Ker-guehennec* signifie approximativement « lieu du combat », on ne saurait mieux trouver pour un espace qui se bat afin de rendre l'art contemporain accessible à tous !

Parc de sculptures – Une vingtaine d'œuvres sont dispersées dans ce parc de 195 ha, dessiné par les frères Bühler, en 1872. Certaines ont été réalisées spécialement dans le cadre des résidences d'artistes. On découvre, entre autres : Giuseppe Penone, François Morellet, Tony Cragg, Michelangelo Pistoletto, Richard Long ou Jean-Pierre Raynaud dont les *1 000 Pots bétonnés* (1986) questionnent les visiteurs sur le statut de l'œuvre.

Domaine de Kerguéhennec

👁 Pour parcourir les dédales du parc, et vous familiariser avec les œuvres qui s'y trouvent disséminées, demandez un plan *(gratuit)* du domaine au château ou au Café du Parc qui le jouxte.

Œuvre de Toni Grand, Sans titre, 1988, coll. Fnac.

Château et dépendances – Cette belle demeure construite au début du 18ᵉ s. par Olivier Delourme, un architecte de la région, s'ordonne avec ses communs symétriques autour d'une vaste cour d'honneur. Expositions temporaires et séminaires.

Aux alentours

Locminé

8 km à l'ouest par les D 123 et D 1. Locminé, « lieu des moines », doit son nom à une abbaye. Fondée au 6ᵉ s., elle possédait deux églises jumelées, l'église St-Sauveur du 16ᵉ s. et la chapelle St-Colomban. Seules leurs façades subsistent ; en 1975, une église moderne a été construite en retrait, en remplacement des nefs. *Pl. du Vieux Marché -* ☏ *02 97 60 00 25 - tlj 8h30-12h, 14h-19h sf dim. apr.-midi.*

La chapelle **N.-D.-du-Plasker** du 16ᵉ s. *(à gauche du chevet de l'église moderne)* présente une riche décoration flamboyante. *Pl. du Champ-de-Foire -* ☏ *02 97 60 00 25 - tlj 8h30-12h, 14h-19h sf merc. et dim. apr.-midi.* On peut emprunter la clef au presbytère en cas de fermeture.

Kerguéhennec pratique

♿ Reportez-vous aussi aux encadrés pratiques de Josselin, Pontivy, Vannes, et loudéac.

Visite

Le domaine propose une visite guidée de l'écurie et de la bergerie - *mar.-dim. 16h - gratuit.*

Se restaurer

🍴 **Auberge La Chouannière** – 6 r. Georges-Cadoudal - 56500 Bignan -

☏ 02 97 60 00 96 - fermé 1ᵉʳ-15 mars, 3-10 juil., 2-19 oct., dim. soir, merc. soir et lun. - 24/62 €. L'enseigne rappelle à notre bon souvenir Pierre Guillemot, farouche lieutenant de Cadoudal, natif du village. Sobre décor, chaises style Louis XVI et cuisine classique.

Événements

Animations – Concerts, représentations théâtrales et ballets sont organisés pendant l'été. *Se renseigner auprès du domaine pour connaître le programme.*

Église de **Kernascléden**★★

355 KERNASCLÉENS
CARTE GÉNÉRALE C2 – CARTE MICHELIN LOCAL 308 L6 – MORBIHAN (56)

Au cœur du pays Pourlet, cette remarquable église fondée au 15ᵉ s. par la famille de Rohan abrite de magnifiques fresques qui justifient à elles seules le détour par ce coin reculé de l'Argoat. La région possède néanmoins d'autres attraits dont la vallée du Scorff et la forêt de Pont-Calleck ne sont pas des moindres.

▶ **Se repérer** – À la verticale nord de Lorient (32 km *via* la D 769), Kernascléden se situe tout près de la charmante D 110 qui longe la forêt de Pont-Calleck. Pontivy est à la même distance à l'est (*via* la D 782).

🕐 **Organiser son temps** – Pensez à programmer une visite guidée de l'église.

👁 **À ne pas manquer** – Les fresques de l'église, notamment la danse macabre du transept sud.

🕯 **Pour poursuivre la visite** – Voir aussi Lorient, Quimperlé, Le Faouët, les Montagnes Noires, Rostrenen, le lac de Guerlédan et Pontivy.

Découvrir

Église Notre-Dame★★

𝄞 02 97 51 61 02 - 9h-20h - clef sur demande auprès de M. Lavolé Bénoni.

Bien que l'église ait été consacrée en 1453, au moins trente ans avant la chapelle de St-Fiacre *(voir Le Faouët)*, la légende rapporte qu'elles ont été bâties par les mêmes ouvriers, les anges transportant les compagnons et leurs outils d'un chantier à l'autre.

Sur le flanc droit s'ouvrent deux porches. Le **porche**★ de gauche, le plus vaste, est orné des statues des douze apôtres. À l'intérieur, les voûtes et les murailles surmontant les arcades sont décorées de **fresques**★★ (15ᵉ s.) représentant des épisodes de la vie de la Vierge et du Christ. Les plus belles sont le Mariage et l'Annonciation *(côté gauche du chœur)* et les Funérailles de la Vierge *(côté droit)*. Au-dessus de l'arc triomphal *(côté chœur)* : la Résurrection du Christ. Dans le bras gauche du transept : huit anges musiciens. Sur les murailles du croisillon droit, fragments d'une danse macabre et d'une représentation de l'Enfer *(face à l'autel)*, œuvre originale par la variété des supplices imaginés.

Aux alentours

Château de Pont-Calleck

4 km au sud. Prenez la D 782 (dir. Le Faouët) et, à Kerchopine, tournez à gauche.

La route longe l'institution N.-D.-de-Joie, installée dans le **château de Pont-Calleck** *(seul le parc est ouvert à la visite)* reconstruit en 1880 et transformé en foyer d'enfants. *9h-19h - fermé 25 juil.-26 août - gratuit.*

Poursuivez vers Plouay.

On entre dans la belle **forêt de Pont-Calleck**. Une petite route à gauche en forte descente mène à un barrage d'où l'on jouit d'une vue très agréable sur le joli site du

Fresques de l'église Notre-Dame.

château en bordure de l'étang. Revenez à la route de Plouay pour prolonger la promenade en forêt ; un parcours pittoresque s'offre alors dans l'étroite vallée du Scorff.

Ploërdut

11 km au nord. Prenez la D 782 en direction de Guémené-sur-Scorff et, à Lignol, tourner à gauche.

Paroisse primitive celtique fondée à la fin du 6ᵉ s., Ploërdut est le village de saint Ildut, comme Lanildut en Finistère. Située en plein cœur de la Bretagne intérieure, quasiment à la source du Scorff, la commune est intéressante par la richesse architecturale de ses manoirs et fermes traditionnelles des 16ᵉ et 17ᵉ s. Son **église**, maintes fois remaniée entre le 13ᵉ s. et le 17ᵉ s., conserve une très belle nef, des bas-côtés romans et de lourds **chapiteaux★** carrés, ornés de motifs géométriques.

Lamballe

10 563 LAMBALLAIS
CARTE GÉNÉRALE D2 – CARTE MICHELIN LOCAL 309 G4 – CÔTES-D'ARMOR (22)

Bâtie sur le flanc d'une colline couronnée par la collégiale Notre-Dame, Lamballe est l'ancienne capitale du duché de Penthièvre. Bénéficiant d'une certaine proximité avec la Côte d'Émeraude, elle reste néanmoins à l'écart des grands flux touristiques et constitue, de ce fait, une halte idéale pour les amateurs de calme et d'authenticité.

▷ **Se repérer** – Lamballe se trouve à 20 km à l'est de St-Brieuc par la N 12, et à 12 km du Val-André (au nord) par la D 791.

🕐 **Organiser son temps** – De mi-juillet à fin août, les spectacles organisés au haras sont l'occasion d'y faire étape pour découvrir la région.

👁 **À ne pas manquer** – Le haras national est un incontournable de la région, surtout pendant les concours hippiques du mois d'août, quant au château de la Hunaudaye, il offre l'occasion d'un voyage au temps des chevaliers.

👪 **Avec les enfants** – Visitez la Ferme d'antan de St-Esprit-des-Bois-en-Plédéliac pour appréhender la vie rurale en Bretagne au début du 20ᵉ s., allez au château de la Hunaudaye et offrez-vous une promenade en canoë à Jugon-les-Lacs.

🕐 **Pour poursuivre la visite** – Voir aussi le Val-André, St-Cast-le-Guildo, la Côte d'Émeraude, St-Brieuc, Moncontour et Dinan.

Comprendre

La fin tragique d'un nom – Les Lamballe était l'une des plus puissantes familles de l'Ancien Régime. En 1767, le prince de Lamballe (c'est le titre qui a été donné à l'héritier du duché de Penthièvre) mène à 20 ans une vie si dissolue que son père, dans l'espoir de l'amender, le marie à une gentille princesse piémontaise de 17 ans. L'héritier ne se range pas et meurt, épuisé, trois mois après. En 1770, Marie-Antoinette épouse le futur Louis XVI. Elle prend en amitié la jeune veuve. Quand éclate la tragédie révolutionnaire, la **princesse de Lamballe** reste courageusement auprès de la reine. Elle la précède d'un an dans la mort : lors des massacres de septembre 1792, des émeutiers lui coupent la tête et la promènent au bout d'une pique.

SE LOGER		SE RESTAURER	
Hôtel du Lion d'Or	①	Le Connétable	①
Hôtel La Tour des Arc'hants	④		

Se promener

Collégiale Notre-Dame

☎ 02 96 31 92 06 - juil.-août : tlj sf sam. 10h-12h, 14h30-18h30 - en dehors de la période estivale, on peut se procurer la clé chez M. Lévêque Bernard, 22 r. de la Dehanne (tél. id.). De style gothique, elle présente des parties romanes. À l'intérieur, on verra un intéressant jubé en bois sculpté, de style gothique flamboyant. Sur le flanc droit de la collégiale, une terrasse a été construite au 19e s. Elle offre une jolie vue sur la ville et la vallée du Gouessant. À gauche de la collégiale, une très belle promenade ombragée a été aménagée à l'emplacement du château.

Place du Martray

Cette petite place triangulaire est bordée de maisons anciennes à pans de bois ; parmi celles-ci, la **maison du Bourreau** *(voir rubrique « Visiter »)*, du 15e s.

Église Saint-Martin

Ancien prieuré de l'abbaye de Marmoutier, cet édifice (15e-18e s.) comporte sur le flanc droit un porche original des 11e et 12e s., surmonté d'un auvent de bois datant de 1519. Beau clocher dont la flèche est du 18e s.

Visiter

Musée du Pays de Lamballe

Au RdC de la maison du Bourreau - pl. du Martray - ☎ 02 96 34 77 63 - juin-août : mar.-vend. 10h-12h, 14h30-18h ; reste de l'année : 10h-12h30, 14h30-17h - fermé j. fériés - 2 € (enf. 1 €). Ce musée des arts et traditions populaires expose poteries de Lamballe, gravures, coiffes et pièces de costumes de la région.

Musée Mathurin-Méheut

Au 1er ét. de la maison du Bourreau - pl. du Martray - ☎ 02 96 31 19 99 - juin-sept. : 10h-12h, 14h30-18h ; avr. : lun.-sam. 10h-12h, 14h30-17h ; mai et oct.-déc. : merc., vend. et sam. 14h30-17h - fermé janv.-mars, dim. et j. fériés - 3 € (enf. 1 €), gratuit Printemps des musées. Exposition thématique des œuvres de Mathurin Méheut (1882-1958), peintre natif de Lamballe, dont l'œuvre constitue un témoignage incomparable de la vie quotidienne en Bretagne.

Haras national★

Pl. du Champ-de-Foire - ☎ 02 96 50 06 98 - ⚿ - visite guidée (1h) de mi-juin à mi-sept. :
10h30-17h30 ; de mi-sept. à mi-avr. : dép. à 15h mar.-dim. ; de mi-avr. à mi-juin : 14h45
et 16h mar.-dim. - spectacles de mi-juil. à mi-août : jeu.

Ce haras fondé en 1825 héberge une soixantaine d'étalons (races de trait ou de sang).
De début mars à la mi-juillet, ces étalons sont répartis dans les stations de monte des
Côtes-d'Armor et du Nord-Finistère. Un concours hippique a lieu en août, à l'issue
duquel est présenté un **carrousel** des attelages. Au cours de la visite, on découvre
les écuries et leurs hôtes, la forge, la remise des voitures hippomobiles, la sellerie
d'honneur, le manège, la cour d'honneur.

Aux alentours

Château de la Hunaudaye★

À 15 km à l'est de Lamballe, par la D 28 en
direction de Pléven et la D 28^E à droite -
☎ 02 96 34 82 10 - www.la-hunaudaye.
com - visite guidée (1h) de mi-juin à
mi-sept. : 10h30-18h30 ; de déb. avr. à
mi-juin et de mi-sept. à fin oct. : dim. et
j. fériés 14h30-18h ; vac. de Pâques et de la
Toussaint (zone A) : tlj sf sam. 14h30-18h -
période estivale : 3,90 € (enf. 3 €), sinon
3 € (enf. 2 €) - avr.-oct. : spectacles, ate-
liers pour enf., expositions et conférences -
fermé nov.-mars - visites en LSF de mi-juin
à mi-sept. : merc. à 14h.

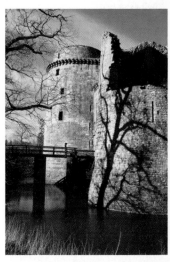

Château de la Hunaudaye

Cette ancienne forteresse s'élève dans
un cadre boisé, à l'orée des forêts de
St-Aubin et de la Hunaudaye. Construit
en 1220, le château fut agrandi au 14e s.
et embelli au début du 17e s. Il fut démantelé puis incendié sous la Révolution.
Son plan dessine un pentagone irrégu-
lier dont chaque angle est occupé par une tour. Deux d'entre elles, les plus petites,
appartiennent à la première construction ; les trois autres furent édifiées aux 14e et
15e s. Un pont remplaçant l'ancien pont-levis donne accès à une grande porte en
plein cintre surmontée d'un blason.
Après les vestiges des cuisines, on gagne la **tour de la Glacière** (15e s.) qui doit
son nom à son orientation au nord. Un escalier à vis permet d'admirer l'élégante
construction et les cheminées. Le **logis seigneurial** (15e-16e s.) était un imposant
manoir, orné d'un magnifique escalier Renaissance. Le **donjon seigneurial** (15e s.) est
desservi par un escalier à vis de 73 marches. Remarquez les cheminées monumentales
et les canonnières percées dans les murs pour assurer la défense.
👫 Un livret de jeux illustré (2 €) intitulé *Y'a pas d'âge pour le Moyen Âge* permet de visiter intelligemment le site, tout en s'amusant. L'été, de nombreux
ateliers pédagogiques sont proposés aux enfants (coût inclus dans la visite).
Se renseigner.

Saint-Esprit-des-Bois-en-Plédéliac

Après Plédéliac, à 11 km à l'est par les D 28, D 52^A, D 52 et D 55.

👫 La **Ferme d'antan** offre l'occasion de visiter une exploitation, ses dépendances et
son outillage. La pièce commune d'habitation a conservé le mobilier traditionnel breton. Un film illustre la vie quotidienne paysanne au début du 20e s. ☎ 02 96 34 80 77 -
www.ferme-dantan22.com - horaires identiques à ceux du château de la Hunaudaye -
fermé nov.-mars - 4,50 € (enf. 2,50 €).

Jugon-les-Lacs

À 16 km au sud-est par la N 12, puis la N 176 en direction de Dinan.

Le bourg s'adosse à la digue qui retient les eaux de la Rosette et de la Rieule, formant
le grand lac de Jugon. L'église, en partie reconstruite au 19e s., conserve un porche
du 12e s. ainsi que la porte du bras droit du transept à sculptures stylisées. Dans la
rue du château, l'ancien **hôtel Sevoy** (1634) est bâti sur le roc.

Morieux

17 km au nord-ouest. Sortez de Lamballe par la N 12, puis à St-René prenez la D 786.
L'église **St-Gobrien★**, l'une des plus anciennes des Côtes-d'Armor, abrite de remarquables **fresques** du 11e s., et surtout des 13e et 14e s. Exceptionnellement bien conservées, elles couvrent plus de 200 m² de murs. Remarquez le très beau Christ au-dessus de l'arc triomphal séparant la nef du chœur. *Visites tlj en été, et uniquement sur demande auprès de Mme Lebreton le reste de l'année -* ℘ *02 96 32 74 28.*

Lamballe pratique

Adresse utile

Office du tourisme de Lamballe – *Pl. du Champ-de-Foire - 22400 Lamballe -* ℘ *02 96 31 05 38 - www.otlamballe.com - juil.-août : 10h-18h ; sept.-mars : tlj sf lun. 14h-17h30 ; avr.-juin : tlj sf lun. 13h30-18h - fermé Noël et 1er janv.*

Se loger

⌂⌂ **Hôtel du Lion d'Or** – *3 r. du Lion-d'Or -* ℘ *02 96 31 20 36 - www.leliondor-lamballe.com - fermé 23 déc.-7 janv. - 17 ch. 48/60 € -* ⌷ *7 €.* Cet hôtel entièrement rénové se trouve dans une rue calme du centre-ville. Chambres bien tenues, lumineuses et égayées de tissus fleuris. Formule buffet au petit-déjeuner.

⌂⌂ **Hôtel de La Tour des Arc'hants** – *2 r. du Dr-Lavergne -* ℘ *02 96 31 01 37 - latourdesarchants@wanadoo.fr - 16 ch. 50/68 € -* ⌷ *8 € - rest. 18/42 €.* Tout près du centre historique de la cité, un hôtel à la façade ancienne agrémentée de colombages. Ses chambres, réparties dans deux bâtiments, sont néo-rustiques et régulièrement revues. Cuisine traditionnelle servie dans deux salles à manger, l'une ornée d'œuvres d'artistes locaux, l'autre d'une imposante cheminée.

Se restaurer

⌂ **Le Connétable** – *9 r. Paul-Langevin -* ℘ *02 96 31 03 50 - fermé 2 sem. en janv., 2 sem. en oct., dim. soir et lun. - 11 € déj. -*
14/28 €. Rien ne laisse deviner que ce lieu abritait jadis une forge. La salle, redécorée dans des harmonies de brun-rouge, jaune mimosa et bleu nuit, marie avec bonheur le moderne à l'ancien. Service et accueil aimables. Dans l'assiette, goûteuse cuisine du marché et des produits du terroir.

Sports & Loisirs

La Poterie Équitation – *Manoir des Portes -* ℘ *02 96 31 92 92 - lapoterie-equitation@wanadoo.fr - tlj sf dim. et lun. 9h-12h, 14h-20h.* Ce centre équestre propose des stages pour adultes et enfants : initiation, préparation à la compétition, promenade, poney club à partir de 3 ans et montoir à cheval pour handicapés. Possibilité d'hébergement.

Centre nautique – *22270 Jugon-les-Lacs -* ℘ *02 96 31 64 58 - centre-nautique-jugon@wanadoo.fr - été : 9h-19h (hiver : 17h) - fermé en fév. et j. fériés sf 1er et 8 Mai.* La base nautique accueille de nombreuses activités sportives : catamaran, aviron, canoë, pédalo, VTT, équitation, tennis…

Événement

Fête des mille sabots – *Sur le Parc équestre le dernier dim. de sept. - rens. à l'office de tourisme.* Grande fête du cheval réunissant néophytes et professionnels du monde hippique : parades d'éleveurs, défilés déguisés, spectacles…

Lampaul-Guimiliau★★

1 990 LAMPAULAIS
CARTE GÉNÉRALE C2 – CARTE MICHELIN LOCAL 308 G4 – FINISTÈRE (29)

Facilement reconnaissable à la flèche tronquée de son clocher, cette commune a le bonheur de posséder un enclos paroissial complet. Si le calvaire n'est pas aussi spectaculaire que d'autres du voisinage, l'église étonne, séduit par l'incroyable richesse de sa décoration et de son mobilier qui forment un ensemble très harmonieux.

▶ **Se repérer** – On déniche ce village à 4 km au sud-est de Landivisiau (où passe la N 12 Morlaix-Brest), sur la D 11.

◷ **Organiser son temps** – Prévoyez une bonne heure pour la visite de l'enclos.

◉ **À ne pas manquer** – La visite complète de l'enclos paroissial sans oublier les personnages qui ornent le retable de l'autel de la Passion.

⚲ **Pour poursuivre la visite** – Voir aussi les Enclos paroissiaux, Guilmiliau, St-Thégonnec, Sizun, les monts d'Arrée, Morlaix et Landerneau.

Découvrir

ENCLOS PAROISSIAL★

Récemment restauré, il recèle une **porte triomphale** en plein cintre, surmontée de trois croix (1669). L'ancien ossuaire appelé **chapelle funéraire** (1667) est accolé à l'arc et possède des contreforts couronnés de lanternons. À l'intérieur, on peut voir l'autel de La Trinité, les statues de saint Roch, de saint Sébastien, de saint Pol et de son dragon. Plus ancien, le **calvaire** date du début du 16e s.

Église★★

saint Pol-Aurélien, premier évêque du Léon, trône sur son pignon. L'abside, avec la sacristie ajoutée en 1679, forment un bel ensemble où se mêlent les styles gothique et classique. Sur le flanc droit, statues des douze apôtres. Notez aussi la tour-clocher du 16e s., dont la flèche a été tronquée par la foudre en 1809.

Tour-clocher de l'église.

R. Mattes / MICHELIN

Intérieur – En entrant dans l'église, on remarque les entraits sculptés (restaurés), mais aussi et surtout la très belle **poutre de gloire★** du 16e s. qui traverse la nef ; elle porte un crucifix, entre les statues de la Vierge et de saint Jean. Les faces sont ornées de sculptures : côté nef, épisodes de la Passion ; côté chœur, notez la présence surprenante de douze sibylles (prêtresses d'Apollon qui auraient annoncé la venue d'un Sauveur) séparées par le groupe de l'Annonciation. Au bas du bas-côté droit, observez le **baptistère★** (1651), et, plus haut, à droite du retable de saint Laurent (il tient le gril de son martyre), un curieux **bénitier** (17e s.) représentant deux diables se débattant dans l'eau bénite !

Mais ce qui frappe le plus dans l'église est certainement la présence de six **retables** dont les plus importants et les plus riches sont placés de chaque côté du chœur. Il faut prendre un peu de temps pour détailler les scènes de ces véritables livres illustrés.

À droite, l'**autel de Saint Jean Baptiste★** est décoré de bas-reliefs dont le plus intéressant, à gauche, représente la Chute des anges : une scène inspirée de Rubens. À gauche du chœur, l'**autel de la Passion★★** est orné d'un retable de fabrication flamande où l'on voit, dans les huit compartiments, des personnages en haut relief d'un réalisme saisissant de vie. Deux panneaux encadrent l'autel. Ils évoquent, à gauche la Nativité de la Vierge – scène rare en Bretagne – et à droite, le Martyre de saint Miliau : ce roi de Cornouaille eut la tête tranchée par son frère, jaloux du trône. Dans le bas-côté gauche, remarquable **Pietà** du 16e s. dont les six personnages sont taillés dans un seul bloc de bois. Une vitrine abrite les bannières qui sont exhibées lors du pardon de Lampaul, en mai, et du pardon de Sainte-Anne, en août. Remarquez la bannière de velours du 17e s., brodée au fil d'argent. À voir aussi : la touchante **Mise au tombeau★** (1676) en tuffeau polychrome, due à un sculpteur de la Marine, Anthione (Antoine de Chavagnac) ; remarquez particulièrement l'expression du Christ. Le buffet d'orgue est du 17e s.

Maison du patrimoine

℘ 02 98 68 76 67 – juil.-août. : lun.-sam. 10h-13h, 14h30-18h, dim. 10h-12h30 ; juin et sept. : lun.-vend. 10h-13h, 14h30-18h - possibilité de visite guidée de l'enclos paroissial (1h), hors période sur RV - fermé oct.-mai - gratuit.

Face à l'enclos, cette vieille demeure bretonne comporte un petit musée : mannequins en costumes du pays, meubles anciens. En haute saison, expositions de sculptures et de photos.

Chapelle Sainte-Anne

Environ 3 km au sud - ℘ 02 98 68 76 67 - visite guidée (1h) sur demande à la mairie ou Mme Mingam ℘ 02 98 68 75 48 - le soir et le w.-end.

Cette petite chapelle (17e s.) est dédiée à sainte Anne qui y a pas moins de trois représentations bien différentes (dont une sainte Anne trinitaire restaurée en 2005). Elle accueille aussi un rare Christ en robe rouge sur la croix.

Landerneau

14 281 LANDERNÉENS
CARTE GÉNÉRALE B2 – CARTE MICHELIN LOCAL 308 F4 – FINISTÈRE (29)

« Cela va faire du bruit dans Landerneau » : l'expression évoquait autrefois le cha-
rivari que faisaient les Landernéens aux veuves qui se remariaient. Aujourd'hui,
ce joyeux vacarme a été remplacé par celui des visiteurs venus admirer le site
d'exception que la petite ville portuaire occupe sur l'estuaire de l'Elorn. Cette
rivière, riche en saumons et en truites, traverse l'ancienne capitale du Léon,
toujours réputée pour ses marchés. Ce n'est sans doute pas un hasard si Leclerc
y a ouvert son premier magasin en 1949.

▶ **Se repérer** – Landerneau est traversée par la D 712, qui mène à Brest (27 km au
  sud-ouest), et à Landivisiau (17 km au nord-est). Cette dernière portion longe
  l'Elorn sur la rive droite. La voie rapide Brest-Morlaix (N 12) est à 5 km au nord de
  la ville.

🅿 **Se garer** – Le stationnement est gratuit dans la plus grande partie de Landerneau,
  tout comme la première demi-heure dans les rares zones payantes. Notez que le
  parking qui fait face à l'office de tourisme est payant, et que les places ne manquent
  pas autour de l'église St-Houardon.

🕐 **Organiser son temps** – Essayez de visiter la ville un samedi, de façon à flâner
  en matinée parmi les étals du marché. Vous serez en plus au cœur du quartier
  historique de Landerneau.

👁 **À ne pas manquer** – Le pont de Rohan pour ses maisons à encorbellement.

🕯 **Pour poursuivre la visite** – Voir aussi Brest, les Abers, Le Folgoët, les Enclos
  paroissiaux et Plougastel-Daoulas.

Se promener

Pont de Rohan★

Le pont de Rohan (1510) est l'un des derniers ponts habités d'Europe. Il accueille
notamment l'office de tourisme.
Si l'on se place devant l'hôtel de ville *(un peu en amont sur la rive droite)*, on apprécie l'aspect pittoresque du pont, avec ses
maisons à encorbellement aux façades
recouvertes d'ardoise.

Maisons anciennes

Située à l'angle du pont de Rohan et du
quai de Cornouaille, la **maison dite des
Rohan** (1639) comporte un cadran solaire.
D'autres demeures anciennes se blottis-
sent sur la rive droite de l'Elorn. Dans le
prolongement du pont, gagnez la place
du Général-de-Gaulle *(pl. du Marché)* : au
n° 9, la **maison dite de la Duchesse Anne**
(1664) comporte une tourelle. À voir encore,
en poursuivant dans la même direction :
le n° 4 de la rue de la Fontaine-Blanche, et
le n° 5 de la rue du Commerce *(première à*

Le pont de Rohan.

gauche sur la partie piétonne de la rue de la Fontaine-Blanche), une maison de 1667
avec tourelle et lucarnes ouvragées.

Église Saint-Houardon

Construit en pierre de Kersanton, le porche servit de modèle aux bâtisseurs des enclos
paroissiaux de la vallée de l'Elorn.
Gagnez la rive gauche.

Église Saint-Thomas-de-Cantorbéry

Cet édifice du 16e s. possède un clocher-porche de 1607 à trois balcons superposés.
En face de l'église a été construite en 1635 une **chapelle-ossuaire**, qui dépendait
du sanctuaire. 📞 *02 98 85 13 09 - visite guidée uniquement (45mn gratuit) - juil.-août :
mar. et jeu. 14h-18h ; visite guidée sur RV reste de l'année : se renseigner à l'office de
tourisme.*

Landerneau pratique

Adresse utile

Office du tourisme du pays des rives d'Armorique – *Pont-de-Rohan - 29800 Landerneau - ℘ 02 98 85 13 09. www.tourisme-landerneau-daoulas.fr - juil.août :lun.-sam. 9h-12h30, 13h30-19h, dim. 10h-13h; sept.-janv. : mar.-sam. 10h-13h, 14h-17h; fév.-juin : mar.-sam. 10h-13h, 14h-18h -fermé 1er Mai.*

Se restaurer

⊖ **Restaurant de la Mairie** – *9 r. de La Tour-d'Auvergne - ℘ 02 98 85 01 83 -*

www.restaurantdelamairie.com - fermé mar. soir - 8/30 €. Ce restaurant jouit d'une excellente réputation. Les raisons de son succès ? Ses deux salles à manger coquettement fleuries (celle sise à l'étage offre une jolie vue sur l'Elorn), ses plats traditionnels et sa belle carte des vins. À noter : pouponnière à disposition.

Que rapporter

Marchés – *Ils ont lieu trois jours par semaine à Landerneau - pl. Gén.-de-Gaulle - les mar., vend. et sam.*

Landévennec★

371 LANDÉVENNECIENS
CARTE GÉNÉRALE B2 – CARTE MICHELIN LOCAL 308 F5 – FINISTÈRE (29)

Petite station estivale entourée d'eau et de bois, Landévennec est campée sur une jolie presqu'île postée à l'embouchure de l'Aulne, aux portes de la presqu'île de Crozon. Ici, tout respire la douceur de vivre : n'y voit-on pas une végétation méditerranéenne et des camélias y fleurir jusqu'au cœur de l'hiver ?

▶ **Se repérer** – On y accède par la D 60 qui se greffe à la D 791 reliant Le Faou à Crozon. Une forte descente mène à la localité. Si vous venez de Daoulas (au nord de la presqu'île) *via* la D 770, à Hôpital-Camfrout, prenez la route en descente. Le belvédère aménagé sur la droite offre une belle **vue★** sur le village, le méandre de l'Aulne avec l'île de Térénez et le cimetière des bateaux de guerre, la presqu'île de Landévennec et la rivière du Faou.

🕐 **Organiser son temps** – Une ou deux heures suffisent pour découvrir Landévennec. Il vous en faudra plus si vous souhaitez rayonner sur Crozon ou les monts d'Arrée.

👁 **À ne pas manquer** – Le tour du bourg du Faou pour en admirer le site.

👪 **Avec les enfants** – La démonstration des vieux métiers au musée d'Argol, complétée par celle des jeux bretons.

♻ **Pour poursuivre la visite** – Voir aussi Plougastel-Daoulas, les Enclos paroissiaux, les monts d'Arrée, le Ménez-Hom et la presqu'île de Crozon.

Visiter

Nouvelle abbaye bénédictine Saint-Guénolé
Prenez à droite, à mi-pente, une allée bordée d'arbres et suivez la signalisation.
Très sobre, l'église renferme une statue de saint Guénolé en bois polychrome (15e s.). L'autel est constitué d'un bloc monolithe en granit rose. On peut assister aux offices.

Ruines de l'ancienne abbaye
Entrée 200 m plus bas à droite, au centre du bourg - ℘ 02 98 27 35 90 - www.pnr-armorique.fr - juil.-mi-sept. : 10h-19h ; 2e quinz. de sept. : tlj sf sam. 10h-18h, Pâques-juin : tlj sf sam. 14h-18h - fermé oct.-mars sf dim. j. fériés et vac. scol. 14h-18h - 4 € (enf. 8-18 ans 3 €). Fondée à la fin du 5e s. par saint Guénolé, et maintes fois remaniée, l'abbaye disparaît à la Révolution. Les ruines de l'église romane permettent d'en découvrir le plan : nef de six travées avec bas-côtés, transept et chœur à déambulatoire sur lequel s'ouvraient trois chapelles rayonnantes. À l'entrée du bras droit du transept, un monument carré serait le tombeau du roi Gradlon.

Saint Guénolé
Venu au 5e s. du pays de Galles comme beaucoup de saints bretons, Guénolé fonde l'abbaye de Landévennec. Son culte se répand dès le début du Moyen Âge, dans toute la Bretagne et au-delà. Il est invoqué pour le salut des marins et contre la stérilité.

Sainte Anne et la Vierge (15ᵉ s.) veillent sur l'église Notre-Dame.

Un **musée** de conception très moderne expose les objets exhumés lors des fouilles, dont un sarcophage en bois antérieur au 10ᵉ s., ainsi que des maquettes situant les différentes étapes de construction de l'abbaye.

Église Notre-Dame

Elle renferme d'intéressantes statues et des **tableaux★** classés du 17ᵉ s. *☎ 02 98 27 72 65 - 10h-18h.*

Aux alentours

Argol

10 km au Sud-Ouest de Landevennec par la D 20. Argol signifie en breton « en danger de périr ». Ce serait là en effet que Dahut, fille de Gradlon, disparut lors de l'engloutissement de la ville d'Ys.

Enclos paroissial – Église datant de 1576 avec un calvaire de 1593. L'arc de triomphe à l'entrée arbore une statue équestre de Gradlon.

Maison des vieux métiers vivants★ – *☎ 02 98 27 79 30 - www.argol.fr.st - avr.-mai : jeu. et dim. 14h-17h30 ; juin et sept. : mar., jeu. et dim. 14h-17h30 ; juil.-août : tlj 10h-12h, 14h30-18h sf les mat. des sam.,dim. et lun. 4 € (6-14 ans 2 €).*

Des bénévoles présentent les métiers ruraux et maritimes d'autrefois : vannier, bourrelier, sabotier, scieur de long, fileuses, dentellière, fabricant de jouets… En été, des animations (cerclage de roues, fête de la moisson, battage au fléau, tonte des moutons, etc.) complètent la visite. Programme disponible sur demande.

Parc de jeux bretons – *À 200 m de la Maison des vieux métiers vivants - Gratuit.*
Cette annexe du musée offre l'occasion de s'initier en famille aux jeux traditionnels : galoche, boulten, jeux de quilles ou de palets. Règles fournies sur place.

Pont de Térénez

Lancé sur l'Aulne, cet élégant ouvrage a une travée centrale de 272 m. La vue est fort belle sur la vallée.

Le Faou

Le bourg, autrefois riche cité portuaire, occupe, à l'origine de l'estuaire du Faou, un **site★** qui prend beaucoup de caractère à marée haute (la ville est d'ailleurs classée « petite cité de caractère »).

Sa rue principale est bordée de belles maisons anciennes en granit dont les étages sont en encorbellement, et les façades, recouvertes d'ardoise. L'**église St-Sauveur** du 16ᵉ s., qui se dresse en bordure de la rivière, présente quant à elle un élégant clocher à dôme du 17ᵉ s., un double transept, un chevet à pans coupés et une cuve baptismale (16ᵉ s.) remarquablement sculptée. *Lun.-vend. 15h-19h - on peut emprunter la clef au presbytère ☎ 02 98 81 90 55.*

Landévennec pratique

Adresse utile

Syndicat d'initiative de Landévennec – *R. St-Guénolé - 29560 Landévennec - ☎ 02 98 27 78 46 - juil.-août : 10h-12h30, 15h-18h30 ; reste de l'année s'adresser à la mairie ☎ 02 98 27 72 65.*

Que rapporter

Écomusée de l'Abeille – *Ferme apicole de Térénez - à 8 km du Faou vers la presqu'île de Crozon - 29590 Rosnœn - ☎ 02 98 81*
06 90 - www.ferme-apicole-de-terenez. com - 10h-19h. Installé au bord d'une grève parmi des bosquets, un jeune couple d'apiculteurs vous présentera son métier et ses produits dans un bâtiment de pierre aménagé en boutique. Vous pourrez y voir du matériel professionnel et déguster du miel, du pain d'épice, de l'hydromel et des bonbons maison. Sont aussi récoltés du pollen, de la gelée royale et de la cire. Que du naturel !

Lannion★

18 368 LANNIONNAIS
CARTE GÉNÉRALE C1 – CARTE MICHELIN LOCAL 309 B2 – CÔTES-D'ARMOR (22)

Capitale du Trégor, Lannion s'est spécialisée depuis les années 1960 dans les télécommunications et la téléphonie, d'où la présence du Cnet, Centre national d'études des télécommunications, au nord de la ville. Ces activités de haute technologie ont fortement modernisé la ville, qui conserve néanmoins un élégant cachet de « vieille Bretagne » grâce à son vieux quartier baigné par le Léguer.

▶ **Se repérer** – La ville est coupée par la D 786 qui relie Morlaix (38 km à l'ouest) et Paimpol (35 km à l'est), en passant par Tréguier (18 km à l'est).

🅿 **Se garer** – Le parking de la gare est payant, mais l'immense parking des Ursulines, proche du centre, est gratuit toute l'année.

🕒 **Organiser son temps** – Promenez-vous et déjeunez dans le vieux Lannion, avant de vous consacrer aux alentours l'après-midi. Pour ceux qui aiment les marchés, Lannion accueille chaque jeudi matin le plus important des Côtes-d'Armor.

👁 **À ne pas manquer** – Les remarquables maisons médiévales du centre-ville ; l'église de Brélévenez pour sa Mise au tombeau, le jubé de la chapelle de Kerfons et la pointe de Séhar pour le panorama sur la baie de Lannion.

🜚 **Pour poursuivre la visite** – Voir aussi la Côte de Granit rose, Tréguier, Paimpol, Guingamp, Belle-Isle-en-Terre et la Côte des Bruyères.

Se promener

Maisons anciennes★

À colombages, à encorbellement ou recouvertes d'ardoise, les façades des maisons des 15e et 16e s. sont remarquables. On les découvre principalement place du Gén.-Leclerc (*nos 23, 29, 31, 33*), rue des Chapeliers (*nos 1 à 9*), rue Geoffroy-de-Pont-Blanc (*nos 1 et 3*) et rue Cie-Roger-de-Barbé (*nos 1 et 7*). À l'angle de cette dernière rue, à

SE LOGER	SE RESTAURER
Chambre d'hôte	Crêperie La Sarrazine.................①
Manoir du Launay.................①	Le Tire-Bouchon.........................④

gauche, une croix de granit a été scellée dans le mur à l'endroit où s'illustra le chevalier de Pont-Blanc, défenseur héroïque de la ville lors de la guerre de Succession. Plus loin au n° 19 de la rue Jean-Savidan, le couvent des Ursulines (17ᵉ s.) accueille **l'Imagerie**, dédiée à la photographie.

Église de Brélévenez★

Escalier dit « de la Trinité » de 140 marches - 10h30-12h30, 14h30-18h.

Édifiée sur la colline par les templiers au 12ᵉ s., elle fut remaniée à l'époque gothique. Avant d'entrer dans l'église, il faut voir la curieuse **abside romane** aux colonnes rondes engagées ornées de chapiteaux sculptés et décorée de modillons. Le clocher à flèche de granit est du 15ᵉ s. Sa terrasse offre une jolie vue sur la ville et la vallée. Sous le chœur, une crypte romane remaniée au 18ᵉ s. abrite une superbe **Mise au tombeau★**.

Une des façades, place du Général-Leclerc.

Les personnages, en pierre polychrome, sont grandeur nature (18ᵉ s.).

Circuits de découverte

CHAPELLES ET CHÂTEAUX 1

Circuit de 50 km – environ 3h. Quittez Lannion par la D 11 (rte de Plouaret). 1,5 km après Ploubezre, à un embranchement où se dressent cinq croix de granit, prenez à gauche et, à 1,2 km, encore à gauche.

Chapelle de Kerfons★

De mi-juin à mi- sept. : tlj sf mar. 10h-18h, fermé 12h-14h en juin et sept. - visite guidée 1,60 € - mairie de Ploubezre ☎ 02 96 47 15 51. Entourée de châtaigniers, elle fut bâtie aux 15ᵉ et 16ᵉ s. Une corniche à modillons court sur le flanc droit, un clocheton décoré d'atlantes coiffe le pignon du bras droit du transept. Elle renferme un très beau **jubé★** en bois, sculpté à la fin du 15ᵉ s.

Faites demi-tour, puis prenez à gauche la D 31ᴮ.

La route descend bientôt en lacet dans la vallée du Léguer. Sitôt franchie la rivière aux eaux rapides et bruyantes, les ruines du château se dressent sur la gauche.

Château de Tonquédec★

☎ 02 96 54 60 70 - juil.-août : 10h-20h ; avr.-juin et sept. : 15h-19h ; oct. : w.-end 14h-18h - possibilité de visite guidée (30mn) - tarif non communiqué.

Élevé au début du 13ᵉ s., il a été démantelé sur ordre de Jean IV en 1395. Reconstruit au début du 15ᵉ s., il fut à nouveau démantelé sur ordre de Richelieu en 1622.

On pénètre dans une première cour fortifiée, puis, par une poterne, dans la deuxième cour. Un escalier de pierre *(70 marches)* conduit à la plate-forme du donjon aux murs de près de 4 m d'épaisseur : la vue permet de découvrir le plan du château et révèle la nature du pays trégorrois, vaste plateau horizontal coupé de profondes vallées en pente raide, pratiquement inhabitées.

Faites demi-tour et revenez à la D 11, prenez à gauche la route de Plouaret où vous tournerez encore à gauche. À 1 km, prenez de nouveau à gauche.

Château de Kergrist

☎ 02 96 38 91 44 - visite guidée de l'intérieur (30mn) juil.-sept. : 14h et 17h ; avr.-juin, oct. et vac. de la Toussaint : tlj sf lun. (sf vac. scol. et fêtes) 17h ; jardins juil.-sept. : 11h-18h30 ; avr.-juin, oct. et vac. de la Toussaint : 14h-18h - 5 € (jardin), 10 € (visite guidée + jardin).

Un de ses principaux attraits réside dans la variété de ses façades. Gothique au nord, avec ses lucarnes à hauts gâbles flamboyants, le corps de logis a été bâti aux 14ᵉ et 15ᵉ s. Il présente à l'opposé une façade du 18ᵉ s., tandis que les ailes en retour, qui lui sont antérieures, sont classiques sur les jardins. Ces derniers, tracés à la française, s'allongent jusqu'à la terrasse qui surplombe un parc anglais et les bois. Salon de thé, expositions d'artistes et d'artisans.

Revenez à la route de Plouaret où vous tournerez à gauche. À 2,2 km, prenez à gauche.

Chapelle des Sept-Saints

📞 02 96 38 90 08 - visite 8h-19h sur demande auprès de M. Roger Bonniec 📞 02 96 38 91 73.

Noyée dans la verdure, la chapelle des Sept-Saints (18ᵉ s.) est en partie édifiée sur un imposant dolmen. On y vénère les Sept Dormants d'Éphèse, culte venu d'Asie Mineure : selon la légende, sept jeunes chrétiens, emmurés vivants dans une caverne au 3ᵉ s., se sont réveillés au bout de deux siècles. Chaque année, un pèlerinage islamo-chrétien se déroule dans cette chapelle bretonne.

On accède à la crypte située sous le mégalithe, de l'extérieur, par une petite porte pratiquée dans le bras droit du transept.

Par Pluzunet et Bardérou, gagnez la route de Lannion où vous prendrez à gauche. Dépassez Caouënnec et continuez vers Lannion. Dans Buhulien, prenez à gauche la direction de Ploubezre, 100 m après la ferme de Pont-Keriel, tournez à gauche dans un chemin non revêtu qui s'enfonce dans le bois.

Château de Coatfrec

Il reste de belles ruines de cette imposante demeure du 16ᵉ s.

Gagnez Ploubezre où vous tournerez à droite pour revenir à Lannion.

PAYSAGES MARITIMES [2]

Circuit de 32 km – Environ 2h. Quittez Lannion par le quai du Maréchal-Foch.

Loguivy-lès-Lannion

Ce faubourg de Lannion s'étage à flanc de colline dans un cadre agréable. L'**église**, nichée dans un théâtre de verdure sur les bords du Léguer, date du 15ᵉ s. Un curieux escalier extérieur mène au clocher-mur construit en 1570. Dans la chapelle à droite du chœur, remarquez le **retable** de l'Adoration des mages en bois sculpté, du 17ᵉ s. Des bergers en costumes bretons y jouent du biniou et de la bombarde. 📞 02 96 46 75 95 - sur demande au presbytère.

Dans le cimetière, sous des ifs plusieurs fois centenaires, **fontaine** en granit (1577).

Au-delà de Ploulec'h, la D 88 s'élève en direction du Yaudet.

Le Yaudet

Dans un site superbe de hautes falaises, ce hameau fut un siège épiscopal aux premiers siècles de notre ère, avant d'être détruit par les Danois vers 848. Il possède encore des vestiges de murs romains et une **chapelle**, dont le maître-autel affiche une curieuse Trinité : au-dessus de l'autel, la Vierge est couchée avec l'Enfant Jésus à ses côtés, Dieu le Père est assis dans l'alcôve, au pied du lit, et en haut, apparaît la colombe du Saint-Esprit. *Mars-oct. : 9h30-18h30 ; reste de l'année : w.-end 9h30-18h30.*

Du parking, le sentier du Corps de Garde mène à une plate-forme : jolie **vue** sur le Léguer.

Revenez au centre du Yaudet et tournez à droite. Dans Christ, prenez à droite vers Locquémeau.

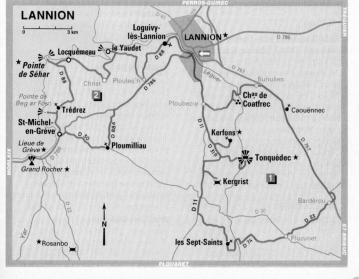

Locquémeau

Le bourg domine la plage et le port de pêche. On y accède par la route en corniche qui s'embranche à gauche à l'entrée de la localité. Une école de voile et la récolte du goémon animent les lieux.

Pointe de Séhar★ – Laisser la voiture près du port de Locquémeau et gagner la pointe. **Vue★** à l'ouest, jusqu'à la pointe de Primel et, à l'est, jusqu'à Trébeurden.

Trédrez

Saint Yves fut recteur de Trédrez de 1284 à 1292. Les environs sont riches en calvaires, manoirs et fontaines. L'**église Notre-Dame**, achevée en 1500, comporte un clocher-mur caractéristique de la région. Remarquez les fonts baptismaux en granit du 14e s. dont le baldaquin (1540) polychrome est un beau travail de sculpture sur bois. *℘ 02 96 35 74 52 - visite guidée sur demande à la mairie juil.-août : 10h-12h, 17h-19h.*

Quittez Trédrez en direction de Kerbiriou et suivez la route qui mène à la pointe de Beg-ar-Forn.

On découvre, peu avant le parking, une belle vue sur la baie et la Lieue de Grève.

Faites demi-tour, et au 2e carrefour, tournez à droite vers St-Michel-en-Grève.

Saint-Michel-en-Grève *(voir Côte des Bruyères)*

À la sortie de St-Michel-en-Grève, en direction de Lannion, prenez à droite.

Ploumilliau

L'**église** du 17e s. possède, dans le bras droit du transept, treize **panneaux** en bois sculpté polychrome retraçant des épisodes de la vie du Christ. Sur le mur face à la porte de la sacristie, on découvre une curieuse représentation de l'Ankou (la Mort) que l'on retrouve si fréquemment dans les légendes bretonnes. *℘ 02 96 35 45 09 - juil.-août - la mairie confie la clef contre le dépôt d'une pièce d'identité.*

Rejoignez la route Morlaix-Lannion au nord et tournez à droite pour rentrer à Lannion.

Lannion pratique

Adresse utile

Office du tourisme de Lannion – *2 quai d'Aiguillon - 22300 Lannion - ℘ 02 96 46 41 00. www.ot-lannion.fr - juil.-août : tlj 9h-19h sf dim. 10h-13h ; sept.-juin : tlj sf dim. 9h30-12h30, 14h-18h. Fermé j. fériés de sept. à juin.*

Visite

Toute l'année, l'office de tourisme organise des visites accompagnées à la carte, des journées « Terroir et patrimoine » et des rallyes touristiques.

Se loger

⌂⌂ **Chambre d'hôte Manoir du Launay** – *Chemin de Ker-Ar-Faout - par D 21 - rte de Pleumeur-Bodou - ℘ 02 96 47 21 24 - www.manoirdulaunay.com - ⌂ - réserv. obligatoire hors sais. - 5 ch. 70,50/105 € ⌂.* L'origine de ce superbe petit manoir remonte au 17e s. Il a été entièrement reconstruit après la Seconde Guerre mondiale avec ses matériaux d'origine. L'intérieur, très bien rénové, offre un cadre agréable et plein de charme : beaux meubles chinés, cheminées, chambres personnalisées, salles de bains modernes.

Se restaurer

⌂ **Crêperie La Sarrazine** – *13 r. Jeanne-d'Arc - ℘ 02 96 37 06 48 - fermé 26 mai-2 juin, 17 nov.-1er déc., lun. hors sais. et dim. - 10/17 €.* Les habitués affectionnent l'atmosphère familiale de ce petit restaurant qui sert des crêpes traditionnelles dans sa salle à manger aux murs de pierres apparentes ou, à la belle saison, dans le jardin situé derrière la maison.

⌂ **Le Tire-Bouchon** – *8 r. Keriavily - ℘ 02 96 37 10 43 - fermé lun. midi, sam. midi et dim. - 11/32 €.* Une adresse qui se targue de ne proposer « ni frites, ni ketchup »… Vous y dégusterez une goûteuse cuisine traditionnelle et les spécialités maison que sont le bar breton, les ormeaux frais ou la poêlée de St-Jacques. Décor chaleureux, miniterrasse-trottoir, service charmant et ambiance conviviale.

Que rapporter

Le Fournil d'Hubert – *16 pl. du Gén.-Leclerc - ℘ 02 97 37 60 65 - www.pain-tregor.fr - tlj sf lun. 7h30-20h.* Sous le regard des clients, M. Bonnier pétrit, façonne et cuit ses pains au feu de bois « comme autrefois » : une vingtaine de variétés de pains spéciaux, des viennoiseries pur beurre et les incontournables far et kouign amann. En décor, une collection – originale et hétéroclite – d'objets anciens, notamment des banques de vente du siècle dernier.

Distillerie Warenghen – *Rte de Guingamp - ℘ 02 96 37 00 08 - www.distillerie-warenghem.com - tlj sf dim. 10h-12h, 15h-18h, sam. 10h-12h, lun.*

15h-18h - fermé 1er oct.-14 juin. Longtemps spécialisée dans la fabrication de crèmes et de liqueurs, cette entreprise centenaire s'est orientée depuis 1994 vers de nouveaux produits : un whisky breton (visite guidée de la distillerie, de l'orge malté au whisky vieilli) et toute une gamme de bières. Boutique aménagée au sein de l'usine.

Sports & Loisirs

Kayak - Base nautique – *R. St-Christophe - ℘ 02 96 37 43 90 - www.ville-lannion.fr - tlj sf w.-end 9h-17h30 ; été ouv. tlj ; sur réserv. en hors sais. - fermé j. fériés.* Des stages en mer (en baie de Lannion) ou

en rivière (sur le Léguer) sont organisés en juil.-août. Rafting et nage en eau vive.

Golf de St-Samson – *Rte de Kérénoc - dir. aéroport de Lannion puis Trégastel - 22560 Pleumeur-Bodou - ℘ 02 96 23 87 34 - golfhotelstsamson@hotmail.com - 7h30-20h - de 30 à 40 € le greenfee.* 18 trous aménagé sur 57 ha de lande et de pins.

Événements

Lannion s'anime chaque été avec le Festival d'orgue et de musique en Trégor, les Estivales photographiques, et les Tardives (festival de contes, musiques et danses). Marché régional tous les jeudis.

Ensemble mégalithique de
Locmariaquer★★

1 367 LOCMARIAQUÉROIS
CARTE GÉNÉRALE C3 – CARTE MICHELIN LOCAL 308 N9 – MORBIHAN (56)

La presqu'île de Locmariaquer doit sa notoriété à l'imposant ensemble de monuments mégalithiques qui occupe son extrémité. Le bourg est désormais une destination recherchée des familles, et le point de départ de belles croisières autour du golfe du Morbihan.

- **Se repérer** – À 13 km au sud d'Auray, Locmariaquer commande, avec Port-Navalo, l'entrée du golfe du Morbihan.

- **Organiser son temps** – Commencez votre journée par la visite des mégalithes, vous aurez tout le loisir de lézarder ensuite sur la plage.

- **À ne pas manquer** – La chambre funéraire de la Table des Marchands.

- **Avec les enfants** – Entre dolmen et chambre sacrée, les mégalithes de Locmariaquer les transporteront au temps d'Astérix et de Conan le Barbare.

- **Pour poursuivre la visite** – Voir aussi le golfe du Morbihan, La Trinité-sur-Mer, Carnac, la presqu'île de Quiberon, la rivière d'Étel, Auray et Vannes.

Le tumulus de Mané-er-Hroech.

G. Targat / MICHELIN

Découvrir

Ensemble mégalithique de Locmariaquer★★

Rte de Kerlogonan - 56740 Locmariaquer - À hauteur du cimetière, prenez le chemin signalisé jusqu'au parking - ℘ 02 97 57 37 59 - www.monum.fr - ᵹ - 1ᵉʳ juil.-4 sept. : 10h-19h ; mai-juin : 10h-18h ; 5 sept.-30 avr. : 10h-12h30, 14h-18h (dernière entrée 45mn av. fermeture) - possibilité de visite guidée (45mn) - fermé 1ᵉʳ janv., 1ᵉʳ Mai et 25 déc. - 5 € (-17 ans gratuit), gratuit 1ᵉʳ dim. du mois (oct.-mai).

Cet ensemble, qui fait l'objet d'un programme de sauvegarde et de mise en valeur des sites mégalithiques, présente un groupe de trois monuments importants.

Grand Menhir brisé – Appelé *Men-er-Hroeg* (la « pierre de la sorcière »), ce monolithe, aujourd'hui brisé en quatre morceaux, atteignait 20 m et pesait 280 t. Il est en orthogneiss, une roche qu'on ne trouve aujourd'hui qu'à 12 km de là ! Une hache gravée sur l'une de ses faces renforce son caractère symbolique. Au néolithique ancien (vers 4500 av. J.-C.), il faisait partie d'un sanctuaire très important, pivot d'un alignement de 50 m. Pour une raison inconnue, il fut renversé avec les autres menhirs du site quelque trois cents ans plus tard.

Table des Marchands – Daté du néolithique moyen (3900 av. J.-C.), ce monument a été restauré et a retrouvé son cairn. Un couloir de 7 m conduit à la chambre funéraire. La dalle du plafond est une partie d'un grand menhir dont on retrouve deux autres morceaux dans le tumulus d'Er-Grah *(voir ci-dessous)* et dans le cairn de l'île de Gavrinis, à 4 km de là. Cette dalle est ornée d'une grande hache, d'une crosse (elle symbolisait la déesse-mère) et d'un fragment de taureau. Sur la dalle de chevet : une belle idole en « écusson », probablement la déesse-mère avec une pseudo-chevelure, est représentée, ainsi qu'un double registre de crosses symétriques. La gazelle est un graffiti moderne.

Tumulus d'Er-Grah – Situé au nord de l'ensemble, monument très allongé dont on estime la longueur d'origine à plus de 170 m.

Dolmen de Mané-Lud★

Ce dolmen se trouve à l'entrée de Locmariaquer, sur la droite. À l'intérieur de la chambre, les pierres debout sont sculptées.

Dolmen de Mané-Rethual★

Au cœur du village, à droite de l'ancienne mairie, prenez l'allée qui se faufile entre des maisons et traverse des jardins.

Il se compose d'une longue allée couverte menant à une vaste chambre qui présente des supports sculptés.

Circuit de découverte

LES MÉGALITHES

Circuit de 5 km. Sur la place Évariste-Frick, prenez la rue Wilson.

À la sortie du village, sur la droite, s'embranche une route menant au hameau de **Kerlud**. Face à la dernière maison se trouve le **dolmen de Kerlud**, en partie enfoui.

Revenez à la grande route et prenez à droite ; en bordure de plage, encore à droite.

Dolmen des Pierres-Plates★

Un menhir marque l'entrée de ce dolmen. Deux chambres sont reliées par une longue allée coudée ; de remarquables gravures ornent les supports.

Du terre-plein, belle vue sur la pointe de Port-Navalo et la pointe du Grand-Mont, l'île d'Houat, en arrière Belle-Île, et la presqu'île de Quiberon.

Faites demi-tour et suivez la grève pour gagner la pointe de Kerpenhir.

Pointe de Kerpenhir★

Avancez-vous au-delà du blockhaus.

Vue★ sur le goulet du golfe. À la pointe, la statue de granit de N.-D.-de-Kerdro protège les marins (*kerdro* signifie « bon retour »).

Tumulus de Mané-er-Hroech★

Au lieu-dit Kerpenhir, empruntez une allée, à gauche de la route, qui s'élève vers le tumulus.

Un escalier de 23 marches permet d'accéder à une chambre funéraire et de découvrir les pierres sèches composant le tumulus.

Locmariaquer pratique

Adresse utile

Office du tourisme de Locmariaquer – *1 r. de la Victoire - 56740 Locmariaquer - ℰ 02 97 57 33 05 - www.ot-locmariaquer. fr - juil.-août : lun.-sam. 9h-13h, 14h-18h, dim. 10h-13h ; avr.-juin : tlj sf dim. 9h-17h30, sam. 14h-17h30 ; oct.-mars : lun.-sam 9h-13h, 14h-18h, dim. 10h-13h - fermé 25 déc., 1ᵉʳ janv. et 11 nov.*

Se loger

⊜⊜ Hôtel Les Trois Fontaines – *Rte d'Auray - ℰ 02 97 57 42 70 - contact@ hotel-troisfontaines.com - fermé 16 nov.-19 mars -* 🅿 *- 18 ch. 76/125 € -* ⊑ *11 €.* Avec sa façade avenante précédée d'un joli jardin, cet hôtel de construction récente est la bonne étape du coin. Ses chambres sont spacieuses et leur mobilier « bateau » en bois leur donne une petite touche marine, que l'on retrouve dans le salon.

Locronan★★

799 LOCRONANAIS
CARTE GÉNÉRALE B3 – CARTE MICHELIN LOCAL 308 F6 – FINISTÈRE (29)

Jadis prospère grâce à l'industrie de la toile à voile, Locronan l'est encore aujourd'hui grâce au tourisme. Elle a en effet conservé sa belle place centrale, ses maisons Renaissance de granit, son vieux puits et sa vaste église, mais ce sont encore les pardons, appelés ici « troménies », qui attirent le plus de visiteurs. Ces jours-là, la « montagne de Locronan », qui domine la ville, offre un spectacle des plus originaux.

▷ **Se repérer** – Locronan se trouve à 10 km à l'est de Douarnenez par la D 7, soit 17 km au nord-ouest de Quimper par la D 39.

🅿 **Se garer** – L'été, la cité est envahie de touristes, de poussettes, et l'entrée du centre-bourg est interdite. Garez-vous sur le parking situé à l'entrée du village (payant en saison).

🕓 **Organiser son temps** – Le mois de juillet est celui des Troménies. L'idéal est de pouvoir assister à l'une d'elles, spécialement la grande, qui a lieu tous les six ans (2007 pour la dernière en date).

👁 **À ne pas manquer** – Les vieilles demeures de la place centrale de Locronan et l'intérieur de l'église St-Ronan.

⏳ **Pour poursuivre la visite** – Voir aussi Douarnenez, la Cornouaille, Quimper, Pleyben, les monts d'Arrée, le Ménez-Hom et la presqu'île de Crozon.

La place centrale de Locronan.

G. Targat / MICHELIN

Comprendre

Ferveur religieuse – À Locronan, les pardons se nomment « troménies ». Lors de la petite troménie, la procession se rend au sommet de la montagne, reprenant la promenade que, selon la tradition, saint Ronan faisait tous les matins à jeun et pieds nus. La **grande troménie**★★ a lieu tous les six ans (2007 pour la dernière en date, 2013 pour la prochaine), les 2ᵉ et 3ᵉ dimanches de juillet. Les pèlerins, portant les bannières, font le tour de la montagne (12 km), en s'arrêtant à douze stations. Aux reposoirs, chaque paroisse expose ses saints et ses reliques. Ce circuit s'effectue aux limites de l'ancien prieuré bénédictin qui avait été construit à l'emplacement de la forêt sacrée, le « Nemeton », servant de temple naturel. Fondé au 11ᵉ s., c'était un lieu d'asile. De là viendrait le nom du pardon : Tro Minihy ou « tour de l'asile », francisé en « troménie ».

Se promener

Place★★

Cadre de plusieurs films historiques *(Tess d'Uberville, Chouans…)*, elle incarne la ville, classée Monument historique en 1936. D'élégantes demeures bordent les rues avoisinantes (Lann, Moal, St-Maurice).

Église Saint-Ronan et chapelle du Pénity★★ – Ces deux édifices accolés communiquent. L'église, du 15ᵉ s., frappe par sa voûte en pierre. La décoration de sa **chaire**★ (1707) retrace la vie de saint Ronan, ermite irlandais venu en Cornouaille vers le 5ᵉ s. Le beau **vitrail**★ (15ᵉ s.) de l'abside évoque des scènes de la Passion.
La **chapelle du Pénity**, du 16ᵉ s., abrite quant à elle la dalle funéraire de saint Ronan (le gisant, du début du 16ᵉ s., est l'une des premières œuvres en granit de Kersanton). Notez la Descente de croix (16ᵉ s.) en pierre polychrome, à six personnages ; son soubassement est orné de deux beaux **bas-reliefs**★ représentant les apparitions de Jésus ressuscité à Marie-Madeleine et aux disciples d'Emmaüs. En 2005, une campagne de restauration lui a restitué la voûte de l'entrée ouest ainsi que onze gargouilles, qui avaient été détruites par la foudre au 19ᵉ s. Pour avoir une bonne vue du chevet plat de l'église, avancez-vous dans le cimetière. *9h-18h en hiver, 8h30-19h en été.*

Chapelle N.-D.-de-Bonne-Nouvelle

À 300 m, par la rue Moal qui part de la place et descend à flanc de coteau - ☎ 02 98 91 84 40 - en sais. : 9h-18h30 ; hors sais. : sur demande auprès de Mᵐᵉ Louboutin – 20 bis r. Moal - 29180 Locronan.
Avec le calvaire et la fontaine (1698), cette chapelle du 16ᵉ s. compose un paysage typiquement breton.

Visiter

Musée

Rte de Châteaulin - ☎ 02 98 91 70 14 - juil.-août : 10h-13h, 14h-19h, dim. et j. fériés 14h-18h ; le reste de l'année : tlj sf w.-end et j. fériés 10h-12h, 14h-18h - fermé de déb. oct. à mi-avr. - 2 €.
Faïences de Quimper, grès, costumes du pays locronais, évocation des troménies, des anciens métiers, peintures et gravures contemporaines se rapportant à Locronan.

Aux alentours

Montagne de Locronan★

2 km à l'est. Du sommet (289 m) couronné par une **chapelle** qu'ornent des vitraux de Bazaine, beau **panorama**★ sur la baie de Douarnenez ; à gauche, on distingue Douarnenez et la pointe du Leydé ; à droite, le cap de la Chèvre, la presqu'île de Crozon, le Ménez-Hom et les monts d'Arrée. *La chapelle est fermée en dehors des Troménies. Se renseigner auprès de l'office de tourisme - ☎ 02 98 91 70 14.*

Sainte-Anne-la-Palud

8 km au nord-ouest. Quittez Locronan par la D 63 en direction de Crozon. À la sortie de Plonévez-Porzay, prenez à gauche. La **chapelle**, bâtie au 19ᵉ s., abrite une statue vénérée de sainte Anne, exécutée en 1548 en granit peint. *De Pâques à la Toussaint : 9h-20h ; seul. le dim. hors sais.*

Locronan pratique

Adresse utile

Office du tourisme de Locronan – *Pl. de la Mairie - 29180 Locronan -* ℘ *02 98 91 70 14. www.locronan.org - juil.-août : 10h-13h, 14h-19h, dim. 14h-18h ; reste de l'année : lun.-vend. 10h-12h, 14h-18h.*

Se loger

⊜⊜ **Hôtel Le Prieuré** – *11 r. du Prieuré -* ℘ *02 98 91 70 89 - hotel-le-prieure.com - fermé 1er janv.-14 mars et 25 oct.-19 déc. -* 🅿 *- 15 ch. 57/67 € -* ⚏ *8 € - rest. 18/47 €.* Ce discret hôtel-restaurant familial propose des chambres rénovées sur l'avant et plus rustiques sur l'arrière. Cuisine traditionnelle et fruits de mer servis dans une salle à manger mêlant poutre, pierre et mobilier breton.

⊜⊜ **Hôtel Manoir de Moëllien** – *29550 Plonévez-Porzay - 3 km au NO de Locronan par C 10 -* ℘ *02 98 92 50 40 - www.mœllien. com - fermé de déb. janv. à fin mars -* 🅿 *- 18 ch. 68/92 € -* ⚏ *10 €.* Cette demeure du 17e s. isolée en pleine campagne vous hébergera dans ses dépendances. Ses chambres coquettes ouvrent leurs portes-fenêtres sur la nature et jouissent d'un calme remarquable. Seul le restaurant, agrémenté d'une cheminée, est dans le manoir.

Se restaurer

⊜ **Crêperie Breiz Izel** – *Pl. de l'Église -* ℘ *02 98 91 82 23 - ouv. dim., tlj en période vac. scol. sf sam. -* 🍴 *- 7,60/12,20 €.* On ne visite pas ce bourg idéalement préservé au pas de course… N'hésitez pas à faire étape dans cet ancien hôtel particulier du Comptoir de la Compagnie des Indes : vous apprécierez sa vieille cheminée, sa belle salle à manger et ses crêpes à prix sages.

Pardons

Celui de la montagne de **Locronan**, l'un des plus beaux et des plus pittoresques de Bretagne *(2e dim. de juil.)*, attire une grande foule. La **petite troménie** a lieu tous les ans, la **grande troménie** tous les 6 ans *(2e et 3e dim. de juil. 2007, et la prochaine en 2013)*.

Lors du pardon de **Ste-Anne-la-Palud**, une grande procession aux flambeaux débute le sam. à 21h ; elle parcourt la dune au-dessus de la chapelle. Dim. et mar. : messe solennelle à 10h30, louange vespérale et grande procession sur la dune à 15h.

Manoir de l'Automobile
à **Lohéac**★★

LOHÉAC ★★ CARTE GÉNÉRALE E3 – CARTE MICHELIN LOCAL 309 K7 – ILLE-ET-VILAINE (35)

Installée dans l'ancien manoir de La Courneuve, cette collection réunit près de 400 voitures de tous types, de tous âges et de toutes nationalités, en mettant plus particulièrement l'accent sur les modèles grand tourisme et les bolides. Les fous du volant apprécieront !

▶ **Se repérer** – Lohéac se situe à proximité de la D 177, qui relie Rennes (38 km au nord), à Redon (31 km au sud). En venant de Rennes, prenez la D 772 en direction de Maure-de-Bretagne, le musée se trouve sur la D 50 (route de Lieuron).

🕐 **Organiser son temps** – Entre les maquettes et les vraies voitures, comptez deux bonnes heures pour la visite du manoir.

👁 **À ne pas manquer** – Les manifestations organisées toute l'année.

🚶 **Pour poursuivre la visite** – Voir aussi Rennes, la forêt de Paimpont, la Gacilly et Redon.

Visiter

Ancien manoir

℘ *02 99 34 02 32 - www.manoir-automobile.fr -* ♿ *- juil.-août : 10h-19h ; reste de l'année : tlj sf lun. 10h-13h, 14h-19h - 8,50 € (10-16 ans 7 €).*

Il réunit les « ancêtres » du début du siècle, puis une succession impressionnante d'Alpine. Plus loin, c'est la famille quasi complète des Lamborghini, auxquelles s'ajoutent des Maserati, Ferrari, Porsche, Rolls-Royce, Renault, Citroën, Peugeot, Volkswagen.

A. Haas / Le Manoir de l'Automobile, Lohéac

La visite se poursuit par la **chapelle des moteurs** (présentation originale de moteurs anciens) où un garage et une station-service d'autrefois sont reconstitués. Le premier étage, peuplé de « belles étrangères », se termine par un mur d'enseignes lumineuses où figurent les grandes marques liées à l'automobile. Maquettes, dioramas minutieux et plus de 3 000 modèles réduits de toutes marques et de toutes formules sont également au rendez-vous.

Enfin, l'**espace hippomobile** présente une cinquantaine d'attelages : berline de voyage ou berline de gala, dog-cart, omnibus, coupé… Une salle de projection complète la visite : films sur l'automobile.

Voitures de collection dans le parc du manoir de l'Automobile à Lohéac.

Lorient

116 174 LORIENTAIS (AGGLOMÉRATION)
CARTE GÉNÉRALE C3 – CARTE MICHELIN LOCAL 308 K8 – MORBIHAN (56)

Ville « nouvelle » du 18e s., Lorient a été reconstruite après les bombardements intensifs de la Seconde Guerre mondiale. Deuxième port de pêche français après Boulogne, elle vit aujourd'hui de sa criée mais aussi de la plaisance, du trafic de passagers et du commerce. Tous les ans, elle réaffirme son identité grâce à son Festival interceltique de réputation internationale.

- **Se repérer** – Au confluent du Scorff et du Blavet, le port de Lorient est protégé de l'océan par ses deux sentinelles : Larmor-Plage et Port-Louis. La N 165 passe au nord de la ville : elle dessert Quimper (69 km à l'ouest) et Vannes (59 km à l'est en passant par Auray).

- **Se garer** – Ville moderne s'il en est, Lorient est truffée de parkings publics. En centre-ville, vous bénéficiez de la première demi-heure gratuite (zone bleue).

- **Organiser son temps** – Planifiez les visites et les parties de pêche en mer le matin. Gardez vos après-midi pour explorer l'arrière-pays et passer du temps à la plage.

- **À ne pas manquer** – La base de sous-marins pour son gigantisme, et le festival interceltique début août.

- **Avec les enfants** – Jouez au marin pêcheur sur la *Thalassa*, admirez les félins au zoo de Pont-Scorff et faites une randonnée en kayak au centre de Kerguélen.

- **Pour poursuivre la visite** – Voir aussi l'île de Groix, Port-Louis, la rivière d'Étel, Pontivy, Kernascléden, et Quimperlé.

Comprendre

La Compagnie des Indes – La première Compagnie des Indes, fondée par Richelieu à Port-Louis, ayant été un échec, **Colbert** reprend le projet en 1664, au Havre. Mais les navires de la Compagnie sont arraisonnés trop facilement dans la Manche par les Anglais : on décide alors de transporter le siège de l'exploitation sur l'Atlantique. Le choix se fixe sur des terres « vagues et vaines », sur la rive droite du Scorff. Très vite, toute l'activité portuaire se tourne vers les Indes et la Chine – les installations élevées à cet endroit prennent alors le nom de « L'Orient ». Seignelay organise un arsenal royal où les plus illustres corsaires viennent faire radouber leur navire.

Au début du 18e s., sous l'impulsion du célèbre financier John Law, les affaires se développent avec l'arrivée des marchandises (porcelaines, tapis, épices, etc.). Soixante ans après sa fondation, la ville compte déjà 18 000 habitants. Mais la perte des Indes cause la ruine de la Compagnie, en dépit de sa devise : « *Florebo quocumque ferar* », soit « Je prospérerai où que j'aille. ». En 1770, l'État prend possession du port et de ses installations. Puis Napoléon Ier fait de Lorient un port militaire.

Visiter

L'ancien arsenal

Jusqu'en 2000, l'enclos de la Compagnie des Indes abritait l'arsenal de la Marine : ses quatre bassins étaient utilisés pour le carénage des navires de guerre de surface et pouvaient recevoir les plus grosses unités. Délaissé par la Marine, l'enclos est en pleine modernisation. Sur le quai du Péristyle, se crée un pôle « image » où siège la chaîne de télévision Breizh.

Église N.-D.-de-Victoire

Plus connue sous le nom de St-Louis par les Lorientais, elle s'élève sur la place Alsace-Lorraine, qui constitue une réussite de l'urbanisme moderne (1954). Construite en béton armé, l'église recèle un très bel **intérieur★** dont la rotonde est éclairée par de petits vitraux jaunes et blancs.

Enclos du port de Lorient

Entrée par la porte Gabriel. S'adresser à l'office de tourisme - 📞 *02 97 21 07 84 - www.lorient-tourisme.fr.*

Cœur historique de Lorient, l'ancien enclos de la Compagnie des Indes abrite l'**hôtel des ventes**, dessiné par Gabriel en 1740 et reconstruit dans le style original.

La **tour de la Découverte** (1737) est flanquée par les moulins de l'Amirauté (1677). Elle servait autrefois de sémaphore et de tour de guet : les plus courageux peuvent grimper ses 225 marches, pour contempler une **vue★** superbe sur la rade. À voir aussi : le réservoir d'eau (1876) de la cour haute.

La « Thalassa »

Port de plaisance, quai de Rohan - 📞 *02 97 35 13 00 - www.sellor.com - ♿ - juil.-août : 9h-19h ; sept.-juin : tlj sf lun. mat. (hors vac. scol.) 9h-12h30, 14h-18h, w.-end 14h-18h (dernière visite 1h30 av. fermeture) - fermé 18 déc.-15 janv. - 6,60 € (enf. 5,10 €).*

👥 Après avoir sillonné les mers du globe (près de 38 fois le tour du monde), ce navire océanographique, lancé en 1960 par l'Ifremer, profite d'une retraite bien méritée à Lorient. Le parcours sur les trois ponts présente la vie à bord, les techniques de navigation, la pêche au chalut et la recherche océanographique. La visite continue avec la filière pêche et une exposition temporaire dans le bâtiment d'accueil.

Port de pêche de Keroman

À voir de préférence le matin au moment du retour des pêcheurs (en fonction de la marée).

En partie gagné sur la mer, le port est conçu et aménagé pour les besoins de la pêche industrielle. Il se compose de deux bassins en équerre – le **Grand Bassin** et le **Bassin Long** – et totalise 1 850 m de quais.

Le port de Keroman arme toute l'année et pour toutes sortes de pêches. Il comporte une halle de criée longue de 600 m, une « gare de marée » permettant de charger des camions en partance pour toutes les régions de France, un « service glace » dont la production peut être de 200 t par jour, et un *slipway* composé de 6 voies.

La vente du poisson se pratique encore selon un rituel que seuls comprennent les initiés. Au petit matin, le spectacle haut en couleur de la criée mérite le détour.

G. Targat / MICHELIN

Vue sur le bassin à flot.

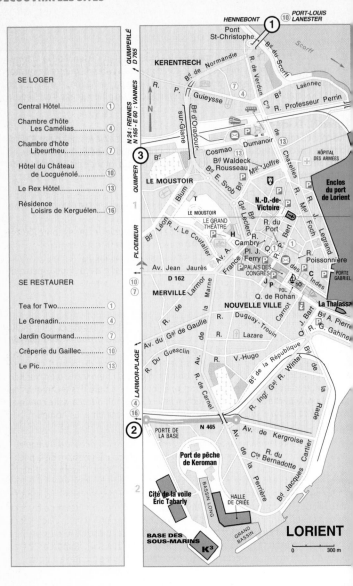

K3 - Ancienne base des sous-marins Stosskopf★

Entrée par la porte de Keroman - ℰ 02 97 21 07 84 - www.lorient-tourisme.fr - visit
guidée (1h15) été et vac. scol. : 12h30-17h30 ; vac. scol. (hors été) : se renseigner - ferm
1er Mai et 25 déc. - 6 €.

Cet ouvrage gigantesque porte le nom de l'ingénieur général du génie maritime qui
sous les apparences de la collaboration, participait à la vie de la base et informait le
Alliés. Il fut passé par les armes par les Allemands.

Les trois grands blocs de la base *(on en visite un)* furent construits à une vitesse record
Bâtis en 1941, les deux premiers, longs de 130 m et hauts de 18,50 m, disposaient de
treize alvéoles pouvant accueillir des sous-marins. Le troisième bloc que l'on visite
(1943), **Keroman 3 (K3)**, est le plus important avec 170 m de long et 20 m de haut
Contrairement aux deux premiers, il accueillait les sous-marins à flot avec des cale
de radoub. Il possède une double toiture, épaisse de 7,50 m en béton armé, avec de
poutres antidéflagration.

Au lendemain de la guerre, la Marine prit possession de la base pour y installer l
deuxième escadrille des sous-marins de l'Atlantique, dissoute en 1995. Rendue à
la ville, la base accueille désormais le pôle Grand Large, avec le Défi Français, pa
exemple, ainsi que des industries nautiques (catamarans, accastillage, mâts…).

Cité de la voile Éric-Tabarly

Ouverture prévue à l'automne 2007 - ℘ 02 97 65 56 55 - www.citevoile-tabarly.com.
Éric Tabarly sera le fil conducteur de cet espace dédié à la plaisance et à la course au large. Dans son sillage, le visiteur découvrira la conception des voiliers, leur construction et leurs usages : course autour du monde, régates de la coupe de l'America, voyage familial, explorations scientifiques. Des expositions interactives organisées en lien avec les entreprises nautiques voisines prévoient d'informer le visiteurs sur les dernières nouveautés technologiques et l'actualité des courses au large. À terme, il est prévu que les pontons accueillent les Pen-Duick en escale, ainsi qu'une exposition sur ces bateaux mythiques.

Aux alentours

Larmor-Plage

S'ouvrant sur l'océan, face à Port-Louis, Larmor-Plage possède de belles plages fréquentées par les Lorientais : Toulhars, Port-Maria, Kerguélen, le Nourriguel.
L'**église**, bâtie au 12e s., a été remaniée jusqu'au 17e s. Le porche du 15e s. s'ouvre exceptionnellement au nord, afin d'être protégé des vents dominants. L'intérieur révèle un intéressant mobilier et, à l'autel des Juifs, un retable du 16e s. d'inspiration flamande rassemblant sur les pentes du calvaire une quarantaine de personnages très expressifs. *9h-18h - en cas de fermeture on peut se procurer la clef au presbytère, pl. Notre-Dame.*

Hennebont

17 km au nord-est de Lorient. La route passe par Lanester.
En arrivant à Lanester après avoir traversé le Scorff, on aperçoit, sur la droite, à marée basse, un champ de pieux noirâtres : les probables vestiges de la **fosse aux mâts**, inaugurée en 1826. Le bois destiné à la construction navale était enfoui dans la vase afin d'être protégé de la pourriture.

Ancienne ville fortifiée, **Hennebont** est situé sur les rives escarpées du Blavet, rivière que les pêcheurs apprécient pour ses variétés de poissons.

Basilique N.-D.-de-Paradis – Son énorme **tour-clocher★** (16e s.) est surmontée d'une flèche de 65 m. Un beau porche flamboyant, très élancé et orné de niches, donne accès à la nef. Celle-ci est éclairée par des vitraux réalisés entre 1955 et 1965 par Max Ingrand.

Porte Broërec'h et remparts – Vestige des fortifications du 13e s., la porte Broërec'h, restaurée, servait autrefois de prison. *Franchissez cette porte et prenez à gauche l'escalier qui donne accès au chemin de ronde.* Ces remparts du 15e s. enserraient la ville close. Des jardins sont aménagés le long des murailles. Les tours abritent un **musée** retraçant l'histoire de la ville et l'activité du port. Costumes bretons, mobilier, faïences, maquettes et gravures. *℘ 02 97 36 29 18 - juin-sept. : 10h30-12h30, 13h30-18h30 ; fermé oct.-mai - possibilité de visite guidée sur demande - 4 € (-12 ans gratuit).*

Depuis les tours, prenez la rue du Champ-de-Foire, elle mène à un **promontoire** qui domine la vallée du Blavet. Le chemin du Bois-du-Duc, en contrebas, conduit au chemin de halage.

Le chemin de halage – Il constitue une promenade agréable de 58 km le long du Blavet, de Hennebont à Pontivy. Départ sur le parking de la Poterie, tout en bas des remparts sur la droite. Pour les sportifs, un parcours de santé y est aménagé du parking de la Poterie à celui de la Bergerie.

Écomusée industriel des forges d'Inzinzac-Lochrist – *℘ 02 97 36 98 21 - juil.-août : 10h-18h30, w.-end 14h-18h30 ; mars-déc. : tlj sf sam. 10h-12h, 14h-18h, dim. 14h-18h (dernière entrée 1h30 av. fermeture) - fermé janv., fév. et j. fériés - 4 € (enf. 2 €)*
Il occupe le site même des anciennes forges d'Hennebont qui, de 1860 à 1966, constituaient l'une des entreprises les plus importantes de Bretagne.

Musée des Métallurgistes des Forges d'Hennebont – Installé sur la rive droite du Blavet, dans l'ancien laboratoire des usines, il fait revivre toute l'histoire du centre sidérurgique de la Bretagne (technologie, vie sociale, mouvement syndical, etc.).
Près du grand barrage, l'ancienne maison du garde des forges d'Hennebont abrite la **Maison de l'eau et de l'hydraulique**, consacrée au Blavet et à sa canalisation.

Haras – *℘ 02 97 89 40 30 - visite guidée (1h) juil.-août : 9h-19h, (spectacle équestre en soirée) ; sept.-juin : tlj sf lun. mat. (hors vac. scol.). 9h-12h30, 14h-18h, w.-end et j. fériés 14h-18h (dernière entrée 1h30 av. fermeture) - possibilité de présentations d'étalons mar.*

et jeu. 15h30 - fermé 1ᵉʳ janv. et 25 déc. - 6,60 € (enf. 5,10 €). Installé dans une ancienne abbaye, le dépôt d'Hennebont fournit des reproducteurs (chevaux de trait et postier bretons, selle français, trotteur français, anglo-arabe, poney…) aux stations du Sud-Finistère, du Morbihan et de l'Ille-et-Vilaine. Espace de découverte pédagogique sur le monde du cheval et les haras nationaux.

Parc de Kerbihan – *Accès par les rues Nationale et Léo-Lagrange, cette dernière est réservée aux piétons.* Ce parc botanique s'articule le long du ruisseau de St-Gilles et présente des essences répertoriées des cinq continents.

Démonstration équestre au haras d'Hennebont.

Pont-Scorff
15 km au nord de Lorient.

La **maison des Princes**, belle maison du 16ᵉ s., accueille aujourd'hui la mairie. De nombreux artisans sont installés sur la commune, particulièrement autour de la Cour des Métiers d'Art *(voir « carnet pratique » de Lorient).*

Odyssaum – *Au moulin des Princes - ℰ 02 97 32 42 00 - www.sellor.com - &. - juil.-août : 9h-19h ; sept.-juin : tlj sf lun. mat. (hors vac. scol.) 9h-12h30, 14h-18h, w.-end 14h-18h (dernière visite 1h30 av. fermeture) - fermé 18 déc.-15 janv. - 5,30 € (enf. 4 €)*
Le Scorff est encore un havre pour le **saumon sauvage** qui vient s'y reproduire et y mourir, après un ou deux hivers dans l'Atlantique. L'espace de découverte aménagé au moulin est consacré à cette espèce : cycle de vie, évolution des techniques de pêche. Piège à saumons. L'année 2005 a vu la rénovation complète de la muséographie, la mise en place d'un parcours spectacle et l'installation d'un aquarium.

Dans Pont-Scorff, prenez la D 6 vers Quéven.

Zoo★ – *ℰ 02 97 32 60 86 - &. - mai-août : 9h30-19h ; oct.-mars : 9h30-17h ; avr. et sept. : 9h30-18h (dernière entrée 1h av. fermeture) - fermé 1ᵉʳ janv., 24 et 25 déc. - 14 € (enf. 9 €).*
Installé sous bois, sur les rives escarpées du Scave, petit affluent du Scorff, ce zoo spécialisé dans la reproduction des **félins** rassemble plus de 450 animaux du monde entier, dont cinq éléphants d'Asie, un record en France. Des spectacles d'animaux dressés – « mal aimés », otaries, oiseaux marins – sont présentés à certaines heures.

Plouay
Championnat du monde, départ du Tour de France, Grands Prix… de grandes heures de l'histoire du vélo se sont écrites dans cette ville qui, avec ses animations et son Véloparc, fait tout pour retenir les amoureux de la « petite reine ».

Véloparc – Le domaine de Manehouarne connaît une étonnante reconversion en accueillant autour du château, dans le vaste parc de 50 ha, un **musée du Vélo**, un gîte, et un large choix de circuits (vélo ville ou VTT) pour passer à la pratique. *ℰ 02 97 33 15 15 - &. - de mi-juin à mi-sept. : mar.-vend. 14h-18h, w. end et j. fériés 14h-18h ; 1ʳᵉ quinz. de sept. et d'avr. au 15 juin : w.-end et j. fériés 14h-18h - 4,60 € (-12 ans 3 €).*

Lorient pratique

Adresses utiles

Office du tourisme de Lorient – *Maison de la mer - Quai de Rohan - 56100 Lorient - ℰ 02 97 21 07 84. www.lorient-tourisme.fr - juil.-août : 9h-19h, dim. 10h-13h ; sept.-juin : lun.-vend. 9h-12h30, 13h30-18h, sam. 9h-12h, 14h-17h.*

Office du tourisme d'Hennebont – *9 pl. Foch - 56700 Hennebont - ℰ 02 97 36 24 52 - juil.-août : 9h-19h, dim.10h-12h30 ; sept.-déc. : lun.-vend.13h30-18h, sam. 14h18h ; janv.-juin : tlj sf dim. 9h-12h30 - fermé 1er et 8 Mai.*

Office du tourisme du pays de Plouay – *Pl. du Vieux-Château - 56240 Plouay - ℰ 02 97 33 11 14 - tte l'année lun.-vend. 9h30-12, 14h-17h30, sam. 9h30-12h - fermé entre Noël et J. de l'an et j. fériés (s'adresser au musée du Vélo).*

Visite

Les Omnibus de la Dame Blanche – *Visite - 7 r. du Champs-de-Tir - 56700 Hennebont - ℰ 02 97 36 58 43.* Visite de la ville d'Hennebont en calèche et du parc privé du Haras national.

Se loger

Le Rex-Hôtel – *28 cours de Chazelles - ℰ 02 97 64 25 60 - www.rex-hotel-lorient. com - fermé 23 déc.-9 janv. - 23 ch. 45/80 € - ⚏ 7 €.* Cet hôtel situé le long d'une large avenue bordée de platanes s'améliore régulièrement. La majorité des chambres bénéficie d'une rénovation totale : literie neuve, mobilier fonctionnel et accès Internet. Plaisant salon-cheminée, agréable salle des petits-déjeuners et original comptoir d'accueil en forme de proue de bateau.

Résidence Loisirs de Kerguélen – *Parc océanique - 56260 Larmor-Plage - ℰ 02 97 33 77 78 - www.sellor-nautisme. com - fermé 22 déc.-10 janv. - ▣ - 38 ch. 27,60/48,80 € - ⚏ 5 € - rest. 10,30 €.* Cette résidence conviendra à ceux qui recherchent une ambiance jeune et sportive, un confort simple et des petits prix. Atout majeur de l'adresse : la proximité immédiate de la plage et des activités nautiques. Restauration sans prétention.

Chambre d'hôte Les Camélias – *9 r. des Roseaux - 56260 Larmor-Plage - ℰ 02 97 65 50 67 - fermé 23 sept.-5 oct. - ⟁ - 5 ch. 40/47 € ⚏.* Un jardin fleuri et arboré entoure cette jolie maison située à deux pas du centre de Larmor-Plage. Les chambres, dotées de salles de bains indépendantes, sont parfaitement tenues. Les nombreux meubles et bibelots anciens confèrent un cachet bourgeois au salon et à la salle à manger.

Chambre d'hôte Libeurtheu – *23 r. de l'anse de Stole, à Lomener - 56270 Plœmeur - ℰ 02 97 82 86 22 ou 06 82 65 18 76 - ⟁ -* 3 ch. 40/45 € ⚏. Maison de style néobreton située entre l'anse de Stole et le marais de Pen-Palud. De vieux meubles régionaux chinés et restaurés agrémentent le salon et la salle des petits-déjeuners. Les chambres sont sans véritable ampleur mais confortables. Petit-déjeuner gourmand : choix de pains, gâteaux et ronde de confitures faits maison.

Central Hôtel – *1 r. Cambry - ℰ 02 97 21 16 52 - www.centralhotellorient. com - 21 ch. 75 € - ⚏ 9 €.* Cet établissement construit dans les années 1950 porte bien son nom. Situé juste en face de l'agréable parc Jules-Ferry, il est très pratique pour résider en ville. Ses chambres profitent d'une rénovation réussie : couleurs gaies, matériaux neufs et bonne insonorisation.

Hôtel du Château de Locguénolé – *56700 Hennebont - 4 km au S d'Hennebont rte de Port-Louis par D 781 - ℰ 02 97 76 76 76 - contact@ chateau-de-locguenole.com - fermé 4 janv.-12 fév. - ▣ - 18 ch. 115/235 € - ⚏ 23 € - rest. 49/96 €.* La vie de château commence une fois le seuil de cette belle demeure franchie : dans un ravissant parc au bord d'une rivière, vous goûterez aux joies d'un séjour de rêve. Les chambres sont spacieuses et bien aménagées, la table réputée et le cadre exceptionnel.

Se restaurer

Tea For Two – *23 r. Paul-Bert - ℰ 02 97 64 27 70 - fermé dernière sem. de janv., 1er-15 mai et 1er-15 août - 9,50/16 €.* Seul ou à plusieurs, vous aimerez l'atmosphère sereine et les couleurs chaudes de ce ravissant salon de thé où pâtisseries maison, assiettes gourmandes, brunchs et thés ont déjà acquis une solide réputation.

Le Grenadin – *7 r. Paul-Guieysse - ℰ 02 97 64 30 01 - fermé 1re sem. de janv., 3 sem. en juil., dim. soir, merc. soir et lun. - 13,50/50 €.* Ce petit restaurant traditionnel proche de la gare doit sa réputation à la qualité de ses produits, essentiellement de la mer, toujours d'une grande fraîcheur. Décor repensé dans un esprit contemporain.

Jardin Gourmand – *46 r. Jules-Simon - ℰ 02 97 64 17 24 - fermé vac. de fév., 22 août-15 sept., dim. et lun. - 23/38 €.* Petite maison à façade de pierre, jouant la carte de la cuisine du marché, fraîche et savoureuse. Servie en été sur l'agréable terrasse-jardin, elle se savoure en hiver dans une salle à manger contemporaine à l'atmosphère conviviale.

Crêperie du Gaillec – *Hameau de Gaillec - 56270 Plœmeur - 8 km à l'O de Lorient rte de Plœmeur et D 163 dir. Queven - ℰ 02 97 83 00 26 - creperie-gaillec@wanadoo.fr - fermé 1 sem. en juin et 3 dernières sem. de sept. - 14,50/15 €.* Les bonnes adresses se méritent ! L'accès à cette ancienne ferme n'est pas des plus aisés, mais une fois à table, vous savourerez ses crêpes à la farine biologique et les bons produits des artisans locaux avec d'autant plus de plaisir… Aux beaux jours, vous déjeunerez sous la pergola.

⊜⊜🅱 **Le Pic** – *2 bd du Mar.-Franchet-d'Esperey* - ☎ *02 97 21 18 29 - 28/38 €*. Pimpante façade, décor « rétro » rutilant, ambiance bistrot, beaux choix de vins, cuisine traditionnelle et arrivage de poissons frais caractérisent cette adresse !

En soirée

Place Jules-Ferry – C'est autour de cette place que s'organise la vie nocturne lorientaise. Tous les genres sont représentés, des jeunes branchés (à la Villa Vanny) aux moins jeunes (à l'Admiral Benbow). On trouve également un café-théâtre, un pub, un bar australien et deux discothèques…

Tavarn Ar Roue Morvan – *1 pl. Polig-Monjarret* - ☎ *02 97 21 61 57 - tavarn-morvan@wanadoo.fr - tlj sf dim. 11h-1h - fermé j. fériés*. Enseigne en breton et menu bilingue, cette taverne affirme en toute simplicité son origine bretonne. « Nous sommes Bretons, nous parlons donc breton » explique la patronne. Concerts de musique… bretonne 2 à 3 fois par mois.

Le New Symbole – *Vieux Moulin du Ter - 56270 Plœmeur* - ☎ *02 97 86 74 75 - www.newsymbole.com - vend.-sam. et veilles de fêtes 23h-5h*. Construite dans un ancien moulin, cette belle discothèque avec piscine et terrasse attire la jeunesse de la région. Plusieurs dance floors avec autant d'ambiances et de musiques différentes.

Sonneurs au Festival interceltique.

R. Mattes / MICHELIN

Villa Margaret – *Port de plaisance de Kernevel - 56260 Larmor-Plage* - ☎ *02 97 33 67 19 - 9h-1h - fermé de mi-janv. à déb. fév.* Dans ce paisible bistrot, établi dans une splendide demeure de la fin du 18e s., les jeunes de Larmor-Plage viennent se mêler aux vétérans. En été, on profite, sur des rythmes jazzy, d'une terrasse ombrée sur jardin qui regarde le port de Kernevel.

Que rapporter

Biscuiterie la Lorientaise – *Rd-pt de Kernours - 56700 Kervignac* - ☎ *02 97 76 02 09 - tlj sf dim. 8h-12h, 13h30-18h30, sam. 9h-12h, 14h-18h30 - fermé j. fériés*. Installée de l'autre côté de l'estuaire, sur un rond-point, sa boutique lumineuse et moderne ouvre sur un laboratoire où galettes, quatre-quarts, madeleines et gâteaux bretons sont confectionnés artisanalement. Possibilité de déguster les produits, proposés avec le sourire par la propriétaire.

Moulin Lorient Marée – *Port de Pêche* - ☎ *02 97 37 30 00 - moulinlorient@wanadoo.fr - tlj sf dim. 8h-12h*. Dans le port de pêche de Keroman, lieu de vente des poissons à la criée, c'est le seul magasin qui propose aux particuliers des produits frais tirés de la mer (possibilité de passer commande pour les crustacés).

Ferme d'autruches de la Saudraye – *La Haye - 56520 Guidel* - ☎ *02 97 65 04 54 - www.autruches.fr - visite : mai -oct. 10h-20h. Boutique : tte l'année 10h-13h, 15h-20h - adulte 3,50 € (enf. 2,50 €)*. Ce site boisé de 40 ha abrite quelque 1 500 autruches et émeus. De mai à octobre, vous pourrez assister à la naissance des autruchons. Aires de pique-nique. Vente de viande, pâtés, rillettes, plats cuisinés et produits dérivés (plumes, maroquinerie, objets de décoration) à la boutique.

« Ar Gwasked » – *Pl. de l'Église* - ☎ *02 98 48 88 42*. Des babioles de toutes sortes en laine de mouton : mobiles, boucles d'oreille, chaussons, carte postale… C'est, avec les rideaux « brise-bise », la spécialité de ce magasin unique en son genre créé par Isabelle Patard.

La Cour des Métiers d'Art – *8 r. Prince-de-Polignac - 56620 Pont-Scorff* - ☎ *02 97 32 55 74 - www.pont-scorff.com - juil.-août : tlj sf lun. 10h-12h, 14h-19h, dim. 14h30-18h30 - hors sais. : tlj sf lun.-mar. 10h-12h, 14h-18h, dim. 15h-18h - fermé j. fériés sf 14 juil. et 15 août*. La Cour des Métiers d'Art présente le travail d'artisans d'art de France, avec des expositions à thème. À découvrir également le village qui regroupe 30 artisans d'art (souffleur, verrier, potier, tapissier d'ameublement, décoratrice de porcelaine, ébéniste…) qui créent sur place leurs œuvres.

Sports & Loisirs

Promenades en bateau – Pour la découverte de la rade, de la vallée du Blavet ou d'autres croisières commentées : le Batobus - ☎ *02 97 21 07 84* et le Bateau-Taxi - ☎ *02 97 65 52 52 - www.lorient-tourisme.fr*.

Pêche en mer – ☎ *02 97 65 52 52*. Au départ du port de plaisance de Larmor-Plage, partez pêcher une demi-journée ou une journée.

Ar Ganol, la Nin'Arion – *Quai de Pont-Augan - de Rennes dir. Lorient, sortir Gare de Baud et dir. Quistinic - 56440 Languidic -*

02 97 36 93 18 - www.ninarion.fr - fermé 16 oct.-15 avr. - 8,50 € (enf. 4,50 €). Ce chaland nantais construit en 1903 embarque aujourd'hui les passagers désireux de découvrir le Blavet. Visite commentée de 2h : histoire des canaux bretons et passages d'écluses. À bord, exposition « Itinéraire de bohême fluviale ».

Centre nautique de Kerguelen – 👤👥 - *Parc océanique - 56260 Larmor-Plage - 02 97 33 77 78 - www.sellor-nautisme. com - juil.-août : tlj sf w.-end 8h30-12h15, 13h30-18h ; mai-juin et de sept. au 11 Nov. : 8h45-12h, 13h45-17h30, w.-end fermeture 17h30.* Ce grand complexe nautique enseigne la plongée, la croisière et la voile légère (dériveur, catamaran, planche à voile, kayak) au travers de différentes formules (stages découverte, initiation et perfectionnement). Organisation de randonnées en kayak et catamaran. Location de matériel. Possibilité d'hébergement.

Bateau-Taxi – *1 r. Yves-Montand - 56260 Larmor-Plage - 02 97 65 52 52 - www.bateautaxi-iledegroix.com - sortie avr.-oct. : tlj.* Le capitaine Manu Guérin, un vrai dur de dur, organise différents types d'excursions, de la pêche à la dorade, au lieu ou au bar à la pêche aux requins, plus sportive : « une fois sur deux, on ramène un requin » affirme le marin. Avis aux amateurs…

Kerguélen Équitation – *Village de Kerguélen - 56260 Larmor-Plage - 02 97 33 60 56 - kerguelen.equitation@ wanadoo.fr - 10h-20h - fermé 1 sem. en sept. - 18,50 €/h.* En saison, ce vaste centre équestre situé à proximité des plages et du centre nautique propose des stages à la demi-journée, sur chevaux ou shetlands. Possibilité de balades d'une ou deux heures.

Société Hippique Nationale – *35 r. de la Bergerie - 56700 Hennebont - 02 97 36 16 34 - www.la-shn.fr - tlj sf dim. 9h-12h, 14h-19h.* Ce centre implanté dans les locaux du haras national organise à la demande, pour 8 personnes maximum,

des promenades dans le parc du domaine, le long du Blavet ou sur la plage.

Événements

Festival interceltique de Lorient – *Premiers jours d'août - www.festival-interceltique.com.* Chaque année, il met à l'honneur un pays différent. Expositions, concerts et défilés de bagadou sont systématiquement au programme.

Fêtes médiévales d'Hennebont - *Office du tourisme de Hennebont - 9 pl. Foch - 56700 Hennebont - 02 97 36 24 52 - dernier w.-end de juil.* Jongleurs, chevaliers, jeux bretons anciens, repas médiéval, initiation au tir à l'arc, marché artisanal animent les rues pavées du centre-ville le temps d'un week-end, clos par un spectacle de son et lumière.

Musée du Vélo à Plouay.

Grand Prix Ouest-France – *Fin août - www.comitedesfetes-plouay.com.* Cette course cycliste, anciennement connue sous le nom de Grand Prix international de Plouay, a été lancée en 1931 par le docteur Berthy, médecin du tour de France. Elle s'intègre aujourd'hui aux **trois jours de Plouay**, entièrement dédiés au vélo. Le programme est immuable : cyclo-randonnée le vendredi, course pour les amateurs le samedi matin, pour les coureuses professionnelles l'après-midi, et le Grand Prix Ouest-France le dimanche.

Loudéac

9 371 LOUDÉACIENS
CARTE GÉNÉRALE D2 – CARTE MICHELIN LOCAL 309 F5 – CÔTES-D'ARMOR (22)

Au cœur de la Bretagne intérieure, cette petite ville est surtout connue pour ses courses de chevaux, mais elle a su également tirer partie de son environnement boisé, aux rivières poissonneuses, pour développer un tourisme « vert ». Randonnées à pied ou a cheval, vélo ou pêche à la mouche comptent dorénavant parmi ses atouts !

- **Se repérer** – Au nord-est de Pontivy (23 km), Loudéac se situe sur la D 700 qui conduit à St-Brieuc (44 km au nord).

- **Organiser son temps** – Si vous passez vos vacances de Pâques en Bretagne, faites une halte à Loudéac le dimanche matin, pour assister aux courses.

- **À ne pas manquer** – L'ambiance de l'hippodrome au moment des courses.

- **Avec les enfants** – Découvrez les toiles de St-Thélo.

- **Pour poursuivre la visite** – Voir aussi Moncontour, Quintin, le lac de Guerlédan, Pontivy, Josselin et la forêt de Paimpont.

Découvrir

UNE TRADITION CHEVALINE

Au Moyen Âge, la maison de Rohan possédait ici un haras d'une centaine de têtes. Aujourd'hui, la ville possède le deuxième **hippodrome** de l'Ouest et la région offre de belles randonnées à cheval. *Rte de Pontivy -* 📞 *02 96 28 08 42 -* ♿ *- tlj sf w.-end 9h-12h, 14h-17h - possibilité de visite guidée (30mn) – fermé juil.-août et j. fériés (sf lun. de Pâques) - gratuit.*

- **Courses de chevaux** – Elles ont lieu le dim. 15 j. av. Pâques, dim. et lun. de Pâques, et dim. suivant.

Aux alentours

Notre-Dame de Querrien

À 11 km à l'est par la N 164, par la D 14 sur la gauche après la forêt de Loudéac.
Lieu d'une apparition de la Sainte Vierge à une petite bergère au 17e s., le village accueille un pèlerinage annuel.

La Chèze

10 km au sud-est par la D 778.
Le **Musée régional** s'adresse aux amoureux des vieux métiers. On y découvre une machine à imprimer (1930) en état de marche. 📞 *02 96 26 63 16 -* ♿ *- juil.-août : 9h-12h, 14h-18h, dim. 14h-18h; juin et sept. : tlj sf sam. 9h-12h, 14h-18h, dim. 14h-18h; mai et*

Le cheval de course, roi à Loudéac.

oct. : tlj sf w.-end 9h-12h, 14h-18h; sur demande le reste de l'année - fermé j. fériés - 3,40 € (-12 ans 1,80 €).
Le musée accueille une antenne de l'office de tourisme de Loudéac (hébergement, loisirs, culture).

Saint-Thélo★

11 km au nord-ouest. Cette agréable petite commune a connu une certaine prospérité grâce au travail et au commerce du lin. La **Maison des toiles★**, aménagée dans une ancienne maison de négociant (18e s.), présente cette activité autrefois très répandue dans la région. Une exposition animée retrace l'histoire des célèbres « Toiles Bretagne », qui débuta au 17e s., à l'âge d'or du lin. Elle décrit l'évolution de la petite fleur bleue, de la graine à la toile.

- Demandez à l'entrée la carte-jeu pour les enfants. 📞 *02 96 56 38 26 -* ♿ *- juin-sept. : 11h-13h, 14h-19h; avr.-mai et oct. : tlj sf lun. 14h30-18h30; reste de l'année : dim. 14h30-18h30 - fermé janv. - 3,70 € (12-18 ans 1,50 €).*

Loudéac pratique

Adresse utile

Office du tourisme du Pays du centre Bretagne – 1 r. St-Joseph - 22600 Loudéac - ℘ 02 96 28 25 17. www.centrebretagne. com - juil.août : lun.-vend. 9h-12h30, 13h30-18h, sam. 10h-12h30, 14h-17h (et dim. 10h-12h30 du 15 juil. au 15 août) ; sept.- juin : lun.-vend. 9h-12h30, 13h30-18h, sam. 10h-12h30. Fermé entre Noël et J. de l'an.

Randonnées

L'office de tourisme propose une documentation complète sur les randonnées dans le Centre Bretagne.

Se loger et se restaurer

☞ **Hôtel des Voyageurs** – 10 r. Cadélac - ℘ 02 96 28 00 47 - www. hoteldesvoyageurs.fr - 28 ch. 45/60 € - ☷ 7,50 € - rest. 14,50/39 €. Hôtel aux chambres actuelles dotées d'un mobilier cérusé et cédées à prix souriant. Un double vitrage efficace atténue la rumeur de la rue commerçante. Ambiance brasserie chic dans une ample salle à manger au cadre classico-moderne ; choix traditionnel.

Ménez-Hom★★★

CARTE GÉNÉRALE B2 – CARTE MICHELIN LOCAL 308 F5 – FINISTÈRE (29)

Sommet des Montagnes Noires dont il prolonge l'extrémité occidentale, le Ménez-Hom est l'un des plus hauts reliefs bretons, avec 330 m. Il occupe une position clef à l'entrée de la presqu'île de Crozon, sur laquelle il offre une vue exceptionnelle. Pour profiter au mieux de ses panoramas, vous avez le choix entre les randonnées qui font le tour du mont, ou, pour les plus aventureux, le parapente et l'ULM.

▷ **Se repérer** – Entre Châteaulin et Crozon, le Ménez-Hom domine la D 887 et la D 83 reliant les deux bourgs. On y accède par une petite route (2 km) qui s'embranche : 1,5 km avant la Chapelle-Ste-Marie, sur la gauche en venant de Crozon, l'inverse en venant de Châteaulin.

🕓 **Organiser son temps** – Privilégiez la matinée pour les activités physiques autour de cette « montagne », et le soir pour voir le coucher de soleil sur l'océan.

👁 **À ne pas manquer** – Le panorama depuis la table d'orientation du Ménez-Hom ainsi que les retables de la chapelle Ste-Marie-du-Ménez-Hom.

👪 **Avec les enfants** – Retournez sur les bancs de l'école au musée de l'École rurale de Bretagne, à Trégarvan.

👣 **Pour poursuivre la visite** – Voir aussi la presqu'île de Crozon, Landévennec, Plougastel-Daoulas, Pleyben, les monts d'Arrée, Douarnenez et Locronan.

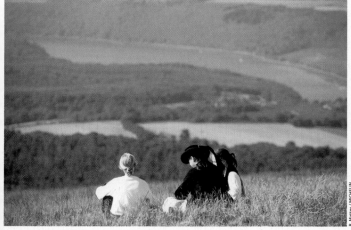

Vue sur l'Aulne depuis les pentes du Ménez-Hom.

Découvrir

Panorama★★★

Menez signifiant « montagne », Ménez-Hom veut dire « montagne du lieu ». De fait, le mont domine la région et sa table d'orientation permet de découvrir la baie de Douarnenez, limitée à gauche par la côte de Cornouaille jusqu'à la pointe du Van, et à droite par la côte de la presqu'île de Crozon jusqu'au cap de la Chèvre. Vers la droite, la vue s'étend sur la pointe de St-Mathieu, les Tas de Pois, la pointe de Penhir, Brest et sa rade : en avant de celle-ci, se détachent l'île Longue à gauche, l'île Ronde et la pointe de l'Armorique à droite ; l'estuaire commun de la rivière du Faou et de l'Aulne dont les vallées se séparent vers l'arrière. La vallée de l'Aulne, la plus proche, décrit un beau méandre que franchit le pont suspendu de Térénez. Vers l'arrière : les monts d'Arrée, la montagne St-Michel et sa chapelle, le bassin de Châteaulin, les Montagnes Noires, la montagne de Locronan, Douarnenez et Tréboul. Les pentes orientées nord-est ont brûlé en juin 2006, perdant 300 ha de landes et de tourbières classées (le Ménez-Hom appartient au réseau Natura 2000).

Allez jusqu'à la borne IGN pour avoir un tour d'horizon complet. Vous apercevrez alors, dans la vallée de la Doufine, le bourg de Pont-de-Buis.

👁 **Sentier d'interprétation « Sur les pas du roi Marc'h »** – Cet itinéraire en 54 étapes permet de découvrir le patrimoine du pays du Ménez-Hom, à la suite d'un personnage légendaire : le roi Marc'h (« roi cheval » en breton), ancien roi de Cornouaille. Le carnet de route disponible (2 €) dans les offices de tourisme de la région fait le lien avec les panneaux présents sur les sites. *Départ : au sommet du Ménez-Hom ; arrivée : Locronan.* - 🕿 02 98 26 17 18 - www.menezhom.com.

Aux alentours

Chapelle Sainte-Marie-du-Ménez-Hom

🕿 02 98 81 59 43 - *avr.-sept. : 10h-18h - en cas de fermeture, s'adresser à la mairie.*
Dans un petit enclos paroissial bâti en 1739, la chapelle conserve des **retables★**, assez chargés, formant un bel ensemble qui occupe tout le mur est. Le retable sud marque, par la souplesse et l'élégance de son exécution, une évolution surprenante de la statuaire bretonne.

Musée de l'École rurale en Bretagne

7 km au nord de Ste-Marie, à Trégarvan - 🕿 *02 98 26 04 72 - juil.-août : 10h30-19h ; de mi-fév. à fin juin et sept. : tlj sf sam. (sf sept.) 14h-18h ; oct.-nov. : tlj sf sam. 14h-17h ; de déb. déc. à mi-fév. : tlj sf w.-end 14h-17h - fermé 1ᵉʳ janv., 1ᵉʳ nov. et 25 déc. - 4 € (enf. 2,30 €).*
👥 Créé par le Parc naturel régional d'Armorique, ce musée permet de découvrir une grande salle de classe du début du 20ᵉ s. et l'appartement de l'instituteur.

Ménez-Hom pratique

Vue du ciel

ULM – *29550 Plomodiern -* 🕿 *02 98 81 28 47. Promenade, survol de la côte et baptême de l'air en ULM.*

Parapente – *29550 Plomodiern -* 🕿 *02 98 81 50 27 ou 06 80 32 47 34 - www.vol-libre-menez-hom.com - 8h30-12h30, 18h jusque la nuit selon météo - fermé de mi-sept. à mars. Club Celtic de Vol Libre.*

Moncontour★

865 MONCONTOURAIS
CARTE GÉNÉRALE D2 – CARTE MICHELIN LOCAL 309 G4 – CÔTES-D'ARMOR (22)

Cette petite cité bâtie au 11e s. sur un promontoire rocheux ne manque ni d'allure ni de charme. Elle a pourtant perdu une partie de ses remparts en 1626, sur ordre de Richelieu. Les portes taillées dans les courtines sont désormais grandes ouvertes et invitent le promeneur à parcourir les pittoresques ruelles qui montent vers l'église.

▶ **Se repérer** – Moncontour est situé entre Lamballe (15 km au nord-est) et Loudéac (24 km au sud). St-Brieuc se trouve à 20 km au nord-ouest par la D 1.

🕐 **Organiser son temps** – Le tour du village est bouclé en une heure.

👁 **À ne pas manquer** – Les vitraux du 16e s. de l'église St-Mathurin et les fresques romanes de l'église St-Gal à Langast.

👫 **Avec les enfants** – Laissez-vous porter par la poésie du Village des automates.

🖐 **Pour poursuivre la visite** – Voir aussi Lamballe, St-Brieuc, Quintin, Loudéac et le lac de Guerlédan.

H. Le Gac / MICHELIN

La place et l'église St-Mathurin à Moncontour.

Découvrir

Cette petite cité de caractère a conservé un petit centre historique digne de sa prospérité passée, et cela en dépit des aléas de l'histoire. Acquise aux ligueurs sous le règne d'Henri IV, elle subit en effet l'attaque de l'armée royale qui la reprend en 1590. Un an plus tard, le 4 août 1591, François de La Nouë, dit **Bras-de-Fer**, meurt après avoir été grièvement blessé au service du roi lors du siège de Lamballe. Plus tard, sous la Révolution, Moncontour se trouve au cœur d'un pays particulièrement agité par la chouannerie. C'est entre ses murs, en 1795, que l'un des chefs chouans, Boishardy, signa une trêve avec Hoche, avant d'être tué peu de temps après dans une embuscade. Sa tête fut promené au bout d'une pique dans les rues de la cité. Une **exposition** (en saison, payante) à l'office de tourisme illustre ces heures dramatiques.

Église Saint-Mathurin – Édifiée au 16e s., profondément remaniée au 18e s., elle abrite de remarquables **vitraux★** du 16e s. : dans le bas-côté gauche, on découvre des épisodes de la vie de saint Yves, sainte Barbe et saint Jean Baptiste ; dans le bas-côté droit, l'Arbre de Jessé et saint Mathurin. Derrière le maître-autel en marbre (1768), la verrière, restaurée, évoque des scènes de l'enfance du Christ. 📞 02 96 73 49 57 - 10h-18h.

Théâtre du Costume – 13 r. du Dr-Sagory - 📞 02 96 73 49 57 - juil.-août : 14h-18h ; reste de l'année : sur demande - 3 € (enf. 1 €).
Madame Morel, costumière de théâtre passionnée, offre ici une saisissante illustration de l'histoire de France, des chevaliers du Moyen Âge à la mode 1900.

Aux alentours

Village des automates★
10 km à l'est, à St-Glen - ☏ 02 96 42 68 81 - tte l'année : dim. et j. fériés (sf 25 déc. et 1ᵉʳ janv.) 14h-18h ; vac. scol. : tlj sf lun. 14h-18h - 4 € (2-12 ans 3 €).

👥 Petit monde magique créé par un couple de passionnés de jouets anciens, bricoleurs poétiques et nostalgiques de leur enfance. Les vitrines s'illuminent et c'est tout un village qui s'anime en musique. Les scènes, colorées, pleines de tendresse et d'humour, permettent de découvrir, ou de redécouvrir, en famille la vie dans les campagnes d'autrefois.

Langast
10 km au sud.

Église St-Gal – De récentes découvertes donnent un intérêt nouveau à cet édifice dont l'origine remonterait aux 4ᵉ et 5ᵉ s. On peut admirer la maçonnerie en arêtes de poisson, de beaux vitraux du 16ᵉ s., dont une maîtresse vitre de 1508, mais aussi et

Clown en équilibre au Village des automates, à St-Glen.

surtout de très rares **fresques★** (9ᵉ-11ᵉ s.), peuplées d'étranges créatures qui suscitent encore bien des interrogations. ☏ 02 96 28 72 87 - 9h-19h - en cas de fermeture s'adresser à M. Gauvry en face de l'église.

Moncontour pratique

Adresse utile

Office du tourisme de Moncontour – *4 pl. de la Carrière - 22510 Moncontour - ☏ 02 96 73 49 57 - www.pays-moncontour. com. www.district-lorient.fr - juin-août : 10h-12h30, 14h30-18h30 ; sept. : 10h-12h30, 14h-18h - reste de l'année sur RV.*

Se restaurer

⊖ **Le Chaudron Magique** – *1 pl. de la Carrière - ☏ 02 96 73 40 34 - fermé lun. en hiver et dim. soir - 12 € déj. - 20/30 €.* Pour rester dans l'esprit singulier de la cité médiévale, ce restaurant propose quelques spécialités d'un autre temps, comme la joue de bœuf ou l'andouillette à la ficelle. Le vendredi et samedi soir (et tous les jours en été) serveurs et clients revêtent un costume d'époque pour un repas original et convivial.

Montagnes Noires★★

CARTE GÉNÉRALE C2/3 – CARTE MICHELIN LOCAL 308 I/J5 –
FINISTÈRE (29) ET MORBIHAN (56)

Cette chaîne de grès armoricain et de schiste noirâtre compose avec les monts d'Arrée l'« épine dorsale de la péninsule ». Un peu moins haute que ces derniers (326 m contre 384 m), elle présente des crêtes plus étroites, des pentes peu accentuées et des landes moins étendues, mais n'en offre pas moins de superbes buts d'excursion pour ceux qui souhaitent s'écarter un moment du littoral breton.

- **Se repérer** – Les Montagnes Noires s'étendent sur une soixante de kilomètres d'est en ouest, au sud de Carhaix-Plouguer. Quimper se trouve à une quarantaine de kilomètres au sud-ouest, par la D 15.

- **Organiser son temps** – Le circuit proposé prend une demi-journée, mais se fait en voiture. Si vous souhaitez marcher, les randonnées, de toute longueur, ne manquent pas et rallongent ce temps : pensez juste à vos chaussures, au coupe-vent et éventuellement au pique-nique !

- **À ne pas manquer** – Le panorama sur le toit de la Bretagne depuis le Roc de Toullaëron ; les retables polychromes tout juste restaurés de la Chapelle N.-D.-du-Crann.

- **Avec les enfants** – La visite du parc et du château de Trévarez pour ses ordonnancements de massifs floraux.

- **Pour poursuivre la visite** – Voir aussi Carhaix-Plouguer, Huelgoat, Pleyben, les monts d'Arrée, Quimper, Le Faouët, Kernascléden, le lac de Guerlédan et Rostrenen.

Circuit de découverte

UNE VIE MONTAGNARDE BRETONNE

Leur nom viendrait des grandes forêts de feuillus qui couvraient autrefois le massif. Le reboisement est en bonne voie, offrant de belles balades à l'écart de la côte et des embruns.

85 km – une demi-journée.

Carhaix-Plouguer *(voir ce nom)*

Quittez Carhaix à l'ouest en direction de Pleyben (N 164) et poursuivez sur la D 769 vers le sud.

La route s'engage dans la pittoresque vallée de l'Hyère.

À Port-de-Carhaix, après avoir franchi le canal de Nantes à Brest, tournez à droite.

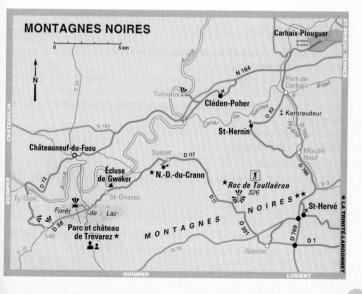

À environ 1,5 km, remarquez sur la gauche le **calvaire de Kerbreudeur**, l'un des plus anciens de Bretagne (15ᵉ s.), dont les sculptures, bien qu'endommagées, sont encore expressives.

Saint-Hernin

Dans ce lieu où se serait fixé saint Hernin, moine venu d'Irlande, subsiste un enclos paroissial du 16ᵉ s. Le calvaire très élancé est fort beau ; on reconnaît saint Michel terrassant le dragon de sa longue épée.

Regagnez à Moulin-Neuf la route de Carhaix à Gourin (D 769), et tournez à droite.

On aperçoit ici et là des ardoisières abandonnées.

Chapelle Saint-Hervé

Le chemin d'accès se détache sur la gauche. Cet édifice du 16ᵉ s. au décor flamboyant et au clocheton ajouré reçoit chaque année le pardon de la Saint-Hervé.

Façade et parc du château de Trévarez.

Franchissez la ligne de faîte avant d'amorcer la descente sur Gourin.

Gourin fournissait des ardoises. C'est aujourd'hui un centre d'élevage de chevaux, de bovins et de volailles.

Poursuivez vers l'est.

La Trinité-Langonnet

L'**église★** de style flamboyant possède une remarquable **charpente** (1568) à motifs Renaissance, qui témoigne d'une grande maîtrise artisanale et souligne l'élévation de la nef. Dans le chœur, remarquez les enfeus sculptés et les sablières. *En cas de fermeture, possibilité de récupérer la clef auprès de M. Rety, 3 r. Rozo.*

Revenez à Gourin en passant par Minetoul, et à la sortie de Gourin prenez la D 301 vers le nord. Dirigez-vous à nouveau vers la crête des Montagnes Noires.

Roc de Toullaëron★

🚶 *30mn à pied AR. À 5 km de Gourin, après un virage, laissez la voiture et prenez à droite un chemin rocailleux (pique-nique interdit) qui s'élève dans un taillis de chênes ; à son extrémité, escaladez les blocs rocheux.*

Depuis ce point culminant (326 m) des Montagnes Noires, on découvre par temps clair un immense **panorama★**. Vers l'ouest s'étale le bassin de Châteaulin dont le bocage semble une forêt. Vers le nord se dessinent les monts d'Arrée. Vers le sud, on voit le plateau breton s'incliner doucement vers l'Atlantique.

Gagnez Spézet et, à la sortie vers Châteauneuf-du-Faou, tournez à gauche.

Chapelle N.-D.-du-Crann★

Rte de Roudouallec - ☏ 02 98 93 80 03 (mairie) - visite guidée gratuite mai-sept. : 14h-17h30 - reste de l'année : sur demande auprès de M. Émile Philippe - Palaë-Spezet - ☏ 02 98 93 88 89.

Bâtie en 1532, cette chapelle possède une splendide série de **vitraux★★** du 16ᵉ s. On raconte qu'au 19ᵉ s., un amateur parisien voulut faire leur acquisition, mais que le curé demeura incorruptible ! Le programme le plus important (12 panneaux) orne le chœur et illustre la Passion. Dans le bas-côté droit, légende de saint Éloi. Les retables polychromes du 16ᵉ s., en restauration depuis 2002, seront de nouveau visibles courant 2007.

Revenez à l'entrée de Spézet où vous tournerez à gauche et à 2 km, encore à gauche. À l'entrée de St-Goazec, tournez à droite.

Écluse de Gwaker

C'est l'une des nombreuses écluses du canal de Nantes à Brest. Belle chute en fin de plan d'eau.

Traversez St-Goazec, puis prenez à droite vers Laz.

Parc et château de Trévarez★

☏ 02 98 26 82 79 - www.trevarez.com - juil.-août : 11h-18h30 ; avr.-juin et sept. : 13h-18h ; oct.-mars : merc. w.-end et j. fériés 14h-17h30 ; - 4,30 € (-11 ans gratuit).

👪 Ce parc de 85 ha s'ordonne autour d'un château Belle Époque (vers 1900), de style gothique. Des sentiers balisés à travers bois permettent d'agréables promenades au rythme des saisons : camélias (particulièrement en avril), azalées et rhododendrons (en mai), hortensias (en juillet), et fuchsias. Des fontaines, un jardin d'eau et un étang apportent une fraîcheur agréable. La terrasse du château offre une belle **vue** sur la vallée de l'Aulne et les monts d'Arrée.

La visite se termine agréablement dans les anciennes écuries, réaménagées en lieu de détente et d'expositions. Boutiques et « goûter breton » complètent la visite.

Dans Laz, tournez à droite vers Ty-Glas, où après avoir admiré les arêtes rocheuses et la vallée de l'Aulne, vous prendrez à droite vers Châteauneuf-du-Faou. La route franchit, puis longe l'Aulne.

Châteauneuf-du-Faou

Au penchant d'une colline qui domine l'Aulne, la ville attire les pêcheurs de saumons et de brochets.

Dans l'église, **Paul Sérusier** a décoré la chapelle des fonts baptismaux, entre 1914 et 1918. Il y a représenté des scènes du Nouveau Testament : l'Annonciation, le Baptême du Christ, la Crucifixion, la Résurrection et la Transfiguration.

Parcours « Sur les pas de Paul Sérusier » – *Visite libre d'environ 1h30 avec le fascicule gratuit disponible à la mairie ou à l'office de tourisme -* 02 98 81 83 90 *- www.chateauneuf-du-faou.com.* Marchez sur les pas du peintre Paul Sérusier (1864-1927), fondateur du groupe des Nabis, disciple et ami de Gauguin. Découvrez sa ville d'adoption et les paysages qu'il immortalisa en suivant le circuit des chevalets.

Rejoignez la N 164.

Cléden-Poher

Ce village possède un bel **enclos paroissial★**, bâti pour l'essentiel au 16e s. L'église des 15e et 16e s. renferme d'intéressants retables. Une grande partie de la voûte conserve ses lambris peints en 1750. On remarque aussi la jolie charpente de l'ossuaire transformé en chapelle, un beau calvaire de 1575 représentant une Pietà et la scène de la flagellation et deux sacristies couvertes en carène.

Regagnez Carhaix-Plouguer.

Montagnes Noires pratique

Se loger

Bon à savoir – De par la grande variété d'activités possibles, la découverte du domaine de Koadig pourrait bien transformer une simple halte en séjour prolongé. Cavaliers en herbe et amoureux de la nature seront donc ravis d'apprendre l'existence de gîtes d'étape confortables, pouvant héberger jusqu'à 16 personnes. *Voir renseignements ci-dessous.*

Domaine de Koadig – *29270 St-Hernin -* 02 98 99 50 57 *- dd.leal@wanadoo.fr -* 2 gîtes (6 et 10 places) 84 € - 5 € - *repas 13 €.* Si vous appréciez la nature, voici le lieu idéal pour une nuit ou un séjour. Situé au cœur des Montagnes Noires, ce vaste domaine vous propose, outre un gîte d'étape confortable, un environnement de rêve : parc animalier, élevage de chevaux pur-sang arabes et de moutons solognots, pistes de randonnée, étang pour pêcher la truite… Terrasse, four à pain à l'ancienne.

Hôtel du Relais de Cornouaille – *Rte de Carhaix - 29520 Châteauneuf-du-Faou -* 02 98 81 75 36 *- relaiscornouaille@ wanadoo.fr - fermé oct. -* 30 ch. 48/51 € - 7 € - rest. 15/35 €. Installé dans deux maisons de village accolées – l'une récente, l'autre ancienne – cet hôtel a peu à peu modernisé ses chambres, son salon et sa réception. Les menus généreux du restaurant, dont un spécial enfant, attirent une clientèle locale nombreuse.

Se restaurer

Le Bienvenu – *84 r. Nicolas-le-Grand - 56110 Roudouallec - 9 km à l'O de Gourin rte de Quimper par D 1 -* 02 97 34 50 01 *- lebienvenue@wanadoo.fr - fermé vac. de fév. - 15/80 €.* Hortensias et rhododendrons fleurissent les abords de ce restaurant situé sur la traversée du village. Dans une salle sans prétention, mais claire et soignée, vous goûterez une copieuse cuisine mettant en avant les produits de la région.

Loisirs

Aulne Loisirs Plaisance – *Pen ar Pont - 29520 Châteauneuf-du-Faou -* 02 98 73 28 63 *- www.aulneloisirs.com - 16 mars-16 nov.* Située au cœur du Finistère, cette base fluviale propose une variété complète d'embarcations pour découvrir le canal de Nantes à Brest : vedettes de 50 places, bateaux sans permis, canoës ou kayaks. Locations de VTT et de rosalies pour ceux qui préfèrent rester au sec.

Le Mont-Saint-Michel★★★

72 MONTOIS
CARTE GÉNÉRALE E1 – CARTE MICHELIN LOCAL 303 C8 – MANCHE (50)

Pourquoi le Mont-St-Michel fascine-t-il autant ? Certainement parce qu'au-delà de la beauté de son architecture et de la richesse de son histoire, un mystère s'en dégage, lié au rythme des marées, à la tombée du jour, au cri des mouettes rieuses, au sable mélangé à l'herbu... On ne peut aimer le Mont-St-Michel sans prendre la mesure de l'immensité sauvage qui l'entoure. Le rocher et la baie ne font qu'un. C'est la raison pour laquelle l'un comme l'autre sont classés comme « sites du Patrimoine mondial » par l'Unesco.

L'abbaye du Mont-St-Michel veille sur la baie.

▶ **Se repérer** – Le Mont se situe à l'extrême nord de la D 976, qui naît à Pontorson, 10 km au sud. De là, la N 175 file au nord-est vers Avranches (21 km). Dol-de-Bretagne se situe 20 km à l'ouest par la N 176.

🅿 **Se garer** – Les parkings publics (payants : 4 € la journée par voiture) s'étirent sur près de 2 km de digues. Si vos arrivez tôt vous serez plus près du mont (4 à 500 m). En cas de grande marée (2 fois par jours 1 semaine sur 2) les parkings sont envahis par la mer, on se gare alors le long de la route d'accès. Des agents de parkings vous avertiront si vous ne lisez pas les panneaux d'information.

🕓 **Organiser son temps** – Renseignez-vous sur les horaires de marée, pour observer l'arrivée ou la fuite de la mer depuis les remparts.

👁 **À ne pas manquer** – Le panorama sur la baie depuis les remparts et l'abbaye.

👪 **Avec les enfants** – Découvrez la baie et les moules de bouchots en Mytili-mobile au départ du Vivier-sur-Mer.

👣 **Pour poursuivre la visite** – Voir aussi Dol-de-Bretagne, Combourg, Cancale, Fougères et St-Malo.

Comprendre

Capricieuse géographie – Le Mont-St-Michel est un îlot granitique d'environ 900 m de tour et 80 m de haut, relié au continent par une digue construite en 1877. Le site est le plus souvent cerné par d'immenses bancs de sable, dont les mouvements, suite aux marées, ont maintes fois déplacé l'embouchure des rivières côtières la Sée, la Sélune et le Couesnon. Celui-ci, jadis orienté au nord-ouest à partir de Pontorson, constituait la frontière entre les duchés de Normandie et de Bretagne, ce que déploraient les Bretons : « Le Couesnon a fait folie. Cy est le Mont en Normandie. » Ses divagations menaçant digues et polders, il fut canalisé en 1863, fixant définitivement la ligne de partage entre les deux régions.

Fondation – L'archange saint Michel étant apparu trois fois en songe à Aubert, évêque d'Avranches, il fonda sur le mont Tombe un oratoire. Celui-ci fut remplacé par une abbaye carolingienne, au début du 8e s.

Les premiers pèlerinages – Peu de temps après la fondation du sanctuaire, les fidèles affluent au Mont, même pendant la guerre de Cent Ans. Les Anglais, alors maîtres de la région, accordent, moyennant finances, des sauf-conduits aux fidèles. On voit ainsi arriver pêle-mêle des nobles, de riches bourgeois, et des gueux qui vivent d'aumônes pendant leur voyage et sont hébergés gratuitement par les moines à l'aumônerie. L'hôtellerie et le commerce des « souvenirs » sont déjà florissants. Les pèlerins, appelés les Miquelots, achètent des insignes portant l'effigie de saint Michel, et des ampoules de plomb qu'ils remplissent du sable de la grève. Ils prennent aussi des risques : la traversée de la baie n'allait pas sans enlisements ou noyades. C'est pourquoi le Mont fut également dénommé St-Michel-au-Péril-de-la-Mer.

De l'abbaye à la prison – Au 17ᵉ s., les mauristes, religieux de St-Maur, sont chargés de réformer le monastère. En matière architecturale, ils font œuvre décevante, se contentant de tailler et de rogner dans les bâtiments. La transformation de l'abbaye en prison ajoute encore aux déprédations. « Bastille » provinciale avant la Révolution, le Mont devient, en 1811, une prison pour les condamnés de droit commun et quelques détenus politiques, comme Barbès, Blanqui, Raspail. En 1874, l'abbaye et les remparts sont confiés au service des Monuments historiques. Ce n'est qu'en 1969 que le site retrouvera en partie sa vocation d'origine avec l'installation de quelques religieux, qui assurent depuis cette date une présence spirituelle permanente.

Les étapes de la construction – Apporter des blocs de granit, parfois des îles Chausey ou de Bretagne, et les hisser à pied d'œuvre ne fut pas une petite affaire. L'arête du sommet étant fort étroite, on dut chercher appui sur les flancs du rocher.

11ᵉ-12ᵉ s. Une église est bâtie (1017-1144) au sommet du rocher. L'édifice carolingien antérieur est utilisé comme crypte (N.-D.-sous-Terre), pour soutenir la plate-forme où s'élèvent les trois dernières travées de la nef romane.

13ᵉ-16ᵉ s. Édification de l'abbaye gothique (entrée à l'est). Les bâtiments conventuels sont élevés sur le flanc ouest du Mont et de part et d'autre de la nef. Sont également construits à cette époque :
– au nord, les magnifiques bâtiments de la Merveille (1211-1228) affectés aux moines, aux pèlerins, à la réception des hôtes de marque ;
– au sud, les bâtiments abbatiaux (13ᵉ-15ᵉ s.) consacrés à l'administration, au logement de l'abbé, à la garnison ;
– à l'est, le châtelet et les défenses avancées (14ᵉ s.) qui protègent l'entrée.
Le chœur roman de l'église, qui s'était écroulé, est rebâti (1446-1521) sur une nouvelle crypte. Plus magnifique encore, il est de style gothique flamboyant.

18ᵉ-19ᵉ s. En 1780, les trois dernières travées de la nef sont démolies, ainsi que la façade romane. En 1897, on édifie le clocher actuel : surmonté d'une belle flèche que termine le *Saint Michel* de Frémiet, il culmine à 157 m.

Les grands travaux du 21ᵉ s. – Annoncé depuis des lustres, le grand projet de désensablement du Mont-St-Michel est enfin engagé. Ce projet très complexe a pour priorité de rendre au Mont son caractère maritime. Dans un premier temps le Couesnon va être doté d'un barrage pour repousser plus efficacement le sable (travaux commencés en 2006). Ensuite, le parking sera éloigné sur la côte (mise en œuvre prévue en 2008) avec des navettes silencieuses pour assurer les liaisons jusqu'au Mont (effectives en 2010 selon le planning). Enfin, la digue doit être partiellement remplacée par un pont-passerelle dont la mise en service marquerait la fin du projet (2012)… Ces grands chantiers s'échelonnent sur plusieurs années mais n'empêcheront pas l'accès au Mont. Pour plus d'informations, vous pouvez consulter le site www.projetmontsaintmichel.fr.

L'omelette de la Mère Poulard

C'est en 1851 que naît à Nevers Annette Boutiaut. Femme de chambre de son état, elle accompagne la famille d'Édouard Corroyer (1837-1904), élève de Viollet-le-Duc et architecte des Monuments historiques chargé de la restauration de l'abbaye. Elle y rencontre Victor Poulard, l'un des fils du boulanger local. Ils se marient et prennent en gérance l'hôtel-restaurant de *Saint-Michel Tête d'Or*. Vers 1875, touristes et pèlerins accèdent encore au Mont à pied ou à cheval, selon la marée. Annette sait qu'une bonne aubergiste ne doit pas se laisser prendre au dépourvu. Elle a donc toujours des œufs en réserve et, pour faire patienter ses hôtes, elle leur bat une omelette en attendant des plats plus substantiels. Son accueil, ainsi que la qualité de sa cuisine, font grandir sa notoriété. Annette Poulard disparaît en 1931 ; et les critiques gastronomiques s'interrogent encore : est-ce parce que les jaunes d'œufs sont battus séparément des blancs, qui eux, sont montés en neige, que son omelette est si mousseuse et délicieuse ?

Se promener

LE BOURG

Défenses avancées

La porte de l'Avancée donne accès à une première cour fortifiée.

À gauche, le **corps de garde des Bourgeois** (16e s.) est actuellement siège de l'office de tourisme ; à droite, les « michelettes », bombardes anglaises (machines de guerre lançant des boulets) prises au cours d'une attaque militaire pendant la guerre de Cent Ans. Après une seconde porte et une seconde cour fortifiée, la **porte du Roi** (15e s.) possède encore ses mâchicoulis et sa herse. On l'appelle ainsi parce qu'y était logé le contingent symbolique que le roi entretenait au Mont, pour rappeler ses droits. On débouche enfin dans la Grande-Rue. La jolie maison de l'Arcade, à droite, servait de caserne aux soldats de l'abbé.

Grande-Rue★

Étroite et en montée, la Grande-Rue est bordée de maisons anciennes (15e-16e s.) dont plusieurs ont gardé leur nom d'antan : le **Logis Saint-Étienne**, le **Vieux Logis**, la **Sirène**, la **Truie-qui-file**. Coupée de marches à son sommet, elle est extrêmement animée, et encombrée pendant la saison estivale : les étalages de marchands de souvenirs l'envahissent, ni plus ni moins d'ailleurs qu'à l'époque des plus fervents pèlerinages, au Moyen Âge.

Remparts★★

13e-15e s. La promenade sur le chemin de ronde offre de belles **vues** sur la baie, particulièrement depuis la tour nord : on distingue le rocher de Tombelaine, sur lequel Philippe Auguste avait fait bâtir des fortifications.

Musée de la Mer et de l'Écologie

🕿 02 33 60 85 12 - juil.-août : 9h-19h ; fév.-juin, de déb. sept. à mi-nov. et vac. de Noël : 9h-17h30 - 7 € (enf. 4,50 €). Visite audioguidée présentant avec des films l'environnement naturel du Mont, les mécanismes des marées et les dangers de la baie, ainsi que le phénomène d'ensablement. Collection de 250 **maquettes** anciennes de bateaux.

Église paroissiale Saint-Pierre

Datant du 11e s., elle a été très remaniée. L'abside enjambe une ruelle menant au cimetière. L'église abrite du mobilier provenant de l'abbaye. Dans la chapelle du

LE MONT-ST-MICHEL

0   50 m

Fontaine St-Aubert

Tour du Nord

Échauguette du Nord

Bastillon de la Tour Boucle

Chapelle St-Aubert

★ Jardins de l'abbaye

Tour Claudine

Grand Degré

Tour Cholet / Demi-Lune

★★★ LA-MERVEILLE

★★ Réfectoire

Châtelet

Logis Tiphaine

Cloître ★★★

★★ ÉGLISE ABBATIALE

Terrasse de l'ouest

Bâtiments abbatiaux

Musée historique

Église paroissiale St-Pierre

Tour Basse

Terrasse du Saut Gautier

Chemin de ronde

REMPARTS ★★

Tour Gabriel

Grande Rue ★

★★ Musée de la Mer et de l'Écologie

Tour de la Liberté

Porte du Roi

Tour des Fanils

Corps de garde

H

Maison de l'Arcade

Porte de l'Avancée

Tour du Roi

P

SE RESTAURER

La Sirène...................①   Croix Blanche...................③

bas-côté droit : statue de saint Michel recouverte d'argent ; chapelle à droite de l'autel : statues de la Vierge à l'Enfant (15e s.) et de sainte Anne.

Logis Tiphaine

02 33 60 23 34 - juil.-août : 9h-19h ; fév.-juin, de déb. sept. à mi-nov. et vac. de Noël : 9h-17h30 - 7 € (enf. 4,50 €). Du Guesclin, qui fut capitaine du Mont, aurait fait loger ici sa femme Tiphaine Raguenel, jolie Dinannaise cultivée et connue pour ses dons d'astrologue, pendant qu'il allait combattre en Espagne. Le logis, meublé du 15e au 19e s. et très restauré au 19e s., s'organise sur trois étages (une pièce et un jardinet par étage).

Musée historique

02 33 60 07 01 - juil.-août : 9h-19h ; fév.-juin, de déb. sept. à mi-nov. et vac. de Noël : 9h-17h30 - 7 € (enf. 4,50 €). Il retrace les 1 000 ans d'histoire du Mont à travers un court son et lumière et des vitrines d'objets de collections (armes, peintures, sceaux et cachets, coffres de corsaire). La visite se termine dans les cachots de la prison.

Visiter

👁 Petite **astuce** pour accéder à l'abbaye en évitant d'emprunter la rue principale, très vite bondée : au lieu de franchir la porte de l'Avancée qui donne accès au Mont, suivez la muraille à gauche en direction de la tour des Fanils. Passez sous le porche et suivez la voie qui serpente jusqu'au chemin de ronde. Ce dernier vous mènera au pied des marches de l'abbaye.

Saint-Michel-Montjoie !

C'est à l'un des moments les plus sombres de l'histoire de France, au 15e s., alors qu'Henri V d'Angleterre parvient à se faire couronner roi de France à Paris, que le rayonnement du Mont-St-Michel connaît son apogée. C'est en effet le seul point de la France de l'Ouest et du Nord à ne jamais tomber aux mains de l'envahisseur. Jeanne d'Arc choisira pour cri de ralliement « Saint-Michel-Montjoie », et Louis XI instituera l'ordre de chevalerie de St-Michel.

ABBAYE★★★

02 33 89 80 00 - www.monum.fr - mai-août : 9h-19h (dernière entrée 1h av. fermeture) ; sept.-avr. : 9h30-18h - fermé 1er janv., 1er Mai et 25 déc. - 8 € (-18 ans gratuit), 1er dim. du mois (oct.-mars) gratuit. Accès à l'abbaye gratuit pour participer à l'office, mais les visites sont alors interdites : tlj sf lun. entre 12h et 12h15.
La visite s'effectue à travers un dédale de couloirs et d'escaliers, par étage et non par bâtiment ou par époque.

Défenses avancées

On atteint le Grand Degré, escalier qui conduit à l'abbaye. Une porte pivotante pouvait l'obstruer. En haut et à droite s'ouvre l'entrée des jardins, puis s'amorce l'escalier des remparts.
On passe sous l'arche d'une ancienne porte pour pénétrer dans une cour fortifiée que domine le **châtelet**. Il se compose de deux hautes tours, en forme de bombardes dressées sur leur culasse et reliées par des mâchicoulis. Même dans cet ouvrage militaire, on retrouve le souci d'art du constructeur : la muraille est bâtie en assises alternées de granit rose et gris, d'un heureux effet. De là part un escalier couvert d'une voûte en berceau surbaissé, peu éclairé : ce passage abrupt est appelé l'**escalier du Gouffre**.

Salle des gardes ou Porterie

C'était la plaque tournante de l'abbaye. Les pèlerins indigents étaient dirigés, en passant par la cour de la Merveille, vers l'aumônerie. Les visiteurs de l'abbé et les fidèles se rendant à l'église empruntaient l'escalier abbatial.

Escalier abbatial

Cet imposant escalier se développe entre les bâtiments abbatiaux à gauche, et l'église à droite. Il était défendu par un pont fortifié (15e s.). L'escalier aboutit, devant le portail sud de l'église, à une terrasse appelée le **« Saut Gautier »**, nom d'un prisonnier qui, de là, se serait jeté dans le vide. C'est également de ce point que partent les visites. La plate-forme de l'ouest est une vaste terrasse créée par l'arasement des trois dernières travées de l'église : la **vue★** s'étend sur la baie du Mont-St-Michel.

Église★★

Le **chevet**, avec ses contreforts, arcs-boutants, clochetons, balustrades, est un chef-d'œuvre de grâce et de légèreté. À l'intérieur, le contraste entre la nef romane, sévère et sombre, et le chœur gothique, élégant et lumineux, est saisissant.

Merveille★★★

Ce nom désigne les superbes bâtiments gothiques qui occupent la face nord. La partie est de ces constructions (1211-1218) comprend, de bas en haut, l'aumônerie, la salle des Hôtes et le réfectoire ; dans la partie ouest (1218-1228) leur correspondent : le cellier, la salle des Chevaliers et le cloître.

Extérieurement, la Merveille a l'aspect puissant d'une forteresse, tout en accusant, par la noblesse et la pureté de ses lignes, sa destination religieuse.

À l'intérieur, on se rend compte de l'évolution accomplie par le style gothique. Depuis les salles basses qui expriment une simplicité presque romane jusqu'au cloître, chef-d'œuvre de finesse et de légèreté et de goût, en passant par l'élégance de la salle des Hôtes, la majesté de la salle des Chevaliers et la luminosité mystérieuse du réfectoire.

Cloître★★★

Il est comme suspendu entre mer et ciel. Dans son espace clos, les arcades des galeries sont soutenues par de ravissantes colonnettes, disposées en quinconce pour accentuer l'impression de légèreté. Leur ornementation comporte des **sculptures** remarquablement fouillées, dans un décor de feuillage orné çà et là de formes humaines et d'animaux. On y découvre également des motifs poétiques illustrant l'art sacré. La teinte même des divers matériaux employés ajoute à l'harmonie de l'ensemble. À droite de l'entrée, le *lavatorium* (lavabo) évoque la célébration du « lavement des pieds » qui se renouvelait tous les jeudis à l'abbaye.

Réfectoire★★

L'impression est étonnante : il règne une belle lumière diffuse qui, à l'évidence, ne peut provenir des deux baies percées dans le mur du fond ; l'acoustique y est remarquable. En avançant, on découvre l'artifice de l'architecte : pour éclairer la salle sans affaiblir la muraille soumise à la forte pression de la charpente, il a ménagé des **ouvertures** très étroites et très hautes au fond d'embrasures. Une voûte lambrissée coiffe l'ensemble.

Ancienne abbaye romane

Ses voûtes d'ogives marquent la transition entre le roman et le gothique. On visite le **promenoir des moines**. Une partie du dortoir subsiste.

Grande roue

Elle rappelle l'époque où l'abbaye faisait office de prison. Mue par cinq ou six prisonniers qui marchaient à l'intérieur, cette roue servait à faire monter provisions et matériaux.

Cryptes

Des trois cryptes qui supportent les croisillons et le chœur de l'église abbatiale, la plus émouvante est **Notre-Dame-sous-Terre** *(accès possible uniquement lors des visites guidées)*. L'édifice carolingien, qui s'élève à l'endroit même où saint Aubert avait officié, est un simple rectangle de 8 m sur 9, divisé en deux petites nefs par deux arcades retombant sur un pilier central. Le lieu est saisissant, tant par le silence absolu qui y règne que par le souvenir des événements survenus il y a plus d'un millénaire. En revanche, la plus impressionnante est la **crypte des Gros Piliers★** (15e s.), merveille de force et de grâce, avec ses dix piliers de 5 m de tour, dont le granit provient des îles Chausey.

Cloître de l'abbaye.

Salle des Hôtes★

L'abbé y accueillait les rois (Saint Louis, Louis XI, François Ier) et les visiteurs de marque. L'élégante salle (35 m de longueur), aux voûtes gothiques, présente deux nefs séparées par de fines colonnes. Lors des fastueuses réceptions, cette salle était divisée en deux par un grand rideau de tapisseries. Une partie servait de cuisine (deux cheminées) et l'autre de salle à manger (cheminée d'ambiance).

Salle des Chevaliers★

Ce nom fait peut-être allusion à l'ordre militaire de Saint-Michel, qui fut fondé en 1469 par Louis XI, et dont l'abbaye était le siège. Majestueuse et très vaste (26 m sur 18 m), la pièce est divisée en quatre vaisseaux par trois rangs de robustes colonnes. Chauffée par deux grandes cheminées, c'était le *scriptorium* où travaillaient les moines : travaux d'enluminure, copie de manuscrits, lecture et étude des textes religieux ou profanes.

Cellier

Il est divisé en trois par deux lignes de piliers carrés qui soutiennent des voûtes d'arêtes. C'était le magasin d'approvisionnement.

Aumônerie

Cette salle gothique, partagée en deux par une rangée de colonnes, a conservé ses voûtes romanes.

Jardins de l'abbaye★

Fermés à la visite en hiver et les jours de trop mauvais temps. Ils permettent d'apercevoir la façade occidentale du Mont ainsi que la chapelle St-Aubert.

Aux alentours

BAIE DU MONT-SAINT-MICHEL★★

Environ 100 km de côtes bordent cette baie, inscrite depuis 1979 par l'Unesco dans la liste du Patrimoine mondial naturel et culturel. Les îles, les falaises, les plages et les dunes forment une succession de zones riches d'une faune et d'une flore très variées. Le parcours du littoral réserve des **vues★** étonnantes sur le Mont et ménage d'agréables promenades entre les polders et les herbus.

👁 Attention aux imprudents ! La baie enregistre le record de France des **marées** avec une amplitude de 14 m. L'eau avance à la vitesse d'un homme marchant d'un bon pas et les courants peuvent parfois créer des phénomènes d'encerclement.

Saint-Marcan

21 km à l'ouest. À Pontorson, prenez la N 176 puis la sortie pour la D 89, dir. St-Marcan. **Le Télégraphe de Chappe** – ✆ 02 99 48 53 53 - *juin-sept. : merc.-dim. 10h-12h30, 14h-18h30 - 3 € (8-12 ans 1 €).* Ce télégraphe permettait de transmettre des messages de Paris à Brest en 20mn. Visite du musée et manipulation du mécanisme reconstitué.

Le Vivier-sur-Mer

Les kilomètres de piquets que l'on aperçoit dans la baie, ainsi que les curieux bateaux à roues en aluminium ne laissent aucun doute sur l'activité locale : la mytiliculture sur bouchots. Pour en savoir plus sur la moule ou sur les richesses naturelles de la baie, rendez-vous à la **Maison de la baie** qui propose une exposition permanente. *☎ 02 99 48 84 38 - www.maison-baie.com - juil.-août : 9h-12h30, 14h-18h30 ; reste de l'année : tlj sf dim. et j. fériés 9h-12h30, 14h-17h30 - possibilité de visite guidée (1h30) - fermé 25 déc.-1er janv. et j. fériés sf juil.-août - 2,50 € (-12 ans gratuit).*

👥 Au départ de la Maison de la baie, il est possible de découvrir la baie et les bouchots grâce à la **Mytili-mobile**. *visite guidée en petit train (2h) - réserv. obligatoire.*

Cherrueix

Le vent est très apprécié à Cherrueix même si les moulins alignés en bord de mer ont presque tous perdu leurs ailes. Le spectacle est désormais assuré par les amateurs de char à voile qui profitent des magnifiques étendues de sable.

Une Fête de l'ail *(juillet)* et de nombreux points de vente témoignent de l'intérêt pour cette culture.

Si vous souhaitez suivre nos propositions de visite sur le reste de la baie, reportez-vous au Guide Vert Normandie Cotentin.

Mont-St-Michel pratique

Adresse utile

Office du tourisme du Mont-St-Michel – *Corps de garde des Bourgeois - 50116 Le Mont-St-Michel - ☎ 02 33 60 14 30. www.ot-montsaintmichel.com, www. abbaye-saintmichel.com - juil.-août : 9h-19h ; sept. : lun.-sam. 9h-18h30, dim. 9h-12h, 14h-18h ; avr.-juin : lun.-sam. 9h-12h30, 14h-18h30, dim. 9h-12h, 14h-18h ; oct.-mars : lun.-sam. 9h-12h, 14h-18h, dim. 10h-12h, 14h-17h -fermé 25 déc. et 1er janv.*

Visite

Balades découvertes – *☎ 02 99 48 84 38 - la Maison de la baie organise différentes sorties dont les balades-découvertes : visites guidées et commentées de 8 km (4 à 5h) - réserv. obligatoire - prévoir coupe-vent, coupe-faim et eau, bottes et vêtements chauds en hiver.*

Visites de nuit

En été, des éclairages subtils illuminent le Mont et il est possible de parcourir l'abbaye en nocturne - *19h- 22h30, tlj sf dim. (dernière entrée 1h av. fermeture) - renseignements au service des visites - ☎ 02 33 89 80 00.*

Se loger

⌂ **Hôtel de La Tour Brette** – *8 r. Couesnon - 50170 Pontorson - 9 km au S du Mont-St-Michel - ☎ 02 33 60 10 69 - www.latourbrette.com - fermé 14-22 mars, 1er-20 déc. et merc. sf juil.-août - 10 ch. 34/39 € - ⬜ 6,50 € - rest. 10,80/30 €.* Ce petit hôtel central doit son nom à la tour qui jadis protégeait la Normandie des assauts bretons. Chambres pas immenses mais fraîchement rénovées. Au restaurant, cadre simple et belle carte traditionnelle.

⌂ **Hôtel Le Bretagne** – *R. Couesnon - 50170 Pontorson - 4 km au S du Mont-St-Michel par D 976 - ☎ 02 33 60 10 55 -*

www.lebretagnepontorson.com - fermé 15-30 janv. - 13 ch. 35/64 € - ⬜ 7 € - rest. 12,90/36 €. Maison de style régional. Admirez les jolies boiseries du 18e s., la cheminée en marbre gris et le radiateur chauffe-plats dans la première petite salle. Bar feutré très « british » et chambres spacieuses joliment meublées.

⌂ **Chambre d'hôte Mme Gillet Hélène** – *3 Le Val-St-Revert - 35610 Roz-sur-Couesnon - 15 km au SO du Mont-St-Michel rte de St-Malo par la côte D 797 - ☎ 02 99 80 27 85 - ⬚ - 3 ch. 30/48 € ⬜.* Cette maison familiale (17e s.) dominant la baie offre une belle vue sur le Mont-St-Michel et la campagne environnante. Chambres rafraîchies. Trois d'entre elles regardent la mer, une autre, lumineuse et dotée d'une terrasse, s'ouvre sur le jardin.

⌂ **Chambre d'hôte Amaryllis** – *Le Bas-Pays - 50170 Beauvoir - 2,5 km au S du Mont-St-Michel dir. Pontorson par D 976 - ☎ 02 33 60 09 42 - amaryllis.lume@ wanadoo.fr - ⬚ - 5 ch. 35/46 € - ⬜ 4,70 €.* Ce bâtiment en pierre a été rénové dans l'unique but d'y accueillir des chambres d'hôte. Leurs points forts : des salles de bains bien équipées, un entretien irréprochable et une terrasse meublée. Petit « plus » : la possibilité de visiter la ferme voisine.

⌂ **Chambre d'hôte La Bergerie** – *La Poultière - 35610 Roz-sur-Couesnon - 16 km au SO du Mont-St-Michel - rte de St-Malo par la côte D 797 - ☎ 02 99 80 29 68 - www.la-bergerie-mont-saint-michel.com - ⬚ - 5 ch. 43/48 € ⬜.* Ces chambres aménagées dans une ancienne bergerie manquent certes un peu de charme, mais sont confortables et bénéficient du calme du petit hameau. Espace cuisine et jardin à disposition. Possibilité de gîte en sus.

⌂ **Hôtel Les Vieilles Digues** – *Rte du Mont-St-Michel - 50170 Beauvoir - 3 km au S du Mont-St-Michel dir. Pontorson -*

☏ 02 33 58 55 30 - www.bnb-normandy. com - fermé janv. - 7 ch. 45/65 € ☐. Jolie maison en pierre aux grandes chambres soignées et meublées avec goût ; celle avec vue sur le Mont-St-Michel est bien sûr très demandée. Plaisante salle des petits-déjeuners, à colombages. Jardin paysagé.

Se restaurer

☕ **La Gourmandise** – *21 rte du Mont-St-Michel - 50170 Beauvoir - 4 km au S du Mont-St-Michel - ☏ 02 33 58 42 83 - fermé nov.-mars et mar. sf juil.-août - 9,15 € - 4 ch. 40 €.* Maison bretonne transformée en crêperie dont la présence anime cette toute petite localité. Décor simple, éclairé par de larges baies vitrées. La longue carte propose crêpes et galettes en priorité.

☕ **Auberge de la Baie** – *La Rive - 50170 Ardevon - 3 km au SE du Mont-St-Michel dir. Avranches par D 275 - ☏ 02 33 68 26 70 - www.aubergedelabaie.fr - fermé nov., mar. et merc. sf juil.-août - 10/32,50 € - 12 ch. 28/40 € - ☐ 5 €.* Placé en bordure de départementale, cet hôtel-restaurant permet d'échapper, le temps d'un week-end ou d'un repas, à l'effervescence du Mont. À la carte : plats traditionnels et régionaux (agneau de prés-salés, fruits de mer), et petit choix de galettes.

☕☕ **La Sirène** – *Grande-Rue - ☏ 02 33 60 08 60 - fermé 10 janv.-2 fév. et 15 nov.-20 déc. - 16/28 €.* Cette maison du 14ᵉ s. au long passé d'auberge abrite désormais une crêperie à laquelle on accède par un escalier en colimaçon. L'aspect des fenêtres, qui ressemblent à des vitraux avec leurs carreaux de verre dépoli sertis d'étain, confirme l'authenticité des lieux.

☕☕ **Pré Salé** – *Rest. de l'hôtel Mercure - 2 km au S du Mont-St-Michel par D 976 - contact@hotelmercure-montsaintmichel. com - fermé 12 nov.-6 fév. - 17/44 €.* Bordant le Couesnon à l'amorce de la digue, l'hôtel Mercure vous invite dans sa lumineuse salle à manger aux tables bien espacées. Dégustez-y les fameuses viandes des prés-salés de la baie.

☕☕ **Croix Blanche** – *Grande-Rue - ☏ 02 33 60 14 04 - fermé 1ᵉʳ janv.-2 fév. et 15 nov.-20 déc. - 18/39 €.* Haut bâtiment abritant une salle à manger principale (pierres et poutres apparentes) au 2ᵉ étage et une agréable petite terrasse ouverte sur le chemin de ronde du Mont-St-Michel. Nombreux menus. Petites chambres bien meublées ; certaines avec vue sur la mer.

☕☕ **La Promenade** – *Pl. du Casino - 50610 Jullouville - ☏ 02 33 90 80 20 - www.la-promenade.fr - fermé lun. et mar. - réserv. conseillée - 18/42 €.* On peut difficilement trouver plus belle vue sur la baie du Mont-St-Michel que depuis cet élégant restaurant-salon de thé sis au rez-de-chaussée de l'ancien hôtel du casino (1881). Vaisselle et beaux meubles anciens. La carte privilégie les produits de la mer de la côte normande.

Que rapporter

Brasserie de la Baie – *6 rte de Roche-Torin - 6 km à l'E du Mont-St-Michel - 50220 Courtils - ☏ 02 33 60 37 65 - clesenechal@nomotech.net - de mai à fin sept. : merc.-dim. 15h30-19h ; hors sais. : sam. apr.-midi, dim. apr.-midi.* Quatre sortes de bière sortent des cuves de cette petite brasserie artisanale implantée près de la Maison de la baie. Une blonde bien plaisante, une ambrée de caractère, une brune hivernale aromatisée à l'hydromel et une blanche estivale rafraîchissante. Dégustation et vente sur place.

Sports & Loisirs

Atouts Baie – *6 r. de la Métairie - 50170 Boucey - ☏ 02 33 60 68 00 ou 06 86 90 95 01 - www.mont-saint-michel-voyages. com - réserv. : 06 86 90 95 01 de 8h à 22h.* Agence proposant des promenades et traversées de la baie à pied, avec un guide passionné de nature. Balades en calèche. Location de vélos. Visite virtuelle du rocher et de l'abbaye du Mont-St-Michel pour groupes de personnes à mobilité réduite.

Chemins de la Baie – *34 r. de l'Ortillon - 50530 Genêts - ☏ 02 33 89 80 88 - chemindelabaie@orange.fr - avr.-oct. : tlj 9h-12h30, 13h30-18h - fermé les w.-end de nov. à mars - 5,50/20 €.* Cette association installée dans un local construit entièrement en bois, propose des traversées de la baie du Mont-St-Michel, traditionnelles ou commentées, ainsi que des randonnées à thème autour du littoral, de la faune et du patrimoine. Boutique nature et randonnée.

Didier Lavadoux – *36 Grande-Rue - A 84 au niveau d'Avranches sortie Jullouville Cherbourg - 50530 Genêts - ☏ 02 33 70 84 19 - http://perso.orange.fr/traversees-de-la-baie/ - avr.-oct. : tlj - 9 € (-12 ans 5 €).* Vingt ans d'expérience et toujours la même passion ! Ce guide chevronné (indépendant et diplômé d'État) connaît la baie comme personne. Il organise des traversées – commentées ou non – du site (2h à 5h).

La Tanière (centre équestre) – *La Grève - 50170 Moidrey - ☏ 02 33 58 13 53 ou 06 30 50 59 21 - www.randobaie.com.* Posté sur la route du Mont-St-Michel après l'hippodrome, ce centre équestre s'est presque fait une spécialité des randonnées à cheval dans la baie (2h, une journée, un week-end ou une semaine).

Découverte de la baie du Mont-St-Michel en ULM – *Aérodrome du Val St-Père - sortie aérodrome sur l'axe autoroutier Caen-Rennes - 50300 Avranches - ☏ 02 33 48 67 48 ou 06 07 54 91 42 - www.ulm-mont-saint-michel.com - 35/150 €.* Un pilote instructeur fort de vingt ans d'expérience vous emmène : au-dessus de la baie, à l'aplomb du mont (combinable avec un survol de Cancale ou de Granville) ou le « must », voler au lever du soleil.

Golfe du **Morbihan**★★

CARTE GÉNÉRALE C/D3 – CARTE MICHELIN LOCAL 308 N/O9 – MORBIHAN (56)

D'une largeur de 20 km, cette petite mer intérieure parsemée de soixante îles ou îlots, est une destination recherchée pour la beauté de ses paysages. La lumière des couchers de soleil s'y fait particulièrement séduisante, surtout à marée basse. Barques de pêche, bateaux de plaisance et barges ostréicoles fréquentant Auray et le port de Vannes l'animent en permanence, faisant perpétuellement poindre une voile à son horizon.

Une multitude d'îlots ponctuent La surface du golfe du Morbihan.

▷ **Se repérer** – Le golfe du Morbihan débute au sud de Vannes et s'étend à l'ouest jusqu'à la rivière d'Auray. Les deux ports qui ferment le golfe, Port-navalo et Locmariaquer, sont respectivement accessibles par la D 780 (35 km depuis Vannes) et par la voie rapide, la D 28 et la D 781 (32 km depuis Auray). Une myriade de routes en cul-de-sac dessert les bourgs qui bordent le golfe.

◷ **Organiser son temps** – Si vous souhaitez visiter des sites comme Gavrinis, accessibles par bateau, n'oubliez pas de réserver au moins la veille.

👁 **À ne pas manquer** – Une croisière en bateau dans le golfe et une excursion sur l'île de Gavrinis pour en admirer le cairn néolithique.

🕯 **Pour poursuivre la visite** – Voir aussi Vannes, Auray, Locmariaquer, La Trinité-sur-Mer, Carnac, la presqu'île de Quiberon, Houat et Hœdic et Belle-Île.

Comprendre

Un peu d'histoire... – Au 1er s. av. J.-C., les Vénètes formaient le peuple le plus puissant d'Armor, avec une flotte qui leur assurait la suprématie des côtes. Conquérant, César décida de rassembler à l'embouchure de la Loire un grand nombre de galères commandées par son lieutenant **Brutus**. Des géologues affirment que le golfe du Morbihan n'existait pas encore lors de la guerre des Gaules, mais il est certain que le combat naval se déroula sur la côte sud-est de la Bretagne, probablement devant Port-Navalo. Aux 220 gros voiliers des Gaulois, les Romains opposèrent leurs grandes barques plates, marchant à l'aviron. Le triomphe de Brutus, inespéré, tint à plusieurs causes : une mer calme et sans vent favorisant les galères incapables de résister au mauvais temps et condamnant les voiliers vénètes à l'immobilité, mais aussi ces faux que les Romains avaient attachées à l'extrémité de longues perches, et qui sectionnaient les cordages. Après cette victoire, César occupa le pays vénète : tous les membres du Sénat furent mis à mort et le peuple fut vendu comme esclave.

... et de géographie – En breton, *Mor-bihan* signifie « petite mer », par opposition à *Mor-braz*, la « grande mer océane ». Ce vocable évoque le golfe du même nom, né au tertiaire d'un affaissement de son bassin. La mer a alors recouvert 12 000 ha déjà modelés par l'érosion des cours d'eau, d'où ces découpures et ces estuaires, ces îles et ces îlots innombrables qui font aujourd'hui son originalité. Attention : cette « petite mer » est soumise aux marées. Les eaux y pénètrent en bouillonnant par un étroit et dangereux goulet d'un kilomètre à peine, entre Port-Navalo et Locmariaquer.

Découvrir

TOUR DU GOLFE EN BATEAU★★★

Départ : Locmariaquer, Auray, Le Bono, Larmor-Baden, Vannes ou Port-Navalo. Hors du golfe : depuis Port-Haliguen, sur la presqu'île de Quiberon. Excursion avec escale à l'île d'Arz et à l'île aux Moines : une demi-journée ou une journée. Sans escale : environ 3h.

C'est indiscutablement la meilleure façon de voir le golfe du Morbihan, à moins d'apprécier ses contours en avion. Une quarantaine d'îles sont des propriétés privées, habitées par des amateurs de solitude. Les deux plus grandes, Arz et l'île aux Moines, sont les seules communes du golfe.

Île d'Arz

Passages réguliers tte l'année 8h45-18h45 (15mn de traversée, dép. Vannes-Conleau) - juin-sept. 6,30 € (enf. 3,80 €) ; reste de l'année 6 € (enf. 3,40 €). Tour du golfe + escale avr.-oct. 16 € (enf. 10 €) - ℘ 02 97 50 83 83 ou 06 08 32 81 14.

Habitée par les Îledarais, cette île (5 km) possède plusieurs **dolmens**, situés à la pointe de Pen Liouse. Un sentier côtier fait le tour de l'île, découpée de plages.

Île aux Moines★

Accès en bateau, sans excursion dans le golfe : depuis Port-Blanc, à 11 km de Vannes par la D 101, puis la D 316 à gauche. Sur l'île, location de vélos.
Dép. ttes les 30mn (passage 5mn) juil.-août : 7h-22h ; sept.-juin : 7h-19h30 - 3,80 €/AR (4-10 ans 2 €/AR), vélo 3 € - Izenah Croisières - ℘ 02 97 26 31 45 - www.www.izenah-croisieres.com.

Cet ancien fief de monastère est la plus grande (7 km de long) et la plus peuplée des îles du golfe. C'est un lieu de séjour balnéaire tranquille où poussent mimosas, camélias et palmiers, orangers et citronniers. Depuis le port du Lerio, on peut rejoindre le bourg de **Port-Miquel**, aux ruelles pittoresques. On découvre, au nord de l'île, la pointe de Trech (curieux calvaire à paliers) donnant sur la pointe d'Arradon et le golfe ; au sud, les **dolmens** de Boglieux et Penhap ; à l'est, la pointe de Brouhel où la vue s'étend sur l'île d'Arz.

Circuits de découverte

LES BORDS DU GOLFE★

De Vannes à Locmariaquer 1

49 km – environ 3h1/2. Quittez Vannes (visite : une demi-journée) par la D 101 (ouest du plan). À 5 km, prenez à gauche vers la pointe d'Arradon. La route contourne Arradon.

Pointe d'Arradon★

Prendez à gauche vers la cale de la Carrière. La **vue★** sur le golfe du Morbihan est très caractéristique : on distingue, de gauche à droite : les îles de Logoden ; au loin, l'île d'Arz ; ensuite, l'île Holavre, rocheuse, et l'île aux Moines. Pour gagner la pointe, empruntez le sentier derrière l'hôtel, longeant les roches.

Faites demi-tour et gagnez le Moustoir où vous tournerez à gauche sur la D 316. Au lieu-dit **Moulin de Pomper**, remarquez sur la gauche le vieux moulin à marée. La route longe bientôt l'anse de Kerdelan – à gauche, jolie vue sur le golfe, et au fond, l'île aux Moines – puis elle délaisse les marais de Pen-en-Toul, à droite.

Larmor-Baden

Cette charmante station balnéaire abrite un petit port doté d'un club de voile, et un centre ostréicole important.
👁 C'est aussi, dans le golfe, l'unique point d'embarquement pour Gavrinis.

Cairn de Gavrinis★★

℘ 02 97 57 19 38 - visite guidée (50mn) sur demande pour réserv. (la veille) juil.-août : 9h30-12h30, 13h30-19h ; avr. juin et sept. : 9h30-12h30, 13h30-18h30 ; mai : 13h30-18h30, w.-end et j. fériés 9h30-12h30, 13h30-18h30 ; oct.-nov. et mars : tlj sf merc. 13h30-17h - fermé nov.-fév. - « circuit des mégalithes » juil.-sept. uniquement au dép. de 17h, avr.-juin uniquement au dép. de 16h30 - tarif bateau et visite 10 € (8-17 ans 4 €) ; visite guidée « circuit des mégalithes » 13 € (8-17 ans 5 €). Construit au néolithique sur

l'île de Gavrinis, voici environ cinq mille ans, ce cairn est l'un des plus intéressants monuments mégalithiques de Bretagne. Constitué de pierres amoncelées sur une petite butte, il atteint 6 m de haut et 50 m de diamètre. Une galerie couverte de 14 m de longueur, formée de 23 supports sur lesquels reposent neuf tables, mène à la chambre funéraire. Cette petite pièce (environ 2,50 m de côté) est recouverte d'une seule pierre de granit, reposant sur des supports ornés de dessins.

Sur l'île, de belles échappées s'offrent à gauche vers la rivière d'Auray.

Er Lanic

Un peu au sud de Gavrinis, ce petit îlot porte deux *cromlechs*, des cercles de menhirs. Disposés en forme de 8, ils sont à moitié immergés. En effet, depuis l'époque préhistorique, le niveau de la mer a remonté, donnant naissance au golfe. À marée basse, une partie de ces menhirs réapparaît sur l'île *(réserve ornithologique, interdite d'accès)*.

Depuis Larmor-Baden, rejoignez Baden par la D 316, puis la D 101 en direction du Bono. Avant de franchir le nouveau pont du Bono, prenez sur la gauche la route qui descend vers Kernours.

Le Bono

À la sortie de **Kernours**, dans un petit bois de pins à droite, un dolmen coudé évoque une allée couverte. Par la route, on peut continuer jusqu'à **Mané-Vehr**, petit port ostréicole où l'on jouit d'un beau point de vue sur la rivière d'Auray. *Remontez vers Le Bono.*

Le nouveau pont offre une **vue**★ irrésistible sur la rivière du Bono, le port et le village, avec son vieux pont suspendu (1840) et ses bateaux de plaisance. Remarquez les tas de tuiles chaulées qui servent à recueillir le naissain d'huîtres.

Auray★ *(voir ce nom)*

Sortez d'Auray par la D 28 en direction de La Trinité-sur-Mer. À 8 km, tournez à gauche dans la D 781.

Vous passez à proximité de célèbres monuments mégalithiques : ils composent l'ensemble mégalithique de Locmariaquer.

Locmariaquer★★ *(voir ce nom)*

Presqu'île de Rhuys★ [2]

79 km – environ 4h. Quittez Vannes (visite : une demi-journée) par la N 165 vers Nantes. Après St-Léonard, prenez à droite la D 780.

Cette langue de terre et de sable (10 km de long, 2 km de large en moyenne) ferme au sud le golfe du Morbihan. Au niveau de St-Colombier, l'anse abrite une réserve ornithologique.

Château de Kerlévenan

☎ 02 97 26 46 79 - visite guidée du parc (1h) de déb. juil. à mi-sept. : tlj sf vend. 14h-18h ; reste de l'année : possibilité de visite sur demande auprès de Mme Tascon - 2,30 €.
Ce château (18e s.) de style Louis XVI a été construit en tuffeau provenant de Touraine. Sa façade, aux lignes harmonieuses, rappelle le Petit Trianon à Versailles, avec ses quatre colonnes ioniques couronnées d'une galerie.
Dominant le golfe, le **parc** (30 ha) comporte deux petites « fabriques » à la mode du 18e s. : un pavillon chinois et une chapelle (temple à l'Amour à l'origine).

Sarzeau

Alain René **Lesage** (1668-1747) y est né. C'est l'auteur, entre autres, de *Gil Blas de Santillane* et de *Turcaret*. Sur la petite place, à droite de l'église, s'élèvent deux belles maisons Renaissance. La station dispose de longues **plages** orientées sud sur sa côte océane : Roaliguen, Kerfontaine pointe de St-Jacques.

Du côté nord, en direction de Brillac, **le Logeo** est un joli port ostréicole lové dans l'anse du même nom, face à l'île Govéan.

Prenez la D 780, puis tournez à droite après le hameau du Net.

Tumulus de Tumiac★

15mn à pied. Garez-vous au parking et prenez à droite un chemin de terre. Ce tumulus (20 m de haut, 300 m de large) est également appelé « butte de César ». Selon la légende, c'est d'ici que l'empereur aurait suivi la bataille navale remportée par les Romains contre les Vénètes. Beau **panorama★**.

Arzon

Dans l'**église** d'Arzon, deux vitraux rappellent le vœu fait par les marins à sainte Anne, en 1673, durant la guerre de Hollande : celui de rentrer entiers. Depuis, chaque lundi de Pentecôte, les hommes de mer prennent part à la procession de Ste-Anne d'Auray.

En bas du village de Béninze, à l'est du village, le très beau **moulin de Pen-Castel** a bénéficié d'une heureuse restauration.

Port-Navalo

La rade de ce petit port est fermée au sud par un promontoire portant un phare. C'est aussi une sympathique station balnéaire, avec sa plage aux allures de carte postale, nichée dans une crique.
▸ Au phare de Port-Navalo débute une belle promenade *(2 km)* jusqu'au tombeau du Petit Mousse, noyé inconnu qui fut retrouvé en 1859 sur les rochers. Elle se poursuit jusqu'au Crouesty. Un autre sentier *(1,5 km)* aboutit au nord à la pointe de Bilgroix, offrant une très belle **vue★** sur le golfe du Morbihan.

Bateaux ancrés à Port-Navalo.

Jean Malburet / MICHELIN

Port du Crouesty

Ce port de plaisance, d'allure moderne, est un véritable complexe qui abrite un centre de thalassothérapie, et peut accueillir plus de 1 100 bateaux : agréable promenade le long du quai.

Musée des Arts, Métiers et Commerces

Rond-point du Net à Largueven (sur D 780, près du croisement avec la D 198) - ☎ 02 97 53 68 25 - www.musee-arts-metiers.com - ♿ - juil.-août : 10h-12h, 14h-19h, dim. 14h-19h ; sept.-juin : tlj sf lun. 14h-19h - 5 € (enf. 2,50 €). Il présente plus d'une soixantaine de métiers, dans des boutiques ou des ateliers reconstitués. Classe des années

1930 et expositions thématiques, dont une permanente consacrée aux costumes bretons.

Saint-Gildas-de-Rhuys

Ce village doit son origine au monastère fondé au 6e s. par saint Gildas. Parmi les abbés qui le gouvernèrent, le plus célèbre fut Abélard, au 12e s.

Église★ - *9h-19h - possibilité de visite guidée juil.-août : tlj sf w.-end et j. de cérémonie 10h30-12h, 16h-18h ; reste de l'année : se renseigner auprès de Muriel Brizai -* ☏ *06 61 85 44 06.*

Cette ancienne abbatiale (début du 11e s.) a été reconstruite en grande partie aux 16e et 17e s. Le chevet, particulièrement harmonieux, est orné de plusieurs sculptures dont l'une représente une scène de tournoi.

Au bas de la nef, deux beaux chapiteaux sculptés servent de bénitier. Le **chœur**★ roman est remarquable. Derrière le maître-autel baroque, on verra le tombeau de saint Gildas (11e s.). Dans le croisillon gauche se trouve le tombeau de saint Goustan (11e s.). Le déambulatoire abrite les pierres tombales des enfants de Bretagne (13e et 14e s.) et celles d'abbés et de chevaliers.

Le **trésor**★ comprend des châsses (14e et 18e s.), des reliquaires (15e s.), un chef de saint Gildas (16e s.) en argent rehaussé d'or, une mitre brodée, etc. ☏ *02 97 45 31 45 - visite guidée juil.-août : tlj sf lun. sam. et dim. mat. (se renseigner pour les horaires) - fermé le reste de l'année - gratuit.*

Abélard ou la séduction malheureuse

Ce savant philosophe, chanoine de Notre-Dame de Paris, fut émasculé pour avoir séduit et épousé son élève Héloïse. Il se retira ensuite en cette abbaye de St-Gildas pour trouver la paix dans la solitude bretonne. Sa désillusion fut rapide et cruelle : « J'habite, écrit-il à Héloïse, un pays barbare dont la langue m'est inconnue et en horreur ; je n'ai de commerce qu'avec des peuples féroces ; mes promenades sont les bords inaccessibles d'une mer agitée ; mes moines n'ont d'autre règle que de n'en point avoir. Je voudrais que vous vissiez ma maison ; vous ne la prendriez jamais pour une abbaye ; les portes ne sont ornées que de pieds de biches, de loups, d'ours, de sangliers, de dépouilles hideuses de hiboux. J'éprouve, chaque jour, de nouveaux périls ; je crois, à tout moment, voir sur ma tête un glaive suspendu. » Ce ne fut pas le glaive qu'employèrent les moines, mais le poison. Abélard s'en tira par miracle et s'enfuit, en 1132, par un passage secret.

Manoir de Kerguet

Ne se visite pas. Ancienne demeure (15e s.) des gouverneurs du château de Suscinio.

Château de Suscinio★

À 3,5 km de Sarzeau par la D 198 - ☏ *02 97 41 91 91 - www.suscino.info - avr.-sept. : 10h-19h ; fév.-mars et oct. : 10h-12h, 14h-18h ; nov.-janv. : 10h-12h, 14h-17h - fermé merc. hors vac. scol. (oct.-mars), 25 et 26 déc., 1er et 2 janv. - 6 € (8-17 ans 2 €).*

Résidence préférée des ducs de Bretagne, cet imposant château se dresse près de la mer. Édifié au 13e s. et remanié aux 14e et 15e s., il fut confisqué par François Ier. La couronne de France en disposa ensuite pour ses favoris et favorites. Exploité comme carrière de pierres durant la Révolution, il ne conserve que six tours. Sa longue restauration s'est récemment achevée : après la toiture du logis ouest et de la tour Neuve, la partie est a été réhabilitée : la charpente en bois, assemblée de manière traditionnelle, a été couverte d'ardoises extraites des monts d'Arrée.

Visite – Les douves franchies, on pénètre dans la salle des gardes et dans la tour attenante où est présentée l'histoire du château et sa restauration. Aux étages supérieurs, les salles du logis d'entrée, restaurées, abritent un exceptionnel ensemble de **pavements**★★ en céramique vernissée (13e et 14e s.) provenant d'une chapelle située hors de l'enceinte et disparue depuis. Par la variété et la qualité de leur décor, ils constituent un beau témoignage de l'art décoratif médiéval. Au deuxième étage, expositions annuelles. Remarquez l'imposant relief équestre d'Olivier de Clisson par Frémiet. La salle des cérémonies, dans laquelle s'ouvre une chapelle, donne accès à la courtine nord, ainsi qu'aux terrasses qui offrent un beau **panorama** sur la presqu'île et le proche océan. Sous les combles : présentations des grandes étapes de restauration du site.

Golfe du Morbihan pratique

♿ Voir aussi les encadrés pratiques d'Auray, de Vannes, de la Trinité-sur-Mer et de Carnac.

Se loger

⊜ **Auberge du Parc Fétan** – 17 r. de Berder - 56870 Larmor-Baden - ☎ 02 97 57 04 38 - www.hotel-parcfetan.com - fermé janv. - 🅿 - 20 ch. et 14 appart. 40/120 € - ☕ 7 € - rest. pour résidents 21 €. Une route peu passante sépare cet hôtel d'une charmante anse dotée d'une petite plage. La majorité des chambres offre une vue sur le golfe et l'île aux Moines. Celles du 2ᵉ étage sont climatisées. Sur l'arrière, deux bâtiments indépendants abritent des appartements. Piscine chauffée d'avril à septembre et Jacuzzi.

⊜⊜ **Hôtel Glann Ar Mor** – 27 r. des Fontaines - Port-Navalo - 56640 Arzon - dir. Arzon centre, 1 km apr. le bourg - ☎ 02 97 53 88 30 - www.glannarmor.fr - 9 ch. 59/75 € - ☕ 7,50 € - rest. 13/30 €. Gentille maison érigée à quelques mètres du golfe. Restaurant aux accents marins, incluant une cave pouvant abriter plus de cent références de vins français. Chambres et salles de bains rénovées. Formule pension ou demi-pension en saison.

⊜⊜ **Hôtel Le Gavrinis** – Toulbroch - 56870 Baden - 2 km par rte de Vannes - ☎ 02 97 57 00 82 - www.gravinis.com - fermé 8 janv.-12 fév. et 26 nov.-3 déc. - 🅿 - 18 ch. 60/88 € - ☕ 11 € - rest. 20/68 €. Cette maison néo-bretonne entourée par un beau jardin abrite des chambres confortables et sobres ; certaines ont été rénovées avec goût. Tons pastel et lustres en bois flotté dans la salle de restaurant (non-fumeurs) ; belle terrasse fleurie.

⊜⊜ **Hôtel Le Crouesty** – Du Croisty (près du port) - 56640 Arzon - ☎ 02 97 53 87 91 - hotellecrouesty@wanadoo.fr - fermé janv. - 🅿 - 26 ch. 69/90 € - ☕ 7 €. Cet hôtel récent ancré à deux encablures du port éponyme abrite des petites chambres fonctionnelles. Aux beaux jours, vous pourrez prendre votre petit-déjeuner en terrasse. Lorsque le temps s'avère moins clément, le salon réchauffé par une cheminée et doté d'un piano est très apprécié.

Se restaurer

⊜ **La Rose des Vents** – 5 r. St-Vincent - 56370 Sarzeau - ☎ 02 97 41 93 77 - fermé lun. hors sais. - réserv. conseillée - 11,20/34 €. Lorsque l'on pousse la lourde porte de cette maison de 1730, on ne peut soupçonner qu'à l'arrière se cache un divin jardin où est dressé le couvert en saison. Très bel intérieur rustique avec meubles et boiseries d'époque et petite cheminée. Mets traditionnels et crêpes.

⊜⊜ **Les Embruns** – R. du Commerce - 56780 Ile-aux-Moines - ☎ 02 97 26 30 86 - fermé janv., fév., 1ᵉʳ-15 oct. et mercr. - 17/24 €.

Habitués et touristes se retrouvent dans ce bar-restaurant sans chichi du bourg. Pêchés dans la journée, les produits de la mer sont ici travaillés le plus simplement du monde pour régaler des convives impatients d'enfourcher de nouveau leurs vélos : d'autres trésors îliens attendent !

⊜⊜ **Le Boucanier** – 3 r. du Gén.-de-Gaulle (à Port-Navalo) - 56640 Arzon - ☎ 02 97 53 89 22 - fermé 15 déc.-15 janv., mar. et mercr. sf en été - 17/40 €. En activité depuis plus de 25 ans, ce bistrot d'arrière-port vient de se doter d'une nouvelle salle à manger au décor résolument marin (lambris sur les murs et coque de bateau en guise de bar). Grande terrasse couverte. La vue sur l'océan est comprise dans l'addition.

⊜⊜ **Le Mur du Roy** – Chemin du Mur-du-Roy - 56370 Penvins - 4 km au SE de Sarzeau par D 198 - ☎ 02 97 67 34 08 - www.lemurduroy.com - fermé janv., mar. soir, jeu. midi et mercr. d'oct. à avr. sf vac. scol. - 19 € déj. - 32/42 €. Vous qui rêvez d'une maison au calme face à l'océan, celle-ci devrait vous plaire. Le confort est assez simple, mais la terrasse, le jardin et la salle à manger en véranda ont vraiment du charme. La cuisine soignée du patron est, elle aussi, tournée vers la mer. Quelques chambres sobres.

Que rapporter

Marchés – Au port du Crouesty lun. mat. (été). À Arzon mar. mat., à Port-Navalo Pâques-Toussaint vend. mat. À Sarzeau jeu. mat., ainsi qu'une foire le 3ᵉ dim. du mois.

Embarcadère de l'Île-aux-Moines.

La route de l'Huître – Tlj sf dim. 9h30-18h. Sur les rives du golfe du Morbihan et de la rivière de Penerf, des ostréiculteurs ouvrent les portes de leur chantier aux visites guidées pour partager les secrets de ce métier difficile et de la vie de l'huître. En fin de visite, une dégustation est proposée - 3,90 € visite guidée, 4,50 € dégustation - association L'Ostréane - ☎ 02 97 42 04 66.

Sports & Loisirs

Miramar Crouesty - Hôtel et thalassothérapie – *Port Crouesty - 56640 Arzon - ℘ 02 97 53 49 00 - www.miramarcrouesty.com - tlj sf dim. apr.-midi 9h-18h - fermé 27 nov.-27 déc. et 1er janv.* Pour votre bien-être, le « paquebot de la forme » a jeté l'ancre dans ce site exceptionnel. Son centre de thalassothérapie vous propose tous les soins dont vous rêvez : massages, hydrothérapie, aromathérapie… piscine et espace dédié à la relaxation. Cures et formules à la journée. Et pendant que vous recouvrez équilibre et sérénité, activités réservées aux enfants (6 à 12 ans). À l'hôtel Miramar, confort et raffinement : les chambres, spacieuses, bénéficient depuis leur terrasse d'une superbe vue sur l'océan.

Base nautique de Varec'h – *Bois-Bas - au SO de Vannes par D 101, au rd-pt « Moulin de Pomper », prendre à gauche dir. Bois-Bas - 56870 Baden - ℘ 02 97 57 16 16 ou 06 03 32 35 67 - bretagne-kayak. com - 9h30-18h30 - fermé 25 déc.* Accessible à tous. Location avec ou sans moniteur, toute l'année.

Golf de Rhuys-Kerver – *Domaine de Kerver - 56730 St-Gildas-de-Rhuys - ℘ 02 97 45 30 09 - golf.rhuys@formule-golf.com - hors sais. : 9h30-18h ; 3 avr.-juin et sept.- oct. : 9h-18h30 ; sais. : 8h-20h - fermé 25 déc. et 1er janv. - 35/49 €.* C'est au cri des oiseaux de la réserve ornithologique que vous effectuerez ce 18 trous aménagé sur 70 ha.

Baie de **Morlaix**★★

CARTE GÉNÉRALE C1 – CARTE MICHELIN LOCAL 308 H2 – FINISTÈRE (29)

Cette baie est l'une des plus magnifiques de France, un site enchanteur qu'il faut découvrir lorsque le crépuscule d'été y jette ses derniers feux. Tout au fond de l'estuaire, à cheval sur le Léon et le Trégor, se niche Morlaix, une ville active et discrètement touristique qui conserve un beau quartier ancien.

- ▶ **Se repérer** – La baie s'ouvre plein nord à partir de Morlaix, jusqu'à Plougasnou à l'est, et Roscoff à l'ouest. La ville de Morlaix est traversée au nord par la N 12, qui vient de Guingamp (57 km à l'est), et file vers Brest (58 km au sud-est en passant par Landivisiau). La rive gauche de la baie est longée par une route magnifique, la D 769, qui se transforme en D 73. On accède à la rive droite par la D 76.

- 🕐 **Organiser son temps** – Comptez une journée pour le tour de la baie. Vous pouvez finir la journée sur les plages de Carantec.

- 👁 **À ne pas manquer** – La visite du vieux Morlaix pour ses maisons à lanterne ; la vue imprenable sur toute la baie de Morlaix depuis la pointe de Pen-al-Lann.

- 👫 **Avec les enfants** – Partez sur les traces du loup au Cloître-St-Thégonnec, grimpez dans une cabane au château de suscinio, découvrez la vie rurale d'autrefois à l'écomusée de Plouigneau, et celle plus exotique des autruches à Naouden.

- 🍂 **Pour poursuivre la visite** – Voir aussi la Côte des Bruyères, St-Pol-de-Léon, Roscoff, les Enclos paroissiaux, St-Thégonnec, Guimiliau, les monts d'Arrée et Huelgoat.

Visiter

VIEUX MORLAIX★

Certaines de ses demeures ont connu le pillage anglais de 1522, qui a valu à Morlaix une devise plutôt originale. L'histoire raconte en effet que les soldats britanniques s'étant trop attardés dans les celliers, les Morlaisiens, revenus dans leur ville, leur ont taillé des croupières, à la suite de quoi, ils ont ajouté à leurs armes un lion faisant face à un léopard anglais, avec la devise : « S'ils te mordent, mords-les ! »

Viaduc★ (A-B1)

Cette impressionnante construction à double étage et quatorze arches mesure 58 m de haut sur 285 m de long. Elle permet aux trains de franchir la vallée, une fonction primordiale pour une cité commerciale qui a dû batailler ferme pour obtenir le passage de la voie ferrée au 19e s.

Église Saint-Mélaine (B1)

De style gothique flamboyant, elle date de 1489 et possède un porche intéressant au flanc droit. ℘ 02 98 88 05 65 - 9h30-18h30.

Rue Ange-de-Guernisac (B1-2)

Elle est bordée de belles maisons à encorbellement, à pans de bois : hôtel du Relais de France, au n° 13, et les demeures des n°s 9, 6 et 5. Au passage, jetez un coup d'œil dans les venelles du Créou et au Son.

Grand'Rue★ (B2)

Réservée aux piétons. Des demeures du 15e s. sont ornées de statuettes de saints et de grotesques ; certaines boutiques basses prennent jour par une large fenêtre, l'étal, en particulier aux n°s 8-10. La plus connue de ces constructions d'époque porte le n° 9 : il s'agit de la **maison à Pondalez** (voir Visiter).

> ## La maison à lanterne
>
> La « maison à lanterne », ou « à pondalez » (15e et 16e s.) est une exclusivité morlaisienne. Construite par des nobles qui avaient fait le choix lucratif du commerce du lin, elle s'organise autour du grand espace central qui s'élève sur au moins trois niveaux et qui témoigne de la fortune des propriétaires : vaste cheminée de manoir, escalier à vis en chêne orné d'un poteau d'angle sculpté, galeries ou « ponts d'allée » desservant les étages.

Maison « de la Reine Anne » (B2)

☎ 02 98 79 63 85 - juin-août : tlj sf dim. 11h-18h30, sam. 17h ; mai-juin et sept. : tlj sf dim. 11h-18h, sam. 17h - possibilité de visite guidée (20mn) - fermé oct.-avr. et j. fériés - 1,60 €.

Cette maison de trois étages en encorbellement (16e s.) est certainement le plus bel exemple encore visible de « maison à *pondalez* » *(voir encadré ci-dessus)*. La façade est ornée de statues de saints et de grotesques. L'**intérieur★** a gardé son magnifique décor sculpté dont on ne peut manquer d'admirer la patine. On voit une cour close éclairée par des verrières. Dans l'un des angles, un très bel escalier à vis, colonne de 11 m faite d'une seule pièce, dessert les galeries des étages. Le pilier est orné de statues de saints, sculptées dans la masse. Entre le 1er et le 2e étage, remarquez une belle sculpture représentant un acrobate sur un tonneau.

En continuant vers la rue Haute, un escalier sur la droite conduit vers le **square du château** qui offre des belles **vues★** sur la ville et l'aqueduc.

Église Saint-Mathieu (B2)

Reconstruite en 1824, excepté la tour (16e s.), elle renferme, à gauche du maître-autel, une curieuse statue en bois de la **Vierge★**, datant peut-être du 14e s. Fermée, elle représente la Vierge allaitant l'Enfant Jésus ; ouverte, elle abrite une Sainte-Trinité.

Visiter

Musée de Morlaix (B2)

☎ 02 98 88 68 88 - www.musée.ville.morlaix.fr - ♿ - juil.-août : 10h-12h, 14h-18h30 ; avr.-mai et sept. : tlj sf mar. 10h-12h, 14h-18h, dim. 14h-18h ; oct.-mars et juin : tlj sf mar. et dim. 10h-12h, 14h-17h - 4,10 € (-12 ans 2,20 €) (le billet du couvent des Jacobins donne accès à la maison à Pondalez). Le musée se partage entre deux sites historiques et incontournables de Morlaix.

Gilles Targat / MICHELIN

Viaduc et église St-Mélaine à Morlaix.

SE LOGER		SE RESTAURER	
Chambre d'hôte du Manoir de Lanleya	①	Ar Bilig	①
Chambre d'hôte du Manoir de Roch ar Brini	④	Auberge de Pen An Neac'h	④
Hôtel d'Europe	⑦	La Grange de Coatélan	⑦
		Le Cabestan	⑩
		Les Bains Douches	⑬

Site du Couvent des Jacobins★ – Le lieu correspond à l'ancienne église des Jacobins, qui conserve au chevet une très belle **rosace★** du début du 15ᵉ s. Côté programmation, deux expositions temporaires par an alternent avec des présentations thématiques des collections permanentes.

Site de la Maison à Pondalez - *9 Grand'Rue*. Complètement restaurée, cette ancienne maison à pondalez est une des rares rescapées de la ville. Les différentes pièces présentent l'organisation de ces maisons et l'évolution de la ville au cours des siècles. La salle du deuxième étage est dédiée à une exposition par roulement d'une ou plusieurs œuvres issues de la collection permanente du Musée de Morlaix.

Aux alentours

Ploujean

4 km au nord-est par la D 76.

Au nord de Morlaix, la commune de Ploujean (rive droite de la baie) est la patrie du poète Tristan Corbière (1845-1875) et de Jean-Loup Chrétien, premier spationaute français (le 24 juin 1982).

Parc botanique du château de Suscinio – *Suivre « Lycée agricole de Suscinio » -* ℰ 02 98 72 05 86 - avr.-mai : 14h-18h ; juin-sept. : 10h-18h ; oct.-mars : 14h-17h - 4,50 € (4-18 ans 2,50 €) - visite guidée sur demande.

Jardin composé de plus de 1 000 variétés de plantes, plantées autour du manoir ayant appartenu au corsaire morlaisien Charles Cornic (1731-1809). L'ensemble a obtenu en 2002 le label « Arbres remarquables de France » pour ses pins de Monterey et son tulipier de Virginie. Admirez aussi les charmes et les hêtres à feuilles de fougères. À leurs pieds, les floraisons se succèdent toute l'année sous l'œil attentif des étudiants du lycée agricole voisin, qui entretiennent le jardin. Au printemps et à l'automne, festival des plantes.

Certaines zones aux noms évocateurs (le Jardin du corsaire, la Vallée des mondes perdus, le Village des enfants, le Jardin de la Table Ronde) plairont plus particulièrement aux enfants.

Plougonven★

12 km au sud-est par la D 9, route de Callac.

Situé au pied des monts d'Arrée, ce bourg conserve un **calvaire★★** élevé en 1554. La croix à deux branches porte, en haut, les statues de la Vierge et de saint Jean, au-dessous, deux gardes ; de chaque côté, les croix des larrons. Au pied de la croix principale, Descente de Croix. Sur la plate-forme et autour du socle, plusieurs scènes de la vie du Christ. L'**église** (1523) est coiffée d'un élégant clocher à balcon avec tourelle d'escalier ; voyez aussi les gargouilles, véritable bestiaire où se reconnaissent chiens, lions et sangliers.

Manoir de Mézédern – *Sur la commune de Plougonven - ℘ 02 98 78 64 90 - www. mezedern.com - visite guidée (1h) uniquement sur demande auprès de M. Meyer juin-sept. : tlj sf lun. 14h-18h - 5 €.* Cet harmonieux ensemble des 15ᵉ et 16ᵉ s. est ordonné autour d'une cour intérieure autrefois complètement fermée. Ici, la demeure seigneuriale est située au-dessus de la grande porte cochère et piétonnière, d'où son nom de logis-porche. À l'intérieur, collections hétéroclites (ferronneries, serrures, costumes, vaisselle…) reflétant les passions des propriétaires des lieux. Dans le parc, chapelle du 17ᵉ s.

Plouigneau

12 km à l'est par la N 12.

Écomusée de la Métairie – *R. de la Gare - ℘ 02 98 79 85 80 - www.ecomusee-plouigneau.fr - & - avr.-fin oct. : tlj sf sam. 10h-12h, 14h-18h - 4,30 € (12-18 ans 3,10 €).* Trois espaces : la maison d'habitation, le hangar des machines agricoles et la rue des métiers, retracent un siècle d'histoire d'un village du Trégor, de 1870 à 1970. Un tracteur américain de 1916, l'atelier du sabotier où l'on fabrique encore des sabots, le bourrelier qui travaille le cuir, la forge et la reconstitution des intérieurs ruraux vous transporteront à travers le temps !

Le Cloître-Saint-Thégonnec

13 km au sud par Plourin-lès-Morlaix, puis la D 111.

Musée du Loup – *1 r. du Calvaire - ℘ 02 98 79 73 45 - & - juil.-août : 14h-18h ; de mi-fév. à fin juin et de déb. sept. à mi-déc. : dim. 14h-18h ; fermé mi-déc.-mi-fév. - 3,50 € (+7 ans 2,20 €).* Dans l'ancienne école du bourg, le musée évoque les mœurs de cette espèce, la longue lutte des habitants de la région pour s'en débarrasser (la dernière prime allouée pour un loup tué dans les monts d'Arrée fut versée en 1885 à un habitant de la commune), et l'importance mythique d'un animal qui disparut de Bretagne au début du 20ᵉ s.

Le musée met à disposition des enfants un questionnaire à remplir après la visite et qui complète ludiquement leur connaissance du loup.

Réserve des landes du Cragou – *℘ 02 98 79 71 98 - www.bretagne-vivante.asso.fr - se renseigner à la Réserve des Monts-d'Arée : 2 r. du Calvaire, St-Thégonnec - juil.-août : sortie nature à la découverte des landes du Cragou (2h) lun. et vend. 15h-17h, dép. du parking face au musée du Loup - 4 € (-12 ans gratuit) - se munir de vêtements appropriés à des sorties tous terrains et tous temps).* Les busards, dont le busard St-Martin, règnent sur ce territoire qui accueille de nombreux oiseaux et plantes rares (orchidées, fougères primitives…).

Guerlesquin

26 km à l'est de Morlaix par la N 12. À Plouégat-Moysan, prenez la D 42.

Cette petite cité de caractère est l'une des portes d'entrée du Parc naturel régional d'Armorique. Construite tout en longueur, elle concentre depuis des siècles ses activités commerciales autour de sa place principale. Encore aujourd'hui, la ville est connue pour son marché au cadran, celui aux bovins du lundi matin et celui des veaux du mardi après-midi *(se renseigner au ℘ 02 98 63 59 11)*. Elle perpétue en cela une longue tradition de lieu de **foires et de marchés**, dont elle a su tirer profit comme en témoigne son riche patrimoine architectural.

Ne manquez pas la chapelle St-Jean (fin 17ᵉ s.), vestige du couvent des Dames Paulines, l'église St-Ténéran, qui a gardé son clocher du 16ᵉ s. (le reste a été reconstruit en 1859), l'ancienne prison seigneuriale (1640), dite « Le Présidial », de style Renaissance, les halles de granit de la fin du 19ᵉ s., et bien sûr les nombreuses demeures de granit autour de la place du Martray dont certaines datent du 16ᵉ s., comme la Maison de la Tourelle.

Ferme d'autruches – *Ferme de Naouden - ℘ 02 98 72 89 32 - visite guidée tlj. juil.-août : 14h30 et 16h30. 2,50 € (enf. 1,50 €).* La visite permet de découvrir le mode de vie de ces animaux, pas vraiment originaires du cru… Vente de viande au détail, d'œufs et de plumes.

Circuits de découverte

DE MORLAIX À TÉRÉNEZ★ 1

19 km au nord-est. Quittez Morlaix au nord par la D 76.

La route longe en corniche la rivière de Morlaix (port de plaisance et port sablier). Passé le pont, on gagne le petit port ostréicole de **Dourduff**, où s'abritent les bateaux des mareyeurs. On découvre ensuite la belle route bordée d'arbres de la vallée du Dourduff. Le parcours en bord de mer procure de belles **échappées★** sur la baie de Morlaix, le château du Taureau et la presqu'île abritant le cairn de Barnenez.

Grand cairn de Barnenez★

℘ 02 98 67 24 73 - www.monum.fr - juil.-août : 10h-18h30 ; mai-juin et sept. : 10h-12h30, 14h-18h30 ; sept.-avr. : tlj sf lun. 10h-12h30, 14h-17h30 (dernière entrée 45mn av. fermeture) - fermé 1er janv., 1er Mai, 1er et 11 Nov., et 25 déc. - 5 € (-18 ans gratuit), gratuit 1er dim. du mois (oct.-mai). Sur la presqu'île de Kernéléhen, prolongée par l'îlot de Stérec, cet imposant tumulus à gradins de pierres sèches, appelé **cairn**, domine la baie de Térénez et l'estuaire de la rivière de Morlaix. À la suite de fouilles (1955-1968), onze chambres funéraires furent découvertes sous des tables de pierre. Leurs entrées sont orientées au sud, précédées chacune d'un couloir de 7 à 12 m. D'après la couleur des pierres, on distingue deux étapes de construction. Le 1er cairn (4600 av. J.-C.) est en dolérite, roche verte du pays. Le 2e, vers la pente, est plus jeune de deux siècles : il se reconnaît au granit clair, dont le gisement le plus proche se trouve dans l'île Stérec.

Faites demi-tour et tournez à gauche à la sortie de St-Gonven.

Térénez

Très agréable petit port typiquement breton. Centre de voile.

DE MORLAIX À L'ÎLE CALLOT★★ ②

14 km. Quittez Morlaix par la D 73.

La D 73 longe la rive gauche de la rivière de Morlaix. La **vue★** est superbe, particulièrement à marée basse. Elle s'élargit à mesure que l'estuaire s'ouvre sur la baie, parsemée d'écueils et d'îlots.

Carantec

Située sur une presqu'île, entre l'estuaire de la Penzé et la rivière de Morlaix, Carantec est un centre balnéaire familial. Les plages les plus importantes sont celles de la grève Blanche et de la grève du Kélenn, la plus étendue. Elles sont agréablement protégées du noroît.

Son église moderne abrite dans l'abside une belle **croix de procession★** (1652) en argent.

Musée maritime – *8 r. Albert-Louppe - ℘ 02 98 67 00 43 - juil.-août : tlj sf jeu. 10h-12h, 15h-18h ; de mi-avr. à mi-mai et 18 juin-30 juin : tlj sf jeu. 14h30-18h - fermé reste de l'année – 3 € (enf. 1,50 €)*
La vie maritime régionale est évoquée ici : ostréiculture, flore et faune de la baie de Morlaix, ramassage du goémon.

« Chaise du Curé » – De cette plate-forme rocheuse, la **vue★** se développe, à gauche, sur la grève de Porspol et la grève Blanche ; en fond, St-Pol-de-Léon et Roscoff ; à droite, la pointe de Pen-al-Lann.

Pointe de Pen-al-Lann

1,5 km à l'est, plus 15mn à pied AR. Prenez la rue de Pen-al-Lann et laissez la voiture à un rond-point. Empruntez le sentier en descente qui conduit à travers pins à une éminence rocheuse.
La **vue★★** s'étend sur la côte depuis la pointe de Bloscon, à l'ouest, jusqu'à celle de Primel, à l'est. En face, le château de l'île du
Taureau fut construit en 1542 pour se protéger des attaques des corsaires anglais. Louis XIV, l'estimant trop cher à entretenir, en fit une prison d'État en 1660, après avoir demandé à Vauban de le restaurer.

Île Callot

Une chaussée submersible, praticable cependant par les autos à mi-marée, relie le port de la grève Blanche à l'île (parc de stationnement à l'entrée). Faites attention à l'heure de la marée si vous ne souhaitez pas dormir sur l'île… 2h suffisent à visiter l'île.
Celle-ci est un excellent lieu de pêche et abrite les deux charmantes **plages** de Park an Iliz et de Park an Aod.

Le château du Taureau dans la baie de Morlaix.

René Mattes / MICHELIN

Baie de Morlaix pratique

Adresses utiles

Office du tourisme de Morlaix – Pl. des Otages - 29600 Morlaix - ℘ 02 98 62 14 94 - www.morlaixtourisme.fr - tte l'année lun.-sam. 10h-12h, 14h-18h et l'été 10h-12h30, 13h30-19h et dim. 10h30-12h30.

Office du tourisme de Guerlesquin – Pl. du Martray - 29650 Guerlesquin - ℘ 02 98 72 84 20 - www.guerlesquin.fr - juil.-août : 10h-12h30, 14h-18h30 ; hors sais. : s'adresser à la mairie - ℘ 02 98 72 81 79.

Visites

« Le Léon à fer et à flots » – Une journée complète de découverte guidée à pied, en train et en bateau de Morlaix, sa baie et les paysages du Léon, St-Pol-de-Léon,

Roscoff… - 22 € (4-11 ans 11 €) - avr.-oct. sur réserv. au ℘ 02 98 62 07 52 - www.aferaflots.org.

Se loger

⊖⊖ **Chambre d'hôte du Manoir de Roch ar Brini** – 29600 Ploujean - ℘ 02 98 72 01 44 - www.brittanyguesthouse.com - ⊟ 🅿 - 3 ch. 60/80 € �. Ce manoir de 1870 entouré d'un parc arboré dispose de chambres personnalisées (dont deux grandes) auxquelles on accède par un bel escalier en pierre. Élégante salle à manger bourgeoise d'origine.

⊖⊖ **Hôtel d'Europe** – 1 r. d'Aiguillon - 29600 Morlaix - ℘ 02 98 62 11 99 - www.hotel-europe-com.fr - fermé vac. de Noël - 60 ch. 75/250 € - � 8 €. Hôtel de caractère dont le hall et l'escalier sont agrémentés de belles boiseries sculptées du 17ᵉ s. Les chambres, rénovées par étapes et équipées d'un mobilier fonctionnel, sont moins séduisantes, mais tout de même agréables. Une bonne adresse, bien située.

☎☎ **Chambre d'hôte du Manoir de Lanleya** – *Au bourg de Lanleya - 29610 Plouigneau - 5 km au SE de Morlaix par D 712 et D 64 dir. Lanmeur - ℘ 02 98 79 94 15 - www.manoir-lanleya.com - ⌿ - 5 ch. 60,50/76 € ⌷.* Vu la remarquable restauration, on a du mal à croire que ce manoir du 16ᵉ s. fut sauvé *in extremis* de la ruine. Les chambres sont de véritables petits bijoux ; la plus réussie adopte le style Louis XV. Le jardin fleuri longé par une rivière est délicieux.

Se restaurer

☎ **Ar Bilig** – *6 r. au Fil - 29600 Morlaix - ℘ 02 98 88 50 51 - fermé dim. et lun. sf été et vac. scol. - réserv. conseillée - 8,90/12 €.* Les habitués ne s'y trompent pas : on ne vient pas ici pour admirer le décor, mais pour faire bombance de crêpes copieusement garnies de produits recueillis quotidiennement dans une ferme voisine. Un régal ! L'établissement est non-fumeurs.

☎☎ **Les Bains Douches** – *45 allée du Poan-Ben - 29600 Morlaix - ℘ 02 98 63 83 83 - fermé lun. soir, sam. midi et dim. - 11,50/24,50 €.* Il vous faudra franchir la passerelle enjambant le Jarlot pour accéder à ce restaurant installé dans les murs des anciens bains municipaux (1904). Intérieur façon bistrot parisien, avec carrelages et verrière réchappés de l'ancienne structure. Plats traditionnels.

☎☎ **Auberge de Pen An Neac'h** – *29650 Plouegat-Moysan - 17 km à l'E de Morlaix par N 12, rte de Guingamp - ℘ 02 98 79 20 15 - www.penaneach.com - ⌿ - 18/30 € bc - 4 ch. 48 € ⌷.* C'est dans cette ancienne étable que vous dégusterez le *kig ha farz* et le *bara kig*, fameuses spécialités locales servies sur des plateaux en bois. Soirées à thèmes. Chambres d'hôte harmonieusement décorées et gîtes installés dans une maison indépendante entièrement rénovée.

☎☎ **La Grange de Coatélan** – *Coatélan - 29640 Plougonven - ℘ 02 98 72 60 16 - www.lagrangedecoatelan.com - fermé vac. de fév. et vac. de Noël - ⌿ - 20 €.* Cet ensemble du 18ᵉ s. composé de trois charmantes maisons de tisserands a beaucoup d'allure. L'auberge, habillée de bois blond et agrémentée d'un bar en forme de coque de bateau, est très conviviale. Les chambres, décorées avec goût, ouvrent sur la campagne.

☎☎ **Le Cabestan** – *Au port - 29660 Carantec - ℘ 02 98 67 01 87 - www.lecabestan.fr - fermé 5 nov.-10 déc., lun. sf juil.-août et mar. - 23/35 €.* Maison du port abritant un restaurant traditionnel et un bar-brasserie tenus par la même famille.

Préférez le rest. : il ne dispose pas, comme son voisin, d'une terrasse, mais ce manque est largement compensé par son cadre rustique et sa table gourmande.

Faire une pause

Martin – *29 pl. des Otages - 29600 Morlaix - ℘ 02 98 88 01 65 - tlj sf lun. 9h-12h30, 14h-19h30, dim. 9h-13h, 14h30-19h.* Pâtisserie-salon de thé reconnaissable à sa singulière façade et à ses deux anges datant de 1830. La famille Martin officie avec brio dans les gâteaux depuis quatre générations. Spécialité : la galette bretonne et le russe.

En soirée

👁 **Bon à savoir** – Morlaix est la ville aux établissements centenaires, tels que le « Café de l'Aurore », « La Cabane » et la pâtisserie « Martin ». A noter également, la brasserie « Coreff » (premier fabricant de bières bretonnes), et « La Maison des Vins » dans une belle maison à pondalez du 16ᵉ siècle.

Tempo – *Quai de Tréguier, port de plaisance - sortie voie express, dir. centre-ville Plougasnou - 29600 Morlaix - ℘ 02 98 63 29 11 - tlj sf dim. 7h30-0h, vend. 7h30-1h, sam. 17h-1h - fermé j. fériés.* Coloris vifs et métal composent le décor moderne de ce bar-restaurant situé sur le port de plaisance de Morlaix. Bon choix de vins au verre et de bières régionales, restauration (traditionnelle le soir, plats du jour et grillades à midi). Belle terrasse au bord de l'eau. Expositions et soirées musicales.

Que rapporter

Rue Ange-de-Guernisac – *29600 Morlaix.* C'est la rue des arts, des artistes et des artisans où se succèdent peintre, céramiste, sculpteur, couturier, et ébéniste…

Domaine de Kervéguen – *29620 Guimaëc - ℘ 02 98 67 50 02 - juil.-août : tlj sf dim. et j. fériés 10h30-18h30 ; avr.-juin, sept. et vac. scol. : tlj sf dim. et j. fériés 14h30-18h ; oct.-mars (sf vac. scol.) : sam. 14h30-18h.* Ce producteur de cidre breton artisanal, élevé en fûts de chêne, vous ouvre sa cave (visites gratuites) et vous expose les secrets de son savoir-faire. Sa cuvée Prestige « Carpe Diem » a été choisie par l'Élysée depuis 1997. Dégustation de cidre à l'ancienne, pommeau, fine.

Maison des Vins – *Pl. de Viarmes - 29600 Morlaix - ℘ 02 98 88 72 43 - tlj sf dim. et lun. 9h30-12h, 14h-19h - fermé j. fériés.* Cette cave à vins occupe une magnifique maison du 16ᵉ s. agrémentée d'un puits de lumière (ou lanterne) qui éclaire la boutique et les vestiges d'une cheminée. Plus de 1 400 crus sélectionnés avec compétence sont à votre disposition.

Événement

Festival des arts dans la rue – *De mi-juil. à mi-août, merc. à partir de 19h30,* un périmètre piétonnier est livré aux comédiens et au public pour un vaste théâtre convivial - *℘ 02 98 46 19 46 - www.artdanslarue.com.*

Nantes★★★

270 251 NANTAIS (AGGLOMÉRATION : 544 932 HABITANTS)
CARTE GÉNÉRALE E4 – CARTE MICHELIN LOCAL 316 G4 – LOIRE-ATLANTIQUE (44)

Nantes, capitale historique des ducs de Bretagne, occupe une position stratégique au confluent de la Sèvre, de l'Erdre et de la Loire, qui lui a tout apporté. Aujourd'hui grand pôle tertiaire, elle est devenue la sixième ville de France grâce à un afflux record de citadins, attirés par sa douceur de vivre. Il faut dire que la métropole de l'Ouest, réputée pour ses festivals, se montre généreuse en chlorophylle et profite de larges artères où circule une agréable brise marine. Pour bien la découvrir, rien ne vaut une flânerie autour du château des ducs et de son cœur classique, bordé par d'altiers bâtiments des 18e et 19e s.

▶ **Se repérer** – Nantes est située sur l'estuaire de la Loire, à une soixantaine de kilomètres de son embouchure. Dès la sortie des autoroutes, on s'engage sur une sorte de périphérique, très embouteillé aux heures des sorties de bureau. Il dessert les principaux quartiers et le centre-ville. Celui-ci s'organise autour d'une colonne vertébrale, le **cours des Cinquante-Otages**, qui coupe la ville en deux : à l'est, le quartier médiéval du Bouffay, la cathédrale, le château des Ducs et la tour LU. À l'ouest, les quartiers des 18e et 19e s. avec le passage Pommeraye, le théâtre et la place Graslin, la place Royale, et les friches industrielles.

🅿 **Se garer** – La capitale des ducs de Bretagne est un casse-tête pour l'automobiliste ! Dans le centre, en zone rouge, le stationnement est limité à 2h. La zone jaune englobe l'hypercentre, on peut y stationner 3h. En périphérie, vous trouverez des parking relais (panneau P+R) où vous pourrez laisser gratuitement votre véhicule et prendre le tramway. Notez que l'île de Nantes est en travaux jusqu'en 2011 en raison du projet des « Machines de l'île ».

🕐 **Organiser son temps** – Si le temps est au beau fixe, profitez de la matinée pour visiter l'un ou l'autre musée et flâner dans la ville. Réservez l'après-midi pour une escapade sur l'Erdre et finissez la journée par une balade à Trentemoult.

👁 **À ne pas manquer** – Le château des Ducs de Bretagne rénové, les belles collections des musées des Beaux-Arts et Dobrée ; le passage Pommeraye sous sa verrière et une croisière dans la vallée de l'Erdre.

👫 **Avec les enfants** – Découvrez les animaux vivants ou naturalisés du Muséum d'histoire naturelle, les souvenirs de Jules Verne, la course des étoiles au planétarium, l'éléphant des Machines de l'Île, la volière du château de Goulaine et les fruits du jardin des Hespérides.

🕯 **Pour poursuivre la visite** – Voir aussi Châteaubriant, Blain, St-Nazaire, La Baule, Le Croisic, la Grande Brière et Guérande.

Anciens immeubles d'armateurs sur l'île Feydeau.

Comprendre

Nantes, capitale de la Bretagne – La ville doit son nom aux Namnètes, un peuple gaulois qui occupait la région située au nord de l'estuaire de la Loire, vers 70 av. J.-C. D'abord gauloise, puis romaine, Nantes est mêlée aux luttes sanglantes qui opposent les rois francs aux comtes et ducs bretons. Mais ce sont les Normands qui lui portent les pires coups. En 937, **Alain Barbe-Torte**, descendant des chefs bretons réfugiés en Angleterre, délivre la Bretagne des pirates. Au Moyen Âge, Nantes lutte pour son titre de capitale contre Rennes. Les Montfort, principalement **François II**, rendent sa suprématie à la ville.

L'édit de Nantes – En 1597, la Bretagne, lasse des troubles engendrés par la Ligue et par les ambitions séparatistes de son gouverneur, Philippe de Lorraine, adresse un appel à **Henri IV** pour qu'il vienne rétablir l'ordre. Devant le château, le roi s'écrie, admiratif : « Ventre-saint-Gris, les ducs de Bretagne n'étaient pas de petits compagnons ! » Durant son séjour, le 13 avril 1598, il signe l'édit de tolérance qui, en 92 articles, règle la question religieuse – du moins le croit-il.

Sucre et « bois d'ébène » – Du 16e au 18e s., la vente aux Antilles des Noirs achetés sur la côte de Guinée permet l'achat du sucre de canne, qui est raffiné à Nantes : ce commerce, pudiquement dénommé le « bois d'ébène », laisse couramment 200 % de bénéfice. Les philosophes tonnent contre cette traite inhumaine. Mais Voltaire, dont on connaît le sens aigu des affaires, détient une part de 5 000 livres chez un négrier nantais ! Conséquence de ce commerce triangulaire, à la fin du 18e s., l'opulence de Nantes est éclatante. Premier port négrier de France, la ville développe des chantiers navals et des fabriques de toiles indiennes. Sa flotte compte 2 500 navires. Les gros armateurs, qui forment de véritables dynasties, se font construire les beaux immeubles du quai de la Fosse et de l'ancienne île Feydeau.

Les noyades – En octobre 1793, la Convention dépêche **Jean-Baptiste Carrier** à Nantes, pour « purger le corps politique de toutes les mauvaises humeurs qui y circulent ». Les prisons sont déjà remplies de Vendéens, de prêtres, de suspects. Pour faire de la place, Carrier recourt à la noyade : les condamnés sont entassés dans des chalands qu'on saborde en Loire. Avertie, la Convention rappelle son représentant à Paris. Renvoyé devant le tribunal révolutionnaire de Nantes, il est guillotiné en 1794.

La cachette de la duchesse

En 1832, la **duchesse de Berry** parcourt le pays nantais pour rallier les légitimistes à une insurrection contre le roi Louis-Philippe. Réfugiée à Nantes, elle est dénoncée. Les gendarmes s'installent en surveillance dans la maison où elle se cache. Ayant allumé du feu dans une cheminée, ils ont la surprise de voir s'abattre la plaque et sortir la duchesse et trois fidèles, noirs de suie et à demi asphyxiés : ils étaient restés seize heures dans un réduit ménagé dans l'épaisseur du mur.

Le temps des industries – L'abolition de la traite en 1815, la fabrication du sucre à partir de la betterave et l'ensablement de la Loire marquent la fin d'une époque. La ville se tourne vers la métallurgie et les fabrications alimentaires : biscuiteries, conserveries… En 1856, elle crée un avant-port à St-Nazaire. Au tournant du 20e s., elle creuse un canal latéral à la Loire et ouvre l'estuaire aux cargos de 8,25 m de tirant d'eau. Dans les années 1930 débute le comblement du cours inférieur de l'Erdre et des bras nord de la Loire.

Une nouvelle vitalité – Après 1980, Nantes subit la fermeture des chantiers navals et le déclin de l'industrie agroalimentaire. Mais la « belle endormie » se réveille : création du périphérique et du pont de Chevillé, inauguration du TGV et du tramway qui relie ses 21 communes. Aujourd'hui, le tertiaire représente l'essentiel de son activité économique : assurances, informatique, téléphonie… Avec son université et ses 12 grandes écoles, Nantes accueille 43 000 étudiants. En 10 ans, elle s'est propulsée parmi les villes les plus jeunes de France : plus de 35 % de sa population a moins de 25 ans.

Se promener

AUTOUR DU CHÂTEAU★★

Comptez 3h environ.

Place Maréchal-Foch (D1)

Ancienne place Louis-XVI, c'est l'un des rares lieux publics en France où subsiste une statue du souverain, juchée ici sur une colonne de 28 m. Commandée en 1790, elle fut inaugurée en 1823. Hôtels du 18e s. bâtis selon les plans de Ceineray (1722-1821).

Porte Saint-Pierre (D1)

Bâtie sur les fondations de l'enceinte gallo-romaine du 3e s., cette porte du 15e s. traverse un élégant logis à tourelle.

Cathédrale Saint-Pierre-et-Saint-Paul★ (D1)

Pl. St-Pierre - 9h-18h30. Commencé en 1434, achevé en 1891 et restauré après l'incendie de 1972, cet édifice imposant surprend par l'austérité de sa façade : deux tours sans fantaisie encadrent une grande baie flamboyante. Les trois portails, en revanche, présentent des voussures finement sculptées. Une statue de saint Pierre se dresse au milieu du portail central. L'ensemble est particulièrement bien mis en valeur le soir, grâce à un éclairage nocturne, discret mais précis.

À l'**intérieur★★**, le tuffeau remplace le granit des cathédrales bretonnes. Moins lourde, cette pierre blanche a permis

Gisant de François II, cathédrale de Nantes.

d'élever des voûtes jusqu'à 37,50 m de hauteur – elles sont plus hautes qu'à Notre-Dame de Paris. Il en résulte un vaisseau de style gothique, aux lignes très pures. Placez-vous sous la tribune d'orgues pour apprécier les cinq travées : une double haie de lignes verticales fuse jusqu'aux clefs de voûte où elles s'entrecroisent. Les nervures des piliers masquent les pans de mur qui les séparent, et toutes les lignes des arcades ou du triforium qui pourraient rompre l'harmonie de cette perspective.

Faites le tour du vaisseau par la droite.

Dans le croisillon droit, le **tombeau de François II★★** est l'œuvre maîtresse de la cathédrale et l'une des grandes productions de la Renaissance. Anne de Bretagne fit la commande d'un superbe tombeau à Michel Colombe (1502-1507) pour recevoir les restes de son père, François II, et de sa mère, Marguerite de Foix. Le tribunal révolutionnaire en ordonna la démolition, mais l'architecte de la ville réussit à cacher les divers fragments du monument chez des amis. Le duc et la duchesse sont couchés sur une dalle de marbre noir fermant le tombeau de marbre blanc. Le lion couché aux pieds du duc est l'emblème de la Puissance ; le lévrier de Marguerite, celui de la Fidélité. Les anges qui soutiennent leur tête représentent l'accueil céleste. Les autres, plus grands, personnifient les vertus cardinales : la Justice (couronne en tête, glaive en main) et la Force (casque, armure, arrachant un dragon d'une tour) reviennent au duc ; la Prudence et la Tempérance, à la duchesse. La Prudence, vertu qui s'inspire du passé pour envisager l'avenir, a deux visages : une jeune fille au miroir, et un vieillard. La Tempérance tient un mors rappelant la retenue des passions, et une horloge qui symbolise la mesure. Au-dessous des gisants, douze niches abritent les statuettes des Apôtres, auxquelles s'ajoutent celles de saint François d'Assise et de sainte Marguerite (les patrons du duc et de la duchesse), de Charlemagne et de Saint Louis. Au niveau inférieur, seize pleureuses, statuettes en partie mutilées, symbolisent la douleur du peuple. Ce magnifique ensemble est éclairé par une **verrière** moderne de Chapuis, haute de 25 m : elle est consacrée aux saints bretons, et particulièrement nantais. Dans le bas-côté droit, une toile tryptique du Nantais Alain Thomas figure une Adoration des Mages dans un style assez naïf.

Dans le croisillon gauche, on découvre le **cénotaphe de Lamoricière★**, exécuté en 1879. Grand soldat d'Afrique, ce général captura Abd el-Kader avant d'être exilé par Napoléon III. Le sculpteur Paul Dubois l'a représenté couché sous un linceul. Quatre statues en bronze symbolisent la Méditation, la Charité, le Courage et la Foi.

Longez la façade de la cathédrale et franchissez le porche à gauche.

La Psalette (D1)

Cette ancienne maison (15e s.) du chapitre, dotée d'une tourelle polygonale, forme un tout avec la sacristie. Par le passage voûté à droite, on rejoint le square, où l'on découvre l'autre façade de la Psalette.

Prenez à droite l'impasse St-Laurent, puis à gauche la rue Mathelin-Rodier (nom de l'architecte de la cathédrale et d'une partie du château).

Dans la **maison** du n° 3 fut arrêtée la **duchesse de Berry** *(voir « Comprendre »).*

Château des ducs de Bretagne★★ (D1)

4 pl. Marc-Elder - ℘ 02 51 17 49 00 - www.nantes-tourisme.com - ♿ - 15 mai-15 sept. : site 9h-20h avec nocturnes certains soirs, musée 9h30-19h ; 16 sept.-14 mai : site 10h-19h, musée tlj sf mar. 10h-18h - fermeture site et musée : 1ᵉʳ janv., 1ᵉʳ Mai, 1ᵉʳ nov. et 25 déc. - 6 € (-18 ans gratuit), accès à la cour, aux douves et aux remparts gratuit.

De Charles VIII à Louis XIV, maints rois de France séjournent au château. En 1499, Louis XII y épouse Anne de Bretagne. En 1598, Henri IV y a élaboré l'édit de Nantes. À l'époque du duc François II (1435-1488), le train de vie y est royal : 5 ministres, 17 chambellans, une foule de domestiques, une cour fastueuse aux mœurs très libres. C'est lui qui décide de reconstruire le château en 1466. Les travaux se poursuivent avec sa fille, Anne.

À partir du 18ᵉ s., l'administration militaire prend possession de l'édifice, taille, rogne, élève des bâtiments au style sans apprêt. La construction d'un quai au 19ᵉ s., puis le comblement du bras de la Loire au 20ᵉ s. modifient encore le site. Aujourd'hui, le château a réouvert après avoir fait l'objet d'un vaste programme de restauration d'une quinzaine d'années. Il abrite le nouveau musée d'Histoire de Nantes.

Musée d'Histoire de Nantes – Refait à neuf, son parcours chronologique et thématique présente 800 objets répartis en 32 salles. Ils renvoient à l'histoire du château et de la Bretagne ducale, à l'estuaire de la Loire, au développement urbain, à l'activité portuaire et industrielle, à la Seconde Guerre mondiale et à la reconstruction, aux mouvements sociaux et enfin à la métropole nantaise d'aujourd'hui et de demain. Bornes multimédias et expositions temporaires complètent la visite.

Forteresse – Avant d'entrer dans la cour, on peut contourner les tours massives, typiques de l'architecture militaire à la fin du 15ᵉ s. La **tour du Pied de Biche** doit son nom à la forme d'une salle basse. La **tour de la Boulangerie** servit de prison : elle est surnommée tour de l'Enfer. La **tour des Jacobins** accueillit également une geôle. Au temps d'Anne de Bretagne, la Loire baignait encore la muraille reliant la **tour du Port** à la **tour de la Rivière**. La **tour du Fer à Cheval** fut également bâtie à cette époque. Le **bastion Saint-Pierre** fut ajouté durant les guerres de Religion (16ᵉ s.) par le duc de Mercœur, puis arasé en 1904. La tour des Espagnols **(1)** était utilisée comme entrepôt de munitions, et sauta accidentellement en 1800 *(les bâtiments démolis sont indiqués par un tireté dans le schéma ci-dessous)*. Un pont du 18ᵉ s. rejoint l'ancien **pont-levis**.

◉ Le **circuit des remparts** est désormais accessible dans son intégralité : il permet d'effectuer un tour complet de l'enceinte de l'édifice, qui offre des points de vue intéressants sur le site et sur la ville.

Bâtiments sur cour – Le **Vieux Donjon (2)** est l'une des quatre tours polygonales qui encadraient le château primitif, construit aux 13ᵉ et 14ᵉ s. : il est en partie enclavé dans un pavillon du 18ᵉ s. abritant la **Conciergerie (3)**. Le **Grand Logis**, bâti par François II et rehaussé par Anne de Bretagne, est orné de cinq lucarnes gothiques à

CHÂTEAU
DES DUCS

pinacles ouvragés. C'était le lieu d'habitation des ducs, tout comme le palais ducal : reconstruit après l'incendie de 1670, celui-ci prit le nom de **Grand Gouvernement**, et devint la résidence du gouverneur de Bretagne. La gracieuse **tour de la Couronne d'Or**★★ possède de belles loggias à l'italienne. Le **Petit Gouvernement**, de style Renaissance, a été édifié sous François Ier. Le bâtiment militaire du **Harnachement** date de 1784.

Enfin, le **puits**★★, qui remonte probablement à François II, est surmonté d'une magnifique armature en fer forgé, qui figure la couronne ducale. Autrefois dorée à l'or, elle comporte sept poulies, et sept gargouilles sculptées sur une margelle à sept côtés.

Le Lieu Unique (D1)

℘ 02 40 12 14 34 - www.lelieuunique.com - juil.-août : lun. 11h-20h, mar.-jeu. 11h-0h, vend.-sam. 11h-3h, dim. et j. fériés 15h-20h ; sept.-juin : lun. 11h-20h, mar.-jeu. 11h-2h, vend.-sam. 11h-3h, dim. et j. fériés 15h-20h - accès à la tour : merc.-sam. 13h-19h, dim. 15h-19h - 2 € (-12 ans gratuit).

La tour LU.

Hervé Le Gac / MICHELIN

En face du château, de l'autre côté de la voie ferrée, se dresse un curieux clocheton bleu, blanc et rouge : c'est l'ultime vestige de la biscuiterie que Jean Romain Lefèvre, époux de Pauline Isabelle Utile, occupa à partir de 1885. Mariant leurs initiales, ils créèrent l'**usine LU**, où naquit l'année suivante le « Petit Beurre »… Depuis 1986, les machines ont déménagé à La Haie-Fouassière, au sud de Nantes. En 1999, l'ex-usine réhabilitée sur 8 000 m² par l'architecte Patrick Bouchain a été rebaptisée Lieu Unique. Dans ses murs quasi nus, de béton et de briques, le Centre de recherche pour le développement culturel (CRDC) propose un cocktail tous azimuts : danse, théâtre, arts plastiques, musique… On y vient pour flâner dans la librairie, siroter un verre au bar, ou visiter la fameuse **tour** équipée d'un « gyrorama » qui offre un panorama intéressant et propose une rétrospective sur l'ancienne usine.

Empruntez la rue du Château, pour rejoindre la place du Pilori.

Plateau Sainte-Croix (C1)

Le quartier Ste-Croix est le haut lieu des soirées nantaises. Bars et restaurants s'y succèdent, et les terrasses gagnent le pavé dès les premiers beaux jours.
Son labyrinthe de ruelles recèle des maisons à colombages des 15e et 16e s. : **rues de la Juiverie** (no 7), **Ste-Croix** (no 7), de la **Bâclerie** (nos 8 et 10), **Bossuet** (no 5), **place du Change**. L'**église Ste-Croix** (17e s.) surprend par sa façade classique surmontée du beau **beffroi**★ de la ville, couronné d'anges sonnant de la trompette. À l'intérieur, le chœur à voûte nervurée en palmier contraste avec la voûte ronde en berceau de la nef.

Pour rejoindre le cœur du vieux Nantes, prenez le cours Franklin-Roosevelt, puis le cours Olivier-de-Clisson jusqu'à la rue Kervégan.

AU CŒUR DU VIEUX NANTES★

Comptez 3h environ.

Ancienne île Feydeau★ (C2)

Marécageuse, l'île fut lotie au début du 18e s. selon un strict cahier des charges qui lui a donné toute sa régularité. Ces immeubles d'opulents négociants s'ornent de mascarons – masques de fantaisie – et de balcons galbés. Certains penchent terriblement, témoignant d'une construction difficile. L'île a été rattachée à la ville entre 1926 et 1938, par le comblement des bras de la Loire.

Quartier Graslin★ (C2)

Receveur général des fermes à la fin du 18e s., Jean-Jacques Graslin fit réaliser le quartier qui porte son nom. Sur la **place du Commerce**, la Bourse a été construite par Crucy de 1811 à 1813 : elle abrite la Fnac et l'office de tourisme. On atteint la **place Royale**, où la fontaine érigée en 1865 symbolise la ville de Nantes.

Musée Jules Verne / TRENTEMOULT
Planétarium

Passage Pommeraye★ – Dans la rue Santeuil s'ouvre cette galerie couverte, ouverte en 1843 sur trois niveaux, à l'initiative d'un notaire. C'est l'un des lieux les plus attachants de Nantes, avec son escalier de bois et de métal dont les contremarches sont ornées de souris, ses colonnes cannelées, ses balustrades ajourées et ses statues d'enfants surmontées de torchères. Jacques Demy y tourna *Lola* en 1961.

Place Graslin – Étroite, très commerçante, la **rue Crébillon**, est très animée. On y vient « crébillonner » (flâner). Elle mène à cette esplanade où s'élève le grand théâtre (1783) de style corinthien. À l'angle de la brasserie La Cigale (intérieur 1900 aux belles mosaïques, classé Monument historique) s'amorce le noble **cours Cambronne★**. Réalisé par Mathurin Crucy, il est bordé sur 180 m de maisons à pilastres, commencées sous Napoléon Ier et terminées sous le Second Empire.

Après l'avoir traversé, tournez deux fois à gauche pour rejoindre la médiathèque - Espace Jacques-Demy et le musée de l'Imprimerie (voir « Visiter »). Rejoignez le quai.

Aux abords du quai de la Fosse (B2)

Plusieurs demeures du 18e s. se succèdent sur le quai. Remarquez les nos 17, 54, 70 et au no 86, l'hôtel Durbé : ses communs servaient d'entrepôt à la Compagnie des Indes.

Face au quai de la Fosse, l'**île Beaulieu**, rebaptisée **île de Nantes**, est l'objet d'un vaste programme d'urbanisme. La partie ouest, encadrée par deux bras de la Loire, est progressivement réaménagée. L'architecte Jean Nouvel a réalisé le nouveau **palais de justice**, imposante structure de verre et de béton couvrant quelque 16 000 m².

Les Machines de l'Île – *Renseignements auprès de l'office du tourisme pour connaître le programme des visites et animations. Entrée sur le bd L. Bureau, derrière le palais de justice. Visite d'1h, 6 €)*

Les anciens chantiers navals ont été remplacés par des ateliers d'où sortent des machines féériques, comme cet éléphant de 40 t et 12 m de haut, pouvant emmener jusqu'à 35 passagers sur son dos ou dans son ventre ! *(balade de 30mn sur l'île de Nantes, 6 €).*

Remontez vers la place Sanitat.

Église N.-D.-de-Bon-Port – *10h-19h (sf pdt office dim. 10h30).*

Également appelé église St-Louis, cet édifice (1846-1858) est coiffé d'un dôme de style byzantin. À l'intérieur, de lourds piliers hexagonaux soutiennent la coupole, couronnée alternativement de vitraux et de fresques.

L'escalier du passage Pommeraye.

Revenez vers le centre par la rue Dobrée, la place Graslin et le passage Pommeraye pour retrouver la place du Commerce.

Visiter

Musée des Beaux-Arts★★ (D1)

10 r. Georges-Clemenceau - ℘ 02 51 17 45 00 - ℅ - tlj sf mar. 10h-18h, jeu. nocturne 20h - fermé j. fériés - 3,10 € (-18 ans gratuit), gratuit 1ᵉʳ dim. du mois.

Créé en 1800, le musée s'est installé dans un édifice de la fin 19ᵉ s. Ses importantes collections, enrichies par des pièces en dépôt, couvrent l'histoire de la peinture du 13ᵉ s. à nos jours. Autour d'un patio qui diffuse un doux éclairage zénithal, s'ordonnent des galeries où les œuvres sont exposées dans un ordre chronologique. Caféteria, boutique et intéressantes expositions temporaires.

Écoles anciennes – Voyez le *Saint Sébastien* du Pérugin (vers 1448-1523), le *Vielleur*, le *Songe de saint Joseph*, le *Reniement de saint Pierre* de Georges de La Tour (1593-1652), où l'influence du Caravage est sensible dans les couleurs éteintes et les tonalités sourdes, le *Guitariste* de Greuze (1725-1805) et *Arlequin, empereur dans la Lune* de Watteau (1684-1721).

19ᵉ s. – Admirez le très beau portrait de Mᵐᵉ de Senones par Ingres, *Kaïd, chef marocain* de Delacroix, et les *Cribleuses de blé* de Courbet, d'une grande modernité. Les œuvres romantiques méritent d'être contemplées, ainsi que l'indolente *Esclave blanche* de Lecomte du Nouy.

Art moderne – Une première série est consacrée à l'impressionnisme et au fauvisme. On remarque *Gondoles à Venise* de Monet, l'école de Pont-Aven avec *Le Gaulage des pommes* d'Émile Bernard, *Nu jaune* de Sonia Delaunay et *Le Roulis transatlantique* du Nantais Jean Émile Laboureur. Les œuvres de **Wassily Kandinsky** – un ensemble sans doute unique dans un musée de province – furent peintes à l'époque où il enseignait au Bauhaus (1922-1933). L'homogénéité de cette collection, dont l'importante *Trame noire* et le lumineux *Événement doux*, est fondée sur la notion de « microcosme ». À voir aussi, *Deux femmes debout* d'un Magnelli à la croisée du futurisme et du cubisme, *Cheval rouge* de Chagall, ainsi qu'un ensemble abstrait de l'école de Paris où se distinguent Manessier, Poliakoff, Hartung et Soulages.

Art contemporain – Les quatre salles, dont l'accrochage est souvent remanié, présentent des réalisations tardives de Dubuffet et Picasso, des œuvres de Martin Barré et François Morellet, originaires de la région, ainsi que des sections consacrées au nouveau réalisme (Tinguely, Raysse, Villeglé, Dufrêne) et au groupe Support-Surface (Viallat, Dezeuze).

Le musée des Beaux-Arts n'oublie pas les écoles étrangères, notamment l'Italie avec Fabro, Paolini, Spalleti, Penone et Boetti, aux côtés de Richter, Rebecca Horn et Joan Mitchell.

Muséum d'histoire naturelle★★ (B2)

12 r. Voltaire - ℘ 02 40 99 26 20 - www.museum.nantes.fr - ℅ - tlj sf mar. 10h-18h - fermé 1ᵉʳ janv., lun. de Pâques, 1ᵉʳ et 8 Mai, 1ᵉʳ et 11 Nov., et 25 déc. - 3,10 € (-18 ans gratuit), gratuit 3ᵉ dim. du mois.

👥 Ouvert en 1799, le Muséum a été inauguré dans cet ancien hôtel de la Monnaie en 1875. Il abrite d'importantes collections : zoologie générale, faune régionale, ostéologie, paléontologie, préhistoire, sciences de la terre, minéralogie, ethnographie. La section de conchyliologie se distingue par la beauté et la variété des coquillages. Un vivarium présente des reptiles et batraciens de toutes origines.

Reliquaire en or de la duchesse Anne de Bretagne.

Musée Dobrée★ (B2)

Entrées : 18 r. Voltaire ou r. Durand-Gasselein - ℘ 02 40 71 03 50 - www.culture.cg44.fr - tlj sf lun. 13h30-17h30, w.-end 14h30-17h30 - fermé j. fériés - 3 € (+10 ans 1,50 €), gratuit dim. Visite accompagnée (1h).

Cet étonnant palais néoroman abrite les collections réunies par l'armateur Thomas Dobrée : sculptures romanes et gothiques, armes (collection Rochebrune), émaux, ivoires. Au 1er étage : collections chinoises, mobilier (très beau cabinet anversois du 17e s.), céramiques, portraits de la famille Dobrée et de la duchesse de Berry. Le musée conserve également le reliquaire en or rehaussé d'émail du cœur de la duchesse Anne de Bretagne (1514).

À l'ouest du palais, sur une tour carrée, Thomas Dobrée fit inscrire en breton quelques mots exprimant son inquiétude métaphysique : *Ann dianaf a rog ac'hanoun*, c'est-à-dire « L'inconnu me dévore ». Cette devise est surmontée d'un dragon, agrippé à un cœur de pierre rouge.

Face au musée Dobrée se dresse le **manoir de la Touche** *(ouvert lors d'expositions temporaires)*. Il fut construit au début du 15e s. par l'évêque Jean de Malestroit. Jean V, duc de la maison de Montfort, y mourut en 1442. Le terme de « tousche » désigne un petit bois, qui couronnait jadis la colline.

Musée archéologique★ (B2)

Entrées : 18 r. Voltaire ou r. Durand-Gasselein - ℘ 02 40 71 03 50 - www.culture.cg44.fr - tlj sf lun. 13h30-17h30, w.-end 14h30-17h30 - fermé j. fériés - 3 €, (+10 ans 1,50 €), gratuit dim. Visite accompagnée (1h).

Les amateurs de pièces anciennes y verront de la céramique grecque et étrusque, ainsi qu'une section égyptologique : sarcophages, vases canopes, statuettes de bronze et de bois, stèles, momies d'animaux, reconstitution d'un tombeau du Moyen Empire. Une section est consacrée à la civilisation régionale, de la préhistoire à l'arrivée des Vikings : armes, outils, vases, bijoux, statuettes, collections néolithiques et de l'âge du bronze provenant de St-Nazaire et de Rezé.

Musée Jules-Verne★

3 r. de l'Hermitage - ℘ 02 40 69 72 52 - www.julesverne.nantes.fr - ♿ - tlj sf mar. 10h-12h, 14h-18h, dim. 14h-18h - visite-conférence (1h30) dim. 15h30 - fermé j. fériés - 3 € (enf. gratuit), gratuit 4e dim. du mois. Une demeure du 19e s. sert de cadre à ce musée où de nombreux souvenirs retracent la vie de l'écrivain nantais : autographes, meubles, maquettes, objets personnels (provenant de la donation Jean Verne, son petit-fils),

---

L'enfance d'un visionnaire

Jules Verne passa vingt ans à Nantes, depuis sa naissance en 1828 dans l'île Feydeau jusqu'à son installation à Paris, en 1848. Le spectacle du grand port encombré de navires, les machines à vapeur dans l'usine d'Indret, les récits de voyages entendus chez l'oncle Prudent, ancien armateur, comme l'apprentissage de la lecture avec Mme Sambin, veuve d'un capitaine au long cours, et les naufrages que l'enfant inventait en jouant aux abords des îlots de la Loire : autant de souvenirs qui contribuèrent à fortifier la vocation de Jules Verne à l'heure des *Voyages extraordinaires*. Romancier à l'imagination débordante, mêlant avec un exceptionnel talent le rêve, la science et l'aventure, il fut plébiscité par plus de 25 millions d'adolescents avant d'être universellement reconnu comme un très grand écrivain.

portraits, bustes, affiches évoquant ses ouvrages publiés chez Hetzel, jeux et objets divers inspirés par ses livres, planisphère lumineux reproduisant *Les Voyages extraordinaires*.

Des bornes interactives installées au fil des salles permettent d'approfondir la connaissance de l'auteur. Un livret de découverte sous forme de jeu de piste est remis gratuitement aux enfants à l'entrée.

Devant l'entrée du musée se dresse la **statue de sainte Anne**, bénissant le port.

Musée de l'Imprimerie (B2)

24 quai de la Fosse - ✆ 02 40 73 26 55 - www.musee.imprimerie.free.fr - ♿ - juil.-août : tlj sf w.-end 10h-12h, 14h-17h30 ; mai-juin et sept. : tlj sf dim. 10h-12h, 14h-17h30 ; oct.-avr. : 10h-12h, 14h-17h30, dim. 14h-17h30 - visite guidée conseillée (1h30 à 2h) à 14h30 sf dim., intéressant car on assiste alors à des démonstrations - fermé j. fériés - 5 € (enf. 3,20 €).

Il retrace l'histoire des métiers du livre. Lithographies, enluminures, bois gravés… des professionnels présentent les techniques de composition et d'impression en utilisant des machines et des outils anciens en parfait état de marche.

Escorteur d'escadre Maillé-Brézé (A2)

✆ 02 40 69 56 82 - www.maillebreze.com - visite guidée à bord (1h), bord et machines (1h30) - juin-sept. : 14h-18h ; oct.-mai : merc., w.-end, j. fériés et vac. scol. 14h-17h, lun., mar., jeu. et vend. 15h - fermé 1er janv. et 25 déc. - 4,60 € (-12 ans 2,30 €) bord, 7 € (-12 ans 4 €) visite bord et machines.

Ce bâtiment (132,65 m de long, 12,70 m de large) a été mis en service en 1957 et désarmé en 1988. On découvre les pièces d'armement anti-sous-marines et antiaériennes, les systèmes de détection, le poste de commandement, ainsi que plusieurs locaux réservés à l'équipage. Intéressante visite des machines.

Dans le carré des officiers mariniers, évocation de la vie de l'amiral français Jean Armand de Maillé (1619-1646), duc de Brézé.

Planétarium

8 r. des Acadiens. Accès par le quai E.-Renaud et la rue de l'Hermitage - ✆ 02 40 73 99 23 - www.nantes.fr - ♿ - séance (1h) tlj sf sam. 10h30, 14h15 et 15h45 - fermé 1er janv., 1er Mai, 1er nov. et 25 déc. - 5 € (enf. 2,50 €).

On y propose, grâce à toutes sortes d'effets scéniques, des spectacles permettant de s'initier à l'astronomie : mouvement des planètes, simulation de la voûte céleste, immersion au cœur d'une pluie d'étoiles filantes…

En suivant le quai E.-Renaud et la rue de l'Hermitage, vous accéderez à la butte Ste-Anne. Depuis la table d'orientation, la **vue★** *se déploie sur l'île de Nantes et les anciens chantiers de construction navale.*

Découvrir

PARCS ET JARDINS

Dès le 17e s., la botanique eut une place privilégiée à Nantes, dont la situation portuaire favorisa l'entrée des plantes exotiques, comme le magnolia. Aujourd'hui, la ville recèle 800 ha d'espaces verts, disséminés dans la ville, qui contribuent beaucoup à la « douceur de vivre » nantaise.

Jardin des Plantes★ (D1)

Entrées : bd de Stalingrad (face à la gare) ou pl. Sophie-Trébuchet - ✆ 02 40 41 65 09 - www.jardins.nantes.fr - ♿ - 20 mars-22 oct. : 8h30-20h, 23 oct.-17 nov. : 8h30-18h30, 18 nov.-14 janv. : 8h30-17h30 - gratuit ; visite guidée des serres de cactées 3 € (-18 ans gratuit).

Ce jardin paysager de 7 ha, entrepris dès 1807, s'agrémente de nombreuses cascades et pièces d'eau. La flore bretonne y côtoie les végétaux d'Amérique, d'Asie et d'Afrique : remarquables camélias, rhododendrons, palmiers et magnolias, dont celui d'Hectot : cet arbre, le plus vieux du jardin, fut planté en 1807, à l'âge de 20 ans. Des serres abritent l'une des

Parterres du jardin des Plantes.

plus riches collections de cactées en France. Un buste de Jules Verne rappelle que le romancier est né à Nantes.

Île de Versailles (C1)

Entrées : quai de Versailles ou quai Henri-Barbusse - 📞 *02 40 29 41 11 - www.jardins. nantes.fr -* ♿ *- de mi-janv. à mi-nov. : 11h30-17h45, w.-end et j. fériés 10h-12h, 15h-17h45 ; de mi-nov. à mi-janv. : 11h30-17h15, w.-end et j. fériés 10h-12h, 14h45-17h15 - fermé mar. - gratuit.* Jadis marécageuse, cette île a été remblayée lors du creusement du canal de Nantes à Brest. Un **jardin japonais** y a été aménagé en 1987, avec ses rocailles et ses cascades : bambous, cyprès chauves, rhododendrons, camélias et cerisiers japonais. La **Maison de l'Erdre** présente la flore et la faune de cette rivière qui, jusqu'au 19e s., desservait l'entrée du canal de Bretagne.

Parc de Procé (A1)

Entrées : bd des Anglais, r. des Dervallières ou bd Clovis-Constant.

Avec ses longues perspectives, ses doux vallonnements, ce parc (12 ha) est un agréable lieu de promenade où il n'est pas interdit de fouler le gazon. Autour d'un manoir datant de 1789, parmi les chênes, s'épanouissent rhododendrons, azalées, fuchsias, dahlias et bruyères.

Aux alentours

Trentemoult

Pour y accéder, prenez le Navibus (navette fluviale) qui relie le centre de Nantes aux rives de Trentemoult.

Situé sur la rive gauche de la Loire, ce petit village de pêcheurs est une des balades préférées des Nantais. Vous vous perdrez dans un dédale de maisons colorées, tassées les unes sur les autres, avant de rejoindre le quai pour boire un verre ou grignoter face au fleuve, dans une ambiance de guinguettes.

Parcours artistique « Estuaire Nantes-Saint-Nazaire »

Se renseigner auprès des offices du tourisme de Nantes et de St-Nazaire - 📞 *02 51 82 15 21 - www.estuaire.info.*

L'estuaire de la Loire constitue le lien physique et symbolique entre Nantes et St-Nazaire. D'où le projet « Estuaire 2007 » (reconduit en 2009 et 2011), qui ambitionne de faire découvrir ce territoire à travers des installations artistiques à l'échelle de l'estuaire. Concrètement, il s'agit, pour un trentaine d'artistes, de créer *in situ* des installations, certaines pérennes, d'autres éphémères, visibles de l'eau et des rives. Elles sont appelées à prendre place entre de gigantesques bâtiments industriels et des zones naturelles protégées pour leur faune et leur flore. Le parcours peut se concevoir en bateau, à pied ou à vélo et commence au choix dans l'une des deux villes.

Vallée de l'Erdre★

Cette belle rivière ne se découvre pas facilement. Avant tout, un petit détour s'impose à la Maison de l'Erdre et à la capitainerie dans l'île de Versailles *(voir ci-avant)*. La route ne suit pas la rivière et le meilleur moyen de la découvrir est de louer un canoë ou de profiter des agréables croisières organisées par les **Bateaux nantais** *(voir l'encadré pratique de la ville)*.

Les berges verdoyantes sont jalonnées d'une vingtaine de gentilhommières, anciennes résidences de campagne d'armateurs nantais. Le château de la Gacherie (16e s.) aux fenêtres ouvragées retient plus particulièrement l'attention.

Château de Goulaine

13 km au sud-est par la N 249 vers Cholet ; après le pont de Bellevue sur la Loire, prenez la sortie Haute-Goulaine - 📞 *02 40 54 91 42 - http:/chateau.goulaine.online.fr - visite guidée (1h30) de mi-juin à mi-sept. : tlj sf mar. 14h-18h ; reste de l'année : w.-end et j. fériés 14h-18h (dernière entrée 1h av. fermeture) - fermé de mi-nov. au dernier dim. de mars - 7 € (-4 ans gratuit, enf. 3,50 €).* Entouré de vignobles, ce château fut bâti entre 1480 et 1495 par Christophe de Goulaine, gentilhomme de la chambre des rois Louis XII et François Ier. De son passé militaire subsistent une tour à mâchicoulis et un castelet, précédé d'un pont enjambant les douves. Au corps de logis du 15e s., construit en tuffeau dans le style ogival, deux ailes furent ajoutées au début du 17e s.

Intérieur – Un escalier à vis conduit à l'étage qui s'ouvre sur le Grand Salon (cheminée Renaissance), le salon Bleu (plafond à caissons bleu et or) et le salon Gris (panneaux en lambris, scènes de mythologie sur les trumeaux). Une exposition permanente (tableaux, affiches, objets, mobilier) retrace l'**histoire de la biscuiterie LU**, depuis 1880 jusqu'à nos jours.

Volière à papillons – Accolée au mur d'enceinte du château, une vaste serre plantée de fleurs et d'arbustes tropicaux abrite des papillons exotiques.

👥 Pour compléter ou agrémenter la visite, les scolaires et les enfants ont accès à un livret centré sur la volière. Ils seront guidés par Léonard le papillon à travers les coloriages, les rébus et les mots-croisés.

Le Jardin des Hespérides

Ferme de la Hautière, à 3 km au nord de Nantes par le périphérique. Sortie : La Chapelle-sur-Erdre - ☎ 02 40 72 03 83 - http://ferme.fruitiere.free.fr - ♿ - de déb. mai à mi-oct. : visite guidée sur réserv. (1h30) 16h, dim. et j. fériés 10h30, 15h et 17h - 7,60 € (enf. 4,10 €).

👥 Le verger mythique des Hespérides était gardé par un dragon à cent têtes. Triomphant du monstre, Hercule s'empara des pommes d'or et gagna l'immortalité. Exploitée depuis 1810 par la même famille, cette ferme fruitière abrite un domaine (1,5 ha) aménagé en huit thèmes : jardin des Fraises, jardin de la Loire Atlantique ; jardin du Monde où poussent des fruits d'origine lointaine, comme la myrtille ou « bleuet du Canada » ; jardin des Fruits nouveaux tel le *loganberry*, issu de la mûre et de la framboise ; jardin des Fruits sauvages telle l'arbouse ; jardin du Néolithique évoquant des cueillettes venues du fond des âges… Le jardin méditerranéen abrite merisier, caroubier et pistachier, celui des Botanistes montre des espèces situées à la frontière entre fruits et légumes, tel le potiron. Les fruits tropicaux ont trouvé abri et chaleur dans une serre.

Le visiteur est ensuite invité à déguster un cocktail de fruits. À la boutique, vente de confitures, sorbets, coulis…

Nantes pratique

Adresse utile

Office du tourisme de Nantes – *7 r. de Valmy - 44041 Nantes - ☎ 08 92 464 044 - www.nantes-tourisme.com - Point d'accueil de la cathédrale : tlj sf lun. 10h-13h, 14h-18h ; point d'accueil 3 cours Olivier-de-Clisson : tlj sf dim. 10h-18h.*

Transports

En bus et tramway – 3 lignes de tramway et une soixantaine de lignes d'autobus et un service fluvial sur l'Erdre et la Loire (le Navibus) permettent des déplacements rapides et pratiques *(tte l'année, sf le 1ᵉʳ Mai)*.

Les titres de transport, valables indifféremment dans les bus, les tramways et les bateaux de l'ensemble du réseau, s'achètent (sauf liaison TAN-AIR) aux distributeurs automatiques des différentes stations, chez les dépositaires TAN ainsi qu'aux kiosques information-vente TAN dont le principal est situé à la station Commerce (espace Transport, allée Brancas).

Pour visiter la ville « ticket 24h » *(3,30 €)*, 24h/4 personnes *(4 €)* permet un nombre de voyages illimité pdt 24h apr. compostage - *Info Allô TAN - ☎ 0 810 444 444.*

Visites

Visites guidées thématiques – L'office du tourisme de Nantes Métropole propose un large choix de visites guidées ou animées dans Nantes et dans ses environs - *sur réserv. au ☎ 0 892 464 044 - www.nantes-tourisme.com.*

Promenade urbaine à Nantes – L'office de tourisme propose un itinéraire balisé par 25 bornes permettant de découvrir l'histoire, l'architecture et l'évolution de la ville du Moyen Âge à nos jours. Départ du château des Ducs, arrivée au palais de justice sur l'île de Nantes (retour au point de départ par la ligne 1 du tramway). *Dépliant disponible à l'OT.*

Se loger

⌂ **Hôtel Fourcroy** – *11 r. Fourcroy - ☎ 02 40 44 68 00 - fermé 22 déc.-8 janv. - ☐ - 19 ch. 35 € - ☐ 5,20 €.* Adresse modeste nichée danss une petite rue. Chambres au mobilier éclectique, plus récent au dernier étage. Pour clients attentifs à l'accueil et à leurs économies.

⌂ **Camping Le Petit Port** – *Bd du Petit-Port - bord du Cens - ☎ 02 40 74 47 94 - www.nge-nantes.fr - 200 empl. 18,20 €.* Dans un cadre verdoyant, campeurs, caravanes et camping cars se donnent rendez-vous ici, à quelques minutes de la ville. 36 mobiles homes sont également disponibles à la location. Accès gratuit à la piscine du Petit Port pour les résidents. Location de vélos.

⌂⌂ **Hôtel des Colonies** – *5 r. du Chapeau-Rouge - ☎ 02 40 48 79 76 - www.hoteldescolonies.fr - 38 ch. 59/63 € - ☐ 8 €.* Des expositions d'œuvres d'art égayent le petit hall d'accueil de cet hôtel situé dans une rue peu passante. Chambres relookées dans un esprit contemporain.

⌂⌂ **Hôtel Graslin** – *1 r. Piron - ☎ 02 40 69 72 91 - www.hotelgraslin.com - fermé 30 juil.-15 août - 47 ch. 60/75 € - ☐ 8 €.* Situé dans le cœur animé de la ville, cet hôtel bénéficiant d'une bonne insonorisation constitue une étape pratique, aussi bien pour la clientèle d'affaires que pour les touristes. Les chambres sont fonctionnelles ; huit d'entre elles sont plus vastes. Formule buffet au petit-déjeuner.

⊖🖷 **Hôtel La Pérouse** – *3 allée Duquesne - ℘ 02 40 89 75 00 - www. hotel-laperouse.fr - 46 ch. 79/143 € - ☕ 11,50 €.* Résolument contemporain, le décor de cet hôtel allie pureté des formes et confort des matières. Avec ses murs blancs passés à l'huile de lin, ses parquets blonds, son mobilier épuré et ses vasques transparentes, il séduira les amateurs de design.

Se restaurer

⊖ **Chez l'Huître** – *5 r. des Petites-Écuries - ℘ 02 51 82 02 02 - www.chezlhuitre.fr - fermé 23 déc.-15 janv. et dim. sf du 15 juin au 15 sept. - 7/25 €.* Amateurs de saveurs marines, ce bistrot a tout pour vous plaire : vous y prendrez une grande lampée d'iode en dégustant ses différentes variétés d'huîtres. En été, bigorneaux et autres crustacés accompagneront votre apéritif. Terrasse dans la rue piétonne à la belle saison. Vente à emporter.

⊖ **Crêperie Heb-Ken** – *5 r. de Guérande - ℘ 02 40 48 79 03 - fermé 10 juil.-23 août, dim. et j. fériés - 7,62/13,72 €.* Prix très raisonnables pour ces crêpes de qualité servies dans deux salles sans fioriture, décorées de photos du pays bigouden. Une escale sympathique à prévoir au cours de vos flâneries nantaises, entre la place Royale et la rue Crébillon.

⊖ **Le Café Cult'** – *2 pl. du Change - ℘ 02 40 47 18 49 - www.lecult.com - fermé 2 sem. en août et dim. - 11/24 €.* Remontez le temps en admirant la façade de cette maison nantaise du 15ᵉ s., puis poussez sa porte pour découvrir son cadre médiéval et vous attabler autour de plats inspirés par l'histoire du lieu, désormais monument classé. L'établissement fait aussi bar.

⊖ **Le Bistrot des Enfants Terribles** – *4 r. Fénelon - ℘ 02 40 47 00 38 - fermé sam. midi, dim. et lun. - réserv. conseillée - 12/38 €.* Restaurant « cosy » et convivial, salle agrémentée de cheminées des 16ᵉ et 17ᵉ s., de miroirs et de banquettes. Madame sert tandis que Monsieur officie derrière les fourneaux, pour le plus grand plaisir des clients. Ses joues de cochon caramélisées aux graines de sésame, ses terrines maison et ses St-Jacques à la sauce morille sont absolument délicieux.

⊖ **Le Bouche à Oreille** – *14 r. Jean-Jacques-Rousseau - ℘ 02 40 73 00 25 - fermé sam. midi, dim. et j. fériés - réserv. obligatoire - 12,50/30 €.* Nappes vichy, plaques émaillées, queues en tire-bouchon et collections de canotiers de vignerons du Beaujolais cultivent le style des bouchons lyonnais. C'est que les « lyonnaiseries » sont ici à l'honneur : andouillette grillée, saucisson, quenelles de brochet, jarret de porc, et s'arrosent de petits vins de là-bas.

⊖🖷 **Amour de Pomme de Terre** – *4 r. des Halles - ℘ 02 40 47 66 37 - amourpdt-nantes@wanadoo.fr - formule déj. 9 €, 13/28 €.* L'enseigne annonce la couleur : ici la pomme de terre est reine ! Mais pas n'importe laquelle puisqu'on n'utilise aux fourneaux que la samba et l'amandine. En garniture de plats, en salade, en gratin ou en accompagnement de grillades, pierrades, raclettes ou « reblochonades », elles rencontrent toujours le même succès.

⊖🖷 **La Cigale** – *4 pl. Graslin - ℘ 02 51 84 94 94 - www.lacigale.com - 17/27 €.* Avec son décor de céramiques 1900 qui lui a valu d'être classée et de servir de décor à plusieurs films, cette brasserie à l'ambiance animée est un des rendez-vous préférés des Nantais. Un menu du marché au déjeuner, des brunchs le week-end… Un lieu absolument incontournable.

Intérieur du restaurant « La Cigale » à Nantes.

Hervé Le Gac / MICHELIN

⊖🖷 **L'Embellie** – *14 r. Armand-Brossard - ℘ 02 40 48 20 02 - fermé 1ᵉʳ-21 août, dim. et lun. - 22/28 €.* Prix sages, recettes dans l'air du temps préparées avec soin, courte sélection de vins bien choisis et chaleureux intérieur moderne : l'Embellie… de la journée !

⊖🖷 **L'Atlantide** – *Quai Ernest-Renaud - ℘ 02 40 73 23 23 - www.restaurant-atlantide.net - fermé 20-23 mai, 31 juil.-30 août, sam. midi, dim. et j. fériés - 28 € déj., 38/95 €.* Salle à manger contemporaine d'inspiration nipponne, perchée au 4ᵉ étage d'un immeuble moderne. Cuisine au goût du jour réputée, que vous dégusterez tout en vous délectant de la vue « plein cadre » sur la Loire et la ville.

En soirée

◉ **Bon à savoir** – Les bars et restaurants du quartier du Bouffay ouvrent leurs portes jusque tard dans la nuit. Dans le quartier médiéval, la rue de la Juiverie connaît une chaleureuse effervescence, et près de la gare, la façade post-industrielle et les néons blancs du Lieu Unique cachent un intérieur plus intimiste.

Bateaux Nantais – *Quai de la Motte-Rouge - ☎ 02 40 14 51 14 - www.bateaux-nantais.fr - 9h-23h.* Découvrez l'Erdre, « la plus belle des rivières de France » selon François 1er, à bord de ces bateaux panoramiques à l'occasion d'un déjeuner ou d'un dîner. La nuit, sous le feu des projecteurs, la promenade revêt un caractère féerique.

Pannonica – *9 r. Basse-Porte - ☎ 02 51 72 10 10 - www.pannonica.com - billeterie : tlj sf w.-end et lun. 15h-18h30 - fermé de mi-juin à mi-sept.* Salle de spectacle consacrée au jazz, au rock et aux musiques nouvelles. Les plus grands jazzmen ont foulé les planches de ce lieu incontournable des nuits nantaises. S'y déroulent également en juin (sur 4-5 jours) les Rencontres internationales de musiques improvisées « All'improvista ».

Que rapporter

Marché de Talensac – Faisant indéniablement partie du patrimoine historique de Nantes, cette halle imposante abrite également le plus important marché de la ville. 75 commerçants et artisans occupent l'intérieur de la structure de béton, pendant que 70 éventaires volants et 20 abonnés officient à l'extérieur.

Marché aux puces – *Pl. Viarme, ts les sam. 7h30-13h.*

Passage Pommeraye – Le cinéma de Jacques Demy (*Lola*, 1961) et la prose d'André Breton hantent ce magnifique passage du 19e s. (construit en 1843) qui déroule ses galeries et ses nombreuses boutiques de luxe.

Debotté-Gautier – *9 r. de la Fosse - ☎ 02 40 48 23 19 - tlj sf dim. et lun. 9h-19h15.* Magnifique chocolaterie, datant de 1850, et classée monument historique. Gourmands de tous les pays, salivez devant les macarons, les berlingots nantais ou les vieux pavés… La brûlerie d'à côté appartient au même propriétaire.

Comptoir du Château – *4 r. Prémion - ☎ 02 40 20 16 22 - www.comptoir-du-château.net - tlj sf dim. 10h30-13h30, 14h30-19h (dim. pdt les vac. scol. 15h-19h) ; juil.-août : jusqu'à 19h - fermé janv., oct. et lun. hors sais.* Cette boutique est spécialisée dans la fabrication d'armures de combat, épées, dagues, boucliers et autres objets médiévaux, voisinage du château des ducs de Bretagne oblige ! Vous y trouverez également bijoux celtiques, vêtements médiévaux et gothiques, et personnages de la mythologie régionale (fées et korrigans). Également vente par correspondance.

Librairie Coiffard – *7 r. de la Fosse - ☎ 02 40 48 16 19 - librairiecoiffard@wanadoo.fr - tlj sf dim. 10h-19h, lun. 14h-19h - fermé j. fériés.* Si vous cherchez un livre, tous les Nantais vous renverront à cette librairie fondée en 1919 et qui rassemble tous les types d'ouvrages, depuis la littérature générale jusqu'à la photographie en passant par les voyages. Récemment rénovés, ses magasins conservent le cachet de l'ancien mais c'est surtout la qualité de ses libraires qui la rend irremplaçable !

Domaine des Herbauges – *Les Herbauges - 44830 Bouaye - ☎ 02 40 65 44 92 - www.domaine-des-herbauges.com - tlj sf dim. 9h-12h, 14h-18h30, sam. 9h-12h, 14h-18h - fermé j. fériés.* Le muscadet Côtes de Grandlieu sur lie constitue la production phare de ce domaine viticole exploité par la même famille depuis quatre générations. On y pratique la culture raisonnée depuis une dizaine d'années. À découvrir également : gros-plant, grolleau, gamay et chardonnay.

La Ferme fruitière de la Hautière – *44240 La Chapelle-sur-Erdre - ☎ 02 40 72 03 83 - www.fermefruitierelahautiere.com - 9h-12h30, 14h-19h, vend. et sam. 9h-19h, dim. du 1er Mai au 15 oct. 9h-13h, 14h30-19h - fermé lun. en janv., en fév. et en mars.* Depuis 1810, cette exploitation familiale perpétue la tradition fruitière. Ses 35 ha sont consacrés à la culture de 23 fruits parmi lesquels la fraise a pris une place importante. Depuis 1994, création de variétés nouvelles. Toute l'année, la Ferme propose à la vente sa production de fruits frais, mais aussi confitures, jus de fruits, compotes, coulis, sorbets… tranformés sur place. Visite (guidée) du « Jardin des Hespérides ».

Sports & Loisirs

Les Naudières – *Rte de vannes - 10 km à l'O de Nantes par D 965 dir. Vannes - 44880 Sautron - ☎ 02 40 63 21 05 - www.parc-attractions-naudieres.com - ouv. du 1er dim. d' avr. au dernier dim. de sept. : 10h-19h - 8 €/pers.* Quatrième lieu touristique de Loire-Atlantique par sa fréquentation, ce parc d'attractions comprend une centaine de jeux répartis sur environ 7 ha. Toboggans, ponts, luges d'été ou tonneaux feront la joie des petits et des grands !

Bateaux électriques – *☎ 02 51 81 04 24 - www.rubanvert.fr - mai-juin et sept. : 14h-19h, w.-end et j. fériés 10h-19h ; avr. et oct. : w.-end et j. fériés 10h-19h ; juil.-août : 10h-19h - à partir de 23 €.* Location, sans permis, de bateaux électriques et silencieux pour découvrir l'Erdre et la Sèvre. Départ de l'île de Versailles, de Sucé-sur-Erdre et de Vertou.

Canoë-kayak – *Canoë-kayak nantais, rte de la Jonelière - ☎ 02 40 29 25 71 - nack.nantes.free.fr - 10h-12h30, 14h-18h.* Ce club organise des stages sur cette rivière que ne borde aucune route.

Ligue de Golf des Pays de la Loire – *9 r. du Couëdic - ☎ 02 40 08 05 06 - www.ligue-golf-paysdelaloire.asso.fr.* Stages pour le loisir comme pour la compétition et le haut niveau.

Île d'**Ouessant**★★★

932 OUESSANTINS
CARTE GÉNÉRALE A1/2 – CARTE MICHELIN LOCAL 308 A4 – FINISTÈRE (29)

Bout de terre le plus occidental de la Bretagne, donc de France métropolitaine, Ouessant est un vrai « finistère ». Pour mériter cette île située au point de rencontre de l'Atlantique et de la Manche, il faut traverser une mer souvent houleuse, d'où l'adage : « qui voit Ouessant voit son sang ». On découvre alors le caractère de cette contrée, protégée depuis 1969 par le Parc naturel régional d'Armorique.

Mer déchaînée sur la côte ouessantine.

George Fisher / CRT Bretagne

▶ **Se repérer** – Ouessant se rallie depuis Brest ou Le Conquet. Lampaul, le seul village de l'île, est logé au fond d'une crique bien protégée de la houle. Les autres bourgs sont disséminés sur l'île et reliés au village par quelques petites routes.

🕐 **Organiser son temps** – Choisissez les marées hautes pour vous aventurer sur les côtes : le spectacle y est exceptionnel. Mieux vaut donc programmer votre séjour sur l'île pendant les grandes marées !

👁 **À ne pas manquer** – Allez flâner sur la côte sauvage en faisant escale à l'écomusée de l'île, pour la description du mode de vie ouessantin ; visitez le phare du Créac'h pour admirer le ballet des cargos qui empruntent le rail d'Ouessant.

👫 **Avec les enfants** – Visitez le hameau de **Niou Uhella** pour ses deux habitations traditionnelles avec mobilier en bois d'épaves.

♿ **Pour poursuivre la visite** – Voir aussi les Abers, Brest, Plougastel-Daoulas et la presqu'île de Crozon.

Comprendre

Une sentinelle en mer – Longue de 7 km, large de 4 km, Ouessant domine la mer de 60 m, en sa partie la plus élevée. Son nom vient de cette altitude, puisqu'au 4e s. l'île s'appelait *Ouxisamé*, superlatif du *ux* gaulois, haut, c'est-à-dire le très haute. De la même façon, Ouessant s'écrit en breton Enez Eusa (*enez* : île), ce qui signifie « l'île la plus haute ».

Courants et récifs – Dans les annales maritimes, l'île est connue pour les difficultés de navigation qu'offrent ses parages, à cause de la brume fréquente, des innombrables récifs et des courants violents. Les plus connus sont le **Fromrust**, au nord-ouest, et le **Fromveur**. Chanté par Henri Queffélec, celui-ci est la ramification du Gulf Stream, au sud-est, et c'est l'un des plus rapides d'Europe (13 km/h).

Dictons

« Qui voit Ouessant voit son sang » dit le proverbe, allusion aux naufrages qui ont fait, dans le passé, la mauvaise réputation de l'île. Ses sœurs bretonnes ne sont guère mieux loties. On dit ainsi : « Qui voit Molène voit sa peine », « Qui voit Groix voit sa croix » ; « Qui voit Sein voit sa fin ». Reste une île, moins difficile d'accès, et plus immédiatement séductrice : « Qui voit Belle-Île voit son île. »

En hiver, le vent règne en maître et pousse, sur les côtes rocheuses et déchiquetées, les flots qui déferlent rageusement. Le brouillard se mêle aux lugubres avertissements des sirènes et aux mugissements du vent. Ces tempêtes peuvent se prolonger dix jours. L'été ramène le calme et une atmosphère plus sereine, analogue à celle des côtes de Bretagne. On réalise alors plus facilement combien le climat de l'île est doux.

Un profil de population spécifique – Les femmes et les retraités de la marine, nationale ou marchande, constituent l'essentiel de la population dont les activités principales restent l'élevage et la culture vivrière. Bon nombre d'hommes travaillent sur le continent (région brestoise) ou en mer : pêche hauturière, lointaine ou côtière ; plates-formes pétrolières.

La foire aux moutons – Dans les enclos fort bien entretenus d'Ouessant, poussent légumes et pommes de terre. Les céréales, cultivées sur de plus grandes parcelles, servent à l'alimentation des volailles et bêtes d'élevage : des moutons, pour l'essentiel. Ils broutent une herbe maigre, mais chargée de sel, qui leur donne une chair aussi appréciée que les prés-salés de la baie du Mont-St-Michel. De février, avant les agnelages, à septembre, ils sont attachés deux par deux à un piquet. Le reste de l'année, ils vivent en liberté. Le premier jeudi de février donne lieu à une grande foire où chaque propriétaire vient reconnaître ses bêtes – rassemblées par des rabatteurs – grâce aux entailles pratiquées aux oreilles, et acquitte un droit modeste avant de les emmener. Enfin, la culture des algues et l'élevage des moules tendent à développer une aquaculture très prometteuse.

Un riche partimoine naturel – Depuis 1988, Ouessant est classé réserve de la biosphère de la mer d'Iroise par l'Unesco. L'île a en effet conservé une très vaste zone naturelle propice à l'observation de la flore insulaire et surtout à celle des oiseaux migrateurs. Sur les 500 plantes recensées, certaines sont protégées comme l'isoete, une petite fougère, la centaurée maritime ou l'ophioglosse du Portugal. Côté oiseaux, Ouessant accueille chaque année 400 espèces, dont le rare crave à bec rouge, des oiseaux sibériens, tels le pipit richard ou le pouillot à grands sourcils, et aussi les incontournables goélands, les fulmars, les cormorans huppé ou les huîtriers pie.

Découvrir

👁 L'excursion en bateau à Ouessant est du plus haut intérêt : elle permet de voir le Goulet de Brest, la pointe de St-Mathieu, le chenal du Four et, à gauche, le fameux écueil des Pierres-Noires, l'île de Beniguet et Molène, le passage du Fromveur.

MOLÈNE

Souvent juste aperçu lors de la traversée vers Ouessant, la petite île (0,8 km x 1,2 km) doit sa réputation à l'habileté et au courage de ses marins. C'est à pied que l'on découvre le village et le sentier côtier ; excepté à côté du port, les plages sont couvertes de gros galets et la baignade est dangereuse à cause des courants. Les musées, très modestes, rappellent le dur travail des goémoniers, le courage des sauveteurs aux temps héroïques des canots à rames, et un drame qui a fortement marqué l'île : le naufrage du paquebot anglais *Drummond Castle* le 16 juin 1896, *(voir la partie Histoire dans Comprendre la Région).*

OUESSANT

L'arrivée à Ouessant se fait dans la baie du Stiff, protégée par une grande jetée en béton. Du débarcadère, vous pouvez gagner le bourg de Lampaul (à 4 km), qui regroupe tous les commerces, soit par une navette, soit en louant un vélo au port. Des routes au départ de Lampaul mènent ensuite aux sites les plus remarquables de l'île. De nombreux chemins et sentiers permettent de la parcourir en tous sens, rejoignant de belles falaises ou d'agréables criques.

Lampaul

La capitale de l'île se distingue par ses maisons anciennes très bien entretenues, aux volets peints en bleu ou vert, couleurs traditionnelles de l'île. Son église (1860) arbore un clocher offert par la Couronne britannique en remerciement aux Ouessantins qui se dévouèrent lors du naufrage du *Drummond Castle*, en 1896. Le port exigu, uniquement utilisable à marée haute et par mer calme, regarde vers l'ouest. À proximité s'étend la vaste plage de sable de Corz.

Côte sauvage★★★

Quittez Lampaul à l'ouest par une rue en montée. À 500 m, tournez à droite.

Écomusée de l'île d'Ouessant – 📞 02 98 48 86 37 - www.pnr-armorique.fr - avr.-sept. : *tlj sf lun. 10h30-18h30 ; vac. de fév., de Pâques, de Noël et de la Toussaint : 10h30-17h30 ; hors vac. scol. et sais. : tlj sf lun. 13h30-17h - 3,30 € (8-14 ans 2,10 €).*

👥 Au hameau de **Niou Uhella**, deux habitations traditionnelles, aménagées par le Parc naturel régional d'Armorique, retracent la vie ouessantine à travers diverses collections (costumes, outils agraires et domestiques, géologie de l'île). L'une de ces maisons comporte un mobilier typique d'Ouessant. Il est fabriqué avec du bois provenant d'épaves et peint en bleu, symbole de la protection de la Vierge.

Poursuivez en direction de la côte.

Le moulin de Karaes – C'est le dernier moulin en bois de l'île. Bien campé sur sa base cylindrique en pierre, il servait à moudre grossièrement le seigle avec lequel les Ouessantins confectionnaient leur pain au début du 20e s.

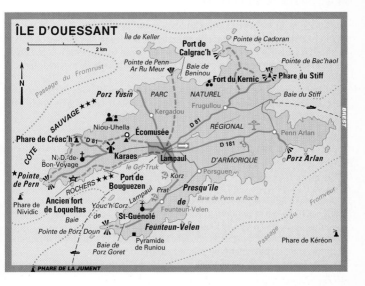

Phare de Créac'h – Il indique, avec le phare britannique de Lands End, l'entrée de la Manche. Le feu est constitué de quatre lampes offrant une puissance lumineuse de 20 millions de candelas et une portée moyenne dépassant 60 km. Dans l'ancienne salle des machines, le **Centre d'interprétation des phares et balises** présente turbine, lentilles, lampes et réflecteurs, et relate la fonction et la vie de gardien. Il retrace l'histoire de ces tours à feu depuis l'Antiquité jusqu'à nos jours – à l'origine, l'éclairage des phares consistait à faire brûler du charbon, du bois ou de l'huile dans un récipient, placé au sommet d'une tour. 📞 *02 98 48 80 70 - avr.-sept. et vac. scol. (ttes zones) : 10h30-18h30 ; reste de l'année : tlj sf lun. 13h30-17h30 - fermé 1er janv. et 25 déc. - 4,10 € (réduit 2,60 €, -8 ans gratuit).*

Non loin du phare se trouve la seule station permanente d'observation des oiseaux migrateurs en France : le **Centre d'étude du milieu d'Ouessant** (CEMO). En juillet et en août, il propose notamment des sorties-nature thématiques : oiseaux marin, évolution du paysage et flore de la côte nord, faune et flore de la côte sud, algues et animaux du bord de mer, oiseaux migrateurs du littoral. *Durée 1h30 à 2h - 3,80 € (enf. 2,30 €) - également des sorties-nature et des sorties-marées spéciales enf. - rens. à l'office du tourisme ou au Centre d'étude du milieu d'Ouessant - 📞 02 98 48 82 65.*

Contournez le phare par la droite afin de découvrir la côte.

Extraordinairement déchiquetés et continuellement battus par les flots, cette côte et ses **rochers★★★** offrent un spectacle extraordinaire. Une passerelle située en avant du phare permettait autrefois d'accéder à la pointe du Créac'h, où se trouvait la sirène de brume. Cargos et pétroliers animent l'horizon ; des centaines de bateaux empruntent chaque jour le « rail d'Ouessant » surveillé nuit et jour par des patrouilleurs de la Marine nationale *(voir encadré page suivante)*.

Faites demi-tour, puis prenez à droite vers la pointe de Pern.

Chapelle N.-D.-de-Bon-Voyage – Près de la pointe de Pern, cette chapelle appelée aussi St-Gildas, en souvenir de ce saint venu de Grande-Bretagne au 5e s., a été édifiée à la fin du 19e s. Les gens d'Ouessant y viennent tous les ans, en pèlerinage, le 1er ou le 2e dim. de sept., jour du pardon de l'île.

Pointe de Pern★ – Extrémité ouest de l'île, elle se prolonge par des rochers et récifs sur lesquels vient écumer la houle.

Au large, le petit **phare de Nividic** fonctionne automatiquement, de même que celui de la Jument, au sud-ouest de l'île.

Crique de Porz Yusin

Quittez Lampaul au nord par la rue qui passe devant la centrale électrique alimentant l'île. On traverse plusieurs hameaux, aux maisons blanches et volets colorés, entourées de jardinets, avant d'arriver au joli site rocheux de Porz Yusin, un des rares abris de la côte nord.

Presqu'île de Feunteun-Velen

Dans Lampaul, empruntez la rue qui longe le cimetière. On passe à proximité du petit port de Lampaul. Derrière sa jetée, les barques des pêcheurs trouvent un abri sûr. La route contourne la baie profonde de Lampaul, bordée par les **plages** de Corz et du Prat. En son milieu se dressent les rochers du Grand Truk et Youc'h Corz. Puis on descend doucement vers la pointe de Porz Doun. Sur la gauche, la pyramide blanche du Runiou sert d'amer pour la navigation.

Pointe de l'extrême sud de l'île, la **pointe de Porz Doun** est bordée de falaises. Belle **vue** sur Lampaul, la pointe de Pern et le phare de la Jument. Construit de 1904 à 1912, celui-ci culmine à 42 m et abrite une corne de brume.

Phare du Stiff

Quittez Lampaul par la rue qui longe le flanc gauche de l'église. La route atteint doucement le point culminant de l'île, 60 m à la **pointe de Bac'haol**. Le phare, construit par Vauban en 1695, comprend deux tours accolées ; l'une abrite l'escalier à vis *(126 marches)*, l'autre trois petites chambres superposées. Le feu porte à environ 50 km grâce à une lampe de 1 000 W halogène donnant une puissance de 600 000 candelas. Du sommet, un vaste **panorama★★** se développe sur les îles, le continent, du phare de l'île Vierge à la pointe du Raz.

À proximité du phare se dresse la nouvelle tour radar (à 140 m de hauteur) équipée pour surveiller la route maritime passant au large de l'île.

🦭 Des sentiers mènent à la pointe de la **presqu'île de Cadoran** d'où l'on jouit d'une jolie vue sur la baie de Beninou et sur l'île de Keller, propice à la nidification des oiseaux. Une petite colonie de phoques évolue parfois sur la presqu'île.

Le rail d'Ouessant

En 1978, l'échouage dans cette zone de l'*Amoco Cadiz*, un pétrolier libérien chargé de 227 000 t de brut, provoqua sur le littoral breton la plus grande marée noire jamais enregistrée. Suite à cette catastrophe, il fut décidé de mettre en place une réglementation du trafic maritime obligeant les navires à passer sur une autoroute de la mer appelée le « rail d'Ouessant ». En partie modifié à la suite du naufage de l'*Erika* (1999), ce rail comporte 2 voies de navigation : l'une pour les bateaux qui montent vers la Manche, l'autre pour ceux qui en descendent, ces deux voies ne se croisant pas. Chaque jour 150 à 200 bateaux, dont au moins huit transportent des produits jugés dangereux, passent au large d'Ouessant. Ceux qui entrent dans le rail croisent à 4 milles nautiques de l'île, ceux qui en sortent, à 34 milles.

Le rail d'Ouessant : une autoroute maritime.

A. de Valroger / MICHELIN

Crique de Porz Arlan

Quittez Lampaul par la rue qui longe le cimetière, puis tournez à gauche. La route laisse sur la droite la chapelle N.-D.-d'Espérance (1863) et, sur la gauche, l'aérodrome. Elle oblique sur la droite pour atteindre Porz Arlan. Dans cette crique charmante se sont nichés une minuscule plage de sable et un petit port abrité par une jetée. Belle **vue** sur la côte rocheuse, le Fromveur et le phare de Kéréon et, derrière, l'île de Bannec.

Île d'Ouessant pratique

Adresse utile

Office du tourisme de Lampaul –
*Bourg de Lampaul - pl de l'Église -
29942 Ouessant - ℘ 02 98 48 85 83 -
www.ot-ouessant.fr - 10h-12h, 13h30-18h,
dim. et j. fériés 10h-12h ; juil.-août : 9h-13h,
13h30-19h, dim. et j. fériés 9h30-12h30.*

Accès à l'île

*contact@pennarbed.fr - liaisons maritimes
assurées tlj, tte l'année. Au dép. de Brest
(ligne régulière) à bord de l'Enez Eussa : 8h30
pour Ouessant ou Molène via Le Conquet.
Au dép. du Conquet (ligne régulière) : 9h45.
Au dép. d'Ouessant : 16h30. Juil.-août : dép.
suppl. de Brest à bord de l'André Colin 7h45
de Camaret 8h40, d'Ouessant tlj sf dim. 18h ;
avr.-juin : dép. suppl. (se renseigner).
Compagnie maritime Penn Ar Bed -
℘ 02 98 80 80 80. Accès en avion au dép.
de Brest-Guipavas - ℘ 02 98 84 64 87.*

Se loger

⊖⊜ **Hôtel Roc'h-Ar-Mor** – *Au bourg de
Lampaul - 29242 Ouessant - ℘ 02 98 48
80 19 - roch.armor@wanadoo.fr - fermé*
*3 janv.-6 fév. et 22 nov.-13 déc. - 15 ch.
54/85 € - ⊐ 9,50 € - rest. 21/26 €. À la
lisière du village de Lampaul, face à la
baie, grande bâtisse rénovée offrant
désormais un confort de qualité. La
véranda et la majorité des chambres,
lumineuses et modernes, jouissent d'une
vue sur la mer.*

Se restaurer

⊖ **Crêperie Ti A Dreuz** – *À Lampaul,
bas du bourg - 29242 Ouessant - ℘ 02 98 48
83 01 - vac. de fév., vac. de Noël et de Pâques
à fin sept. - fermé dim. soir en avr.-mai
et juin et lun. hors vac. scol. - 13 €. Vieille
maison à la façade inclinée, où vous
dégusterez des crêpes tout en vous
laissant conter l'histoire insolite des
assiettes de faïence qui ornent le buffet
de sa salle à manger blanche et bleue…
La seconde salle ouvre sur un joli jardin
fleuri. L'établissement est entièrement
non-fumeurs.*

Événement

Pardon de l'île – *1ᵉʳ ou 2ᵉ dim. de sept.*

Paimpol★

7 932 PAIMPOLAIS
CARTE GÉNÉRALE C1 – CARTE MICHELIN LOCAL 309 D2 – CÔTES-D'ARMOR (22)

Le roman « Pêcheur d'Islande » de Pierre Loti a donné à cette ville la célébrité
littéraire. « La Paimpolaise » du chansonnier Théodore Botrel lui a valu la popularité. La falaise dont parle la chanson s'élève vers la pointe de Guilben, au cœur
de l'anse de Paimpol qui s'inscrit dans la côte du Goëlo, connue pour ses falaises,
ses criques perdues et ses nombreux points de vue.

▷ **Se repérer** – Paimpol est au nord du département, à 15 km à l'est de Tréguier
(par la D 786). Pour rejoindre St-Brieuc (près de 50 km au sud), vous avez le choix
entre la D 7 et la D 6, qui passent dans les terres, ou la D 786 qui longe la côte.
Cette dernière est nettement plus jolie, mais aussi plus encombrée en saison.

▣ **Se garer** – Évitez le centre-ville le mardi matin, jour de marché. Vous trouverez
des parkings publics dans tout le centre, particulièrement place de la République
(face à l'office de tourisme), et autour du rond-point du Goëlo tout proche.

◷ **Organiser son temps** – Si vous programmez une excursion à l'île de Bréhat,
pensez aux horaires de navette.

👁 **À ne pas manquer** – L'ensemble des points de vue de la côte du Goëlo et la vision
de Bréhat depuis la pointe de l'Arcouest.

🚹🚺 **Avec les enfants** – Perdez-vous dans le labyrinthe de Plourivo et offrez-vous une
croisière en barque électrique à Pontrieux ou un tour dans la vapeur du Trieux.

◔ **Pour poursuivre la visite** – Voir aussi Bréhat, Tréguier, la Côte de Granit rose,
Belle-Isle-en-Terre, Guingamp, St-Quay-Portrieux et St-Brieuc.

Se promener

La vie a bien changé depuis les « Pêcheurs d'Islande » de Pierre Loti : la grande pêche
(pêche à la morue) a fait place à la pêche côtière et à la navigation de plaisance.
L'ostréiculture est devenue une des richesses de la région, et Paimpol est connu
comme marché de primeurs.
Si la ville doit une bonne part de son charme et de son animation au port, les bateaux
de plaisance ont depuis longtemps remplacé les goélettes. Tout proche, le cœur de
la cité, réservé aux piétons, invite à la flânerie.

Le port de Paimpol.

Place du Martray

C'est la plus belle, car elle conserve de belles demeures du 16e s. ; remarquez, à l'angle de la rue de l'Église, la maison à tourelle d'angle carrée où descendait Loti ; c'est ici qu'il a situé la maison de Gaud, héroïne de son roman.

Square Théodore-Botrel

Il abrite un clocher isolé (18e s.), vestige de l'ancienne église, et un monument en souvenir du poète chansonnier.

Musée de la Mer

R. de Labenne - ✆ *02 96 22 02 19 - de mi-juin à fin août : 10h30-12h30, 14h-18h30 ; de mi-avr. à mi-juin et 1re quinz. de sept. : 14h-18h - fermé de mi-sept. à mi-avr. - 4,40 € (enf. 2,15 €).* Il évoque les activités maritimes de Paimpol, de la période islandaise à nos jours : maquettes, photos, instruments de navigation…

Aux alentours

Tour de Kerroc'h

À 2 km au nord, en direction de la pointe de l'Arcouest. Elle se dresse dans un joli site boisé. De la première plate-forme, belle **vue★** sur la baie de Paimpol.

Labyrinthe végétal

À Plourivo, 2 km au sud par la D 15 - ✆ *02 96 20 44 06 - www.chez.com/tourisma - 🦽 - juil.-août : tlj sf lun. 13h30-20h (dernière entrée 18h30) - 6 € (enf. 4,50 €).*
👫 Tracé dans un champ de maïs de 6 ha, ce labyrinthe dessine un parcours dont le thème varie chaque année. Il est semé d'énigmes, mais aussi d'indices pour les résoudre. Surgissant parmi les épis, des comédiens mettent en scène une partie de l'histoire.

Ploubazlanec

1 km au nord de la tour de Kerroc'h. Au cimetière, on voit le mur où se succèdent, sur des plaques, les noms des hommes perdus en mer, principalement lors des campagnes de pêche en Islande : 117 goélettes et environ 2 000 marins disparurent entre 1852 et 1935.

Pointe de l'Arcouest★★

5 km au nord. La descente à la cale de l'Arcouest offre des **vues**, remarquables à marée haute, sur la baie et sur Bréhat. Un monument à la mémoire de Frédéric et Irène Joliot-Curie, qui venaient souvent en Arcouest, est érigé à gauche de la route : deux blocs identiques de granit rose, dont les faces se regardant sont polies, se dressent côte à côte. Embarcadère pour l'**île de Bréhat★★** *(voir ce nom).*

Loguivy-de-la-Mer

5 km au nord. Ce port de pêche a gardé son cachet d'antan. À marée basse, les barques s'y échouent encore. Du promontoire, belle vue sur l'embouchure du Trieux et Bréhat.

Pontrieux★

17 km au sud-ouest. Cette petite ville de fond d'estuaire offre bien de bien agréables surprises. La maison de la **Tour Eiffel** (appellation humoristique), du 16e s., ne passe pas inaperçue avec ses colombages bleus. Mais le trésor de la ville se trouve sur les rives du Trieux où s'alignent une cinquantaine de **lavoirs★** superbement restaurés et fleuris.

👥 Une **promenade en barque** électrique permet de découvrir ce rare patrimoine *(voir Paimpol pratique).* La découverte de la ville ne s'arrête pas là. Après avoir flâné dans le centre et découvert ses artisans, une petite halte s'impose au port où vous attendent un club nautique, le petit port de plaisance et le fameux train à vapeur (*La Vapeur du Trieux, voir Paimpol pratique).*

Circuit de découverte

LA CÔTE DU GOËLO★

Circuit de 60 km – environ 4h.

Prenez la D 786 (dir. St-Quay-Portrieux) et, en sortie de Paimpol, tournez à gauche.

Pointe de Guilben

C'est la falaise chantée par Théodore Botrel. Belle vue sur la côte.

Après Kérity, une rue à gauche mène à l'abbaye de Beauport.

Abbaye de Beauport★

𝄞 02 96 55 18 58 - www.abbaye-beauport.com - de mi-juin à mi-sept. : 10h-19h ; de mi-sept. à mi-juin : 10h-12h, 14h-17h (dernière entrée 30mn av. fermeture), possibilité de visite guidée (1h du 18 juin au 30 sept.) - 5 € (enf. 1/3 €) - fermé 1er janv., 24, 25 et 31 déc.

Cette abbaye, fondée au 13e s. par des chanoines de l'ordre de Prémontré, a constitué un important foyer spirituel et économique dans le diocèse de St-Brieuc.

De l'église élevée au 13e s., il reste la façade, la nef à ciel ouvert, le bas-côté nord et le bras gauche du transept. La longue salle capitulaire à abside polygonale est un beau témoignage de l'art gothique anglo-normand, dans la tradition du Mont-St-Michel.

On visite le cloître et le vaste réfectoire (élégante entrée) qui s'ouvre sur la mer, ainsi que la cour basse, le bâtiment au Duc, hôtellerie destinée à l'accueil des pèlerins, le cellier situé sous le réfectoire, et l'aumônerie où les moines recevaient l'impôt sur le sel et les grains. Le Conservatoire du littoral a établi un programme de sauvegarde et d'animation sur l'ensemble du domaine abbatial, dont il s'est rendu propriétaire.

Regagnez la route de St-Quay-Portrieux, tournez à gauche et, après l'étang, tournez encore à gauche dans une route en montée.

Sainte-Barbe
À 250 m après la chapelle, laissez la voiture et empruntez un sentier à gauche qui mène à une table d'orientation. On voit l'anse de Paimpol avec ses îles proches, la zone ostréicole, Port-Lazo et le phare de Mez de Goëlo.

Gagnez Plouézec où l'on prend à gauche et, dans St-Riom, tournez une nouvelle fois à gauche, direction « Moulin de Craca ». Garez-vous sur le parking à 100 m du moulin.

Moulin à vent de Craca
℘ 02 96 22 72 92 ou Mme Crenn (℘ 02 96 22 71 24) - de mi-juin à mi-sept. : merc., sam. et dim. à 17h et 18h - visite gratuite (30mn). Ce moulin, restauré, produit encore de la farine. Il jouit d'un beau **panorama★** sur la baie de Paimpol, St-Riom et Bréhat.

Revenez sur la route principale et prenez à gauche la direction de Port-Lazo.

Port-Lazo
Au terminus de la route, vue sur l'anse de Paimpol.

Revenez à St-Riom et prenez à gauche.

Pointe de Bilfot★
De la table d'orientation, la **vue** s'étend de l'île de Bréhat au nord, au cap Fréhel à l'est. Entre le petit phare de Mez de Goëlo, tout proche, et celui plus lointain du Paon à Bréhat, la baie est hérissée de rochers. Une stèle célèbre le cinquantième anniversaire de l'opération *Fahrenheit* : en novembre 1942, un commando britannique de onze hommes débarqua et attaqua le sémaphore occupé par les Allemands.

Faites demi-tour et prenez à gauche la D 54C à l'entrée de Plouézec.

Pointe de Minard★
La **vue** s'étend ici sur la baie de St-Brieuc et le cap d'Erquy, l'anse de Paimpol et l'île de Bréhat.

Après un parcours pittoresque en bordure du littoral, on atteint le Questel ; à la sortie de ce hameau, prenez deux fois à gauche. Après un crochet par Pors-Pin, revenez au premier carrefour et obliquez à gauche.

Dans un paysage aride, la route suit le bord de la falaise, puis débouche sur un vaste parking-belvédère : **vue★** sur le site de Bréhec-en-Plouha, la pointe de la Tour, les roches de St-Quay et, en face, du Val-André à Erquy.

Bréhec-en-Plouha
Ce petit port se love au fond d'une anse, fermée par les pointes de la Tour à droite et Berjule à gauche. C'est ici qu'abordèrent, au 5e s., saint Brieuc et les premiers émigrants venus de Grande-Bretagne.

Remontez le verdoyant vallon du ruisseau de Kergolo.

Lanloup
L'église (15e et 16e s.) possède un intéressant porche sud flanqué de contreforts à niches, avec saint Loup et saint Gilles au fronton. Dans le cimetière, tombe du compositeur Guy Ropartz (1864-1955) dont la famille habite le manoir.

Regagnez Paimpol par Plouézec.

Paimpol pratique

Adresses utiles

Office du tourisme de Paimpol – R. Pierre-Feutrun - 22500 Paimpol - ℘ 02 96 20 83 16 - www.paimpol-goelo.com - juil.-août : tlj sf dim. 9h30-19h30 ; sept.-juin : tlj sf dim. 9h30-12h30, 13h30-18h30 ; j. fériés 10h-13h sf 24, 25, 31 déc. et 1er janv.

Office du tourisme de Pontrieux – ℘ 02 96 95 14 03 - www.pontrieux.com - juin-sept. : tlj sf dim. 10h30-12h, 13h-18h30 ; oct.-fin mai : lun. et vend. 10h30-12h30, 14h-18h30, merc. et jeu. 13h30-18h30, sam. 10h-13h - fermé j. fériés.

Se loger

⌑ Hôtel Berthelot – 1 r. du Port - ℘ 02 96 20 88 66 - www.paimpol-gœlo.com - 12 ch. 30/43 € - ⊑ 5 €. Optez pour cet hôtel récemment rénové et impeccablement tenu. 7 chambres avec douches et W.-C. ;

les autres seulement pourvues d'un cabinet de toilette. Fenêtres à double vitrage. Prix tout doux et accueil charmant.

◆ **Hôtel L'Origano** – 7 bis r. du Quai - ℘ 02 96 22 05 49 - fermé Pâques et 15 nov.-31 mars - 9 ch. 45/54 € - ☐ 5 €. La maîtresse des lieux est née dans cette jolie maison bretonne et l'a transformée en hôtel avec beaucoup de goût. Les chambres sont charmantes et toutes différentes ; l'une des plus grandes dispose d'une cheminée et d'un jardin privatif. Expositions de peintures.

◆ **Hôtel Goëlo** – Quai Duguay-Trouin - ℘ 02 96 20 82 74 - www.legœlo.com - fermé 15-30 nov. - 32 ch. 49/65 € - ☐ 6,50 €. Bâtiment récent sur les quais du port de plaisance. Presque toutes les chambres, petites mais confortables, profitent d'une rénovation (tons chauds, mobilier neuf).

◆ **Chambre d'hôte La Maison des Îles** – 29 rte de la Vieille-Côte, à la pointe de l'Arcouest - 22620 Ploubazlanec - 3 km au NE de Ploubazlanec par D 789, à la pointe de l'Arcouest - ℘ 02 96 55 87 01 - 4 ch. et 1 gîte 70 € - ☐ - repas 22 €. À deux pas de l'embarcadère, cette demeure en pierres apparentes a retrouvé son lustre suite à une importante restauration intérieure. Décoration contemporaine, émaillée dans les chambres de quelques meubles familiaux. Spécialités de l'océan à la table d'hôte, sur réservation.

◆ **Hôtel du Relais Brenner** – R. St-Julien - 5 km rte de Tréguier, au pont de Lézardrieux - ℘ 02 96 22 29 95 - www.relais-brenner.fr - fermé nov.-mars - P - 16 ch. 130/150 € - ☐ 9 €. Relais entièrement rénové niché dans un jardin fleuri près du pont de Trieux. De son salon panoramique, vous aurez une belle vue sur l'estuaire. Chambres de caractère, spacieuses et confortables.

Se restaurer

◆ **Crêperie Morel** – 11 pl. du Martray - ℘ 02 96 20 86 34 - fermé 1 sem. en fév., 1 sem. en juin, 3 sem. en nov., mar. soir hors sais. et dim. - 7,80/14 €. Attrayant cadre rustique avec poutres, boiseries, cheminée et comptoir en bois pour cette crêperie proche du port de plaisance. Aux beaux jours, le couvert est dressé à l'extérieur. Accueil chaleureux.

◆ **Ferme de Kerroc'h** – 14 rte de Bréhat - 22620 Ploubazlanec - 3 km au N de Paimpol par D 789 - ℘ 02 96 55 81 75 - fermé dim. soir à mar. midi de sept. à juin - 12/25 €. La façade en pierres de pays et la belle toiture ardoisée de cette ferme centenaire attirent le regard. Pittoresque bar en bois invitant à prendre l'apéritif et salles rustiques dont une agencée autour d'une imposante cheminée en granit où rôtissent les viandes. Terrasse d'été.

◆ **Marne** – 30 r. de la Marne - ℘ 02 96 20 82 16 - www.hotelrestaurantdelamarne.com - fermé 15-27 fév., 3-18 oct., dim. soir et lun. - 25/55 €. Le décor de ce restaurant proche de la gare ne possède pas une grande personnalité, mais les tables sont bien dressées, et surtout, vous dégusterez ici une cuisine au goût du jour soignée, élaborée uniquement à base de produits frais. Intéressante carte des vins.

Que rapporter

◆ **Bon à savoir** – Ne manquez pas le **marché du mardi matin**, dans le *centre-ville : alimentation, produits régionaux, artisanat local… Il y règne un joyeux brouhaha dans une odeur de crêpes.

La **halle aux poissons** présente une belle marée, la primeur revenant aux homards, langoustes, tourteaux, huîtres et moules de pleine mer, en provenance des ports de Paimpol, Ploubazlanec et Loguivy. Fin août, l'autre spécialité locale prend le relais : le « coco de Paimpol », haricots à écosser vendus frais.

Établissement Le Mée – 1 chemin Traou-Hoat - 3 km au N de Paimpol par D 789, puis dir. du port départemental de Pors-Even - 22620 Ploubazlanec - ℘ 02 96 55 82 33 - tlj sf dim. 8h30-12h, 13h30-18h. Huîtres, moules.

Viviers Dauphin – 3 r. Port-Pors-Even - 3 km au N de Paimpol par D 789, puis dir. du port départemental de Pors-Even - 22620 Ploubazlanec - ℘ 02 96 55 83 44 - fermé tlj sf dim. 8h-12h, 14h-18h ; sam. 8h-12h. Vente d'huîtres, moules, coquillages, crustacés (homard, langouste).

Loisirs

La Vapeur du Trieux – ♣♣ - Av. du Gén.-de-Gaulle - ℘ 02 96 20 52 06 - www.vapeurdutrieux.com - 18 mai-24 sept., 1 ou 2 dép./j (sf certains lun. et mar.) - 21 €, (enf. 10,50 €). Excursion en train à vapeur (80 ans d'âge) de Paimpol à Pontrieux, en passant le long de l'estuaire du Trieux que l'on ne peut découvrir par la route - 4h30/AR. Halte dégustation sur l'un des trajets.

Promenade en barque – ♣♣ - Pontrieux - ℘ 02 96 95 14 03 - visite commentée (20mn) 14h-18h ; juil.-août : 11h-18h ; de mi-juin à fin juin et sept. : 11h-12h, 14h-18h - 3 € (enf. 2 €) - nocturne merc., vend. et dim. de la tombée de la nuit à minuit - 3,50 €.

Embarcations à Pontrieux.

Forêt de **Paimpont** ★

CARTE GÉNÉRALE D 2/3 – CARTE MICHELIN LOCAL 309 I6 – ILLE-ET-VILAINE (35)

La légendaire Brocéliande de l'enchanteur Merlin et de la fée Viviane survit dans cette forêt qui entoure la ville de Paimpont. Les futaies, les landes, les étangs et les ruisseaux permettent au curieux de nombreuses excursions « vertes », à l'exception des 7 000 ha des écoles militaires de St-Cyr-Coëtquidan, qui abritent néanmoins le musée du Souvenir.

▶ **Se repérer** – À 30 km à l'ouest de Rennes, la forêt s'étend entre la N 24 et la D 766. Elle est traversée d'est en ouest par la D 40, et du nord au sud par la D 71.

🕐 **Organiser son temps** – Entre les randonnées du matin et de l'après-midi, prévoyez un déjeuner sur les rives du lac des Forges de Paimpont, le long de la D 724.

👁 **À ne pas manquer** – Les balades dans le Val sans retour pour plonger dans la mythologie bretonne ; le musée du Souvenir de St-Cyr-Coëtquidan.

🖐 **Pour poursuivre la visite** – Voir aussi Josselin, La Gacilly, Redon, le manoir de l'Automobile à Lohéac, Rennes et Bécherel.

Le charme et le mystère de la forêt de Brocéliande.

Découvrir

BROCÉLIANDE, TERRE DE LÉGENDES

Légendaire forêt – Le massif forestier actuel est le dernier vestige, à l'est, des immenses futaies qui couvraient, aux premiers siècles de notre ère, une notable partie de la Bretagne intérieure, sur près de 140 km. Les défrichements opérés de siècle en siècle l'ont réduite à une surface actuelle de 7 067 ha, dont 500 appartiennent à l'État. La forêt s'appela Brécilien jusqu'à la Révolution (et Brocéliande dans le *Cycle breton*). Paimpont dériverait de *Pen Ponthi* ou « tête de pont ». Mais le nom de Paimpont est de plus en plus délaissé pour celui, nettement plus mystérieux, de Brocéliande. Il faut dire que les lieux de la forêt mythique sont hantés par quelques grandes figures du cycle arthurien. La plus célèbre de ces figures est sûrement l'enchanteur Merlin, dont le tombeau, non loin de la fontaine de Jouvence, recèlerait tous les secrets. La légende ne dit pas où se trouve le rocher d'où Arthur arracha Excalibur, ni où se situe la Table ronde qui accueillait ses 365 chevaliers, mais la seule évocation des noms de Lancelot, d'Uterpendragon ou encore de la fée Viviane suffit à réveiller les légendes.

Circuit de découverte

Depuis St-Léry, l'itinéraire permet de faire un circuit complet à travers la forêt de Paimpont, en passant par les sites les plus connus. Après l'immense incendie de septembre 1990, la nature a repris le dessus. Si des arbres centenaires ont à jamais disparu, les ajoncs, les bruyères, les genêts et les fougères ont recomposé un paysage nouveau, dont le charme est indéniable.

Circuit d'une journée environ, en comptant les visites, le déjeuner et la promenade du Val sans retour.

Saint-Léry

L'**église** (14ᵉ s.) présente sur le flanc droit un porche Renaissance, où deux belles portes en anse de panier sont surmontées d'accolades finement sculptées. Des personnages encadrent celle de droite : la Vierge, l'ange de l'Annonciation, saint Michel terrassant le dragon et un damné.

Près de l'église, on remarque une maison du 17ᵉ s. ornée de trois belles lucarnes.

Château de Comper - Centre de l'imaginaire arthurien

✆ 02 97 22 79 96 - www.centre-arthurien.com - *juil.-août. : tlj sf merc. 10h-19h ; avr.-juin et sept.-oct. : tlj sf mar. et merc. 10h-17h30 - fermé nov.-mars - 5 € (-10 ans gratuit).* Les Montfort, Charette, Rieux, Laval, Coligny, La Trémoille, Rosmadec : autant de grands noms qui furent, un temps, les propriétaires du lieu. Du château deux fois ruiné, au 16ᵉ s. et au 18ᵉ s., il ne reste que deux courtines, la poterne et une grosse tour. Le corps de logis a été reconstruit au 19ᵉ s.

Le site accueille le Centre arthurien qui organise chaque année des expositions et des animations sur le Moyen Âge, l'univers celtique et les légendes arthuriennes. Ne dit-on pas que la fée Viviane serait née à Comper ? Elle y aurait élevé Lancelot, le preux compagnon d'Arthur, en son château de cristal caché au fond des eaux du lac.

Tombeau de Merlin

Deux dalles de schiste et un pied de houx signalent le tombeau de l'Enchanteur. Ce vestige d'une allée couverte marquerait l'emplacement où Viviane enferma Merlin, en traçant autour de lui neuf cercles magiques. Cela suffira sans doute à faire le bonheur des amateurs de légende, mais décevra certainement ceux qui n'ont pas envie de se laisser emporter par les mystères de la forêt.

Toute proche, la « **fontaine de Jouvence** » est en fait un simple trou d'eau.

Étang du Pas-du-Houx

Dans un site très agréable, c'est le plus vaste plan d'eau de la forêt (86 ha). Deux châteaux ont été construits sur ses berges en 1912 : Brocéliande et Pas-du-Houx.

Paimpont

Ce bourg, situé en pleine forêt, auprès d'un étang bordé de grands arbres, date de la fin du 18ᵉ s. Malgré une occupation dès le néolithique, il doit son origine à la fondation au 7ᵉ s. d'un monastère qui, érigé en abbaye à la fin du 12ᵉ s., subsista jusqu'à la Révolution.

L'**église abbatiale** du 13ᵉ s. a été décorée au 17ᵉ s. de **boiseries** d'une riche ornementation. Des bustes, des médaillons sculptés, des guirlandes de fleurs et de fruits ont été réalisés avec un talent remarquable. Le **trésor**, dans la sacristie, présente une statue de sainte Anne portant la Vierge et l'Enfant Jésus (15ᵉ s.), un curieux bras reliquaire de saint Judicaël du 15ᵉ s. et surtout un magnifique **Christ** en ivoire du 18ᵉ s. *02 99 07 81 37 - & - église tlj 9h-19h - trésor de juil. à mi-sept. : 10h-12h30, 15h-18h30 ; avr.-juin : w.-end 14h30-18h30 - gratuit.*

Les Forges-de-Paimpont
Ce hameau pittoresque, auprès d'un étang, tire son nom des forges qui s'y trouvaient du 16ᵉ s. à la fin du 19ᵉ s.

Beignon
L'église renferme de beaux vitraux du 16ᵉ s. ; dans le chœur, derrière l'autel, on reconnaît le Crucifiement de saint Pierre et, dans le transept gauche, l'Arbre de Jessé.

Château de Trécesson
Accès seulement à la cour intérieure.
Entouré des eaux de son étang, ce château construit en schiste rougeâtre à la fin du 14ᵉ s. a conservé son aspect médiéval. Un imposant châtelet flanqué de tourelles en encorbellement commande l'entrée.

Fontaine de Barenton
Accès à pied seulement. Elle avait des pouvoirs merveilleux, comme celui de déchaîner des tempêtes lorsqu'on versait de l'eau de la source sur le « perron de Merlin », une pierre toute proche.

Tréhorenteuc
Dans l'**église** (17ᵉ s.) et la sacristie, des mosaïques et des tableaux illustrent la légende des chevaliers de la Table ronde. Dans le chœur, vitrail consacré au Saint-Graal. Une visite guidée s'impose pour comprendre les multiples références aux légendes arthuriennes, au monde celte et à la chrétienté. *9h-17h - visite guidée sur demande à l'office du tourisme (*02 97 93 05 12*) - fermé 25 déc. et 1ᵉʳ janv. - 2,50 €.*

Val sans retour
C'est l'un des sites les plus mythiques de la forêt de Brocéliande. D'après la légende, la fée Morgane, jalouse d'un chevalier, aurait jeté un sort à travers le Val pour empêcher d'en sortir tous ceux qui auraient quelque faute à se reprocher. Seul Lancelot, fidèle à Guenièvre, put mettre fin à l'enchantement.
Jolie promenade de 3,5 km. Empruntez le chemin non revêtu, après le deuxième parking. Vous atteindrez le **Miroir aux fées** et le **Rocher des faux amants**. L'« arbre d'or », œuvre réalisée par Fr. Davin en 1991, marque la limite extrême de l'incendie de

L'arbre doré du Val sans retour.

1990. Cet « arbre » (en fait les restes calcinés d'un châtaigner recouverts de feuille d'or) symbolise la beauté des landes et de la forêt et le respect qui leur est dû.

Aux alentours

Canton de Guer-Coëtquidan
À 16 km à l'est de Ploërmel sur la route D 724.

École de St-Cyr-Coëtquidan – Elle compte l'École spéciale militaire créée en 1802 par Napoléon Bonaparte, communément appelée St-Cyr, l'École militaire interarmes établie en 1961 par le général de Gaulle, et l'École militaire du corps technique et administratif instituée en 1977.
Le **musée du Souvenir★**, à droite de la cour Rivoli, retrace l'histoire des écoles et de la formation des officiers de l'Ancien Régime à nos jours ; il rassemble de nombreux documents, uniformes, décorations, objets personnels et armes. Son mémorial conserve le souvenir des 17 000 officiers morts au champ d'honneur. *02 97 70 77 50 - tlj sf lun. et jeu. apr.-midi 10h-12h, 14h-17h, w.-end 10h-12h, 14h-18h - fermé janv. et j. fériés - 6 €, gratuit 1ᵉʳ dim. mois (mars-oct.).*

Site mégalithique de Monteneuf
Au sud de Paimpont, le long de la D 776 entre Guer et Monteneuf. Centre Les Landes, r. des Menhirs - *02 97 22 04 78 - de mi-juin à fin août : tlj 10h-12h30, 14h30-18h, ateliers 15h, visite guidée 11h et 16h15 ; sept. et avr.-juin. : w.-end et j. fériés 14h30-18h, visite guidée*

(1h à 2h) 15h et 16h30 - 3 €. Implanté dans la lande, ce site mégalithique est en cours de fouilles. Des zones de taille ont été mises au jour. Aujourd'hui, une quarantaine de blocs de schiste pourpre sont redressés sur le site : en particulier un monolithe de 36 t. À noter que ce site est un lieu privilégié pour les korrigans, sortes de petits lutins farceurs qui ont une affection particulière pour les monuments mégalithiques.

Deux circuits piétonniers de 7 km permettent de découvrir la Loge Morinais (allée couverte en schiste), les menhirs de Chomet, de Coëplan, des Pierres droites, la Pièce couverte, le Rocher Maheux et les Bordoués (autres allées couvertes). Le long de la D 776, plus de 420 monolithes, abattus vers la fin du 1er millénaire, probablement sur décision de l'autorité religieuse, sont actuellement recensés.

Campel
16 km au sud-est de Paimpont.

Secrets de Soie – ☎ 02 99 34 93 93 - www.secretsdesoie.fr - ♿ - *juil.-août : 10h-12h, 14h-18h ; mai-juin et sept. : 14h-18h - 6 € (enf. 4 €) - possibilité de visite guidée 1h30 - fermé oct.-avr.*
La soie fait rêver depuis bien longtemps, depuis près de 5 000 ans si l'on en croit la légende. Interactif et ludique, le musée invite à découvrir cette histoire fabuleuse, à partir à l'aventure avec les marchands sur la route de la soie. Tous ces raffinements ne doivent pas faire oublier le petit prodige qui en est à l'origine : le ver à soie, ou bombyx du mûrier, est présenté sous une lumineuse verrière. Exposition, boutique.

Saint-Méen-le-Grand
À 20 km au nord de Paimpont par la D 773 jusqu'à Gaël, puis la D 166.
Au 6e s., saint Méen, moine venu de Grande-Bretagne, fonda en ce lieu une abbaye.

Église – Elle conserve une belle **tour** carrée du 12e s. À l'intérieur, on voit dans le tran-sept droit la statue et le monument funéraire de saint Méen. Récemment découvertes sous l'enduit, des fresques des 13e et 14e s. ont été restaurées.

Musée Louison-Bobet – ☎ 02 99 09 67 86 - ♿ - *14h-17h - visite guidée 1h30 - fermé mar. (oct.-juin), 1er nov. 1er janv. et 25 déc. - 3 € (10-14 ans 2 €)*
Né à St-Méen, **Louison Bobet (1925-1983)** fut ce légendaire coureur cycliste, plusieurs fois vainqueur du Tour de France dans les années 1950. Il fut aussi un précurseur dans le domaine de l'entraînement sportif et de la diététique. Le musée rappelle la brillante carrière du champion à travers divers livres, documents, objets et souvenirs.

Forêt de Paimpont pratique

Adresses utiles

Office du tourisme de Tréhorenteuc – *Pl. Abbé Gillard - 56430 Tréhorenteuc - ☎ 02 97 93 05 12 - www.valsansretour.com - juil.-août : 9h-12h30, 13h45-18h (sans interruption mi-juil.-fin août) ; sept.-juin : 9h-12h, 14h-17h30 - fermé 25 déc. et 1er janv.*
Office du tourisme de Paimpont – *Esplanade Brocéliande - 35380 Paimpont - ☎ 02 99 07 84 23.*

Visite

Visites guidées et contées – Suivez une journée complète de découverte à pied et en voiture en forêt de Brocéliande. *De mi-juin à mi-sept. : tlj sur réserv. à l'office du tourisme de Tréhorenteuc. 15 € (-10 ans gratuit).*

Se loger

⌂ **Chambre d'hôte La Corne de Cerf** – *35380 Paimpont - 2 km au S de Paimpont par D 733 et D 71 - ☎ 02 99 07 84 19 - fermé janv. - ⊞ - 3 ch. 47/55 € ⊡. Cette vénérable demeure décorée de peintures, tapisseries et meubles peints respire l'élégance et le bon goût. Ses chambres, lumineuses et* printanières, s'ouvrent sur un délicieux jardin arboré et fleuri. Nombreux sentiers de randonnées et activités nautiques à proximité.

Se restaurer

⌂ **Le Relais de Brocéliande** – *5 r. des Forges - 35380 Paimpont - ☎ 02 99 07 84 94 - www.le-relais-de-broceliande.fr - fermé 15 déc.-1er janv. - 9/72 €. Au cœur de la forêt de Brocéliande, relais de poste de 1833 aménagé en parfait accord avec le site de légende qui l'entoure. Salle à manger assez pittoresque, avec meubles anciens, aquarium, vivier et gibier empaillé. Chambres douillettes sur le parc.*

Loisirs

Domaine de Tremelin – *3,5 km au S d'Iffendic - 35750 Iffendic - ☎ 02 99 09 73 79 - www.domaine-de-tremelin.fr.* En plus des activités relatives au lac de 50 ha (baignade surveillée et pédalos) trampo-élastique, minigolf, motos et quads donneront de l'énergie à votre séjour. Côté hébergement, terrain de camping et gîtes équipés pour 6 à 8 personnes.

Perros-Guirec★

7 614 PERROSIENS
CARTE GÉNÉRALE C1 – CARTE MICHELIN LOCAL 309 B2 – CÔTES-D'ARMOR (22)

Bâti en amphithéâtre sur les falaises littorales, « Perros » domine le bassin à flot où se trouve le port de pêche et de plaisance. Cette situation géographique est à l'origine de son nom, qui signifie « tête de colline » en breton. il faut donc descendre vers la mer pour profiter de ses deux plages, Trestraou et Trestignel, dont le sable fin et la douceur du climat ont depuis longtemps conquis un public familial.

▷ **Se repérer** – Perros-Guirec est accessible depuis Guingamp par la D 767 (45 km au sud-est) puis la D 788 à partir de Lannion (13 km au sud). Tréguier est à 20 km à l'est par la D 6.

🅿 **Se garer** – Non seulement vous trouverez facilement à vous garer dans le centre-ville de Perros-Guirec, mais en plus le stationnement est gratuit.

🕑 **Organiser son temps** – Renseignez-vous sur les horaires des vedettes en partance pour les Sept-Îles.

👁 **À ne pas manquer** – Le sentier des douaniers à marée haute pour observer le fracas des vagues sur les falaises, et les rochers de granit rose de Ploumanach.

🖐 **Pour poursuivre la visite** – Voir aussi Tréguier, la Côte de Granit rose, Trégastel-Plage, Lannion et la Côte des Bruyères.

Se promener

Église Saint-Jacques
☎ 02 96 23 21 64 - tlj sf w.-end 9h30-12h, 14h30-18h - en cas de fermeture, on peut obtenir la clef au presbytère 2 pl. de l'Église.
Au puissant clocher du 14e s., coiffé en 1669 d'un dôme surmonté d'une flèche, est accolé un porche présentant une fine arcature trilobée. La **nef romane★** est un vestige de la première chapelle élevée en ce lieu : de massives colonnes, cylindriques à gauche, à colonnettes engagées à droite, supportent les chapiteaux historiés ou ornés de motifs géométriques. Remarquez la poutre de gloire, le bénitier en granit (12e s.) décoré de petits personnages, et les nombreuses statues anciennes. Un petit porche en plein cintre s'ouvre sur le flanc droit.

Table d'orientation
Vue★ sur la pointe du Château, la plage de Trestrignel, Port-Blanc, Trélevern, Trévou, l'île Tomé, les Sept-Îles et, en contrebas, les rochers.

Pointe du Château
De ce belvédère escarpé se révèle une jolie **vue★** sur le site de Perros-Guirec, les Sept-Îles, l'île Tomé et la côte jusqu'à Port-L'Épine.

Musée de cire - Chouannerie bretonne
51 bd du Linkin - ☎ 02 96 91 23 45 - juin-août : 9h30-18h30 ; avr.-mai et sept. : 10h-12h15, 14h-18h - fermé oct.-mars - 3 € (enf. 1,50 €). Il reproduit, grandeur nature, des scènes historiques qui mettent en scène divers personnages, de La Chalotais à Auguste Renan. Collection de coiffes de basse Bretagne.

Aux alentours

La Clarté
3 km à l'ouest. La jolie **chapelle N.-D.-de-la-Clarté★**, de granit rose, se trouve à 200 m en retrait du boulevard. Au 16e s., le seigneur de Barac'h, dont le navire se trouvait en danger dans les parages, aurait fait vœu d'élever une chapelle à Notre-Dame à l'endroit de la côte qui sortirait le premier du brouillard. Le portail sud s'agrémente de sculptures en bas relief : au linteau, Annonciation et Pietà. La nef, à la belle élévation, comprend trois travées ; choux, rosaces, feuillages sculptés la décorent. Remarquez aussi le bénitier du 15e s. orné de trois têtes de Maures et le Chemin de croix de Maurice Denis (1931). Par la rue du Tertre, qui s'ouvre sur le flanc gauche de la chapelle, gagnez le sommet pour profiter de la **vue★**.

Le sentier des douaniers sur la Côte de Granit rose.

SE LOGER		SE RESTAURER	
Chambre d'hôte		Hôtel restaurant	
La Ferme de l'Étang..................①		Le Gulf Stream....................①	
Hôtel l'Hermitage.........................④		La Clarté...............................④	
Hôtel Le Levant............................⑦		La Crémaillère......................⑦	

Sémaphore★

3,5 km à l'ouest. Du belvédère aménagé en bordure de la route, la **vue**★ s'étend en avant sur les rochers de Ploumanach ; au large sur les Sept-Îles, en arrière sur les plages de Perros-Guirec et sur la côte de Port-Blanc.

Sentier des douaniers★★

1h3/4 jusqu'à Ploumanach, 3h jusqu'à Trégastel. Cette promenade magnifique (l'appareil photo est indispensable) est à faire de préférence le matin et à marée haute dans le sens est-ouest, en fin d'après-midi dans l'autre sens.

Peut-être le plus beau sentier de la côte bretonne en dehors des périodes de forte affluence. À partir de la plage de Trestraou, on suit le bord de la falaise jusqu'à Porz Rolland où l'aspect de la côte change complètement. On serpente parmi d'extra-ordinaires **rochers** *(voir « Rochers » ci-dessous)* pour atteindre la pointe de Squewel, le phare de Ploumanach (Men-Ruz) et la Maison du littoral.

Ploumanach★★

À hauteur de cette station balnéaire, qui est aussi un petit port de pêche, la Côte de Granit rose est particulièrement belle.

Rochers★★ – *De Porz Rolland à Porz ar Mor, par le sentier des douaniers (voir ci-avant).* C'est, en quelque sorte, une réserve où l'on maintient l'originalité du site rocheux. Le point le plus intéressant est la pointe de Squewel, constituée d'innom-brables rochers séparés par des anses. On découvre des rochers aux formes curieuses où l'on reconnaît la « Tortue », le « Lapin », etc.

Maison du littoral – Elle présente diverses expositions destinées à faire comprendre la formation du granit ainsi que les méthodes d'exploitation de cette pierre, d'hier à aujourd'hui. $\mathcal{C}$ 02 96 91 62 77 - ఉ - *de mi-juin à mi-sept. : tlj sf dim. 10h-13h, 14h-18h ; reste de l'année et vac. scol. : tlj sf w.-end 14h-17h - fermé J. fériés - visite guidée 20 mn - gratuit.*

Plage St-Guirec – Le sentier qui longe la plage et l'hôtel St-Guirec passe entre de superbes **rochers★★** de granit rose : la « Tête de Mort », le « Sabot Renversé », le « Pied ». À l'extrémité gauche de la plage, sur un rocher baigné par la mer à marée haute, s'élève l'**oratoire** dédié à saint Guirec, qui débarqua ici au 6e s. Dans son oratoire, la statue du saint en granit a remplacé l'effigie primitive en bois, qui avait souffert d'une tradition peu respectueuse : les jeunes filles désirant se marier venaient planter une épingle à chignon dans le nez de l'apôtre. On ne connaît pas précisément les résultats, mais la tradition reste vivace comme en témoigne le visage mutilé du pauvre saint Guirec. En face, l'île de Costaérès et son château *(privé)*.

Vallée des Traouïero – ⏱️🥾 *Comptez une demi-journée. Bonnes chaussures recommandées.* Derrière les moulins à marée qui ferment le port, le petit et le grand Traouïero sont deux vallées sauvages encore hantées de nombreuses légendes. La végétation y est très dense et les sentiers s'aventurent au milieu d'impressionnants rochers de granit.

Découvrir

LES SEPT-ÎLES

Cet archipel a été déclaré **réserve ornithologique** en 1912. Les oiseaux marins sont plus nombreux le matin et le soir, il est donc recommandé de choisir le premier ou le dernier départ. *Un service de vedettes, partant de la gare maritime de Trestraou, permet de faire le* **tour des îles** *(voir ci-après).*

Accès direct aux îles – 📞 02 96 91 10 00 - www.armor-decouverte.fr - avr.-sept. 8h30-18h30 - découverte des Sept-Îles, 16 € (enf. 10 €) et excursions animées par la LPO (Ligue pour la protection des oiseaux) ; juil.-août : pêche en mer, dép. 8h30. Quatre compagnies disposent d'une centrale de réservation à la gare maritime de Trestraou. Elles proposent des visites guidées de l'archipel des Sept-Îles, la plus grande réserve naturelle d'oiseaux marins en France (20 000 couples). L'escale à l'île aux Moines, la Côte de Granit rose et ses chaos granitiques sont au programme de ces excursions - fév.-nov. : de 1h15 à 2h30. Excursions vers l'île de Bréhat (dép. de Perros-Guirec avr.-sept. : 2-3 fois/sem.).

Île Rouzic

Débarquement interdit. Le bateau s'approche de cette île, appelée aussi île aux Oiseaux. Sur la face nord, de février à septembre, une impressionnante **colonie★** de fous de Bassan : environ 12 000 couples que l'on peut observer depuis la station ornithologique de l'île Grande, grâce à une liaison vidéo télécommandée. On peut voir également des guillemots, des pingouins Torda, des goélands bruns, argentés ou marins, des cormorans huppés, des macareux, des mouettes tridactyles, des huîtriers pie et quelques fulmars. Ils se reproduisent sur l'île en mars et la quittent fin juillet. Autre intérêt : la présence d'une colonie de phoques gris (une dizaine d'individus).
Le bateau longe ensuite les **îles de Malban** et de **Bono**.

Île aux Moines

L'escale *(1h environ)* permet de découvrir la poudrière, le **phare** *(83 marches*, portée de 40 km) d'où se développe un beau panorama sur l'archipel et la côte, puis le fort, en partie ruiné, construit par Vauban à l'extrême pointe de l'île et, en contrebas, l'ancien monastère avec sa minuscule chapelle. 📞 02 96 23 92 10 - ouvert en fonction de la disponibilité des gardiens - téléphonez pour horaires précis - gratuit.
Au retour, on peut admirer du large l'extraordinaire chaos de rochers granitiques roses de la pointe de Ploumanach.

Perros-Guirec pratique

Adresse utile

Office du tourisme de Perros-Guirec – 21 pl. de l'Hôtel-de-Ville - 22700 Perros-Guirec - ☏ 02 96 23 21 15 - www.perros-guirec.com - de juil. à mi-sept. : 9h-19h30, dim. 10h-12h30, 16h-19h ; de mi-sept. à fin-juin : tlj sf dim. 9h-12h30, 14h-18h30 - fermé 24, 25, 31 déc., 1er janv., 1er et 8 mai.

Se loger

⊖ **Chambre d'hôte La Ferme de l'Étang** – Le Launay - 22660 Trélevern - 9 km de Perros-Guirec, rte de Paimpol puis D 73 (dir. Tréléven) - ☏ 02 96 91 70 44 - ⊱ - 4 ch. 42/55 € □. Les canards s'ébattent dans l'étang ou se prélassent sur la pelouse devant les hôtes, qui apprécient le charme rustique de cette longère du 19e s., son calme, son vaste salon, sa collection de poupées et ses chambres non-fumeurs.

⊖⊖ **Hôtel l'Hermitage** – 20 r. des Frères-le-Montréer - ☏ 02 96 23 21 22 - www.hotelhermitage-22.com - fermé 29 sept.-31 mars - 🅿 - 23 ch. 47/55 € - □ 6 € - rest. 21 €. Construction ancienne de centre-ville, avec jardin. Chambres petites, mais fraîches et propres. Accueil aimable et ambiance conviviale.

⊖⊖ **Hôtel Le Levant** – 91 r. Ernest-Renan - ☏ 02 96 23 20 15 - 19 ch. 55/61 € - □ 6,50 € - rest. 16/55 €. Hôtel récent dont les chambres, fonctionnelles et rajeunies, sont dotées de balcons tournés vers le port. Le décor marin de la salle à manger s'accorde bien avec la vue, au levant, sur une forêt de mâts.

⊖⊖ **Hôtel du Parc** – 174 pl. St-Guirec - 22700 Ploumanac'h - ☏ 02 96 91 40 80 - hotel.du_parc@libertysurf.fr - fermé 12 nov.-31 mars, fermé dim. soir, mar. midi et lun. en oct.-nov. - 🅿 - 10 ch. 46/49 € - □ 6 € - restaurant 14/34 €. Au centre du village, avec la plage et les célèbres rochers à quelques encablures, maison familiale en granit rose avec de petites chambres sobres et nettes. Cuisine de la mer servie en terrasse ou dans une salle lumineuse.

Se restaurer

⊖⊖ **Hôtel restaurant Le Gulf Stream** – 26 r. des Sept-Îles - ☏ 02 96 23 21 86 - www.gulf-stream-hotel-bretagne.com - fermé 20 janv.-10 fév., 20 nov.-10 déc., dim. soir d'oct. à mai, lun. midi et sam. - réserv. obligatoire - 16/50 € - 11 ch. 45/75 € - □ 8 €. Il règne une délicieuse atmosphère 1900 en ce plaisant hôtel tapissé de lierre. La plupart des chambres, simples et récemment rafraîchies, donnent côté mer. Au restaurant, spécialités iodées à savourer en même temps que la vue imprenable sur la baie des Sept-Îles.

⊖⊖ **La Crémaillère** – Pl. de l'Église - ☏ 02 96 23 22 08 - fermé sam. midi et lun. midi sf en juil.-août - 16,20/38 €. Accueillante maison régionale du 19e s. nichée au cœur de la station. Le chef y concocte une cuisine traditionnelle ensoleillée assortie de grillades. Pierres apparentes et mobilier en fer forgé dans la salle à manger également pourvue d'une mezzanine un peu plus feutrée.

⊖⊖⊖ **La Clarté** – 24 r. Gabriel-Vicaire - ☏ 02 96 49 05 96 - laclarte22@aol.com - fermé 1er janv.-9 fév., 2-9 oct., merc. soir, dim. soir sf 15 juil.-26 août et lun. - 22 € déj., 36/68 €. Un faubourg de Perros-Guirec situé en direction de Ploumanach sert de cadre à cette table offrant les plaisirs d'un repas au goût du jour dans un décor néo-rustique chaleureux.

Que rapporter

Marché – Il se tient pl. du Marché, le vend. mat. et à La Clarté, face à la chapelle, le dim. mat.

Sports & Loisirs

☜ **Bon à savoir** – ♣♣ - Seule station littorale de Bretagne à avoir obtenu le label Kid, récompensant la qualité de l'accueil réservé aux plus jeunes, Perros-Guirec compte un centre nautique, un espace multisports dédié à la glisse et 3 clubs de plage pour les 2-11 ans.

Promenades et randonnées à pied – Un large éventail de circuits de randonnée part de Perros-Guirec, suivant la côte et ses chaos de granit rose, s'enfonçant dans les différents quartiers de la ville ou la vallée de Traouïero. Promenades à pied sur plus de 40 km de parcours balisés, mais aussi à cheval ou en VTT pour découvrir chemins et petites routes.

Centre Nautique – Plage de Trestraou - ☏ 02 96 49 81 21 - www.perros-guirec.com - 9h-19h - fermé de mi-déc. à mi-janv. Cours et location de catamaran, de dériveur, de planche et de kayak, sorties en mer sur un voilier traditionnel ou sur une goélette. Deux accompagnateurs sont spécialement formés à encadrer les personnes à mobilité réduite. Accueil des enfants à partir de 4 ans.

L'« Argentilez » – ☏ 02 96 49 81 21. Jadis, ce flambart ramassait le goémon, aujourd'hui il vous promènera le long de la Côte de Granit rose le temps d'une journée ou d'une demi-journée.

Le « Sant C'hireg » – 25 r. de Kerreult – 22700 Perros-Guirec - ☏ 02 96 23 22 11 ou 06 85 92 60 61 - denislebras@cegetel.net - 36 €/j (-12 ans 22 €/j), 1/2 j. possible. Réplique d'un langoustier camarétois des années 1920 qui vous emmène visiter l'archipel des Sept-Îles. Participation aux manœuvres. Animation par un biologiste de la mer. Il faut apporter son pique-nique.

Perros-Plongée – 1 bd Aristide-Briand - ℘ 02 96 23 22 13 - www.perros-plongee.fr - oct.-avr. : tlj sf dim. apr.-midi et lun. mat. 9h30-12h30, 14h-19h30 ; tlj en sais. Des

moniteurs diplômés d'État vous emmènent plonger en bateau.

Surf – 2 r. Mar.-Joffre, le port - ℘ 02 96 23 18 38 - tlj - fermé déc. et janv. - 35 €/2h. Initiation ou compétition à la plage de Trestraou (cours individuels ou collectifs).

Pleyben★★

3 397 PLEYBENNOIS
CARTE GÉNÉRALE C2 – CARTE MICHELIN LOCAL 308 H5 – FINISTÈRE (29)

La grande curiosité de cette localité où l'on produit d'excellentes galettes est son magnifique enclos paroissial, élevé du 15ᵉ au 17ᵉ s. Chapelle funéraire, église et surtout calvaire démontrent une grande maîtrise architecturale et artistique d'autant plus impressionnante qu'elle s'appuie sur un matériau difficile à travailler : le granit.

- **Se repérer** – Pleyben se trouve au pied des monts d'Arrée, à 10 km à l'est de Châteaulin, sur la N 164. À 5 km à l'ouest, la N 165 file : au nord vers Brest (55 km) au sud vers Quimper (30 km).

- **Organiser son temps** – Prévoyez 2h pour la visite complète de l'enclos.

- **À ne pas manquer** – Les sculptures des portes triomphales et du calvaire.

- **Pour poursuivre la visite** – Voir aussi les monts d'Arrée, Huelgoat, Carhaix-Plouguer, les Montagnes Noires, Douarnenez, Quimper, Locronan, le Ménez-Hom, Landévennec et la presqu'île de Crozon.

Découvrir

ENCLOS PAROISSIAL★★

Calvaire★★

C'est le plus imposant de Bretagne. Construit en 1555 près du porche latéral de l'église, il fut déplacé en 1738 et prit l'aspect du monument actuel en 1743. Entre-temps, de nouveaux motifs vinrent l'enrichir : la Cène et le Lavement des pieds datent de 1650. L'énorme piédestal aux portes triomphales met en valeur les personnages de la plate-forme, qui se détachent sur le ciel en une très belle ordonnance.

Église★

Ce vaste édifice est dominé par deux clochers dont le plus remarquable est celui de droite. Il s'agit d'une **tour★★** Renaissance, couronnée par un dôme à lanternons. L'autre clocher de style cornouaillais, porte une flèche gothi-

Détail du calvaire : la Mise au Tombeau.

que reliée à la tourelle d'angle par une galerie aérienne. À l'intérieur, la nef présente une **voûte★** lambrissée du 16ᵉ s. : ses nervures et sa remarquable **sablière** sont sculptées et peintes de sujets mythologiques ou sacrés. Au centre du chevet, le **vitrail★** de la Passion, du 16ᵉ s. Sont également intéressants : la chaire, le buffet d'orgue, le groupe du Baptême du Christ *(au-dessus des fonts baptismaux)* et de nombreuses statues polychromes. *9h-19h - en cas de fermeture on peut se procurer la clef au presbytère, 2 r. du Cimetière.*

Chapelle funéraire

℘ 02 98 26 60 11 - visite guidée juil.-août ; reste de l'année : visite libre 9h-19h. Cet ossuaire du 16ᵉ s. abrite des expositions.

Pleyben pratique

& Reportez-vous aussi aux encadrés pratiques de Locronan, Douarnenez, la presqu'île de Crozon, Carahaix-Plouguer et Huelgoat.

Se loger et se restaurer

⊖ **Auberge du Poisson Blanc** – *Pont-Coblant - 4,5 km au S de Pleyben par ancienne rte de Quimper en dir. de Briec - ☎ 02 98 73 34 76 - fermé 3 sem. en nov., dim. soir, lun. soir hors sais. - réserv. conseillée - 13/32 € - 6 ch. 48/52 € - ☐ 6,50 €.* Même si la partie hébergement ne laisse pas de souvenir impérissable, il serait dommage de passer à côté de cet établissement abritant également un restaurant. On y sert des recettes du terroir comme la salade tiède d'andouille de Guéméné aux lentilles du pays. Plus original, couscous le jeudi.

Que rapporter

Chatillon Chocolat – *46 pl. Charles-de-Gaulle - ☎ 02 98 26 63 77 - www.chatillon-chocolat.com - tlj sf dim. 9h-12h30, 14h-18h30.* Surtout, ne quittez pas Pleyben sans avoir goûté les florentins : une spécialité en forme de palet, créée et produite par Michel Chatillon à partir de miel, d'amandes, de chocolat et d'orange. Cet artisan fabrique également chocolats fins et biscuits typiquement bretons. Visite de l'atelier de production, suivie d'une dégustation.

Événement

On afflue de loin pour assister au pardon célébré chaque 1er dimanche d'août.

Presqu'île de **Plougastel**★

CARTE GÉNÉRALE B2 - CARTE MICHELIN LOCAL 308 E4 - FINISTÈRE (29)

Entre les rias Elorn et Daoulas, cette presqu'île plante sa dent de terre dans la rade de Brest. Le paysage y est bien plus découpé que dans le proche pays du Léon. À l'écart des grandes routes, c'est encore la campagne traditionnelle : un pays bocager où l'on rencontre peu de maisons, car tout ici paraît se cacher.

▶ **Se repérer** – On accède à la presqu'île par la N 165, qui rejoint Brest (5 km à l'ouest). La D 29, qui traverse toute la presqu'île du sud-ouest au nord-est, mène à Landerneau (12 km au nord-est).

◷ **Organiser son temps** – Essayez d'être à la pointe de Kerdéniel en fin de journée pour voir le soleil se coucher sur la rade de Brest.

👁 **À ne pas manquer** – Le calvaire de Plougastel-Daoulas pour sa foule de personnages, l'ancienne abbaye de Daoulas et le circuit de la presqu'île pour les panoramas qu'il offre sur le Goulet de Brest et la presqu'île de Crozon.

& **Pour poursuivre la visite** – Voir aussi Brest, les Abers, Landerneau, Sizun, les Enclos paroissiaux, les monts d'Arrée, Landévennec et la presqu'île de Crozon.

Découvrir

La presqu'île de Plougastel est surnommée dans la région le « jardin de Brest ». Hors quelques hameaux groupés autour de simples chapelles, tout semble se dissimuler derrière les haies et les talus. Dans ce décor bucolique, de grandes surfaces vitrées protègent légumes et fleurs, rappelant que, depuis 1870, Plougastel-Daoulas doit sa renommée à la **fraise**. Aujourd'hui, la production baisse, mais la récolte de ces fruits, en mai et juin, suscite toujours une grande animation.

Visiter

PLOUGASTEL-DAOULAS

Calvaire★★

Construit de 1602 à 1604 après la peste de 1598, il est plus harmonieux que celui de Guimiliau, mais les attitudes de ses 180 personnages semblent plus figées. Encadrant la grande croix à double traverse, les larrons (absents à Guimiliau) portent sur leur gibet un ange ou un démon. Dans le socle massif, un autel est creusé sous un portique, dominé par la haute statue de Jésus.

L'**église**, en granit et béton, est vivement décorée dans les tons bleu, vert, orange, violet. *Juil.-août : 9h-12h, 14h-18h ; sept.-juin : 9h-12h.*

Musée du Patrimoine et de la Fraise

☏ 02 98 40 21 18 - ♿ - juin-août : 10h-12h30, 14h-18h, w.-end 14h-18h (dernière entrée 45mn av. fermeture) ; reste de l'année : 14h-17h30 ; vac. scol. : sam. et 1ᵉʳ et 3ᵉ dim. 14h-17h30 - fermé janv., 1ʳᵉ sem. de fév. et j. fériés - 4 € (-12 ans gratuit ; 12-18 ans 2,50 €).

Il relate l'histoire, les traditions et l'ethnologie locales. On y évoque plus particulièrement la culture du lin, la culture de la fraise et l'activité maritime liée à l'exportation de ces cultures, ainsi que le dragage de la coquille St-Jacques en baie de Brest.

Chapelle Saint-Jean

4,5 km au nord-est. Prenez la D 29 en direction de Landerneau et, après avoir franchi la voie express Brest-Quimper, tournez à gauche, puis à droite.

Cette chapelle (15ᵉ et 17ᵉ s.) s'élève dans un **site★** charmant, au milieu de la verdure et au bord de l'Elorn.

Aux alentours

Daoulas

Ancienne abbaye★ – De l'an 500, date approximative de la fondation de l'abbaye, jusqu'au 10ᵉ s., les moines eurent un rôle prépondérant dans l'histoire de Daoulas. Après le passage dévastateur des Vikings, les chanoines de l'ordre de Saint-Augustin rebâtirent l'abbaye au 12ᵉ s., assurant à ces lieux une grande prospérité jusqu'à la Révolution. Domaine départemental depuis 1984, l'abbaye est aujourd'hui devenue un Centre culturel international d'expositions et de rencontres des civilisations. *21 r. de l'Église - ☏ 02 98 25 84 39 - www.abbaye-daoulas.com - ♿ - de mi-mai à fin déc. : 10h30-18h30 (dernière entrée 1h av. fermeture), possibilité de visite guidée (1h) - fermé 25 déc. et janv.-avr. hors expositions - 6 € (+10 ans 3 €).*

Son **cloître★** roman, bâti de 1167 à 1173 et dont ne subsistent que trois côtés, est le seul exemple de ce type encore visible en Bretagne. Sa décoration alterne dessins géométriques et motifs de feuillages.

Au-dessus du cloître, un petit détour s'impose dans le **jardin médicinal★** qui s'étage sur deux grandes terrasses : il y a en pour tous les maux et si certaines plantes comme l'œil-de-Dieu ou les larmes-de-Job ont de bonnes références, d'autres, comme la mandragore, doivent aux sorcières une bien mauvaise réputation.

Un sentier mène à un frais vallon où se trouve une fontaine datant de 1550. En retrait se dresse l'**oratoire N.-D.-des-Fontaines** élevé au 16ᵉ s. et enrichi au 19ᵉ s. de quelques vestiges de l'abbatiale.

Le bourg – Autrefois rattaché à l'abbaye voisine, le village conserve de son passé de nombreux témoignages artistiques, dont les maisons des 15ᵉ et 17ᵉ s. qui subsistent dans la rue de l'Église.

Enclos paroissial – À gauche se trouvent les anciens bâtiments abbatiaux. En face, légèrement à droite, un **porche★** du 16ᵉ s. tient lieu de clocher et ouvre sur le cime-

L'abbaye de Daoulas restaurée.

tière : son architecture et sa décoration, constituée de nombreuses statues et d'une remarquable vigne sculptée où foisonnent personnages et petits animaux, mêlent les styles gothique et Renaissance. Ancienne abbatiale, l'**église** a gardé de l'époque de sa construction (12e s.), le portail ouest, la nef et le bas-côté gauche.

Circuit de découverte

LA PRESQU'ÎLE★

Circuit de 35 km – environ 3h.
Quittez Plougastel-Daoulas par la rue à droite de l'église ; l'accès vers Kernisi est fléché.

Panorama de Kernisi★

À l'entrée du hameau de Kernisi, laissez la voiture et gagnez le tertre rocheux. On découvre Brest et son avant-port, une partie de la rade, l'estuaire de l'Elorn et le pont Albert-Louppe.

Faites demi-tour et, au deuxième grand carrefour, prenez à droite vers Langristin. On dépasse la **chapelle Ste-Christine** (16e s.) et son petit calvaire (1587). Bonne vue sur Brest et la pointe des Espagnols depuis l'**anse du Caro**.

Remontez vers Plougastel-Daoulas et, à 3 km, tournez à droite.

Pointe de Kerdéniel★★

15mn à pied AR. Laissez la voiture dans le bas de Kerdéniel, gagnez le groupe de maisons, tournez à droite, puis empruntez le chemin de gauche (accès fléché). Gagnez la plate-forme du blockhaus. De gauche à droite, la vue porte sur la pointe Doubidy, la pointe de Lagonna, l'estuaire du Faou, l'embouchure de l'Aulne, le Ménez-Hom, l'île Longue, la côte nord de la presqu'île de Crozon jusqu'à la pointe des Espagnols, et le Goulet de Brest.

Lauberlach

Dans une belle anse s'abrite ce petit port de pêche, qui est aussi un centre nautique.

La route à droite mène à St-Adrien et sa chapelle (1549). On tourne ensuite à droite vers St-Guénolé. À Pennaster, on contourne le fond de l'anse de Lauberlach. *Au premier carrefour après St-Guénolé, tournez à droite, dans la montée encore à droite, et immédiatement à gauche dans un chemin caillouteux.*

Table d'orientation de Kéramenez★

Le panorama s'étend sur la presqu'île de Plougastel et la partie sud de la rade de Brest.

Regagnez Plougastel par le port de pêche de Tinduff, Lestraouen et Lanriwaz.

Presqu'île de Plougastel pratique

Adresse utile

Office du tourisme de Plougastel – *4 pl. du Calvaire - 29470 Plougastel-Daoulas - ℘ 02 98 40 34 98 - www.mairie-plougastel.fr - juil.-août : 9h-12h30, 14h-19h, dim. 10h-12h ; reste de l'année : mar.-vend. 9h-12h, 14h-17h (18h le mar.), sam. 9h-12h - fermé 24, 25 et 31 déc., 1er janv., 1er et 8 Mai.*

Se loger

⇔⇔ **Hôtel Kastel Roc'h** – *29470 Plougastel-Daoulas - à l'échangeur de la D 33A - ℘ 02 98 40 32 00 - comfortbrest@wanadoo.fr - fermé dim. soir de janv. à juin - ⊞ - 46 ch. 54/61 € - � 8 € - rest. 16/30 €.* La nouvelle direction, sympa et dynamique, offre à cet hôtel un souffle de fraîcheur bienvenue. Belles chambres au confort actuel avec salles de bains complètes. Formule grill assortie de quelques spécialités de la mer.

Se restaurer

⊜ **Kertanguy** – *22 r. du Champ-de-Foire - 29470 Plougastel-Daoulas - ℘ 02 98 40 33 48 - fermé 1 sem. en juin, 1 sem. en oct., 1 sem. déb. déc. - 10,50/17,80 €.* Un accueil chaleureux, une ambiance conviviale et surtout un choix de plus de 100 sortes de crêpes vous attendent dans cette salle à manger au décor typiquement breton. L'une des spécialités de la maison est bien sûr la crêpe aux fraises de Plougastel.

Que rapporter

👁 **Bon à savoir** – Tous les ans le 2e dimanche de juin, la ville de Plougastel célèbre comme il se doit la fraise blanche, découverte au Chili par le bien nommé Amédée François Frézier. Exposition au musée du Patrimoine, visite en car des lieux de production, défilé costumé, et dégustation du fruit.

Marché – *Pl. du calvaire.* Tous les jeudis, marché alimentaire ; foire le dernier jeudi du mois.

La coopérative agricole Sivi-Ruz – *41 r. Fontaine-Blanche - 29470 Plougastel-Daoulas.* La renommée des fraises de Plougastel n'est plus à faire ! La coopérative de Sivi-Ruz rassemble la récolte des producteurs de la région, que vous retrouverez sur les marchés. Également magasin sur place.

Pont-Aven★

2 960 PONTAVENISTES
CARTE GÉNÉRALE C3 – CARTE MICHELIN LOCAL 308 I7 – FINISTÈRE (29)

Ce bourg niché au bord de l'Aven, qui prend naissance dans les Montagnes Noires, a séduit les artistes au milieu du 19e s. Ce fut le havre de Paul Gauguin, qui s'y lia avec des peintres comme Émile Bernard et Maurice Denis, attirés par la modicité des auberges et l'exceptionnelle lumière des lieux. Ainsi naquit l'école de Pont-Aven, courte aventure d'une dizaine d'années, de 1886 à 1894, qui fit connaître au monde entier ce discret village, où essaiment aujourd'hui des galeries d'art.

▷ **Se repérer** – Pont-Aven se trouve presque à équidistance de Lorient (39 km à l'est) et de Quimper (34 km à l'ouest) par la N 165, ainsi que de Quimperlé (14 km à l'est) et Concarneau (12 km à l'ouest) par la D 783.

🅿 **Se garer** – La cité adoptive de Gauguin est très fréquentée en été. Visez le grand parking un peu au-delà de la Poste. Tentez aussi votre chance vers le port.

🕐 **Organiser son temps** – Après la visite du musée de Pont-Aven, allez vous perdre dans les campagnes alentour qui ont inspiré les peintres.

👁 **À ne pas manquer** – Le sentier de Bois d'Amour le long de l'Aven, le Christ en bois de la chapelle de Trémalo qui inspira Gauguin, et le musée de Pont-Aven.

👶 **Pour poursuivre la visite** – Voir aussi Quimperlé, Concarneau, Fouesnant, Bénodet et Quimper.

Comprendre

Genèse de l'art moderne – Élève et ami de Pissarro, **Paul Gauguin** est encore un impressionniste, désireux d'inventer de nouvelles formes d'expression artistique, lorsqu'il arrive en 1886 à Pont-Aven. Il s'installe à l'auberge de Marie-Jeanne Gloanec, une pension peu chère, connue des artistes. « J'aime la Bretagne. J'y trouve le sauvage, le primitif. Quand mes sabots résonnent sur ce sol de granit, j'entends le ton sourd, mat et puissant que je cherche en peinture. » (Lettre à Schuffenecker, 1888). Cette même année, sa rencontre avec **Émile Bernard** donne naissance au synthétisme, ou symbolisme pictural : « L'œuvre doit être expressive par elle-même et non par le sujet. ». Cette aspiration est consacrée par deux tableaux d'avant-garde : *Les Bretonnes dans la prairie verte* d'Émile Bernard, et *La Vision après le sermon* de Gauguin. En 1889, ce dernier s'installe au Pouldu *(voir ce nom)* et décore la salle à manger de l'auberge de Marie Henry, avec Meyer De Haan, Paul Sérusier et Charles Filiger.

En 1895, Gauguin quitte la Bretagne pour les îles Marquises. Derrière lui, l'**école de Pont-Aven** a rallié une dizaine de peintres de toutes nationalités, tels Maurice Denis, Maxime Maufra, Wladyslaw Slewinski ou Roderic O'Connor. Malgré sa courte existence, ce mouvement annonce l'art moderne.

Se promener

Rives de l'Aven

30mn à pied AR. Prenez à droite du pont la direction du port. On longe l'Aven qui coule parmi les rochers et les vestiges des moulins. La promenade se poursuit pendant environ 800 m, dévoilant le beau plan d'eau formé par la rivière. Le **port**, où transitaient autrefois huîtres, vin, sel et céréales, est aujourd'hui réservé aux plaisanciers.

Sur la rive gauche du port, notez le rocher en forme de soulier géant, appelé « soulier de Gargantua ». Dans le square, en bordure du port, se dresse la statue de Théodore Botrel et, sur l'autre rive, parmi les frondaisons, la maison qu'il habita.

Promenade Xavier-Grall

Accès par la rue Émile-Bernard. Aménagée le long de l'Aven, cette promenade porte le nom du poète-journaliste Xavier Grall (1930-1981) qui vécut ici pendant plusieurs années. Sur les rives s'échelonnaient jadis une dizaine de moulins. On découvre les biefs et les vannes qui assuraient la distribution de l'eau, ainsi que les **lavoirs** répartis de chaque côté de la rivière. Plusieurs passerelles enjambent l'Aven qui se faufile entre les chaos du Poche-Menu, amoncellement de rochers de granit.

Bois d'Amour

*Depuis la promenade Xavier-Grall, un **sentier**★ suit les méandres de l'Aven. Il grimpe vers les hauteurs du bois, où se retrouvaient Gauguin et ses amis *(1h de balade)*.

Chapelle de Trémalo★

Accès par la rue Émile-Bernard, puis la D 24 (route de Quimper), à droite. Suivez ensuite la signalisation. Cette chapelle rurale (début 16ᵉ s.) était l'un des buts de promenade favoris des peintres de Pont-Aven. Un pan du toit dissymétrique touche presque le sol. Le **Christ en bois** polychrome du 17ᵉ s. a inspiré une toile de Gauguin, exprimant une foi simple et rustique.

Pont fleuri enjambant l'Aven.

Alain Cassaigne / MICHELIN

Visiter

Musée de Pont-Aven★

☏ 02 98 06 14 43 - &. - juil.-août : 10h-19h ; reste de l'année : 10h-12h30, 14h-18h - possibilité de visite guidée (1h30) - fermé janv. et 4j entre chaque expo. temporaire - 4 €.
Consacré à l'école de Pont-Aven, ce musée compte une toile de Gauguin, *Le Sabotier*, ainsi que des dizaines de sculptures et gravures du même artiste. Maurice Denis est présent avec *Feux de la Saint-Jean à Loctudy*, Émile Jourdan avec *La Chapelle de Lanriot*, Gustave Loiseau avec *Vue de Pont-Aven*, mais aussi Paul Sérusier, Charles Filiger, Émile Schuffenecker… Des documents et un montage audiovisuel situent le mouvement de Pont-Aven dans l'environnement de jadis : la Fête des fleurs d'ajoncs, la pension Gloanec où logeaient les peintres…

Les expositions temporaires présentent un artiste ou un groupe d'artistes ayant travaillé en Bretagne à la fin du 19e s., ainsi que des peintres contemporains.

À côté du musée, dans l'ancien hôtel Julia, la restauration d'ateliers a permis de renouer avec l'accueil d'artistes à Pont-Aven.

Aux alentours

Nizon

3 km au nord-ouest. Quittez Pont-Aven par la D 24, route de Rosporden. La petite **église** (15e et 16e s.) renferme de splendides vitraux, œuvre du maître verrier Guével. Le calvaire qui s'élève sur la place a inspiré *Le Christ Vert* de Gauguin (1889). *Juil.-août : 15h-18h.*

Kerdruc

4 km au sud. Prenez la direction de Kerdruc, puis tournez à gauche. Un moulin à marée (15e s.) voisine avec l'ancienne

Tête de Bretonne par Gauguin.

maison du meunier, au bord de l'Aven, dans le beau site du **Hénant**.

Ce petit port occupe un joli **site★** sur l'Aven, et conserve quelques maisons à toits de chaume.

Névez

À l'ouest de Kerdruc. La **chapelle Ste-Barbe** (16e s.) abrite des statues anciennes en bois, ainsi qu'un maître-autel du 17e s. ℰ 02 98 06 87 90 - tlj sf dim. - en cas de fermeture, on peut se procurer la clef à l'office du tourisme de Névez - fermé 1 sem. en juin.

Les jardins de Rospico

Névez-Port-Manech - ℰ *02 98 06 71 29 - www.jardins-rospico.com -* ♿ *- de Pâques à la Toussaint : tlj sf lun. 14h-18h ; 19 juin-10 sept. : tlj 10h30-18h30 ; - 5 € (6-16 ans 1,50 €) - boutique, jardinerie et salon de thé.* Conçu comme la toile fleurie d'un peintre dont le fil bleu serait l'hortensia, ce parc floral vallonné mêle des jardins d'inspiration anglaise et méditerranéenne, des plantes de milieux humides et des plantes vivaces. Plans d'eau et cascades ponctuent cette promenade parfumée.

Port-Manech

4,5 km au sud-est de Névez par la D 77.

La plage se blottit en bordure de l'Aven et du Bélon, qui forment un double estuaire. À l'ouest, au bord de la mer, le hameau de **Kerascoët** garde un ensemble de maisons aux toits de chaume (16e s.).

🔍 Depuis la plage de Port-Manech, un sentier en corniche mène au port, offrant de belles vues sur la côte et les îles.

Pont-Aven pratique

Adresse utile

Office du tourisme de Pont-Aven – *5 pl. de l'Hôtel-de-Ville - 29930 Pont-Aven -* ℰ *02 98 06 04 70 - www.pontaven.com - juil.-sept. : 9h30-19h, dim. 10h-13h, 15h-18h ; reste de l'année : tlj sf dim. 10h-12h30, 14h-18h ; ouv. dim. des grands ponts et j. fériés : 15h-18h.*

Se loger

⌂ **Chambre d'hôte Kermentec –** *Kermentec - 1 km rte Quimper puis chapelle de Trémalo -* ℰ *02 98 06 07 60 - http:// hanoi.michel.free.fr/1.htm - fermé déc.-janv. -* ⊟ *- 3 ch. 43/45 € ⊐.* Nichée sur les hauteurs de Pont-Aven, cette petite

maison bretonne couverte de vigne vierge vous propose trois chambres d'hôte (non-fumeurs) spacieuses et confortables. Le calme et la proximité du bourg en font une belle halte champêtre.

⊜⊟ **Hôtel Les Ajoncs d'Or –** *1 pl. de l'Hôtel-de-Ville -* ℰ *02 98 06 02 06 - www.ajoncsdor-pontaven.com - fermé janv.,17-26 oct., dim. soir et lun. hors sais. - 20 ch. 52/54 € - ⊐ 7 € - rest. 22/42 €.* Cette grande bâtisse du centre-ville s'est offert une cure de jouvence. Les chambres ont pris de belles couleurs printanières, de même que la salle à manger joliment rénovée à l'ancienne. Cuisine inspirée par l'ambiance océane. Excellent accueil.

⊝⊜ **Auberge Les Grandes Roches** – *29910 Trégunc - 9 km à l'O de Pont-Aven par D 783 (rte de Concarneau) puis rte secondaire -* ℘ *02 98 97 62 97 - www. hotel-lesgrandesroches.com - fermé 24 déc.- 2 fév. -* 🅿 *- 17 ch. 80/130 € -* ⊑ *12 €.* Une vraie carte postale, ce superbe ensemble de fermes aménagées en hôtel dans un parc où se dressent dolmen et menhir ! Chambres douillettes du meilleur goût et restaurant au charme ravageur, dans lequel pierre et bois rivalisent de chaleur et de convivialité. Cuisine classique « côtière ».

Se restaurer

⊝ **Le Talisman** – *4 r. Paul-Sérusier -* ℘ *02 98 06 02 58 - fermé dim. midi hors sais. et lun. -* 🍽 *- 12 €.* Si les générations se succèdent aux fourneaux depuis 1920, la bonne réputation de cette maison reste quant à elle intacte. Au menu, omelettes, salades et, bien sûr, crêpes salées au blé noir ou au froment dont la fameuse Talisman… Le tout proposé à des prix très raisonnables.

⊝⊜⊟ **Moulin de Rosmadec** – *Près du pont (centre-ville) -* ℘ *02 98 06 00 22 - moulinderosmadec@wanadoo.fr - fermé vac. de fév. et 11-29 oct. - réserv. obligatoire - 30/72 €.* Ce moulin à eau est très couru, tant pour sa table soignée que pour ses quatre chambres régulièrement prises d'assaut par les touristes ! Il faut dire que tout concourt par ailleurs au charme du lieu : le cadre parfaitement préservé, la qualité de l'accueil…

Que rapporter

Galettes – En boîtes de fer ou sous emballage carton, il y a l'embarras du choix. Le mieux est de rendre visite aux boutiques Traou Mad (10 pl. Paul-Gauguin), de Penven (1 quai Théodore-Botrel), ou de la biscuiterie de l'Aven (8 r. du Gén.-de-Gaulle).

Événement

La **Fête des fleurs d'ajonc** fut créée en 1905 par Théodore Botrel. Elle a toujours lieu chaque année, le 1er dimanche d'août. Une occasion d'admirer la coiffe traditionnelle de Pont-Aven.

Pontivy

13 508 PONTIVYENS
CARTE GÉNÉRALE C2 – CARTE MICHELIN LOCAL 308 N6 – MORBIHAN (56)

Solidement ancré sur les rives du Blavet, Pontivy s'est beaucoup développé sous l'impulsion des Rohan, puis de Napoléon qui la rebaptise même Napoléonville en 1804. Médiévale puis impériale, Pontivy montre un contraste frappant entre la vieille ville, aux rues étroites et capricieuses, et la ville géométrique créée sous l'Empire.

▶ **Se repérer** – Carrefour routier important à 52 km au nord de Vannes, Pontivy bénéficie de sa situation sur le Blavet et le canal de Nantes à Brest.

🕔 **Organiser son temps** – Le tour du centre-ville est bouclé en une heure.

👁 **À ne pas manquer** – Les maisons anciennes de Pontivy et le village de Poul-Fetan pour son atmosphère d'antan.

🚶 **Pour poursuivre la visite** – Voir aussi le lac de Guerlédan, Loudéac, Josselin, Kerguéhenec, Kernascléden, Vannes et Lorient.

Comprendre

L'empreinte de l'Empire – L'ancienne capitale des Rohan doit son nom à la fondation d'un monastère (7e s.) par saint Ivy. En 1790, alors prospère, elle se déclare républicaine. Le consul Bonaparte y fait construire une caserne, une mairie, un tribunal, ouvre un lycée et fait canaliser le Blavet. Pendant les guerres de l'Empire, la navigation côtière entre Brest et Nantes est peu sûre, du fait de la présence anglaise sur mer. Napoléon décide alors de créer un canal reliant ces deux villes, pour faire de Pontivy le centre militaire et stratégique de la Bretagne. Dès 1806, les rues tirées au cordeau de la nouvelle agglomération surgissent de terre. « Les cœurs reconnaissants des citoyens » la nomment **Napoléonville**. À la chute de l'Empire, elle redevient Pontivy… puis de nouveau Napoléonville sous le Second Empire.

Se promener

Maisons anciennes★ – Pour découvrir ces demeures des 16e et 17e s., il faut flâner rue du Fil, rue du Pont, rue du Docteur-Guépin, ou place du Martray, là où se tenait jadis la « foire des gages » au cours de laquelle les jeunes garçons offraient leurs services aux fermiers de la région. À l'angle des rues Lorois et Général-de-Gaulle, remarquez la maison à tourelle (1578) qui serait l'ancien rendez-vous de chasse des Rohan, et, place Anne-de-Bretagne, d'élégantes constructions du 18e s.

Château des Rohan – ✆ 02 97 25 12 93 - de mi-juin à mi-sept. : 10h30-18h30 ; de déb. avr. à mi-juin : 14h-18h ; fév.-mars et de mi-sept. à fin nov. : tlj sf lun. et mar. 14h-18h - fermé déc.-janv. - tarif estival avec exposition : 4,30 € (8-12 ans 1,90 €), tarif hivernal 1,40 € (réduit 1 €).

Il fut élevé au 15e s. par Jean II de Rohan. La façade a conservé deux grosses tours à mâchicoulis, coiffées en poivrière, sur les quatre que comprenait l'enceinte. Le logis seigneurial, remanié au 18e s., s'orne de frontons à redents et d'un bel escalier à double révolution. On visite la salle des gardes, les salles du premier étage, la chambre ducale et la chapelle. Remarquez particulièrement le beau plafond de la chambre ducale et les cheminées armoriées de la tour ouest du château.

Aux alentours

Chapelle Sainte-Tréphine

Quittez le centre-ville en longeant le Blavet vers l'ouest (dir. Kermadeleine/Kerficelle). Tournez à droite rue Henri-Gaillard et faites 2,5 km (légère montée). ✆ 02 97 25 00 33 - *tlj en juil.-août : 14h-18h.* De taille modeste, Ste-Tréphine (15e-17e s.) conserve de très beaux lambris, peints en 1704 et illustrant la vie de cette martyre décapitée par son mari Conomor. En sortant, remarquez un four à pain, un puits, ainsi que les restes d'un manoir et de son enceinte (1615).

Guern

10 km au sud-ouest de Pontivy par la D 2.
Troisième site de pardon du Morbihan (après Ste-Anne d'Auray et N.-D.-du-Roncier à Josselin), la **chapelle N.-D.-de-Quelven** (15 e-18 e s.) évoque une cathédrale de campagne avec son clocher haut de 70 m. À l'intérieur, on remarque l'orgue et le buffet en bois polychrome (17e s.) et surtout la très belle **statue ouvrante d'une Vierge à l'Enfant** du 16e s : 12 scènes réparties en 4 registres illustrent des épisodes de l'Évangile. Cette statue symbolise la mère universelle tenant le monde en son sein. ✆ 02 97 27 70 08 - 15 juin-15 sept. : merc.-dim., 14h-19h - visite guidée gratuite.
Devant l'église, une loggia ou **« scala sancta »** (1738) servait aux cérémonies en plein air. Par la petite route qui descend à droite du porche, on arrive jusqu'à une ravissante **fontaine sacrée** (16e s.).

Circuit de découverte

LA VALLÉE DU BLAVET DE PONTIVY À HENNEBONT

Circuit de 90 km – environ 4h. Quittez Pontivy par la rue Albert-de-Mun (dir. Lorient/Auray). Tournez à gauche au rond-point d'Intermarché. La chapelle est fléchée à droite.

Chapelle de La Houssaye

✆ 02 97 25 00 33 - *juil-août : 14h-18h* . N.-D. de La Houssaye (15e -18e s.), recèle de magnifiques pièces dont un chancel (la balustrade du chœur) du 16e s. La Pietà et le groupe de sainte Apolline proviennent du même atelier que le retable (16e s.) consacré à la Passion du Christ. Traité en 13 panneaux avec 102 personnages dont il faut observer les expressions, cet ensemble polychrome réalisé en pierre des Flandres fut financé par Jean II de Rohan afin d'expier ses fautes.
Suivez la direction de Pluméliau.

Chapelle Saint-Nicodème

Sur demande à la mairie ℘ 02 97 51 80 28 - juin.-sept. : 7h30-20h.
Bâtie au 16e s., elle est précédée d'une tour massive surmontée d'une flèche de granit. Au pied de la tour, une porte Renaissance donne accès à l'escalier du 16e s. qui permettait de monter au sommet. À gauche, une fontaine gothique s'écoule dans trois piscines, situées devant trois niches surmontées de gâbles richement sculptés. Pardon le 1er dimanche d'août.

Au-delà de la chapelle, tournez à droite.

Saint-Nicolas-des-Eaux

Le petit bourg est construit à flanc de colline. La chapelle située en haut du village et les maisons à toits de chaume qui l'entourent forment un ensemble original.

Site de Castennec★

Ce site celtique devint un oppidum, puis un camp romain fortifié. Une tourelle, à gauche de la route, sert de belvédère sur la vallée du Blavet.

En sortant de Castennec, tournez à gauche.

Bieuzy

À gauche de l'église, remarquez deux belles maisons Renaissance, avec four à pain et vieux puits. Dans l'**église**, on remarque les vitraux du chœur, la charpente et les sablières. À côté de la chaire, une grosse pierre, dite la « pierre sonnante » servait de cloche. Certains y voient un météorite mystérieux. *R. de Bonne-Fontaine - ℘ 02 97 39 55 76 - de déb. juil. à la 1re sem. de sept. : tlj sf w. end 14h30-19h - en dehors de ces horaires, on peut emprunter la clef à la mairie de Bieuzy.*

Dans cette campagne pontivienne, de nombreuses fermes ont conservé leurs élégants puits sculptés des 17e et 18e s. que l'on aura plaisir à découvrir au hasard de la route.

Par la Paule, gagnez Melrand.

Melrand

En pleine campagne, des fouilles ont mis au jour les vestiges du village de Lann Gouh (« vieille lande ») remontant aux environs de l'an 1000. Le **village de l'An Mil** illustre l'architecture rurale médiévale et la vie quotidienne des habitants, qui vivaient sous le même toit que les animaux. *℘ 02 97 39 57 89 - www.melrand-village-an-mil.info - mai-août : 10h-19h ; sept.-avr. : 11h-18h (lun. 17h) - fermé nov. et fév. - 3,50 € (enf. 2,50 €).*

Revenez au centre du bourg. Derrière l'église, prenez la D 142, direction St-Barthélemy où vous tournerez à droite vers St-Adrien.

Chapelle Saint-Adrien

La chapelle du 15e s. est située en contrebas de la route, entre deux fontaines, celle de droite étant surmontée d'un calvaire. À l'intérieur, un jubé très simple ferme la nef. Il est sculpté côté nef, peint côté chœur. *En cas de fermeture on peut emprunter la clef chez M. Maho Jean qui habite près de la chapelle, ou à la mairie - ℘ 02 97 27 10 88.*

La route suit la vallée du Blavet dans un très joli site (D 327). Tournez à gauche (D 3).

Le canal de St-Nicolas-des-Eaux.

Baud

À une trentaine de kilomètres de la mer, le « pays de Baud » offre de multiples possibilités de promenades à la découverte de la Bretagne profonde. Dans la ville basse, en contrebas de la route de Locminé, la **fontaine de N.-D.-de-la-Clarté** se trouve à l'extrémité du parking.

Cartopole – R. d'Auray - ℘ 02 97 51 15 14 - www.cartolis.org - de mi-juin à mi-sept. : 9h30-12h30, 14h-18h (juil.-août 19h) ; de mi-sept. à mi-juin : merc., jeu. et sam. 14h-17h30, dim. 14h-18h ; fermé janv. et fév.-mars (sf vac. scol.) - 4 € (8-15 ans 2 €).

Véritable trésor documentaire, cette collection de quelque 50 000 cartes postales illustre le patrimoine et l'évolution de la société bretonne au début du 20e s. Film, consultation de 20 000 cartes sur place (haute définition sur micro-ordinateur) et de l'ensemble du fond (basse définition) sur Internet.

Quittez Baud par la route d'Hennebont. À Coët-Vin, 2 km au sud-ouest, tournez à gauche et, 500 m plus loin, laissez la voiture sur un petit parking à droite.

Vénus de Quinipily et son parc – ℘ 02 97 39 04 94 - mai-oct. : 10h-19h ; nov.-avr. : 11h-17h - fermé de mi-déc. à fin janv. - 2,50 € (-10 ans gratuit).

Passé un portail en bois, une allée monte vers la Vénus, placée au-dessus d'une fontaine, dans un parc proche des vestiges restaurés du château de Quinipily. La statue, haute de 2,20 m, a des origines mal définies : pour certains, c'est une idole romaine, pour d'autres, une Isis égyptienne. Entourée d'un culte presque païen, elle fut plusieurs fois jetée dans le Blavet sur ordre des autorités religieuses. En 1696, le comte de Lannion l'installa à son emplacement actuel.

Revenez vers Baud et prenez la direction de Poul-Fetan.

Village de Poul-Fetan★

15 km à l'ouest par la D 3. À Quistinic, prenez la route d'Hennebont - ℘ 02 97 39 51 74 - www.poul-fetan.com - juil.-août : visite guidée 10h45-13h, visite libre 13h-19h ; juin et sept. : visite guidée (1h15) à 11h, visite libre 14h-18h ; avr.-mai : 14h-18h30 - fermé oct.-mars - 7 € (6 € avr.-mai), 6-12 ans 3 €.

Dominant la vallée du Blavet, un charmant hameau du 16e s. a été restauré à partir de vestiges laissés à l'abandon dans les années 1970. On y retrouve l'atmosphère d'un **village breton d'autrefois** : un ensemble de chaumières, la maison du Minour c'est-à-dire « le chef », l'ancien fournil, un écomusée et l'auberge (possibilité de prendre un repas typiquement breton).

Revenez sur vos pas pour prendre à gauche la D 159, puis la route d'Hennebont.

Hennebont (voir les alentours de Lorient)

Pontivy pratique

Adresse utile

Office du tourisme de Pontivy – 61 r. du Gén.-de-Gaulle - 56300 Pontivy - ℘ 02 97 25 04 10 - lun.-sam. 10h-12h, 14h-18h.

Se restaurer

◎◎ **La Pommeraie** – 17 quai du Couvent - ℘ 02 97 25 60 09 - restaurant. lapommeraie@wanadoo.fr - fermé 22 août-6 sept., 24-30 déc., dim. et lun. - 19 € déj., 24/56 €. Non loin de la vieille ville, dans un quartier agréable, restaurant tenu par un jeune couple dont la cuisine, servie dans deux petites salles à manger coquettes, réjouira les amateurs d'appétissantes recettes dans l'air du temps.

Que rapporter

Le Marché de l'offre – Le lundi, jour de marché, la place du Martray s'anime. C'est ici que se tenait jadis la « foire des gages » au cours de laquelle les jeunes garçons offraient leurs services aux fermiers de la région.

Sports & Loisirs

Base Nautique de Toulboubou – Toulboubou - ℘ 02 97 25 09 51. Si vous souhaitez pratiquer le canoë-kayak : location de matériel, cours.

Bretagne Plaisance – ℘ 02 99 72 15 80 - www.bretagne-plaisance.fr. Location de bateaux de plaisance et, d'avril à fin août, de bateaux sans permis.

Événements

L'art dans les chapelles – Chaque été depuis 1992 (et toute l'année visite sur réserv.), de nombreuses chapelles de la vallée du Blavet et du pays de Pontivy accueillent des expositions d'artistes contemporains renommés tels G. Asse, J.-P. Pincemin, G. Titus-Carmel, C. Viallat, P. Buraglio, mais aussi de nombreux artistes à découvrir. Chaque artiste investit une chapelle. Du 1er w.-end de juil. au

3e w.-end de sept. : tlj sf lun. 14h30-19h - accueil et renseignements à la Maison du chapelain - chapelle St-Nicodème - 56930 Pluméliau - ℘ 02 97 51 97 21 - www.artchapelles.com.

Poul-Fetan – Juil.-sept. : l'apr.-midi, des animations redonnent vie à Poul-Fetan : les lavandières font « la buée », le boulanger s'active au fournil, on tourne la bouillie de millet, la fermière baratte son beurre. Un atelier de poterie permet de s'initier à la fabrication et à la cuisson à l'ancienne. Parmi les animaux, remarquez particulièrement une vache bretonne typique, de petite taille : la « pie noire ». Des cultures anciennes potagères et des animations musicales en juil.-août.

Pont-l'Abbé

7 849 PONT-L'ABBISTES
CARTE GÉNÉRALE B3 – CARTE MICHELIN LOCAL 308 F7 – FINISTÈRE (29)

La capitale du pays bigouden se loge au fond de l'estuaire de la rivière de Pont-l'Abbé. Très connue pour son costume et sa coiffe, la ville la plus bretonne de toutes, selon Maupassant, demeure spécialisée dans la broderie et la construction navale.

▷ **Se repérer** – Deux possibilités pour gagner Pont-l'Abbé : soit depuis Quimper par la D 785 (19 km au nord-est), soit depuis Bénodet et son beau pont de Cornouaille par la D 44 (12 km à l'est).

○ **Organiser son temps** – Après une petite flânerie dans le centre de Pont-l'Abbé, voyez les alentours et terminez la journée sur les quais de l'Île-Tudy.

◉ **À ne pas manquer** – La visite du manoir de Kerazan pour sa décoration intérieure et la descente de l'Odet en bateau pour la beauté des paysages.

◕ **Pour poursuivre la visite** – Voir aussi la Cornouaille, Quimper, Bénodet, Fouesnant et Concarneau.

Stéphane Sauvignier / MICHELIN

Le manoir de Kerazan.

Comprendre

Un véritable symbole – Le costume bigouden, très original, n'est plus guère porté par les femmes. Il se composait d'une jupe relativement courte et d'un corsage qui dégageait bien le cou. Le tout était magnifiquement brodé de motifs géométriques, de spirales et de cercles, dans les tons rouge, jaune et orange. Mais c'est encore la coiffe en tube qui reste l'élément le plus emblématique, avec ses 30 cm de hauteur. Les rares occasions au cours desquelles certaines bigoudènes l'arborent encore sont les fêtes traditionnelles comme celle de la fête des Brodeuses, le 2e week-end de juillet ou le pardon du dimanche suivant le 15 juillet.

Se promener

La ville doit son nom au premier pont construit par les abbés de Loctudy entre le port et l'étang.

Église N.-D.-des-Carmes

Cette ancienne chapelle conventuelle (fin 14e s.) possède quelques curiosités : une belle verrière (15e s.) à rosace de 7,20 m de diamètre ; statues de la Vierge et de saint Jean (16e s.). En sortant, tournez à droite pour voir le chevet plat coiffé d'un curieux clocher à dôme, peu commun en basse Bretagne.

Dans le jardin, sur le flanc gauche de l'église, le **monument aux Bigoudens**, œuvre du sculpteur F. Bazin (1931) se dresse dans un cadre de verdure, en bordure du quai. ℘ 02 98 87 02 80 - 9h-12h, 14h-19h.

Château

Cette forteresse (14e-18e s.) présente un gros donjon ovale et un corps de bâtiment. À l'intérieur, le **Musée bigouden** *(commentaire enregistré dans chaque salle)* occupe les trois étages du donjon *(79 marches)* et présente des souvenirs de la région : lits clos, armoires à clous, coiffes et costumes richement brodés.

℘ 02 98 66 09 03 - juin-sept. : tlj 10h-12h, 14h-18h, dim. 14h-18h (dernière entrée 30mn av. fermeture) - fermé oct.-mai et j. fériés - 3,50 €.

Ancienne église de Lambour

En ruine, située sur la rive gauche, elle présente encore une belle façade (16e s.) et des travées de la nef (13e s.).

Aux alentours

Chapelle N.-D.-de-Tréminou

2 km à l'ouest par la r. Jean-Moulin - ℘ 02 98 82 04 65 - & - de déb. juil. à mi-sept. et Journée du patrimoine : 14h-18h, visite sur demande (hors période) auprès de Mme Thérèse Signor - rte de la Villeneuve - ℘ 02 98 82 05 32. Dans un enclos ombragé, cette chapelle des 14e et 16e s., restaurée, possède un clocher chevauchant la nef. Le pardon a lieu le 4e dimanche de septembre.

Maison du pays bigouden

2 km au sud, rte de Loctudy - ℘ 02 98 87 35 63 - juin-sept. : tlj 10h-12h, 14h-18h, dim. 14h-18h (dernière entrée 30mn av. fermeture) - fermé oct.-mai et j. fériés - 2,50 € (12-18 ans 1,50 €).

La révolte des Bonnets rouges

En 1675, aux abords de la chapelle N.-D.-de-Tréminou, les Bonnets rouges votèrent le Code paysan en réponse à une mesure impopulaire de Colbert qui, pour financer la guerre de Hollande, avait levé des impôts sur le papier timbré.

Une belle allée de châtaigniers conduit à la cour de la ferme de Kervazégan et ses dépendances. Dans cette maison trapue, aux murs de moellons recouverts de chaux, les deux pièces d'habitation sont meublées de mobilier bigouden. Les dépendances conservent des instruments aratoires, broyeur à pommes, pressoir, etc.

Manoir de Kerazan★

3 km au sud, rte de Loctudy - ℘ 02 98 87 40 40 - & - de mi-juin à mi-sept : 10h30-19h ; de déb. avr. à mi-juin et de mi-sept. à fin sept. : tlj sf lun. 14h-18h - 5,50 €.

Situé dans un grand parc planté de hautes futaies, le manoir se compose d'un corps de logis reconstruit au 18e s., et d'une aile en retour d'équerre du 16e s. Les salles, abondamment décorées et richement meublées, témoignent du cadre luxueux qu'avaient voulu créer les Astor.

La demeure recèle des boiseries Louis XV, des panneaux peints par Théophile Deyrolle (1844-1923), une bibliothèque telle qu'elle avait été aménagée par le père de Joseph Astor, une collection de peintures et de dessins se rapportant à la Bretagne (du 16e au 20e s.) ainsi que de nombreuses œuvres d'**Alfred Beau** (1829-1907). Ce peintre céramiste s'associa à la faïencerie Porquier de Quimper (d'où le sigle PB) et réalisa un violoncelle en faïence polychrome grandeur nature (sa fabrication exigea une quinzaine d'essais de cuisson).

Loctudy

Les Loctudystes habitent un petit port situé à l'embouchure de la rivière de Pont-l'Abbé : un centre balnéaire tranquille et familial, aux plages abritées. Le **port** de pêche artisanale a été créé en 1847. Tous les soirs *(sf w.-end)*, le débarquement de la pêche (principalement la « demoiselle de Loctudy », c'est-à-dire la langoustine) constitue un spectacle vivant et coloré. Des quais, jolie vue sur l'île Chevalier, dans l'estuaire de Pont-l'Abbé, et sur Île-Tudy et sa plage.

L'**église** du début du 12ᵉ s. a subi de nombreux remaniements mais son **intérieur★** a conservé la pureté du style roman : nef, chœur avec déambulatoire et chapelles rayonnantes. Remarquez les sculptures des chapiteaux et des bases des colonnes où petits personnages et animaux côtoient entrelacs, volutes et croix pattées. *1 r. de Poulpeye -* ℘ *02 98 87 41 07 -tlj sf dim. apr.-midi 9h-12h, 14h-18h30 - visite guidée juil.-août lun., jeu. et vend.*

Dans le cimetière, à gauche de l'allée menant à l'église, se dresse une **stèle gauloise** de 2 m de haut, surmontée d'une croix.

Promenades en bateau

Descente de l'Odet★★ *(voir Quimper)*

Île-Tudy – *La presqu'île est accessible par le CD 144 ou par la mer Loctudy (passagers et cycles seulement), au dép. de Loctudy - plusieurs AR/j (sf w.-end sept.-juil.) - 2 € AR.* Bâti sur une presqu'île, malgré son nom, ce joli port de pêche est de vocation maritime antérieure à Loctudy.

Pont-l'Abbé pratique

Adresse utile

Office de tourisme de Pont-l'Abbé, Plobannalec-Lesconil – *Squ. de l'Europe - 29120 Pont-l'Abbé -* ℘ *02 98 82 37 99. www.pontlabbe-lesconil.com - juin-sept : 9h30-12h30, 14h-19h, dim. 10h-12h ; mars-mai : tlj sf dim. 9h30-12h30, 14h-17h30 ; nov.-fév. : tlj sf dim. 9h30-12h30, 14h-17h - fermé j. fériés sf 14 Juil. et 15 août. Point info à Plobannalec-Lesconil, Le Sémaphore 4 r. Pierre-Loti -* ℘ *02 98 87 86 99.*

Se loger

⊖⊖ **Hôtel de Bretagne** – *24 pl. de la République -* ℘ *02 98 87 17 22 - fermé 15 janv.-5 fév. et dim. soir hors sais. - 18 ch. 55/65 € -* ⊡ *8 € - rest. 16/46 €.* Pimpante maison en pierre grise située en centre-ville, sur la place du marché. Chambres de différentes tailles, fraîches et meublées simplement, et restaurant rustique aux tables fleuries, servant une sympathique cuisine de la mer. L'été, terrasse dressée dans la cour intérieure.

⊖⊖ **Chambre d'hôte La Chaumière de Kéraluic** – *Kéraluic - 29120 Plomeur - 3 km à l'O de Pont-l'Abbé, rte de St-Jean-Trolimon -* ℘ *02 98 82 10 22 - www.keraluic.fr -* ▱ *- 3 ch. + 3 studios 62 € -* ⊡*. Avenante chaumière en pierres apparentes qui abrite, au 1ᵉʳ étage, trois chambres plaisantes, habillées de lambris. Au rez-de-chaussée, trois studios de bon standing, malgré des dimensions réduites, avec terrasse privative, disponibles à la location (minimum une semaine). L'hiver, les petits-déjeuners sont servis au coin du feu.

Se restaurer

⊖ **Crêperie Bigoudène** – *33 r. du Gén.-de-Gaulle -* ℘ *02 98 87 20 41 - creperie-bigoudene@wanadoo.fr - fermé 2ᵉ quinz. de janv. et 2ᵉ quinz. de nov., dim. et lun. sf vac. scol. - 8,40/15 €.* En sortant du château qui abrite le Musée bigouden, vous aurez à cœur d'approfondir votre connaissance de la région et de ses traditions : prenez place dans cette crêperie au cadre rustique, vous passerez ainsi des cours théoriques aux travaux pratiques !

Port-Louis★

2 808 PORT-LOUISIENS
CARTE GÉNÉRALE C3 – CARTE MICHELIN LOCAL 308 K8 – MORBIHAN (56)

Des remparts et une citadelle, où fut emprisonné le futur Napoléon III, voici l'image parfois austère que les cartes postales donnent de Port-Louis. L'ancien petit port de pêche, ainsi nommé en l'honneur de Louis XIII, recèle pourtant de belles maisons anciennes et possède une plage fort appréciée des Lorientais.

▶ **Se repérer** – Face à Lorient, Port-Louis est accessible par la D 781.

🕐 **Organiser son temps** – Entre musées et citadelle, comptez une matinée.

👁 **À ne pas manquer** – Le tour de la citadelle et le musée de la Compagnie des Indes pour son histoire et sa collection de porcelaines chinoises.

👣 **Pour poursuivre la visite** – Voir aussi Lorient, l'île de Groix et la rivière d'Étel.

Angle de la citadelle surmonté d'une échauguette.

Comprendre

Du fort au port – Richelieu installe la première Compagnie des Indes à Port-Louis, sans succès. Quand Colbert fonde la seconde, Lorient est créé pour la recevoir. Dès lors, Port-Louis périclite. Sous Louis-Philippe, la cité revit grâce à la pêche à la sardine.

La ville possède deux **ports** de pêche : celui de Locmalo dans l'anse du Gâvres et, face à Lorient, celui de la Pointe qui s'est vu équiper de deux cents postes d'amarrage pour les bateaux de plaisance.

Visiter

Citadelle★★

La construction de cette place forte, commandant l'entrée de la rade de Lorient, fut entreprise en 1590 par don Juan del Aguila, durant l'occupation espagnole. Poursuivie de 1616 à 1622 par le maréchal de Brissac, elle fut achevée en 1637 sur l'ordre de Richelieu. Elle présente un plan rectangulaire bastionné aux angles. Sur les côtés, deux ponts et une demi-lune en protègent l'accès.

Un parcours fléché emprunte le chemin de ronde (on voit des canons dans les bastions tournés vers l'île de Groix) et permet de découvrir les deux cours, la crypte et les différentes installations qui abritent les **musées de la citadelle**. ✆ 02 97 82 56 72 - www.musee-marine.fr - avr.-août : 10h-18h30 ; sept.-mars : tlj sf mar. 13h30-18h - fermé de mi-déc. à fin janv. - 5,50 € (-18 ans gratuit).

Musée de la Compagnie des Indes★★ – Il retrace de façon intéressante l'histoire de cette prestigieuse compagnie *(voir rappel historique à Lorient)*. La fondation de Lorient, l'essor du 18e s., les équipages, les cargaisons, les comptoirs en Inde, en Afrique et en Chine, des cartes et des meubles illustrent cet important et fructueux négoce des 17e et 18e s. Une salle est consacrée à la marine de la Compagnie des Indes, la flotte notamment, avec des maquettes de vaisseaux comme le *Comte d'Artois* (en coupe) sorti des chantiers de Lorient. Très belle collection de porcelaines chinoises aux décors et couleurs variés : émeraude, imari chinois, bleu de chine…

Espace du sauvetage en mer – *En face du musée de la Compagnie des Indes*. Ce musée évoque l'histoire du sauvetage maritime français, depuis ses origines au milieu du 19e s. jusqu'aux moyens actuels d'héliportage, en passant par la création de la Société nationale de sauvetage en mer en 1967. De nombreux objets appartenant aux collections du musée national de la Marine, des films et des archives sonores rendent hommage aux sauveteurs. Ne manquez pas le canot *Commandant Philippes de Kerhallet*, un bateau de sauvetage à voiles, qui œuvra depuis Roscoff de 1897 à 1939, avec un équipage de 12 hommes à son bord.

Trésors d'océans★ – *À côté de l'Espace du sauvetage en mer*. Quel plongeur n'a jamais rêvé de trouver une épave engloutie, si possible celle d'un galion, d'une jonque ou d'un vaisseau, de retour des Indes avec sa précieuse cargaison. Les archéologues marins font parfois de telles découvertes et vivent ces moments d'émotion que le visiteur est invité à partager au cours de cette belle exposition : maquettes, instruments de navigation, films, et résultats de fouilles dirigées par le célèbre Franck Goddio (donation).

Pavillon de l'arsenal - Musée de la Marine – Cette grande salle abrite des maquettes de navires de la Compagnie des Indes (corvettes, frégates, bâtiments de commerce et de pêche, croiseurs, torpilleurs, etc.), des portraits de grands marins, ainsi que de nombreux documents et peintures se rapportant à la navigation dans l'océan Atlantique.

Poudrière - Musée des Armes – Elle sert de cadre à un musée où sont réunies des collections d'armes du 17ᵉ au 20ᵉ s.

Remparts

Bâtis de 1649 à 1653 par le maréchal de La Meilleraye, ces remparts bien conservés enserrent la ville sur deux côtés. Sur la promenade des Pâtis, une porte ménagée dans la muraille donne accès à la plage de sable fin. Celle-ci offre une vue étendue sur la pointe de Gâvres, l'île de Groix et Larmor-Plage.

Maisons anciennes

Un détour vaut la peine dans les rues de la Poste, des Dames, Petite-Rue et du Driasker, où l'on découvre plusieurs demeures intéressantes.

Aux alentours

Riantec

Cette localité se situe le long de la lagune de Gâvres, « petite mer » appréciée par les pêcheurs à pied, à l'affût de palourdes.

La **Maison de l'île de Kerner** permet de découvrir le milieu naturel de cette contrée, où se réfugient de nombreux oiseaux migrateurs : carte des espèces, trésors de la vasière, techniques d'élevage de l'huître. Dans son café reconstitué, les habitants de Riantec, les « gens de mer », viennent raconter leur métier de pêcheur. Le jardin botanique recèle des plantes du schorre et de la dune. Des sorties nature sont organisées pendant les vac. scol. *Accès au site en voiture, par le gué - ☏ 02 97 84 51 49 - www.sellor.com - ♿ - juil.-août : 10h-19h ; avr.-juin et sept. : tlj sf lun. mat. 10h-12h30, 14h-18h, w.-end 14h-18h ; vac. scol. : 10h-12h30, 14h-18h, w.-end 14h-18h ; oct.-mars : dim. 14h-18h - fermé 18 déc.-15 janv. - 3,80 € (enf. 3 €).*

Port-Louis pratique

Adresse utile

Office du tourisme de Port-Louis – *47 Grande-Rue (à l'angle de la rue de la Citadelle) - 56290 Port-Louis, ☏ 02 97 82 52 93 - www.lorient-tourisme.fr - 11 juil.-31 août : tlj sf dim. 10h-13h, 14h30-18h30 ; reste de l'année : mar.-vend. 9h30-12h30, 14h-17h30, lun. apr.-midi et sam. mat. ; j. fériés 10h-13h.*

Se loger

⊜⊜ **Chambre d'hôte La Chaumière de Kervassal** – *Lieu-dit Kervassal - 56670 Riantec - 8 km à l'E de Port-Louis par D 781 puis D 33, rte de Merlevenez - ☏ 02 97 33 58 66 - fermé nov.-mars - ⌂ - 3 ch. 64 € ⚏. Cette chaumière du 17ᵉ s.*

entourée de verdure et de calme absolu est, à l'extérieur comme à l'intérieur, une vraie récompense pour le regard. Les chambres, joliment meublées d'ancien, sont équipées de salles de bains modernes. L'été, exquis petits-déjeuners dans le jardin.

Sports & Loisirs

Centre Nautique de Port-Louis – *Quai de la Pointe - ☏ 02 97 82 18 60 - www.sellor-nautisme.com -* Voile, plongée (baptêmes et plongeurs confirmés), kayak de mer.

Centre Nautique de Gâvres – *Grande Plage - ☏ 02 97 33 77 78 - www.sellor-nautisme.com -* Catamaran, planche à voile, kayak et char à voile.

Presqu'île de **Quiberon**★

CARTE GÉNÉRALE C3 – CARTE MICHELIN LOCAL M10 – MORBIHAN (56)

Cette ancienne île, que les apports d'alluvions ont rattachée à la terre par un isthme étroit, appelé « tombolo », déploie des dunes de sable où s'accrochent les pins maritimes. L'impressionnant chaos rocheux de la Côte sauvage et des plages très ouvertes, réputées pour leur ensoleillement, complètent le tableau.

- **Se repérer** – Face à Belle-Île, la presqu'île de Quiberon se trouve à une encablure à l'ouest du golfe du Morbihan (Vannes est à 47 km). il n'existe cependant qu'une seule route vers Quiberon : la D 768 qui s'amorce à Auray (28 km au nord-est). Gare aux bouchons en été !

- **Se garer** – Difficile de se garer sur la presqu'île pendant la saison estivale. Si c'est encore faisable du côté de la Côte sauvage, cela s'avère presque impossible autour des plages de la baie de Quiberon. Dans la ville même, il existe des parkings publics non loin du centre, au stationnement limité (jusqu'à 4h) ou payant *(voir Presqu'île de Quiberon pratique).*

- **Organiser son temps** – Dès que le ciel se couvre, rendez-vous sur la Côte sauvage pour voir l'océan se déchaîner. Sinon, ne manquez pas le marché du samedi matin à Quiberon, pour sa multitude de petits producteurs.

- **À ne pas manquer** – Côté baie, les plages de Quiberon pour leur invitation au farniente ; vers la Côte sauvage, les criques confidentielles battues par les rouleaux (attention à la baignade).

- **Pour poursuivre la visite** – Voir aussi Belle-Île, Houat et Hœdic, la rivière d'Étel, Carnac, La Trinité-sur-Mer, Auray, le golfe du Morbihan et Vannes.

Le littoral déchiqueté de la Côte sauvage.

Comprendre

Défaite royaliste – En 1795, Quiberon est le théâtre du désastre infligé aux royalistes. Cent mille émigrés, les princes en tête, devaient passer en Bretagne, s'unir aux chouans et balayer les « Bleus ». En fait, ils ne sont que dix mille : les princes se sont abstenus, alors que les 15 000 chouans de Cadoudal sont au rendez-vous. Ils comptent néanmoins un soutien militaire important des Anglais dont la flotte est ancrée au large de la presqu'île. Le débarquement a lieu à partir du 27 juin sur les plages de Carnac.

Il se heurte à une féroce défense républicaine, menée par Hoche. Les troupes de la Convention refoulent les royalistes dans la presqu'île. Ils prennent le fort de Penthièvre et acculent les insurgés à la mer. Ces derniers ne peuvent rejoindre les vaisseaux britanniques en raison de la houle, et sont alors massacrés en masse par l'artillerie des « Bleus » et par la riposte des bâtiments anglais. Les survivants, faits prisonniers, sont fusillés à Quiberon, Auray et Vannes.

Se promener

Quiberon★

Située à la pointe de la presqu'île, Quiberon est une station balnéaire recherchée pour sa belle plage de sable fin, bien exposée au sud, et la proximité de la Côte sauvage.

Port-Maria – Port d'embarquement pour Belle-Île, Houat et Hœdic, ce port de pêche bénéficie d'une animation permanente.

Château Turpault – Ce curieux édifice, qui figure sur tant de cartes postales, fut bâti en 1904 par un filateur de Cholet, Georges Turpault. *(Ne se visite pas.)*

Saint-Pierre-Quiberon

Cette charmante station balnéaire possède deux plages, situées de part et d'autre du petit port d'Orange. En suivant la rue des Menhirs, on découvre sur la droite le bel alignement de St-Pierre, composé de 22 **menhirs**.

Beg-Rohu

Sur cette avancée rocheuse, est installée depuis 1966 l'École nationale de voile. C'est l'un des centres d'entraînement les plus renommés du monde.

Circuits de découverte

LA « CÔTE SAUVAGE » ★★ 1

18 km au départ de Quiberon – environ 2h. Gagnez Port-Maria, puis prenez à droite la route signalée « route côtière ».

Cette côte inhospitalière, aujourd'hui protégée par le Conservatoire du littoral, est une succession de falaises déchiquetées où grottes, crevasses, gouffres alternent avec de petites plages de sable sur lesquelles les vagues se brisent en rouleaux *(attention, baignade interdite à cause des lames de fond)*. Des rocs de toutes tailles et de toutes formes créent des couloirs où la mer tourbillonne en mugissant.

Des stèles de granit jalonnent la route à gauche. Elles marquent l'emplacement de sites qu'il faut découvrir à pied : Port-Pilote, Trou du Souffleur, pointe de Scouro, grotte de Kerniscob, etc.

Beg er Goalennec

En contournant le café Le Vivier, on gagne, sur les rochers, l'extrémité du promontoire d'où l'on jouit d'une jolie vue sur toute la Côte sauvage.

Après le Kroh-Kollé, tournez à gauche.

La route descend vers **Port-Bara**, belle anse piquetée de rochers déchiquetés. Des chemins revêtus mènent à Port-Rhu et Port-Blanc, avec son agréable plage de sable blanc.

Pointe du Percho★

Gagnez à pied l'extrémité de la pointe. Belle **vue★** sur la Côte sauvage, sur l'isthme de Penthièvre, son fort et sa plage ; au large, Belle-Île et l'île de Groix. La dernière stèle situe Beg en Aud, avancée extrême de cette côte.

Traversez Portivy et rejoignez St-Pierre-Quiberon puis Quiberon.

VERS LA POINTE DU CONGUEL ②

6 km – environ 1h30. Quittez Quiberon par le boulevard Chanard.

Pointe du Conguel

👁 *30mn à pied AR.* Belle vue depuis l'extrémité de la pointe *(table d'orientation)*. Le regard porte jusqu'au phare de la Teignouse, qui vit le cuirassé *France* couler en 1922, éventré par une roche. À gauche, l'aérodrome communal est équipé d'une piste pour appareils légers. Après le Fort-Neuf, le Centre nautique de l'Éducation nationale, le Cercle de voile et la Société nautique créent une grande activité sur la plage. On dépasse la stèle commémorative de la reddition des émigrés en 1795, sur la droite.

La plage de Quiberon.

Port-Haliguen

Ce petit port de pêche et de plaisance est animé l'été par des régates.

ISTHME DE PENTHIÈVRE ③

Quittez Quiberon par la D 768 en direction de St-Pierre-Quiberon.

Fort de Penthièvre

Reconstruit au 19ᵉ s., il commande l'entrée de la presqu'île et sert de centre d'entraînement pour l'armée. Un monument et une crypte rappellent le souvenir des 59 résistants fusillés en 1944.

Penthièvre

Deux belles plages de sable fin (10 km) sont situées de part et d'autre de l'isthme.

Plouharnel

Voir alentours de Carnac.

Presqu'île de Quiberon pratique

Adresse utile

Office du tourisme de Quiberon – *14 r. de Verdun - 56170 Quiberon - ℘ 0 825 13 56 00 - www.quiberon.com - juil.-août : 9h-13h, 14h-19h, dim. 10h-13h, 14h-17h ; reste de l'année : lun.-vend. 9h-12h30, 14h-18h (17h30 lun. de janv.), sam. 9h-12h30, 14h-19h - fermé Noël, 1ᵉʳ janv. et 1ᵉʳ Mai.*

Transports

👁 **Bon à savoir** – Pour rejoindre Quiberon en évitant les bouchons estivaux : empruntez le « **Tire-Bouchon** », petit train estival reliant Auray à Quiberon (28 km, 9 arrêts). Onze AR quotidiens de fin juin à fin août : *1ᵉʳ dép. d'Auray 8h14, de Quiberon 9h06 ; dernier dép. d'Auray 20h48, de Quiberon 21h40 - 2,80 € le trajet, 5 € AR (-4 ans gratuit), 20 € le carnet de 10 billets.*

Stationnement – Pour ceux qui veulent partir une journée ou plus vers les îles : la zone du port est payante et le temps limité à 4h. Il faut donc utiliser le grand parking Sémaphore à l'entrée de la ville (payant, navettes régulières), le parking de Kerné *(vers Côte sauvage, navettes gratuites - ℘ 06 86 62 69 18)* ou les loueurs privés proches du port : Sizorn *(36 r. de*

Port-Maria - 🕿 02 97 50 06 71), hôtel de la Mer (*8 quai de Houat - 🕿 02 97 50 09 05*)…

Gare maritime *– Port-Maria - Société Morbihannaise de Navigation - www.smn-navigation.fr – 🕿 0 820 056 000.*

🕿 Pour les liaisons et les excursions vers Belle-Île ou les îles d'Houat et d'Hœdic, se reporter aux carnets pratiques des îles.

Se loger

😊😊 **Hôtel Le Bretagne** *– 37 r. du Gén.-de-Gaulle - 56510 St-Pierre-Quiberon - 🕿 02 97 30 91 47 - www.hotel-bretagne-quiberon.fr - fermé vac. de Toussaint à Pâques sf vac. de fév. -* 🅿 *- 20 ch. 48/50 € -* 🍽 *7 € - rest. 14,50/26 €.* Cette hôtellerie traditionnelle vaut par sa situation au cœur de la station balnéaire, à 50 m de la plage. Chambres claires et bien entretenues, rénovées et redécorées. L'hiver, les belles flambées crépitent dans la cheminée de la salle à manger.

😊😊 **Hôtel Le Relais** *– 64 rte du Roch-Priol - 56170 Quiberon - 🕿 02 97 50 10 56 - www.hoteldurelais.fr - fermé 3-20 oct. et 19 déc.-5 janv. -* 🅿 *- 23 ch. 52/66 € -* 🍽 *6,80 € - rest. 11,90/33 €.* Cet hôtel transmis de père en fils depuis 1967, abrite des chambres fonctionnelles, rénovées dans un style actuel ; quelques-unes sont de plain-pied avec le jardin. À table, cuisine traditionnelle et spécialités de la mer.

😊😊 **Hôtel Roch Priol** *– R. des Sirènes - 56170 Quiberon - 🕿 02 97 50 04 86 - www.hotelrochpriol.fr - fermé 16 nov.-14 fév. -* 🅿 *- 45 ch. 54/89 € -* 🍽 *7,50 € - rest. 19/32 €.* Selon les habitués, cet hôtel-restaurant est la bonne adresse de la presqu'île. Leurs arguments : calme, accueil familial attentionné, prix raisonnables et atmosphère de pension. Chambres sobrement décorées, mais claires et rajeunies par étapes.

Se restaurer

😊 **Crêperie-restaurant du Vieux Port** *– 42/44 r. Surcouf, à Port-Haliguen - 56170 Quiberon - entre les 2 bassins au port de plaisance - 🕿 02 97 50 01 56 - crepvxport.nfrance.com - fermé de fin vac. de Toussaint à déb. vac. de fév. - 11/15 €.* Proche du vieux port, cette crêperie-restaurant de fruits de mer vous accueille dans trois salles au décor rustique. En saison, charmante terrasse-jardin. Spécialité maison : la crêpe au CBS (caramel au beurre salé).

😊 **La Chaumine** *– 36 pl. du Manémeur, quartier du Manémeur - 56170 Quiberon - 🕿 02 97 50 17 67 - fermé 10-31 mars, 3 nov.-16 déc., dim. soir et lun. - 14,50 € - 24/46 €.* Cette bâtisse de style régional est située dans un ancien quartier de pêcheurs. On y savoure au coude à coude des plats régionaux et la marée du jour dans une salle à manger rustique au décor marin. Ambiance conviviale.

😊😊 **Neptune** *– 4 quai de Houat, Port-Maria - 56170 Quiberon - 🕿 02 97 50 09 62 - fermé 10 janv.-10 fév. et lun. hors sais. - 18/31 €.* Difficile de trouver plus

belle vue sur le port que celle offerte par les tables de ce petit restaurant. Cuisine régionale aux saveurs iodées… Chambres en sus.

😊😊 **Le Verger de la Mer** *– Bd du Goulvars - 56170 Quiberon - 🕿 02 97 50 29 12 - vergerdelamer@wanadoo.fr - fermé 8 janv.-28 fév., dim. soir de nov. à avr., mar. soir et merc. - 20/36 €.* Cette discrète façade voisine de l'institut de thalassothérapie dissimule un plaisant restaurant : salle à manger fraîche et colorée et cuisine dans l'air du temps.

Que rapporter

La Belle Iloise *– ZA Plein Ouest - 56170 Quiberon - 🕿 02 97 50 08 77 - contact@labelleiloise.fr - boutique : tlj sf dim. et j. fériés 9h-12h, 14h30-18h.* Cette conserverie fondée en 1932 présente les différentes étapes de fabrication de ses produits (film et reconstitutions). La visite s'achève par une dégustation gratuite à la boutique où vous retrouverez crèmes à toaster, sauces, soupes, sardines et thons.

Maison Lucas *– 19 r. des Confiseurs, Z.A. Plein Ouest - 56170 Quiberon - 🕿 02 97 50 59 50 - www.maisonlucas.com - hors sais. : tlj sf dim. et lun. 9h-12h, 14h-17h45, sam. 9h-12h ; sais. : tlj sf dim. 9h-12h, 14h-17h45, sam. 9h-12h - fermé oct.-mars.* La boutique s'ouvre sur les laboratoires où ont lieu : le filetage du saumon, le tranchage du flétan, le fumage des harengs et le conditionnement des sardines.

La Quiberonnaise *– 30 r. du Port-de-Pêche, Port-Maria - 56170 Quiberon - 🕿 02 97 50 12 54 - www.laquiberonnaise.fr - tlj sf dim. 9h-12h, 14h-18h30, sam. 10h-12h, 15h-18h30 - fermé j. fériés sf d'avr. à sept.* Créée en 1921, cette conserverie réputée tient boutique non loin du port : boîtes de sardines (la spécialité), de thon, de maquereaux, d'anchois ou de crème à toaster s'alignent dans un décor rétro.

La Maison d'Armorine *– ZA Plein Ouest - 56170 Quiberon - 🕿 02 97 50 24 24 - maison-armorine.com - tlj sf dim. 9h30-12h30, 14h-18h - fermé j. fériés.* Rien qu'à contempler l'élaboration des fameuses niniches acidulées, créées en 1946 et déclinées en 50 parfums, vous aurez envie d'acheter toute la boutique. Salidou (caramel au beurre salé) et palourde.

Sports & Loisirs

Accor Thalassa Quiberon *– Pointe de Goulvars - 56170 Quiberon - 🕿 02 97 50 20 00 - accorthalassa.com - tlj sf dim. apr.-midi 9h-13h, 14h-18h - fermé janv. et 25 déc.* Installé sur un site exceptionnel à la pointe de la presqu'île, cet institut entièrement rénové en 2004 vous propose toute une gamme de soins « à la carte » : massages, modelages, esthétique…

École de char à voile et voile « Vent de Sable » *– 1 av. St-Malo - 56510 St-Pierre-Quiberon - 🕿 02 97 52 39 90 - www.char-a-voile-bretagne.com - ouv. à marée basse - 32 €/pers. en char à voile/2h ; 40 €/pers. en voile/2h30.*

Quimper★★

63 238 QUIMPÉROIS (AGGLOMÉRATION : 120 441 HABITANTS)
CARTE GÉNÉRALE B3 – CARTE MICHELIN LOCAL 308 G7 – FINISTÈRE (29)

Les flèches de la cathédrale St-Corentin jaillissent au cœur de Quimper, ancienne capitale de la Cornouaille. Elles protègent d'étroites venelles, bordées de maisons à colombages, et dont les noms évoquent les corporations du Moyen Âge. Mais il fait aussi bon flâner aux environs de la ville, notamment sur les bords de l'Odet, à mi-chemin entre la Bretagne intérieure et la mer.

Les flèches de la cathédrale St-Corentin veillent sur la rue Kéréon.

- **Se repérer** – Quimper constitue le nœud routier du Finistère Sud. La ville est traversée par la N 165-E 60, qui vient de Lorient (68 km à l'est) et qui file à Brest (75 km au nord). La D 765 conduit au nord-ouest vers Douarnenez (23 km) et Audierne à l'ouest (45 km). La D 785 rejoint Pont-l'Abbé (19 km au sud).

- **Se garer** – Visez l'un des deux grands parkings gratuits proches du centre-ville : au nord, le parking de la Providence, et celui de la Salle omnisports derrière la gare.

- **Organiser son temps** – Prévoyez une bonne journée pour la visite du vieux Quimper et de ses musées.

- **À ne pas manquer** – Après la visite de la cathédrale St-Corentin pour ses vitraux, offrez-vous le panorama sur l'Odet depuis le site du Stangala.

- **Avec les enfants** – Un petit tour au complexe nautique d'Aquarive les délassera et les récompensera de vous avoir suivi à travers la ville.

- **Pour poursuivre la visite** – Voir aussi la Cornouaille, Pont-l'Abbé, la pointe du Raz, Douarnenez, Locronan, Fouesnant et Concarneau.

Comprendre

Le roi d'Ys – Souverain de légende, le roi Gradlon dut fuir la ville d'Ys, submergée par les flots. Il fit de Kemper la nouvelle capitale du comté de Cornouaille (le nom désigne un confluent, celui du Steir et de l'Odet). Jusqu'au 18e s., on célébrait une grande fête en son honneur. Un homme montait en croupe derrière le roi, lui présentait un verre, puis, après l'avoir bu à sa place, le jetait. Le spectateur qui pouvait l'attraper avant qu'il ne se brisât touchait cent écus d'or.

Célébrités du 18e s. – Au cours du 18e s., la ville connut plusieurs célébrités maritimes, dont l'explorateur Yves de Kerguelen (1734-1797) qui a laissé son nom à un groupe d'îles des mers australes. Mentionnons aussi René Madec (1738-1784) qui, embarqué comme mousse sur un vaisseau de la Compagnie des Indes, déserta et gagna Pondichéry, servit un rajah puis revint en France, immensément riche. Le roi l'anoblit et lui donna la croix de St-Louis avec un brevet de colonel. C'est *Le Nabab* d'Irène Frain. Durant la Révolution, la ville prit le nom de Montagne-sur-Odet, en référence aux Montagnards qui siégeaient à la Convention.

LA FAÏENCE DE QUIMPER

Une dynastie de faïenciers – En 1690, **Jean-Baptiste Bousquet**, faïencier venu de St-Zacharie, près de Marseille, s'installe dans le site prédestiné de Locmaria, faubourg de Quimper sur les rives de l'Odet : des potiers y travaillaient déjà à l'époque gallo-romaine. Imprégné du style de Moustiers, il crée la première faïencerie de Quimper. Son fils Pierre, qui lui succède en 1708, s'associe à un faïencier de Nevers, Pierre Belleveaux, puis à Pierre-Clément Caussy, d'origine rouennaise. Tous deux jouent un rôle important pour la faïence de Quimper. Belleveaux l'enrichit de formes, de couleurs – le fameux jaune – et de décors nivernais. Caussy ajoute le rouge de fer, et quelque 300 poncifs (calques) de décors. En 1772, la faïencerie Porquier est fondée par François Éloury. Son directeur, **Alfred Beau** dans les années 1870, est l'auteur des « scènes » et des « légendes bretonnes ». Quant à la faïencerie Dumaine, **Jules Henriot** en prend la tête en 1891.

Signatures modernes – Dès 1920, des artistes se succèdent à Quimper et réalisent des pièces uniques. Sculpteur et céramiste, **René Quillivic** (1879-1969) crée des pièces surprenantes, dont les dessins sont influencés par la gravure sur bois. En 1922, sous la marque Odetta, apparaissent des pièces en grès, aux teintes sombres irisées d'émaux. Parmi les faïenciers, citons Georges Renaud, René Beauclair, Louis Garin, Paul Fouillen et Jacques Nam.

En 1923, le mouvement **Ar Seiz Breur** (« Les Sept Frères », allusion à sept héros bretons) est fondé par René-Yves Creston, Jeanne Malivel et Georges Robin. Il cherche à moderniser l'art populaire breton, en le mariant au style Art déco et au cubisme. Les faïences qu'ils réalisent sont remarquées dans les expositions de l'époque.

Découvrir

Cathédrale Saint-Corentin★★

📞 02 98 95 06 19 - tlj 9h30-12h, 13h30-18h30 sf office et célébrations.

L'histoire de ce bel édifice débute au 13e s. avec la construction du chœur. Le transept et la nef sont ajoutés au 15e s. La première flèche brûle au 17e s. Deux flèches de granit la remplacent en 1854-1856, époque où l'on surélève les tours. Superbement restaurée, jusqu'à ses orgues et ses vitraux, la cathédrale a retrouvé la luminosité du style gothique flamboyant. Entre les flèches, on aperçoit la statue d'un personnage à cheval : le roi Gradlon.

Polychromie

Les églises romanes étaient entièrement peintes, à l'intérieur comme à l'extérieur. Prolongeant cette tradition, les maîtres d'œuvre du 15e s. parèrent les voûtes d'un flamboiement de couleurs, qui furent malencontreusement effacées au 19e s. selon l'austère parti pris de l'époque. Grâce à une minutieuse restauration, parements et piliers ont retrouvé leur décor polychrome : les nervures sont rehaussées d'ocre jaune et rouge, et soulignent avec élégance la verticalité de la cathédrale.

Nef – Sur la droite, la rampe d'escalier de la chaire (1679) est ornée de bas-reliefs retraçant la vie de saint Corentin.

Chœur – Il présente une déviation accusée, qui a suscité bien des hypothèses : elle symboliserait la tête penchée du Christ sur la Croix, ou serait due à l'instabilité du sol sur les rives de l'Odet… Plus probablement, les bâtisseurs de la cathédrale y ont intégré la chapelle de la Victoire : ce petit sanctuaire antérieur, décalé sur la gauche, a été rattaché au nouveau chœur.

À gauche du chœur, le décor d'une chapelle relate la légende de **saint Corentin**, premier évêque de Quimper (5e s.). Selon la légende, il se retira en ermite sur les pentes du Ménez-Hom. Il mangeait chaque jour une part du poisson qu'il trouvait dans la fontaine. Le lendemain, le poisson était miraculeusement entier…

Vitraux★★ – Ils garnissent les fenêtres hautes, principalement dans la nef et le transept où ils ont été restaurés au 19e s. On remarque une nette évolution entre les vitraux du chœur et ceux de la nef et du transept, respectivement exécutés au début et à la fin du 15e s. À cette époque, dessin et modelé atteignent une grande maîtrise. Aux couleurs basiques des premiers vitraux – rouge et bleu, gris et jaune d'argent – s'ajoutent des teintes vives et très nuancées : des bruns, des pourpres, des verts… Ils représentent des chanoines, des seigneurs et des châtelaines de Cornouaille, à genoux, entourés de leurs saints patrons.

Chapelles latérales – En faisant le tour de la cathédrale, longue de 92 m, on découvre des œuvres intéressantes, dont quatre **gisants** des 15e s. et 16e s. Première chapelle à gauche : le Saint Jean Baptiste en albâtre est une œuvre anglaise du 15e s. Première chapelle à droite : la Mise au tombeau du 18e s. est une réplique de celle de la cathédrale de Bourges.

Se promener

VIEUX QUIMPER★ *(une demi-journée)*

Ce quartier s'étend face à la cathédrale, entre l'Odet et le Steir. Cet affluent, canalisé et couvert en amont de son confluent, offre une vaste zone piétonne.

Rue Élie-Fréron (B3)

Au nord de la place St-Corentin, cette rue abrite l'ancien hôtel Jacquelot de Boisrouvray, situé au n° 22 : une demeure du 17e s. avec ses hautes fenêtres encadrées de pans de bois et d'ardoises. À voir aussi : le porche Renaissance du n° 20.

Gagnez ensuite la ravissante place au Beurre.

Rue du Sallé (B3)

C'était, au Moyen Âge, la rue des « lardiers, saucissiers et charcutiers », qui lui ont donné son nom. Au n° 10, l'ancienne **demeure des Mahault de Minuellou★** se remarque par la richesse de son décor, avec ses consoles Renaissance.

Par la rue des Boucheries, on peut faire un détour à gauche dans la **rue du Guéodet**, où se trouve la curieuse maison des « Cariatides », également appelée maison des « Têtes » (16e s.). Des personnages en costume Henri II ornent le rez-de-chaussée : ce sont des Quimpérois qui s'illustrèrent durant la guerre de la Ligue, dans la bataille contre le maréchal d'Aumont. D'où leur visage réjoui !

Rue Kéréon★ (A-B3)

Cette artère, la plus belle de la ville, était celle des cordonniers, *kereon* en breton. Commerçante et animée, elle offre une charmante perspective sur la cathédrale. La maison du n° 9, avec ses trois personnages sculptés, présente un décor polychrome rare à Quimper.

Place Terre-au-Duc (A3)

Au Moyen Âge, cette place appartenait au duc de Cornouaille, et non à l'évêque : c'était, en face de la cité épiscopale, le cœur de la ville laïque avec son tribunal, sa prison, et son marché.

Par la **rue St-Mathieu**, on peut rejoindre l'église du même nom : reconstruite en 1898, elle a conservé, au centre du chœur, un beau vitrail de la Passion du 16e s.

Visiter

Musée des Beaux-Arts★★ (B3)

40 pl. St-Corentin - ℰ 02 98 95 45 20 - www.musee-beauxarts.quimper.fr - ♿ - juil.-août : 10h-19h ; avr.-juin : tlj sf mar. 10h-12h, 14h-18h ; nov.-mars : tlj sf mar. et dim. mat. 10h-12h, 14h-18h - possibilité de visite guidée certains sam. tte l'année et tlj en été - fermé 1er janv., 1er Mai, 1er et 11 Nov., et 25 déc. - 4 € (- 12 ans gratuit).

Installé dans un palais à l'italienne construit en 1867 face à la cathédrale, ce musée a été créé grâce au legs de Jean-Marie de Silguy. Dons et achats sont venus étoffer le fonds. La façade du 19e s. cache un musée résolument moderne. Son architecture est tout en transparences : un éclairage subtil s'y conjugue avec la lumière naturelle, pour mettre en valeur la peinture du 14e s. à nos jours.

Écoles du Nord – Bel ensemble des 17e s. et 18e s. avec des œuvres de Jordaens, Van Mol, De Grebber, Rubens et son *Martyre de sainte Lucie* (vers 1620).

École italienne – Ensemble plus modeste, malgré la présence de Bartolo di Fredi ainsi que Guido Reni et Solimena.

École française – Belle collection du 18e et du 19e s. comptant des peintures de Boucher, Fragonard, Chassériau, mais surtout la *Vue du château de Pierrefonds* de **Corot**, ainsi que *Vue du port de Quimper* (1857) d'**Eugène Boudin**.

Peintures d'inspiration bretonne – La trentaine de toiles de l'**école de Pont-Aven** (1886-1984) est l'un des fleurons du musée : *L'Oie* de Paul Gauguin, *Jeune Bretonne à la cruche* de Paul Sérusier, Émile Schuffenecker avec *Côte rocheuse en Bretagne*, *Vue du port de Pont-Aven* de Maxime Maufra, ainsi que des œuvres d'Émile Bernard, Maurice Denis, Charles Filiger, Henry Moret, Georges Lacombe et Félix Vallotton. À voir aussi : la *Fuite du roi Gradlon* de Luminais, le **Pardon de Kergoat★** (1891) de **Jules Breton**, la *Noce en Bretagne* de Leleux, et la *Veuve de l'île de Sein* de Renouf.

Peinture et sculpture en Bretagne – Des années 1930 à nos jours avec Gruber, Tal Coat, Bazaine pour la peinture, René Quillivic pour la sculpture.

Salle Max-Jacob – Cet écrivain et peintre (1876-1944) est né et a grandi à Quimper. Sa vie et son œuvre sont évoquées à travers des documents, des souvenirs, des dessins, des gouaches, dont beaucoup illustrent ses séjours bretons, ainsi qu'une série de portraits signés notamment Picasso et Cocteau. Ce fonds a été constitué en 1949.

Peintures de Jean-Julien Lemordant – Les 22 toiles réalisées, entre 1905 et 1907, par ce peintre malouin (1882-1968) pour la salle à manger de l'hôtel de l'Épée, forment une fresque de 47 m de long. L'artiste trouve son inspiration dans la presqu'île de Penmarc'h : le pardon, le vent, le goémon, le port et le phare (d'Eckmühl) imprègnent les toiles qui furent exposées au Salon d'automne à côté de celles des Fauves. L'hôtel de l'Épée était au début du 20e s. un lieu de rendez-vous de l'intelligentsia quimpéroise ; c'est aujourd'hui un café, situé au 14 rue du Parc, en bordure de l'Odet.

« Pardon de Kergoat », par Jules Breton.

Musée départemental breton★
1 r. du Roi-Gradlon - ℰ 02 98 95 21 60 - ♿ - possibilité visite guidée (1h30) - juin-sept. : 9h-18h ; oct.-mai : tlj sf dim. mat. lun. et j. fériés 9h-12h, 14h-17h - fermé 14 Juil. et 15 août - 3,80 €, gratuit dim. (janv.-mai et oct.-déc.).
Consacré à l'histoire et aux arts et traditions populaires du Finistère, il occupe l'ancien palais épiscopal, bâtiment construit du 16e au 19e s. qui jouxte la cathédrale.

Archéologie – Habitat et mode de vie dans une des cités gallo-romaines des Osismes : monnaies, mosaïque monumentale, vases et urnes funéraires, vaisselle d'argent, figurines de Vénus et de déesses-mères, etc. On voit ici deux des plus importants **bijoux d'or préhistoriques★** découverts en France : le collier de Tréglonou et la ceinture torsadée d'Irvillac.

Art ancien – Vitraux, orfèvrerie, statuaire sacrée : remarquez les mausolées aux gisants (16e et 17e s.) et les effigies en bois polychrome des saints, notamment bretons.

Costumes – Des vêtements traditionnels (19e et 20e s.) sont exposés en parallèle avec des sculptures et des tableaux : on découvre l'influence exercée par ces modes sur les artistes, comme René Quillivic.

Sculptures de façades – Elles ornaient jadis des maisons des 15e et 16e s.

Mobilier – La présentation met en valeur les meubles du 17e s. aux années 1930 : coffres, armoires de mariage, lit clos…

Musée de la Faïence★
14 r. Jean-Baptiste-Bousquet - ℰ 02 98 90 12 72 - www.quimper-faiences.com - ♿ - de mi-avr. à mi-oct. : tlj sf dim. 10h-18h - possibilité de visite guidée sur demande (1h15) - fermé j. fériés. - 4 € (enf. 2,30 €).
Situé au bord de l'Odet, le musée est installé dans la maison Porquier, construite en 1797. Il retrace, sur trois siècles, l'histoire de la faïence à Quimper. Principalement centré sur l'évolution des formes et des couleurs, il permet de mieux appréhender ce métier et ses techniques de fabrication. Le musée illustre le mélange de différents styles : le rouen, avec ses décors essentiellement floraux, ses couleurs variées et denses ; le nevers, avec ses scènes bibliques ou mythologiques, ses camaïeux de bleu, ses deux jaunes, et sa technique du décor au blanc fixe. On remarque pour le 20e s. les motifs complexes de Quillivic et de **Mathurin Méheut**, les lignes épurées de René Beauclair, et les pièces uniques de Giovanni Leonardi.

SE LOGER

Chambre d'hôte
La Vallée du Jet........... ①
Hôtel Coudraie.............. ④
Hôtel Gradlon............... ⑦
Hôtel du Manoir
de Kérhuel................ ⑩

SE RESTAURER

Café de l'Épée............... ①
Crêperie Ar vro Melenig.. ④
Crêperie du Guéodet...... ⑦
Erwan........................ ⑩

Fleur de Sel................... ⑬
L'Assiette...................... ⑯
Le Bistro à lire............... ⑲

Faïenceries de Quimper H.B. Henriot (A2)

R. Haute - ☎ 02 98 90 09 36 - www.hb-henriot.com - ♿ - visite guidée obligatoire (35mn) tél. au 0 800 626 510 pour les horaires de dép. - (sf dim. juil.-août, w.-end reste de l'année) - fermé vac. de Noël et j. fériés - 3 € (enf. 8-14 ans 2 €).

Issue de la fusion entre H.B. et Henriot, cette maison tricentenaire a été rachetée en 1984 par Paul Janssens, un Américain d'origine hollandaise. Elle reste l'une des seules de France où les faïences sont décorées entièrement à la main, sans transfert ni décalcomanie : paysans bretons en costume traditionnel, oiseaux, coqs, motifs botaniques… Dans les ateliers, on découvre chaque étape de la fabrication, du pain d'argile à la cuisson. Quelques concessions ont été faites à la modernité : la pâte est désormais achetée à l'extérieur, et les fours fonctionnent à l'électricité.

Non loin de la faïencerie, sur la même rive, s'arrondit le **mont Frugy** (70 m).

Depuis la place de la Résistance, où se trouve l'office de tourisme, un chemin *(30mn à pied AR)* mène à son belvédère : belle **vue**★ sur la ville.

Église N.-D.-de-Locmaria (A2)

En bordure de l'Odet, cet édifice roman conserve, dans le bas-côté gauche, trois pierres tombales des 14ᵉ, 15ᵉ et 17ᵉ s., et sur la poutre de gloire, un *Christ en robe*.

Dans le bas-côté droit, une porte donne dans le jardin de l'ancien prieuré bénédictin (16ᵉ et 17ᵉ s.). Voyez deux arcs du 12ᵉ s. et la galerie du cloître (1669).

Aux alentours

DESCENTE DE L'ODET EN BATEAU★★

Avr.-sept. : jusqu'à 5 croisières/j. (2h30) - croisière-déjeuner tlj sf lun. - possibilité de faire escale à Bénodet, selon h. de marée, ou de prolonger l'excursion jusqu'aux îles Glénan - renseignements à l'office du tourisme de Quimper ou aux « Vedettes de l'Odet » - ℰ 02 98 57 00 58.

L'Odet prend sa source à 40 km au nord-est de Quimper, au cœur des Montagnes Noires. À la sortie de la ville, la rivière s'élargit, puis se faufile dans une superbe vallée, où les bois et les parcs des châteaux forment un décor verdoyant.

Baie de Kérogan★

À l'entrée de la baie, qui offre l'allure d'un lac, le port du **Corniguel** est une touche moderne dans le paysage.

Les Vire-Court★★

Ici, l'Odet décrit des méandres entre de hautes falaises boisées. Plus au sud, le coude est si brusque qu'une flotte espagnole, remontant l'Odet au début du 17ᵉ s. pour s'emparer de Quimper, n'osa s'y risquer. Après avoir fait de l'eau à la fontaine « des Espagnols », comme on l'appelle depuis, la flotte rebroussa chemin. En aval de cette fontaine, sur la rive droite avant **Le Perennou**, on découvre les ruines de bains romains.

Au débouché des Vire-Court, deux rochers forment le Saut de la Pucelle. La légende rapporte qu'une jeune fille, poursuivie par un brigand, préféra se jeter dans l'Odet que de perdre son honneur… Un autre rocher porte le nom de Chaise de l'Évêque : il aurait été façonné en forme de siège par des anges, à l'usage d'un saint prélat de Quimper qui aimait se recueillir en ce lieu.

Circuits de découverte

ENTRE JET ET ODET ①

Circuit de 27 km – environ 2h30. Quittez Quimper par l'avenue de la Libération ; au premier grand rond-point, tournez à gauche en direction de Brest et au deuxième, à droite vers Coray (D 15). À 700 m, prenez la direction d'Elliant.

La route emprunte la vallée du Jet, l'un des affluents majeurs de l'Odet. Cette rivière le rejoint juste avant son entrée dans Quimper.

Église d'Ergué-Gabéric

Le chœur de cet édifice (16ᵉ s.) renferme un vitrail de la Passion (1571) et un groupe de la Trinité du 17ᵉ s.

Prenez à droite de l'église vers la chapelle de Kerdévot.

Chapelle de Kerdévot

Niché dans un joli site ombragé, ce sanctuaire remonte au 15ᵉ s. À l'intérieur, on remarque une statue en bois polychrome (17ᵉ s.) dédiée à N.-D. Le **retable**★ flamand (fin 15ᵉ s.) retrace en six tableaux des épi-

Bateaux sur l'Odet.

R. Mattes / MICHELIN

sodes de la vie de la Vierge. *La chapelle est en réfection et n'est ouverte au public qu'en juil.-août - ℰ 02 98 66 68 00 pour les horaires précis.*

Prenez la voie longeant la chapelle à gauche, puis encore à gauche vers Quimper. À 3 km, tournez à droite vers le hameau de Lestonan. À la sortie de Quellénec, prenez à droite un chemin en partie revêtu qui conduit en 600 m au parking de Griffonès.

Site du Stangala★

Traversez l'arboretum (chênes rouges d'Amérique, hêtres pourpres…), puis obliquez à gauche pour gagner, à travers bois, deux plates-formes rocheuses d'où l'on jouit d'une **vue** remarquable : l'escarpement domine de 70 m l'Odet, qui sinue entre des versants boisés. En face, vers la droite, le hameau de Tréauzon s'accroche aux pentes. Au loin, à gauche de la tour-relais, on distingue le profil caractéristique de la montagne de Locronan et sa chapelle, au sommet.

Au retour, on peut prendre à gauche un chemin en descente qui mène sur la rive de l'Odet *(30mn AR)*.

Pour regagner Quimper, prenez à droite en quittant le chemin étroit.

DE CALVAIRE EN CHAPELLE ②

Circuit de 57 km – environ 3h. Quittez Quimper au nord par la rue des Douves (BY). Peu après le cimetière situé à l'entrée de Kerfeunteun, tournez à droite.

Église de Kerfeunteun

Son fin clocher carré, à flèche de pierre, date des 16ᵉ et 17ᵉ s. mais le transept et le chœur ont été refaits. Au maître-autel, un beau vitrail du 16ᵉ s. représente un Arbre de Jessé, surmonté d'une Crucifixion. *Visite guidée sur demande à l'accueil de la paroisse de Kerfeunteun (tlj sf w.-end) - 76 bd des Frères-Maillot - 29000 Quimper - ℰ 02 98 64 30 46.*

Revenez sur l'avenue de la France-Libre. Au 2ᵉ rond-point, prenez la route de Plogonnec. La première à droite est le Chemin de Ty Mamm Doué.

QUIMPER

Chapelle de Ty Mamm Doué

℘ 02 98 95 81 38 (M. Duval) - visites guidées juil.-sept. : jeu. et sam. 14h-18h.

Edifiée entre 1541 et 1592, Ty Mamm Doué (« *Maison de la Mère de Dieu*») témoigne de l'introduction du style Renaissance en Bretagne. Notez, au sud, la porte gothique aux colonnettes torsadées ornées de nids d'abeille sur leur partie inférieure. À l'intérieur : nef unique, chœur à chevet plat et mobilier du 19e s. Beaux vitraux des 19e et 20e s. : les paroissiens avaient posé pour celui du croisillon sud (1924) représentant une procession de Pardon.

Revenez au rond-point, suivez la direction de Brest, ensuite tournez à gauche vers Briec (D 770) et, à Ty Sanquer, encore à gauche.

Calvaire de Quilinen★

Isolée par un bouquet d'arbres, la **chapelle N.-D.-de-Quilinen** date de 1550, avec son étonnant calvaire. Sur deux bases triangulaires superposées, à pointes inversées, celui-ci surprend par son élégante rusticité. Les statues s'affinent jusqu'au supplicié, dominant les deux larrons très rapprochés.

Au revers de la Croix apparaît le Christ ressuscité. ℘ 02 98 57 90 44 - mai-sept. : 9h-19h - en cas de fermeture, récupération de la clef à la mairie.

Revenez à la grande route où vous tournez à droite et, à 5 km, prenez à droite vers la chapelle de St-Venec toute proche.

Chapelle de Saint-Venec

℘ 02 98 57 74 62 - visite sur demande à l'office de tourisme.

De style gothique, elle renferme le groupe en pierre de sainte Gwen et de ses triplés : saint Guénolé, saint Jacut et saint Venec. Sainte Blanche (sainte Gwen ici) possédait trois mamelles, une pour chacun de ses triplés ! Devant la chapelle, le calvaire (1556) sur base triangulaire a été réalisé par le même atelier que celui de Quilinen. De l'autre côté de la route se trouve une charmante fontaine du 16e s.

Le calvaire de Quilinen.

R. Mattes / MICHELIN

Suivez la route de la chapelle, passez sous le grand axe routier Quimper-Brest et tournez à gauche vers la chapelle N.-D.-des-Trois-Fontaines. Continuez jusqu'à la route de Gouézec où vous tournerez à droite.

La Roche du Feu★

🚶 *30mn à pied AR.* Du parking, un sentier mène au sommet (281 m) du site, appelé Karreg an Tan en breton : vaste **panorama★** sur les Montagnes Noires, le Ménez-Hom et la vallée de l'Aulne.

Regagnez Quimper par Edern et Briec.

LES RIVES DE L'ODET ③

Circuit de 48 km – environ 2h30. Quittez Quimper par le boulevard de Poulguinan en direction de Pont-l'Abbé. Après le rond-point, dans la montée, tourner à gauche.

Port du Corniguel

Situé au fond de la baie de Kérogan, c'est le port de Quimper où transitent les vins, les bois, le sable. Belle vue sur l'Odet.

Reprenez la direction de Pont-l'Abbé, puis tournez à gauche vers Plomelin. Au carrefour suivant, prenez vers la cale de Rosulien.

Cale de Rosulien

Route non revêtue en fin de parcours. De la cale, belle vue sur l'entrée des **Vire-Court★★** (voir ci-avant).

Revenez au carrefour, tournez à gauche. Après l'entrée du château de Perennou, tournez à gauche vers l'Odet (accès fléché). 🚶 *Du parc de stationnement, un sentier (15mn à pied AR)* mène sur les bords de l'Odet.

Avant le carrefour du Croissant, où l'on tourne à gauche vers Combrit, la route franchit l'anse profonde de Combrit, beau site à marée haute.

Combrit

L'**église** du 16ᵉ s. est surmontée par un clocher carré à dôme, flanqué de deux tourelles. Petit ossuaire (17ᵉ s.) contigu au porche sud.

Parc botanique de Cornouaille – ☏ 02 98 56 44 93 - 10h-12h, 14h-19h ; juil.-août 10h-19h - fermé 20 sept.-10 oct. et 15 nov.-15 mars - 6 €.

Après avoir visité ce très beau parc de 4 ha, qui compte parmi les premières collections botaniques de Bretagne, vous pourrez acheter des plants dans la pépinière installée à l'entrée du site et retrouver certaines des 3 500 variétés de plantes aperçues au jardin. L'endroit est féerique en mars, lorsque les 550 variétés de camélias et les 85 sortes de magnolias sont en pleine floraison !

Prenez la direction de Bénodet, puis tournez à droite vers Ste-Marine.

Sainte-Marine

☏ 06 81 66 78 67 - Bac piéton Bénodet-Ste-Marine « Le Picot » - cale St-Thomas - juil.-août : 10h-12h30, 13h50-19h15, w.-end 13h50-19h15 - 2 € (enf. 1 €).

Cette petite station balnéaire, sur la rive droite de l'Odet, possède une belle plage de sable fin : vue sur Loctudy et la pointe de Lesconil, l'île aux Moutons et l'archipel de Glénan. Depuis le port de plaisance, belle vue sur Bénodet et l'Odet.

Bénodet *(voir ce nom)*

La route du retour (D 34) s'éloigne de la rive gauche de l'Odet et traverse **Le Drennec**. Devant la chapelle, en bordure de la route, charmante fontaine du 16ᵉ s. Une niche trilobée surmontée d'un gâble à crochets abrite une Pietà.

Par Moulin-du-Pont, regagnez Quimper.

Quimper pratique

Adresse utile

Office du tourisme de Quimper – *Pl. de la Résistance - 29000 Quimper* – ☏ 02 98 53 04 05. www.quimper-tourisme.com - *juil.-août : lun.-sam. 9h-19h, dim. 10h-13h, 15h-17h45 ; de mi-mars à juin et sept. : tlj sf dim. 9h30-12h30, 13h30-18h - fermé Noël, 1ᵉʳ janv., lun. de Pâques, 1ᵉʳ et 8 Mai.*

Visite

Ville d'art et d'histoire, Quimper propose des visites-découvertes *(1h30)* animées par des guides-conférenciers agréés par le ministère de la Culture et de la Communication. *L'été, visites nocturnes en musique et à thèmes (l'art religieux, les jardins de Quimper…) - 5 € (-12 ans gratuit) - programme disponible à l'office de tourisme.*

Transports

En bus – Le ticket à l'unité *(1 €)* permet un déplacement libre de 45mn, une correspondance est autorisée dans les 45mn qui suivent l'achat ; le ticket journée *(3 €, sous réserve de modification tarifaire)* s'achète auprès du conducteur, des dépositaires ou du point accueil QUB *(2 quai de l'Odet)* - ☏ 02 98 95 26 27.

Se loger

☺ **Chambre d'hôte La Vallée du Jet** – *Lieu-dit Kervren - 29140 St-Yvi - 14 km au SE de Quimper par D 765 rte de Rosporden -* ☏ 02 98 94 70 34 - fermé fév. - ⬚ - 6 ch. 37/44 € ⬚. Cette longère du 19ᵉ s. habilement restaurée domine la vallée du Jet. Elle dispose de chambres très calmes, plutôt sympathiques, possédant toutes une terrasse ouverte sur le parc paysager. La basse-cour et les moutons raviront les enfants. Également deux gîtes.

☺⬚ **Hôtel du Manoir de Kérhuel** – *29720 Plonéour-Lanvern - 12 km au SO de Quimper par D 785 rte de Pont-l'Abbé puis D 156 rte de Plonéour-Lanvern -* ☏ 02 98 82 60 57 - http://perso.wanadoo.fr/manoir-kerhuel - fermé de déb. janv. à Pâques, 11 nov.-27 déc. - **P** - 26 ch. 61/95 € - ⬚ 10 € - rest. 18/55 €. Une longue allée bordée d'arbres centenaires mène à ce manoir du 15ᵉ s. s'élevant dans un joli parc fleuri. Ravissantes chambres propices au repos. Au restaurant, décor particulièrement soigné et cuisine mariant avec succès les saveurs de la mer et du terroir.

☺⬚ **Hôtel Coudraie** – *7 imp. du Stade - 29700 Pluguffan - 6 km à l'O de Quimper par D 785, rte de Pont-l'Abbé et D 40 -* ☏ 02 98 94 31 26 - http://monsite.wanadoo.fr/bandb-lacoudraie - 11 ch. 54 € - ⬚ 6 €. Cette belle bâtisse aux allures de maison particulière vient d'être reclassée en hôtel. On séjournera avec plaisir dans l'une des coquettes chambres agrémentées d'un mobilier en merisier. Agréable jardin calme et fleuri… Une adresse charmante, à prix doux.

☺⬚⬚ **Hôtel Gradlon** – *30 r. de Brest -* ☏ 02 98 95 04 39 - www.hotel-gradlon.com - fermé 20 déc.-20 janv. - 22 ch. 86/155 € - ⬚ 12 €. Chambres rajeunies par étapes, donnant pour la plupart sur une jolie courette fleurie, tout comme la véranda où l'on sert les petits-déjeuners. Accueil familial attentionné.

Se restaurer

◻ **Le Bistro à lire** – 18 r. des Boucheries - ℘ 02 98 95 30 86 - bistroalire@wanadoo.fr - fermé dim. et lun. hors sais. sf lun. apr.-midi en été - ⊟ - 7,40/12 €. Depuis 2001, cette librairie-restaurant, intallée au cœur des rues piétonnes, allie goût des livres et plaisirs de la table. Un lieu atypique – spécialités : polars et livres de cuisine – qui organise tous les mois des animations autour d'auteurs de littérature policière. Arrêtez-vous quelques instants et vous pourrez, autour d'un verre, vous adonner à la lecture, dans un cadre coloré.

◻ **Crêperie du Guéodet** – 6 r. du Guéodet - ℘ 02 98 95 40 38 - fermé dim. et lun. sf vac. scol. - 7,50/15 €. Minuscule crêperie très fréquentée par les Quimperois qui apprécient ses galettes de farine biologique, son décor égayé de faïences et son atmosphère simple et conviviale. Si c'est complet, faites un tour dans le vieux Quimper avant de retenter votre chance.

◻ **Crêperie Ar vro Melenig** – 2 r. de Concarneau - ℘ 02 98 53 37 95 - www.arvromelenig.com – 9 € bc/12,50 € bc. Tenue par d'anciens pensionnaires de l'école hôtelière, cette crêperie compense une décoration simple par une cuisine fine et authentique. Quelques spécialités maison comme la Giz Foën, la Tréanna ou la Ste Marguerite aux bananes cuites raviront les connaisseurs les plus délicats.

◻ **Erwan** – 1 r. Aristide-Briand - ℘ 02 98 90 14 14 - réserv. conseillée - 9/18 €. Erwan, c'est le prénom du patron de ce sympathique restaurant situé à deux pas de la cathédrale St-Corentin. Côté décor : murs rouge flamboyant et tables peintes en jaune, violet ou vert pistache. Côté cuisine, des petits plats simples puisés dans les cahiers de recettes de nos grands-mères.

◻ **Café de l'Épée** – 14 r. du Parc - ℘ 02 98 95 28 97 - www.quimper-lepee.com - 13,90/31 €. Artistes de cinéma ou de théâtre, écrivains et hommes politiques ont fréquenté cette institution quimpéroise. La brasserie propose plusieurs menus de fruits de mer, poissons, choucroutes et viandes.

◻◻ **L'Assiette** – 5 bis r. Jean-Jaurès - ℘ 02 98 53 03 65 - fermé 7-26 août, lun. soir, merc. soir et dim. - 16/18 €. Madame vous accueille en salle, Monsieur s'affaire derrière les fourneaux et le fils élabore d'appétissantes pâtisseries maison. La salle à manger d'allure mi-bistrot, mi-brasserie a été rafraîchie il y a peu. La cuisine traditionnelle met à l'honneur les poissons et – argument massue ! – les prix sont raisonnables.

◻◻ **Fleur de Sel** – 1 quai Neuf - ℘ 02 98 55 04 71 - fermé 24 déc.-6 janv., sam. midi et dim. - 21/36 €. Faites une halte gourmande dans cette coquette salle à manger (non-fumeurs) aux murs de briques peints en blanc : l'appétissante carte propose une savoureuse et généreuse cuisine au goût du jour élaborée avec des produits du terroir attentivement sélectionnés : les plats collent à la saison et les vins collent aux plats !

En soirée

Théâtre de Cornouaille Scène Nationale de Quimper – 1 espl. François-Mitterrand - ℘ 02 98 55 98 55 - www.theatrequimper.asso.fr - accueil : tlj sf dim. et lun. 14h-19h - fermé 15 juil.-20 août - 8 à 22 €. Scène nationale de Quimper, lieu ouvert en 1998 proposant des spectacles de théâtre, de danse et de musique (classique, traditionnelle, jazz, opéra).

Que rapporter

Biscuiterie Quimper-Styvel – 8 r. du Chanoine-Moreau - ℘ 02 98 53 10 13 - sais. : 9h-19h ; hors sais. : tlj sf dim. 9h-12h30, 14h-18h. Tous les produits de Bretagne se sont donnés rendez-vous dans cette belle boutique de Locmaria où vous retrouverez conserves et faïences mais surtout spécialités maison : gâteau breton, far, kouign amann et crêpes dentelles. Vous assisterez à leur élaboration avant de les déguster tout frais sortis du four.

S. Sauvignier / MICHELIN

Galette de sarrasin œuf-jambon.

Manoir du Kinkiz – 75 chemin du Quinquis - Ergué-Armel - ℘ 02 98 90 20 57 - cidreriemanoirdukinkiz@yahoo.fr - tlj sf dim. 9h30-12h30, 14h-18h30 - fermé j. fériés. Cette cidrerie familiale perpétue depuis cinq générations un savoir-faire issu d'une longue tradition. Sa production est régulièrement récompensée au Concours général agricole. Venez découvrir les chais et les produits. Au programme : visite des vergers, de la cave et dégustation gratuite (cidre, pommeau AOC et eaux-de-vie de cidre).

Distillerie Artisanale du Plessis – 77 chemin du Quinquis - Ergué-Armel - ℘ 02 98 90 75 64 - distillerieduplessis@wanadoo.fr - tlj sf dim. 9h30-12h30, 14h-18h30 - fermé j. fériés. Cette distillerie fabrique toujours, dans le respect des traditions : pommeau de Bretagne, cidre de Cornouaille, « lambig » ou fine de

Bretagne, liqueurs, jus de pommes… mais innove aussi avec des créations comme les apéritifs aux algues. Ne manquez pas la visite du musée de l'Alambic, qui vous raconte trois siècles de distillation et se termine par une dégustation des produits élaborés sur place.

H.B. Henriot – *Locmaria - 29337 Quimper Cedex - ✆ 02 98 90 09 36 - www.hb-henriot. com - visites : tlj sf dim. 9h15, 10h15, 11h15, 14h, 14h45, 15h45, 16h15. Boutique : hors sais. tlj sf dim. 9h30-18h, sais. 9h30-18h30 - fermé 1er janv., 25 déc. et j. fériés.* Cette faïencerie, fondée à la fin du 17e s., lieu de tradition et de création, ouvre ses portes au public depuis plus de 70 ans ! La visite guidée des ateliers (35mn) montre toutes les étapes de la fabrication façonnage ; émaillage, décoration à la main et cuisson. Boutique de vente.

Sports & Loisirs

Aquarive – 👪 *159 bd de Creac'h-Gwen - ✆ 02 98 52 00 15 - aquarive@quimper-fr - tlj sf dim. 10h-20h, vend. 10h-22h ; hors vac. : lun. et jeu. 13h-20h ; mar. et vend. 12h-22h ; merc. 10h-20h, sam. 12h-20h, dim. et j. fériés 9h-19h - fermé 10 j. en mars, 10 j. en sept., 25 déc. et 1er janv.* Complexe nautique avec un bassin à vagues, un toboggan de 60 mètres, des bains bouillonnants, solariums, saunas et hammam…

Bonobo Parc – *59 r. Prés.-Sadate - Creac'h Gwen - ✆ 02 98 53 09 59 - juil.-sept. et vac. scol : 10h-19h30, hors sais : merc., w.-end et j. fériés.* Venez surmonter votre vertige à 10 m au-dessus du vide ! Quatre parcours dans les arbres et un total de 50 ateliers parmi lesquels la tyrolienne et le pont de singe garantissent des sensations à toute la famille. Les moins aventuriers pourront toujours se replier sur le bowling ou autour d'une table de billard.

Canoë-kayak – *Base nautique de Locmaria - r. du Chanoine-Moreau - ✆ 02 98 53 19 99 - http://perso.wanadoo.fr/ kayak.quimper/ - juil.-août : 9h-18h ; le reste de l'année dim. sur RV - fermé déc.* Ce club organise des stages d'apprentissage et propose un service de location de kayaks (avec navette gratuite pour le retour). Une bonne idée pour découvrir la superbe vallée de l'Odet, en suivant son cours jusqu'à Bénodet.

Gouelia – *2 bis r. Haute, Locmaria - ✆ 02 98 65 10 00 - www.gouelia.com - tlj sf w.-end 9h-18h - fermé j. fériés - à partir de 22 €.* Cette association organise des balades sur sa flotille de vieux gréements : *La Belle Angèle, Le Corentin* et le *Dalh Mad.* Départ de Concarneau et Douarnenez.

Événements

Festival de Cornouaille – *✆ 02 98 55 53 53.* Grand rendez-vous de la culture bretonne organisé en juillet, ce festival de musique et de traditions populaires draine sur 9 jours près de 300 000 visiteurs.

Animations estivales – Concerts : musiques et danses de Bretagne, dans les jardins de l'évêché, entre la cathédrale et les remparts. De mi-juin à mi-sept. : jeu. 21h15 - 4 €.

Quimperlé ★

10 850 QUIMPERLOIS
CARTE GÉNÉRALE C3 – CARTE MICHELIN LOCAL 308 J7 – FINISTÈRE (29)

Au nord de la forêt de Carnoët que longe la Laïta, Quimperlé conserve des quais qui témoignent de l'importance de son ancien port, fréquenté aujourd'hui par les bateaux de plaisance. La ville a conservé bon nombre de ses maisons médiévales, et jouit d'un emplacement idéal pour partir à la découverte des forêts mitoyennes et du littoral tout proche.

▶ **Se repérer** – Quimperlé signifie « au confluent de la rivière Ellé ». De fait, la cité s'est développée à la confluence de ce cours d'eau avec l'Isole. Les deux forment la Laïta, qui s'enfuit vers l'océan (10 km au sud). Lorient se trouve à 20 km au sud-est par la N 165 (qui continue à l'ouest vers Concarneau et Quimper).

🅿 **Se garer** – Le centre-ville est truffé de pakings publics, vous en trouverez notamment place St-Michel, face à l'office de tourisme.

🕐 **Organiser son temps** – Une demi-journée suffit pour visiter la ville et apercevoir les alentours.

👁 **À ne pas manquer** – L'abside et le retable de l'église Ste-Croix ; la rue Dom-Morice pour ses très belle maisons médiévales et la petite randonnée jusqu'aux Roches du Diable pour la descente sur l'Ellé.

👪 **Avec les enfants** – Observez grâce à une caméra infrarouge des centaines de chauves-souris dans le grenier de l'ancienne abbaye St-Maurice.

👣 **Pour poursuivre la visite** – Voir aussi Pont-Aven, Le Faouet, Kernascléden, Lorient, Port-Louis et l'île de Groix.

Se promener

Église Sainte-Croix★★

8h30-18h. On est un peu perdu en arrivant dans cette église dont le plan circulaire s'inspire de celui du Saint-Sépulcre de Jérusalem. Élevée au 11e s., elle a dû être réédifiée (sauf l'abside et la crypte) en 1862, quand son clocher s'est effondré. L'**abside★★** (chœur), avec ses arcatures, ses colonnes, ses chapiteaux, ses fenêtres, est un très bel exemple d'art roman en Bretagne. Voyez également, adossé à la façade, le **retable★** Renaissance en pierre, partie d'un ancien jubé.

On aperçoit dans la première crypte (19e s.), une émouvante **Mise au tombeau** de 1500. De son côté, l'ancienne **crypte★★**, vestige de l'église primitive, possède de remarquables chapiteaux et deux tombeaux du 15e s. à gisants ; dont celui de saint Gurloës que l'on invoquait pour guérir les maux de tête.

Détail du retable Renaissance de l'église Ste-Croix.

En sortant de l'église, avancez-vous dans la rue Ellé qui longe le flanc gauche et offre une jolie vue sur le chevet et le clocher.

Au bout de cette rue, le **Pont Fleuri** (15e s.) donnait accès à l'une des trois portes de la ville fortifiée. Il a conservé son aspect en dos d'âne et ses puissants éperons.

Revenez sur vos pas et tournez à droite rue Brémond-d'Ars.

Rue Brémond-d'Ars

On y voit les imposantes ruines de l'église St-Colomban, des maisons à colombages et des demeures du 17e s. (*nos 8, 10, 11 et 12*). Au n° 15 bis, remarquez le bel escalier du Présidial, ancien tribunal.

Rue Dom-Morice★

C'est une ruelle étroite bordée de logis du 16e s. Au n° 7, très belle **maison des Archers** de 1470, qui abrite d'intéressantes expositions temporaires. *℘ 02 98 96 04 32 - www.quimperle tourisme.com - tlj sf mar. 10h-12h, 14h30-19h - fermé de mi-sept. à mi-juin - gratuit.*

Église N.-D.-de-l'Assomption

℘ 02 98 96 04 32 - juil.-août : 9h-18h - en cas de fermeture pdt l'année scol. clef disponible à l'office de tourisme.

Connu aussi sous le nom de St-Michel, cet édifice des 13e et 15e s. domine la ville. Il est surmonté d'une grosse tour carrée. Passez sous l'arcade, ouverte à droite dans l'un des contreforts de l'église, pour voir le beau porche sculpté de 1450. À l'intérieur, belle voûte en chêne.

En sortant, vous apercevez en face le clocher de Ste-Eutrope.

Chapelle Sainte-Eutrope (Hôpital Frémeur)

Cet ancien hospice date du 16e s. Il a succédé à une léproserie du 13e s. La longère a conservé sa structure médiévale. Les portes ouvertes, les malades pouvaient entendre la messe célébrée dans la chapelle accolée.

Revenez pl. St-Michel et prenez la rue A.- Briand.

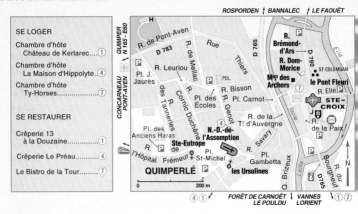

ROSPORDEN † BANNALEC † LE FAOUËT

SE LOGER

Chambre d'hôte
Château de Kerlarec.....①

Chambre d'hôte
La Maison d'Hippolyte..④

Chambre d'hôte
Ty-Horses..................⑦

SE RESTAURER

Crêperie 13
à la Douzaine...............①

Crêperie Le Préau...........④

Le Bistro de la Tour.........⑦

Chapelle des Ursulines

Ancien couvent du 17ᵉ s., de style jésuite à tendance baroque, il possède un magnifique plafond doré à la feuille d'or. La ville de Quimperlé y organise des expositions d'art contemporain.

Aux alentours

Manoir de Kernault

À Mellac – 5 km au nord-ouest - ℘ 02 98 71 90 60 - juil.-août : 10h-12h30, 14h-19h ; de mi-fév. à déc. et vac. scol. (ttes zones) : tlj sf lun. et mar. 14h-18h - 4 € (15-18 ans 2,50 €).
Ce beau manoir du 15ᵉ s., entouré d'un parc de 30 ha, est remarquable pour son superbe **commun★** (16ᵉ s.) à pans de bois. Devenu centre culturel, il accueille d'intéressantes expositions temporaires et de nombreuses animations.

Roches du Diable★

12 km au nord-est, plus de 30mn à pied AR. Quittez Quimperlé par la D 790 vers Le Faouët et, à 4,5 km, tournez à droite vers Locunolé que vous traverserez.
🐾 *La descente sur l'Ellé est fort belle. Franchissez le pont et tournez aussitôt à gauche vers Meslan ; à 400 m laissez votre voiture à gauche.* Un lacis de sentiers permet d'atteindre le sommet des roches d'où l'on domine, dans un à-pic impressionnant, les eaux torrentueuses de l'Ellé.

Circuits de découverte

DOMAINE DE CLOHARS-CARNOËT ①

Circuit de 43 km – environ 2h30.
Quittez Quimperlé au sud par le quai Brizeux.

Forêt de Carnoët

Bordée par la Laïta, cette forêt domaniale de 850 ha offre de jolis sites et d'agréables promenades *(certains chemins sont réservés aux piétons et aux cavaliers)*. Près de 120 ha de hêtres et de chênes ont été dévastés par l'ouragan d'octobre 1987. Ils sont aujourd'hui en cours de reconstitution.

À 500 m après Toulfoën, tournez à gauche vers le rocher Royal.

La route serpente dans la forêt avant d'atteindre la Laïta où l'on peut voir le **rocher Royal**, escarpement rocheux dominant la rivière, et les vestiges du château de Carnoët. Il serait, selon la légende, la demeure du comte de Commore, le « Barbe-Bleue » cornouaillais.

Revenez à la route du Pouldu, tournez à gauche et, à un grand carrefour, prenez encore à gauche.

Enjambant la Laïta, le **pont de St-Maurice** offre une belle **vue★** sur les abrupts et les ombrages de la rivière.

Faites demi-tour et à 700 m tournez à droite.

Saint-Maurice

29360 Clohars-Carnoët - ℘ 02 98 71 65 51 - www.cloharscarnoet.com - de mi-juin à mi-sept. : 11h-19h ; de mi-sept. à fin sept. et de déb. fév. à mi-juin : dim. et j. fériés : 14h-18h ; vac. scol. : tlj sf sam. 14h-18h (dernière entrée 1h av. fermeture) - 4 € (enf. 3 €) - L'été, balades contées et musicales nocturnes et Nuits de la chauve-souris ; programme disponible sur place. Ce **site naturel★** protégé, propriété du Conservatoire du littoral depuis

1991, est agréable et verdoyant. L'eau est partout : à droite, la Laïta, à gauche, un bel étang. Les ruines de l'abbaye St-Maurice (12e s.) sont progressivement restaurées. La salle capitulaire, du 13e s., est une des plus anciennes de Bretagne. Dans les salles de l'ancien logis de l'abbé, une exposition retrace l'histoire des lieux et l'expansion monastique en Bretagne au Moyen Âge.

Ne repartez pas sans avoir passé un moment dans le grenier aménagé en un **observatoire des chauves-souris★**. Grâce à une caméra infrarouge, les visiteurs peuvent suivre sans la déranger la vie d'une colonie de grands rhinolophes, espèce protégée qui habite les combles du logis. Une exposition bien documentée sur ces mammifères volants complète la visite.

Le Pouldu

Petit port situé à l'embouchure de la Laïta.

Maison Marie-Henry – 10 r. des Grands-Sables. ✆ 02 98 39 98 51 - visite guidée (45mn, ttes les h) juil.-août : 10h30-11h30, 15h15-18h15 ; juin et sept. : tlj sf lun. et mar. 10h30-11h30, 15h15-18h15 ; avr.-mai et de déb. oct. à mi-nov. : tlj sf lun. mar. et merc. 14h30-16h30 - 4,50 €. Soirées concert organisées en été.

L'auberge que Gauguin et certains membres de l'école de Pont-Aven ornèrent de peintures et d'images fait l'objet d'une reconstitution : mobilier et objets des années 1890. Des expositions temporaires évoquent ces peintres, leur influence sur les Nabis à Paris, et sur d'autres artistes à l'étranger.

Chapelle N.-D.-de-la-Paix – Près de la plage des Grands Sables, dans un enclos herbeux, la chapelle, dont l'entrée est marquée par un monument en hommage à Gauguin, a été sauvée de la ruine par un déplacement de 26 km. Rebâtie, elle présente des baies à meneaux en forme de flammes ou de lis avec des vitraux de Manessier et Le Moal. Sous la charpente boisée, on remarque une poutre de gloire au Christ en pagne blanc et une Pietà. *Pour visiter (mini 10 pers.), se renseigner auprès de Michelle -* ✆ *02 98 96 91 51 ou Pascal -* ✆ *02 98 06 46 65.*

Longez la plage des Grands Sables, puis tournez à gauche vers Doëlan.

Doëlan

Ce petit port commande l'entrée d'un estuaire bien abrité où mouillent quelques petits bateaux de pêche et de plaisance. Rives verdoyantes et maisons bretonnes. Le site est des plus confidentiels.

Par Clohars-Carnoët, regagnez Quimperlé.

À LA DÉCOUVERTE DU BÉLON [2]

Circuit de 37 km – environ 1h1/2.
Quittez Quimperlé au sud-ouest par la D 16 et, à Gare-de-la-Forêt, prenez à droite.

Moëlan-sur-Mer

Plusieurs petits ports. L'**église** recèle quatre beaux confessionnaux (18e s.). Tlj sf w. end 9h30-17h.

Brigneau

Au sud-ouest, minuscule port de pêche

Le port de Doëlan.

où s'abritent des bateaux de plaisance. La route longe la côte ; on voit de-ci de-là quelques maisons à toits de chaume.

À Kergroës, tournez à gauche.

Kerfany-les-Pins

Sur l'estuaire du Bélon, ce petit séjour balnéaire offre un joli site et une plage de sable fin. Belle vue sur Port-Manech et l'estuaire de l'Aven.

Suivre la route en montée au-delà de la plage et à Lanriot tournez à gauche.

Bélon

Située sur la rive gauche du Bélon, cette localité est connue comme centre ostréicole *(voir Quimperlé pratique).* À marée basse, remarquez les parcs à huîtres plates sur la rive droite.

Par Moëlan-sur-Mer, regagnez Quimperlé.

Quimperlé pratique

Adresse utile

Office du tourisme de Quimperlé – *Le Bourgneuf - 29391 Quimperlé - ℘ 02 98 96 04 32. www.quimperletourisme.com - juil.-août : lun.-sam. 9h30-13h, 14h-19h, dim. 10h-12h ; sept.-juin : tlj sf dim. 9h-12h30, 14h-18h - fermé j. fériés sf 14 Juil. et 15 août.*

Se loger

☺ Chambre d'hôte Ty-Horses – *Le Rouho - 56520 Guidel - 7 km au SE de Quimperlé par D 765 rte de Lorient et rte de Locmaria - ℘ 02 97 65 97 37 - ⊁ - 4 ch. 39/50 € ⊑.* Cette bucolique demeure contemporaine à toit de chaume se compose de deux ailes dont une réservée aux hôtes. Les chambres, coquettement aménagées, se teintent chacune d'une couleur différente. Vous prendrez votre petit-déjeuner dans la véranda, face au spectacle des chevaux à l'exercice.

☺ Chambre d'hôte La Maison d'Hippolyte – *2 quai Surcouf - ℘ 02 98 39 09 11 - ⊁ - 4 ch. 49 € ⊑.* Il règne une sympathique atmosphère d'artiste dans cette maison centenaire située sur les bords de la Laïta. Il faut dire que sa propriétaire, accueillante et passionnée par sa région, y organise régulièrement des expositions. En hiver, soirées consacrées à la poésie. Chambres simples dotées d'un parquet d'époque.

☺☺ Chambre d'hôte du Château de Kerlarec – *6 km à l'E de Quimperlé par D 765 rte de Lorient et D 22 à gauche rte d'Arzano - ℘ 02 98 71 75 06 - www.chateau-de-kerlarec.com - ⊁ - 6 ch. 68/110 € ⊑.* On ne peut rester insensible au charme de ce château de 1830 dressé au milieu d'un parc agrémenté d'un bassin. À l'intérieur, tout exhale le raffinement cher au Second Empire : meubles anciens, objets d'art, souvenirs de voyage… La salle Jeanne d'Arc, en particulier, mérite une visite.

Se restaurer

☺ Crêperie Le Préau – *3 r. des Plages - 29350 Moëlan-sur-Mer - ℘ 02 98 96 50 91 - fermé 10-25 janv., 12-26 nov. et lun. - 8/18 €.* Cette ancienne école voisine de l'église abrite une petite crêperie jaune et bleue.

Les cartes de géographie, en bonne place sur les murs, réveilleront sans doute de vieux souvenirs d'enfance, encore ravivés par l'odeur des crêpes faites sous vos yeux.

☺ Crêperie 13 à la Douzaine – *22 r. de Lannevain - 29360 Clohars-Carnoët - ℘ 02 98 71 61 25 - fermé dim. midi, lun. et mar. - ⊁ - 10 €.* À côté du pub celte, vous trouverez cette charmante adresse offrant un large choix de crêpes et de galettes faites à partir de farine « bio ». Parmi les plus copieuses, citons la St-Jacques, à la crème, au curry et aux champignons avec une larme de cognac… Salle à manger rustique et petite terrasse d'été.

☺☺ Le Bistro de la Tour – *2 r. Dom-Morice - ℘ 02 98 39 29 58 - www.hotelvintage.com - fermé sam. midi, dim. soir et lun. - 20 € déj. - 29/60 €.* La façade de cette adresse sympathique évoque davantage la vitrine d'un caviste que celle d'un restaurant, et pour cause : le patron, président des Sommeliers de Bretagne, propose dégustation et vente de vins et spiritueux. Deux salles à manger, deux ambiances : au rez-de-chaussée un original bric-à-brac « rétro » chiné en brocante et à l'étage, une atmosphère plus feutrée évoque les années 1930. Carte et menus d'inspiration régionale.

Que rapporter

Huîtrières du Château de Bélon – *Port de Bélon - 29340 Riec-sur-Bélon - ℘ 02 98 06 90 58 - www.huitres-belon.com - tlj 10h30-13h30, 15h-18h30.* Affaire familiale fondée en 1864 qui propose une visite de trois quarts d'heure, depuis sa petite maison du port jusqu'à ses parcs à huîtres plates et creuses (si les marées le permettent). Dégustation face au Bélon et vente directe de bourriches.

Sports & Loisirs

Ferme équestre de Kersperche – *Lieu-dit Kersperche - 29340 Riec-sur-Bélon - ℘ 02 98 06 50 22 - tlj sur réserv. - fermé sept. pour l'équitation.* Établi entre Riec et Moëlan, ce centre propose des randonnées équestres (10 personnes maximum) et organise sur sa propriété des parties de paintball.

Quintin

2 611 QUINTINAIS
CARTE GÉNÉRALE D2 – CARTE MICHELIN LOCAL 309 E4 – CÔTES-D'ARMOR (22)

Cette « petite cité de caractère », connue jadis pour ses toiles de lin, conserve une atmosphère typique des villes de Bretagne intérieure. Rien n'y manque : la basilique, le château, un menhir, sans oublier les vieilles demeures qui s'étagent sur une colline, au pied de laquelle le Gouët forme un beau plan d'eau. Vous lui trouverez un charme incontestable.

▶ **Se repérer** – Au carrefour des D 7 et D 790, Quintin se trouve à un peu moins de 20 km au sud-ouest de St-Brieuc.

🕐 **Organiser son temps** – Comptez une heure pour faire le tour de la cité, et une de plus pour découvrir le musée-atelier des toiles.

♿ **Pour poursuivre la visite** – Voir aussi St-Brieuc, Guingamp, Rostrenen, le lac de Guerlédan, Loudéac et Moncontour.

Comprendre

Le commerce des toiles – Bien que son nom dérive de *kistinn,* « pays des châtaignes », Quintin doit plus sa renommée aux toiles qu'à ces fruits. Les tisserands firent en effet la fortune de la ville avec leurs fines toiles de lin, qui servaient à la confection de bonnets et de cols. Aux 17e et 18e s., ils étendirent leur savoir-faire aux toiles dites « de Bretagne » (chanvre et lin), exportées alors jusqu'en Amérique. Le déclin vint avec la Révolution. Cette période de prospérité explique l'intéressant patrimoine architectural que la cité conserve encore.

Visiter

Maisons anciennes
De **belles demeures** des 16e et 17e s. bordent la place 1830, la rue au Lait (*nos 12 et 13*) et la Grande-Rue (*nos 37 et 43*). La place du Martray, l'hôtel du Martray, l'hôtel de ville et la maison sise au n° 1 sont du 18e s.

Basilique
Reconstruite à l'emplacement de l'ancienne collégiale en 1887, elle conserve, avec les reliques de saint Thurian, un morceau de la ceinture de la Vierge, rapporté de Jérusalem au 13e s. par un seigneur de Quintin (Geoffroy Botrel ou Botherel), ainsi qu'une statue couronnée de N.-D.-de-Délivrance, vénérée spécialement par les femmes qui attendent un enfant. Remarquez les bénitiers faits de coquilles provenant de Java.
Au chevet de la basilique se dresse la Porte-Neuve, du 15e s., vestige des

Façade extérieure du château de Quintin.

remparts qui ceinturaient la ville. *9h30-18h30 - pour les visites guidées, s'adresser à l'office de tourisme.*

Château
Accès par la place 1830 - 📞 *02 96 74 94 79/04 63 -* ♿ *- visite guidée (1h) de mi-juin à mi-sept. : 10h30-12h30 (dernière entrée 11h45), 13h30-18h (dernière entrée 17h30) ; reste de l'année : w.-end 14h-17h15 (dernière entrée 30mn av. fermeture) - 5 € (8-14 ans 2,50 €).*
Cet édifice se compose d'un vieux château construit au 17e s. et d'un château du 18e s., flanqué d'une aile basse que l'on découvre sitôt la porte d'entrée franchie.
Un **musée** fait revivre l'histoire de la ville et des familles, notamment les Choiseul-Praslin, qui se sont succédé au château. On voit une belle collection d'éventails, des assiettes de la Compagnie des Indes décorées à la main, de la vaisselle de Saxe, des toiles de Quintin. Les cuisines renferment un objet rare. Il s'agit d'un fourneau en granit du 18e s., utilisé pour faire cuire doucement les plats en sauce et les potages, d'où son nom : un potager.

Musée-atelier du tisserand et des toiles

1 r. des Degrés - 📞 *02 96 74 01 51 - de déb. juin à fin sept. : mar.-dim., 13h30-18h30 - 1,50 €.*

Déjà tissées au Moyen Âge, les toiles de lin surnommées les « Quintin » ont connu un grand développement de 1650 à 1830. Cette maison de tisserand reconstituée présente leur histoire. Démonstration par une tisserande-fileuse.

Aux alentours

Menhir de Roche-Longue

800 m. Empruntez la route qui s'embranche après le calvaire, puis longe l'étang. En haut de la montée, dans un champ à gauche, se dresse ce menhir de 7,40 m.

Quintin pratique

Adresse utile

Office de tourisme du Pays de Quintin – *6 pl. 1830 - 22800 Quintin -* 📞 *02 96 74 01 51 - www.pays-de-quintin.com - juil.-août : lun.-sam. 9h30-12h30, 14h-18h, dim.10h30-12h30, 14h-17h ; 2ᵉ quinz. de juin : tlj sf dim. 9h30-12h, 14h-17h ; sept.-mi-juin : mar.-sam. 9h30-12h, 14h-17h - fermé j. fériés sf juil. et août.*

Visiter

Visites guidées – L'office de tourisme propose des visites guidées *(en saison le jeu. à 15h).* Originales, les visites nocturnes estivales où, munis d'une lampe à pétrole, vous vous laissez guider à travers les ruelles et les venelles (en saison, mar. à 21h).

Se loger et se restaurer

🛏 **Hôtel du Commerce –** *2 r. Rochonen -* 📞 *02 96 74 94 67 - fermé 23-30 août, 24 déc.-5 janv., dim. soir, vend. et lun. hors sais. - 14/41 € - 11 ch. 50/58 € - ☕ 7€.* Une restauration habile et soignée a doté cette demeure du 19ᵉ s. de tout le confort moderne, en conservant intacte la rusticité du lieu. Chambres personnalisées, aux noms de plantes parfumée. Restaurant aux tons boisés.

Vallée de la **Rance**★★

CARTE GÉNÉRALE E 1/2 – CARTE MICHELIN LOCAL 309 J/L 2/6 –
CÔTES-D'ARMOR (22) ET ILLE-ET-VILAINE (35)

Quelle belle destinée pour cette rivière d'obscure naissance qui connaît une fin de parcours prestigieuse entre Dinan, Dinard et St-Malo. Elle a connu la force redoutable des grandes marées, vu s'élancer les élégantes goélettes des terre-neuvas, avant d'être canalisée, fermée par l'usine marémotrice en 1966. Son estuaire est aujourd'hui un magnifique plan d'eau dont les rives offrent un patrimoine très varié, riche d'histoire et de légendes, qu'il faut prendre le temps de découvrir.

- ▷ **Se repérer –** La rive droite de la vallée de la Rance est desservie par la N 137 qui relie Rennes à St-Malo (74 km). De Dinan à Dinard (22 km), la N 176 puis la D 766 permettent d'accéder à tous les villages et sites de la rive gauche. Trois ponts franchissent la Rance entre Dinan et l'estuaire.

- 🕐 **Organiser son temps –** La découverte de la vallée mérite une bonne journée tant elle est riche en sites et en panoramas.

- 👁 **À ne pas manquer –** La croisière Dinan-St-Malo pour découvrir les paysages cachés de la Rance.

- 👪 **Avec les enfants –** Perdez-vous dans le labyrinthe de maïs de Quelmer, identifiez les pommes à Pleudihen-sur-Rance et visitez le moulin à marée du Prat.

- 🌿 **Pour poursuivre la visite –** Voir aussi Dinard, la Côte d'Émeraude, Dinan, St-Malo, Cancale, Dol-de-Bretagne et Combourg.

Comprendre

Capter l'énergie des marées – L'utilisation des marées à des fins énergétiques n'est pas nouvelle dans la vallée de la Rance. Déjà au 12ᵉ s., des riverains avaient imaginé de construire des bassins de retenue qui, en se vidant, au reflux, actionnaient des moulins à aubes appelés **moulins à marée**. En 1966, innovant dans la technique de production d'électricité, EDF a construit dans la basse vallée de la Rance une usine hydroélectrique actionnée par la marée et utilisant des « groupes bulbes », qui travaillent alternativement dans un sens et dans l'autre, suivant le mouvement des flots. Une digue de 750 m ferme l'estuaire de la Rance, constituant un bassin de retenue de 22 km² de superficie. La route qui relie St-Malo et Dinard la surmonte ; au moyen de ponts-levants, elle traverse l'écluse, longue de 65 m, permettant aux bateaux de franchir la digue.

Découvrir

Ce golfe est dû à l'invasion par la mer d'une vallée encaissée dont il reste les versants escarpés. La Rance proprement dite se réduit à une petite rivière que transforme le va-et-vient de la marée.

Promenades en bateau★★

5h AR – Escale et visite de Dinan non comprises. Compagnie Corsaire : balade sur la Rance AR de St-Malo à Dinan, pour tous renseignements, s'adresser aux bureaux des vedettes ou aux offices de tourisme de ces villes : vedettes à St-Malo - ☎ 0 825 138 035 (0,15 €/mn) ; à Dinard - ☎ 0 825 138 130 (0,15 €/mn) ; à Dinan - ☎ 0 825 138 120 (0,15 €/mn). Bateau le Jaman IV, promenade commentée (1h) avr.-oct. : dép. de Dinan vers Léhon - ☎ 02 96 39 28 41 ou 06 07 87 64 90. Croisière gourmande (3h) et croisière commentée (1h30) vers le barrage de la Rance, entre St-Malo et Dinard. embarquement à la gare maritime du barrage de la Rance - ☎ 02 99 46 44 40 - www.chateaubriand.com.

Quittant St-Malo, le bateau longe le môle des Noires pour gagner Dinard et y faire une courte escale. Il s'engage dans la Rance, laissant sur la gauche la corniche d'Aleth (St-Servan-sur-Mer), passe à hauteur de la pointe de la Vicomté et du rocher Bizeux, puis emprunte l'écluse du barrage de la Rance. Par une suite de plans d'eau, il remonte la rivière, encaissée entre des versants verdoyants. Après l'écluse du Châtelier, la Rance, se rétrécissant de plus en plus, n'est plus qu'un canal au moment où apparaît Dinan.

Dinan★★ *(voir ce nom)* – La durée de l'escale peut varier d'un quart d'heure à huit heures. Au retour, le sens de l'éclairage et son intensité renouvellent l'aspect des sites.

Circuit de découverte

LES BORDS DE LA RANCE★

87 km – compter une journée.

Saint-Malo★★★ *(voir ce nom)*

Quittez St-Malo par la N 137. Tournez à droite au niveau de la chapelle du Bos.

Quelmer

La route passe devant un labyrinthe de maïs, appelé le **Labyrinthe du corsaire**, qui comprend quatre parcours différents. *20 r. de la Goëletterie - 35400 St-Malo - ☎ 02 99 81 17 23 - www.labyrintheducorsaire.com - juil.-août : 11h-19h - 6,80 €.*

L'estuaire de la Rance.

L'itinéraire continue devant l'ancienne villa du commandant Charcot *(privé)* et conduit à la cale de **la Passagère**. En dépit de son aspect paisible, cette petite crique a bien mauvaise réputation. En effet, à l'époque où le bac traversait encore la Rance à la Passagère, une tragédie eut lieu : le passeur, de nature pourtant fort discrète, sortit un soir de chez lui, croyant voir des inconnus jeter un corps à l'eau. Il ne les retrouva pas mais le lendemain, c'est lui et ses enfants qui furent découverts assassinés. Une seule de ses filles survécut. Que cette histoire ne vous empêche pas d'y faire halte, car la cale offre une belle vue sur la Rance. Attention : la baignade y est dangereuse à cause de la proximité du barrage. Non loin de là, le cimetière de bateaux compose un tableau empreint de nostalgie.

Reprenez la route en sens inverse, et suivez les hauts murs du château du Bos pour en trouver l'entrée.

Château du Bos
Fermé à la visite.

C'est l'exemple même d'une malouinière du 18e s., c'est-à-dire une maison de campagne de riches armateurs, corsaires ou négociants. Doté d'un jardin à la française, le domaine s'étend sur 10 ha et profite de la vue sur la Rance.

Continuez la route vers St-Jouan-des-Guérets, puis gagnez St-Suliac. Sur la droite, remarquer le **moulin du Beauchet**, ancien moulin à marée, ancré sur sa digue.

Saint-Suliac

Saint Suliac, fils aîné d'un souverain du pays de Galles au 6e s., renonça au trône et vint fonder vers 560 un monastère sur les bords de la Rance. La légende lui attribue l'apparition de la mer en lieu et place de la « plaine de St-Suliac » pour empêcher les ânes de l'autre rive de venir manger le raisin. On lui doit aussi la destruction d'un serpent maléfique qu'il lança du haut du mont Garrot. Aujourd'hui, ce charmant **village de pêcheurs** porte son nom et a conservé de nombreuses maisons anciennes de granit, que l'on découvre en parcourant des ruelles tortueuses. Au-dessus se détache la massive silhouette de la tour de l'église (13e-17e s.) accompagnée d'un bel **enclos paroissial**. La rue qui descend conduit sur les bords de la Rance animés en saison par l'école de voile.

Dans St-Suliac, avant l'église, tournez à gauche en direction du mont Garrot. 1 km plus loin, laissez la voiture près d'une tour de guet crénelée.

Du pied de la tour, vaste **panorama★** sur l'anse de St-Suliac et St-Malo, le pays de Dol, la Rance et le pont St-Hubert.

Mont Garrot

15mn à pied AR. Un chemin à droite se dirige vers la pointe et passe derrière une ferme. Belles vues sur la Rance.

Gagnez La Ville-ès-Nonais et poussez une pointe jusqu'au pont St-Hubert. De ce pont suspendu, très belle vue sur la Rance, la cale de Port-St-Jean et, sur l'autre rive rocheuse, la cale de Port-St-Hubert.

Revenez à la Ville-ès-Nonais où vous prendrez à droite.

Pleudihen-sur-Rance

Les dépendances d'une ferme abritent le **musée de la Pomme et du Cidre**. Le verger est planté de différentes espèces de pommiers aux noms savoureux (doux évêque, chevalier, bénédiction de Ste-Anne). La visite évoque l'origine du fruit, ses différentes espèces, ses maladies, sa récolte et la fabrication du cidre (dégustation). ℰ 02 96 83 20 78 - juil.-août : 10h-19h ; avr.-juin et sept.-15 oct. : tlj sf dim. 14h-19h - 3,50 € (réduit 2 €)

Cale de Mordreuc

De ce très joli site, belles vues sur le pont St-Hubert en aval, le promontoire du Chêne vert que couronnent les vestiges d'un château, la vallée encaissée en amont.
Peu après avoir rejoint la D 29 vers Dinan, parking à droite pour le moulin du Prat.

Moulin du Prat

300 m avant l'entrée de La Vicomté-sur-Rance en venant de St-Malo. Aire de stationnement, puis 500 m à pied - ℰ 02 96 83 21 41 - ♿ *- juil.-août : 10h-12h, 15h-19h ; mai-juin et sept. : w.-end et j. fériés 14h30-18h ; reste de l'année : dim. et j. fériés 14h30-18h - 3 € (enf. gratuit).*

Restauré par la commune de La Vicomté-sur-Rance, ce moulin à marée du 15e s. est le seul de la vallée en état de fonctionnement à pouvoir se visiter. Exposition sur le rôle et l'évolution technique des moulins. Aux alentours, on peut observer toute une faune aquatique (hérons, aigrettes…) et même, avec un peu de chance, le phoque qui a élu domicile dans cette anse de la Rance !

Lanvallay

Au cours de la descente, **vue★** remarquable sur Dinan, ses remparts et ses clochers.

Le moulin du Prat.

Dinan★★ *(voir ce nom)*

Empruntez la route qui passe sous le viaduc de Dinan et longez le port, puis remontez la Rance sur l'autre rive.

Taden

Par ce bourg (donjon flanqué d'une tourelle du 14e s.), on atteint le chemin de halage qui reliait Dinan à l'écluse du Châtelier (7 km). Très apprécié des pêcheurs, il suit le cours sinueux de la Rance et constitue la promenade favorite des Dinannais. De nombreux oiseaux aquatiques (foulques, mouettes rieuses, goélands argentés…) y sont visibles.

Regagnez la route de Dinard. À la sortie de La Hisse, tournez à droite avant le passage à niveau.

Gagnez **Plouër-sur-Rance** dont l'église du 18e s. présente, à l'intérieur, deux pierres tumulaires sculptées.

Après Le Minihic, prenez à droite, puis, à 250 m, encore à droite.

G. Targat / MICHELIN

La Landriais

La cale sèche de la Landriais, encore visible dans le chantier naval, a accueilli le *Pourquoi Pas* de Charcot. C'est elle qui a aujourd'hui besoin de réparations.

🚶 Du parking part la promenade des Hures *(chemin de ronde des douaniers, à faire à pied)* qui longe sur 2 km la rive de la Rance et offre de beaux points de vue.

Au retour, à 1 200 m, reprenez à droite et, à 1 km, tournez encore à droite.

Cale de la Jouvente

Face à la Passagère. Belle vue sur la Rance et l'île Chevret.

Jardins du Montmarin

500 m à droite de la D 114 - ☏ 02 99 88 58 79 - www.domaine-du-montmarin.com - de mi-juin à mi-sept. : 14h-19h ; d'avr. à mi-juin et de mi-sept. à oct. : 14h-18h - fermé sam. et j. fériés - 5,60 € (enf. 3,60 €).

Décor de rêve pour cette élégante malouinière du 18ᵉ s., la seule de cette rive, dont les jardins descendent en terrasses jusqu'à la Rance. Les parterres à la française, mais aussi le dédale de chemins du parc offrent de séduisantes **perspectives★**. Pépinière.

La Richardais

Église St-Clément – *De déb. juin à mi-sept. : tlj sf sam. 14h-19h ; avr.-mai et de mi-sept. à fin oct. : tlj sf sam. 14h-18h - ☏ 02 99 88 58 79.*

Les murs de la nef portent une fresque de Xavier de Langlais (1955) figurant le **Chemin de Croix** ; dans le transept, la fresque représente l'arrivée sur les côtes bretonnes de saint Lunaire et de saint Malo. Belle voûte de bois en carène renversée ; cinq vitraux sont de Max Ingrand.

Atelier Manoli – *9 r. du Suet. À la sortie de La Richardais en direction de Dinard - ☏ 02 99 88 55 53 - www.manoli.org - juil.-août : 10h30-12h, 15h-19h ; avr.-juin et sept. : w.-end et j. fériés 15h-19h ; fermé oct.-mars - 4 € (-12 ans gratuit).* Du sculpteur Pierre Manoli (1927-2001) on connaît surtout la *Grande Voile* de la gare Montparnasse ou le mobilier liturgique de la cathédrale de Quimper. Mais ici c'est toute une œuvre, toute une vie que son épouse propose de découvrir en présentant ses créations (environ 400) dans l'atelier et le jardin. Les principaux thèmes sont la figure humaine, les assemblages et un riche bestiaire, avec une recherche perpétuelle de mouvement, d'une grâce très aérienne.

À la sortie de La Richardais, **vue** sur l'usine marémotrice et l'estuaire de la Rance.

Gagnez Dinard.

Usine marémotrice de la Rance

☏ 02 99 16 37 14 - avr.-sept. : 10h-12h30, 13h30-18h ; vac. de fév., de la Toussaint et de Noël (ttes zones) : tlj sf lun. et mar. 10h-12h30, 13h30-18h - fermé reste de l'année - gratuit.

C'est dans le vaste tunnel de 390 m de long, construit dans le cœur même de la digue, que se trouve la **centrale** du type « bulbe », qui produit 550 millions de kWh par an. Ce groupe « bulbe » est un ensemble turbine-alternateur monobloc. L'ouvrage en compte 24 exemplaires, soit une puissance totale de 240 000 kW.

Parcourez à pied la digue jusqu'à la plate-forme aménagée.

De ce belvédère, la **vue★** porte sur l'estuaire de la Rance. Située entre l'usine et la rive droite, la digue prend appui sur l'îlot de Chalibert. Elle comprend à son extrémité est six vannes qui permettent d'accélérer le vidage et le remplissage du bassin, régularisant ainsi le débit de l'eau utilisable.

Regagnez St-Malo par l'itinéraire direct qui emprunte la crête du barrage.

Vallée de la Rance pratique

Adresse utile

♿ Voyez aussi les encadrés pratiques de St-Malo, Dinan et Dinard.

Se loger

🛏 **Chambre d'hôte Les Mouettes** – *17 Grande-Rue - 35430 St-Suliac - ☏ 02 99 58 30 41 - www.les-mouettes-saint-suliac. com -* 🚫 *- 5 ch. 43/48 € -* ☕ *5 €.* De bien jolies chambres colorées, avec leur plancher massif et leurs tableaux choisis par la jeune maîtresse de maison, vous attendent dans cette bâtisse du 19ᵉ s. Au cœur du village, agrémenté d'un petit jardin, voilà un nid douillet où il fait bon séjourner.

🛏🛏 **Manoir de Rigourdaine** – *Rte de Langrolay puis rte secondaire : 3 km - 22490 Plouer-sur-Rance - ☏ 02 96 86 89 96 - www. hotel-rigourdaine.fr - fermé 15 nov.-1ᵉʳ avr. -* 🅿 *- 19 ch. 66/82 € -* ☕ *7 €.* En pleine campagne, ancienne ferme dominant l'estuaire de la Rance. Ses bâtiments entièrement rénovés ne manquent pas de charme, et si ses chambres modernes ont moins de caractère, elles permettent néanmoins de profiter de la tranquillité.

⌂⌂ **Chambre d'hôte Maison de la Vallée** – *Lieu-dit le Val-Hervelin - 22690 Pleudihen-sur-Rance - 3 km au SE de Pleudihen-sur-Rance près de la D 795 - ☎ 02 96 83 35 61 - www.maisondelavallee.*

com - ⌖ *- 3 ch. 72 €* ⌂. Construite en granit bleu de Lanhélin, dans le style si particulier des demeures malouines, cette demeure offre, de sa véranda, une belle vue sur la vallée. Aux étages, 3 chambres et 2 suites abritent mobilier en merisier et poutres cérusées. Également 2 gîtes dans une maison indépendante. Petits-déjeuners copieux.

Pointe du **Raz**★★★

CARTE GÉNÉRALE A3 – CARTE MICHELIN LOCAL 308 C6 – FINISTÈRE (29)

À l'extrémité ouest de la Cornouaille, cet éperon rocheux s'enfonce dans le terrible raz de Sein que, selon l'adage, « nul n'a passé sans peur ou sans douleur ». Voilà pourquoi il constitue un site d'exception, qui attire chaque année près d'un million de visiteurs. Classé « Grand Site national », il canalise aujourd'hui ses visiteurs pour que chacun contemple au mieux le déchaînement des flots tout en respectant l'environnement. Une mesure nécessaire pour que la pointe du Raz demeure la « carte postale de Bretagne la plus vendue » !

▷ **Se repérer** – La pointe se situe au bout de la D 784 qui vient d'Audierne (12 km au sud-est). La D 7 longe le nord de la Cornouaille pour rejoindre Douarnenez (30 km à l'est).

▣ **Se garer** – Le parking de 1 000 places est obligatoire et payant.

◷ **Organiser son temps** – Si le paysage de la pointe du Raz est toujours spectaculaire, il devient extraordinaire les jours de tempête et de grande marée.

◉ **À ne pas manquer** – Le sentier côtier pour ses panoramas vertigineux.

⛊ **Avec les enfants** – Suivez le parcours d'interprétation du « Sentier des lutins », munis du livret et de la boussole !

◔ **Pour poursuivre la visite** – Voir aussi la Cornouaille, l'île de Sein, Douarnenez, Quimper et Pont-l'Abbé.

Découvrir

LE SITE

Trois sites sont regroupés sous l'appellation « Grand Site national de la pointe du Raz » : la pointe du Raz en elle-même, la baie des Trépassés et la pointe du Van.

Les très longs travaux de réhabilitation et de reconquête naturelle du site avaient pour but d'offrir des sentiers sûrs et agréables afin d'empêcher le piétinement anarchique

Lande, rochers et mer bleue à la pointe du Raz.

A. de Valroger / MICHELIN

des landes. Ils se sont achevés par l'ouverture d'un vaste espace de commerces et de restaurants invisibles depuis la pointe : la Porte du cap Sizun.

🐚🐚 À l'extrémité de la pointe du Raz, près de la statue de N.-D.-des-Naufragés, le **panorama★★** sur le large permet de distinguer l'île de Sein, au-delà de laquelle on aperçoit par temps clair le phare d'Ar Men ; au nord-ouest, on distingue, sur un îlot, le phare de Tévennec. Le sentier qui fait le tour de la pointe du Raz suit le bord de gouffres vertigineux *(câble de sécurité)*. Le plus spectaculaire est l'**Enfer de Plogoff**, long éperon étroit, déchiqueté par les lames, qui domine les flots de plus de 70 m. Il se prolonge en mer par une chaîne de récifs dont le dernier porte le phare de la Vieille, ultime avancée dans le raz de Sein (un raz est un courant violent, ou un passage resserré par un courant maritime rapide). Le site est particulièrement impressionnant lorsque la mer est déchaînée. Le raz de Sein est particulièrement dangereux, et le **Sémaphore** (propriété de la Marine nationale, ne se visite pas) est là pour assurer la sécurité de la navigation.

👥 « Le Sentier des lutins » est un circuit d'interprétation pour les 6-12 ans. Un coffret comprenant livret et boussole est remis au départ - *8 €/enf.*

Pointe du Raz pratique

Adresse utile

Maison du site – *Avr.-juin, sept. et vac. scol. : 13h-18h ; juil. août : 9h30-19h30 - projections de films et expositions gratuites - 𝄢 02 98 70 67 18 - www.pointeduraz.com.*

Accès

Parking – obligatoire à proximité de la Maison du site - 5 €/voiture pour la journée.

🐚🐚 Depuis le parking, comptez 25mn de marche sur un sentier pour rejoindre la pointe.

👁 **Bon à savoir** – Navette gratuite à la disposition des visiteurs ayant des difficultés à se déplacer. *Avr.-juin, sept. et vac. scol. : 10h45-18h10 ; juil.-août : 9h45-19h30.*

Visites

Balades – La **Maison du site** organise des sorties (1h30) avec guide. « *Raz-conte-moi la Pointe* », est une balade familiale pour découvrir la faune et la flore du site, son patrimoine historique, la vie dans les phares et sur l'île de Sein. La seconde va jusqu'au dernier rocher de la pointe. Déconseillée aux personnes sujettes au vertige. *4 €/pers. - réserv. conseillée.*

Hébergement et Restauration

Si vous cherchez une adresse où dormir ou vous restaurer, consultez le carnet pratique du chapitre Cornouaille. Vous y trouverez notamment l'établissement « La Baie des Trépassés » (hôtel, bar-glacier et restaurant).

Redon

9 499 REDONNAIS
CARTE GÉNÉRALE D3 – CARTE MICHELIN LOCAL 309 J9 – ILLE-ET-VILAINE (35)

La ville occupe une position frontalière au contact de trois départements – Ille-et-Vilaine, Loire-Atlantique et Morbihan – et de deux régions, Bretagne et Pays de la Loire. C'est aussi un important carrefour de voies navigables, et un agréable centre de tourisme fluvial avec son port de plaisance, qui relie la Vilaine et le canal de Nantes à Brest.

▷ **Se repérer** – Situé à 30 km à l'intérieur des terres, Redon est à l'intersection de nombreuses routes secondaires. La D 177 mène à Rennes (68 km au nord-est), la D 773 à St-Nazaire (56 km au sud) et la D 775 à Vannes (64 km à l'ouest).

🕐 **Organiser son temps** – Prenez 2h pour faire le tour de la ville et promenez-vous ensuite le long de la Vilaine ou du canal de Nantes à Brest.

👁 **À ne pas manquer** – La tour de l'église St-Sauveur.

🕯 **Pour poursuivre la visite** – Voir aussi La Roche-Bernard, Rochefort-en-Terre, La Gacilly, le Manoir de l'Automobile à Lohéac et Blain.

Se promener

Vieille ville

En se promenant, on voit de belles maisons des 15ᵉ s. au 18ᵉ s., témoignages d'une architecture variée et du rôle historique tenu par Redon.

Partez de l'église St-Sauveur (voir ci-après) et suivez la Grande-Rue.

Une fois franchi le pont fleuri qui enjambe le canal, on arrive **rue du Port** où trois maisons à encorbellement font face à l'hôtel Carmoy *(n° 6)* qui date de la fin du 17ᵉ s. Dans la **rue du Jeu-de-Paume**, l'ancienne caserne des douaniers *(n° 10)* dresse son austère façade à 4 étages, ainsi qu'un mur peint représentant des marchands de cochons et de poissons en costumes anciens. En revenant rue du Port, on découvre au n° 40 d'anciens greniers à sel. Au n° 3 de la **rue du Plessis** s'élève l'hôtel Richelieu. Jetez un coup d'œil aux maisons d'armateurs (17ᵉ et 18ᵉ s.) du **quai Duguay-Trouin**, en particulier aux nᵒˢ 15 et 5. Les nᵒˢ 7 et 6 appartenaient à la Compagnie des Indes. Sur le **quai St-Jacques** se dressent encore quelques vestiges de remparts.

Revenez au point de départ par la rue Richelieu.

Visiter

Église Saint-Sauveur

Cette ancienne abbatiale fondée en 832 fut un grand centre de pèlerinage jusqu'au 17ᵉ s., ce qui explique les dimensions imposantes de l'édifice. En 1622, Richelieu en est l'abbé commendataire. Depuis l'incendie de 1780, elle est séparée de son clocher gothique (14ᵉ s.). Une belle **tour★** romane à arcades (28 m), en grès et granit, coiffe le transept (à voir depuis la cour du **cloître** qu'occupe le collège St-Sauveur). L'**intérieur** surprend par sa nef basse et obscure (11ᵉ s.), à voûte de bois, séparée des bas-côtés par des piliers plats. Notez les massifs piliers sculptés de la croisée du transept, qui soutiennent une voûte octogonale en pierre. *9h-18h.*

Musée de la batellerie de l'Ouest

Quai Jean-Bart - 🏛 *02 99 72 30 95 - 15 juin-15 sept. : 10h-12h, 15h-18h ; hors-sais. : sam.-lun. et merc. 14h-18h - 2 € (8-14 ans 0,99 €).* Redon se situe au carrefour des voies navigables de Bretagne que sont le canal de Nantes à Brest et la Vilaine. Au 19ᵉ s., la batellerie connut un grand essor et la ville devint un port maritime et fluvial très actif. Face à ses quais, le musée propose de revivre l'évolution des canaux bretons et la vie quotidienne des éclusiers. Photographies, objets de la vie quotidienne des mariniers et maquettes.

Aux alentours

Rieux

7 km au sud par la D 20 et la D 114. À l'entrée du bourg, à gauche dans un virage, une route mène à un parking d'où l'on jouit d'une belle vue sur la vallée de la Vilaine et Redon. Sur le promontoire boisé subsistent les vestiges du château.

Saint-Gildas-des-Bois

19 km au sud par la D 164 puis la D 773.

Construite en grès rougeâtre, cette ancienne abbatiale romane des 12ᵉ et 13ᵉ s., remaniée au 19ᵉ s. et restaurée après les bombardements de 1944, renferme des vitraux modernes de Maurice Rocher et surtout un beau mobilier du 18ᵉ s. Voyez la grille en fer forgé, vestige de l'ancienne clôture du chœur, ainsi que les stalles et le porche intérieur en bois sculpté.

Saint-Just

19 km. Quittez Redon au nord par le boulevard de la Liberté et la D 177 vers Rennes. St-Just est sur la gauche.

De nombreuses promenades s'effectuent depuis ce bourg. Un sentier balisé mène dans la **lande de Cojoux**, où l'on découvre un mégalithe. L'étang de Val est un site d'escalade.

La région de St-Just est riche en vestiges préhistoriques : alignements, tumulus, allées couvertes. Une campagne de fouilles a mis au jour de nombreuses découvertes : poteries, haches, lames de silex… Elle a permis de dater les mégalithes, qui remontent aux environs de 3500 av. J.-C.

Massérac

15 km à l'est par la D 775. Tournez à gauche vers Avessac.

Au confluent de la Vilaine et du Don, cette commune est riche en zones humides, qui couvrent plus de la moitié (800 ha) de son territoire. La **Maison des marais, de la chasse et de la pêche** permet de découvrir la vie terrestre et aquatique : animaux naturalisés (canard, blaireau, renard…), aquariums abritant des poissons d'eau douce, films vidéo, promenades guidées dans les marais. ♿ - *juin-sept. : visite guidée (45mn) 14h-18h, dim. sur demande préalable ; oct.-nov. : tlj sf w.-end (sur demande) - 1 € -* ☎ *02 40 87 20 35.*

Jardin anglais du manoir de la Chaussée

À Langon. 22 km à l'est par la D 177. À proximité de Renac, prenez la D 55. Dépassez le bourg de Langon, puis tournez tout de suite à gauche avant la voie ferrée. C'est la 1ʳᵉ maison à gauche. ☎ *02 99 08 64 41 - www.le-manoir-info - mai-nov. : tlj. sf vend. 10h-18h30 - 5 € (-7 ans gratuit) - jardinerie.* Ce jardin invite à une promenade parfumée et colorée sur des allées sinueuses serpentant entre cours d'eau et cascades, vivaces et arbustes de collection, roseraie et buis taillés, mixed borders et sous-bois aménagés.

Redon pratique

Adresse utile

Office de tourisme de Redon – *Pl. de la République - 35600 Redon -* ☎ *02 99 71 06 04. www.tourisme-pays-redon.com - juil.-août : lun.-sam. 9h30-12h30, 13h30-18h30, dim. 10h-12h30, 15h-17h30 ; sept.-juin : lun.-vend. (mar. mat.) 9h30-12h, 14h-18h, sam. 10h-12h30, 15h-17h - fermé j. fériés sf juil. et août.*

👁 Des topoguides (2 et 5 €) détaillent les balades (3h) ou les randonnées alentour.

Se loger

⌂ **Bel Hôtel** – *42 av. Jean-Burel, centre commercial - 44460 St-Nicolas-de-Redon -* ☎ *02 99 71 10 10 - www.bel-hotel.com - fermé 29 déc.-3 janv. -* 🅿 *- 33 ch. 40/50 € -* ☕ *6,50 €.* Hôtel situé dans une zone commerciale. Chambres fonctionnelles bien tenues, parfois meublée avec style. Petit-déjeuner sous forme de buffet.

Se restaurer

⌒ **Le Gaudence** – *2 r. de Redon - 56350 Allaire - 9 km à l'O de Redon par D 775 rte de Vannes -* ☎ *02 99 71 93 64 - fermé vac. de Noël, dim. soir et vend. - 12/30 € - 14 ch. 40 € -* ☕. Une adresse utile sur la route de Vannes. La façade n'offre aucun attrait particulier mais la salle de restaurant, tout juste refaite, est agréable et fort bien agencée. Cuisine traditionnelle. Chambres sobres et confortables.

⌒⌒ **La Bogue** – *3 r. des États -* ☎ *02 99 71 12 95 - labogue@wanadoo.fr - fermé dim. soir et jeu. - 16/54 €.* Chaleureuse salle à manger rustique où l'on s'attable pour déguster la cuisine de Monsieur Chefdor au nom bien mérité ! À l'automne et en hiver, la fameuse bogue – châtaigne, ou marron de Redon – entre dans la composition de nombreux plats maison.

⌒⌒ **Le Moulin de Via** – *3 km rte de la Gacilly par D 177 et D 873 -* ☎ *02 99 71 05 16 - fermé 5-21 janv., 17-21 mars, mar. soir, dim. soir et lun. - 22/35 €.* Un ancien moulin dans un parc arboré. En été, la terrasse prend le pas sur le jardin, et c'est dans cet écrin de verdure que vous serez invité à découvrir une cuisine traditionnelle parfois inspirée par les produits du terroir. En hiver, profitez de la cheminée.

Rennes★★

206 229 RENNAIS (AGGLOMÉRATION : 272 263 HABITANTS)
CARTE GÉNÉRALE E2 – CARTE MICHELIN LOCAL 309 L6 – ILLE-ET-VILAINE (35)

La capitale régionale de la Bretagne, agrémentée de ruelles médiévales et de façades classiques, a su mettre en valeur son patrimoine. Ses deux places royales, qui expriment l'élégante solennité du 18e s., forment le cœur battant de la ville. dans le même temps, Rennes poursuit sa mue, offrant le visage d'une ville universitaire tournée vers les technologies de pointe.

Maisons anciennes et terrasses de café, place Ste-Anne

- **Se repérer** – Rennes est l'un des nœuds routiers les plus importants de Bretagne. Ainsi, la N 137, qui vient de Nantes (113 km au sud), la traverse pour continuer vers St-Malo (74 km au nord). De sa rocade, souvent embouteillée à la sortie des bureaux, rayonne aussi la N 157, qui part sur Laval (75 km à l'est) en frôlant Vitré, et la N 24, qui file vers Vannes (115 km) et Lorient (153 km) au sud-ouest. Quant à la N 12, elle continue son chemin jusqu'à Brest (242 km) en desservant toute la Bretagne Nord, à commencer par St-Brieuc (99 km au nord-ouest). La ville en elle-même organise son centre autour de la Vilaine, avec au nord le cœur historique comprenant la cathédrale, le parlement, l'hôtel de ville, et toutes les demeures à pans de bois, tandis qu'au sud se trouvent le quartier des halles, la gare et le complexe des Champs Libres.

- **Se garer** – Les parkings sont nombreux aux abords du centre, notamment vers la place des Lices et vers les Champs Libres.

- **Organiser son temps** – Pensez à réserver la visite du parlement de Rennes.

- **À ne pas manquer** – Le patrimoine architectural du vieux Rennes, les collections du musée des Beaux-Arts et… un pique-nique dans le parc du Thabor.

- **Avec les enfants** – Rendez visite aux poules coucou de Rennes à l'écomusée du Pays de Rennes, intéressez-vous aux technologies de l'information à l'Espace Ferrié, faites des expériences à l'espace Sciences des Champs Libres, caressez les animaux de la ferme aux Jardins de Brocéliande et apprenez à reconnaître les oiseaux au parc ornithologique de Bretagne.

- **Pour poursuivre la visite** – Voir aussi Vitré, La Guerche-de-Bretagne, le Manoir de l'Automobile à Lohéac, la forêt de Paimpont, Bécherel, Dinan, Combourg et Fougères.

Comprendre

Les débuts de Du Guesclin (14e s.) – Né près de Dinan, Bertrand Du Guesclin est l'aîné de dix enfants. À une époque où, pour un chevalier, la beauté physique s'avère essentielle, il est d'une laideur marquante. Force, adresse et ruse compensent mal ses manières de rustre. Sa famille, honteuse, le tient à l'écart. Cependant, son courage et son bon sens lui valent très jeune l'admiration de ses compagnons.

En 1337, un tournoi rassemble à Rennes la noblesse du pays. Alors âgé de 17 ans, Du Guesclin s'y rend en costume paysan, monté sur un cheval de labour. Ce mince équipage ne lui permet pas de prendre part aux joutes. Son désespoir est tel qu'un de ses cousins lui prête son armure et son destrier. Bertrand abat nombre d'adversaires. Son père le reconnaît et s'écrie fièrement : « Beau fils, je ne vous traiterai plus vilainement. »

Le rattachement à la France (1532) – En 1489, quand François II meurt, son héritière **Anne de Bretagne** n'a que 12 ans, ce qui n'empêche pas les prétendants d'affluer. Son choix se porte sur Maximilien d'Autriche, futur empereur, et le mariage religieux a lieu en 1490, par procuration. Mais le roi **Charles VIII**, qu'un mariage blanc lie à Marguerite d'Autriche, fille de Maximilien, sollicite pour lui-même la main de la duchesse. Éconduit, il vient l'assiéger dans Rennes, en 1491. La population, qui souffre de la disette, presse la souveraine de consentir à l'épouser. Elle se résigne et rencontre Charles VIII. Elle est petite, maigre, boite légèrement, mais a de la vivacité et de la grâce. Lui est assez mal bâti, plutôt lent d'esprit, avec de fortes lèvres toujours entrouvertes, mais il a le goût du faste. Contre toute attente, une tendre inclination se développera entre les jeunes gens. Les fiançailles sont célébrées à Rennes, et les noces, au château royal de Langeais, dans le val de Loire, le 6 décembre 1491. Cette liaison est un premier rapprochement de la Bretagne avec la France, mais le rattachement définitif ne sera ratifié que sous François Ier, en 1532.

Le grand incendie de 1720 – Au 18e s., la ville a encore son aspect moyenâgeux : ruelles étroites, maisons en torchis et en bois. Le 23 décembre 1720 au soir, un menuisier ivre enflamme, avec sa lampe à huile, un tas de copeaux. La maison flambe et le feu se propage : 900 maisons à pans de bois disparaissent. La ville est reconstruite sur les plans de **Jacques Gabriel** : elle reçoit de belles rues rectilignes, bordées de maisons de granit à l'élégance sévère. Pour que les constructions neuves trouvent plus vite des occupants, on les divise en appartements, vendus séparément. C'est la naissance de la copropriété.

La fronde de la basoche – En 1762, le **duc d'Aiguillon**, gouverneur de Bretagne, entre en conflit avec le parlement de Rennes à propos des jésuites. Les robins, plutôt jansénistes, sont les adversaires de la Société de Jésus, très puissante dans la province : à la demande du procureur général **La Chalotais**, ils votent la dissolution de l'ordre. Aiguillon, qui défend les jésuites, tente alors d'obtenir un revirement du parlement mais il essuie un refus. Louis XV mande les conseillers à Versailles, fait arrêter La Chalotais et l'expédie à Saintes. De retour à Rennes, les conseillers du parlement de Bretagne démissionnent par refus d'enregistrer des impôts nouveaux. Le parlement de Paris soutient celui de Rennes. Le roi hésite à pousser plus avant les choses, Aiguillon se retire (1768). La Révolution est en marche.

Se promener

LE VIEUX RENNES★★

Circuit d'1h30 environ. Suivez le tracé vert du plan mais n'hésitez pas à prendre les ruelles dont il est fait mention ci-après sous le titre « Maisons anciennes ».

La capitale régionale bretonne tire son nom des Riedones, une tribu gauloise qui peuplait la région au 2e s. av. J.-C. Les vestiges encore visibles de ses remparts médiévaux portent toujours la trace de murs défensifs gallo-romains. Son histoire est donc ancienne, mais ce que l'on appelle aujourd'hui le vieux Rennes désigne

Savoir lire les maisons à pans de bois

Rennes compte 286 maisons à pans de bois, dont les plus anciennes, qui se distinguent par un encorbellement prononcé, remontent aux 15e s. Celles du 16e s. se reconnaissent à leurs façades, déjà plus alignées, et leur décoration inspirée des motifs de la Renaissance (rinceaux, oves, putti…). Pour le 17e s., vous reconnaîtrez les façades au fait qu'elles sont totalement plates et surtout rigoureusement symétriques, avec des baies plutôt verticales, par opposition à l'éclairage horizontal des siècles précédents. Enfin, celles du 18e s. se caractérisent par l'abandon progressif des pans de bois apparents au bénéfice de l'enduit. À la qualité du matériau, on peut distinguer les façades dont les pans étaient destinés à être recouverts ou pas, et ainsi les repérer. La campagne de restauration, engagée par la ville de Rennes depuis le début des années 1980, prévoit parfois d'enduire à nouveau les maisons qui l'étaient originellement. En attendant, chacune a retrouvé ses couleurs d'origine et son lustre d'antan.

surtout la partie de la ville qui a échappé au grand incendie de 1720. Elle a conservé de nombreuses maisons des 15e et 16e s. aux étages en encorbellement, et des hôtels aristocratiques aux façades sculptées.

Basilique Saint-Sauveur (A1)

Elle a été édifiée aux 17e et 18e s. À l'intérieur, beau **baldaquin** en bois doré et **buffet d'orgue** du 17e s. À droite en entrant, chapelle dédiée à N.-D.-des-Miracles qui sauva Rennes lors du siège de la ville par les Anglais, en 1357. Nombreux ex-voto.

Maisons anciennes (A1)

Rue St-Sauveur, au n° 6, maison canoniale du 16e s. **Rue St-Guillaume**, au n° 3, la maison dite de Du Guesclin, la plus belle de style médiéval, sert de cadre au café Ti Koz. La **rue de la Psalette** a conservé ses maisons anciennes. **Rue du Chapitre**, au n° 22, maison de style Renaissance ; au n° 8, hôtel de Brie (17e s.) ; au n° 6, l'hôtel de Blossac (18e s.) possède un très bel escalier monumental en granit à décor de marbre et rampe en fer forgé. **Rue St-Yves**, aux n°s 6 et 8, maisons du 16e s. Au n° 11, la chapelle St-Yves (15e s.) accolée à l'office de tourisme abrite une exposition sur l'histoire et le patrimoine de la ville *(9h-18h, en sais. 19h, dim. tte l'année : 11h-18h - entrée libre)*. **Rue des Dames**, au n° 10, hôtel Freslon de La Freslonnière.

Cathédrale Saint-Pierre (A1)

Elle fut achevée en 1844, après cinquante-sept ans de travaux. Le précédent édifice s'était effondré en 1762, à l'exception des deux tours, de style classique, qui encadrent la façade. À l'**intérieur**★, on admire le **retable**★★ en bois sculpté et doré qui se trouve dans la chapelle précédant le croisillon droit. Par ses dimensions et son exécution, cette œuvre flamande du 16e s. est l'une des plus importantes du genre. Les scènes représentent la vie de la Vierge. *02 99 78 48 80 - 9h30-12h, 15h-18h.*

Portes Mordelaises (A1)

Vestige de l'enceinte du 15e s., elles servaient d'entrée principale à la ville. Les ducs de Bretagne y passaient pour se faire couronner à la cathédrale. En 1598, on y présenta à Henri IV les clefs de la ville, en argent doré. Pour ce genre de cérémonie, le Béarnais avait une formule rituelle dont l'effet était sûr : « Ces clefs sont belles, mais j'aime encore mieux les clefs des cœurs des habitants. »
Depuis juillet 1997, un pont-levis, construit sur le modèle de celui du château de Montmuran, a été remis en place.

Place des Lices (A1)

Sur cette place se déroulaient joutes et tournois. Au n° 34 : l'hôtel de Molant (17e s.) est coiffé d'un toit à la Mansart. À l'intérieur, un luxueux escalier en chêne, dont la cage est décorée au plafond d'un ciel et de boiseries en trompe l'œil.
Sur la place elle-même se dressent deux halles contruites par Martenot au 19e s. Elles servent de point de ralliement au célèbre marché des Lices du samedi matin, l'un des plus importants de France.

Rue Saint-Michel (A1)

Elle est bordée de vieilles maisons à pans de bois. Jadis elle faisait partie des faubourgs de Rennes, et elle a conservé de cette époque ses auberges et tavernes.

Place Sainte-Anne (A1)

Les maisons colorées à pans de bois sont de tradition gothique et Renaissance : celle du maire Leperdit est au n° 19. Elles entourent une église néogothique du 19e s. et jouxtent le couvent des Jacobins *(rue d'Échange)* où eurent lieu les fiançailles d'Anne de Bretagne avec le roi de France.

Rue du Pont-aux-Foulons (A1)

Rue commerçante aux maisons à pans de bois du 17e s.

Beaux exemples de façades à pans de bois du 17e s. place du Champ-Jacquet.

Rue du Champ-Jacquet (A1)

Elle conduit à la curieuse place de forme triangulaire, de même nom, bordée au nord de hautes maisons du 17e s., à pans de bois, et sur laquelle donne la façade en pierre et en bois de l'ancien hôtel de Tizé *(n° 5)*.
L'itinéraire qui se poursuit par les rues La Fayette et Nationale permet de découvrir une partie de la ville classique où s'élèvent de majestueux édifices, dont le palais du parlement de Bretagne. On pénètre dans la partie construite après l'incendie de 1720.

Palais du parlement de Bretagne★★ (B1)

📞 02 99 67 11 66 - visite guidée sur réserv. à l'office de tourisme - fermé 1er Mai - 6,10 € (7-15 ans 3,05 €). Le parlement de Bretagne, l'un des treize parlements provinciaux que comptait le royaume, siégea d'abord tantôt à Rennes, tantôt à Nantes, avant de se fixer définitivement à Rennes en 1561. Cour suprême des 2 300 justices bretonnes, il jouait aussi un rôle législatif et politique. Son installation hissa Rennes au rang de capitale régionale et de cité aristocratique.

Germain Gaultier, un architecte local, dessina le palais. Ses plans furent repris, pour la façade, par l'architecte de la cour de Marie de Médicis, Salomon de Brosse. La construction du bâtiment

> ### La renaissance du parlement
>
> Le 4 février 1994, un dramatique incendie endommagea gravement le palais du parlement de Bretagne, actuel siège de la cour d'appel de Rennes. La remise en état du bâtiment, achevée en 1999, a représenté 400 000 heures de travail et un coût de 38 millions d'euros pour la reconstruction, sans compter les 22 millions attribués à la restauration des décors et des œuvres d'art. La récompense ? Un édifice magnifique, reconstitué à l'identique (galerie du rez-de-chaussée et salle des Assises du premier étage), ainsi que le jardin à la française de la place.

dura un siècle : de 1618 à 1655 pour l'architecture, et jusqu'à 1706 pour le décor. Ce fut, en pays breton, l'arrivée d'un art royal et parisien, marqué par l'alternance de matériaux – granit au rez-de-chaussée et tuffeau à l'étage – et par la belle unité de la toiture en façade.

La **Grand'Chambre** est le joyau du palais, avec son plafond en bois doré peint par Errard et son disciple Coypel.

Rue Saint-Georges (B1)

Dans cette rue animée, bordée de cafés et de restaurants, toutes les maisons sont anciennes. Au n° 3, l'hôtel de Moussaye (16e s.) possède une splendide façade Renaissance. Les nos 8, 10, 12 forment un ensemble remarquable de maisons à pans de bois du 17e s.

Palais Saint-Georges (B1)

Précédée d'un beau jardin, cette ancienne abbaye bénédictine de 1670 abrite des services administratifs.

Église Saint-Germain (B1)

De style gothique flamboyant (15e-16e s.), cette église (pignon sud 17e s.) présente des caractéristiques bretonnes par sa voûte en bois et ses poutres à embouts sculptés. Dans le transept droit, un **vitrail** du 16e s. retrace la vie de la Vierge et la Passion du Christ ; dans la nef, vitraux modernes par Max Ingrand.

Place de l'Hôtel-de-Ville (A1)

Cette place royale constitue le noyau central du quartier classique. Elle est bordée à l'ouest par l'hôtel de ville (voir ci-après) et à l'est par le théâtre. Au sud, au-delà de la rue d'Orléans, la perspective est fermée par le **palais du Commerce**, imposant bâtiment décoré de sculptures monumentales.

Hôtel de ville – 📞 02 99 28 56 90 - www.rennes.fr - 🚻 - tlj sf dim. 8h30-17h, sam. 9h30-12h - fermé j. fériés - gratuit.

Il a été bâti en 1734 par Jacques Jules Gabriel, père de l'architecte qui édifia la place de la Bourse à Bordeaux. Une tour centrale en retrait portant l'horloge, le « Gros » pour les Rennais, se raccorde à deux imposants pavillons par deux bâtiments incurvés. L'aile droite renferme le « Panthéon rennais » : salle consacrée au souvenir des morts pour la France. Le **théâtre**, que jouxtent des immeubles à galeries, fut construit en 1832.

Visiter

Les Champs Libres★ (B2)

10 cours des Alliés - 📞 02 23 40 66 00 - www.leschampslibres.fr - 🚻 - mar.-vend. 12h-19h (nocturne mar. 21h) ; w.-end 14h-19h - « Passe expos » (accès à toutes les expositions, valable une journée) : 7 € (-26 ans 5 €) ; une exposition au choix (Musée de Bretagne, Espace des Sciences ou exposition temporaire en cours) : 4 € (-26 ans 3 €) ; enf. -8 ans gratuit. Accès au hall, à la Bibliothèque et à l'exposition « Bretagne des mille et une images » : gratuit ; boutique au rez-de-chaussée, café-restaurant « Les Champs Libres » au niv. 1.

Ce nouvel pôle culturel inauguré en 2006 rassemble en un même lieu trois institutions : le Musée de Bretagne, l'Espace des Sciences et la Bibliothèque. Le bâtiment ultra-contemporain est l'œuvre de l'architecte Christian de Portzamparc, qui a imaginé un édifice composé de trois « corps » imbriqués : un parallélépipède horizontal monté sur pilotis (le musée) traversé par une pyramide inversée (la bibliothèque) et par un cône coiffé d'un dôme (l'espace des Sciences).

Musée de Bretagne - Le cœur du musée est constitué par l'exposition permanente « **Bretagne est univers** » : ce parcours rappelle l'histoire de la région en mettant en scène 2 300 objets (du galet taillé paléolithique au gilet bigouden) en alternance avec des séquences vidéo. Une section indépendante retrace le **procès de Dreyfus** (qui eut lieu à Rennes) à travers une muséographie interactive. Au rez-de-chaussée, une seconde exposition permanente à caractère plus artistique, « **Bretagne des mille et une images** », présente la région à travers des tableaux et des photos.

Espace des Sciences - 👥👤 Il regroupe plusieurs entités : la **Salle de la Terre** (qui s'intéresse à l'histoire géologique du massif armoricain), le **Laboratoire de Merlin** où les enfants sont invités à réaliser des manipulations scientifiques, et le **Planétarium numérique**, où sont présentés tout au long de la journée plusieurs programmes *(45mn)* commentés en direct.

Au dernier étage, jolie vue sur la ville.

Musée des Beaux-Arts★ (B1)

✆ 02 99 28 55 85 - www.mbar.org - &. - tlj sf lun. 10h-12h, 14h-18h - possibilité de visite guidée (1h) - fermé j. fériés - 4,05 € (enf. gratuit).

Le « cabinet de curiosités » constitué par Christophe Paul de Robien, président du parlement de Bretagne au 18e s., est à l'origine de ce musée très éclectique, de l'archéologie aux primitifs italiens et à l'art contemporain. Il possède un beau *Saint Luc peignant la Vierge*, de Martin Van Heemskerk (16e s.) et une riche série d'œuvres du 17e s. Voyez surtout l'exubérante *Chasse au tigre* de Rubens et le célèbre **Nouveau-Né★** de Georges de La Tour. Le *Panier de prunes* de Chardin se détache pour le 18e s. Le *Massacre des Innocents*, chef-d'œuvre de Cogniet, voisine pour le 19e s. avec des toiles de l'école de Pont-Aven, comme *Solitude* de Paul Sérusier, ou **Effet de vagues★** de Georges Lacombe : un superbe paysage onirique, proche de l'estampe japonaise, qu'il réalisa vers 1893 à Camaret. À voir aussi : des Corot, Jongkind, Sisley, Denis et Caillebotte. Le 20e s. est illustré par Magnelli, Kupka, Tanguy, De Staël, Poliakoff, Sam Francis, Aurélie Nemours et Geneviève Asse, sans oublier Picasso. *La Baigneuse*, l'une des figures féminines disloquées qu'il peignit en 1928 à Dinard, compte parmi les plus surréalistes de ses toiles. On y retrouve l'anatomie recomposée chère à son cœur, associant les vues de face et de profil.

Découvrir

Parc du Thabor★★ (B1)

Au 16e s., hors des murs de la ville, se dressait l'abbaye bénédictine St-Mélaine, sur un lieu élevé que les moines auraient baptisé Thabor en souvenir de la montagne de Palestine. Ce parc de 10 ha comprend un jardin à la française, un jardin botanique, une roseraie, un jardin paysager et une volière. On y prend le frais en admirant ses roses, dahlias, chrysanthèmes, camélias, rhododendrons, séquoias, cèdres, etc.

Fraîcheur et parterres au parc du Thabor.

Tout à côté, l'**église N.-D.-en-St-Mélaine** a été rebâtie aux 14ᵉ et 17ᵉ s. La tour et le transept du 11ᵉ s. datent de l'ancienne abbaye St-Mélaine. Elle recèle, dans le bras droit du transept, une fresque du 15ᵉ s. représentant le Baptême du Christ.

Aux alentours

Musée des transmissions - Espace Ferrié

8,5 km à l'est par la rocade nord, sortie nº 15. Suivez le bd des Alliés et tournez à droite au 3ᵉ rond-point, av. de la Boulais - 𝒫 *02 99 84 32 43 - www.espaceferrie.fr -* ♿ *- tlj sf mar. 14h-18h et 1ᵉʳ janv., 1ᵉʳ Mai, 25 déc. - 3 € (enf. 1,50 €).*

👥 Ce musée est une mine d'informations pour qui se passionne pour les systèmes d'information et de communication… mais aussi pour les techniques d'espionnage ! On y découvre l'histoire des transmissions civiles et militaires, des premiers signaux de fumée jusqu'aux satellites, et grâce à des maquettes interactives on pénètre dans l'univers de la télématique, du GPS ou de la Télévision terrestre numérique.

Châteaugiron

16 km au sud-est par la D 463. Cette bourgade, déjà réputée au 17ᵉ s. pour ses toiles à voiles en chanvre utilisées par les vaisseaux de haut bord, a conservé de pittoresques maisons à pans de bois et un imposant **château**. De cette forteresse, plusieurs fois assiégée, il subsiste les douves, le donjon du 13ᵉ s. coiffé en poivrière au siècle suivant, et, lui faisant face, la tour de l'Horloge du 15ᵉ s. *Pour découvrir le site du château, empruntez le boulevard du Château.*

Château du Bois-Orcan *– 3 km au nord par la D 92 -* 𝒫 *02 99 37 74 74 - Visite guidée - 1ᵉʳ juil.-4 sept. : tlj sf lun. 10h-12h, 14h30-17h30.* Manoir en pierre du 15ᵉ s. abritant une importante collection de meubles anciens. L'intérieur et les jardins présentent aussi l'**Athanor**★, ensemble d'œuvres d'Étienne Martin, artiste majeur du 20ᵉ s.

Écomusée du Pays de Rennes★

8 km au sud par l'av. Henri-Fréville, puis suivez la signalisation - 𝒫 *02 99 51 38 15 - www.ecomusee-rennes-metropole.fr - avr.-sept. : 9h-18h, sam. 14h-18h, dim. 14h-19h ; oct.-mars : 9h-12h, 14h-18h, sam. 14h-18h, dim. 14h-19h - fermé 16-31 janv., lun. et j. fériés - 4,60 € (enf. 6-14 ans 2,30 €) - possibilité de pique-niquer dans le site.*

👥 Située aux confins de la ville et de la campagne, la **ferme de la Bintinais** fut longtemps l'une des grosses exploitations du pays de Rennes. À travers son histoire, on découvre l'évolution du monde rural depuis le 16ᵉ s. Les techniques anciennes de construction sont également abordées. Un parcours à travers le domaine de 15 ha permet de s'intéresser au jardin, au rucher et aux vergers, ainsi qu'aux parcelles cultivées montrant l'évolution des pratiques agricoles.

Au conservatoire végétal s'est ajouté un cheptel de races de ferme rustiques en voie de disparition. Chevaux (trait-postier breton), vaches (pie noir, froment du Léon, nantaise et armoricaine), cochons (porc blanc de l'Ouest et porc de Bayeux), chèvres (des fossés), moutons (d'Ouessant, des landes de Bretagne, de l'Avranchin) et volailles (poules de La Flèche, coucou de Rennes et gauloise dorée) : toutes les anciennes races de la Bretagne se trouvent ici rassemblées.

👁 L'écomusée propose régulièrement des journées thématiques (cheval, bois…), des expositions, fêtes et démonstrations : fête du pommé, tonte des moutons, vannerie, mycologie, récolte du miel.

Jardins de Brocéliande

18 km à l'ouest par la D 62. Le Pommeret - Bréal-sous-Monfort - 𝒫 *02 99 60 08 04 - www.jardinsdebroceliande.fr -* ♿ *- de Pâques à la Toussaint : mar.-vend. 13h30-18h, w.-end, j. fériés et vac. scol. 10h-18h- 6 € (enf. +6 ans 2,50 €) - Restauration légère sur place, boutique et jardinerie.*

👥 *Deux circuits balisés (45mn ou 1h30).* Ces jardins inspirent tous les sens : les massifs colorés attirent le regard, les anciennes variétés fruitières cultivées dans les vergers titillent le goût, les cascades charment l'ouïe et la vingtaine de collections florales, dont la première collection de lilas en France et 1 000 variétés d'iris, enivre l'odorat. Quant au toucher, pour le plus grand ravissement des enfants, il est permis de caresser les animaux de la ferme, dont la coucou de Rennes !

Montfort-sur-Meu

17 km à l'ouest par la D 125.

Située au confluent du Meu et du Garun, cette petite ville construite en pierre rouge du pays possède un certain cachet.

L'**écomusée du Pays de Montfort** est installé dans la tour de **Papegaut** (14ᵉ s.), seul élément intact de la période médiévale. Elle doit son nom au jeu de tir à l'arc qu'on exerçait sur la silhouette d'un oiseau *(papegai)*, découpée dans du bois ou du carton, peinte de couleurs vives et accrochée au chemin de ronde. Le musée abrite un ensemble d'expositions un peu surannées ayant trait aux cinq cantons environnants. Belle **vue** du sommet de la tour. *℘ 02 99 09 31 81 - 1er avr.-30 sept. : lun.-vend. 8h30-12h, 14h-18h, sam. 10h-12h, 14h-18h, dim. et j. fériés 14h-18h ; 1er oct.-31 mars : mar.-vend. 8h30-12h, 14h-18h, dim. et j. fériés 14h-18h - fermé 1er janv. et 25 déc. - 3,50 € (enf. 2 €).*

La **maison natale de saint Louis-Marie Grignion de Montfort** se trouve 15 r. de la Saulnerie. Ce missionnaire, qui naquit dans cette maison le 31 janvier 1673, fit élever le calvaire de Pontchâteau. *℘ 02 99 09 15 35 - ⬥ - visite guidée (1h) lun.-vend. 8h30-12h, 14h-18h, sam. 10h-12h, 14h-18h, dim. 14h-18h - gratuit.*

Circuit de découverte

VALLÉE DE LA VILAINE

Circuit de 40 km – environ 1h. Quittez Rennes par la D 177 vers Redon. Allez vers Bruz.

Bruz

Le 8 mai 1944, un bombardement allié aussi violent qu'inexplicable raya la commune de la carte, occasionnant de terribles pertes : 183 morts dont 51 enfants, des centaines de blessés… Complètement reconstruit après la Seconde Guerre mondiale, le bourg est une réussite de l'urbanisme rural.

Église★ – *℘ 02 99 52 56 56 - visite sur demande préalable à l'office du tourisme de Bruz - 11 pl. du Dr-Joly - 9h-11h30, 16h-18h30 - gratuit.* Elle fut construite en 1950 en schiste veiné de rose. Une flèche pointue coiffe le clocher carré qui forme porche. L'éclairage intérieur est très harmonieux. Dans la nef, des dalles de verre sont décorées de trois poissons dans un cercle. Dans l'abside, des vitraux représentent les sept sacrements. Au transept, deux verrières figurent à droite le Christ, à gauche la Vierge.

Parc ornithologique de Bretagne

℘ 02 99 52 68 57 - parc-ornithologique.com - ⬥ - juil.-août : 10h-12h, 14h-19h ; avr.-juin et sept. : 14h-19h ; reste de l'année : dim. et j. fériés 14h-18h - fermé de mi-nov à mi-fév. - 6,20 € (enf. 3,80 €).

👥 Ce parc présente une intéressante collection de plus de 1 000 oiseaux, venus de tous les continents. Les enfants (6-8 ans) reçoivent un petit questionnaire dès l'entrée.

Poursuivez vers le sud par la D 577. La route franchit le fleuve à Pont-Réan, dans un beau site.

Le Boël

🍃 On peut faire une agréable promenade au bord de la Vilaine qui coule entre des collines rocheuses, dans un site verdoyant. Une petite écluse et un barrage semblent relier la rive droite au vieux moulin situé sur l'autre rive.

Revenez à Rennes en repassant par Pont-Réan, prenez à droite, gagnez Pont-Péan et Chartres-de-Bretagne.

Rennes pratique

Adresse utile

Office du tourisme de Rennes – *11 r. St-Yves - 35064 Rennes - ℘ 02 99 67 11 11 - www.tourisme-rennes.com - juil.-août : lun.-sam. 9h-19h, dim. 11h-13h, 14h-18h ; sept.-juin : lun. 13h-18h, mar.-sam. 10h-18h, dim. 11h-13h, 14h-18h - fermé 1er Mai, 25 déc. et 1er janv.*

Transports

Bus, métro – La ville de Rennes est desservie par un métro, le Val, qui la traverse du nord-ouest (J.-F. Kennedy) au sud-est (La Poterie, parc relais pour voitures). Il est également possible

d'utiliser les nombreuses lignes de bus qui sillonnent la ville. Ces transports en commun sont gérés par le STAR qui propose plusieurs titres de transport dont le ticket Unité *(1,10 €, 1h)* et le ticket Journée *(3 €)*. Informations et vente à Infostar - *12 r. du Pré-Botté - ℘ 0 811 555 535 - www.star.fr.*

Visite

Rennes, qui porte le label Ville d'art et d'histoire, propose des visites-découvertes (1h30 à 2h) animées par des guides-conférenciers agréés par le ministère de la Culture et de la

Communication. *Juil.-août : 15h (mar. et jeu. 21h), visite à thème 11h ; reste de l'année : sam. ou dim. 15h - 6,10 € - renseignements à l'office de tourisme, service « Rennes Métrople d'art et d'histoire ».*

Se loger

◈ **Hôtel Le Victoria** – *35 av. Jean-Janvier - ℘ 02 99 31 69 11 - www.hotel-levictoria. com - 40 ch. 39/60 € - ⌂ 7 € - rest. 9/15 €.* Une cure de jouvence est venue réveiller cet hôtel situé à proximité de la gare. Ses petites chambres sobres et fraîches en font une étape convenable. Côté restaurant, ambiance brasserie et agrément d'une fresque évoquant un voyage de la reine Victoria.

◈ **Arvor Hotel** – *31 av. Louis-Barthou - ℘ 02 99 30 36 47 - arvorhotel.com - 16 ch. 42,50/53 € - ⌂ 6,50 € - rest. 9,20/18 €.* Proche de la gare, cet établissement fraîchement ravalé constitue un pied-à-terre pratique pour découvrir la ville à pied. Ses chambres, réparties sur deux étages, sont propres et fonctionnelles. Son petit bar, de style anglais, est sympathique.

◈◈ **Garden Hôtel** – *3 r. Duhamel - ℘ 02 99 65 45 06 - www.hotel-garden.fr - 25 ch. 62/65 € - ⌂ 8 €.* Les chambres de cet hôtel familial portent toutes le nom d'une fleur ; certaines ouvrent leurs fenêtres sur un patio où vous pourrez prendre votre petit-déjeuner aux beaux jours. Le confort, assez simple, est compensé par quelques discrètes touches de personnalisation.

◈◈ **Hôtel de Nemours** – *5 r. de Nemours - ℘ 02 99 78 26 26 - www. hotelnemours.com - 29 ch. 63/69 € - ⌂ 7,50 €.* Sis dans une rue fréquentée à proximité du métro République, cet hôtel central et heureusement bien insonorisé. Ses chambres, rafraîchies, sont desservies par un minuscule ascenseur. Jolie salle des petits-déjeuners à la décoration épurée.

Se restaurer

◈ **Café Breton** – *14 r. Nantaise - ℘ 02 99 30 74 95 - j.pannetier2@wanadoo.fr - fermé 12 j. en hiver, 3 sem. en août, sam. soir, lun. soir et dim. - 7,80/25 €.* Cette ancienne épicerie est devenue un incontournable de la cité bretonne. La recette du succès : suggestions du marché présentées à l'ardoise, collections de cafetières et de bols, vieux mobilier de bistrot, service décontracté et ambiance conviviale.

◈ **Crêperie des Portes Mordelaises** – *6 r. des Portes-Mordelaises - ℘ 02 99 30 57 40 - 10/15 €.* Face à l'une des anciennes entrées de la ville et à la maison d'Anne de Bretagne : on ne peut rêver meilleure situation pour déguster galettes et crêpes traditionnelles (aux farines « bio » et bretonnes) auprès de la cheminée, dans un cadre simple et familial. Terrasse d'été. Accords de vins avec chaque galette.

◈ **Le Picca La Grande Brasserie de Rennes** – *Pl. de la Mairie - ℘ 02 99 78 17 17 - 10,50/35 €.* Cette institution rennaise fondée en 1832 accueille ses clients de midi à minuit sur les banquettes capitonnées de sa belle salle habillée de boiseries. Agréable terrasse adossée au théâtre. Carte brasserie et brunchs.

◈ **Baron Rouge** – *15-17 r. du Chapitre - ℘ 02 99 79 08 09 - 12/41 €.* Atmosphère feutrée dans ce restaurant dont l'enseigne évoque un personnage (réel ou virtuel ?) affublé d'une amusante biographie. La cuisine mi-actuelle, mi-classique et la belle sélection de vins sauront en tous cas vous requinquer avant que vous ne repartiez à la découverte du Vieux Rennes. Plaisant cadre rustique.

◈ **Thé au Fourneau** – *6 r. Capit.-Alfred-Dreyfus - ℘ 02 99 78 25 36 - fermé 1er-15 août et dim. - 13/17 €.* Salé ou sucré ? Tartes, salades, thés, tartines et scones : de quoi composer en toute liberté votre escale gourmande dans cette maison du 17e s. très bien située à quelques pas des musées de Bretagne et des Beaux-Arts. Vente de thé en vrac.

Sculpture en bois (archer) sur une vieille maison de la rue St-Sauveur.

◈◈ **Le Gourmandin** – *4 pl. de Bretagne - ℘ 02 99 30 42 01 - fermé 21 fév.-1er mars, 2-24 août, sam. midi, lun. midi et dim. - réserv. conseillée - 15/28 €.* Rennais et Rennaises se bousculent dans les deux salles à manger de ce petit restaurant. Succès dû de toute évidence à sa cuisine soignée, bien tournée et peu onéreuse, et la convivialité du lieu, entretenue par les tables serrées.

◈◈ **Le Four à Ban** – *4 r. St-Mélaine - ℘ 02 99 38 72 85 - www.lefouraban.com - fermé 18-26 fév., 14 juil.-6 août, sam. midi et dim. - 18 € déj. - 25/45 €.* Ce restaurant sis dans une maison datant du 17e s. offre un étonnant décor où poutres et cheminée anciennes côtoient des éléments résolument contemporains. Sa cuisine actuelle soignée et ses menus très attractifs lui valent un franc succès.

En soirée

◉ **Bon à savoir** – Un nombre important de journaux et de dépliants gratuits (*Le Rennais, Contact Hebdo Spectacles* et *Spectacles infos*) bien utiles pour connaître les évènements culturels de Rennes et ses environs, sont disponibles à l'office du tourisme. On pourra aussi se procurer la *Griffe* dans les bars de la ville.

Les bars des rues St-Michel et St-Georges, ou encore de la rue St-Malo dans un style plus alternatif, proposent souvent des concerts de rock aux nombreux étudiants en goguette. Moins bruyantes, mais aussi populaires aux beaux jours, les rues Vasselot et Ste-Madeleine avec leurs terrasses et leurs restaurants.

Conservatoire national de Région de Rennes – *26 r. Hoche -* ℘ *02 23 62 22 51 - cnr@ville-rennes.fr - tlj sf sam. apr.-midi et dim. - fermé 1 sem. vac. de fév., 1 sem. vac. de printemps, vac. de Noël, de mi-juil. à fin août et les j. fériés - 5 à 10 €.*

Le Dejazey – *54 r. de St-Malo -* ℘ *02 99 38 70 72 - tlj sf dim. 18h-3h.* Pour les amoureux de jazz, de rythm and blues et de musiques latino.

Péniche-Spectacle l'Arbre d'Eau – *Quai St-Cyr -* ℘ *02 99 59 35 38 - penichespectacle@ wanadoo.fr - tlj sf dim. - fermé juil.-août.*

Théâtre de l'ADEC Maison du Théâtre Amateur – *45 r. Papu -* ℘ *02 99 33 20 01 - adec_mta@club-internet.fr - bibliothèque : 14h-18h ; théâtre : 9h-17h - fermé août et j. fériés - 3 à 6 €.*

Théâtre national de Bretagne – *14 r. Guy-Ropartz -* ℘ *02 99 31 55 33 - tnb@theatre-national-bretagne.fr - tlj sf dim. et lun. 13h-19h - fermé 13 juil.-22 août.*

Le Triangle – *Bd de Yougoslavie -* ℘ *02 99 22 27 27 - www.letriangle.org - tlj sf dim. 14h-20h, merc. 9h-20h, sam. 10h-17h (vac. scol. 18h) - fermé 14 Juil.- 15 août, 25 déc.-1er janv. et j. fériés.* Centre culturel ouvert à la danse contemporaine et aux arts plastiques, mais aussi à la poésie et aux musiques actuelles.

Opéra de Rennes – *Pl. de la Mairie - 35031 Rennes Cédex -* ℘ *02 99 78 48 78 - www.opera-rennes.fr - location : tlj sf dim. et lun. 12h-19h - fermé 14 Juil.-6 sept.*

Que rapporter

Le Marché – *Samedi matin, place des Lices :* un des plus beaux marchés de France.

Sports & Loisirs

Vélo à la carte – *Parc de la Vilaine -* ℘ *02 99 79 65 88 - ouv. tlj.* Depuis l'an 2000, il est possible de circuler gratuitement en vélo dans Rennes. Contre caution et présentation de votre carte

d'identité, vous disposez d'un vélo pour une durée de 7h. Point de prise en charge : quai Duguay-Trouin.

Étang d'Apigné – *Base de loisirs -* ℘ *02 99 31 68 95.* Ancienne sablière devenue aujourd'hui poumon vert des Rennais, cette base de loisirs située en périphérie (direction Vannes) offre une plage surveillée, un espace réservé au modélisme et un lieu de pratique pour le club nautique de Rennes.

Étal d'oignons et d'aïl au marché de Rennes.

Balades en bâteau : Urbavag – *R. Canal-St-Martin -* ℘ *02 99 33 16 88 ou 06 82 37 67 72 - www.urbavag.com.* Une façon originale de visiter Rennes à bord de bâteaux électriques sans permis sur le canal d'Ille-et-Rance.

Piscine St-Georges – *R. Gambetta -* ℘ *02 23 62 15 40 - tlj sf dim. et lun. 9h30-13h30, 15h-19h - fermé août.* Inaugurée en 1926, toute en mosaïque et en faïence bleues et blanches, cette piscine de centre-ville arbore un intérieur Art déco au charme désuet. Vous nagez dans un bassin de 33 m de long entouré de cabines qui évoquent l'intérieur d'un paquebot. C'est à faire !

Événements

« Transmusicales » de Rennes – Trois jours de musique et de fête - *1re sem. de déc. -* ℘ *02 99 31 12 10.*

Tombées de la Nuit – Ce festival d'été réunit spectacles de rue, pièces de théâtre, concerts, opéras, reprises ou créations contemporaines, au cœur historique de la capitale bretonne - *1re sem. de juil. -* ℘ *02 99 32 56 56.*

La Roche-Bernard

796 ROCHOIS
CARTE GÉNÉRALE D3 – CARTE MICHELIN LOCAL 308 R9 – MORBIHAN (56)

Cette petite ville s'étage joliment sur la butte de la Garenne qui domine la Vilaine. Son port, jadis très florissant grâce au commerce du sel, s'est reconverti pour accueillir les bateaux de plaisance. Il sert aussi de point de départ à d'agréables excursions sur le fleuve.

▷ **Se repérer** – La Roche-Bernard est située sur la N 165, au nord du Parc régional de Brière, entre Nantes (72 km au sud-est) et Vannes (40 km au nord-ouest).

◷ **Organiser son temps** – Le tour du village est fait en une heure mais vous pouvez prévoir une demi-journée pour explorer les environs.

◉ **À ne pas manquer** – Les promenades le long de la Villaine jusqu'au barrage d'Arzal et la vue splendide depuis la pointe de Scal à Penestin

♟ **Avec les enfants** – La visite du parc animalier et botanique de Branféré.

♨ **Pour poursuivre la visite** – Voir aussi Vannes, le golfe du Morbihan, Rochefort-en-Terre, Redon, la Grande Brière, Guérande, Le Croisic et La Baule.

Comprendre

Du village à la ville – La Roche-Bernard aurait été fondée par les Normands au 9e s. Pendant les siècles qui suivirent, le bourg devint une place forte de passage entre le pays de Nantes et celui de Vannes. Cette position stratégique a sans doute favorisé le développement d'arsenaux qui lui ont valu d'accéder au statut de ville au milieu du 17e s., grâce notamment à la livraison du vaisseau de haut rang *La Couronne*, considéré comme l'un des plus beaux bateaux du Roi.

Un héros républicain – La cité accueille fort bien la Révolution et se montre hostile à la Chouannerie. En 1793, 6 000 « Blancs » viennent facilement à bout de 150 « Bleus » qui défendent la ville. Le maire, **Sauveur**, qui n'a pas voulu fuir, est emprisonné. On le somme de crier : « Vive le roi ! » Il répond : « Vive la République ! » Un coup de pistolet l'abat. Il devient un héros républicain par décret de la Convention, et la ville porte le nom de Roche-Sauveur jusqu'en 1802.

Se promener

Pont du Morbihan★
Il a été ouvert au public en juin 1996. Long de 376 m et large de 21 m, son tablier est posé sur un arc de 200 m de portée sur lequel deux passerelles permettent aux promeneurs courageux *(260 marches)* de dominer la Vilaine à plus de 50 m de haut et d'en admirer le **site★**.

Point de vue
Au lacet de la route vers La Baule, un belvédère rocheux *(23 marches)* domine la vallée de la Vilaine et ses pentes boisées, avec sur la droite les ponts suspendus, sur la gauche le port de plaisance.

Vieux quartier
Face au point de vue, de l'autre côté de la route, débouche la **promenade du Ruicard**. Elle domine le port, la rue du Ruicard lui fait suite et se perd dans un dédale de ruelles, parfois en escalier. Des maisons des 16e et 17e s. *(nos 6 et 8)*, des porches intéressants *(no 11)*, une tourelle *(no 12)* se succèdent.

Le passage de la Quenelle, avec des lucarnes à fronton sculpté, mène à la **place Bouffay**. Sur la place, la mairie est aussi appelée « maison du Canon » (1599) : un canon, placé dans un angle, provient de *l'Inflexible*, qui se réfugia sur la Vilaine après la bataille des Cardinaux (1759). Rue Haute-Notre-Dame, la chapelle Notre-Dame (11e s.) a été remaniée aux 16e et 19e s. Première église de la cité, elle fut transformée en temple protestant en 1561, puis en magasin à fourrage durant la Terreur, et rendue au culte catholique en 1827.

Visiter

Musée de la Vilaine maritime
☏ 02 99 90 83 47 - de mi-juin à mi-sept. : 10h30-12h30, 14h30-18h30 ; de mi-sept. à fin sept. et 1re quinz. de juin : 14h30-18h30 ; mai, w.-end et j. fériés 14h30-18h30 - fermé oct.-mars - 3,05 € (enf. 1,85 €). Le château des Basses-Fosses (16e et 17e s.), situé sur la rive droite de la Vilaine, abrite ce musée consacré aux traditions maritimes et rurales de

Le port de plaisance de La Roche-Bernard vu du pont du Morbihan.

l'estuaire de la Vilaine. Le rez-de-chaussée évoque l'intense activité maritime que le fleuve a connue par le passé : pêche, construction navale, conchyliculture, cabotage. Une cabine de chasse-marée reconstituée permet d'imaginer la vie à bord de cette embarcation côtière. L'étage est consacré au monde rural : différents types de charpentes, couvertures et lucarnes, vieux métiers, coiffes et costumes traditionnels.

Promenades sur la Vilaine

Juil.-août : croisière-promenade (1h30) dép. du barrage d'Arzal ou de La Roche-Bernard 14h, 15h, 16h, 17h et 18h - 8,50 € (enf. 5 €) - mars-déc. : croisière-restauration (4h) dép. du barrage d'Arzal 12h30, vend. et sam. 20h - 37 €, 52 € (croisière comprise) - ℘ 02 97 45 02 81 - www.vedettesjaunes.com. Des vedettes descendent la Vilaine jusqu'au barrage d'Arzal, ou la remontent jusqu'à Redon.

Un sentier de randonnée qui part du vieux port conduit également au barrage *(10 km).*

Aux alentours

Missillac

13 km au sud-est par la N 165.
Dans un **site★** remarquable, le **château de la Bretesche** (15ᵉ s.), aux remparts cernés d'eau, est séparé du bourg par un bel étang en bordure de forêt.

Foleux

18 km au nord par la D 774. À Péaule, prenez à droite la D 20 vers Redon. À 8 km, tournez à droite.
Ce port de plaisance, escale nautique, est établi au confluent de la Vilaine et du Trévelo, dans un très joli site.

Après Foleux, longez la Vilaine et tournez à droite, puis trois fois à gauche pour gagner l'allée du château.

Entouré de bois, le **château de Léhélec**, bâti en schiste ferrugineux, offre la belle perspective de ses trois cours en terrasses longées par les communs. L'un de ces bâtiments abrite un **Musée paysan** (meubles régionaux et objets usuels). Le public est admis dans deux pièces du rez-de-chaussée, le salon et la salle à manger. ♿ - *visite guidée (30mn) juil.-août : tlj sf mar. 14h-19h - 4 € (enf. 2 €).*

Barrage d'Arzal

12 km à l'ouest par la D 34, puis la D 139. Ce barrage sur la Vilaine forme une réserve d'eau douce stabilisant le mouvement des marées et favorise par son plan et son port la navigation de plaisance. Possibilités de promenades en bateau sur la Vilaine. Passe à poisson.

Le Guerno

18 km au nord-ouest par la N 165-E 60 vers Muzillac ; à 8 km, tournez à droite : suivez la nouvelle « Route bleue ». Agréable surprise en arrivant sur la place de l'église. Cet ancien lieu de pèlerinage possède une belle **église** Renaissance au clocher défensif et aux armes des hospitaliers. On remarque à l'intérieur une tribune en bois très travaillée

Mais ce qui surprend le plus est à l'extérieur, où l'on peut voir une remarquable **chaire★**, les stalles et le banc réservés au clergé, l'autel adossé au calvaire élevé sur la place (vestiges d'un enclos disparu).

Ensuite, empruntez la route à droite qui mène à l'allée du château de Branféré sur la gauche.

En vous rendant à Branféré, admirez sur la droite les deux belles **fontaines** du 18ᵉ s., dédiées respectivement à sainte Anne et sainte Marie.

Parc animalier et botanique de Branféré★ – ℘ 02 97 42 94 66 - www.branfere. com - &. - juil.-août : 10h-18h ; avr.-juin et sept. : 10h-17h, w.-end, j. fériés et vac. scol. (16 avr.-8 Mai) 10h-18h ; fév.-mars et oct.-nov. : 13h30-16h - fermé déc.-janv. - 11 € (enf. 8 €).

Propriété de la Fondation de France, ce parc doit ses superbes plantations à un botaniste du 18ᵉ s. Ici, l'harmonie prime sur le spectaculaire. Pas de fauves ni de reptiles mais un domaine enchanté de quelque 60 ha où vivent en liberté presque complète plus de 2 000 animaux : primates, cervidés, lamas, wallabies, tapirs, loups à crinière, pandas roux, yacks, chameaux, etc. Des oiseaux de toutes sortes paradent autour du château : canards, cigognes, cygnes, flamants roses et rouges, paons, émeus, autruches… L'une des originalités de ce parc est de permettre à chaque espèce de vivre au plus près de son biotope naturel. Ferme pour enfants, bar, boutique. En 2006, le parc s'est enrichi de 5 ha supplémentaires où l'on peut admirer les animaux de la savane africaine (oryx, girafe, gnou, grand koudou…).

Moulin de Pen-Mur

17 km à l'ouest par la N 165-E 60 ; sortez à Muzillac et suivez les panneaux « site de Pen-Mur » - ℘ 02 97 41 43 79 - visite guidée (45mn) juil.-août : 10h-12h30, 14h-19h (dernière visite 1h av. fermeture) ; avr.-juin : 15h-18h (visite 15h, 16h et 17h) ; sept. : 14h30-18h (visite 15h, 16h et 17h), fermé reste de l'année et lun. (sf juil.-août) - 5,50 € (enf. 3 €).

Situé dans l'agréable décor d'un étang, le moulin présente la fabrication du papier à la main selon les méthodes traditionnelles du 18ᵉ s. On en suit toutes les étapes, depuis le découpage des chiffons jusqu'au séchage.

Pénestin

17 km à l'ouest par la D 34. Les Phéniciens y auraient tenu un comptoir d'étain. C'est aujourd'hui une station balnéaire tranquille, proche d'un littoral voué à la mytiliculture (élevage de moules).

La **pointe du Halguen** est couverte de landes émaillées de pins. On peut gagner, à pied, les **plages** rocheuses encadrées de courtes falaises.

À la **pointe du Scal★** *(à Tréhiguier)*, la Vilaine s'élargit entre la pointe du Halguen, à gauche, et celle de Pen-Lan. Nombreuses barques à moteur ou à godille pour collecter les moules.

4,5 km au sud. Face à la pointe de Merquel, de la **pointe du Bile★**, vue sur deux îlots et de belles falaises ocre.

La Roche-Bernard pratique

rustique rajeuni. On y sert une copieuse cuisine classique empreinte de simplicité. Le menu du déjeuner est particulièrement attractif.

Sports & Loisirs

Coëtlann Aventures – *Trévineuc - 56130 Nivillac - ℰ 02 99 90 97 03 - www.parc-aventure-bretagne.com.* Avec ses ponts et ses échelles passant d'arbre en arbre, ce parc de loisirs fait rimer nature et aventure. Au programme : randonnée aérienne et tyroliennes pour faire le plein d'adrénaline en toute sécurité. À découvrir

également, la balade des Korrigans… Grand frisson garanti !

Domaine de Rochevilaine – *Pointe de Pen Lan - 18 km à l'O de La Roche-Bernard par N 165 et D 5 - 56190 Billiers - ℰ 02 97 41 61 61 - www.domainerochevilaine.com.* Outre les plaisirs de la table et le charme de ses chambres donnant sur la mer, cet établissement propose de goûter aux vertus bienfaisantes de ses thermes phéniciens. Toute une gamme de techniques empruntées à la balnéothérapie pour se ressourcer dans un cadre cossu et apaisant.

Rochefort-en-Terre★

693693 ROCHEFORTAIS
CARTE GÉNÉRALE D3 – CARTE MICHELIN LOCAL 308 Q8 – MORBIHAN (56)

Bâti sur un promontoire dominant la vallée du Gueuzon, ce bourg occupe un site magnifique, paysage de rochers, de bois, de ravins, de vergers et de vieilles maisons aux fenêtres fleuries de géraniums. Il vous sera difficile de ne pas céder au charme de l'endroit !

Pans de bois et granit alternent autour de la place du Puits.

○ **Se repérer** – Le village se trouve entre l'Oust et la D 775, qui relie Redon (27 km au sud-est) à Vannes (40 km à l'ouest).

○ **Organiser son temps** – La visite de Rochefort-en-Terre est bouclée en 2h, mais le village retiendra plus longtemps ceux qui fréquentent la Voie verte.

○ **À ne pas manquer** – Les très belles maisons anciennes du centre-ville.

▲▲ **Avec les enfants** – Voyagez au milieu des dinosaures à Malansac.

○ **Pour poursuivre la visite** – Voir aussi Redon, La Roche-Bernard, Vannes, le golfe du Morbihan, Josselin et La Gacilly.

Se promener

Maisons anciennes★

Le cœur de la cité a conservé des demeures du 16ᵉ et du 17ᵉ s. que l'on découvre en flânant rue du Porche et sur les places des Halles et du Puits. Belles façades de granit, parfois agrémentées de tourelles d'angle. Certaines abritent des ateliers d'artisans.

Château

℘ 02 97 43 31 56 - &. *- visite guidée château et musée (1h) juil.-août : 10h-18h30 ; juin et sept. : 14h-18h30 ; avr.-mai : w.-end et j. fériés 14h-18h30 - 4 €.*

De la construction féodale du 12ᵉ s., voulue par les sieurs de Rochefort, qui ont laissé leur nom au bourg, il reste l'imposant châtelet d'entrée, des remparts, des souterrains et les communs. Ces derniers ont été restaurés dans les années 1910 par le peintre américain Alfred Klots, avec des éléments du 17ᵉ s., en particulier des lucarnes provenant du manoir de Kéralio, près de Muzillac.

Un **musée d'Art populaire**, attenant à l'ancien atelier des propriétaires, évoque les aspects de la vie rochefortaise d'antan ; une salle regroupe les portes d'une salle à manger d'hôtel (vers 1880).

Église N.-D.-de-la-Tronchaye

Cet édifice des 12ᵉ, 15ᵉ et 16ᵉ s. présente une belle façade à quatre pignons percés de fenêtres flamboyantes. Dans le bras droit de son transept, un retable du 17ᵉ s. porte la statue vénérée de N.-D.-de-la-Tronchaye, découverte au 12ᵉ s. dans un taillis ou « tronchaye », où elle aurait été cachée au temps des invasions normandes. Elle fait l'objet d'un pèlerinage, le dimanche qui suit le 15 août.

Le chœur renferme des stalles du 16ᵉ s. et, derrière le maître-autel *(passage dans le transept à gauche)* un retable Renaissance en pierre blanche qui autrefois séparait les chanoines, qui étaient dans le chœur, des fidèles dans la nef. Au fond de cette ancienne collégiale, la remarquable tribune en bois finement sculptée provient du jubé. *℘ 02 97 43 31 50 - 9h-19h.*

Aux alentours

Malansac

3 km à l'est par la D 21 en direction de Malansac, puis la D 134 vers St-Gravé.

Parc de préhistoire de Bretagne – *℘ 02 97 43 34 17 - www.prehistoire.com -* &. *- de déb. avr. à mi-oct. : 10h-19h (dernière entrée 2h av. fermeture) ; de mi-oct. à mi-nov. : dim. j. fériés et vac. scol. 13h30-18h - 9 € (enf. 5 €).*

Le site sauvage de Gwenfol, composé d'anciennes ardoisières (exposition photo) et parsemé de lacs, accueille le **Parc de préhistoire de Bretagne** : une trentaine de scènes retracent le monde des dinosaures (impressionnant brachiosaure) et l'évolution de l'homme du paléolithique au néolithique.

Questembert

10 km au sud-ouest par les D 777 et D 7. Cette petite cité accueillante s'est développée dans une campagne verdoyante, en bordure du pays vannetais. Ses **halles**, construites en 1552 et restaurées en 1675, sont dotées d'une charpente magnifiquement ordonnée qui commande trois allées.

La **chapelle St-Michel** (16ᵉ s.) se dresse dans le cimetière. Une croix-calvaire y rappelle la victoire qu'Alain le Grand remporta sur les pirates normands, vers 888 à Coët-Bihan *(6,5 km au sud-est).*

La **Voie verte** *(reportez-vous aux activités de A à Z en début de guide)* aboutit, ou débute, à Questembert. Reliant Mauron, cet itinéraire de 53 km comblera les passionnés de vélo ou de roller.

La Vraie-Croix

8 km à l'ouest de Questembert par la D 1C. Ce village fleuri conserve une chapelle construite sur une voûte ogivale. La route passait autrefois sous cette voûte. La partie inférieure de l'édifice semble dater du 13ᵉ s. La chapelle supérieure fut reconstruite en 1611. L'édifice abrite une croix reliquaire qui renferme un fragment supposé de la croix du Christ.

Rochefort-en-Terre pratique

Adresse utile

Office du tourisme de Rochefort-en-Terre – *Pl. du Puits - 56220 Rochefort-en-Terre - ℘ 02 97 43 33 57 - www. rochefort-en-terre.com - juil.-août : 10h-19h ; reste de l'année : lun.-vend. 10h-12h30, 14h-18h - fermé 1ᵉʳ Mai.*

Se loger

⊝⊝ **Hôtel du Domaine d'Ar Peoc'h** – *8 r. Candré (au bas de la mairie) - ℘ 02 97 43 35 44 - www.quietude-evasion.com - fermé de janv. à mi-mars - 10 ch. 55/60 € - ☟ 6 €.* Au cœur de la petite cité médiévale, résidence abritant des chambres récentes, décorées simplement, mais calmes et bien équipées. Quelques duplex très pratiques pour les familles. Piscine.

⊖⊖ **Chambre d'hôte du Château de Castellan** – 56200 St-Martin-sur-Oust - 13 km au NE de Rochefort-en-Terre par D 777 rte de La Gacilly et D 149 rte de St-Congard - ℘ 02 99 91 51 69 - castellan.fr.st - réserv. obligatoire - 6 ch. 85/110 € ☑ - repas 20 €. Si l'idée d'ouvrir vos fenêtres le matin sur la verdoyante campagne du Vannetais vous séduit, ce château du 18ᵉ s. est fait pour vous. Les chambres sont joliment décorées; celle baptisée « Médaillons » est superbe avec ses lambris et peintures d'origine. L'ex-écurie abrite l'auberge où l'on sert des spécialités du terroir.

Se restaurer

⊖ **Le Café Breton et la Chouannière** – R. du Porche - ℘ 02 97 43 32 60 - fermé mars, 1 sem. en juin, 10-30 nov. et jeu. sf vac. scol. - 7/10,50 €. Ce restaurant aménagé

dans une demeure du 16ᵉ s. cramponnée à la roche est étonnant. Sa décoration intérieure – fresques représentant des scènes de la vie locale, panneaux de coffres bretons… – est l'œuvre du peintre américain Alfred Klots. Crêpes, salades ou menu campagnard.

⊖ **Maël Tresh** – 13 pl. du Bouffay - 56140 Malestroit - 16 km au N de Rochefort-en-Terre par D 774 et D 39 - ℘ 02 97 75 17 72 - fermé mar. soir et merc. sf juil.-août - 8/20 €. Le restaurant a récemment changé de propriétaires, mais il semble toujours bénéficier de sa réputation d'antan. Crêpes et carte traditionnelle cohabitent avec bonheur et les spécialités maison comme la Mer Graal (écrevisses et asperges flambées à l'anis) ou les côtes de sanglier connaissent un franc succès.

Que rapporter

Marché du terroir sous les halles – 56230 Questembert. Tous les lundis, de 8h à 12h, venez découvrir les produits du terroir que vous proposent les producteurs locaux.

Roscoff ★

3 550 ROSCOVITES
CARTE GÉNÉRALE C1 – CARTE MICHELIN LOCAL 308 H2 – FINISTÈRE (29)

Roscoff est à la fois une agréable station balnéaire dotée d'un charmant cœur historique, un port actif avec des liaisons vers Plymouth et Cork, et un grand centre médical dont les établissements de cure utilisent l'eau de mer et les algues, selon les méthodes de la thalassothérapie.

▸ **Se repérer** – Roscoff est située à 25 km au nord de la baie de Morlaix (empruntez la D 58) et à 25 km également de Landivisiau par la D 69.

🕔 **Organiser son temps** – Prévoyez la visite de l'île de Batz l'après-midi, pour ne pas manquer le jardin Georges-Delaselle, ou passez-y la journée en profitant alors de ses nombreuses plages.

👁 **À ne pas manquer** – Admirez le clocher de l'église N.-D.-de-Croaz-Batz, magnifiquement ouvragé, puis flânez parmi les 3 000 plantes australes du Jardin exotique en profitant de la vue panoramique sur la baie de Morlaix.

👫 **Avec les enfants** – Le circuit d'interprétation proposé par l'office du tourisme, « Têtes en l'air sur les pas de Lilas », est un jeu de piste à travers la ville.

🕭 **Pour poursuivre la visite** – Voir aussi St-Pol-de-Léon, la baie de Morlaix, la côte des Bruyères, les Enclos paroissiaux, Le Folgoët et Brignogan-plages.

Comprendre

Une histoire de marins et de paysans – Port d'armateurs et de corsaires au 16ᵉ s., Roscoff est la vitrine commerciale du pays de Léon, celle par qui transitent les produits de l'arrière-pays, dont les fameux oignons cultivés dès le 17ᵉ s. pour nourrir les équipages, et commercialisés au 19ᵉ s. en Angleterre par les « Johnnies ». La construction d'un port en eau profonde et la création d'une relation maritime transmanche régulière au début des années 1970 ouvrent de nouveaux marchés pour l'agriculture léonaise : oignons, choux-fleurs, artichauts. En parallèle, Roscoff a toujours conservé sa tradition de pêche et demeure aujourd'hui un important port crabier (lotte, sole et turbot en sus). Cela dit, le port de Bloscon voit avant tout transiter 650 000 passagers par an.

Pour se refaire une santé – La douceur du climat et la pureté de l'eau ont favorisé dès la fin du 19ᵉ s. l'ouverture de centres de cures, à commencer par le sanatorium de la marquise de Kergariou destiné aux enfants tuberculeux. Un centre de thalassothérapie s'ouvre en 1899. En parallèle se développe la recherche scientifique avec l'implantation dès 1872 d'un centre de biologie marine, toujours actif. Sous l'impulsion de ces deux secteurs, des entreprises de récolte et de traitement des algues à destination des industries cosmétiques et agro-alimentaires se sont installées au 20e s., faisant de Roscoff l'un des grands centres de production d'algues du Finistère Nord.

Visiter

Maisons anciennes

Roscoff recèle de belles demeures en granit des 16e et 17e s. : place Lacaze-Duthiers et rue Amiral-Réveillère. Dans cette dernière, remarquez la maison dite de Marie Stuart, à l'élégante façade ornée d'accolades.

Église N.-D.-de-Croaz-Batz★

Cette église gothique (1545) remarquable pour son superbe **clocher★** Renaissance, fut financée par les armateurs et les marchands de la ville. Les murs extérieurs et la tour présentent, de ce fait, des caravelles sculptées en ex-voto. À l'intérieur, sur le retable de l'autel du Sacré-Cœur *(bas-côté droit)*, remarquez quatre bas-reliefs en **albâtre★** du 16e s., dus à l'atelier de Nottingham : ils représentent la Flagellation, la Crucifixion, l'Ascension, la Pentecôte. Le **retable** du maître-autel (17e s.) à six colonnes torses est richement décoré de statues des évangélistes, d'angelots et de pampres. Dans l'enclos se trouvent deux **chapelles-ossuaires**.

Aquarium Charles-Pérez

Fermé pour travaux jusqu'en 2008.

👤👥 L'aquarium de l'Observatoire océanologique fait partie du Centre national de la recherche scientifique de l'université Pierre-et-Marie-Curie. Ses 34 petits aquariums présentent des espèces de poissons et d'invertébrés de la Manche.

Chapelle Sainte-Barbe

S'y rendre de préférence à marée haute. Contournez le port de pêche et laissez la voiture au parking sur la gauche.

Au milieu d'un joli jardin, trône la minuscule chapelle dédiée à sainte Barbe, dont les murs blancs servent encore d'amer aux marins. Belle **vue** sur la ville, le port, l'île de Batz, la pointe de Primel et le port en eau profonde de Bloscon.

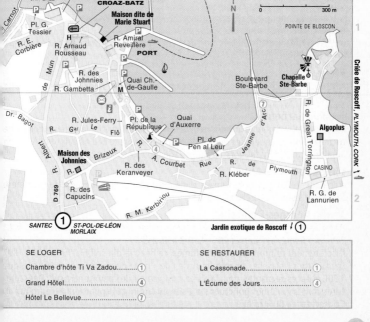

SE LOGER		SE RESTAURER	
Chambre d'hôte Ti Va Zadou	①	La Cassonade	①
Grand Hôtel	④	L'Écume des Jours	④
Hôtel Le Bellevue	⑦		

Jardin exotique de Roscoff★

☏ 02 98 61 29 19 - www.jardinexotiqueroscoff.com - juil.-août. : 10h-19h ; avr.-juin et sept.-oct. : 10h30-12h30, 14h-18h ; nov.-mars : 14h-17h - 5 € (enf. 2 €, -12 ans gratuit).
Cet extraordinaire jardin, qui a obtenu le label « jardin remarquable », s'enroule autour du rocher de Roch-Hievec. Trois mille espèces de plantes subtropicales fleurissent et fructifient ici (entre autres, protéacées d'Afrique du Sud, eucalyptus, espèces d'Australie, du Chili et de Nouvelle-Zélande). Un escalier conduit au sommet du rocher (18 m), d'où l'on domine toute la baie de Morlaix, Roscoff, Carantec et le château du Taureau.

Maison des Johnnies et de l'oignon rosé

4 r. Brizeux - ☏ 02 98 61 25 48 - & - ttes les visites sont commentées (1h) 19 juin-17 sept. : lun.-vend. à 11h, 14h, 15h30 et 17h, dim. à 14h, 15h30 et 17h ; vac. scol. ttes zones : lun., mar., jeu., vend. et dim. à 14h30 ; hors vac. scol. : mar. à 10h30 et jeu. à 14h30 - 4 € (-10 ans gratuit).
Les Johnnies sont les Roscovites qui, au début du 19ᵉ s., partaient pendant cinq à neuf mois en Grande-Bretagne vendre leurs oignons. D'abord à pied puis sur leurs vélos, chargés de tresses d'oignons, ils sillonnaient les rues en faisant du porte-à-porte. Photos et témoignages retracent l'histoire de ces hommes passionnés et aventureux. Cultivé à Roscoff depuis le 17ᵉ s., l'oignon rosé doit obtenir prochainement son Appellation d'origine contrôlée.

Aux alentours

ÎLE DE BATZ

À 2 km du continent, l'île de Batz (prononcez Ba) est accessible par un étroit bras de mer où règnent de violents courants. Le bateau *(15mn de traversée depuis Roscoff)* accoste dans la baie de Kernoc'h, autour de laquelle se concentrent le bourg et la station de sauvetage, très moderne. Longue de 4 km, large de 1 km, l'île est entourée au nord par une ceinture de récifs, mais elle possède aussi quelque vingt **plages** de sable fin et jouit d'un climat très doux. Hors du bourg, les arbres se font rares à Batz, qui compte encore une trentaine d'exploitations agricoles, spécialisées dans les primeurs.

L'île de Batz au crépuscule.

Église

Au centre du bourg, elle a été construite en 1873. Son chœur abrite une statue en bois (17ᵉ s.) de saint Pol Aurélien, mort dans l'île en 573. Dans le bras gauche du transept, un tissu oriental appelé « étole de saint Pol » (8ᵉ s.) aurait appartenu à ce saint.

Phare

À l'ouest de l'île. 210 marches. Haut de 44 m, il se dresse au point le plus élevé de l'île (23 m).

Trou du Serpent

Au-delà du phare, gagnez la maison en ruine sur la dune et prenez le sentier à droite. Une roche allongée, à quelques mètres de la côte, marque le lieu où saint Pol Aurélien aurait précipité dans les flots, à l'aide de son étole, le dragon qui ravageait l'île.

Chapelle Sainte-Anne

À l'est de l'île. Cette chapelle romane ruinée se dresse à l'emplacement du monastère fondé par saint Pol Aurélien.

Jardin Georges-Delaselle

À l'est de l'île - ☏ 02 98 61 75 65 - juil.-août : tlj sf mar. 13h-18h30 ; avr.-juin et sept.-oct. : 14h-18h - fermé nov.-mars et mar - 4,30 € (enf. 2 €).
Discrètement ceinturé de pins maritimes, ce beau jardin colonial fut créé en 1897 par Georges Delaselle, un amoureux de l'île. Planté de palmiers, il recèle quelque 1 500 espèces de plantes, pour la plupart originaires de l'hémisphère sud. Des sculptures contemporaines ponctuent la visite du jardin, qui appartient aujourd'hui au Conservatoire du littoral.

Roscoff pratique

Adresses utiles

Office du tourisme de Roscoff – *Chapelle Ste-Anne - 46 r. Gambetta - 29211 Roscoff -* ℘ 02 98 61 12 13 - www.roscoff-tourisme. com - *juil.-août : lun.-sam. 9h-12h30, 13h30-19h, dim. 10h-12h30 (et 14h-17h30 de mi-juil. à mi-août) ; sept.-juin : lun.-sam. 9h-12h, 14h-18h (10h30-12h30 le 8 Mai).*

👫 « **Têtes en l'air sur les pas de Lilas** » est un livret-jeu d'accompagnement dans la découverte du patrimoine pour les 7-10 ans. *Circuit d'1h30 environ - gratuit.*

Visites

Pour en savoir plus sur les algues, passez à **Thalado- Centre de Découverte des Algues** afin de faire une sortie-terrain - *www.decouvertedesalgues.com.*

Se loger

🛏 **Chambre d'hôte Ti Va Zadou** – *Au bourg - 29253 Île-de-Batz -* ℘ 02 98 61 76 91 - *fermé 15 nov.-1er fév. - 📷 - réserv. conseillée - 4 ch. 40/60 €* 🍽. Gaieté et art de vivre règnent en maîtres dans cette demeure en pierre aux volets bleus, dont l'enseigne signifie « la maison de mes pères ». Les chambres, coquettement décorées, jouissent d'une belle vue sur le port et un chapelet d'îlots. Location de vélos.

🛏🍽 **Hôtel Le Bellevue** – *R. Jeanne-d'Arc -* ℘ 02 98 61 23 38 - hotelbellevue.roscoff@ wanadoo.fr - *fermé 4 janv.-15 mars et 15 nov.-23 déc. - 18 ch. 62/68 € - 🍽 7 €.* Les fenêtres des petites chambres de cet hôtel du port sont grandes ouvertes sur la mer. Sobre décor, mais fonctionnalité et tenue scrupuleuse.

🛏🍽 **Grand Hôtel** – *29253 Île-de-Batz -* ℘ 02 98 61 78 06 - www.grand-hotel-morvan.com - *fermé déc.-janv. - 35 ch. 57/126 € - 🍽 6 € - rest. 12/32 €.* Fruits de mer et recettes familiales se plaisent dans ce cadre : la perspective offerte par la terrasse est un vrai régal, et la salle à manger au mobilier breton a du cachet. Les chambres sont certes très simples, mais la vue et le calme qu'elles offrent valent le déplacement !

Se restaurer

🍽 **La Cassonade** – *Au débarcadère - 29253 Île-de-Batz -* ℘ 02 98 61 75 25 - *fermé d'oct. à fin mars. sf vac. scol. - réserv. conseillée - 10,67/24 €.* La cassonade est la spécialité sucrée, à base de pommes, de cette chaleureuse crêperie située près du débarcadère. Autre recette maison : la pomme de terre « bio » cuite au four, avec charcuterie et salade. Terrasse d'été face au port et lumineuse salle à manger.

🍽🍽 **L'Écume des Jours** – *Quai d'Auxerre -* ℘ 02 98 61 22 83 - www.ecume-roscoff. com - *fermé 1er déc.-1er fév., mar. sf juil.-août et merc. - 22/48 €.* Petit restaurant installé

dans une vieille maison bretonne près du phare. Plusieurs menus gourmands à prix sages et ambiance chaleureuse dans ses deux salles à manger.

En soirée

Casino – *Port de Bloscon -* ℘ 02 98 69 75 84 - www.groupetranchant.com - *10h à 3h (4h le w.-end et j. fériés).* Restaurant, bar « lounge », 66 machines à sous, deux tables de boule, deux autres de roulette et une dernière de black jack (accès payant pour ces dernières).

Que rapporter

La Maison du kouign amann – *18 r. Armand-Rousseau -* ℘ 02 98 69 71 61 - *sais. : 8h-19h ; hors sais. : tlj sf merc. 8h-12h30 et 14h-19h - fermé 15 janv.-fév., 1er-15 déc. sf vac. scol.* Dans la profusion de spécialités bretonnes de cette maison, le kouign amann tire bien sûr avantage de sa notoriété, mais vous apprécierez tout autant le far et les gâteaux bretons.

Sports & Loisirs

Institut Marin Rockroum – *R. Victor-Hugo -* ℘ 02 98 29 20 00 - www.thalasso. com - *tlj sf dim - fermé 3 sem. en déc.* Berceau de la thalassothérapie au 19e s., Roscoff dispose toujours d'un établissement posté entre les plages de Rockroum et St-Luc, qui perpétue la tradition établie par le docteur Bagot. Le temps d'une journée ou d'un week-end, vous pourrez découvrir l'enveloppement d'algues ou les soins par douches et jets mais surtout sa spécialité : le massage « palper-rouler ».

Centre nautique de Roscoff – *Quai Charles-de-Gaulle -* ℘ 02 98 69 72 79 - www.roscoff-nautique.com - *tlj sf dim. 9h-12h, 14h-17h - fermé janv.* Outre les activités nautiques de voile et kayak, ce club initie et forme à la croisière côtière et hauturière. Pour l'une, le stage dure une semaine et mène à Paimpol ou vers les îles Anglo-Normandes. Pour l'autre, les destinations deviennent plus lointaines (Maroc, Portugal, Irlande) et plus longues (15 jours ou davantage).

Centre de Glisse de Santec – *585 r. de Theven-Braz - 29250 Santec -* ℘ 02 98 29 40 78 - glisse.santec@wanadoo.fr - *9h-19h.* Accueil niché à l'abri d'une dune, ce petit club propose, en plus du char à voile, des cours de surf, de kayak, bodyboard, waveski, ainsi que des stages de découverte des activités à la semaine.

Char à voile – *Enez Siek – Le Dossen - 29250 Santec -* ℘ 02 98 29 40 78. Pour un stage de char à voile.

Piscine – *Av. Victor-Hugo - Thalassothérapie Roscoff -* ℘ 02 98 29 20 20 - thalasso-roscoff. com - *8h-20h - fermé 6-26 déc.* Piscine d'eau de mer chauffée (avec jacuzzi et hammam).

Rostrenen

3 616 ROSTRENOIS
CARTE GÉNÉRALE C2 – CARTE MICHELIN LOCAL 309 C5 – CÔTES-D'ARMOR (22)

Haut lieu de danse et de musique populaire, comme de marchés, Rostrenen est une ancienne bourgade très plaisante située au flanc d'une colline du pays fisel. C'est d'ailleurs à ce monticule que la ville doit son nom, puisque « roz » signifie colline en breton. Vous ne trouverez pas meilleur point de départ pour arpenter la Bretagne intérieure ! Le canal de Nantes à Brest, tout proche, complétera idéalement votre programme de randonnées.

▶ **Se repérer** – En pleine Bretagne intérieure, Rostrenen est un carrefour routier situé sur la N 164, reliant Carhaix-Plouguer (21 km à l'ouest) à Mûr-de-Bretagne (29 km à l'est).

🕐 **Organiser son temps** – Une demi-journée pour profiter des balades aux alentours du bourg est amplement suffisante.

👁 **À ne pas manquer** – Le cours tumultueux du Blavet dans les gorges de Toul Goulic.

👫 **Avec les enfants** – Retrouvez l'odeur de l'encre et de la craie d'une salle de classe d'antan au musée rural de l'Éducation.

🕯 **Pour poursuivre la visite** – Voir aussi le lac de Guerlédan, Pontivy, Le Faouët, les Montagnes Noires, Carhaix-Plouguer, Guingamp et Quintin.

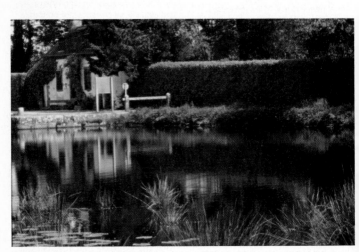

Les eaux calmes du canal de Nantes à Brest.

Se promener

Église N.-D.-du-Roncier

C'est l'ancienne chapelle du château, incendié pendant la Ligue en 1572. Construite au 14ᵉ s., remaniée aux 18ᵉ et 19ᵉ s., elle possède un beau porche faisant la transition entre le gothique et la Renaissance. 📞 *02 96 29 01 55 - visite sur demande 9h-17h.* Près de l'église, intéressante fontaine sacrée du 17ᵉ s. **Pardon** le 15 août.

Circuits de découverte

PAYS FISEL 1

Circuit de 45 km – environ 3h. Quittez Rostrenen par la D 790 au nord-est en direction de St-Brieuc.

Saint-Nicolas-du-Pélem

Longez le flanc gauche de l'église pour découvrir la **fontaine** St-Nicolas, du 17ᵉ s., adossée à une maison. Dans l'**église** (15ᵉ et 16ᵉ s.) à chevet plat, remarquez deux beaux vitraux de 1470 illustrant la Passion. 📞 *02 96 29 51 65 - juil.-sept. : lun.-vend.14h-18h.*

Prenez au nord vers Lanrivain (D 5) et suivez « Musée-école de Bothoa ».

Musée rural de l'Éducation

Bothoa - St-Nicolas-du-Pélem - 📞 *02 96 29 73 95 - mai-juin : dim. 14h-18h ; 1ᵉʳ juil.-15 sept., vac. de Pâques et Toussaint : tlj sf lun. 14h-18h - 3,5 € (enf. 6-14 ans 2 €).*

👤👶 Quoi de plus normal que de reconstituer une école rurale des années 1930 dans une ancienne école ! Pupitres de bois cirés, plumes, encre violette… À l'angle de la cour se trouve la maison de fonction de la première institutrice qui habita les lieux de 1931 à 1947. Une seconde classe présente une exposition permanente sur l'école de Bothoa (photos de classe…). Expositions temporaires. En été, dictée le mardi à 15h.

Lanrivain

Le cimetière garde un ossuaire (15ᵉ s.) à arcades tréflées ; à droite de l'église, le calvaire (16ᵉ s.) est animé de personnages de grandes dimensions, en granit de Kersanton.

Chapelle N.-D.-du-Guiaudet – *1,5 km au nord sur la route de Bourbriac. À l'entrée du hameau du Guiaudet, prenez à droite une allée marquée par deux piliers de granit.* Bâtie à la fin du 17ᵉ s., la chapelle abrite, au-dessus du maître-autel, une sculpture représentant la Vierge couchée qui tient l'Enfant Jésus dans ses bras. Dans le clocher, un carillon de 16 cloches sonne deux cantiques dédiés à Notre-Dame. *Pâques-Toussaint : 10h-18h.*

Revenez sur vos pas, prenez à droite la D 87 vers Trémargat et, après 1,5 km, tournez à gauche.

Gorges de Toul Goulic★

🚶 *15mn à pied AR.* Au fond du parking dominant la vallée boisée du Blavet, prenez le sentier raviné et en forte descente qui conduit sous bois au milieu de la perte du Blavet. La rivière, encore abondante à l'origine de la perte (côté nord), a entièrement disparu ici et gronde sous des chaos de roches énormes.

Faites demi-tour et tournez à gauche vers Trémargat.

Kergrist-Moëlou

Sur ce site planté de beaux ifs séculaires, se dresse le **calvaire** (1578) regroupant sur sa base une centaine de personnages en Kersanton ; mutilés pendant la Révolution, ils ont été replacés sans ordre.

Par St-Lubin au sud, regagnez Rostrenen.

CANAL DE NANTES À BREST ②

Circuit de 20 km – environ 1h1/2. Quittez Rostrenen à l'ouest par la N 164 en direction de Carhaix-Plouguer et, à 4 km, tournez à gauche vers Gourin.

La route atteint le canal, construit de 1823 à 1834, au bief de partage, à l'altitude de 184 m. À droite du pont, il est conseillé d'emprunter le chemin de halage qui conduit à la tranchée du canal : il permet de découvrir une partie de l'escalier de 44 écluses rattrapant en 17 km, jusqu'à Port-de-Carhaix, une dénivellation de 120 m.

Poursuivez jusqu'à la sortie de Glomel pour prendre à droite la route de Paule et, à 1,8 km, tournez encore à droite.

On arrive sur les bords du canal, dans un très joli **site★**, à hauteur de l'ancienne maison de l'éclusier de St-Péran. Agréable promenade sur le chemin de halage.

Continuez jusqu'au grand axe routier Brest-Rennes où vous tournez à droite pour regagner Rostrenen.

Rostrenen pratique

Adresse utile

Office du tourisme du Kreiz Breizh – *5 pl. de la République - 22110 Rostrenen -* 📞 *02 96 29 02 72 - juil.-août : 10h-12h30, 14h-18h sf dim. apr.-midi et mar. journée continue ; Pâques-juin et sept. : 10h-12h30, 14h-18h sf dim. apr.-midi ; oct.-Pâques : mar.-sam. 10h-12h30.*

Se restaurer

⊙ **L'Eventail des Saveurs** – *3 pl. Bourg-Coz -* 📞 *02 96 29 10 71 - leventail-des-saveurs@wanadoo.fr - fermé 26 juin-18 juil.,* mar. soir de sept. à mai, dim. soir, merc. et lun. - 13,50 € déj. - 23/40 €. Un bel éventail de savoureuses recettes régionales actualisées et, côté décor, une palette de couleurs vives assurent le succès de ce restaurant réservé aux non-fumeurs.

Événement

Au mois d'août, le **festival Fisel**, organisé par le cercle celtique local met le pays fisel à l'honneur à travers des concours de danse, de musique, des stages d'initiation et des tournois de « gouren ».

Saint-Brieuc★

46 087 BRIOCHINS
CARTE GÉNÉRALE D2 – CARTE MICHELIN LOCAL 309 F3 – CÔTES-D'ARMOR (22)

À 3 km de la mer, sur un plateau qu'entament profondément le Gouëdic et le Gouët, St-Brieuc est le centre administratif, commercial et industriel des Côtes d'Armor. La ville, qui a gardé de belles demeures à pans de bois, préserve son image de vieil évêché tranquille, tout en se ménageant des moments d'euphorie, à l'occasion notamment de son festival Art Rock.

▶ **Se repérer** – St-Brieuc occupe un site bien abrité au fond de la baie qui porte son nom. Elle est traversée par la N 12, qui vient de Dinan (60 km à l'est), et qui court jusqu'à Brest (145 km à l'ouest) en passant par Guingamp (35 km) et Morlaix (90 km). La D 786 longe la côte de part et d'autre de la ville, desservant les plages et stations balnéaires de la Côte d'Émeraude et de celle du Goëlo.

🕑 **Organiser son temps** – Entre ses plages à « l'ancienne » et son patrimoine urbain, St-Brieuc peut vous retenir une journée.

👁 **À ne pas manquer** – La cathédrale St-Étienne au cœur du quartier historique de St-Brieuc, et l'exceptionnel panorama sur la baie de St-Brieuc depuis la pointe du Roselier.

👫 **Avec les enfants** – Promenez-vous au milieu de la « Galerie des oiseaux » à la maison de la Baie et marchez dans les pas de Jean Fédébric à la Briqueterie.

🍂 **Pour poursuivre la visite** – Voir aussi la Côte d'Émeraude, le Val-André, Lamballe, Moncontour, Quintin, Guingamp, St-Quay-Portrieux et Paimpol.

Se promener

La ville des écrivains Villiers de L'Isle-Adam (1838-1889) et Louis Guillou (1899-1980) recèle encore un quartier historique qui mérite d'être arpenté pour ses vieilles demeures et ses monuments anciens.

Maisons anciennes★ (A1)

Le quartier au nord de la cathédrale a conservé de belles demeures des 15e et 16e s. à pans de bois et encorbellements. Il faut contempler la place du Martray, la rue Fardel *(à l'angle de la place au Lin, maison du Ribeault ; au nº 15, maison dite « hôtel des ducs de Bretagne » ; puis nos 17, 19, 27, 29, 31, 32 et 34)*, la rue Quinquaine *(nº 9)* et la rue de Gouët *(nos 6, 16 et 22)*.

Tour du Saint-Esprit (A1)

Cette belle construction Renaissance (15e s.) rehausse un manoir du 16e s.

Fontaine de Saint-Brieuc (A1)

Protégée par un joli porche du 15e s., cette fontaine est adossée au chevet de la chapelle N.-D.-de-la-Fontaine. En ce lieu se serait installé le moine gallois Brieuc, au 5e s., lors de l'évangélisation de cette région.

Tertre Aubé★

Ce terre-plein, aménagé en jardin, offre une belle **vue★** sur la vallée du Gouët, le port du Légué et la baie de St-Brieuc.

Visiter

Cathédrale Saint-Étienne★ (A1)

Cet édifice du 13e s., restauré aux 18e et 19e s., surprend par son allure massive d'église forteresse. La façade austère est encadrée par deux grosses tours à

Rue de Gouët.

meurtrières ou à mâchicoulis, épaulées par de robustes contreforts. Les bras du transept, très saillants, sont protégés par des tours à poivrière.

La nef a été remaniée au 18e s. Remarquez la finesse du triforium, au-dessus des grandes arcades, avec ses balustrades à quadrilobes et à arcs trilobés. Dans le bas-côté

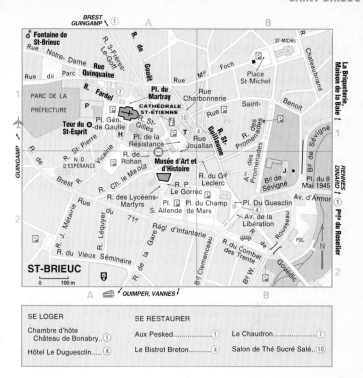

droit, **autel baroque** de la chapelle du Saint-Sacrement, en bois sculpté, exécuté par Yves Corlay vers 1745. Le bras droit du transept présente une belle verrière du 15e s. et, dans la petite chapelle, le tombeau de saint Guillaume, mort en 1234. Notez le Chemin de croix de Saupique, œuvre rennaise de 1958, en granit.

Musée d'Art et d'Histoire (A2)

Cours Francis-Renaud, R. des Lycéens Martyrs - ☎ 02 96 62 55 20 - expos permanentes : 9h30-11h45, 13h30-17h45, dim. et j. fériés 14h-18h, expos temporaires : 10h-18h, dim. 14h-18h - fermé lun., 1er janv., 1er Mai et 25 déc. - gratuit. Il retrace l'histoire et le développement du département des Côtes-du-Nord (aujourd'hui Côtes-d'Armor) au cours du 19e s., le passage de la tradition à la modernité. Plusieurs thèmes : baie de St-Brieuc, tradition de la lande, drapiers et toiliers, relations villageoises.

Aux alentours

Hillion

À 10 km à l'est ; sur la N 12, prenez la sortie vers Yffiniac ; gagnez Hillion par la D 80 et suivez le fléchage de la maison de la Baie.

👪 La **Maison de la baie**, centre d'accueil et de découverte du milieu marin, pour petits et grands, présente des expositions sur l'environnement et l'écologie de la baie. Elle organise également des sorties de découverte et d'initiation à l'ornithologie ou au milieu naturel. *Nombreuses sorties nature en été : tlj sf w.-end - ☎ 02 96 32 27 98 - se renseigner.*

La Briqueterie

5 km à l'est ; sur la N 12, prenez la sortie « Langueux centre » et dir. « Site Boutdeville-École d'horticulture St-Ilan ». ☎ 02 96 63 36 66 - oct.-mai : merc., vend.-dim. 14h-18h ; juin et sept. : merc., vend.-dim. 14h-18h30 ; juil.-août : tlj sf mar. 11h-18h30 - fermé 5 sem. à partir du 25 déc. - 4 € (6-12 ans 2,50 €). L'ancienne briqueterie de St-Ilan présente les différentes activités économiques de la baie de St-Brieuc au 19e s. Il rappelle aussi l'épopée du Petit Train des Côtes-d'Armor avec la reconstitution grandeur nature d'un quai de gare et une grande maquette de train animée. Exposition sur l'histoire du bâtiment avec son four Hoffmann (1870) restauré.

👪 Un livret de découverte destiné aux 8-12 ans, *Sur la piste de Jean Fêdébric*, est remis gratuitement à l'entrée.

Circuit de découverte

DES PLAGES À L'ANCIENNE

Circuit de 25 km – environ 2h. Quittez St-Brieuc au nord par le port du Légué, longez le quai rive gauche et gagnez la D 24. Sur la droite, dans la verdure, se profile la tour ruinée de Cesson ; au cours de la montée, belle vue sur la pointe des Guettes au fond de la baie et sur la côte jusqu'au cap d'Erquy à l'est.

Pointe du Roselier★

En empruntant le sentier à droite de la longue-vue, on peut faire le tour de la pointe. De belles **vues★** se développent sur St-Quay-Portrieux et la côte à l'ouest ; le chemin passe à proximité d'un ancien four à rougir les boulets, puis longe la clôture d'une villa. La vue se porte alors sur la pointe de Cesson et, derrière, le fond de la baie de St-Brieuc, puis les bouchots à moules de la pointe des Guettes et la côte vers le Val-André. Des sentiers à flanc de falaise ramènent au point de départ.

Faites demi-tour et, à 2 km, tournez à droite.

Martin-Plage

Cette jolie plage s'étire entre la pointe du Roselier et le rocher des Tablettes.

La route s'élève ensuite rapidement et, à Ville-Fontaine, prenez à droite une agréable route qui descend entre des talus boisés.

Plage des Rosaires

La plage est encadrée de falaises boisées, hautes de près de 100 m. La **vue** embrasse toute la baie de St-Brieuc, de la pointe de St-Quay au cap d'Erquy.

Regagnez St-Brieuc par la route directe.

Saint-Brieuc pratique

Adresse utile

Office du tourisme de St-Brieuc – *7 r. St-Gouéno - 22000 St-Brieuc -* ☎ *02 96 33 32 50 - www.baiedesaintbrieuc.com - tlj sf dim. 9h30-12h30, 13h30-18h ; j. fériés 10h-13h - fermé 25 déc., 1er janv. et 1er Mai.*

Se loger

⌂ **Hôtel Le Duguesclin** – *2 pl. Du Guesclin -* ☎ *02 96 33 11 58 - www.hotel-duguesclin.com - 17 ch. 44/55 € -* ⛛ *7 € - rest. 10/28 €. Cette adresse vaut par sa situation au sein du quartier piétonnier, tout près de deux parkings publics. Chambres rénovées, à choisir plutôt côté place. Au restaurant, petits plats traditionnels, fruits de mer et choucroute maison servis dans un décor de brasserie parisienne. Terrasse côté rue piétonne.*

⌂⊗ **Chambre d'hôte Château de Bonabry** – *22120 Hillion - 10 km à l'E de St-Brieuc dir. Yffiniac puis Marinarium -* ☎ *02 96 32 21 06 - www.bonabry.fr.st - fermé oct.-avr. -* ⛝ *- 3 ch. 85/130 €* ⛛*. Le temps semble s'être arrêté dans ce noble château maritime qui a les mêmes propriétaires depuis cinq siècles. Ses suites, dotées de lits à baldaquin, tableaux de famille et cheminée, ouvrent sur le parc dont les allées débouchent sur la plage. À voir : le colombier et la chapelle restés intacts.*

Se restaurer

⌂ **Le Chaudron** – *19 r. Fardel -* ☎ *02 96 33 01 72 - lepetitcasset@yahoo.fr - fermé lun. soir et le midi sf 24 mai-15 sept. -*

7,50/16,50 €. C'est dans une rue pavée du vieux St-Brieuc que se trouve cette vénérable maison à colombages. Fondues, raclettes, pierrades et grillades comptent parmi les spécialités de ce restaurant aux allures de taverne. Intérieur d'esprit savoyard et belle terrasse.

⊝ **Le Bistrot Breton** – *9 r. St-Guillaume -* ☎ *02 96 61 93 77 - michel.gaudry@wanadoo.fr - formule déj. 8,20 € - 11,45/24 €. Cette ancienne écurie avec ses poutres et pierres apparentes s'avère être le cocon « cosy » dont vous rêviez, surtout si un bon feu y crépite. Dans l'assiette, les crêpes sont toujours servies bien chaudes et copieusement garnies d'ingrédients de premier choix.*

⊝ **Salon de Thé Sucré Salé** – *6 r. Jouallan -* ☎ *02 96 68 34 22 - tlj sf dim. 10h30-18h30 - 11,50/15,50 €. Pour savourer tartes salées et gourmandises sucrées, poussez la porte de cet accueillant salon de thé situé dans une rue piétonne. Ne manquez pas le coup d'œil vers la jolie vitrine garnie d'appétissantes pâtisseries maison et de grosses boîtes à thé.*

⊝⊗⊗ **Aux Pesked** – *59 r. Légué -* ☎ *02 96 33 34 65 - www.auxpesked.com - fermé 2-12 janv., 26 avr.-3 mai, 30 août-13 sept., sam. midi, dim. soir et lun. - déj. 23 € - 35/80 €. Les pesked (poissons en breton) sont évidemment à l'honneur sur cette table bien connue dans la région. Les habitués plébiscitent ses plats aux accents bretons, servis par une équipe bien rodée dans une salle à manger largement ouverte sur la campagne.*

En soirée

Rollais – *26 r. du Gén.-Leclerc - ℘ 02 96 61 23 03 - tlj sf dim. 10h-0h - fermé 2 sem. en août.* Tenu de père en fils depuis l'année 1912, ce bar à vin est une adresse mythique. Dans une lettre affichée dans la salle du fond, un enfant de St-Brieuc, l'écrivain Louis Guilloux, en capture l'atmosphère grâce aux propos d'un habitué : « Avec deux œufs frais que tu gobes le matin, tu peux t'envoyer trente vins blancs sans être dérangé ». Trente, c'est-à-dire le nombre exact de vins au verre chez Rollais ! Soirée littéraire et philosophique, concerts d'accordéon.

Que rapporter

Marchés – Les marchés et les foires de St-Brieuc sont très courus, en particulier la foire de la Saint-Michel et la foire-exposition en septembre. Marché animé au centre-ville tous les mercredis et samedis matins. Marché sur le port du Légué chaque jeudi matin d'été. Marché artisanal à la mi-août près de St-Étienne.

Sports & Loisirs

St-Brieuc Équitation – *Espace Brézillet - 22440 Ploufragan - ℘ 02 96 94 19 19 - www.saint.brieuc.equitation@neuf.fr -*

tlj 9h-19h - jeu. sf vac. scol. Club établi dans une zone de loisirs accolée à St-Brieuc. En plus des cours d'équitation, il organise des stages de perfectionnement, des randonnées à la journée et des balades dans la réserve naturelle depuis la grève des Courses. Point de rendez-vous au centre équestre.

Centre municipal de Voile de St-Brieuc – *27 bd de Cornouaille, Les Rosaires - 22190 Plérin - ℘ 02 96 74 51 59 - hors sais. : tlj sf dim. 9h-12h, 14h-18h ; été : 9h-19h30 - fermé j. fériés sf en été - 10/125 €.* École de voile mettant à votre disposition dériveurs, catamarans, planches à voile.

Aéro-club de St-Brieuc-Armor – *Aéroport de St-Brieuc - Le Plessis - 22440 Trémuson - ℘ 02 96 94 97 04 - acsba@tele2.fr - tlj 9h30-19h, plus vol de nuit - baptême de l'air : 23 €/pers.* Cet aéroclub propose des baptêmes de l'air et des promenades.

Aquabaie – *R. Pierre-de-Coubertin - 22440 Ploufragan - ℘ 02 96 75 67 56 - cabri22.com - juil.-août : 10h-20h, sam. 14h-20h, dim. 9h-19h - 4,20 € (enf. 3,10 €).* Piscine olympique aux murs et au fond amovibles, bassins d'amusement intérieurs et extérieurs, fosse de plongée profonde de 5 m, hammam, sauna, salles de fitness et de squash : cette structure de 6 800 m^2 multiplie les activités depuis son ouverture en 2002.

Saint-Cast-le-Guildo★

3 187 CASTINS
CARTE GÉNÉRALE D1 – CARTE MICHELIN LOCAL 309 I3 – CÔTES-D'ARMOR (22)

Cette station familiale a déjà une longue histoire de tourisme balnéaire, dont témoignent ses belles villas du quartier des Mielles. St-Cast possède aussi un charmant port de pêche, dont la flottille se consacre plus spécialement aux coquilles St-Jacques et aux praires. Vous l'apercevrez peut-être à l'œuvre du haut des pointes de St-Cast et de la Garde.

▸ **Se repérer** – À l'ouest de Dinard (25 km) et de St-Malo, St-Cast est accessible par la D 786 et les D 13 ou D 19. La station est formée de trois agglomérations : le Bourg, l'Isle et les Mielles.

🕐 **Organiser son temps** – La vie à St-Cast est rythmée par les passages à la plage et les balades aux environs.

👁 **À ne pas manquer** – Les sentiers menant à la pointe de St-Cast et à celle de la Garde, pour les panoramas qu'ils offrent sur la Côte d'Émeraude.

🕯 **Pour poursuivre la visite** – Voir aussi la Côte d'Émeraude, le cap Fréhel, le Val-André, Lamballe, Dinard, St-Malo et Dinan.

Bateaux de pêche devant la plage et les villas de St-Cast.

Gilles Targat / MICHELIN

Se promener

Pointe de Saint-Cast★★

À l'extrême pointe, un monument est dédié à la mémoire des « Évadés de France qui préfèrent mourir debout que vivre à genoux ». On l'atteint par un sentier courant le long de la falaise. Il rejoint le chemin de St-Cast à la plage de la Mare : autre monument à la mémoire des victimes de la frégate *Laplace*, bâtiment qui sauta sur une mine en 1950. De superbes **vues★★** se déploient depuis la table d'orientation, où l'on découvre la Côte d'Émeraude.

Pointe de la Garde★★

Un balcon surplombant les plages de St-Cast et de Pen-Guen offre de magnifiques **vues★★**. Un sentier touristique contourne la pointe : il emprunte la corniche de la Plage près de l'hôtel Ar Vro, passe non loin de l'oratoire, suit la falaise à la pointe et se raccorde, sur le versant sud, au chemin d'accès à la cale près de l'oratoire.

Église

Au Bourg. À l'intérieur de cette église (fin 19e s.), remarquez un curieux bénitier (12e s.) orné de grotesques et les statues de saint Clément et saint Cado, du 17e s. Ce dernier saint, très populaire au pays de Galles, a donné Cast en breton. On retrouve sa trace ailleurs en Bretagne, notamment St-Cado et Pleucadec rien que dans le Morbihan.

Chapelle Sainte-Blanche

À l'Isle. Au-dessus du maître-autel, une antique statue de sainte Blanche, mère de triplés, est traditionnellement l'objet de vénération.

Saint-Cast-le-Guildo pratique

Adresse utile

Office du tourisme de St-Cast-le-Guildo – *Pl. Charles-de-Gaulle - 22380 St-Cast-le-Guildo -* ☎ *02 96 41 81 52. www.ot-st-cast-le-guildo.fr - juil.-août : lun.-sam. 9h-19h30, dim. et j. fériés 10h-12h30, 15h-18h30 ; reste de l'année : lun.-sam. 8h-10h, 14h-18h.*

Se loger

⬤�’ **Hôtel restaurant de la Poste** – *11 pl. Gouyon - 22550 Matignon - 6 km au S de St-Cast-le-Guildo par D 13 -* ☎ *02 96 41 02 20 - www.hoteldelaposte-matignon.net - fermé 2 sem. en janv., 2 sem. en oct., dim. soir et lun. - 13 ch. 46/49 € -* ☒ *7 € - rest. 13/28 €.* Cette accueillante auberge de 1900, située dans le bourg, abrite des chambres au confort simple, mais bien entretenues. La salle de restaurant s'agrandit d'une terrasse couverte. L'assiette n'honore que les produits maison.

Se restaurer

⬤ **Crêperie de St-Germain** – *Au village de St-Germain-de-la-Mer - 22550 Matignon - 3 km au SO de St-Cast-le-Guildo -* ☎ *02 96 41 08 33 - ouv. à partir de Pâques et vac. scol. - réserv. obligatoire hors sais. - 7,62/15,24 €.* Cette aimable crêperie doit, entre autres, sa réputation à sa fameuse galette gratinée au saumon. Intérieur rustique avec cheminée, tables en bois carrelées et photos des aïeux. Une halte ici sera en plus l'occasion de découvrir la baie de la Fresnaye.

Sports & Loisirs

Établissement Patrick Page – *9 r. de l'Isle, quartier de l'Isle -* ☎ *02 96 41 87 71 - patrick.page5@wanadoo.fr - tlj sf dim. et lun. sf vac. scol. 9h-12h30, 14h-19h ; j. fériés : 10h-12h - fermé 1 sem. en juin et 3 sem. fin sept.- déb. oct.* Planté au faîte de l'Isle, cette enseigne dispose d'un beau parc de VTT et VTC, entretenu soigneusement par un professionnel jovial et accueillant. N'hésitez pas à lui demander des conseils de balades, c'est un enfant du pays !

Centre nautique de St-Cast – *Au Port -* ☎ *02 96 41 86 42 - cnautique-saintcast. com - secrétariat : tlj sf dim. et lun. 9h-12h, 14h-18h ; activités : tlj - fermé 25 déc.- 1er janv.* En plus de louer un kayak ou un bateau à moteur, d'apprendre à manœuvrer des voiles légères ou de perfectionner votre style en planche à voile, vous aurez la possibilité de sortir en mer à bord d'un voilier habitable de 8 m grâce à ce club qui compte parmi les plus importants de Bretagne Nord.

Golf de St-Cast Pen-Guen – ☎ *02 96 41 91 20 - www.golf-st-cast.com - été : 8h-20h ; hiver 9h-18h - fermé 1er janv. et 25 déc. - 31/53 €.* Ce 18 trous se déploie sur 40 ha de gazon et de bosquets, face au panorama de la Côte d'Émeraude. Sans être golfeur, vous pourrez jouir de cette belle vue depuis la terrasse du club house.

Plages – St-Cast comporte sept plages, dont deux belles étendues de sable fin, la Grande Plage et Pen-Guen. La Frênaye et la Pissotte se nichent dans des sites plus sauvages.

Saint-Malo★★★

50 675 MALOUINS
CARTE GÉNÉRALE E1 – CARTE MICHELIN LOCAL 309 J3 – ILLE-ET-VILAINE (35)

Presque entièrement détruite en août 1944, St-Malo a été si bien restaurée que ses visiteurs retrouvent sans mal l'époque des corsaires derrière ses remparts de granit fortifiés. Port très actif, la cité malouine est aussi une station balnéaire réputée, où thalassothérapie, clubs nautiques et plages de sable fin offrent toute la détente recherchée. L'île du Grand Bé, le Fort national ou la plage du Sillon vous deviendront vite familiers !

▷ **Se repérer** – Au nord de Dinan (35 km) et de Rennes (75 km), St-Malo contrôle l'embouchure de la Rance. Sa partie historique fortifiée, appelée « Intra-Muros », se cantonne à une presqu'île, entourée d'anciennes communes progressivement intégrées, comme St-Servan, au sud, ou Paramé et Rothéneuf plus à l'est.

🅿 **Se garer** – Peu de voitures peuvent s'aventurer dans l'Intra-Muros où le piéton règne en maître. En été, les parkings du vieux centre et de ses abords immédiats (remparts et port) saturent vite. Mieux vaut donc laisser sa voiture dans l'un des parkings prévus à cet effet en périphérie *(voir St-Malo pratique)*, puis emprunter les navettes mises en place par la municipalité pour désengorger la presqu'île.

🕐 **Organiser son temps** – L'Intra-Muros le matin, la plage l'après-midi, et une bonne galette aux abords de la cathédrale en soirée : le pouls de St-Malo peut se prendre en une journée. Renseignez-vous sur les horaires de marée, car certains sites (Grand Bé, Fort national) ne sont accessibles à pied sec qu'à marée basse.

👁 **À ne pas manquer** – Le tour des remparts pour la double vue sur les toits de St-Malo et la mer.

👨‍👦 **Avec les enfants** – Allez caresser les poissons dans le bassin tactile du Grand Aquarium de St-Malo, visitez l'Hôtel d'Asfeld, véritable demeure de corsaire, et rendez-vous à Rothéneuf pour voir les Rochers sculptés avant d'étendre votre serviette sur la plage du Havre.

🕯 **Pour poursuivre la visite** – Voir aussi Dinard, la Côte d'Émeraude, St-Cast-le-Guildo, Dinan, la vallée de la Rance, Cancale et Dol-de-Bretagne.

Vue panoramique sur la cité malouine depuis le Fort national.

René Mattes / MICHELIN

Comprendre

St-Servan à l'origine de St-Malo – Au 6e s., saint Malo évangélisa la cité d'Aleth et devint son évêque. En 1144, l'île voisine est suffisamment peuplée pour que l'évêché y soit transféré et qu'elle prenne le nom de St-Malo, tandis qu'Aleth se place sous la protection d'un autre saint local : Servan.

Une cité à l'identité forte – Au moment de la Ligue, au 17e s., la ville se proclama république et maintint son indépendance durant quatre ans. Cet esprit particulariste se traduit par la devise : « Ni Français ni Breton : Malouin suis. » À la même époque, St-Malo abrite bon nombre de corsaires. Ces hardis marins recevaient du roi des « lettres de course » qui leur permettaient d'attaquer les navires de guerre ou marchands ennemis sans être traités en pirates, c'est-à-dire pendus *(voir Comprendre la région)*. Aux 17e et 18e s., ils infligèrent aux Anglais, aux Hollandais et aux Espagnols, des pertes inouïes.

QUELQUES MALOUINS CÉLÈBRES

Jacques Cartier (1494-1557) – En 1534, il part chercher de l'or dans la région de Terre-Neuve et du Labrador. Il découvre alors l'estuaire du St-Laurent, qu'il prend pour l'embouchure d'un grand fleuve d'Asie. Comme le mot « *Canada* », qui signifie village en huron, revient souvent dans les propos des indiens, il appelle ainsi le pays. Cartier en prend possession au nom du roi de France, mais c'est Champlain qui la colonisera et qui fondera Québec, en 1608.

Duguay-Trouin et **Surcouf** – Ce sont les plus illustres corsaires malouins. Fils d'un riche armateur, Duguay-Trouin (1673-1736) est embarqué à 16 ans sur un navire corsaire pour mettre fin à une jeunesse orageuse. Ses talents sont tels qu'il passe à 24 ans dans le « Grand Corps » de la Marine royale, comme capitaine de frégate. Il meurt anobli, lieutenant général et commandeur de St-Louis.
Le destin de Surcouf (1773-1827) est bien différent, mais tout aussi brillant. Répondant à l'appel de la mer, il commence très jeune une carrière riche en exploits fabuleux. Négrier, puis corsaire, il amasse un énorme butin et prend à 36 ans une retraite précoce au cours de laquelle il arme des corsaires, des navires marchands et continue à accroître sa fortune.

François René de Chateaubriand – Il est le dixième et dernier enfant d'une famille bretonne désargentée de très ancienne noblesse. Son père est allé chercher fortune aux Amériques et a pu, au retour, s'établir armateur à St-Malo. La chambre où François René vit le jour se trouve au 2e étage d'un immeuble modeste dont l'entrée donne sur la cour d'honneur de l'hôtel « France et Chateaubriand », près de la tour Quic-en-Groigne. Le jeune Chateaubriand (1768-1848) passe ses premières années à vagabonder sur le port, puis étudie successivement aux collèges de Dinan, Dol, Rennes, Brest, rêvant d'être marin ou prêtre. Il reste deux années dans la solitude de Combourg avec son père, sa mère et sa sœur Lucile : un épisode que le grand écrivain romantique évoquera dans ses *Mémoires d'outre-tombe*. C'est par le métier des armes qu'il commencera, en 1786, une carrière mouvementée qui se terminera en 1848 dans l'isolement grandiose du Grand Bé.

Lamennais – Cet autre fils (1782-1854) d'armateur malouin tient une place importante dans le mouvement romantique. Orphelin, il est élevé par un oncle au château de la Chesnaye, près de Dinan ; à 22 ans, il devient professeur de mathématiques au collège de St-Malo. Ordonné prêtre en 1816, ses polémiques passionnées le mettent en difficulté avec Rome. Ayant rompu avec l'Église, il se retire à la Chesnaye. Apologiste de l'ultramontanisme, ses idées politiques le font condamner à un an de prison en 1840, mais lui valent un siège à l'Assemblée nationale de 1848.

Maupertuis – Fils d'un corsaire anobli, Pierre Louis Moreau de Maupertuis (1698-1759) est un grand savant trop méconnu. Membre de l'Académie des sciences, il s'illustre en organisant une expédition en Laponie pour mesurer un degré du méridien terrestre. Très curieux, il publie d'intéressants ouvrages de biologie et se voit confier la présidence de l'Académie royale de Berlin par le roi de Prusse Frédéric II.

Séjourner

INTRA-MUROS (Plan II)

Les vieux **remparts** de St-Malo abritent des rues étroites et pavées, aux façades de granit parfaitement alignées. Difficile d'imaginer que la plupart ont été restaurées voire reconstruites après 1944 ! En saison et les week-ends, l'ensemble bourdonne d'animation grâce à ses commerces et à ses restaurants, principalement concentrés entre le château et la cathédrale. La cité jouit également de la proximité de plages de sable fin, réparties en corolle au pied de ses remparts. Les Malouins fréquentent plutôt celle du **Môle**, qui jouxte l'avant-port, mais la plus étendue est celle du **Bon-Secours**. On la repère à sa piscine d'eau de mer et à son centre nautique. La baignade y est surveillée. Elle sert de point de départ à tous ceux qui veulent accéder à sec aux Petit et Grand Bés (uniquement à marée basse). Ceux qui voudraient s'éloigner un peu des remparts pourront toujours étendre leur serviette sur la vaste plage du Sillon qui commence au casino *(voir ci-après Paramé)*.

EXTRA-MUROS (Plan I)

Paramé★

Ce quartier accolé à l'Intra-Muros prolonge St-Malo à l'est. Son principal atout réside dans la vaste étendue de sable fin qui s'étire des remparts malouins à la pointe de Rochebonne : la **Grande Plage★**. Une belle digue-promenade, exclusivement réservée aux piétons, borde ses 3 km.

Les brise-lames de la plage du Sillon à Paramé.

Amaury de Valroger / MICHELIN

👁 La Grande Plage porte différents noms en fonction des secteurs. Le plus connu, hérissé de brise-lames, est celui **du Sillon**. Il commence au niveau du château. Lui succèdent la Hoguette, avec son centre de voile, installé au niveau des Thermes marins et du Grand Hôtel, puis la plage de Rochebonne, qui s'achève à la pointe du même nom. Ne manquez pas de pousser jusqu'à elle, car elle offre l'un des meilleurs **points de vue** sur la cité malouine, tout spécialement le soir.

Rothéneuf

Relié à Rochebonne par les villas et la plage du Minihic, Rothéneuf présente une côte découpée, parsemée de criques. Ses deux plages se complètent admirablement, celle du Val s'ouvrant largement sur la mer, tandis que celle du Havre borde une anse presque fermée, entourée de dunes, de falaises et de pins, autrefois surnommée le « Lac suisse ». Le GR 34 permet de découvrir ce littoral jusqu'à la **pointe de la Varde**, qui regarde, à l'ouest, sur les remparts de St-Malo et la Grande Plage. On découvre souvent ce bourg familial et résidentiel à l'occasion d'une visite aux curieux **Rochers sculptés** ou au **Manoir de Jacques Cartier** *(voir Visiter)*.

👥 Du fait de sa situation bien abritée, la plage du Havre accueille un club de plage et un centre nautique spécialement dédié aux enfants.

Saint-Servan-sur-Mer

On oublie souvent que St-Servan est à l'origine de la ville de St-Malo avec l'ancienne cité gallo-romaine d'Aleth. Plus conviviale et familiale que sa bourdonnante voisine, elle bénéficie de beaux espaces verts, dont le parc de la Briantais au sud. L'**anse des Sablons**, tournée vers l'Intra-Muros, abrite sa plage principale, un port de plaisance et un centre nautique. St-Servan dispose également de trois autres ports : le bassin du Bouvet, dédié au commerce et à la pêche, qu'elle partage avec St-Malo, port St-Père, et l'ancien port militaire **Solidor**, orienté vers la Rance et Dinard. Ses principales artères, les rues Ville-Pépin et Georges-Clemenceau, concentrent l'essentiel de ses commerces, et donc de l'animation.

👁 Prendre un verre en fin de journée, à côté de la **tour Solidor**, est un « must », à moins que vous ne préfériez la vue sur St-Malo depuis la plage des Sablons.

> ### Une bienheureuse servante
>
> Placée comme domestique à St-Servan chez une vieille demoiselle, **Jeanne Jugan** (1792-1879) acheta une masure pour accueillir des vieillards avec l'aide de trois amies. Cette association spirituelle marquait les débuts de la congrégation des **Petites Sœurs des pauvres**.

ST-MALO
PARAMÉ-ST-SERVAN
Plan I

0   500 m

SE LOGER	
Chambre d'hôte La Goëletterie...............①	Hôtel Les Acacias....................................
Chambre d'hôte Les Croix Gibouin...........②	Hôtel Les Ajoncs d'Or.............................
Hôtel La Rance...................................④	Hôtel Quic en Groigne............................

Se promener

Transformés par les Allemands en un vaste camp retranché, St-Malo et ses environs sont, du 1ᵉʳ au 14 août 1944, l'objet d'une lutte sans merci, dont la ville sort ruinée. Respectueux du passé, les restaurateurs ont fidèlement relevé la vieille cité.

ST-MALO INTRA-MUROS★★★

Visite : 1h30. Départ sur la place Chateaubriand, derrière la porte St-Vincent.

Place Chateaubriand

Chateaubriand résida enfant au n° 2 (hôtel White). Façade du 18ᵉ s. refaite à l'identique. Au n° 3 rue Chateaubriand, l'**hôtel de la Gicquelais** (17ᵉ s.) le vit naître.

Cours La Houssaye

Vous le ralliez au bout de la rue Chateaubriand, en traversant la rue Ste-Barbe. Maison dite de la **Duchesse Anne**, du 15e s. (no 2). En prenant à gauche la rue du Pelicot, vous passerez devant des **façades de bois** et de verre dont celle de la Maison internationale des poètes et écrivains.

Parvenu à l'intersection avec la rue du Collège, tournez à droite dans la rue du Gros-Mollet. Dans son prolongement commence la rue Mahé-de-la-Bourdonnais, ainsi nommée car le gouverneur des îles Maurice et de La Réunion (1699-1753) y aurait vu le jour au no 2. Notez le **portail** en bois sculpté Renaissance (1652).

Prenez à gauche la rue de la Victoire.

Rue de la Victoire

À côté de la façade du n° 8 (17ᵉ s.) se dresse l'ancienne chapelle des Bénédictine (1622), et plus loin, l'École nationale de la Marine marchande.

Engagez-vous dans la rue St-Benoist, où des façades ont été reconstruites à l'identique (n°ˢ 6 et 8). Elle aboutit à une intersection.

L'**hôtel de Bertaudière**, lieu de naissance supposé du corsaire Surcouf, se trouve à l'angle des rues du Chat-qui-Danse et de la Bertaudière.

Cathédrale Saint-Vincent *(voir Visiter)*

En sortant de la cathédrale, prenez à gauche la petite rue Pourpris. Elle mène à la **place du Pilori**, qui constitue le cœur de l'Intra-Muros.

Tournez à droite dans la rue Gouin-de-Beauchêne, puis dans la deuxième à gauche. Sans entrer sur la place aux Herbes, prenez sur votre droite et tout de suite à gauche la rue du Point-du-Jour, avant de tourner à droite.

Rue Vincent-de-Gournay

Cette rue porte le nom d'un célèbre économiste malouin du 18ᵉ s., partisan du libre-échange. Aux n°ˢ 9-11-13 : façades de la fin du 17ᵉ s. À sa gauche se trouve la pittoresque place Placitre.

Traversez la place et descendez à gauche la rue Thévenard. Tournez à droite dans la rue Broussais pour rejoindre la place Brévet. Là, remontez à droite la rue St-Sauveur jusqu'à celle de la Charité, sur la gauche.

Saint-Sauveur

Ancienne église construite en 1743 pour servir de chapelle à l'hôtel-Dieu.

En sortant de l'édifice, prenez à droite et descendez ensuite la rue Maupertuis.

Peu avant l'intersection, notez au n° 4 la porte cintrée d'un vieil hôtel malouin (1637) En tournant à droite dans la rue de Dinan, vous apercevrez plus loin le grand balcon porté sur pilastres de l'**hôtel de Brevet** (1725), au n° 12.

Engagez-vous ensuite dans la rue des Vieux-Remparts pour repérer la voûte en pans de bois de l'**ancien couvent des Franciscains** (17ᵉ et 18ᵉ s.). Parvenu à la rue de la Fosse, qui conserve au n° 4 l'**hôtel dit du Gouverneur** (1620), tournez à droite et suivez jusqu'au bout la rue Feydeau qui la prolonge. Vous y verrez un autre hôtel particulier, celui du **Fer de La Saudre**, et des façades du 18ᵉ s. reconstruites à l'identique.

Rue d'Orléans

Face aux remparts, cette rue présente le plus bel alignement de **demeures d'armateurs** du 18ᵉ s.

Prenez-la à gauche et tournez encore à gauche dans la rue d'Asfeld.

Maison de Corsaire - Hôtel d'Asfeld *(voir ce nom)*

Suivez la rue d'Asfeld jusqu'à la Halle au Blé.

Halle au Blé

Elle abrite toujours des étals les mardi et vendredi matin, mais c'est encore dans la rue de l'Orme, qui débouche sur l'arrière du marché, que vous trouverez les vitrines les plus alléchantes. Le célèbre fromager et crémier Bordier y tient en effet boutique.

Remontez la rue jusqu'à la hauteur du Marché aux Légumes, transformé en jardin. Prenez à droite la rue de la Vieille-Boucherie sur laquelle donnent quelques ruelles pittoresques.

Rue des Grands-Degrés

Au n° 17, la façade reconstruite à l'identique abrite l'ancien **Hôtel Dupin Le Fer** (1700) où fut célébré secrètement le mariage de Chateaubriand avec Céleste Buisson de La Vigne.

Pour retourner à la porte St-Vincent, deux options s'offrent à vous : la première consiste à revenir sur la rue de la Vieille-Boucherie et à poursuivre votre chemin dans la rue **Porcon-de-la-Barbinais**, l'une des plus animées de la cité. À son extrémité, vous vous engagerez à droite dans la rue St-Vincent. L'autre itinéraire, parallèle *(reporté sur le plan)* permet d'éviter la foule.

Pour poursuivre la visite du vieux St-Malo, montez sur les remparts.

LES REMPARTS

Visite : 2h. Partez de l'esplanade St-Vincent.
Commencés au 12ᵉ s., les remparts (sortis intacts des destructions de 1944) ont été agrandis et modifiés jusqu'au 18ᵉ s.
À l'entrée du jardin du casino, la statue de Chateaubriand, élevée en 1948, commémore le centenaire de sa mort. *Passez sous la porte St-Vincent et prenez, à droite, l'escalier qui donne accès au chemin de ronde.*

De la porte St-Vincent au bastion St-Louis – Aussitôt après la Grande Porte, couronnée de mâchicoulis, la vue se développe sur l'isthme étroit qui relie la vieille ville à ses faubourgs, sur les bassins du port et, au-delà, sur St-Servan.

Grandiose vision

La promenade sur les remparts offre des **vues★** magnifiques. Elle est recommandée à marée haute, dont la grande amplitude (de 8 à 14 m) modifie de façon spectaculaire l'aspect du rivage et des flots.

Du bastion St-Louis au bastion St-Philippe – Le rempart borde les maisons des riches armateurs malouins. Deux sont restées intactes, près du bastion St-Louis, précédant une succession de murailles et de façades qui furent remontées pierre à pierre. Ce bel ensemble de hautes toitures, surmontées de cheminées monumentales, a été totalement reconstitué. La vue se développe sur l'avant-port, sur le rocher d'Aleth couronné par le fort de la Cité, sur l'estuaire de la Rance, ainsi que sur Dinard, avec la plage du Prieuré et la pointe de la Vicomté.

Du bastion St-Philippe à la tour Bidouane – À droite de la pointe du Moulinet, on aperçoit en partie la grande plage de Dinard ; on distingue aussi la pointe des Étêtés séparant Dinard de St-Lunaire, la pointe du Décollé, l'île des Ebihens, la pointe de St-Cast et le cap Fréhel ; plus proche, l'île Harbour et, toujours vers la droite, les îles du Grand Bé et du Petit Bé, puis à l'arrière-plan, l'île de Cézembre et le fort de la Conchée.

De la tour Bidouane à la porte St-Vincent – Après avoir longé les bâtiments de l'École nationale de la marine marchande, on découvre le Fort national et la grande courbe qui unit St-Malo à la pointe de la Varde : ici se déploient les plages du Sillon, de Rochebonne et du Minihic.

Les promeneurs peuvent rallier le Fort national à marée basse.

LE SYSTÈME DEFENSIF

Fort national★ (A1)

Accès par la plage de l'Éventail à marée basse – 15mn à pied AR. ℘ 02 99 85 34 33 - visite guidée (45mn) juin-sept. w.-end de Pâques, de l'Ascension et de la Pentecôte : à marée basse - les horaires de visite variant en fonction des marées, vous pouvez vous procurer les horaires précis à l'office de tourisme - 4 € (enf. 2 €).
Construit par Vauban en 1689, le « Fort royal » est devenu « Fort national » après 1789, puis propriété privée. Au cours de la visite du fort, on évoque le duel mémorable de Surcouf qui défendit l'honneur de la France contre 12 adversaires. Il épargna le dernier… comme témoin de ses exploits !
Des remparts, la **vue★★** est exceptionnelle : de l'estuaire de la Rance aux îles Chausey. Et la visite du cachot impressionnante !

Île du Grand Bé (A1)

À marée basse, 45mn à pied AR. Quittez St-Malo par la porte des Champs-Vauverts et traversez la plage obliquement, pour gagner la chaussée qui conduit à l'île. Suivez le chemin accroché au flanc droit de l'île. Le **tombeau de Chateaubriand** se trouve du côté du large : une simple dalle sans nom, surmontée d'une lourde croix de granit. Du sommet de l'île, superbe **panorama★★** sur toute la Côte d'Émeraude.

Traversez le terre-plein, descendez quelques marches et tournez à gauche dans un chemin qui ramène à la chaussée empruntée à l'aller.

Le Petit Bé

Accès à pied ou en bateau (en fonction des marées) à partir du Grand Bé - 5 € (enf. 3 €) - horaires précis disponibles au 06 08 27 51 20.

Située après le Grand Bé, l'île possède un remarquable fort construit à partir de 1693 par Vauban et restauré par un passionné. La visite *(guidée)* présente les fortifications de la baie de St-Malo et le phénomène des marées. Très belle vue sur la baie.

Port (A-B2)

Aménagé au cœur de la vaste rade qui séparait jadis la cité corsaire du continent, le port de St-Malo possède quatre bassins à flot, protégés par une écluse. Son avant-port est équipé de deux gares maritimes pour le trafic des **car-ferries** et des **vedettes** rapides. Des liaisons quotidiennes *(sauf en hiver)* desservent l'Angleterre (Portsmouth) et les îles Anglo-Normandes de Jersey et Guernesey. Pour la navigation de plaisance, de nombreux pontons ont été aménagés sous les remparts.

ST-SERVAN-SUR-MER★

Solidor-Aleth [1]

Départ de la cale de Dinan, au bout de la rue de Dinan. Longez la cale de la Bourse, puis la gare maritime du Naye.

Fort du Naye (A3)

Édifié en 1843, il surveillait la passe d'entrée du port, transformée en écluses depuis 1931. N'en subsistent que des vestiges.

Suivez le front de mer et prenez la rue Dauphine, bordée de belles maisons des 17e s. (nos 16 à 20) et 18e s. (nos 10 et 38).

Digue des Bas-Sablons (A3)

Cette promenade borde l'ancienne anse où manœuvraient les navires au Moyen Âge. Agréable vue sur le port de plaisance et l'Intra-Muros.

Suivez la promenade de la Corniche qui monte au fort de la Cité.

Fort de la Cité (A3)

Cité d'Aleth - ℰ 02 99 82 41 74 - visite guidée (1h) - juil.-août : 10h15, 11h, 14h, 15h, 16h et 17h ; avr.-juin et sept. : tlj sf lun. 14h30, 15h15 et 16h30 ; oct. : tlj sf lun. 15h15 et 16h - fermé nov.-mars - 5 € (enf. 2,50 €). Bâti en 1759, il fut utilisé et transformé par les Allemands pendant la Seconde Guerre mondiale. Autour de la cour intérieure est disposée une chaîne de blockhaus, reliés par près de 2 km de galeries souterraines.

La corniche d'Aleth★ (A3)

Elle dévoile de très belles **vues★★** : d'abord sur la cité malouine, les îles du Petit Bé et du Grand Bé ainsi que l'île de Cézembre ; puis une fois dépassé le fort de la Cité, sur l'ensemble de la rade où se détache l'île fortifiée de la Grande Conchée, le phare du Grand Jardin *(à gauche)*, l'île Harbour et son fort, avec, dans le lointain, le cap Fréhel. En soirée, le regard est immédiatement attiré par les lumières de Dinard.

Port Saint-Père (A3)

Face à Dinard, ce petit port adossé à la presqu'île d'Aleth est encadré par le maré- graphe (appareil enregistrant la hauteur des marées) et l'imposante tour Solidor.

Tour Solidor★ (A3)

Bâtie en 1382, restaurée au 17e s., cette ancienne prison (27 m de haut) commande l'estuaire de la Rance. Elle abrite le **musée international du Long Cours Cap-Hornier★** *(voir Visiter)*.

Suivez la plage pour arriver quai Solidor. Au bout de l'anse, tournez à gauche rue La Fontaine.
Jetez un œil à gauche, rues Duport-du-Tertre et de l'Étoupe : elles conservent les plus vieilles maisons de l'ancien bourg.

Place Monseigneur-Juhel, engagez-vous dans la rue Duperré.

Parc de Bel Air (A3)

Petit cœur de verdure en plein centre-ville, ce parc dispose d'aires de jeux pour les enfants et d'agréables allées où flâner.

Place Bouvet, suivez la rue Magon et revenez par les rues commerçantes, dont la grande rue Georges-Clemenceau.

Bassin Bouvet (A3)

L'ancien port terre-neuvier abrite aujourd'hui le port de pêche et la criée de St-Malo.

La tour Solidor de St-Servan domine le port Saint-Père.

Vers la Briantais [2]

Départ de l'église Ste-Croix, place Monseigneur-Juhel.

Église Sainte-Croix (A3)

Construite à partir de 1715 pour remplacer l'ancienne église paroissiale, elle se signale par son imposante façade de granit. L'intérieur est décoré de fresques de 1854 et de vitraux modernes. *8h30-18h.*

Parc des Corbières (A3)

Ce parc boisé aux nombreuses essences a conservé un aspect « sauvage ». Il offre surtout de très belles **échappées★** sur l'estuaire de la Rance et Dinard *(suivez le sentier en corniche qui contourne la pointe des Corbières).*

Engagez-vous dans la rue Jeanne-Jugan, que prolonge la rue Pierre-Certain. Prenez ensuite à droite la rue des Fours-à-Chaux, le passage de la Rance et le boulevard du Rosais.

Belvédère du Rosais★ (B3)

Situé près du petit cimetière marin (tombe des parents de Chateaubriand après l'entrée, à droite), il offre une jolie **vue★** sur le barrage de la Rance, le rocher Bizeux surmonté d'une statue de la Vierge, la pointe de la Vicomté et Dinard.

Parc de la Briantais★

Direction Quelmer, barrage de la Rance. Stationnement payant - ☏ 02 99 81 83 42 (seult en sem.) - &. - juil.-août : 9h-19h ; mars-juin et sept.-oct. : 14h-18h, w.-end 9h-19h ; nov.-fév. : 14h-17h, w.-end 9h-17h - gratuit.

Pendant près d'un siècle, la Briantais a appartenu à la famille La Chambre. Le dernier d'entre eux fut **Guy La Chambre**, maire de St-Malo de 1947 à 1965, qui s'est illustré dans la reconstruction de la ville. Il a légué le domaine au diocèse qui l'a vendu à la ville de St-Malo en 1999.

Ce grand domaine de 27 ha bénéficie d'une situation panoramique exceptionnelle à l'ouest de St-Servan. Le château (1850) a remplacé un ancien manoir du 17e s. et accueille des expositions temporaires. Mais l'intérêt principal des lieux est ce vaste et agréable parc qui dévoile d'intéressantes **vues★** sur St-Servan et la tour Solidor, Dinard et la vallée de la Rance.

*Revenez sur vos pas, et dans la rue-Jeanne Jugan, prenez à droite la rue Le Fer. La parallèle gauche abrite la **Roseraie Ste-Anne**. Terminez par la rue commerçante Ville-Pépin.*

LES VILLAS DE PARAMÉ ③

Le patrimoine balnéaire de Paramé se concentre particulièrement le long des plages du Sillon et de Rochebonne ainsi que dans les rues adjacentes. N'hésitez pas à pousser vos pas dans l'une ou l'autre artère pour découvrir de nouvelles façades.

🚶 2h30 - Départ au début de la digue, à l'entrée de la chaussée du Sillon.

Digue de Paramé (B1)

Construite de 1883 à 1913 pour protéger les anciennes dunes de sable et permettre leur lotissement, elle s'étend sur toute la longueur de la plage *(voir Séjourner)*.

Au bout de la chaussée du Sillon, tournez à gauche dans la rue de Mi-Grève.

Vous y verrez encore la **croix de Mi-Grève** qui délimitait autrefois les seigneuries de St-Malo et du Plessix-Bertrand.

Continuez la promenade sur la digue, vous arrivez devant un bâtiment emblématique.

Le Grand Hôtel (B1)

il fut édifié en 1881-1882 par la société immobilière du banquier parisien Hébert. Sa situation en bord de plage, sa vue à 180° et ses thermes réputés *(voir St-Malo pratique)*, le classent parmi les établissements les mieux lotis du front de mer.

Faites quelques pas et avant l'Epi de la Hoguette, arrêtez-vous devant sa voisine.

Villa Duguay-Trouin (B1)

On la reconnaît à son plan semi-circulaire, imaginé pour offrir moins de prise au vent. Elle a été construite en 1888 pour Antoine Périvier, journaliste au *Figaro*.

Revenez sur le boulevard Hébert et poursuivez sur ce boulevard.

Notez au n° 65 la **villa Remember**, de 1903. Les plus curieux feront un crochet par le boulevard Chateaubriand, parallèle, pour admirer au n° 42, la façade émaillée et la tour octogonale de la **villa l'Argonne**.

Poussez jusqu'au bout du boulevard Hébert.

Quartier de la Cité des Bains (C1)

Les rues des Bains, des Fleurs, les impasses Hébert et des Fleurs abritent de nombreuses villas construites entre 1883 et 1885.

Pointe de Rochebonne (C1)

Ce quartier, loti dès 1860, jouit d'un magnifique **point de vue★** sur St-Malo.

Retournez en direction de l'Intra-Muros par la plage, et arrêtez-vous pour boire un verre à l'entrée de la chaussée du Sillon dans l'un des nombreux cafés !

Visiter

INTRA-MUROS

Château★★

Visite : 1h30.

Symbole du pouvoir ducal puis royal, le château est accolé à la tour Quic-en-Groigne. On y découvre les façades des casernes des 17e et 18e s. qui abritent aujourd'hui l'hôtel de ville, la citerne, le grand donjon et le castelet. Édifié en 1395, le petit donjon flanque l'ancien mur d'enceinte. Élevé en 1424, le grand donjon domine le château : depuis les tourelles de guet, beau **panorama★★** sur la ville, le port, la côte et la mer. À l'extérieur, les tours d'angle datent des 15e et 16e s., la chapelle et « la galère », du 17e s.

Occupant le grand donjon et le castelet, le **musée d'Histoire de la ville et d'Ethnographie du pays malouin★** est

Rempart et Fort national vus depuis une meurtrière du château.

consacré à l'histoire de St-Malo et de ses hommes célèbres. Documents, maquettes de navires, peintures et armes rappellent le passé maritime de la cité. De l'ancienne chapelle, un passage conduit à la Tour générale où sont présentés l'économie, les modes de vie et les événements marquants du pays malouin. 📞 02 99 40 71 57 - avr.-sept. : 10h-12h30, 14h-18h ; reste de l'année : tlj sf lun.

10h-12h, 14h-18h - fermé 1er janv., 1er Mai,
1er et 11 Nov., et 25 déc. - 5 € (enf. 2,50 €).
La tour **Quic-en-Groigne**★ est situé
dans l'aile gauche du château. Son nom
rappelle la réplique d'Anne de Bretagne
aux Malouins : « Qui qu'en groigne, ainsi
sera, car tel est mon bon plaisir. »

Cathédrale Saint-Vincent

Commencée au 11e s., achevée au 18e s.,
elle fut coiffée au 19e s. d'une flèche
ajourée. Couverte de voûtes d'ogives
très bombées, de type angevin, la nef
contraste avec le chœur (13e s.) qu'éclairent de magnifiques **vitraux**★ de Jean
Le Moal : éclatante rose, aux flammes
orangées, rouges et jaunes, qu'encadrent des verrières grenat, indigo, rose
ardent, ciel. Dans le transept, les vitraux
ont des tonalités plus assourdies que
dans les bas-côtés où les verrières de
Max Ingrand offrent des couleurs froides.
Une Vierge du 16e s., N.-D.-de-la-Croix-

Le château de St-Malo.

du-Fief, provenant d'une maison médiévale, est conservée dans la deuxième chapelle,
côté gauche du déambulatoire où se trouvent aussi les restes de Duguay-Trouin. La
chapelle voisine abrite le chef de Jacques Cartier. *Pl. Jean-de-Chatillon - 8h-18h30.*

Maison de Corsaire - Hôtel d'Asfeld

*5 r. d'Asfeld - ℰ 02 99 56 09 40 - www.demeure-de-corsaire.com - visite guidée (1h) -
juil.-août et vac. scol. : tlj sf lun. 10h-12h (dernière entrée à 11h), 14h30-18h30 (dernière
entrée à 17h30) ; reste de l'année : tlj sf lun. 14h30-18h30 (dernière entrée à 17h30) - 5,50 €
(7-12 ans 4 €).*

👥 Épargnée en 1944, cette demeure du 18e s. est aujourd'hui classée Monument
historique. Elle appartenait à François Auguste Magon de La Lande, Corsaire du Roi,
directeur de la Compagnie des Indes orientales et l'un des plus puissants armateurs
malouins. Visite de la cave aux salons, en passant par la collection d'armes et de
coffres, le tout agrémenté d'anecdotes corsaires et malouines.

EXTRA-MUROS

Musée-manoir de Jacques Cartier★

*Rothéneuf - r. David-Macdonald-Stewart - ℰ 02 99 40 97 73 - visite guidée (1h) juil.-août :
10h-11h30, 14h30-18h ; juin et sept. : tlj sf dim. 10h-11h30, 14h30-18h ; oct.-mai : tlj sf dim.
visite à 10h et 15h - fermé j. fériés (sf 14 Juil. et 15 août) - 4 € (-12 ans 3 €).*
Après tous ses voyages d'exploration au Canada, Jacques Cartier acheta une ferme
qu'il agrandit et appela Limoëlou (« tertre chauve »). Cette maison des 15e et 16e s.,
avec sa partie ajoutée au 19e s., a été restaurée et meublée selon le style de l'époque.
Présentation audiovisuelle sur les voyages de l'explorateur et la « Nouvelle-France,
colonie vulgairement appelée Canada ».

Rochers sculptés

*Rotheneuf - ℰ 02 99 56 23 95 - juil.-sept. : 9h-19h30 ; avr.-juin : 9h-12h, 14h-19h ; oct.-mars :
10h-12h, 14h-18h - fermé j. de grand vent en hiver - 2,50 €.*
👥 Pendant vingt-cinq ans (à partir de 1870), l'abbé Fouré sculpta sur les rochers
l'histoire de la terrible famille de Rotheneuf : près de 300 petits personnages sont
ainsi figés dans le granit.

Musée international du Long Cours cap-hornier★

*St-Servan - Tour Solidor - ℰ 02 99 40 71 58 - avr.-sept. : 10h-12h30, 14h-18h ; reste de
l'année : tlj sf lun. 10h-12h, 14h-18h - fermé 1er janv., 1er Mai, 1er et 11 Nov., et 25 déc. - 5 €
(enf. 2,50 €).* Musée consacré à l'histoire, aux techniques, aux traditions. La visite, par
paliers, permet d'atteindre sans fatigue le chemin de ronde d'où l'on a une belle **vue**★
sur l'estuaire, St-Servan-sur-Mer, St-Malo, Dinard et la Rance.

Grand Aquarium - Saint-Malo★★

*La Madeleine - Dir. Dinard - av. du Gén.-Patton. Suivez le fléchage - ℰ 02 99 21 19 00 -
www.aquarium-st-malo.com - juil.-août : 9h30-20h ; avr.-juin et sept. : 10h-19h ; reste
de l'année : 10h-18h (dernière entrée 1h av. fermeture) - fermé 8-26 janv., 19-30 nov.*

Faune marine au Grand Aquarium de St-Malo.

ouv. w.-end de nov. et déc.- 13,90 € (4-14 ans 9,90 €). Des eaux glacées du pôle nord jusqu'au sud de l'Australie, on y découvre quelque 500 espèces, accompagné par le robot pieuvre Octobot. Un bassin présente des animaux venus du froid, tel le poissons-loup, croqueur d'oursins. Dans le bac des Couleurs de l'Atlantique : homard de 5 kg âgé de 30 ans, coraux jaunes, grondins… À voir aussi : la salle Méditerranée, les coraux, les mangroves.

Le **bassin tactile** permet de caresser les poissons des côtes bretonnes : raie bouclée, turbot, roussette… L'**Anneau des Requins** offre, lui, un panorama de 360° sur les requins gris, le requin taureau, le requin nourrice, les squales, les tortues marines… Le **Vaisseau englouti** reconstitue une épave de galion avec un sol de cale en légère pente, de l'eau suintante, des morceaux de gréement sur le plancher, des bruits de vagues. Enfin, le **Nautibus**, sous-marin à quatre places, plonge dans un bassin géant (1,5 million de litres d'eau) : à travers le hublot, on distingue des poissons tropicaux, des statues celtes, une cité engloutie. Puis on s'enfonce dans les abysses…

Malouinière du Puits Sauvage

Au sud de St-Malo, dir. Château-Malo/La Grassinais - Hameau de St-Étienne - 4 r. du Puits-Sauvage - ☎ 02 99 82 22 48 - juil.-août : 14h-18h ; juin et sept. : le w.-end 14h-18h. Visite guidée à 15h, 16h et 17h et parcours libre dans le jardin - 5 € (-10 ans gratuit) expositions.

Demeure champêtre, cette malouinière familiale a conservé tout l'esprit du 18e s. que l'on retrouve dans le grand salon, la bibliothèque et le bureau de l'armateur. Beau verger, fournil, charmant oratoire, piscine à chevaux et surprenante terrasse en forme de bateau corsaire, garnie de canons miniatures, dans le jardin à la française. Collection ancienne de cactées dans la grande verrière (19e s.).

Saint-Malo pratique

Adresse utile

Office du tourisme de St-Malo – Espl. St-Vincent - 35400 St-Malo - ☎ 02 99 56 67 00 - www.saint-malo-tourisme.com - juil.-août : lun.-sam. 9h-19h30, dim. 10h-18h ; avr.-juin et sept. : lun.-sam. 9h-12h30, 13h30-18h30, dim. 10h-12h30, 14h30-18h ; oct.-mars : tlj sf dim. 9h-12h30, 13h30-18h - fermé 25 déc., 1er janv., 1er et 11 Nov.

Se garer

Comme indiqué en tête de chapitre, préférez les parkings périphériques comme celui de l'hippodrome *(forfait journalier : 2,50 €)*, et empruntez les navettes mises en place par la municipalité *(gratuites, ttes les 15mn en saison et pdt les longs w.-ends).*

Visites

Visites guidées de l'Intra-Muros – *De mi-juin à mi-sept. au départ de l'office du tourisme - durée : 1h30 - 6 € (-12 ans gratuit) - rens. office du tourisme.*

Visites individuelles avec audioguide – *Voyage Corsaire - 3 r. St-Vincent (Intra-Muros) - ☎ 02 99 40 28 89 - 5 €/h, 7 €/h pour 2 pers. (-12 ans 3 €/h), durée moyenne 1h30. Équipés d'un baladeur mp3, vous découvrez l'Intra-Muros à votre* rythme. La visite, racontée par des acteurs, est scénarisée et très vivante.

Se loger

⊖ **Hôtel Les Acacias** – 8 bd Hébert - ℘ 02 99 56 01 19 - hotel.acacias@ wanadoo.fr - fermé 9 janv.-15 fév. et 17 nov.- 20 déc. - 🅿 - 23 ch. 44/84 € - ☑ 7 €. Villa classique de bord de mer appréciée pour sa grande terrasse panoramique. Chambres nettes, dotées d'un mobilier « minimaliste »; quelques-unes ont été refaites.

⊖ **Chambre d'hôte Les Croix Gibouins** – Les Croix-Gibouins - 6 km à l'E de St-Malo par D 301 rte de Cancale, et D 155 rte de St-Méloir-des-Ondes - ℘ 02 99 81 12 41 - http://les-croix-gibouins.chez.tiscali.fr - ☑ - 4 ch. 40/53 € ☑. Oubliez la route qui passe à proximité de cette séduisante gentilhommière du 16e s., car l'épaisseur de ses murs garantit à elle seule le calme de ses intérieurs. Les chambres, douillettes et remarquablement restaurées, ouvrent leurs fenêtres sur un verger.

⊖ **Chambre d'hôte La Goëlletterie** – 20 r. Goëlletterie, quartier Quelmer - 5 km de St-Malo, dir. Dinard puis Quelmer - ℘ 02 99 81 92 64 - www.la-gœlletterie.com - ☑ - réserv. obligatoire le soir - 5 ch. 45/52 € ☑. St-Malo côté campagne! Cette jolie ferme dominant la Rance bénéficie d'une tranquillité très appréciée. Chambres récemment rajeunies. Accueil charmant.

⊖⊖ **Hôtel Quic en Groigne** – 8 r. d'Estrées - ℘ 02 99 20 22 20 - www. quic-en-groigne.com - fermé 9-16 janv. - 15 ch. 54/64 € - ☑ 8 €. Cet hôtel occupant une ancienne maison en pierre a les atouts d'une gentille petite adresse. Au calme dans une ruelle, il est très bien tenu et son décor est agréable et clair… Petit-déjeuner servi sous la véranda.

⊖⊖ **Hôtel La Rance** – 15 quai Sébastopol (port Solidor) - ℘ 02 99 81 78 63 - www. larancehotel.com - 11 ch. 55/82 € - ☑ 8 €. Au pied de la tour Solidor, petit hôtel offrant de jolies vues sur le port et la baie. Une collection de tableaux, maquettes et bibelots sur le thème de la mer égaye son salon, meublé avec autant de soin que les chambres. Quelques balcons côté mer.

⊖⊖ **Hôtel Les Ajoncs d'Or** – 10 r. du Forgeur - ℘ 02 99 40 85 03 - www. st-malo-hotel-ajoncs-dor.com - fermé déc. et janv. - 22 ch. 78/150 € - ☑ 13 €. Cet hôtel douillet de la vieille ville a insonorisé ses chambres et rénove peu à peu ses salles de bains. Les petits-déjeuners sont servis au bar meublé de chaises et de tables de bistrot.

Se restaurer

⊖ **Au Pied d'Cheval** – 6 r. Jacques-Cartier - ℘ 02 99 40 98 18 - fermé 15 nov.-30 mars ; ouv. tlj d' avr. au 14 nov. - 5/15 €. La famille Le Moal, conchyliculteurs à Cancale, vous propose une dégustation de coquillages et fruits de mer dans un cadre marin coloré en blanc et bleu. Ne manquez pas le coup d'œil à l'étonnante machine destinée à l'ouverture des huîtres.

⊖ **Le Petit Crêpier** – 6 r. Ste-Barbe (intra-muros) - ℘ 02 99 40 93 19 - www. lepetitcrepier.fr - fermé 15-31 janv., 25 nov.-10 déc., mar. et merc. sf juil.-août - 6,10/12,20 €. Tentures rouges, bibelots et tableaux marins, maquettes de bateaux et cartes des côtes bretonnes sur les tables créent une plaisante atmosphère en cette discrète crêperie malouine. Quelques galettes et crêpes originales s'ajoutent aux grands classiques du genre.

⊖ **Crêperie Ti Nevez** – 12 r. Broussais (intra-muros) - ℘ 02 99 40 82 50 - fermé janv. et merc. sf vac. scol. - 9,28/14,24 €. Cette minuscule crêperie fondée en 1959 joue la carte de la tradition, tant dans son décor de meubles bretons et photos anciennes que dans ses recettes : les crêpes sont retournées comme autrefois, en salle devant les convives. Essayez aussi le fameux gâteau breton.

⊖ **La Brigantine** – 13 r. de Dinan - ℘ 02 99 56 82 82 - fermé mar. et merc. hors sais. sf vac. scol. - 10/18 €. Cette crêperie emprunte son nom à une voile trapézoïdale située à l'arrière des vieux gréements. Galettes et crêpes, élaborées avec des produits issus de l'agriculture biologique, sont servies dans une salle claire remise au goût du jour.

⊖ **La Coquille d'Œuf** – 20 r. de la Corne-de-Cerf - ℘ 02 99 40 92 62 - fermé lun. - 12/23,50 €. Murs jaunes ornés de tableaux, parquet, petits fauteuils en osier : le cadre contemporain de ce restaurant du centre-ville est vraiment plaisant. Ajoutez à cela un service impeccable et des plats particulièrement soignés, vous comprendrez qu'il faut vous y arrêter!

⊖ **La Corderie** – Cité d'Aleth, 9 chemin de la Corderie - 35400 St-Servan-sur-Mer - ℘ 02 99 81 62 38 - www.lacorderie.com - fermé lun. sf j. fériés - 14,50/17 €. Perchée au-dessus de la tour Solidor, la villa domine superbement la Rance et son barrage. Aux beaux jours, la terrasse rencontre un vif succès et en hiver, ses deux salles à manger font étalage de leur charme : grandes baies vitrées et mobilier ancien.

⊖ **L'Ancrage** – 7 r. Jacques-Cartier (intra-muros) - ℘ 02 99 40 15 97 - fermé déc.-janv., mar. hors sais. et merc. - 16 € déj. - 20/35 €. Où jeter l'ancre le temps d'un repas… Adossé aux remparts de la cité corsaire, restaurant de poissons et fruits de mer où vous serez servis « à la bonne franquette »! Décor marin au rez-de-chaussée; jolie salle voûtée à l'étage.

⊖⊖ **Le Chalut** – 8 r. de la Corne-de-Cerf - ℘ 02 99 56 71 58 - fermé mar. sf le soir en sais. et lun. - réserv. obligatoire - 24 € déj. - 35/61 €. Une étape indispensable sur la route des gourmets! Tenu par un jeune chef passionné, ce restaurant au décor marin sert une cuisine savoureuse privilégiant les produits de la mer. Le rapport qualité-prix est excellent, et ça se sait!

En soirée

Casino Barrière de St-Malo – *2 chaussée du Sillon - ☎ 02 99 40 64 00 - tlj à partir de 10h.* En plus de ses 125 machines à sous et de son jeu de boule, cet établissement entièrement rénové comprend également un restaurant, un bar et une piste de danse pour des thés ou des soirées à thème. Design confortable et ambiance feutrée garantis !

Le Cancalais – *1 quai Solidor - ☎ 02 99 81 15 79 - juil.-août : 9h-2h ; reste de l'année : 10h-1h - fermé lun. hors sais.* Posté face au port Solidor, petit bistrot centenaire fréquenté par des habitués qui apprécient sa terrasse, ses expositions temporaires (photos et peintures).

Le Théâtre de St-Malo – *6 pl. Bouvet - ☎ 02 99 81 62 61 - www.theatresaintmalo. com - tlj sf dim. 10h-12h, 14h-18h30 (lun. et sam. 18h) - fermé dim. et lun. sf spectacles.* Théâtre regroupant les principaux spectacles de St-Malo : théâtre, variétés, musique classique, ballet, cabaret…

Sports & Loisirs

Thermes Marins – *Grande Plage du Sillon - ☎ 02 99 40 75 00 - www.thalassotherapie. com - 8h30-18h30, dim. 8h30-12h - fermé 1re quinz. de janv.* Algues, douches, bains jets, sauna, piscine, restaurants : voilà le programme rêvé pour un week-end ou une journée dans cet établissement cossu, idéalement situé sur la grande plage du Sillon. Cadre moderne, récemment rénové avec le reste des bâtiments contemporains ou datant de la Belle Époque. À noter, la présence d'un club-enfant.

« *Le Renard* ».

Corsaires malouins - Kayak de mer – *4 r. des Bouchers - ☎ 02 99 40 92 04 - perso. wanadoo.fr/corsairesmalouinscanoekayak - tlj sf dim. 9h-12h, 14h-17h.* Le kayak de mer est une embarcation idéale pour découvrir de près la côte. Cet organisme propose initiations, randonnées et stages avec des moniteurs diplômés de la FFCK. À vos pagaies !

Société nautique de la Baie de St-Malo – *Quai du Bajoyer - ☎ 02 23 18 20 30 -*

snbs.siege@wanadoo.fr - cale de Bon-Secours, havre de Rothéneuf - ☎ 02 99 40 11 45 ; été : 9h-20h ; printemps et automne : 13h30-17h30 - fermé de mi-déc. à fin avr. D'un stage à la simple location de matériel, découvrez toutes les activités nautiques possibles en baie de St-Malo. Deux sites sont à votre disposition : la plage du Bon Secours (au pied de la cité corsaire) et Rothéneuf (localité limitrophe).

Surf School – *2 av. de la Hoguette - ☎ 02 99 40 07 47 - www.surfschool.org - 9h-12h30, 13h30-18h, dim. sur RV.* Installé sur la plage de la Hoguette, ce club organise des cours de planche, fun board, char à voile et catamaran ainsi que des sorties sur de vieux gréements. Possibilité de louer du matériel sur place.

Liaisons en bateau

Étoile Marine Croisières – *41 quai Duguay-Trouin - ☎ 02 99 40 48 72 - www.etoile-marine.com - 9h-12h30, 14h-18h - fermé dim. et j. fériés.* Pour une journée, un week-end ou une semaine, vous partirez sur de vieux gréements et des bateaux modernes d'exception en direction de Chausey, des îles Anglo-Normandes, du golfe du Morbihan ou du Havre.

« Le Renard » – *Association Cotre corsaire de St-Malo, tour Ouest - ☎ 02 99 40 53 10 - avr.-oct. : sorties en mer 9h30-17h30 sur demande préalable - fermé déc.-fév.* Naviguez comme en 1812 sur le dernier navire corsaire de R. Surcouf, *Le Renard*, à la journée ou sur plusieurs jours avec un équipage professionnel.

Îles Anglo-Normandes – Les curiosités sont décrites dans le *Guide Vert Normandie-Cotentin-Îles Anglo-Normandes*. À destination de Jersey-Guernesey - Sercq et Aurigny, des bateaux (catamaran hydrojet, catamaran perce-vagues) et des cars ferries partent régulièrement de St-Malo. ♿ - *8h30-19h.* « Condor Ferries » assure des liaisons quotidiennes avec les îles Anglo-Normandes (Jersey, Guernesey) et la Grande-Bretagne (Weymouth et Poole) au dép. de St-Malo par car-ferry à grande vitesse stabilisé. Traversées piétons et véhicules - *☎ 0 825 135 135 - www.condorferries.com.*

Événements

St-Malo accueille tout au long de l'année un grand nombre d'**événements**, certains ayant un retentissement national. En juin, le festival « **Étonnants Voyageurs** » et « **Solidor en peinture** », qui rassemble à St-Servan des peintres amateurs autour de la tour Solidor durant un week-end. L'été se succèdent un « **Festival de musique sacrée** » et la « **Route du Rock** ». En novembre, « **Quai des Bulles** » est un important festival de bande dessinée.

Saint-Nazaire★

65 874 NAZAIRIENS
CARTE GÉNÉRALE D4 – CARTE MICHELIN LOCAL 316 C4 – LOIRE-ATLANTIQUE (44)

Du fait de son ancrage face à l'Atlantique, sur l'estuaire de la Loire, St-Nazaire sert d'avant-port à Nantes. Il a aussi pu développer des chantiers navals de réputation mondiale. Reconstruite sans grâce après 1945, la cité vit – et vaut – par son port, le quatrième de France. Ici, tout est spectaculaire : l'ancienne base sous-marine, le musée-spectacle Escal'Atlantic dédié aux traversées de jadis vers l'Amérique, et les quais hérissés de portiques, où se construisent les plus grands paquebots du monde.

- **Se repérer** – Avec St-Brévin qui lui fait face, St-Nazaire garde l'embouchure de la Loire. La ville est desservie par la N 171, qui vient de Nantes (65 km à l'est) et finit sa course à Guérande (22 km à l'ouest). Grâce au pont spectaculaire qui enjambe la Loire, St-Nazaire est également reliée à la Vendée toute proche *via* la D 213.

- **Se garer** – St-Nazaire s'étire sur des kilomètres sans véritable centre-ville. Vous n'aurez aucune difficulté à vous garer.

- **Organiser son temps** – Pensez à réserver votre place pour la visite du site d'Airbus, qui vous occupera bien 2h.

- **À ne pas manquer** – La vue sur le port depuis les terrasses panoramiques de la base sous-marine, les chantiers navals et les tronçons de l'A 380.

- **Avec les enfants** – Allez rêver de grands paquebots à Escal'Atlantic.

- **Pour poursuivre la visite** – Voir aussi la Grande Brière, Guérande, La Baule, Le Croisic et Nantes.

Construction d'un navire au chantier naval.

Comprendre

Des pêcheurs aux « métallos » – En 1850, St-Nazaire, dont le nom renvoie à saint Nazaire de Milan, martyrisé sous l'empereur Néron, n'est qu'un village de 800 habitants. Six ans plus tard, pour contrer l'ensablement de l'estuaire, on y crée l'avant-port de Nantes, destiné aux navires de gros tonnage. En même temps, la Compagnie générale transatlantique implante ici son chantier naval, puis décide en 1862 de faire de la ville sa tête de ligne pour l'Amérique centrale : Antilles, Panamá, Mexique et Guyane française. La rue principale débouche directement sur le bassin, et St-Nazaire vit au rythme des grands navires, avec leur foule cosmopolite et leurs cargaisons exotiques. Au tournant du siècle, la cité compte déjà 30 000 habitants. Mais la crise de 1929 fait chavirer le rêve : les chantiers navals déclinent, et les lignes transatlantiques sont regroupées au Havre.

Opération « Chariot » – Dès 1941, l'armée d'occupation allemande construit dans le port une gigantesque base sous-marine. Le 27 mars 1942, un commando anglo-canadien décide d'attaquer l'ennemi : le destroyer *Campbeltown* défonce la forme-écluse Louis-Joubert qu'il neutralise dès le lendemain, en se faisant sauter. Boulevard de Verdun, face à la mer, une stèle-menhir est dédiée au commando de 611 soldats qui mena cette opération.

La « poche » de St-Nazaire – Élément du mur de l'Atlantique, la base allemande était une cible majeure pour les Alliés : à partir de 1943, cinquante bombardements à haute altitude détruisirent la ville à 85 %, En septembre 1944, alors que toute la région était encerclée par l'armée américaine, la base résistait encore… Il fallut neuf mois pour libérer la « poche » de St-Nazaire, au prix de dramatiques combats.

Aujourd'hui – Depuis 1966, le Port autonome de Nantes-St-Nazaire, regroupe plusieurs sites, sur 60 km le long de l'estuaire de la Loire : Donges est spécialisé dans le trafic du pétrole, Montoir-de-Bretagne dans le gaz naturel, le charbon et l'agroalimentaire. St-Nazaire accueille le trafic des usines « à quai » et la construction navale.

Découvrir

LES INSTALLATIONS PORTUAIRES★★

👁 Petit clin d'œil d'Hergé : dans *Les Sept Boules de cristal,* Tintin et le capitaine Haddock arpentent les docks de St-Nazaire, à la recherche du professeur Tournesol.

Une journée de découverte. Suivez le fléchage Ville-Port. Garez-vous sur le parking (gratuit) de l'ancienne base sous-marine. Billetterie commune à tous les sites de visite. Il est conseillé de réserver une semaine à l'avance.

SE LOGER		SE RESTAURER	
Hôtel Touraine	①	Le Sabayon	①

Base de sous-marins★ (B2)

Édifiée pendant l'Occupation, de 1941 à 1943, cette forteresse de béton armé (37 500 m²) fut implantée par les Allemands au cœur même du bassin de St-Nazaire, là où accostaient auparavant les grands navires de croisière. Ses quatorze alvéoles (300 m de long, sur 125 m de large au total) permettaient d'abriter une vingtaine de sous-marins. Dans la partie arrière était installé un arsenal pour les réparations.

Toujours intact en 1945, ce bunker démesuré coupa la ville de son port. Plus tard, il fut utilisé par la Marine pour construire des bateaux de guerre. Depuis la fin des années 1990, le réaménagement des alvéoles, où s'est installé l'office de tourisme, vise à réconcilier habitants et visiteurs avec cette zone, rebaptisée Ville-Port.

Aujourd'hui, « l'alvéole 14 », couverte d'un dôme qui est l'ancien radôme de l'aéroport de Berlin, est la dernière de la base à être réhabilitée. Sont prévus un LIFE (Lieu international des formes émergentes) et un espace dédié à la création artistique (musique, théâtre, arts plastiques…). *Fin des travaux prévue pour l'été 2007.*

Escal'Atlantic★★ (B2)

Dans l'ancienne base sous-marine - ℘ *0 810 888 444 - www.saint-nazaire-tourisme. com -* &. *- 14 juil.-26 août : 10h-19h ; fév. et 1ᵉʳ avr.-13 juil. et 27 août-30 sept. : 10h-12h30, 14h-18h ; mars et oct.-déc. : tlj sf lun. et mar. 10h-12h30, 14h-18h (dernière entrée 1h30 av. fermeture) - fermé 1ᵉʳ janv. et 25 déc. - 12 € été (enf. 8 €), 9,90 € hiver (enf. 6,90 €).*

Cet espace de 3 500 m² est consacré à une époque mythique, celle des grands paquebots transatlantiques comme *Île-de-France* (1927), *Normandie* (1935), *France* (1962). La visite est conçue comme une croisière. Accueillis par un personnel en tenue d'équipage, les « voyageurs » explorent librement les lieux : cabines, salle des machines, cale et entrepont des immigrants, passerelle du commandant, salons de coiffure et de musique, piano-bar (halte rafraîchissement), luxueuse salle à manger… des atmosphères et des décors très différents ponctués d'animations plus ou moins spectaculaires. Le départ se vit sur le pont arrière où il ne faut pas manquer la scène des adieux. Dans la salle de cinéma où se clôt la croisière, l'émotion forte est au rendez-vous…

Terrasses panoramiques★★ (B2)

Pour apprécier l'étendue du port, il faut se rendre sur le **toit de la base sous-marine**. *(Accès par la rampe qui s'élève face à la rue Henri-Gautier, ou depuis l'intérieur de la base par l'ascenseur situé derrière l'office de tourisme.)* Une seconde terrasse a été aménagée sur l'autre rive du bassin St-Nazaire *(accès en voiture, ainsi que par navette maritime en juillet et août).*

La vue se déploie sur le **bassin de St-Nazaire** (11 ha à l'origine) dont la superficie fut réduite à 9 ha après la construction de la base, et sur le **bassin de Penhoët**, l'un des plus étendus d'Europe (22 ha). Ce dernier comprend trois formes pour l'entretien et la réparation des navires : la plus grande mesure 226 m sur 32 m. De 1929 à 1932, entre le port et l'estuaire, fut bâtie la **forme-écluse Louis-Joubert** pour réparer les transatlantiques : sa taille (350 m sur 53 m, plus de 16 m de profondeur) répondait aux dimensions nouvelles des navires.

Écomusée de Saint-Nazaire (B2)

℘ *02 51 10 03 03 - www.ecomusee-saint-nazaire.com - de mi-juil. à mi-août : 10h-12h30, 13h30-19h, possibilité de visite guidée (1h) ; avr.-juin et 1ʳᵉ quinz. de juil., 2ᵉ quinz. d'août et sept. : 10h-12h30, 13h30-18h ; fév.-mars et oct.-déc. : tlj sf lun. et mar. 10h-12h30, 14h-18h (dernière entrée 45mn av. fermeture) - fermé janv. et 25 déc. - gratuit.*

Des maquettes et des documents audiovisuels retracent l'histoire de St-Nazaire et de son activité économique, la croissance du port et de ses chantiers.

Sous-marin « Espadon » (B2)

℘ *0 810 888 444 - www.saint-nazaire-tourisme.com - réserv. et renseignements - 11 juil.-28 août : 10h-19h ; de déb. avr. au 10 juil. et du 29 août à fin sept. : 10h-12h30, 14h-18h ; fév.-mars et oct.-déc. : tlj sf lun. et mar. 10h-12h30, 14h-18h (dernière entrée 30mn av. fermeture) - fermé 1ᵉʳ janv.-3 fév. et 25 déc. - 8 € été (enf. 6,90 €), 6 € hiver (enf. 5,40 €).* Construit en 1957 aux Chantiers Augustin-Normand du Havre, ce fut le premier sous-marin français à naviguer sous les glaces polaires. Dans les coursives, on peut imaginer la vie des

L'Espadon en chiffres

Longueur : 78 m. Durée d'une plongée : 8 jours au plus. Vitesse maximale : 18 nœuds. Carrière : 2 561 jours en mer entre 1960 et 1985. Trajets : environ 650 000 km, soit 17 fois le tour de la Terre.

quelque 70 hommes qui composaient l'équipage et découvrir l'univers sonore du monde sous-marin.

Chantiers de l'Atlantique★ (B2)

℘ 0 810 888 444 - visite guidée (2h) réserv. obligatoire (dép. en autocar de la base sous-marine) merc. et w.-end, visites suppl. pdt vac. scol. se renseigner pour les horaires - fermé 1er janv.-3 fév. et 25 déc. - 12 € (4-12 ans 8 €), 10,90 € reste de l'année (4-12 ans 7,90 €). **L'exposition** relate l'évolution des Chantiers de l'Atlantique, et la gestation d'un navire depuis l'atelier de découpe jusqu'à son armement grâce à des maquettes et des tableaux explicatifs.

Un circuit en car sur le **chantier★** permet d'apprécier la démesure du site sur lequel travaillent plus de 12 000 personnes, salariés et sous-traitants.

Il recèle trois formes, où l'on découvre des paquebots à différents stades de construction. La première (470 m sur 66 m) est utilisée pour le **montage** de la coque. C'est l'activité maîtresse des Chantiers de l'Atlantique, qui se poursuit dans la **forme profonde** (415 m sur 66 m) qu'on longe à pied, dans la galerie technique. Au retour, le car franchit la porte du **bassin d'armement** (424 m sur 95 m). Les activités de finition y sont assurées par plusieurs centaines de sous-traitants : soudure de précision, pose des cabines préfabriquées, installation des ponts en teck…

D'illustres paquebots

D'illustres paquebots sont sortis de ces Chantiers. En 1864, l'*Impératrice-Eugénie* fut le premier navire construit à St-Nazaire. Il était encore équipé de roues à aubes, remplacées plus tard par des hélices. Le *Normandie* fut livré en 1935, le *France* en 1960. La dernière fierté des Chantiers est le *Queen Mary 2*. Ce mastodonte (345 m de long, 41 m de large) est le plus grand paquebot jamais construit ! Commandé par la Cunard, il a été livré fin 2003. Deux fois plus gros que le *France*, il accueille 2 800 passagers servis par 1 310 hommes d'équipage et peut traverser l'Atlantique en six jours, à la vitesse de 30 nœuds, soit 54 km/h.

Airbus - Saint-Nazaire

℘ 0 810 888 444 - visite guidée (2h) sur réserv. obligatoire 48h à l'avance (dép. en autocar de la base sous-marine) - se munir d'une carte d'identité ou d'un passeport en cours de validité - juil.-août : lun.-vend. ; avr.-juin et sept.-oct. : lun.-vend. et 1er dim. par mois, fév.-mars, nov. et déc. : merc. et 1 dim. du mois - fermé 1er janv.-3 fév., 24 et 25 déc. - 12 € avr.-sept. (4-12 ans 8 €), 10,90 € reste de l'année (4-12 ans 7,90 €).

Deuxième site de production en France des Airbus (après Toulouse) avec 2 300 salariés, St-Nazaire est spécialisé dans l'assemblage, l'équipement et les essais des pointes avant et des fuselages centraux de toute la gamme des avions Airbus, dont l'A 380, le très gros porteur (555 passagers) mis en service en 2006. On parcourt à pied les gigantesques halls de fabrication et, grâce à des passerelles, on approche de très près les impressionnants tronçons en cours de construction.

Aux alentours

Saint-Marc-sur-Mer

Direction La Baule. Cette localité doit sa célébrité à un illustre et irrésistible vacancier, le fameux M. Hulot de Jacques Tati. Si la plage, surveillée par sa statue en bronze, ne semble pas avoir beaucoup changé, l'hôtel a largement bénéficié de sa notoriété.

La Grande Brière★ *(voir ce nom)*

Pont routier Saint-Nazaire-Saint-Brévin★

Construit en 1975 à la limite nord-est de St-Nazaire, ce pont franchit la Loire sur 3 356 m et culmine à 61 m au-dessus des eaux. Il assure une liaison facile avec le pays de Retz, la Vendée et les Charentes.

Tumulus de Dissignac

À l'ouest par la D 942, puis à droite vers Les Forges - ℘ 02 51 10 03 03 ou 06 87 64 07 17 - visite commentée (45mn) juil.-août : mar.-dim. 10h-12h30, 14h-18h30 ; reste de l'année visite guidée sur demande - 2 € (-15 ans gratuit).

Érigé sur une butte, ce tombeau à deux chambres couvertes (vers 4000 av. J.-C.) est entouré de murailles circulaires en pierres sèches, étagées en gradins. Deux étroits couloirs mènent aux chambres funéraires.

Saint-Nazaire pratique

Adresse utile

Office du tourisme de St-Nazaire –
*Base sous-marine, bd de la Légion-
d'Honneur - 44600 St-Nazaire - ℘ 02 40 22
40 65. www.saint-nazaire-tourisme.com -
tlj 10h-12h30, 14h-18h ; fermé janv. et lun.
en mars, oct., nov. et déc.*

Se loger

⊜ **Hôtel Touraine** – *4 av. de la République -
℘ 02 40 22 47 56 - hoteltouraine@free.fr -
fermé 19 déc.-5 janv. - 18 ch. 38/80 € - ⊇ 6 €.*
Ce petit hôtel situé en plein centre-ville
conviendra parfaitement pour les petits
budgets. Ses chambres sont simples, mais
fraîches et bien tenues ; nuits plus calmes
sur l'arrière. L'été, petits-déjeuners servis
dans le jardin.

Se restaurer

⊜⊜ **Le Sabayon** – *7 r. de la Paix-et-
des-Arts - ℘ 02 40 01 88 21 - fermé août,
mar. soir et dim. - réserv. conseillée -
16/53 €.* Dans ce restaurant au décor marin,
Monsieur prépare en cuisine de délicieux
petits plats : noix de St-Jacques sautées
à la fleur de Guérande et sabayon au
coteaux de l'Aubance, rillettes de chair
de tourteaux en dôme de saumon fumé,
millefeuille de melon, ou poissons de
nos côtes rôtis sont quelques-unes des
spécialités. Les desserts sont faits maison,
à base de chocolat Valhrona.

Les plages nazairiennes

Plages, criques et falaises se succèdent
depuis la capitainerie jusqu'à la plage
des Jaunais, vaste étendue de sable
abritée par une dune : **vingt plages**, pas
une de moins ! Les familles se donnent
rendez-vous à la plage de Villès-Martin
(où se trouve la base nautique) ou celle
de Porcé. Les fanas de body-surf sont des
inconditionnels de la Courance ; les
amateurs de tranquilité ont le choix entre
plusieurs petites criques, du côté de
Port-Charlotte par exemple. La plage de
M. Hulot fait l'unanimité, car St-Marc a su
préserver son charme, et de jolies villas se
découvrent à l'ombre des grands pins. La
plus belle façon de découvrir ces plages :
suivre le **chemin des douaniers**, de
préférence à marée basse, ce qui évite de
remonter sur la route - *7 km balisés, départ
de la base nautique avant le Rocher du lion.*

Événement

À la nuit tombée, découvrez le port de
St-Nazaire qui s'illumine toute la nuit de
couleurs bleutées, vertes et rouges : c'est
la « Nuit des docks », mise en scène par
Yann Kersalé, sculpteur de lumière.

Saint-Pol-de-Léon★

7 121 SAINT-POLITAINS
CARTE GÉNÉRALE C1 – CARTE MICHELIN LOCAL 308 H2 – FINISTÈRE (29)

Avec son ancienne cathédrale, ses clochers et ses belles maisons anciennes, celle
dont Mérimée disait au 19ᵉ s. : « Toute la ville est une immense église », règne
toujours sur le Léon. Quelques excursions en dehors de ses murs vous dévoileront
les manoirs et les paysages policés de ce pays, sévère mais attachant, depuis
toujours consacré à la culture légumière.

▶ **Se repérer** – Juste avant Roscoff, St-Pol-de-Léon est accessible depuis Morlaix
(20 km au sud-est) par la D 58. Landivisiau est à 23 km au sud.

🕐 **Organiser son temps** – Une journée suffit à arpenter la ville et ses environs.

👁 **À ne pas manquer** – L'ancienne cathédrale et la chapelle du Kreisker.

👪 **Avec les enfants** – Participez à une chasse au trésor au château de Kerjean et
découvrez la vie rurale d'autrefois à la Ferme-musée du Léon.

🕯 **Pour poursuivre la visite** – Voir aussi Roscoff, Brignogan-Plages, Le Folgoët, les
Enclos paroissiaux, Morlaix et la Côte des Bruyères.

Comprendre

Un nom de pays – Le pays de Léon, territoire qui couvrait le nord du Finistère actuel
jusqu'à Brest, avait pour capitale et évêché la ville de St-Pol-de-Léon, dont le premier
évêque au 6ᵉ s. fut saint Paul, dit l'Aurélien. Il a donné son nom à la ville.

La richesse du pays – La cité léonarde connaît, de janvier à septembre, une animation
extraordinaire durant la saison des choux-fleurs, artichauts, oignons et pommes
de terre. Il s'agit des productions traditionnelles du pays de Léon, connu pour son
agriculture.

Se promener

Chapelle du Kreisker★

Son magnifique **clocher★★**, haut de 78 m, fait sa célébrité. Il est inspiré de la flèche de St-Pierre de Caen, mais l'édifice breton, réalisé dans le granit, surpasse son modèle. Vauban a dit son admiration pour « cette merveille d'équilibre et d'audace ». La partie haute, avec sa flèche, relève du style normand ; la partie basse, avec le quadrillage de ses meneaux et la balustrade de son balcon en surplomb, témoigne du style perpendiculaire anglais.

À l'intérieur, l'église est couverte de berceaux de bois ; la seule voûte de pierre réunit les quatre énormes massifs qui soutiennent le clocher, dans le carré du transept. On peut monter à la tour (169 marches). De la plate-forme se dégage un très beau **panorama★★** sur la ville, l'île de Batz, la côte et les monts d'Arrée. ℰ 02 98 69 01 15 - tlj 10h30-12h30, 14h-18h - fermé déc.-mars.

Rue du Général-Leclerc

Belles maisons anciennes : n° 9, façade en bois, habillée d'ardoise ; n° 12, demeure Renaissance ornée d'une tourelle en encorbellement ; n° 30, maison de 1680 possédant un beau porche et des lucarnes ouvragées.

Ancienne cathédrale★

Les fondations datent du 12e s., la nef, les collatéraux, la façade et les tours des 13e et 14e s., les chapelles latérales, le chœur et l'abside des 15e et 16e s. Les architectes se sont inspirés de la cathédrale de Coutances et ont employé du calcaire normand pour la nef, le reste est en granit. La marque bretonne se retrouve dans les clochetons à la croisée du transept et aussi dans les porches.

Du côté nord, entre l'église et les bâtiments de l'ancien évêché (mairie), un jardin public permet de voir le mur du transept nord avec des éléments d'époque romane. Le flanc sud possède un beau porche ; au-dessus de la rosace, on aperçoit une sorte de chaire d'où étaient lues les sentences d'excommunication.

La **façade** est dominée par deux tours hautes de 50 m. De la terrasse qui surmonte le porche, se donnait la bénédiction épiscopale. La petite porte, sous la tour de droite, était réservée aux lépreux.

Remarquez, à l'**intérieur**, un sarcophage roman qui sert de bénitier, un vitrail de 1560, la grande rosace du 15e s., les tombeaux d'évêques du Léon et deux retables du 17e s. Mais ce sont les **stalles★** (16e s.) sculptées du chœur qui retiennent l'attention. Au-dessus des enfeus contre le chœur, à droite dans le déambulatoire, 34 « boîtes à chef » en bois abritent des crânes exhumés de l'église ou du cimetière.

Maison prébendale

Du 16e s. C'est l'ancienne maison des chanoines du Léon ; un blason est le seul ornement de la façade.

Champ de la Rive

Accès par la rue de la Rive. Agréable promenade ombragée. Par l'allée revêtue, à droite, gagner le haut du tertre couronné par un calvaire récent. De la table d'orientation, beau point de **vue** sur la baie de Morlaix.

ST-POL-DE-LÉON

SE LOGER

Chambre d'hôte
Coz-Milin Mme Moysan...........①

SE RESTAURER

Auberge La Pomme d'Api...........①

Les Fromentines........................④

Îlot Sainte-Anne
Accès par les rues de la Rive et Abbé-Tanguy.
Au cours de la descente, la **vue★** embrasse
toute la baie de Morlaix, parsemée d'îlots.
Une digue permet d'accéder au rocher
Ste-Anne et au port de la Groux, réservé à
la plaisance. Le rocher, aménagé avec des
bancs de repos, constitue un remarquable
belvédère.

Aux alentours

Château de Kérouzéré★
*8 km à l'ouest. Quittez St-Pol-de-Léon par
la D 788 en direction de Lesneven, puis
suivez la route de Plouescat. Dans Sibiril,
tournez à droite vers Moguériec et, à 500 m,
à gauche vers l'entrée du château - ☎ 02 98
29 96 05 - visite guidée (de 45mn à 1h) de
mi-juil. à fin août : 14h30, 16h et 17h30 ;
1ʳᵉ quinz. de juil. et sept. : merc. et dim. 17h ;
de mi-mai à fin juin et oct. : merc. 17h - 4 €
(11-18 ans 2 €).*

Les deux tours de l'ancienne cathédrale.

Ce château féodal, en granit, est un intéressant témoignage de l'architecture militaire
du début du 15ᵉ s. Il conserve trois puissantes tours d'angle à mâchicoulis. Le bel
escalier dessert les étages où de vastes salles, les profondes embrasures des fenêtres
bordées de bancs de pierre, le chemin de ronde, la tour du guetteur plongent le
visiteur dans une atmosphère soldatesque.

Manoir de Tronjoly
*À l'ouest par la D 10. À la sortie de Cléder, prenez à droite ; deux piliers de granit marquent
l'entrée de l'allée menant au château. ☎ 02 98 69 33 54/40 01 - extérieur (parc, chapelle
et cour d'honneur) : 10h-18h - gratuit - visite guidée (2h) du manoir sur demande 30j à
l'avance.*
Gracieux manoir des 16ᵉ et 17ᵉ s. orné de hautes lucarnes Renaissance. Une grosse
tour carrée occupe un des angles de la cour d'honneur, qu'entourent le logis et une
terrasse clôturée par une balustrade de pierre.

Berven
13 km au sud-ouest par la D 788.
La porte triomphale donnant accès à l'enclos paroissial est un bel exemple de l'art
Renaissance, avec ses trois arcs en plein cintre et ses pilastres à chapiteaux.
La façade de la **chapelle Notre-Dame★** (16ᵉ s.) est surmontée d'une tour carrée que
couronne un dôme à lanternons, orné de balustrades ; premier du genre en Bretagne
(1573), il servit souvent de modèle. Un jubé de bois précède la très belle **clôture★** du
chœur, décorée de colonnettes cannelées en granit sur le devant, en bois sur les côtés.
Dans le chœur, belles stalles du 17ᵉ s. dont les accoudoirs ont la forme de cariatides
ailées. *☎ 02 98 69 98 18 - visite guidée sur demande à la mairie juil.-août.*

Ferme-musée du Léon – *À 200 m après la sortie de Berven en direction de Lesneven, sur
la D 788, prenez la petite route à droite en direction de Quéran.* 👥👤 Dans les bâtiments
d'une ferme familiale dont le mobilier usuel a été conservé, un musée d'outils agricoles
fait revivre un siècle de la vie à la campagne dans le Léon. *☎ 02 98 29 53 07 - mai-
sept. : 10h-12h, 14h-19h, lun. 14h-19h ; reste de l'année : sam., dim et j. fériés 10h30-12h,
14h-19h - 4,50 € (enf. 2 €).*

Château de Kerjean★
*6 km au sud-ouest de Berven - ☎ 02 98 69 93 69 - juil.-août : 10h-19h ; avr.-mai et de
mi-juin à fin juin et de déb. sept. à mi-sept. : tlj sf mar. 14h-18h ; 1ʳᵉ quinz. de juin et 1ʳᵉ de
sept. tlj sf mar. 10h-18h ; oct. et vac. scol. : tlj sf mar. 14h-17h ; nov.-mars : merc. et dim.
14h-17h - 5 € (7-17 ans 1 €).*
Mi-forteresse, mi-palais Renaissance, ce château s'élève au centre d'un vaste parc. Vers
1550, Louis Barbier hérita de son oncle, le richissime abbé de St-Mathieu, et fit construire
ces bâtiments protégés par un fossé ainsi qu'une enceinte fortifiée dont les murs atteignent 12 m d'épaisseur. Deux ponts levants permettaient l'accès au château.
La cour d'honneur est ornée d'un beau **puits** Renaissance, entouré de trois colonnes
corinthiennes. L'aile des remises, à droite, abritait autrefois les réserves, une forge et

les logements des domestiques ; un dia-
porama raconte l'histoire de Kerjean. On
ne sait quel événement entraîna la ruine
d'une bonne partie du logis principal qui
abritait les appartements des seigneurs ;
la partie conservée constitue un musée
d'art breton, avec un beau **mobilier** des
17e et 18e s. : lits clos, bahuts, coffres à
grains. Les cuisines, vastes pièces de
plus de 6 m de hauteur, ont conservé
deux cheminées monumentales et une
imposante batterie de cuivres.

Une large **terrasse** dallée, soutenue
par huit arcades, relie le pavillon de
l'Horloge à la chapelle ; une occasion
d'avoir une belle vue d'ensemble sur la
cour d'honneur et les bâtiments qui l'entourent. La **chapelle** est coiffée d'une
belle voûte en bois (1580) en forme de
carène renversée, avec poutres et sablières sculptées.

Le château de Kerjean.

Autour du château, les **jardins à la fran-
çaise** font l'objet d'une ambitieuse campagne de restauration. Il sont agrémentés
d'une charmante **fontaine** Renaissance et d'un colombier de 9 m de diamètre.

👥 Vivez Kerjean au fil des visites insolites, des chasses au trésor pour les enfants, ou
encore des expositions, salons, conférences, qui rythment l'année et dont la diversité
des sujets invite à porter des regards différents sur le lieu.

Saint-Pol-de-Léon pratique

Adresse utile

Office de tourisme de St-Pol-de-Léon –
*Pl. de l'Évêché - 29250 St-Pol-de-Léon -
☎ 02 98 69 05 69 - www.saintpoldeleon.fr -
juil.-août : 9h-12h, 14h-18h, dim.
10h-12h ; juin et sept. : tlj sf dim. 9h-12h,
14h-18h ; oct.-mai : tlj sf dim. 9h-12h,
14h-17h30.*

Se loger

🛏 **Chambre d'hôte Coz-Milin**
Mme Moysan – *Coz-Milin - 29233 Cléder -
10 km à l'O de St-Pol-de-Léon par D 10 -
☎ 02 98 69 42 16 - www.gites-finistere.com/
gites/cozmilin -* 🚭 *- 3 ch. 50 € .* Cette
demeure en pierre coiffée d'un beau toit
d'ardoises est entourée d'un agréable
jardin fleuri. Ses chambres (réservées aux
non-fumeurs) mêlent avec brio l'ancien
et le contemporain. Le rez-de-chaussée se
partage entre un élégant salon et la salle
des petits-déjeuners.

Se restaurer

🛏 **Les Fromentines** – *18 r. Cadiou - ☎ 02 98
69 23 52 - www.les-fromentines.com - fermé
2 sem. en fév., 3 sem. en oct. et jeu. hors sais. -
9,50/12,50 € - 5 ch. 38 €.* Une belle situation à
l'ombre de la flèche Kreisker, un cadre
actuel changeant des traditionnelles
crêperies bretonnes, et quelques spécialités
originales. Que demander de plus, si ce n'est
solliciter le patron de vous conter l'histoire
de la crêpe Tro Breiz…

🛏🛏🛏 **Auberge La Pomme d'Api** – *49 r.
Verderel - ☎ 02 98 69 04 36 - yannick.
lebeaudour@free.fr - fermé 7 fév.-2 mars,
15 nov.-1er déc., mar. soir hors sais., dim. soir,
mar. midi et lun. - 23 € déj. - 35/65 €.* Cette
maison bretonne de 1534 cache derrière
sa façade austère un décor chaleureux. Au
coin de sa magnifique cheminée, dans un
cadre qui a su mettre en valeur vieilles
pierres et belles poutres, vous savourerez
une cuisine gourmande à prix étudiés…

Saint-Quay-Portrieux★

3 114 QUINOCÉENS
CARTE GÉNÉRALE D1 – CARTE MICHELIN LOCAL 309 F3 – CÔTES-D'ARMOR (22)

St-Quay est une station balnéaire très appréciée pour ses trois belles plages : le Casino, le Châtelet et la Comtesse, abritées par une frange rocheuse appelée roches de St-Quay. Les gourmands lui trouvent aussi un autre attrait : la coquille St-Jacques. Ce mollusque fait en effet partie des spécialités du cru et a même sa fête en avril.

▷ **Se repérer** – Depuis St-Brieuc (21 km au sud-est) ou Paimpol (25 km au nord-ouest), on gagne St-Quay par la D 786, ou par la D 9 si l'on vient de Guingamp (26 km au sud-ouest).

🕐 **Organiser son temps** – Si vous voulez profiter des plages, des activités nautiques et des jolies balades, vous pouvez facilement passer 2 jours dans la capitale de la coquille St-Jacques.

👁 **À ne pas manquer** – La visite de la chapelle de Kermaria-an-Iskuit pour ses fresques de la danse macabre et la fête de la coquille St-Jacques en avril.

🏃 **Pour poursuivre la visite** – Voir aussi St-Brieuc, la Côte d'Émeraude, Guingamp, Paimpol et Tréguier.

Se promener

Ports

Le port d'échouage, situé à Portrieux, armait autrefois pour Terre-Neuve. Une flottille de pêche l'anime aujourd'hui (maquereaux, lieus, bars, et surtout, de novembre à avril, coquilles St-Jacques et crustacés). Et un nouveau port en eau profonde a été inauguré en 1990. Une liaison est assurée avec les îles Anglo-Normandes pendant la saison estivale ; possibilité d'excursions en bateau pour l'île de Bréhat.

Chemin de ronde

🐚 *1h1/2 à pied AR, à parcourir de préférence à marée haute.*

Le sentier des douaniers part du port de Portrieux, au-delà de la mairie. Il longe la plage de la Comtesse, qui profite des marées pour se parer de cristaux d'ilménite noire. Il passe ensuite devant le sémaphore, offrant une belle **vue★** sur la baie de St-Brieuc. Il gagne la terrasse surplombant la plage du Châtelet *(table d'orientation)*, contourne la piscine d'eau de mer avant de déboucher près du Casino. On peut poursuivre cette promenade jusqu'à la grève St-Marc *(environ 2h AR en plus)*.

Mer, phare et pin depuis le chemin de ronde.

Aux alentours

Étables-sur-Mer

5 km au sud. Situé sur un plateau, le bourg domine la station familiale, à laquelle il est relié par une avenue bordée de villas. Les deux plages de sable fin, des Godelins et du Moulin, qui font la renommée d'Étables-sur-Mer, sont séparées par la pointe du Vau Burel. Beau parc municipal. La **chapelle N.-D.-de-l'Espérance**, construite après l'épidémie de choléra de 1850, se dresse sur la falaise d'Étables. Elle est ornée de vitraux (1972) aux belles tonalités de bleu signés Jean Michau et d'une tapisserie de Toffoli représentant la Vierge et l'Enfant. 📞 *02 96 70 65 41 - juil.-août : 14h-18h.*

Binic

7,5 km au sud. Le port de ce charmant centre balnéaire abritait autrefois, en hiver, des goélettes armées pour la pêche à la morue. De nos jours, la plaisance a pris la relève.

Le **musée** évoque la vie des anciens Binicains (collection de coiffes, costumes bretons, objets se rapportant à la vie maritime, métiers). 📞 *02 96 73 37 95 - ♿ - juil.-août :*

14h30-18h ; avr.-juin et sept. : tlj sf mar. 14h30-18h (dernière entrée 15mn av. fermeture) - fermé oct.-mars -3,50 € (6-12 ans 1 €).

La **jetée Penthièvre** ferme l'avant-port. On y accède par les quais Jean-Bart et Surcouf. Du belvédère, à l'entrée du môle, jolie vue : d'un côté, sur la plage aux cabines surélevées, dominée par une butte couronnée de pins ; de l'autre côté, sur le port.

Le Palus-Plage

11 km au nord. Tout près de cette belle anse bordée de petites falaises verdoyantes, à gauche de la plage, des marches taillées dans le roc conduisent à un sentier en corniche : jolies **vues** sur la baie de St-Brieuc.

Plage Bonaparte

13 km au nord. De cette plage, au fond de l'anse Cochat, que l'on atteint par un tunnel creusé dans la falaise, les aviateurs abattus sur le sol français réembarquaient en 1944 pour l'Angleterre. Une stèle rappelle ce souvenir : on peut l'atteindre à pied en empruntant l'escalier à droite du parking de la plage, puis par le sentier qui escalade la falaise. Du terre-plein, belle **vue** sur la baie de St-Brieuc et le cap Fréhel, l'anse de Port-Moguer à droite, la pointe de Minard à gauche.

Chapelle de Kermaria-an-Iskuit★

11,5 km au nord-ouest par la D 786, puis à gauche, par la D 21 jusqu'à Kermaria - ℰ 02 96 20 35 78 - 10h-12h, 14h-18h - en cas de fermeture, s'adresser à Mᵐᵉ Cojean. Possibilité de visite guidée sur demande auprès du presbytère de Plouha, ℰ 02 96 20 21 31.

La « maison de Marie qui conserve et rend la santé » est un but de pèlerinage fréquenté : un grand **pardon** s'y déroule le 3ᵉ dimanche de septembre. Au-dessus du porche sud de cette ancienne chapelle seigneuriale se trouve une salle des archives, clôturée par un petit balcon, qui servit de salle de justice au 16ᵉ s. Des **fresques★** (vers 1500) décorent les murs au-dessus des arcades. Celles figurant la Danse macabre ont, paraît-il, inspiré le compositeur Camille Saint-Saëns. La Mort y figure sous les apparences de squelettes ou de cadavres. Ils dansent et entraînent une malheureuse ronde de vivants, du pape au laboureur. En France, on connaît sept représentations murales de Danse macabre.

À voir aussi, dans le chœur, cinq **bas-reliefs★** en albâtre représentent des scènes de la vie de la Vierge, et, dans le transept, N.-D.-de-Kermaria-an-Iskuit (16ᵉ s.), Vierge allaitant, mais l'Enfant Jésus esquisse un geste de refus !

Lanleff

À 5,5 km à l'ouest de Kermaria par la D 21 et, à la sortie de Pléhédel, prenez à gauche. Dans le bourg, en retrait de la route, se dresse le **temple★**. Ce curieux édifice circulaire, aujourd'hui en ruine, est une ancienne chapelle ou un baptistère bâti au 11ᵉ s. par les templiers sur le modèle du Saint-Sépulcre de Jérusalem. Douze arcades en plein cintre font communiquer la rotonde avec un bas-côté tournant. Sur les chapiteaux à la facture naïve alternent petits personnages, animaux, dessins géométriques, feuillages.

Saint-Quay-Portrieux pratique

Adresses utiles

Office du tourisme de St-Quay-Portrieux – 17 bis r. Jeanne-d'Arc - 22410 St-Quay-Portrieux - ℰ 02 96 70 40 64. www.saintquayportrieux.com – juil.-août : lun.-sam. 9h-19h, dim. 10h-12h30, 15h30-18h ; fév.-juin et sept.-nov. : tlj sf dim. 9h-12h30, 14h-18h30 ; déc.-janv. : tlj sf dim. 9h-12h30, 14h-18h - fermé 25 déc., 1ᵉʳ janv., 1ᵉʳ et 11 Nov.

Office du tourisme d'Étables-sur-Mer - 9 r. de la République - 22680 Étables-sur-Mer - ℰ 02 96 70 65 41 - www.etables-sur-mer. com - juil.-août : lun.-sam. 9h-12h, 14h-18h30, dim. 9h-13h ; sept.-juin : mar.-vend. 8h30-12h30, 13h45-17h30, sam. 8h30-12h30 - fermé 25-31 déc. et 1ᵉʳ janv., 1ᵉʳ et 8 Mai, Toussaint.

Visites

Visite du Port d'Armor – Été : merc. 16h - RV au Point Info du Port - 3,50 € (10-15 ans 2,50 €) - Visite du port de pêche, présentation des bateaux et du matériel, fonctionnement de la criée et évocation de l'histoire de la coquille St-Jacques.

Visite « Sur les traces des peintres » au Portrieux – Été : jeu. 10h - RV au Point Info du Port - 3,50 € (10-15 ans 2,50 €) - Plongée dans le passé du Portrieux au temps des impressionnistes (Eugène Boudin, Berthe Morisot, Paul Signac...)

Se loger et se restaurer

⊖⊖ **Hôtel Gerbot d'Avoine** – Bd du Littoral - ℰ 02 96 70 40 09 - gerbotavoine@wanadoo.fr - fermé 3 janv.-7 fév. et 12 nov.-15 déc. - 🅿 - 20 ch. 50/55 € - ⌑ 7 € - rest.

18/35 €. On cultive l'atmosphère des stations balnéaires d'antan dans cette amusante maison au charme agréablement désuet, nichée dans un jardin non loin de la mer. Les chambres sont rafraîchies ; certaines donnent sur la Manche. Produits de la mer au restaurant.

⊜⊜ **Hôtel Benhuyc** – *1 quai Jean-Bart - 22520 Binic -* ✆ *02 96 73 39 00 - www. benhuyc.com - 24 ch. 58/87 € -* � *9 €.* Sur le port, dans une maison bretonne rénovée, cet hôtel moderne est une gentille adresse. Ses chambres lumineuses avec leurs murs en crépi blanc, leurs jolies chaises de style et leurs tissus clairs, sont agréables. Menus d'un bon rapport qualité-prix.

Sports & Loisirs

St-Quay Port d'Armor – *Capitainerie, espace Éric-Tabarly -* ✆ *02 96 70 81 30 - www.port-armor.com - hors sais : tlj sf dim. 8h-12h, 14h-18h ; en été : tlj 8h-12h, 14h-20h.* Seul port en eau profonde de Bretagne Nord, d'une capacité de 1 030 anneaux et accessible 24 h sur 24, il peut accueillir jusqu'à une centaine de bateaux visiteurs. Possibilité de partir pêcher tous les matins de 7h30 à 11h, à bord d'un chalutier (réservation auprès de l'office de tourisme). Liaisons maritimes avec l'île de Bréhat en été, les mardi et jeudi.

Le Vieux Gréement – *Renseignements et réserv. : Sport Nautique -* ✆ *02 96 70 93 34.* Le *Saint-Quay* vous propose un programme à la carte : sorties à la demi-journée, journée, week-end ou semaine (individuel, groupe ou famille). Selon le temps dont vous disposez, vous choisirez entre naviguer en baie de St-Brieuc, vous aventurer dans l'archipel de Bréhat et partir en croisière dans les Îles Anglo-Normandes à bord d'un langoustier.

Événement

Fête de la coquille St-Jacques – *Avr. : dernier w.-end.* Expositions, dégustation, démonstration de secours en mer par la SNSM, balades en mer, concerts… Programme complet à l'office de tourisme.

Saint-Thégonnec★★

2 267 SAINT-THÉGONNECOIS
CARTE GÉNÉRALE C2 – CARTE MICHELIN LOCAL 308 H3 – FINISTÈRE (29)

Ce village possède un magnifique enclos paroissial, fleuron du patrimoine breton par son caractère monumental. Le calvaire et l'église en sont les pièces maîtresses, mais chaque élément de ce riche ensemble Renaissance des 16e et 17e s. mérite la visite, ne serait-ce que pour en observer les détails.

▷ **Se repérer** – Entre Landivisiau (9 km à l'ouest) et Morlaix (9 km à l'est), St-Thégonnec se situe juste au sud de la N 12.

🕐 **Organiser son temps** – Comptez 2h pour la visite de l'enclos.

👁 **À ne pas manquer** – Les sculptures du calvaire illustrant la Passion.

🐾 **Pour poursuivre la visite** – Voir aussi les Enclos paroissiaux, Guimiliau, Lampaul-Guimiliau, Sizun, les monts d'Arrée, Huelgoat, Morlaix et St-Pol-de-Léon.

L'enclos paroissial de Saint-Thégonnec.

Découvrir

Les habitants de St-Thégonnec, fortune faite dans l'élevage de chevaux et la manufacture de toile, ont initié l'implantation d'artisans spécialisés dans la réalisation d'ouvrages religieux. Pendant deux siècles, du 15e au début du 18e s., ils n'auront de cesse d'enrichir cet enclos pour en faire l'un des plus imposants de Bretagne.

ENCLOS PAROISSIAL★★

Il est préférable d'entrer dans l'enclos par la place de l'Église, côté sud.

Porte triomphale★

En plein cintre, elle est couronnée de lanternons superposés (1587).

Chapelle funéraire★

Souvent appelée ossuaire, elle fut construite de 1676 à 1682. Dans la crypte, sous l'autel, **saint sépulcre★** à personnages sculptés dans le chêne et peints (1699-1702), œuvre du Breton Jacques Lespaignol. Au fond de l'ossuaire, le trésor comporte des pièces d'orfèvrerie, dont une croix processionnelle en vermeil (1610). *℘ 02 98 79 60 39 - de mi-avr. à fin sept. : 8h-19h - fermé de déb. oct. à mi-avr. - gratuit.*

Calvaire★★

Élevé en 1610. Sur le socle, des groupes de personnages figurent des scènes de la Passion. Au-dessous, une niche abrite la statue de saint Thégonnec avec le loup qu'il attela à sa charrette, après que son âne eut été dévoré par une meute. La légende dit que c'est cet attelage inhabituel qui charria les pierres nécessaires à la construction de l'église. La plate-forme est surmontée d'une croix à deux traverses portant des personnages et de deux croix plus simples pour les larrons. Remarquez les anges qui recueillent le sang s'écoulant des plaies du Christ.

Église★

Le seul vestige de l'église d'origine est le clocher (1563) du pignon situé à gauche de la tour Renaissance couronnée d'un dôme. Au-dessus du porche, statue de saint Thégonnec, moine originaire du pays de Galles qui s'installa en armorique au 6e s. et légua son nom à la bourgade. Dans les niches des contreforts d'angle, statues figurant l'Annonciation, saint Jean et saint Nicolas. Sous le porche, il reste quatre statues d'apôtres.

L'intérieur, en partie ravagé par un incendie en juin 1988, a été magnifiquement restauré. La **chaire★★** est l'un des chefs-d'œuvre (1683) de la sculpture bretonne. Les angles de la cuve sont ornés des vertus cardinales. Sur les quatre panneaux figurent les évangélistes. Sur le médaillon du dossier, Dieu donne à Moïse les Tables de la Loi. L'abside et les deux bras du transept sont couverts de **boiseries★** des 17e et 18e s. : celles du **retable du Rosaire★**, à gauche, représentent : au centre et en bas, la Vierge et l'Enfant remettant le rosaire à saint Dominique et à sainte Catherine ; au-dessus, la Vierge et saint Laurent présentent au Christ une âme délivrée des flammes du purgatoire. *℘ 02 98 68 11 63 - tlj sf offices 9h-18h.*

Le Kanndi du Fers

A 8 km au sud par la D 118 dir. Ste-Brigitte. Accès libre et gratuit.

Kanndis signifie « maisons du lavage » en breton. Le mot désigne les lavoirs dans lesquels on travaillait le lin à l'époque où la production de toiles était florissante dans le Léon (15e-18e s.). Ces petites buanderies, situées au bord des ruisseaux, étaient équipées de différentes auges, d'une cheminée et d'un aqueduc en granit, et l'on y blanchissait le fil. La région de Morlaix en comptait des centaines. Aujourd'hui, celle du Fers est l'une des dernières encore debout.

Saint-Thégonnec pratique

Adresse utile

Point info de Saint-Thégonnec – *Park an Illiz - 29410 Saint-Thégonnec - ℘ 02 98 79 67 80 - lun.-sam. 10h-13h, 14h-18h.*

Se loger

⊜⊜ **Hôtel Ar Presbital Koz** – *18 r. Lividic, près de la maison de retraite Ste-Bernadette - ℘ 02 98 79 45 62 -* *andre.prigent@wanadoo.fr -* 🚗 **P** *- 6 ch. 50 € ⊷.* Six chambres spacieuses et personnalisées ont été aménagées dans ce presbytère du 18e s. caché derrière un rideau de cyprès. À la belle saison, vous profiterez du jardin et du potager. Pensez à jeter un coup d'œil à la collection de canards rapportés du monde entier.

⊖⊗⊖ **Auberge St-Thégonnec** –
ℰ 02 98 79 61 18 - www.aubergesaint
thegonnec.com - fermé 20 déc.-20 janv. -
P - 19 ch. 85/120 € - ☞ 10 €. Face à
l'église et son célèbre enclos, maison en
pierres de taille aux aménagements
intérieurs contemporains. Chambres
spacieuses s'ouvrant côté jardin. Au
restaurant, cadre confortable et soigné,
agrémenté de cuivres et tableaux (scènes
et paysages bretons), et carte à l'accent
bigouden.

Île de **Sein**

242 SÉNANS
CARTE GÉNÉRALE A3 – CARTE MICHELIN LOCAL 308 B6 – FINISTÈRE (29)

Au 17ᵉ s., Louis XIV reconnaissait lui-même que Sein subissait les colères de
la mer et offrait peu de ressources à ses habitants. Aujourd'hui, l'île affronte
toujours les embruns et les tempêtes, au large de la pointe du Raz. Découvrir
son paysage nu, planté au cœur de récifs à fleur d'eau, c'est un peu partir au
bout du monde…

◗ **Se repérer** – Au sud de la mer d'Iroise, qui baigne les côtes occidentales du
Finistère nord, l'île de Sein est à seulement quelques milles nautiques du continent
et de la Cornouaille. Entre l'île et la baie des Trépassés se trouve le redoutable raz
de Sein.

◔ **Organiser son temps** – Si la journée suffit à faire le tour de l'île, vous n'en goûterez
le charme qu'en y résidant.

◉ **À ne pas manquer** – La vision des « Causeurs » et la chapelle St-Corentin.

◔ **Pour poursuivre la visite** – Voir aussi la Cornouaille et la pointe du Raz.

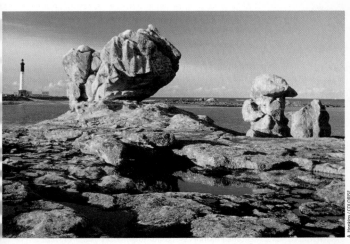

Rochers et phare de Goulenez

Comprendre

Un pays rude – « Vouloir imposer Sein ou Molène, déjà accablées de tous les
impôts de la nature, ce serait vouloir imposer la mer, les tempêtes et les rochers »
déclara Louis XIV. Ainsi, les habitants de Sein furent exemptés d'impôts locaux par
Colbert.

L'île inspira longtemps une terreur superstitieuse. Au 18ᵉ s., ses habitants vivaient
dans un isolement presque complet. Certains étaient pilleurs d'épaves. Aujourd'hui,
ce sont des sauveteurs très actifs. Les hommes sont navigateurs ou pêcheurs, les
femmes travaillent de minuscules jardins ou ramassent le goémon. Quelques-unes
portent encore le *jibilinenn*, coiffe noire de deuil à longs pans, parure traditionnelle
depuis l'épidémie de choléra de 1886.

Compagnons de la Libération – Au lendemain de l'appel du général de Gaulle, le 18 juin 1940, les 130 marins et pêcheurs de l'île de Sein gagnent l'Angleterre. Quand les Allemands arrivent à Sein, il n'y a plus que femmes, enfants et vieillards, maire et curé. Pendant plusieurs mois, des bateaux de pêche déposent et embarquent des officiers alliés. Parmi les marins de l'île partis pour la Grande-Bretagne, 29 ont trouvé la mort sur les champs de bataille. Non loin du phare, un monument portant l'inscription *Kentoc'h Mervel* (« plutôt mourir ») commémore cet épisode. En 1946, le général de Gaulle vint lui-même remettre à l'île la Croix de la Libération.

Se promener

Port et bourg

Protégé par d'importantes digues, le village groupe des maisons blanches aux volets peints, des ruelles étroites qui ont à peine 1 m de largeur, pour offrir moins de prise au vent. Sur le tertre proche de l'église, les deux menhirs fichés côte à côte sont appelés les « Causeurs ». Les commerces s'alignent le long des quais où se trouvent aussi les deux musées de l'île.

« L'Abri du marin » – *Quai des Pampolais* - ℘ 02 98 70 90 35 - *juil.-août : 10h-12h, 14h-18h ; juin et sept. : 10h30-12h, 14h-16h - fermé oct.-mars - 2,50 € (enf. 1,50 €).* Fondé au 19e s. par Jacques de Thézac, il avait pour fonction d'accueillir les marins. En leur offrant un hébergement dans les ports, on espérait les voir moins traîner dans les bars. il abrite maintenant un petit musée évoquant la vie d'autrefois à Sein, et l'île aujourd'hui. À l'étage, une autre partie commémore des événements survenus pendant la Seconde Guerre mondiale : le départ des Sénans pour l'Angleterre, l'action des Forces françaises navales libres, les campagnes auxquelles ont participé les Compagnons de la Libération.

Station de sauvetage en mer – ℘ 02 98 70 91 37 - *juil.-août : 14h-18h ; sept. : 14h-16h ; le reste de l'année : sur RV - 2 €.* Objets récupérés dans les nombreuses épaves alentour et longues listes de noms de sauveteurs rappellent le courage des bénévoles sortant à leurs risques et périls pour sauver les bateaux en détresse dans les parages.

Phare – À la pointe ouest de l'île, ce phare (49 m de haut) est équipé d'une lampe de 6 kW. Sa portée moyenne est de 55 km. À gauche se trouve la minuscule chapelle dédiée à saint Corentin, l'évêque qui évangélisa les Celtes de cette région.

Au large s'élève le **phare d'Ar Men**, qui trône sur l'un des récifs de la chaussée de Sein, groupe d'écueils s'étirant au-delà de la pointe occidentale de l'île sur près de 20 km.

Île de Sein pratique

Adresse utile

L'île de Sein ne possède pas d'office de tourisme mais la mairie dispense des renseignements par téléphone au 02 98 70 93 45. Si vous disposez d'une connection Internet, rendez-vous sur le site www.enezsun.com, il fourmille de renseignements sur l'île.

Accès à l'île

Juil.-août : ligne régulière, dép. Audierne-Esquibien à bord de l'Enez Sun III 9h, 11h30 et 16h50, retour 10h20, 15h30 et 18h15 ; sept.-juin : aller 9h30, retour 16h. Compagnie Penn ar Bed - ℘ 02 98 70 70 70 - de mi-juil. à mi-août : dép. dim. de Brest 8h et de Camaret (à bord de l'André Colin) 8h40 - compagnie Penn ar Bed - ℘ 02 98 80 80 80 (Brest) ; 02 98 27 88 22 (Camaret).

Se loger

⌂⌂ **Hôtel Ar Men** – *Rte du Phare* - ℘ 02 98 70 90 77 - hotel.armen@wanadoo.fr - fermé 6-20 oct. - 10 ch. 50/65 € - ⌂ 7 € - rest. 18 €.* Séduisante maison rose isolée face à la mer. L'intérieur, entièrement rénové, abrite des chambres simples, un salon-bibliothèque et une salle à manger modeste où l'on sert une cuisine régionale. Adresse idéale pour les amoureux de silence.

Se restaurer

⌂⌂ **Chez Brigitte** – *Quai des Paimpolais* - ℘ 02 98 70 91 83 - fermé de déb. oct. au déb. vac. de printemps - réserv. conseillée - formule déj. 19 € - 20/55 €.* Toute petite salle aménagée à l'étage d'un bistrot où se retrouvent les pêcheurs. Décor sans façon, mais superbe vue sur la pointe du Raz. Un seul menu, composé uniquement de produits de la mer. Ragoût de homard sur commande.

Sizun ★

1 850 SIZUNIENS
CARTE GÉNÉRALE B2 – CARTE MICHELIN LOCAL 308 G4 – FINISTÈRE (29)

Ce village du Léon possède un très bel enclos paroissial, bâti du 16e s. au 18e s. La porte triomphale annonce la chapelle-ossuaire et l'église, avec sa belle voûte lambrissée. Sizun est également un point de départ idéal pour découvrir les monts d'Arrée et le Parc naturel régional d'Armorique, tout proches.

- **Se repérer** – Sizun se trouve à l'est de Brest et de la presqu'île de Plougastel, plus précisément à 17 km au sud-est de Landerneau par la D 764. La D 30 relie le village à Landivisiau (15 km au nord) et la D 18 au Faou (17 km au sud-ouest).

- **Organiser son temps** – Une visite complète de l'enclos prend 2h.

- **À ne pas manquer** – La porte triomphale et le trésor ; l'église de Locmélar pour ses deux bannières des 16e et 17e s.

- **Pour poursuivre la visite** – Voir aussi les Enclos paroissiaux, Landerneau, Lampaul-Guimiliau, Guimiliau, St-Thégonnec, les monts d'Arrée, Huelgoat, Landévennec et Plougastel-Daoulas.

Découvrir

Enclos paroissial★

Accès libre et gratuit - visites guidées : s'adresser à l'office de tourisme - ℰ *02 98 68 88 40.*

Les parties les plus intéressantes sont la triple **porte triomphale★** et la **chapelle-ossuaire★** à triple arcature, avec sa façade au décor hétéroclite. Ces deux monuments datent de 1585-1588. L'ossuaire abrite un musée consacré aux traditions locales. L'**église** du 16e s., remaniée aux 17e et 18e s., est reliée par un passage à la sacristie, petit édifice isolé de la fin du 17e s. À l'intérieur, la voûte lambrissée offre une belle ornementation : sablière sculptée agrémentée dans le transept et le chœur d'anges présentant les instruments de la Passion, entraits en forme de caïmans. Le buffet d'orgue, le maître-autel et les retables sont du 17e s., de même que le baldaquin des fonts baptismaux. Le trésor d'**art religieux** est le plus important de Bretagne : ciboires, ostensoirs, reliquaires, statues…

Calvaire de l'enclos paroissial.

Stéphane Sauvignier / MICHELIN

Aux alentours

Maison de la rivière

1 km à l'ouest - ℰ *02 98 68 86 33 - www.maison-de-la-riviere.fr - juil.-août : 10h30-18h30 ; sept.-juin : tlj sf w. end 10h-12h, 14h-17h30 (dernière entrée 30mn av. fermeture) ; fermé vac. de Noël, 1er et 8 Mai - 4 € (6-18 ans 2,50 €).*

Installé dans le moulin de Vergraon, ce centre de découverte propose des expositions sur l'importance de l'eau, la vie des poissons et la pêche. Description du matériel : cannes, moulinets, étapes de la fabrication d'une mouche pour la pêche au saumon, aquariums et films.

Située au cœur du Parc naturel régional d'Armorique, la Maison de la rivière organise des balades accompagnées pour découvrir les monts d'Arrée, les sources de l'Elorn, le lac du Drennec ou la tourbière du Mougau…

Locmélar

5 km au nord.

L'**église** des 16e et 17e s. abrite d'imposants retables consacrés à saint Mélar et saint Hervé et deux belles **bannières★** des 16e et 17e s. brodées d'or et d'argent. À voir dans le cimetière : l'intéressant calvaire de 1560 à double traverse supportant les personnages, et la sacristie dont le toit est en forme de carène renversée. *9h-18h.*

Sizun pratique

Adresse utile

Office de tourisme – 3 r. de l'Argoat - 29450 Sizun - ℘ 02 98 68 88 40 - www.ot-paysdelandivisiau.com - juil.-août : lun.-sam. 9h-12h30, 14h-19h, dim. et j. fériés 10h-12h30 du 14 Juil. au 15 août ; juin et sept. : lun.-vend. 9h30-12h, 14h-17h30 ; avr.-mai : lun.-vend. mat. ou apr.-midi ; fermé oct.-mars.

Se loger

⊜⊜ **Hôtel des Voyageurs** – 2 r. de l'Argoat - ℘ 02 98 68 80 35 - hotelvoyag@aol.com - fermé 25 avr.-3 mai, 11 sept.-3 oct., dim. soir et sam. d'oct. à juin - ▣ - 22 ch. 47 € - � 6,50 € - rest. 14/26 €. Près de l'église, une halte sans prétention : cet hôtel familial rénové est simple mais agréable. L'annexe propose quelques chambres plus petites et moins chères qui conviendront aux budgets serrés.

Événement

Pardon – Le dernier dim. de juil., cette procession costumée attire une foule nombreuse jusqu'à la chapelle de Loc-Ildut (3 km de Sizun) qui a été construite au 15ᵉ s.

Trégastel-Plage★★

2 234 TRÉGASTELLOIS
CARTE GÉNÉRALE C1 – CARTE MICHELIN LOCAL 309 B2 – CÔTES-D'ARMOR (22)

Station balnéaire de la Côte de Granit rose, Trégastel séduit, tout comme sa voisine Ploumanach, par la beauté et l'étrangeté de ses rochers. Véritable merveille naturelle, ces derniers font tout le charme de la destination. Les marcheurs apprécieront plus particulièrement le sentier de l'île Renote.

▷ **Se repérer** – À 13 km au nord de Lannion par la D 11, Trégastel-Plage touche la commune de Perros-Guirec.

◔ **Organiser son temps** – Les balades alentour et les plages familiales de Trégastel vous retiendront au moins une journée.

◉ **À ne pas manquer** – Le sentier de la grève Blanche et le tour de l'île Renote pour ses rochers de granit rose.

🚹 **Avec les enfants** – Découvrez l'aquafaune bretonne à l'aquarium marin.

◔ **Pour poursuivre la visite** – Voir aussi la Côte de Granit rose, Perros-Guirec, Lannion, Tréguier et la Côte des Bruyères.

Visiter

Aquarium marin

02 96 23 48 58 - www.aquarium-tregastel.com - juil.-août : 10h-19h ; avr.-juin et sept. : tlj sf lun. mat. 10h-18h ; oct. et vac. de Toussaint, Noël et fév. : mar.-sam. 14h-18h, dim. 10h-12h, 14h-18h - fermé nov.-mars (sf vac. scol.), 25 déc. et 1ᵉʳ janv. - 7 € (4-16 ans 5 €).

Il est installé sous un amas d'énormes rochers surnommés les « Tortues », dans des grottes qui, au 19ᵉ s., abritaient une église. Ses 28 aquariums de 300 à 14 000 litres d'eau de mer présentent la faune des fonds sous-marins bretons (homard, coquette, bar, raie, congre…). Une maquette du littoral de Trégastel (30 m²) se couvre et se découvre au rythme des marées ; une exposition et une vidéo expliquent ce phénomène naturel, particulièrement impressionnant en Bretagne Nord.

À la sortie, un escalier de 28 marches conduit à une statue – naïve et étonnante – du « Père éternel » : belle vue sur le chaos de **rochers★★** de Trégastel et la Côte de Granit rose.

Se promener

Plage de Coz-Porz

Cette plage de sable fin est bordée de rochers aux noms évocateurs. En dépassant sa jetée, à sa pointe nord, on gagne une grève où se dressent, à droite, la **« Tête de Mort »** et le **« Tas de Crêpes »**, qui semble feuilleté : c'est un bon exemple d'érosion par le vent. Un banc de sable permet l'accès d'un chaos de rochers où l'on reconnaît le **« Dé »**.

Grève Blanche★

1h à pied. À partir de Coz-Porz, le sentier part à gauche et contourne en corniche un promontoire d'où l'on découvre la grève Blanche, l'île aux Lapins et les îles des Triagoz. Il passe ensuite au pied d'un rocher appelé le **« Tire-bouchon »**, puis atteint la grève dominée par le **« Roi Gradlon »**, qui a vaguement la forme d'une tête couronnée.

Pêche à pied dans les rochers de Trégastel.

Amaury de Valroger / MICHELIN

Table d'orientation

On bénéficie d'une **vue★** circulaire sur la côte et – fait plutôt rare – sur l'arrière-pays avec les bourgs de La Clarté, Pleumeur-Bodou et son radôme, Trébeurden.

Île Renote★★

Un isthme sablonneux *(praticable en voiture)* relie Trégastel à cette île, devenue presqu'île. Constituée d'énormes blocs de granit, de landes et de pins, elle est réservée aux piétons.

Laissant sur la gauche la plage de Touldrez, le promeneur arrive près du Gouffre, au milieu de rochers : cette cavité est accessible seulement à marée basse. En avançant parmi les rochers jusqu'à l'extrémité de la presqu'île, on découvre de magnifiques points de vue sur le large et les Sept-Îles au nord ; à l'est, la côte de Ploumanach ; au sud, la baie de Ste-Anne.

Trégastel-Bourg

3 km au sud vers Lannion.

L'église paroissiale remonte au 13ᵉ s. À droite du porche sud, un ossuaire (17ᵉ s.) est orné de balustres et coiffé d'une tourelle à dôme. Au fond de la nef, un curieux bénitier (14ᵉ s.) servait jadis de mesure à grain.

Un écrivain oublié, **Charles Le Goffic**, auteur de *L'Âme bretonne*, est enterré dans le cimetière.

Vallée des Traouïero *(voir à Perros-Guirec, Ploumanach).*

Trégastel-Plage pratique

Adresse utile

Office du tourisme de Trégastel-Plage – 5 pl. Ste-Anne - 22730 Trégastel, *02 96 15 38 38. www.ville-tregastel.fr - juil.-août : lun.-sam. 9h30-13h, 14h-19h, dim. et j. fériés* 10h-12h30 ; avr.-juin et sept. : lun.-sam. 9h30-12h, 14h-18h, j. fériés 10h-12h ; oct.-mars : lun.-vend. 9h30-12h, 14h-17h30, sam. 9h30-12h ; fermé 25 déc., 1ᵉʳ janv., 1ᵉʳ Mai.

Se loger

⌂ **Hôtel de la Résidence d'Arvor** – *52 rte des Traouïéro - ☎ 02 96 15 31 90 - www.residencedarvor.com - fermé nov. - 🖃 🅿 - 9 ch. 39/50 € ⌷.* Plusieurs formules d'hébergement au choix : chambres récemment rénovées, simples ou dotées d'une kitchenette, et une maison meublée (idéal pour les longs séjours familiaux) ; tous sont pratiques, agréables et fort bien tenus. Également, cuisine équipée à disposition des résidents.

Se restaurer

⌂ **Crêperie L'Iroise** – *29 r. Charles-le-Goffic - ☎ 02 96 15 93 23 - raymond. drolez@wanadoo.fr - fermé de mi-nov. à fin janv. et jeu. hors vac. scol. - 7,80/14 €.* Outre les traditionnelles crêpes, cette adresse propose des recettes maison plus originales et des plats de moules midi et soir. Quelques objets évoquant la mer (belle maquette de voilier) décorent la salle où domine le bois brut. Accueil charmant.

⌂ **Les Triagoz** – *Forum de Trégastel, plage du Coz-Porz - ☎ 02 96 15 34 10 - www.lestriagoz.fr - fermé janv. et 1ᵉʳ-20 déc. - 12/36 €.* Sur la terrasse au bord de la plage, face aux célèbres rochers, ou dans la salle aux larges baies vitrées, vous serez parfaitement installé pour admirer le coucher de soleil. Menus aux accents marins, bien sûr…

Sports & Loisirs

Les « Découvertes nature » – *☎ 02 96 15 38 38 - www.ville-tregastel.fr.* Parce que la côte de granit rose ne dévoile ses charmes qu'aux randonneurs, on empruntera le sentier des Douaniers, longeant le littoral, pour apprécier pleinement le paysage. Découverte de l'estran (la zone dégagée par marée basse) et des rochers sculptés par le vent, en compagnie d'un spécialiste du milieu marin.

Tréguier★★

2 679 TRÉGORROIS
CARTE GÉNÉRALE C1 – CARTE MICHELIN LOCAL 309 C2 – CÔTES-D'ARMOR (22)

Lové au fond d'un estuaire des Côtes-d'Armor, Tréguier étage au flanc d'une colline sa cathédrale, ses ruelles et ses maisons à pans de bois. L'ancienne cité épiscopale forme un ensemble très séduisant, à quelques encablures d'une côte particulièrement belle et riche en patrimoine culturel, comme en excursions.

▶ **Se repérer** – À la verticale nord de Guingamp (30 km par la D 8), Tréguier se situe à mi-chemin entre Lannion (20 km à l'ouest) et Paimpol (16 km à l'est), sur la D 786.

🕐 **Organiser son temps** – La région de Tréguier, riche en presqu'îles et en recoins cachés, mérite deux jours d'exploration.

👁 **À ne pas manquer** – le cloître de la cathédrale St-Tugdual à Tréguier, le parc du château de la Roche-Jagu, et les merveilleux jardins de Kerdalo.

👍 **Pour poursuivre la visite** – Voir aussi Paimpol, Perros-Guirec, Trégastel-Plage, la Côte de Granit rose, Lannion, Guingamp et Belle-Isle-en-Terre.

Se promener

Port

Ce magnifique plan d'eau est suffisamment profond pour recevoir des caboteurs de fort tonnage. Il réserve une place importante à la navigation de plaisance.

Laissez la voiture sur le parking du port et pénétrez dans la ville par la rue Ernest-Renan, bordée de hautes maisons à colombages. Les deux tours carrées encadraient autrefois la porte de la ville.

Maison de Renan

☎ 02 96 92 45 63 - juil.-août : 10h-12h, 14h-18h ; avr.-juin et sept. : tlj sf lun. et mar. 10h-12h, 14h-18h, w.-end et j. fériés 14h-18h - fermé 1ᵉʳ janv., 1ᵉʳ Mai, 1ᵉʳ et 11 Nov., 25 déc. 4 € (-18 ans gratuit). . Cette maison à colombages (16ᵉ s.) abrite des souvenirs et des documents concernant l'écrivain (1823-1892). On voit sa chambre natale, une reconstitution de son cabinet de travail et de sa bibliothèque au Collège de France, ainsi que les deux pièces où, enfant, il aimait se retirer pour travailler.

Cathédrale Saint-Tugdual★★

☎ 02 96 92 30 51 - juin-sept. : 9h-19h ; oct.-mai : 9h-12h, 14h-18h.
Ce monument porte le nom du premier évêque qui occupa, au 6ᵉ s., l'un des sièges épiscopaux les plus importants de la Bretagne médiévale. Moine originaire du Pays

de Galles, il avait fui les Pictes et les Saxons pour fonder un monastère dans la région. C'est pour l'honorer que les Trégorrois ont construit l'une des plus belles cathédrales bretonnes (14e-15e s.). Dans ses *Souvenirs d'enfance et de jeunesse*, Renan la qualifie de « paradoxe architectural » et de « chef-d'œuvre de légèreté, fol essai pour réaliser en granit un idéal impossible ».

Trois tours reposent sur le transept. Celle du croisillon sud (18e s.) s'élève à 63 m et s'ouvre par le « porche des cloches » (1438) surmonté d'une belle **fenêtre★** flamboyante. Inachevée, la tour du Sanctuaire, de style gothique, occupe la croisée. La tour Hastings, romane, est le seul témoin de la cathédrale du 12e s.

Entrez par le porche de la façade ouest.

Avec ses arcades gothiques élégamment travaillées dans le granit, la **nef** paraît lumineuse. Une frise, sculptée en tuffeau plus tendre, court sous le triforium. Les voûtes nervurées « à la Tudor » sont éclairées par des fenêtres hautes. Les vitraux de Hubert de Ste-Marie, maître verrier de Quintin, illustrent des thèmes bibliques (scènes de l'Ancien Testament à gauche, au nord, de l'Évangile à droite, au sud).

Faites le tour par le bas-côté gauche.

Le **tombeau de saint Yves**, saint patron des avocats, date de 1890 : il reproduit le monument érigé au 15e s. par le duc de Bretagne Jean V – le gisant de Jean V, sculpté en 1945, se trouve dans la chapelle du Duc. Le bras gauche du transept est limité par la tour Hastings. Les beaux arcs romans partent d'un lourd pilier accolé de colonnes aux chapiteaux sculptés. En dessous, apparaissent les portes de la sacristie et du cloître. Dans le déambulatoire, la 3e chapelle abrite un Christ du 13e s., en bois, dit « de Trémel ». Le chœur contient 46 **stalles★** Renaissance aux miséricordes sculptées. Le bras droit du transept est magistralement éclairé par la **Grande Verrière★** : la vigne mystique se mêle aux fondateurs des sept évêchés bretons, aux saints du terroir et aux métiers bretons. Un intéressant **groupe en bois** du 15e s., *Saint Yves entre le riche et le pauvre*, se trouve près du porche sud. Dans le bas-côté droit, remarquez les **enfeus** sculptés de chevaliers en armure, du 15e s.

Trésor – *Dans la sacristie*. Il présente, entre autres, le reliquaire du chef de saint Yves. Cette châsse en bronze doré du 19e s. s'appuie au mur de fondation de la tour Hastings, que certains estiment du 11e s. ℰ 02 96 92 30 51 - juil.-août : 10h-18h30, sam. 10h-12h, dim. et j. fériés 12h30-18h30 ; de mi-juin à fin juin et de déb. sept. à mi-sept. : 10h-12h, 14h-18h, sam. 10h-12h, dim. et j. fériés 14h-18h. 3 € (enf. 2,25 €) billet combiné cloître et trésor. .

Le cloître de la cathédrale St-Tugdual.

Cloître★ – Adossé à l'évêché, il forme un bel ensemble du 15e s. encadrant une croix de calvaire. Derrière ses 40 arcades flamboyantes en granit de l'île Grande et de Pluzumet, des voûtes à charpente boisée et sablière abritent des gisants (15e-17e s.) et des personnages sculptés. Sous l'Ancien Régime, les galeries étaient louées à des marchands ambulants à l'occasion des foires. Pendant l'été, les « vendredis de l'imaginaire breton » sont organisés dans l'enceinte du cloître (contes, animations et lectures). *Juin-sept. : 9h-18h30 ; oct.-mai : 9h-12h, 14h-18h - 3 € (uniquement de Pâques à fin sept.).*

Place du Martray

Au cœur de la ville, sur cette place ombragée bordée de maisons anciennes, se dresse la **statue** d'Ernest Renan, par Jean Boucher. Cet hommage rendu au chantre de la religion « rationnelle » indigna tellement les catholiques, qu'ils commandèrent une œuvre représentative de leur sentiment : le *Calvaire de la protestation*, œuvre du sculpteur Yves Hernot. Inaugurée en 1904, elle se dresse encore dans le jardin public de la rue Marcellin-Berthelot.

Rue Saint-Yves

Un petit tour dans cette rue piétonnière permet de voir **la Psalette** édifiée en 1447. C'est dans cette demeure que les petits chanteurs de la cathédrale répétaient.

Monument aux morts

Sur le flanc gauche de la cathédrale. C'est une œuvre sobre et émouvante, due au sculpteur breton **F. Renaud**, représentant la douleur d'une Bretonne en cape de deuil. Presque en face, la **rue Colvestre** recèle de belles maisons anciennes, plus particulièrement la maison du duc Jean V, l'hôtel de Kermorvan et l'hôtel de Coetivy. *Revenez sur vos pas et descendez, en passant sous l'ancien évêché, vers le bois du Poète.*

Bois du Poète

Dominant le **Guindy**, il constitue une agréable promenade au cours de laquelle on découvre le monument funéraire de l'écrivain **Anatole Le Braz**.

Aux alentours

Jardins de Kerdalo★★

À l'est. Dans le bourg de Trédarzec, prenez la D 20 vers Kerbors puis la première à gauche, et tournez deux fois à gauche - 📞 *02 96 92 35 94 - avr.-juin et sept. : lun. et sam. 14h-18h ; juil.-août : tlj sf dim. 14h-18h - 8 € (enf. 4 €).* Créés par Peter Wolkonsky à partir de 1965, ces jardins botaniques imaginés dans un univers romantique font partie d'un domaine vallonné de 18 ha en bordure du Jaudy. Les sentiers serpentent au milieu des arbres majestueux, des bosquets et des massifs parfumés. Terrasses fleuries, gazon délicatement bordé d'une dentelle de galets, grotte italienne, pagode chinoise… : c'est un enchantement pour la vue et l'odorat ! Des cascades dégringolent jusqu'au Trieux en contrebas. Charmant **point de vue★** sur le port de plaisance de Tréguier.

Minihy-Tréguier

1 km au sud. Prenez la direction de La Roche-Derrien et à la sortie de l'agglomération, tournez à gauche. Minihy-Tréguier, village natal de saint Yves, est le but du **pardon** du 3e dimanche de mai, dit « pardon des pauvres ». On dit « aller à St-Yves ».

L'église (15e s.) est bâtie sur l'emplacement de l'ancienne chapelle du manoir de Ker-Martin où naquit et mourut **Yves Helouri** (1253-1303) ; elle abrite une toile peinte où figure, en latin, son testament. Au cimetière, face au porche ouest, un petit monument du 13e s. est percé d'une arcade sous laquelle les pèlerins passent agenouillés. Dénommé « **tombeau de saint Yves** », c'est sans doute l'autel de la chapelle primitive.

La Roche-Derrien

5 km au sud-ouest par la D 8. Cette ancienne place stratégique a été le théâtre d'une importante bataille pendant la guerre de Succession de Bretagne en 1347. Elle a longtemps dû sa prospérité au négoce du lin et est aujourd'hui une agréable villégiature de la vallée du Jaudy (kayak).

Église – Elle doit son plan inhabituel à l'ajout d'une grande chapelle par le seigneur Roland de Kersaliou en 1376. Un vitrail de 1927 illustre la célèbre bataille *(voir plus haut)* où Charles de Blois fut fait prisonnier.

Château de la Roche-Jagu★

13 km au sud-est par les D 786 et D 787 -. ℰ *02 96 95 62 35 - de mi-juin à mi-sept. : 10h-19h ; de mi-fév. à mi-juin et de mi-sept. à mi-nov. : 10h30-12h30, 14h-18h - possibilité de visite guidée du parc juil.-août avec spectacles, visite libre gratuite tte l'année - fermé 2 nov.-1er fév. - 2 € château (-12 ans 1 €) 2 € parc (visite guidée).*

Cet élégant château, construit au 15e s. au sommet des pentes abruptes et boisées qui forment la rive gauche du Trieux, veillait sur la rivière.

Sa façade ouest a gardé les corbeaux qui supportaient le chemin de ronde. De belles cheminées, très ouvragées, surmontent l'édifice. Au cours de la visite, on parcourt les nombreuses salles aux plafonds à la française, la petite chapelle et ses deux oratoires. On admire particulièrement le travail exceptionnel réalisé par les compagnons charpentiers : on se promène dans les combles au milieu d'une véritable forêt de poutres et de piliers, mise en valeur par un bel éclairage. Le chemin de ronde couvert qui subsiste sur la façade est permet de découvrir le magnifique **site★** du Trieux.

Le **parc★** – Après la terrible tempête de 1987, un parc contemporain de 30 ha a été créé ; les paysages de Bretagne mais aussi un bois de camélias, une palmeraie et les vestiges de bassins de ruissage (travail du lin) invitent à d'agréables promenades.

La façade du château de la Roche-Jagu.

R. Mattes / MICHELIN

Runan

13 km au sud par la D 8. Situé sur un plateau du Trégorrois, Runan possède une importante **église★** qui appartint aux templiers, puis aux hospitaliers de St-Jean-de-Jérusalem. Élevée aux 14e et 15e s., elle est richement décorée. Son côté sud présente quatre pignons, constellés d'armoiries martelées. Le pignon du porche est orné d'un linteau sculpté figurant l'Annonciation et la Descente de croix ; les douze apôtres superposés, en se réunissant, forment une clef de voûte. À l'intérieur, les voûtes lambrissées reposent sur des sablières polychromes : on reconnaît à gauche de la nef les signes du zodiaque, à droite des animaux. Datant du milieu du 15e s., le **retable**, situé dans la chapelle des fonts baptismaux, présente des personnages d'une rare élégance, taillés dans la pierre bleutée de Tournai. *Visite sur demande auprès de M. Jean-Pierre Le Bihan - Lech an Bellec - 22260 Runan - de mi-juil. à mi-août : 10h-19h.*

Circuits de découverte

PRESQU'ÎLE DE PLOUGRESCANT 1

Circuit de 37 km – environ 2h. Quittez Tréguier au nord et, dans Plouguiel, tournez à droite.

La Roche-Jaune

Dans ce petit port sur le Jaudy, les ostréiculteurs élèvent et affinent des huîtres creuses, dites fines du Trégor.

Chapelle Saint-Gonéry★

☎ 02 96 92 27 54 - visite guidée sur demande à l'association Art, Culture et Patrimoine - 22 r. Renan - de mi-juin à mi-sept. et vac. scol. : 10h45, 11h30, 15h15, 16h, 16h45, 17h30 - pour les horaires précis en fonction des saisons, s'adresser au syndicat d'initiative ☎ 02 96 92 56 83. La chapelle est surmontée d'une flèche en plomb, de 1612, curieusement inclinée sur une tour

Côte rocheuse vers Plougrescant.

du 10ᵉ s. À l'intérieur, sur les voûtes en bois peint sont représentés des épisodes de l'Ancien et du Nouveau Testament ; ces **peintures** de la fin du 15ᵉ s., restaurées au 18ᵉ s. puis au 19ᵉ s., sont très intéressantes. **L'armoire aux reliques★** (16ᵉ s.) est située dans la chapelle à droite du chœur. Ce meuble à baldaquin est orné de panneaux : ils représentent saint Jean et un calice d'où s'échappe un serpent, sainte Marie-Madeleine et son pot d'onguents parfumés, saint Gonéry et sainte Barbe portant sa tour. Dans la chapelle de gauche, on découvre le **mausolée★** d'un évêque de Tréguier (16ᵉ s.) dont le gisant repose sur une imposante dalle moulurée. Il est supporté par quatre lions, allusion aux armes des Halegoët qui portaient « d'azur à lion morné d'or ».

Pors-Hir

Ce petit port est bâti entre de gros rochers, près d'une anse. La route suit la côte dans un beau site, les maisons s'adossent à d'énormes rochers, ou se faufilent entre de hauts blocs rocheux.

La **pointe du Château** est la pointe extrême de cette presqu'île : belles vues sur les îles d'Er, le phare des Héaux et les Sept-Îles.

Le Gouffre★ est une profonde entaille dans un chaos de rochers, où la mer déferle avec violence (*15mn à pied AR*).

Faites demi-tour : la route longe des lagunes, puis prenez trois fois à droite.

Du Roudour, on peut gagner l'**anse de Pors Scaff**, hérissée d'îlots rocheux, puis rejoindre **Buguélès**, centre balnéaire frangé d'îlots habités.

Port-Blanc

Ce petit port de pêche est aussi un lieu de séjour balnéaire. Sous les dunes de la grande plage, des dalles funéraires, actuellement recouvertes, laissent présumer l'existence d'une nécropole.

Gagnez l'esplanade en bordure de mer, tournez à gauche avant un groupe de maisons bâties sur des rochers (parking). Dans l'angle gauche, empruntez un chemin en montée que prolonge un escalier de 35 marches.

La **chapelle N.-D. de Port-Blanc** (16ᵉ s.) est couverte d'un toit qui descend jusqu'à terre. *☎ 02 96 92 62 35 - juil.-août : 10h30-12h, 15h-18h ; reste de l'année : visite guidée sur demande auprès du presbytère – 2 bis r. Poulpiquet - 22710 Penvénan - ☎ 02 96 92 67 16.*

Regagnez Tréguier en passant par Penvénan.

PRESQU'ÎLE SAUVAGE 2

Circuit de 49 km – environ 3h. Quittez Tréguier en direction de Paimpol.

Lézardrieux

La ville est bâtie sur la rive gauche du Trieux qu'enjambe un pont suspendu. L'église du 18ᵉ s. possède un élégant clocher-pignon flanqué de deux tourelles et coiffé d'un clocheton percé d'arcades, recevant les cloches. Ce type de clocher, très particulier, se retrouve pratiquement dans toute la presqu'île.

Prenez plein nord la D 20 vers le sillon de Talbert. Longez le vaste port de plaisance créé sur le Trieux. À 3 km, tournez à droite dans une route en descente qui mène directement à l'estuaire.

Ancien moulin à marée

Un bassin en amont retenait les eaux qui actionnaient ce moulin, aujourd'hui ruiné.

Reprenez la direction du sillon de Talbert et tournez à droite.

Phare du Bodic

Ce petit phare commande l'entrée du Trieux. Un sentier, à gauche de cette construction mène, à travers champs, vers une plate-forme d'où la **vue★** porte sur l'embouchure du Trieux et l'île à Bois au premier plan, l'archipel bréhatin au large.

La route passe ensuite à proximité de la baie de Pommelin, traverse Lanmodez et Larmor-Pleubian.

Sillon de Talbert

Longue de 3 km, cette étroite langue, entourée de récifs, est formée de sable et de galets déposés par les courants du Trieux et du Jaudy. On y ramasse le goémon (la cueillette annuelle est de 8 000 à 10 000 t d'algues) qui est ensuite séché sur place avant d'être traité dans une usine proche du sillon.

Revenez à Larmor-Pleubian et prenez à droite vers la plage de Pors-Rand.

Table d'orientation de Créac'h Maout

Située en avant d'un monument commémoratif et de l'ancien sémaphore. Vaste **panorama★** sur la pointe de l'Arcouest, Bréhat, le sillon de Talbert, le phare des Héaux (1839), d'une hauteur de 56 m et qui atteint la portée moyenne de 35 km, la pointe du Château et l'embouchure du Jaudy.

Par St-Antoine, gagnez Pleubian. Peu avant Pleubian, tournez à droite. De la **plage de Kermagen**, *on aperçoit la pointe du Château et les îles d'Er, toutes proches.*

Pleubian

Sur le flanc gauche de l'église au clocher typique, se dresse une belle **chaire★** du 16e s. surmontée d'une croix. De forme ronde, elle présente une frise sculptée.

Dans Pleubian, prenez la direction de Kerbors par la côte. La route passe à proximité de l'allée couverte de Men-ar-Rompet, en partie enfouie dans la végétation, et de l'île à la Poule. Dans Kerbors, tournez à droite avant l'église.

Bellevue

Sur la rive du Jaudy, le regard se perd à droite sur l'embouchure de la rivière, à gauche sur la vallée et le site de Tréguier, dominé par les tours de la cathédrale. En face, s'étage la Roche-Jaune. Sur le cours de la rivière, notez les élevages de truites et de saumons qui se succèdent : l'aquaculture est une nouvelle ressource de cette région.

La route serpente ensuite parmi les champs de primeurs avant de redescendre vers la vallée du Jaudy et Tréguier.

Tréguier pratique

Adresse utile

Office du tourisme de Tréguier – 67 r. Ernest-Renan - 22220 Tréguier - ☏ 02 96 92 22 33 - juil.-août : 9h-12h30, 14h-18h30, journée continue merc., fermé dim. apr.-midi ; reste de l'année : tlj sf dim. 9h-12h30, 14h-18h.

Se loger

☞ **Chambre d'hôte Manoir de Troëzel Vras** – 22610 Kerbors - 9 km au NE de Tréguier rte de Paimpol, dir. Pleumeur-Gautier puis Kerbors - ☏ 02 96 22 89 68 - htpp://trœzel.vras.free.fr - fermé oct.-mars - ⊞ - 5 ch. 55/68 € - ⊟ - rest. (soir seult) 20 €. Terre cuite au sol, murs travaillés à la chaux, gravures d'inspiration régionale, armoires anciennes et mobilier plus récent : voici planté le décor savamment éclectique, et très réussi, de ces jolies chambres aménagées dans un manoir du 17e s. Une adresse de charme.

Se restaurer

☞ **La Poissonnerie J.-P.-Moulinet** – 2 r. Renan - entre la cathédrale et le musée Renan - ☏ 02 96 92 30 27 - 5/30 €. Adresse originale et sympathique que cette petite poissonnerie centrale qui, outre son activité traditionnelle, propose des dégustations de fruits de mer dans deux salles égayées de fresques marines (ouvertes de juillet à septembre). Un menu « Petit Mousse » a même été prévu pour les enfants.

☞ **Crêperie du Moulin à Mer** – 1 r. du Moulin-à-Mer - 22740 Lézardrieux - 11 km à l'E de Tréguier par D 20, rte de Lanmodez 2,5 km après le port de Lézardrieux - ☏ 02 96 20 19 49 - ⊟ - 7,62/15,24 €. Ce beau manoir du 17e s., inscrit aux Bâtiments de France, abrite aujourd'hui une crêperie vivement recommandée par les gens de la région. Sa salle rustique a conservé ses poutres d'origine et sa grande cheminée en granit. Carte bien achalandée. À noter : les toilettes valent le coup d'œil.

☞ **Café Pesked** – 21 r. du Port - 22220 Plouguiel - 6 km au NE de Tréguier, au port de la Roche-Jaune - ☏ 02 96 92 01 82 - fermé lun. sf en été - 10,67/24,39 €. La façade blanche de cette petite maison bretonne contraste avec le bleu du port où s'affairent les ostréiculteurs. Vous y dégusterez huîtres, moules, soupe de poissons et truites fumées dans une ambiance « café » simple et sympathique. Beaux choix de rhums parfumés.

Pardons

Pèlerinage – Tous les ans a lieu dans la petite île St-Gildas, au large de Port-Blanc, le **pardon aux chevaux** ou pardon de St-Gildas. Selon les marées, le pèlerinage a lieu fin mai ou début juin - ☏ 02 96 92 67 59.

Pardon des pauvres – voir Minihy-Tréguier.

La Trinité-sur-Mer

1 530 TRINITAINS
CARTE GÉNÉRALE C3 – CARTE MICHELIN LOCAL 308 M9 – MORBIHAN (56)

Face à la baie de Quiberon, ce bourg s'étire en bordure de la rivière de Crach dont le vaste estuaire, bien abrité, accueille de nombreux parcs à huîtres. Port de pêche et de plaisance, La Trinité est devenue un pôle incontournable du tourisme nautique en Bretagne Sud.

▶ **Se repérer** – La Trinité est accessible depuis Carnac (4 km à l'est) par la D 781, et par la D 28 à partir d'Auray (12 km au nord).

⊙ **Organiser son temps** – Flânez sur les quais à toute heure pour admirer le ballet des voiliers.

👁 **À ne pas manquer** – La vue depuis le pont de Kérisper.

⚲ **Pour poursuivre la visite** – Voir aussi Carnac, la presqu'île de Quiberon, Auray, Locmariaquer, Vannes, le golfe du Morbihan, Belle-Île et les îles d'Houat et d'Hœdic.

Séjourner

La Trinité est bien sûr le célèbre port de plaisance que l'on connaît, mais c'est aussi un petit port de pêche que l'on apprécie en se baladant le matin sous la halle aux poissons. Le bourg dévoile son charme à travers les vieilles ruelles qui entourent l'église. Quant aux plages, il y en a pour tous les goûts : Kervillen, la plus grande, orientée plein sud, accueille un club pour les enfants. Les amateurs de sports nautiques trouveront également de quoi se régaler. Avec un peu de chance, vous assisterez à l'une des nombreuses compétitions de voile qui se déroulent tout au long de l'année.

Le port de plaisance de la Trinité-sur-Mer.

Se promener

Il est toujours agréable de flâner dans un port comme celui-ci, où l'on a toutes les chances d'admirer une « formule 1 » de la mer, amarrée au ponton brise-clapot.

Chemin des douaniers

Depuis le port, il mène à la pointe de Kerbihan. On remarque les nombreux parcs à huîtres destinés à la récolte du naissain, à hauteur de l'estuaire. Le chemin mène aux **plages de Kerbihan et de Kervillen**. Juste après cette dernière, on voit l'île de Stuhan, réserve naturelle protégée.

Pont de Kérisper

De ce pont qui franchit la rivière de Crach, la **vue★** est superbe sur le site et ses installations portuaires. Le port de plaisance peut accueillir 1 200 bateaux. Tous les grands marins viennent y mouiller, les vieux gréements s'y réunissent.

La Trinité-sur-Mer pratique

Adresse utile

Office du tourisme de La Trinité-sur-Mer – Cours des Quais - 56470 La Trinité-sur-mer - ℘ 02 97 55 72 21 - www.ot-trinite-sur-mer.fr - juil.-août 9h-19h ; reste de l'année : tlj sf dim. 9h-12h, 14h-18h.

Se loger

⊖ **Chambre d'hôte du Stiren ar Mor** – 1 Clos du Poulbert - ℘ 02 97 30 15 28 - www.stiren-ar-mor.com - fermé de déb. nov. à Pâques - ⌿ - 4 ch. 48/63 € ⌷. Cette maison néo-bretonne et son agréable jardin profitent de la quiétude d'un quartier résidentiel proche de la plage. Les chambres bénéficient d'aménagements récents et confortables. Au premier étage, elles disposent d'un espace salon ; au second, elles sont mansardées avec poutres.

⊖ **Chambre d'hôte Mme Gouzer** – 17 rte de Quéhan (C 203) - 56470 St-Philibert - 2 km rte d'Auray et au rd-pt dir. Quéhan - ℘ 02 97 55 17 78 - http://chrisgouzer.free.fr - ⌿ - 3 ch. 55/65 € ⌷. Cette maison d'ostréiculteurs magnifiquement postée au-dessus de la rivière de Crach et bordée de pins maritimes propose trois chambres sobrement meublées, offrant chacune une belle vue sur le large. De quoi enchanter les amoureux de la mer !

⊖⊖⊖⊖ **Hôtel Ostréa** – Cours des Quais - ℘ 02 97 55 73 23 - www.hotel-ostrea.com - fermé déc.-janv., lun. hors sais. et dim. soir - **P** - 13 ch. 120 € - ⌷ 6 € - rest. 16/32 €. Rénovation réussie pour ce petit hôtel situé face au port de plaisance : toutes les chambres, refaites, bien qu'un peu nues, sont accueillantes ; choisir celles côté rade. Le restaurant et la terrasse offrent une belle vue sur les voiliers ; carte très iodée.

Se restaurer

⊖ **La Crêperie du Bourg** – 16 r. des Frères-Kermorvant - ℘ 02 97 55 73 26 - fermé janv., dim. soir et lun ; ouv. tlj pdt vac. scol. - 8/15 €. Petite adresse située dans le vieux bourg, à deux pas du port de plaisance. La cuisine, visible de tous, sépare les deux salles à manger où dominent le bois et les tons clairs. Accueil chaleureux et choix de crêpes salées et sucrées assez traditionnel.

⊖⊖ **Le Mouillage** – 1 pl. Yvonne-Sarcey, sur le port - ℘ 02 97 55 70 70 - mouillage@

wanadoo.fr - fermé janv., mar. soir et merc. hors sais. - 22/40 € - 4 ch. 40/80 € - ⌨ 8 €. Le mouillage, c'est bien sûr celui des bateaux que vous pourrez admirer depuis la plaisante terrasse de ce restaurant bien placé sur le port. Décor marin très réussi : hublots en cuivre, murs habillés de lambris bleu délavé, chaises toilées… Cuisine de la mer.

Que rapporter

👁 **Bon à savoir** – La Halle aux poissons tient son marché 7 jours sur 7 de 8h30 à 12h30 (cours des quais). Le marché au frais se tient place du Voulien le mardi et le vendredi toute l'année.

L'Épicerie du port – *24 cours des Quais - ☏ 02 97 55 76 97 - mars-déc. : tlj sf merc. et dim. apr.-midi sf pdt vac. scol. 10h-13h, 15h30-20h - fermé janv.-fév.* Cette charmante épicerie ne se contente pas de proposer des produits liés à la mer, vous y trouverez également une sélection de charcuteries, des fromages affinés, quelques bouteilles de petits vignerons respectueux des traditions, un choix de thés, des épices et des huiles d'olive.

Sports & Loisirs

Clubs de plage – Le Club Plein Air (plage du Men-Dû) - l'Olympic Club Mickey (plage de Kervillen).

Louer un bateau – Il n'y a pas moins de 8 loueurs à La Trinité ! Demandez la liste à l'office de tourisme pour louer une vedette ou un voilier. Le choix est large.

Nautic Sport – *35 cours des Quais - ☏ 02 97 30 10 00 - www.nautic-sport.com - avr.-sept. : 9h-20h ; oct.-mars : tlj sf lun. 10h-12h, 14h-17h - fermé janv.* Location de kayaks et de bateaux à moteur de 5 à 14 m.

Stages de dériveur et de catamaran – *Société nautique - cours des Quais - ☏ 02 97 55 73 48.* Découvrez l'ensemble des activités du club, l'école de voile et tous les stages de voile, planche à voile et kayak. Centre de formation agréé (moniteurs et permis mer côtier et hauturier).

Événements

Courses et régates se succèdent tout au long de l'année ; et plus particulièrement le week-end de Pâques, lors du Spi Ouest-France (porte un nom plus long maintenant), qui confronte les anonymes aux vedettes de la voile.

Le Val-André★

3 695 HABITANTS
CARTE GÉNÉRALE D1 – CARTE MICHELIN LOCAL 309 G3 – CÔTES-D'ARMOR (22)

Station balnéaire réputée nichée entre la baie de St-Brieuc et la Côte d'Émeraude, Pléneuf-Val-André – son nom officiel – possède l'une des plus belles plages de sable fin de la côte nord de la Bretagne. Elle offre aussi la possibilité de belles balades le long du littoral.

- ▷ **Se repérer** – À une vingtaine de kilomètres au nord-est de St-Brieuc, le Val-André annonce la Côte d'Émeraude, qui s'étend jusqu'à la pointe du Grouin. Toute cette côte est desservie par la D 786.

- 🕑 **Organiser son temps** – Deux jours suffisent largement pour profiter de cette station, de ses plages, de ses activités nautiques et de ses alentours.

- 👁 **À ne pas manquer** – Poussez vos pas jusqu'à la pointe de Pléneuf et sur la promenade de la Guette pour admirer la baie de St-Brieuc.

- 👶 **Pour poursuivre la visite** – Voir aussi la Côte d'Émeraude, St-Cast-le-Guildo, le cap Fréhel, St-Brieuc, et Lamballe.

Séjourner

Trois sites constituent cette jolie station : le **Val-André** même, avec sa magnifique plage de sable fin créée de toutes pièces en 1880, **Dahouët**, ancien port des terre-neuvas, maintenant aménagé en port de plaisance, et **Pléneuf**, commune fondée au 5e s., aujourd'hui centre administratif. La mer est au centre des activités et des propositions faites aux vacanciers : les multiples sports nautiques (voile, planche, kayak…), les sorties en mer, et les manifestations nautiques qui ponctuent l'année en témoignent. Pour varier les plaisirs, d'agréables randonnées de quelques heures sont possibles aux alentours. En été, les soirées jazz et le marché sont des rendez-vous très courus *(voir encadré pratique)*.

Se promener

Pointe de Pléneuf★

🚶 *1/4h à pied AR. Depuis le parking du port de Piégu démarre un sentier aménagé au pied de la falaise. Gravir l'escalier qui conduit à la rue de la Corniche.*

Cette promenade mène à un petit belvédère où l'on trouve un banc de repos, face à l'**îlot du Verdelet**, réserve ornithologique qu'il est possible de rejoindre à pied lors de certaines grandes marées *(se renseigner au poste des sauveteurs, sur la digue, ou à l'office de tourisme)*.

En contournant la pointe de Pléneuf, un « chemin de douaniers » permet de gagner la grève des Vallées *(30mn à pied)* et celle de la Ville-Berneuf *(45mn)*. Cette très belle promenade en corniche révèle des **vues★★** superbes sur le Val-André et la baie de St-Brieuc.

Promenade de la Guette★

🚶 *1h à pied AR. À l'extrémité sud-ouest de la digue, à l'angle de la rue des Sablons, deux flèches indiquent le chemin de la Guette, le corps de garde, la batterie.*
Contournant l'anse du Pissot, escalier d'accès à la plage, on longe le corps de garde. Une **vue★** immense se découvre sur la baie de St-Brieuc. Au niveau de la statue de N.-D.-de-la-Garde, on descend vers **Dahouët**, port de pêche et de plaisance niché dans un joli site, à l'embouchure de la Flora. En 1509, les marins de ce port furent les premiers à pêcher à Terre-Neuve, île découverte seulement douze ans plus tôt par l'Italien Jean Cabot.

Suivez le quai des Terre-Neuvas et prenez, face à l'étang de Dahouët (plan d'eau aménagé en jardin nautique), le sentier du Mocquelet pour rentrer par les hauteurs.

Stéphane Sauvignier / MICHELIN

La station depuis la promenade de la Guette.

Le Val-André pratique

chambres, d'un confort moderne, bénéficient d'une belle vue dégagée, tout comme le vaste restaurant panoramique. Idéal pour les vacances, notamment en formule demi-pension.

⊖⊖ **Chambre d'hôte La Crinière Manoir de la Ville Gourio** – *22400 Morieux - N 12 Rennes-St-Brieuc, sortie St-René-Pléneuf-Val-André, puis dir. Val-André par D 786 à 5 km - ☎ 02 96 32 72 60 - www.lacriniere.fr - fermé de mi-déc. à mi-janv. - 4 ch. 58/107 € - ⊑ 9 € - repas 11 €. Au milieu d'un golf de 9 trous, manoir breton du 17ᵉ s. où le confort d'aujourd'hui cohabite à merveille avec l'atmosphère d'hier. Les chambres, soignées et dotées de meubles d'époque, profitent toutes de la vue sur le jardin et les greens. Pour la détente : restaurant, discothèque, club house, sentiers de randonnées pédestres.*

Se restaurer

⊖⊖ **Au Biniou** – *121 r. Clemenceau - ☎ 02 96 72 24 35 - fermé fév., mar. soir et merc. sf juil.-août - 25/31 €.* Dans une petite maison du centre-ville, ce restaurant sert dans ses petites salles une cuisine goûteuse qui met en scène produits de la mer et recettes du cru, revisitées par le chef… Un premier menu à prix doux.

En soirée

Casino du Val-André – *1 cours Winston-Churchill - 22370 Pléneuf-Val-André - ☎ 02 96 72 85 06.* Il est ouvert tous les jours à partir de 10h.

Que rapporter

Marché – *Mar. mat. à Pléneuf, vend. mat. au Val-André)*

Sports & Loisirs

Sports nautiques – *☎ 02 96 72 95 28.* Planche et char à voile, catamaran, dériveur, aviron et kayak : ce centre nautique accueille moussaillons et vieux loups de mer pour la pratique de sports toniques.

La Pauline – *« Une chaloupe pour Dahouët », quai des Terre-Neuvas - 22370 Pléneuf-Val-André - ☎ 02 96 63 10 99 - été : tlj suivant horaires de marée. Se renseigner par téléphone.* « Ce magnifique lougre flambart » de Dahouët à coque noire et voile rouge vous emmènera sur les flots de la Baie de St-Brieuc.

Golf Blue Green Pléneuf-Val-André – *R. de la Plage-des-Vallées - 22370 Pléneuf-Val-André - ☎ 02 96 63 01 12 - www.bluegreen.com - hiver : 9h-18h ; printemps : 8h-20h ; haute sais. : 7h-21h - fermé 25 déc. et 1ᵉʳ janv. - 32-49 €.* Splendide links de 18 trous qui s'étend sur 63 ha en bordure de littoral. Le trou nº 11 est mondialement connu pour son dénivelé de 40 m et son magnifique panorama qui englobe le cap Erquy et Bréhat ! Parcours technique. Difficulté variant avec l'intensité des vents dominants.

Événements

Tout au long de l'année ont lieu des manifestations de qualité : des concerts classiques et de jazz aux soirées théâtrales en passant par les régates, les tournois de golf, de tennis, la fête de la mer, les rues en fête. Le Festival de musiques latines Val Latina a lieu en avant-saison.

Vannes★★

51 759 VANNETAIS
CARTE GÉNÉRALE D3 – CARTE MICHELIN LOCAL 308 O9 – MORBIHAN (56)

Vannes, très visitée pour son riche patrimoine architectural, conserve des remparts qui protègent encore la cité médiévale regroupée autour de la cathédrale. Bâtie en amphithéâtre au fond du golfe du Morbihan, elle constitue le point de départ idéal pour toute excursion vers la « petite mer » et ses îles.

▶ **Se repérer** – Séparée de la mer par le golfe du Morbihan, Vannes est traversée par la N 165, qui vient de Nantes (112 km) et continue ensuite jusqu'à Brest.

🅿 **Se garer** – On a tout intérêt à laisser son véhicule près de la gare maritime ou place de la République, car il est très difficile de stationner dans le centre.

🕐 **Organiser son temps** – Consacrez une journée à la découverte de la ville avant d'aborder ses environs et les rives du golfe du Morbihan.

👁 **À ne pas manquer** – Les maisons anciennes du cœur historique, la Cohue et la vue depuis les remparts, le panorama qu'offre le donjon de la forteresse de Largoët, et la tranquillité de la presqu'île de Conleau.

👫 **Avec les enfants** – Une balade poétique au Jardin aux Papillons ; et à l'aquarium du Golfe, requins-scie et piranhas attendent les plus téméraires !

🕯 **Pour poursuivre la visite** – Voir aussi le golfe du Morbihan, Auray, Locmariaquer, La Trinité-sur-Mer, Carnac, le domaine de Kerguéhennec, Josselin et Rochefort-en-Terre.

Le château de l'Hermine et les remparts de Vannes.

Comprendre

Lointaines origines – Les Vénètes, une branche des Vénitiens de Vénétie, ont laissé leur nom à leur capitale. Mais, de leur temps – c'est-à-dire à l'époque gallo-romaine – l'agglomération s'appelait *Darioritum*. *Ritum* veut dire « gué » (le gué de St-Patern, au nord-est de la ville). La cité était un important lieu de convergence de voies romaines. L'empereur Probus la dota de fortifications au 3ᵉ s.

La réunion à la France – Anne de Bretagne, mariée à Charles VIII, puis à Louis XII, et donc reine de France, est restée souveraine de son duché sans que ce dernier fût rattaché à la Couronne. Lorsqu'elle s'éteint en 1514, à 37 ans, ne laissant pas d'héritier mâle, l'une de ses filles, Claude de France, hérite de la Bretagne. Mariée quelques mois plus tard à François d'Angoulême, elle devient à son tour reine de France le 1ᵉʳ janvier 1515. François Iᵉʳ obtient qu'elle cède son duché au Dauphin.
Le dernier pas est franchi en août 1532. Les États, réunis à Vannes, proclament l'« union perpétuelle du pays et duché de Bretagne avec le royaume et couronne de France ». Les droits et privilèges du duché sont maintenus : les impôts doivent être consentis par les États ; le parlement de Bretagne garde la souveraineté juridique ; une armée bretonne peut être entretenue aux frais de la province.

Se promener

VIEILLE VILLE★★

Enfermée dans ses remparts et groupée autour de la cathédrale St-Pierre, elle a été aménagée en zone piétonne.

Partez de la place Gambetta.

Cette place en hémicycle, construite au 19e s., encadre la **porte St-Vincent** qui donne accès à la vieille ville par la rue du même nom, bordée de beaux immeubles du 17e s. À l'entrée de la rue, l'hôtel Dondel fut le quartier général de Hoche en 1795.

« Vannes et sa femme ».

Place des Lices (B2)

Elle est ainsi nommée en raison des tournois et luttes bretonnes qui s'y déroulèrent en 1532, à l'occasion de la célébration de l'union entre la Bretagne et la France. Dans le bas de la place, une statue de saint Vincent Ferrier, nichée dans une maison à tourelle, rappelle qu'il discourut en ces lieux en 1418. Ce dominicain espagnol, grand prédicateur, est mort à Vannes l'année suivante.

Maison de Vannes (B1)

Cette demeure médiévale est ornée de deux bustes en granit, aux visages hilares.

Maison de saint Vincent Ferrier (B1)

Au n° 17, place Valencia.

C'est dans cette maison, remaniée au 16e s., que Vincent Ferrier mourut en 1419. Bel exemple de maison à colombages, avec son rez-de-chaussée en pierre.

Place Henri-IV★ (A-B1)

Par la rue des Halles et la rue St-Salomon bordée de vieilles demeures, on gagne cette place aux jolies maisons à pignons (16e s.). Jetez un coup d'œil dans la rue des Chanoines.

La Cohue★ (A-B1)

La Cohue est le terme fréquemment employé en Bretagne pour désigner les halles, le lieu de commerce et de la justice. Au 13e s., la salle basse abritait une foule de petites échoppes, tandis que dans la salle haute siégeait la justice ducale. À partir de 1675, le parlement de Bretagne, exilé à Vannes, y tint ses séances. Il fut remplacé à la Révolution, et jusque dans les années 1950, par un théâtre.

Restauré avec élégance, ce bâtiment est devenu le **musée des Beaux-Arts** *(voir partie « Visiter »).*

Cathédrale Saint-Pierre★ (B1)

Elle fut érigée du 13e au 19e s. La tour gauche, surmontée d'une flèche moderne, est le seul souvenir de la construction d'origine. La chapelle en rotonde, qui fait saillie sur le mur de la nef, est traitée dans le style de la Renaissance italienne, ce qui est rare en Bretagne ; elle a été érigée en 1537.

Entrez dans l'église par le beau portail du transept (gothique flamboyant, avec niches Renaissance). À l'entrée, à gauche, un tableau évoque la mort de **saint Vincent Ferrier** en présence de la duchesse de Bretagne. Dans la 2e chapelle du bas-côté gauche se trouve son tombeau. La chapelle absidiale, ou chapelle du Saint-Sacrement, et les chapelles de la nef abritent des autels, retables, tombeaux, statues des 17e et 18e s. La nef (15e s.) a perdu une part de son caractère d'origine : les lourdes voûtes du 18e s. ont réduit son élévation tout en masquant la charpente lambrissée.

La rue St-Guenhaël, bordée de maisons anciennes, conduit à la **porte Prison** (15e s.). Juste avant, à droite, la rue des Vierges et un passage donnent accès à une section des remparts qui offre une jolie vue sur les jardins.

Remparts★ (B1-2)

De la promenade de la Garenne, la **vue★★** se développe sur le coin le plus pittoresque de Vannes : le ruisseau (la Marle) qui coule au pied des remparts élevés au 13e s. sur des vestiges gallo-romains et remaniés jusqu'au 17e s., les jardins à la française, la cathédrale à l'arrière-plan composent un tableau qui a tenté de nombreux peintres. Du petit pont conduisant à la porte Poterne, on domine de vieux **lavoirs★** ourlés d'une longue toiture. Rejoignez la porte St-Vincent par la rue A.-Le-Pontois et le pont de la tour de Calmont.

AUTOUR DE LA VIEILLE VILLE

Promenade de la Garenne (B1-2)

Le parc de l'ancien château ducal de Vannes a été aménagé en promenade publique au 17e s. Dans la partie haute du jardin, le long du mur, à gauche du monument aux morts, une plaque de marbre rappelle l'exécution en 1795 de M. de Sombreuil, Mgr de Hercé et de 14 autres émigrés.

Hôtel de Limur (A1)

Cet édifice (fin 17e s.) présente un bel escalier en pierre.

Hôtel de ville (A1)

De style néo-Renaissance, il fut édifié à la fin du 19e s. En face, la **statue** équestre du connétable de Richemont rappelle ce chef de guerre, compagnon de Jeanne d'Arc, qui conduisit l'armée française, victorieuse des Anglais, à la fin de la guerre de Cent Ans. Succédant à son frère, il devint duc de Bretagne en 1457 et mourut l'année suivante.

Visiter

Musée des Beaux-Arts (A-B1)

℘ 02 97 01 63 00 - de mi-juin à fin sept. : 10h-18h ; de déb. oct. à mi-juin : 13h30-18h - fermé j. fériés (sf 14 Juil. et 15 août) - 4 € (-12 ans gratuit). La Cohue, restaurée avec élégance, accueille de la statuaire religieuse, des peintures du 19e s. et des œuvres

SE LOGER	SE RESTAURER	
Chambre d'hôte Guerlan. ①	Auberge le Moulin de Callec... ①	Le Gavroche.................. ⑬
Hôtel de France............. ④	Crêperie Dan Ewen............. ④	Le Médaillon.................. ⑯
Hôtel Le Marina............. ⑦	La Nappe Monde.................. ⑦	Roscanvec.................... ⑲
Hôtel Manche-Océan...... ⑩	La Table des Gourmets.......... ⑩	

contemporaines. Dans la **galerie des Beaux-Arts** *(1ᵉʳ étage)*, la salle du Tribunal (1550), jadis siège de juridiction du présidial, comporte une belle charpente en chêne. Elle rassemble des œuvres de peintres régionaux des 19ᵉ et 20ᵉ s. (Jules Noël, Henri Moret, Flavien Peslin, Félix Bouchor), consacrées à la Bretagne.

Musée d'Histoire et d'Archéologie★ (A1)

🕾 02 97 01 63 00 - *de mi-juin à fin sept. : 10h-18h ; fermé oct.-15 juin sf aux groupes - 3,50 € (-12 ans gratuit).* Le château Gaillard (15ᵉ s.) a abrité pendant quelque temps le parlement de Bretagne. Le musée est très riche en objets préhistoriques provenant, pour la plupart, des premières fouilles des mégalithes du Morbihan – Carnac, Locmariaquer, presqu'île de Rhuys – qui permirent de mettre au jour de très belles pièces. Remarquable collection de **colliers**, de bracelets, de **haches** polies, d'épées, et de curieux anneaux-disques. Une salle rassemble des objets d'art en tous genres, du 13ᵉ au 18ᵉ s. Au 2ᵉ étage, étonnant **cabinet de travail** du 17ᵉ s., dont les boiseries sont peintes sur le thème des « Pères du Désert ».

Parc du golfe

Situé à la sortie du port de plaisance, il est le point de départ des promenades en bateau.

Aquarium du Golfe★ – 🕾 02 97 40 67 40 - www.aquarium-du-golfe.com - ♿ - *juil.-août : 9h-19h ; fév.-juin et sept. : 10h-12h, 14h-18h ; oct.-déc. : 14h-18h, vac. scol. 10h-12h, 14h-18h- fermé 1ᵉʳ janv. et 25 déc. - 8,90 € (4-11 ans 5,90 €).*

👥 Dans plus de cinquante bassins où les milieux naturels ont été reconstitués, évoluent un millier de poissons provenant de toutes les eaux du monde. Un bassin de 35 000 l recrée un récif corallien avec ses nombreuses espèces de poissons. Une grande fosse, que l'on peut découvrir depuis une passerelle transparente au ras de l'eau, présente les requins de récif, des tortues géantes et, spectacle exceptionnel, un énorme poisson-scie de 3 m.

Capitaine d'un jour – 🕾 02 97 40 40 39 - ♿ - *9h-18h30 - possibilité de visite guidée (1h30) - fermé janv. et 25 déc. - 6 € (enf. 4,50 €).*

Marins, moussaillons et autres passagers sont invités à découvrir le riche patrimoine naturel et maritime du golfe du Morbihan : ostréiculture, fonds sous-marins, navigation côtière, construction navale…

Jardin aux Papillons – 🕾 02 97 46 01 02 - www.jardinauxpapillons.com - ♿ - *juil.-août : 10h-18h30 ; avr.-juin et sept. : 10h-12h, 14h-18h - fermé reste de l'année - 7,50 € (enf. 5,50 €).*

👥 Le visiteur se promène librement au milieu d'une multitude de papillons vivants, dans un décor d'arbres tropicaux et d'arbustes fleuris. Dans les éclosoirs, il peut suivre les transformations successives de la chrysalide.

Aux alentours

Presqu'île de Conleau★

5 km, plus une 30mn à pied. Sortez par la promenade de la Rabine au sud. Après avoir franchi l'estuaire du Vincin, entrez dans la presqu'île de Conleau.

Conleau – Depuis ce port bien situé à l'embouchure du Vincin, on peut s'embarquer pour l'île d'Arz. On atteint la plage : belle vue entre la pointe de Langle, à gauche, et la pointe de Kerguen, à droite, sur l'île de Boëdic.

Presqu'île de Séné

10 km au sud. Quittez Vannes par la rue Ferdinand-le-Dressay qui longe la rive gauche du port, puis tournez à gauche.

Séné – Anciennement connu pour ses bateaux de pêche typiques, à deux voiles, les sinagots (un des derniers exemplaires mouille dans le port), le bourg conserve sa vocation maritime.

À la sortie de Séné, tournez à droite en direction de Bellevue et Port-Anna.

👁 Les anciens marais salants (près de 220 ha) sont devenus depuis peu un

Bateaux amarrés à Conleau

havre de paix pour les milliers d'oiseaux migrateurs ou non de la région.

La **réserve naturelle de Séné** (410 ha) a mis en place sept observatoires, dont quatre en accès libre (suivre balisage rouge). Le sentier balisé en jaune est accessible seulement pendant les horaires d'ouverture.

Le **centre d'accueil** *(suivre les panneaux « Réserve naturelle »)* abrite des expositions et une boutique. ℘ *02 97 66 92 76 - www. reservedesene.com - juil.-août : 10h-13h, 14h-19h ; vac. de printemps : 14h-19h, dim. et j. fériés 10h-13h, 14h-19h ; fév.-mars et mai-juin : dim. et j. fériés 10h-13h, 14h-19h - fermé sept.-janv. - 4 € (-12 ans gratuit) ; topoguide*

Observation de la faune dans la réserve naturelle de Séné.

de la réserve disponible au Centre Nature - visite guidée et visites thématiques organisées toute la saison. 2 €.

Port-Anna – Ce petit port, où se côtoient bateaux de pêche et de plaisance, commande l'étroit goulet qu'empruntent les bateaux ralliant Vannes.

Revenez dans Bellevue et prenez à droite vers l'embarcadère.

Embarcadère – Réservé aux marchandises destinées à l'île d'Arz. Du parc de stationnement, la **vue**★ se développe sur la rivière de Vannes, la presqu'île de Conleau à gauche, Séné, sur la droite, au fond de l'anse.

Château du Plessis-Josso

15 km à l'est. Quittez Vannes par la N 165-E 60 en direction de Nantes ; 3 km après Theix, prenez à gauche la D 183 en direction de Sulniac - ℘ 02 97 43 16 16 - www.chateaux-france.com/-plessisjosso - visite guidée (40mn) de déb. à mi-juil. : 1 ou 2 visites l'apr.-midi ; de mi-juil. à fin août : 14h-18h30 ; visite guidée ttes les heures (les individuels doivent constituer un groupe pour suivre la visite) sept. : Journées du patrimoine : sam. 14h-19h, dim. 10h30-12h, 14h-19h - fermé 20 sept.-30 juin - 5 € (enf. 3,80 €).

Ce charmant manoir fortifié, bâti dans un agréable cadre de verdure à proximité d'un étang, est le témoin de l'évolution de la vie dans les manoirs bretons. Il se compose de trois parties construites à des époques différentes : une maison forte du 14e s., un corps de logis avec tour d'escalier polygonale du 15e s. et un pavillon Louis XIII. Visitez la grande salle basse, la chambre d'apparat et les cuisines.

Grand-Champ

19 km au nord-ouest. Quittez Vannes par la rue Hoche et prenez la D 779.

L'**église** possède, dans la nef, deux panneaux en bois sculpté provenant de N.-D.-de-Burgo, chapelle ruinée joliment située dans un bois, à 2 km à l'est.

Circuit de découverte

LES LANDES DE LANVAUX

Itinéraire de 55 km – environ 3h. Quittez Vannes par la rue du Maréchal-Leclerc et prenez la N 166 vers l'est. À 14 km, tournez à gauche vers la forteresse de Largoët.

Forteresse de Largoët★

Il faut parcourir environ 800 m à pied pour rejoindre le site - ℘ 02 97 53 35 96 - juin-sept. : 10h30-12h10, 14h20-18h30 ; mars-mai et 23-31 oct. : w.-end et j. fériés 14h-18h30 ; vac. scol. : 14h-18h30 - fermé mar. (sf juil.-août) - 4 € (-10 ans gratuit).

Également appelée « tours d'Elven », la forteresse appartenait au sire de Rieux, conseiller du duc François II, puis tuteur de sa fille Anne de Bretagne. Quand les troupes du roi de France Charles VIII envahirent la Bretagne en 1488, toutes les places fortes du maréchal, y compris celle de Largoët, furent incendiées.

L'arrivée est assez spectaculaire. L'imposant ensemble fortifié (14e et 15e s.) est en partie ruiné mais a conservé son châtelet d'entrée du 15e s. aux armes des Rieux, une tour *(à gauche)* très bien restaurée, ainsi qu'un impressionnant **donjon**★ octogonal du 14e s., de plus de 45 m de haut *(escalier déconseillé aux personnes âgées et aux enfants)*. Ses murs ont 6 à 9 m d'épaisseur. La promenade sur la digue de l'étang permet de contempler les tours se reflétant dans l'eau, au milieu d'un beau cadre forestier.

À la sortie d'Elven, prenez à gauche la D 1.

Landes de Lanvaux

Cette longue crête schisteuse, inculte au siècle dernier, est devenue un belle région plantée d'arbres, riche de cultures variées et de pâturages. De nombreux monuments mégalithiques y ont été découverts.

Trédion

Si l'imposant château, très remanié au 19e s., et transformé en établissement hôtelier, ne se visite pas, on peut par contre profiter de son beau **parc** paysager (22 ha).

Prenez la D 133 au nord vers Callac.

Callac

◄◄ Avant une bifurcation, sur la gauche de la route, est creusée une « grotte de Lourdes ». À sa gauche commence un sentier en pente raide qui gravit la colline. Ce chemin de croix est bordé de stations composées de groupes en granit, de taille humaine. Du pied du calvaire, la vue s'étend sur les landes de Lanvaux. La descente s'effectue par un autre sentier qui passe à proximité de la chapelle.

Prenez le chemin de gauche. À sa rencontre avec la route de Plumelec, tournez à gauche et, 600 m plus loin, à droite. 2 km après, suivez la D 126 vers Vannes.

Saint-Avé

Un calvaire et une fontaine précèdent la **chapelle N.-D.-du-Loc** (15e s.). À l'intérieur, remarquez les sculptures des engoulants, ces gueules d'animaux ouvertes aux extrémités des pièces de bois. Au milieu de la nef, le calvaire à personnages est surmonté d'un dais en bois. *De mi-juil. à fin août : mar. merc. et vend. 14h-19h.*

Poursuivez par la D 126 jusqu'à Vannes.

Vannes pratique

Adresse utile

Office du tourisme de Vannes – *1 r. Thiers - 56000 Vannes -* ✆ *02 97 47 24 34 - www.tourislme-vannes.com - juil.- août : 9h-19h, dim. 10h-18h ; reste de l'année tlj sf dim. 9h30-12h30, 14h-18h.*

Visites

Vannes, qui porte le label Ville d'art et d'histoire, propose des visites-découvertes animées par des guides-conférenciers agréés par le ministère de la Culture et de la Communication. *Renseignements au service Animation du Patrimoine, Hôtel de Roscanvec, 19 r. des Halles -* ✆ *02 97 01 64 00 – www.mairie-vannes.fr/ animationdupatrimoine - juil.-août : tlj sf j. fériés 10h30 et 15h, dim. 15h, balades nocturnes vend. 22h ; avr.-juin et sept. : merc. et sam. 15h - 4,80 € (12-25 ans 3,30 €).*

Se loger

◓ **Hôtel Le Marina** – *4 pl. Gambetta -* ✆ *02 97 44 22 81 - lemarinahotel@aol.com - 14 ch. 41/61 € -* ⧉ *5,90 €.* Les chambres de cet hôtel situé au centre-ville, face au port, sont rénovées : papier peint changé, insonorisation revue, nouvelle literie ; une dizaine d'entre elles profitent de la vue sur les voiliers. Adresse pratique pour découvrir la ville à pied.

◓ **Chambre d'hôte Guerlan** – *À Guerlan - 56400 Plougoumelen - 12 km à l'O de Vannes par N 165, sortie Plœren, dir. Mériadec ensuite 3,5 km et 1re à droite -* ✆ *02 97 57 65 50 - www.bedbreak.com/ guerlan - fermé janv.-mars -* ⊟ *- 5 ch. 36/50 €* ⧉. Cette imposante bâtisse du

18e s. est un pied-à-terre très pratique pour partir à la découverte du golfe du Morbihan. Ses chambres, où cohabitent l'ancien et le moderne, sont d'une propreté exemplaire ; l'une d'elles est prévue pour les familles. Sur demande, visite de la ferme.

◓◓ **Hôtel de France** – *57 av. Victor-Hugo -* ✆ *02 97 47 27 57 - www.hotelfrance-vannes.com - fermé 19 déc.-8 janv. -* ▣ *- 30 ch. 50/95 € -* ⧉ *7 €.* Hôtel situé entre la gare ferroviaire et le centre-ville. Décor chaleureux et coloré, agrémenté d'objets ramenés du monde entier par les propriétaires, amateurs de voyages. Large choix de chambres qui, suite à d'importants travaux, offrent un grand confort. Le soir, possibilité de plateau repas.

◓◓ **Hôtel Manche-Océan** – *31 r. du Lt-Col.-Maury -* ✆ *02 97 47 26 46 - www.manche-ocean.com - fermé 22 déc.-6 janv. - 41 ch. 71/88 € -* ⧉ *8 €.* Au cœur de la ville, cet hôtel fonctionnel datant des années 1950 est en constante évolution ; une grande partie des chambres profite d'une récente cure de jouvence. Petits-déjeuners servis sous forme de buffet. Le salon a un petit air colonial des plus plaisants.

Se restaurer

◓ **Crêperie Dan Ewen** – *3 pl. du Gén.-de-Gaulle -* ✆ *02 97 42 44 34 - fermé 1 sem. en fév. et 2 sem. en oct. - 7,50/15 €.* La tradition bretonne cultivée avec passion dans cette belle maison à colombages proche de la préfecture : crêpes à

Jean-Patrick Gratien / CRT Bretagne

Galette et cidre.

l'ancienne, authentique mobilier breton, musique celte… Un bastion culturel !

◉ **Le Gavroche** – *17 r. de la Fontaine - ☎ 02 97 54 03 54 - fermé merc. soir, dim. et mar. - réserv. conseillée - 11,75/23,50 €.* Dans une rue envahie par les restaurants de toutes nationalités, voici une adresse qui sort du lot. La cuisine mitonnée y est on ne peut plus traditionnelle : blanquette, foie gras maison… Délicieuse terrasse intérieure rafraîchie par une fontaine. Pousse-café offert.

◉◉ **Le Médaillon** – *10 r. Bouruet-Aubertot - 56610 Arradon - ☎ 02 97 44 77 28 - fermé 12-18 fév., 23-29 oct., 21-27 déc., dim. soir et merc. sf du 13 juil. au 31 août - 14/34 €.* Ne vous fiez pas à l'aspect extérieur, assez ordinaire, de cet ancien bar converti en restaurant et gagnez vite l'accueillante salle à manger rustique agrémentée de poutres et pierres apparentes, ou la terrasse dressée à l'arrière. L'une et l'autre se prêtent à la dégustation d'une sage cuisine traditionnelle.

◉◉ **La Nappe Monde** – *8 r. Bienheureux-Pierre-René-Rogues - ☎ 02 97 47 21 94 - formule déj. 10,5 € - 16/23 €.* Un nom bien choisi pour ce restaurant qui vous fait parcourir le monde avec des spécialités exotiques comme le pavé d'autruche au poivre vert et fruits rouges. Il propose également une ardoise de suggestions concoctées selon le marché. Service soigné et cadre coloré (plantes vertes et peintures d'artistes).

◉◉ **Roscanvec** – *17 r. des Halles - ☎ 02 97 47 15 96 - roscanvec@wanadoo.fr - fermé 22 déc.-1er janv., dim. soir et lun. d'oct. à juin - réserv. obligatoire - 17 € déj. - 24/74 €.* On est presque surpris de trouver une bonne adresse dans cette rue touristique du vieux Vannes… Installé dans une maison à colombages, le restaurant fait salle comble avec ses menus servis au rez-de-chaussée (où quelques tables offrent le coup d'œil sur les cuisines) ou à l'étage. Recettes inventives.

◉◉ **La Table des Gourmets** – *6 r. Alexandre-Le-Pontois - ☎ 02 97 47 52 44 - fermé vac. de fév., 25 juin-4 juil., 26 nov.-6 déc., dim. soir hors sais., lun. midi et merc. - 25/88 €.* Les Vannetais apprécient ce discret restaurant situé juste en face des remparts. Dans sa petite salle à manger moderne égayée de tons chaleureux et de tableaux, vous pourrez savourer une cuisine actuelle bien tournée.

◉◉ **Auberge le Moulin de Callac** – *Le Moulin de Callac - 56420 Plumelec - ☎ 02 97 67 12 65 - moulindecallac@ wanadoo.fr - fermé 15 nov.-8 déc. et lun. sf de mars à oct. - ⚥ - 15 €.* Sur la terrasse ou dans la salle à manger rustique garnie de meubles bretons, vous vous régalerez d'un attrayant menu « terroir » ou de savoureuses crêpes et galettes réalisées avec des farines issues de l'agriculture biologique. Chambres coquettes, dont certaines avec terrassette privative, pour prolonger votre séjour.

En soirée

L'Océan – *4 pl. Gambetta - ☎ 02 97 47 22 81 - lemarinahotel@aol.com - 7h-1h.* Ce bar hôtel est situé face au petit port de Vannes. La terrasse est magnifique et donne sur la place Gambetta où les Vannetais se rassemblent après le travail.

Le Master – *R. Gilles-Gahinet - parc du Golfe - ☎ 02 97 46 09 00 - tlj sf lun. à partir de 14h.* Outre les douze pistes de bowling et les 13 billards (français, pools, snookers), le Master propose des soirées à thème (karaoké) et des spectacles. Discothèque « Le Bar-Bi », bar et petite restauration.

Que rapporter

Brasserie Mor Braz – *Zone St-Léonard Nord - 56450 Theix - ☎ 02 97 42 53 53 - www.morbraz.com - boutique : tlj sf dim. 9h-12h, 14h-19h, w.-end sur RV. Visite tlj - fermé j. fériés.* Un couple de brasseurs bretons passionnés fabrique de la bière à l'eau de mer ! Toute l'année, vous pouvez découvrir cette bière « pas comme les autres » à la fois douce et légèrement iodée. Visite de la brasserie sur rendez-vous (groupes) et dégustation.

Sports & Loisirs

Navix – *Parc du Golfe - ☎ 0 825 132 100 (0,15 €/mn) - www.navix.fr - avr.-sept. : 9h-18h - tour du golfe : 23 € ; Belle-Île-en-Mer : 29 €.* Croisières dans le golfe du Morbihan, l'une des plus belles baies du monde. Déjeuner et dîner-croisière, croisières-découverte du golfe et des îles du large (Belle-Île et Houat).

Notre-Dame-de-Becquerel - Association Le Forban du Bono – *56400 Le Bono - ☎ 06 72 58 68 76 (messagerie) - sur réserv.* Envie d'une sortie sur un vieux gréement ? Le *Notre-Dame-de-Becquerel*, ce « forban » (bateau de pêche traditionnel), embarque 10 personnes (sur réserv.) pour une promenade autour des îles du golfe et dans la baie de Quiberon.

Vitré

15 313 VITRÉENS
CARTE GÉNÉRALE F2 – CARTE MICHELIN LOCAL 309 O6 – ILLE-ET-VILAINE (35)

Vitré est la ville de Bretagne qui a le mieux conservé son aspect d'autrefois : remparts et ruelles n'ont guère changé depuis cinq cents ans. Bâtie sur un éperon, la « ville close » possède un beau château fort : fièrement campé à la pointe d'un promontoire, c'est un parfait exemple d'architecture militaire médiévale.

▶ **Se repérer** – Vitré se situe à l'intersection des D 857 et D 178. La première mène à Rennes (40 km à l'ouest) et la seconde relie Nantes à Fougères (30 km au nord).

🕐 **Organiser son temps** – Comptez une bonne demi-journée pour faire le tour de la cité, à prolonger par de petites excursions aux alentours.

👁 **À ne pas manquer** – La visite du château et des ruelles à ses pieds, puis le panorama sur la ville depuis les Tertres Noirs.

🖐 **Pour poursuivre la visite** – Voir aussi Fougères, Rennes et La Guerche-de-Bretagne.

La façade extérieure du château de Vitré.

Comprendre

Toiles de chanvre et bas de fil – Du 15e au 17e s., Vitré fut une des plus actives cités bretonnes. Ses draps de laine, ses toiles de chanvre et ses bas de fil se vendaient en France, en Angleterre, en Allemagne, en Espagne et jusqu'en Amérique et aux Indes. Groupés au sein de la confrérie des Marchands d'outre-mer, les commerçants vitréens construisent à cette époque les riches demeures à pans de bois que l'on voit encore.

La carrière de Pierre Landais – Vers le milieu du 15e s., Pierre Landais, tailleur d'habits de Vitré, est remarqué par le duc François II qui en fait son « garde-robier ». Habile, il poursuit son ascension, devient trésorier général du duché et conseiller du souverain de Bretagne. Méfiants à l'égard de ce parvenu qui fait abolir des droits féodaux, noblesse et clergé nouent une conjuration soutenue par le roi de France. Le duc se voit contraint de sacrifier son conseiller : Landais est saisi au château de Nantes. Soumis à la question, il reconnaît tous les chefs d'accusation et termine sa carrière au gibet de Nantes, en 1485.

Découvrir

LE CHÂTEAU★★

📞 02 99 75 04 54 - www.mairie-vitre.fr - juil.-sept. : 10h-18h, possibilité de visite guidée (1h) mai.-sept. : tlj sf mar. 10h-12h45, 14h-18h ; oct.-avr. : tlj sf mar. et dim. matin 10h-12h15, 14h-17h30 - fermé 1er janv., dim. de Pâques, 1er nov. et 25 déc. - 4 € (7-15 ans 2,50 €), billet combiné avec les 4 musées de Vitré, gratuit Printemps des musées.

CHÂTEAU DE VITRÉ

Le premier château datait du 11ᵉ s., il fut rebâti aux 13ᵉ, 14ᵉ et 15ᵉ s. L'entrée est défendue par un pont-levis et un puissant châtelet flanqué de deux grosses tours à mâchicoulis. À l'angle sud se dresse le donjon ou tour St-Laurent, à l'angle nord-est la tour de la Madeleine, et à l'angle nord-ouest la tour de Montafilant. Ces divers ouvrages sont reliés par une enceinte que renforcent d'autres tours.

Dans la cour, sur la droite, un porche roman **(1)** présente des claveaux de couleurs alternées (granit roux et schiste noir) ; l'hôtel de ville (1913) est adossé au front nord ; devant vous, remarquez, sur la tour de l'Oratoire, un joli oratoire Renaissance **(2)**.

La tour St-Laurent abrite, entre autres, des sculptures des 15ᵉ et 16ᵉ s. provenant de maisons de Vitré : une belle cheminée d'une maison de la rue de la Poterie a été remontée. On voit aussi le tombeau de Gui X, seigneur de Laval et de Vitré (15ᵉ s.), des tapisseries des Flandres (16ᵉ s.) et d'Aubusson (17ᵉ s.).

La tour de l'Argenterie conserve un cabinet de curiosités dont la collection d'histoire naturelle remonte à la fin du siècle dernier.

Quant aux 82 marches de la tour de Montafilant *(accès lors des visites guidées)*, elles mènent à une plate-forme d'où l'on a une superbe **vue★** sur la ville, les quartiers des Tertres-Noirs et du Bourg-aux-Moines, la Vilaine et une ancienne tannerie.

Rejoignez, par la courtine, la tour de l'Oratoire, où un beau **triptyque★** du 16ᵉ s. est orné de trente-deux plaques d'émaux de Limoges.

Se promener

CIRCUIT URBAIN★

Partez de la place du Château, prenez la rue Notre-Dame, puis tournez à droite.

Rue de la Baudrairie★★

Cette rue, qui tire son nom de la confrérie des baudroyeurs ou artisans du cuir, est la plus curieuse de Vitré. Chaque maison mérite d'être détaillée.

Rue d'En-Bas

On y voit de nombreuses maisons à pans de bois. Au nº 10 se dresse l'ancien **hôtel du Bol d'Or** (1513) dont la tourelle d'escalier flanquée d'un pavillon carré est fort curieusement coiffée.

À l'extrémité de la rue, au niveau d'une tour, prenez à gauche la promenade St-Yves. En arrivant place du Général-de-Gaulle, tournez à gauche dans la rue Garangeot.

On croise la rue Sévigné : au nº 9, hôtel du 17ᵉ s. *(en restauration)* appelé « tour de Sévigné » où habita la célèbre marquise.

Tournez à droite.

Rue Poterie

Elle conserve de pittoresques maisons à porches et à pans de bois. Remarquez particulièrement la **maison de l'Île**, au carrefour de la rue Poterie et de la rue Sévigné.

Rejoignez à gauche la place du Marchix, puis prenez à droite la rue Notre-Dame qui conduit à la place de la République.

SE LOGER		SE RESTAURER		Le Potager.......................⑩
Hôtel du Château..............①		Crêperie La Gavotte..........①		**INDEX DES RUES**
Minotel..............................④		Ferme-Auberge la Garde...④		Garengeot (R.)...................2
		Le Pichet.........................⑦		Gén.-de Gaulle (Pl.)..........3

Remparts★

Place de la République, la tour de la Bridolle (15ᵉ s.) est couronnée de mâchicoulis. Au sud de la ville, les remparts suivaient, un peu en retrait, l'actuelle rue de la Borderie, la place St-Yves et rejoignaient le château. Il n'en reste que des fragments, enclavés dans les propriétés. Au nord et à l'est, l'enceinte est toujours debout.

La rue de Paris, qui s'ouvre sur cette même place, conserve des maisons anciennes.

Sur la place de la République, franchissez une belle grille (à gauche) ; elle ouvre sur la promenade du Val qui fait le tour de l'enceinte. Vers le bas de l'allée, après avoir dépassé une ancienne barrière, prenez à gauche la rampe qui passe sous la poterne St-Pierre ; suivez la rue du Bas-Val, en montée, et tournez à droite en arrivant sur la place, puis à gauche dans la rue Notre-Dame.

Église Notre-Dame★

Édifice des 15ᵉ et 16ᵉ s. La partie la plus curieuse est la façade sud avec ses sept pignons décorés de pinacles, sa chaire extérieure et ses deux portes finement sculptées. À l'intérieur : nombreux retables et, dans le bas-côté droit *(3ᵉ travée)*, beau vitrail Renaissance figurant l'entrée du Christ à Jérusalem. *9h-19h - en cas de fermeture et en dehors des offices, on peut se procurer la clef auprès du sacristain M. Truffault, 27 r. des Castors - ℰ 02 99 74 52 30.*

Avancez-vous dans la rue Notre-Dame pour admirer, au n° 27, l'ancien hôtel Hardy ou de la Troussanais (16ᵉ s.) aux porches et lucarnes finement ouvragés.

Faites demi-tour et gagnez la place du Château.

QUARTIERS PÉRIPHÉRIQUES

Faubourg du Rachapt

Pendant la guerre de Cent Ans, ce faubourg fut occupé plusieurs années par les Anglais, alors que la ville et le château résistaient à toutes les attaques. Les Vitréens achetèrent le départ des envahisseurs, d'où le nom donné à l'agglomération.

Au pied du château, ce faubourg traverse la vallée de la Vilaine et escalade le flanc nord. En suivant la rue Pasteur, on a une vue panoramique sur la rivière et le **Pré des Lavandières** *(voir encadré pratique).*

Musée Saint-Nicolas

Entrez par la petite porte à gauche et longez la chapelle.
ℰ 02 99 75 04 54 - www.mairie-vitre.fr - juil.-sept. : 10h-18h, possibilité de visite guidée (1h) mai-sept. : tlj sf mar. 10h-12h45, 14h-18h ; oct.-avr. : tlj sf mar. et dim. mat. 10h-

*12h15, 14h-17h30 - fermé 1er janv., dim. de Pâques, 1er nov. et 25 déc. - 4 € (7-15 ans 2,50 €),
billet combiné avec les 4 musées de Vitré, gratuit Printemps des musées.*

Cette chapelle du 15e s. conserve des peintures murales des 15e s. et 16e s. et abrite
un musée d'art sacré. Le maître-autel en bois doré est du 18e s.

Tertres Noirs★★
*Accès par la rue de Brest et le chemin des Tertres-Noirs, à droite après le pont sur la
Vilaine.*

De ce terre-plein ombragé de sapins et de marronniers, on jouit d'une belle **vue★★**
sur Vitré, son site et son château.

Jardin du Parc★
Prenez la direction de Redon.

Agréable jardin de style anglais, très bien entretenu, avec plan d'eau.

Aux alentours

Musée de la Faucillonnaie
*À Montreuil-sous-Pérouse, 5 km au nord. Quittez Vitré en direction de Combourg et de
Fougères et suivez le fléchage - ℘ 02 99 75 04 54 - www.mairie-vitre.fr - juil.-sept. : 10h-18h,
possibilité de visite guidée (1h) mai-sept. : tlj sf mar. 10h-12h45, 14h-18h ; oct.-avr. : tlj sf mar.
et dim. mat. 10h-12h15, 14h-17h30 - fermé 1er janv., dim. de Pâques, 1er nov. et 25 déc. - 4 €
(7-15 ans 2,50 €), billet combiné avec les 4 musées de Vitré, gratuit Printemps des musées.*

Ce manoir des 15e et 17e s. (remarquez le bel **escalier** en bois) combine la présentation
de salles de ferme au rez-de-chaussée et le décor des maisons de maître à « l'étage
noble ». Beaux exemples de coffres.

Château des Rochers-Sévigné
*6,5 km au sud-est. Quittez Vitré en direction d'Argentré et de Craon. À 6 km de la ville, à la
sortie d'un bois, prenez à gauche l'allée du château - ℘ 02 99 96 76 51 - www.mairie-vitre.
com - juil.-sept. : 10h-18h, possibilité de visite guidée (1h) mai-sept. : tlj sf mar. 10h-12h45,
14h-18h ; oct.-avr. : tlj sf mar. et dim. mat. 10h-12h15, 14h-17h30 - fermé 1er janv., dim.
de Pâques, 1er nov. et 25 déc. - 4 € (7-15 ans
2,50 €), billet combiné avec les 4 musées de
Vitré, gratuit Printemps des musées.*

Construit au 15e s. et remanié au 17e s., le
château est formé de deux ailes en équerre.
Outre la chapelle construite en 1671 pour
le « bien bon » abbé de Coulanges, oncle
maternel de la marquise, on visite deux
pièces dans la grosse tour nord. Dans le
cabinet Vert, on voit encore quelques objets
familiers de Mme de Sévigné : des tableaux
de famille, son portrait et, dans une vitrine,
des autographes et divers documents.
Le **jardin à la française** a été refait d'après
les dessins de Le Nôtre. Au-delà s'étend le
grand parc boisé, traversé par des allées

René Mattes / MICHELIN

Le château des Rochers-Sévigné.

dont les noms évoquent la marquise et son
milieu littéraire : le Mail, la Solitaire, l'Infini… Le mur en hémicycle du jardin produit
l'écho que Mme de Sévigné appelait « ce petit rediseur de mots jusque dans l'oreille ».
Cet écho est double *(occupez les emplacements marqués par des pierres).*

La marquise de Sévigné aux Rochers

La marquise y faisait de fréquents séjours, beaucoup par raison d'économie, son
mari et son fils ayant dilapidé les trois quarts de ses revenus. À partir de 1678, elle y
demeure presque continuellement, mais elle s'éteint chez sa fille, à Grignan, dans la
Drôme, en 1696.
Les lettres de la marquise permettent de reconstituer la vie qu'on menait aux Rochers.
Lever à 8h, messe à 9h dans la chapelle, promenade, déjeuner. L'après-midi, travaux
d'aiguille, promenade, causerie, correspondance. Charles, le fils de la marquise, fait
la lecture dont les séances durent parfois cinq heures – on ne sait trop ce qu'il faut le
plus admirer : le souffle du lecteur ou la résistance des auditeurs. Dîner à 20h. Charles
reprend ensuite la lecture et le cercle se rompt à 22h, la marquise lit ou écrit dans sa
chambre jusqu'à minuit.

Champeaux★

9 km à l'ouest. Quittez Vitré en direction de Rennes. À 2 km de la ville, tournez à droite (D 29). La **place** du village compose un harmonieux tableau avec son église collégiale, sa mairie coiffée d'un grand toit à quatre pans, ses maisons, anciennes demeures des chanoines, groupées autour du puits du Chapitre.

La **collégiale** (14e et 15e s.), à nef unique, présente des **stalles★** à baldaquin de la Renaissance et une élégante porte de même époque qui donne accès à la sacristie, ancienne salle capitulaire. Deux beaux **vitraux★** Renaissance de fabrication rennaise retiennent également l'attention, l'un dans l'abside représente la Passion du Christ, l'autre dans la sacristie figure le sacrifice d'Abraham. Dans la nef, la chapelle de droite abrite un retable du 17e s. illustrant des scènes de la Passion, et celle de gauche une Vierge du 14e s., tous les deux en bois polychrome.

🐌 L'été, il fait bon flâner dans le **parc du Bois-Cornillé**, à 5 km au nord de Champeaux par Val-d'Izé. De grands paysagistes – les frères Bülher en 1872, puis Édouard André – ont donné rigueur et fantaisie à ce domaine où se cache un étang muré, avec ses chênes d'Amérique et ses petits ponts de bois. *℘ 06 07 79 11 32 - & - du 1er dim. de juil. au 1er dim. de sept. : 10h-19h - 3 € (enf. 1,50 €).*

Vitré pratique

Adresse utile

Office du tourisme de Vitré – Pl. du Gén.-de-Gaulle - 35500 Vitré - *℘ 02 99 75 04 46* - www.ot-vitre.fr - juil.-août : 10h-12h30, 1 4h-19h ; sept.-juin : 9h30-12h30, 14h30-18h sf lun. mat., w. end 10h-12h30, 15h-17h - fermé 1er janv., lun. de Pâques, Toussaint, 11 Nov. et 25 déc.

Visite

L'office du tourisme propose 9 visites-découvertes thématiques (1h30) à travers la ville. *juil.-août : 1 visite/j à 10h30 ou 15h et nocturne à 22h sur réserv. ; mai-juin et sept. : w. end - 5 € (+7 ans 2,50 €).*

Se loger

🛏 **Hôtel du Château** – 5 r. Rallon - *℘ 02 99 74 58 59* - http://perso.wanadoo.fr/hotel-du-chateau/ - fermé vac. de Toussaint - 24 ch. 36,50/51 € - 😋 6 €. Comme le laisse présager l'enseigne, ce petit hôtel familial est posté au pied du château. Certaines chambres bénéficient d'ailleurs d'une jolie vue sur cet édifice médiéval. D'importants travaux ont permis d'aménager un patio pour les petits-déjeuners. Accueil chaleureux.

🛏🍴 **Minotel** – 47 r. Poterie - *℘ 02 99 75 11 11* - 17 ch. 49/56 € - 😋 6,50 €. Idéalement située en plein quartier historique, bâtisse ancienne rénovée dont le décor intérieur évoque la pratique du golf. Chambres fonctionnelles et bien tenues.

Se restaurer

🍴 **Crêperie La Gavotte** – 7 r. des Augustins (dir. Fougères) - *℘ 02 99 74 47 74* - la.gavotte-vitre@wanadoo.fr - fermé 1re sem. de mars, 1re sem. de juin, lun.-mar. sf juil.-août et vac. scol. - 9,50/12 €. À défaut de vous initier à la fameuse danse bretonne, vous pourrez découvrir les galettes traditionnelles de blé noir, les crêpes de froment et les cidres régionaux dans le décor typique de ce restaurant situé au pied du château. Les produits biologiques y sont privilégiés.

🍴🍴 **Le Pichet** – 17 bd Laval - *℘ 02 99 75 24 09* - www.lepichet.fr - fermé 28 juil.-18 août, merc. soir, jeu. soir et dim. - réserv. obligatoire - 18/43 €. Dans une demeure en pierres de taille, salle à manger moderne et claire dont les larges baies vitrées s'ouvrent sur un jardin paysagé où l'on dresse quelques tables à la belle saison. En hiver, repas au coin du feu.

Une enseigne de crêperie.

Gilles Targat / MICHELIN

🍴🍴 **Le Potager** – 5 pl. du Gén.-Leclerc - *℘ 02 99 74 68 88* - restaurant_lepotager@wanadoo.fr - fermé sam. midi, dim. soir et lun. - 24/29 €. Ce Potager là est situé à deux pas de la gare. Expositions de tableaux et murs égayés de couleurs aubergine, orange et vert agrémentent le séduisant décor contemporain du restaurant où l'on sert une cuisine dans l'air du temps. Au bistrot, cadre charmant et formule renouvelée quotidiennement.

🍴🍴 **Ferme-auberge la Garde** – La Garde -35220 St-Didier - 12 km au SO de Vitré par D 857, dir.Châteaubourg et à gauche par D 105 - *℘ 02 99 00 90 09* - www.aubergeetfermeauberge.com - fermé 25 déc. - 🍴 - réserv. obligatoire - 17/30 €.

Foie gras, terrine maison, magret, confit, porc grillé au feu de bois et volaille de la ferme sont à déguster dans un cadre simple et une ambiance familiale sans chichi. Un bon cidre local pourra accompagner votre repas. Vente à emporter.

En soirée

👁 **Bon à savoir** – La rue d'En-Bas est la rue des bars et des restaurants. Plusieurs bars de nuit comme l'Aston Bar ou le Nain Jaune, sont très fréquentés par la jeunesse vitréenne.

Au Vieux Vitré – *1 r. d'En-Bas - ☎ 02 99 75 02 52 - tlj sf dim. et lun. 10h-1h - fermé j. fériés.* C'est la seule maison privée de Vitré classée monument historique ; la façade et la cheminée datent du 16e s. Signe des temps, c'est aujourd'hui un bar-pizzeria-crêperie, tenu par un couple chaleureux et dynamique.

Bar du Château des Rochers-Sévigné – *Les Rochers - ☎ 02 99 96 52 52 - golf.vitre@ wanadoo.fr - tlj 9h-19h - fermé 25 déc.- 3 janv. et lun. du 1er nov. au 31 mars.* Nul besoin d'être un adepte du green pour accéder au charmant bar du golf établi dans les anciennes écuries du château des Rochers, où séjourna régulièrement Mme de Sévigné. De la terrasse, vous pourrez admirer cette magnifique demeure tout en prenant un verre.

Sports & Loisirs

ANCPV – *Bassin de Haute-Vilaine - à Vitré, prendre la dir. Ernée - ☎ 02 99 76 74 41 - été : tlj sf w.-end 10h-12h, 14h-20h ; vac. scol. : 9h-17h ; hors vac. scol. : merc. et sam. 14h-17h - fermé déc.* Cette base nautique permet de pratiquer le dériveur, la planche à voile, et l'aviron… Location possible. Stages intiation et perfectionnement.

Pique-niquer

Le Pré des Lavandières offre un espace naturel qui permet de pique-niquer agréablement face aux anciens lavoirs. Autre possibilité, le Jardin du Parc, verdoyant jardin de style anglais étendu sur 7 ha et agrémenté, entre autres, d'un kiosque à musique.

NANTES : villes, curiosités et régions touristiques.
Bretagne, Anne de : noms historiques et termes faisant l'objet d'une explication.
Les sites isolés (châteaux, abbayes, grottes…) sont répertoriés à leur propre nom.
Nous indiquons par son numéro, entre parenthèses, le département auquel appartient chaque ville ou site. Pour rappel :
22 = Côtes-d'Armor
29 = Finistère
35 = Ille-et-Vilaine
56 = Morbihan

INDEX

CARTES ET PLANS

CARTES THÉMATIQUES

PLANS DE VILLES

PLANS DE MONUMENTS

CARTES DES CIRCUITS

Changement de numérotation routière !

Sur de nombreux tronçons, les routes nationales passent sous la direction des départements. Leur numérotation est en cours de modification.
La mise en place sur le terrain a commencé en 2006 mais devrait se poursuivre sur plusieurs années. De plus, certaines routes n'ont pas encore définitivement trouvé leur statut au moment où nous bouclons la rédaction de ce guide. Nous n'avons donc pas pu reporter systématiquement les changements de numéros sur l'ensemble de nos cartes et de nos textes.
👁 Dans la majorité des cas, on retrouve le n° de la nationale dans les derniers chiffres du n° de la départementale qui la remplace. Exemple : N 16 devient D 1016 ou N 51 devient D 951.

ViaMichelin

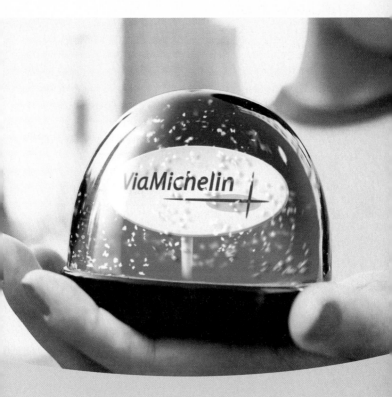

Votre meilleur souvenir de voyage

Avant de partir en vacances, en week-end ou en déplacement professionnel, préparez votre itinéraire détaillé sur www.ViaMichelin.com. Vous pouvez comparer les parcours proposés, sélectionner vos étapes gourmandes, afficher les cartes et les plans de ville le long de votre trajet. Complément idéal des cartes et guides MICHELIN, ViaMichelin vous accompagne également tout au long de votre voyage en France et en Europe : solutions de navigation routière par GPS, guides MICHELIN pour PDA, services sur téléphone mobile,...

Pour découvrir tous les produits et services :

www.viamichelin.com

Manufacture française des pneumatiques Michelin

Société en commandite par actions au capital de 304 000 000 EUR
Place des Carmes-Déchaux - 63000 Clermont-Ferrand (France)
R.C.S. Clermont-Fd B 855 200 507

Imprimeur : AUBIN, Ligugé
Compositeur : Nord compo, Villeneuve d'Ascq
Printed in France 12-06/9.1
Dépot légal : janvier 2007

QUESTIONNAIRE
LE GUIDE VERT

VOTRE AVIS NOUS INTÉRESSE...
TOUTES VOS REMARQUES NOUS AIDERONT À ENRICHIR NOS GUIDES.

Merci de renvoyer ce questionnaire à l'adresse suivante :
MICHELIN
Questionnaire Le Guide Vert
46, avenue de Breteuil
75324 PARIS CEDEX 07

En remerciement,
les 100 premières réponses recevront en cadeau
la Carte Locale Michelin de leur choix !

VOTRE GUIDE VERT

Titre acheté : ....

Date d'achat : ....

Lieu d'achat (librairie et ville) : ....

VOS HABITUDES D'ACHAT DE GUIDES

1) Aviez-vous déjà acheté un Guide Vert Michelin ?

    O oui   O non

2) Achetez-vous régulièrement des Guides Verts Michelin ?

    O tous les ans
    O tous les 2 ans
    O tous les 3 ans
    O plus

3) Sur quelles destinations ?
– régions françaises : lesquelles ?..

– pays étrangers : lesquels ?..

– Guides Verts Thématiques : lesquels ?...

4) Quelles autres collections de guides achetez-vous ?

5) Quelles autres sources d'information touristique utilisez-vous ?
O Internet : quels sites ?...

O Presse : quels titres ?..

O Brochures des offices de tourisme

VOTRE APPRÉCIATION DU GUIDE

1) Notez votre guide sur 20 : ....

2) Quelles parties avez-vous utilisées ?...
....

3) Qu'avez-vous aimé dans ce guide ? ....
....

4) Qu'est-ce que vous n'avez pas aimé ? ....
....

5) Avez-vous apprécié ?

	Pas du tout	Peu	Beaucoup	Énormément	Sans répon
a. La présentation du guide (maquette intérieure, couleurs, photos...)	O	O	O	O	O
b. Les conseils du guide (sites et itinéraires)	O	O	O	O	O
c. L'intérêt des explications sur les sites	O	O	O	O	O
d. Les adresses d'hôtels, de restaurants	O	O	O	O	O
e. Les plans, les cartes	O	O	O	O	O
f. Le détail des informations pratiques (transport, horaires, prix…)	O	O	O	O	O
g. La couverture	O	O	O	O	O

Vos commentaires ....
....

6) Vos conseils, vos avis, vos suggestions d'amélioration : ....
....

7) Rachèterez-vous un Guide Vert lors de votre prochain voyage ?

O oui   O non

VOUS ÊTES

O Homme   O Femme   Âge : ....   Profession : ....

Nom ....

Prénom ....

Adresse ....
....
....
....
....

Acceptez-vous d'être contacté dans le cadre d'études sur nos ouvrages ?

O oui   O non

Quelle carte Local Michelin souhaitez-vous recevoir ?

Indiquez le département : ....

Offre proposée aux 100 premières personnes ayant renvoyé un questionnaire comple
Une seule carte offerte par foyer, dans la limite des stocks disponibles.